economics | 经济读物

THE INVENTION OF ENTERPRISE

历史上的企业家精神

从古代美索不达米亚到现代

[美] 戴维·兰德斯（David S. Landes） 乔尔·莫克（Joel Mokyr）
威廉·鲍莫尔（William J. Baumol）◎编著
姜井勇◎译

Entrepreneurship from Ancient Mesopotamia to Modern Times

中信出版集团·CHINACITICPRESS·北京

图书在版编目（CIP）数据

历史上的企业家精神：从古代美索不达米亚到现代／（美）兰德斯，（美）莫克，（美）鲍莫尔编著，姜井勇译．—北京：中信出版社，2016.1

书名原文：THE INVENTION OF ENTERPRISE

ISBN 978－7－5086－5551－2

Ⅰ.①历…　Ⅱ.①兰…　②莫…　③鲍…　④姜…　Ⅲ.①企业家—研究　Ⅳ.①F272.91

中国版本图书馆 CIP 数据核字（2015）第 236294 号

历史上的企业家精神：从古代美索不达米亚到现代

编　著：［美］戴维·兰德斯　乔尔·莫克　威廉·鲍莫尔
译　者：姜井勇
策划推广：中信出版社（China CITIC Press）＋《比较》编辑室
出版发行：中信出版集团股份有限公司
（北京市朝阳区惠新东街甲 4 号富盛大厦 2 座　邮编　100029）
（CITIC Publishing Group）
承 印 者：北京鹏润伟业印刷有限公司

开　本：787mm×1092mm　1/16
印　张：43　　字　数：660 千字
版　次：2016 年 1 月第 1 版　　印　次：2016 年 1 月第 1 次印刷
京权图字：01－2011－6542　　广告经营许可证：京朝工商广字第 8087 号
书　号：ISBN 978－7－5086－5551－2/F·3497
定　价：88.00 元

目 录

"比较译丛"序
钱颖一 V
前 言
卡尔·施拉姆 VII
序 言 历史上的企业家
威廉·鲍莫尔 IX
致 谢 XV
导 言 全球企业和工业表现：一个概述
戴维·兰德斯 1
第一章 企业家：从近东起飞到罗马覆亡
迈克尔·赫德森 9
第二章 新巴比伦时期的企业家
科妮莉亚·温斯切 48
第三章 中东企业家精神：伊斯兰教制度的影响
铁木尔·库兰 76
第四章 中世纪欧洲的企业家和企业家精神
詹姆斯·穆雷 107
第五章 托尼世纪（1540—1640）：现代资本主义企业家精神之源
约翰·芒罗 129
第六章 荷兰共和国的黄金时代
奥斯卡·吉尔德布洛姆 188

第七章　企业家精神和英国工业革命
乔尔·莫克　220
第八章　英国的企业家精神：1830—1900
马克·卡森　安德鲁·戈德利　253
第九章　英国的企业家精神史：1900—2000
安德鲁·戈德利　马克·卡森　290
第十章　德国的企业家精神史：1815 年以后
乌尔里奇·文根罗特　326
第十一章　法国的企业家精神
米歇尔·豪　363
第十二章　美国内战前的企业家精神
路易斯·凯恩　394
第十三章　美国的企业家精神：1865—1920 年
内奥米·拉穆鲁　441
第十四章　美国的企业家精神：1920—2000 年
玛格丽特·格雷厄姆　481
第十五章　殖民时代印度企业家金融信贷供给的一项研究
苏珊·沃尔科特　529
第十六章　帝制晚期以来的中国企业家精神
陈锦江　561
第十七章　“二战”前日本的企业家精神：财阀的作用和逻辑
米仓城一郎　清水宏　597
第十八章　企业家精神的“有用知识”：历史的一些启示
威廉·鲍莫尔　罗伯特·斯特罗姆　627
作者列表　643
译后记　645
索　引　649

“比较译丛”序

2002年，我为中信出版社刚刚成立的《比较》编辑室推荐了当时在国际经济学界产生了广泛影响的几本著作，其中包括《枪炮、病菌与钢铁》、《从资本家手中拯救资本主义》、《再造市场》（中译本后来的书名为《市场演进的故事》）。其时，通过二十世纪九十年代的改革，中国经济的改革开放取得阶段性成果，突出标志是初步建立了市场经济体制的基本框架和加入世贸组织。当时我推荐这些著作的一个目的是，通过比较分析世界上不同国家的经济体制转型和经济发展经验，启发我们在新的阶段，多角度、更全面地思考中国的体制转型和经济发展的机制。由此便开启了“比较译丛”的翻译和出版。从那时起至今的十多年间，“比较译丛”引介了数十种译著，内容涵盖经济学前沿理论、转轨经济、比较制度分析、经济史、经济增长和发展等诸多方面。

时至2015年，中国已经成为全球第二大经济体，跻身中等收入国家的行列，并开始向高收入国家转型。中国经济的增速虽有所放缓，但依然保持在中高速的水平上。与此同时，曾经引领世界经济发展的欧美等发达经济体，却陷入了由次贷危机引爆的全球金融危机，至今仍未走出衰退的阴影。这种对比自然地引发出有关制度比较和发展模式比较的讨论。在这种形势下，我认为更有必要以开放的心态，更多、更深入地学习各国的发展经验和教训，从中汲取智慧，这对思考中国的深层次问题极具价值。正如美国著名政治学家和社会学家李普塞特（Seymour Martin Lipset）说过的一句名言：“只懂得一个国家的人，他实际上什么国家都不懂”（Those who only know one country know no country）。这是因为只有越过自己的国家，才能知道什么是真正的共同规律，什么是真正的特殊情况。如果没有比较分析的视野，既不利于深刻地认识中国，也不利于明智地认识世界。

相比于人们眼中的既得利益，人的思想观念更应受到重视。就像技术创新可以放宽资源约束一样，思想观念的创新可以放宽政策选择面临的政治约束。无论是我们国家在20世纪八九十年代的改革，还是过去和当下世界其他国家的一些重大变革，都表明“重要的改变并不是权力和利益结构的变化，而是当权者将新的思想观念付诸实施。改革不是发生在既得利益者受挫的时候，而是发生在他们运用不同策略追求利益的时候，或者他们的利益被重新界定的时候”*。可以说，利益和思想观念是改革的一体两面。囿于利益而不敢在思想观念上有所突破，改革就不可能破冰前行。正是在这个意义上，当今中国仍然是一个需要思想创新、观念突破的时代。而比较分析可以激发好奇心、开拓新视野，启发独立思考、加深对世界的理解，因此是催生思想观念创新的重要机制。衷心希望“比较译丛”能够成为这个过程中的一部分。

钱颖一

2015年7月5日

* Dani Rodrik, “When Ideas Trump Interests: Preferences, Worldviews, and Policy Innovations,” NBER Working Paper 19631, 2003.

前　言

在理解企业家精神时，历史的重要性不容低估。透过历史，我们可以看到它无与伦比的塑造力、修复力及各种现象的复杂性；我们能更好地认识创业活动随时间推移而千变万化的特性，更多地把握社会和制度的复杂架构对企业家精神的深刻影响；我们还能更广泛地认识到企业家精神对个体和整个社会的影响。

近年来，经济学家越来越关注企业家精神，而对企业家精神的历史研究则为此提供了补充。经济学家大量阐述了企业的创立、发展和消亡，制度对企业家精神的影响，企业家的人口统计学特征和个性特征，以及企业家精神在经济增长中的重要角色等。经济理论和模型为我们提供了许多洞见，但历史也为我们观察企业家精神提供了不同的视角。历史让我们能在更深层次上理解具体实例，探讨创业活动的各种特性，考究企业家欣欣向荣和不断壮大的环境，以及可能最重要的——领会和把握这些年来创新与企业家精神的模式和演变历程。

在增进对企业家精神的理解和鼓励创业活动中引领潮流的考夫曼基金会（Ewing Marion Kauffman Foundation），近年来将大量资源投入学术界的企业家精神研究，尤其关注经济学和历史研究。由于意识到企业家精神长期以来被历史学和经济学教科书所忽视，我们一开始就试图在学术界创建一门新学科。近年来，我们看到这项研究已远远超出了我们的早期目标。学术界对企业家精神的研究兴致盎然，所获得的成果不仅使我们受益良多，而且鼓励我们进一步深入研究。在考夫曼基金会，我们认为，公众要理解企业家精神对当今经济增长的重要性，就必须更好地了解历史上的企业家精神在经济增长中所扮演的角色。

特别地，作为追溯全球企业家精神演变历史的第一本著作，本书开拓了一个新的研究领域。本书跨越时空，为我们讲述了自美索不达米亚和新巴比伦到现在的企业家精神史，提供了来自中东、亚洲、欧洲和美国的大量见解。本书呈现的研究不仅证实了创业活动在整个历史上的普遍性，而且证实了它的历史变化以及对经济变迁和经济增长的更普遍的作用。

尽管各历史时期描述的创业活动千差万别，但它们之间也存在一些共性和共同主题。本书细致入微地剖析了影响企业家精神的各种变数。我们可以看到文化和宗教对企业家精神的不同影响，有时它们鼓励个人去追求创业梦想，有时却使这些创业梦想几乎不可能实现。我们对推动企业家精神的制度，包括合同法和专利体系，有了更多理解。我们认识到，促进经济增长的生产性企业家精神和利用各种机会谋取私利的非生产性企业家精神之间存在着冲突。最后，我们理解了复制型企业家与真正意义上的创新型企业家之间的区别，前者仅创造更多和自己所见相类似的业务，后者创造了新产品和新服务并改变了市场性质。正是这种理解使我们能从历史中获得大量公共政策方面的经验教训。我们发现了以往创业活动的“催化剂”和阻碍因素，从中了解到如何培育今天的创新型生产性企业家精神。

我们还可以在更宽泛的层面上，做进一步的解读：研究历史上的企业家精神，为我们开启了一扇窗口，便于我们理解跨文化、跨时间的创新与企业家精神的内在动力。虽然对企业家精神的解释多种多样，但它们之间的共性最终有助于我们理解人性和创业冲动。在这里，我们可以发现，自有记录的历史早期开始，人们一直对创造、创新和施展才华充满激情。我们知道，正是这种动力使人类社会得以达到目前的先进和复杂程度。

全面考察整个有记录的人类历史中的创业活动，为我们提出了新的研究方向，并鼓励我们沿着这条思路继续前行。事实上，本书每一章节都不过是特定时期和特定地区更深入复杂的企业家故事的一段序曲。更多地了解这些独特的历史时期，能使我们更好地理解企业家精神的驱动力、牵制企业家精神的障碍、企业家精神所产生的影响以及人类的本性。

本书也是考夫曼基金会新的“创新与企业家精神系列丛书”的第二本杰作。作为考夫曼基金会、伯克利加州大学创业研究中心（BCES）和普林斯顿大学出版社的合作项目，该系列丛书从跨学科、多方法的角度来研究企业家精神与创新。正如该系列丛书的第一本著作那样，本书既为该系列丛书设定了高质量标准和研究深度，又为其他历史学家提供了一个广泛的参考性研究议程。事实上，更深入地研究企业家精神不仅是洞悉政策问题的必要之举，还能使我们更好地认识自己是谁，我们是如何走到了当下。

卡尔·施拉姆

（Carl J. Schramm）

序　言

历史上的企业家

为什么要庆祝呢？他带了些什么胜利回来？
他的战车后面缚着几个纳土称臣的俘囚君长？
——莎士比亚《尤里乌斯·恺撒》，第一幕，第一场

本书的主旨

对不是历史学家的读者来说，阅读历史类书籍也许只是兴趣所致。这是因为，历史书中的故事人物往往比小说描写的还要英勇无畏、超凡脱俗。但是，赏心悦目并非本书的目的。相反，我们要研究一些假设，这些假设对社会整体福利的重要性非同一般。不幸的是，它们很难用诸如统计分析和受控实验等传统做法进行验证。似乎也只有历史才有望提供一些肯定或否定这些假设的证据。

简言之，第一个假设认为，如果没有企业家的参与，发明的实际应用价值及其对经济增长（至少在增长率和人均收入上）不可或缺的贡献，将远低于有企业家参与时的水平。但是，企业家的贡献远不止于此。若企业家精神只是“增长的另一种要素”，则数不胜数的发明无疑将“胎死腹中”。如果缺少企业家的参与，我们基本上无缘最近几个世纪以来史无前例的增长奇迹。第二个假设同第一个假设形成了鲜明对比。它认为企业家的活动并不总是生产性的，也不总是增长促进型的。事实上，企业家有时会破坏增长和繁荣。第三个假设认为，在任何特定时期的任何特定社会中，创业活动的作用方向都严重依赖于现行的制度安排，以及这些制度安排为促进、不促进甚至阻碍增长的创业活动所提供的相对报酬。构成本书的诸多研究，不仅出于对该主题的一般兴趣，而且试图对这三个假设进行阐释。

本文其余部分将略微深入地阐述上述假设，并解释为什么历史最有望为它们提供相关验证；也就是说，实证检验中常用的标准处理方法，在这一研

究领域可能并无用武之地。

不同创业活动的根本区别：一些假设

若人们单枪匹马地追求财富、权力和声望，我们便视之为正在从事创业活动。雇员替雇主做事的积极性通常是有限的，人们自主创业则不然，他们往往会表现出极大的积极性。显然，有两种重要机制在其中发挥了作用；为了方便，我们不妨称之为“再分配性企业家精神”和“生产性企业家精神”。前者的例子有很多，如侵略战争、盗窃、贿赂和寻租诉讼等。这里很重要的一点是，区别被认可的或合法的再分配形式（如对保护性关税的游说）和不被认可的再分配形式（如暴力犯罪）。即使在高度有组织的且“治理良好”的社会，也只有前者的践行者才能促进繁荣和赢得尊重。应该注意，许多这样的行为曾被认为是值得称赞的，其中的一些行为到目前仍然如此。事实上，竭力维护这些再分配秩序的人，通常会被看成英雄，受到人们膜拜。但在工业革命出现之前的几个世纪，情况开始发生了变化。在一些社会，尤其是佛罗伦萨和安特卫普，商人和金融家已深受人们的赏识。问题是这些城市通常很小，经常遭到贪得无厌的近邻的压制，特别是通过有害无益的再分配形式的压制。但在该时期之前，能提高经济体生产能力的创新型生产性创业活动似乎相对稀缺，也并未获得高度重视。

除看重凯旋的战士并轻视生产性努力的文化态度以外，还存在另一个支持再分配性活动的明确理由。从本质上看，成功的再分配性创业活动的报酬是显而易见的，而且也很直接。从敌对君主手中侵占的领土、扒手偷得的一个钱包或腐败官员收到的贿赂……对受益者而言，都是实实在在的收益。这同生产性企业家能获得的收益形成了鲜明对比，后者的贡献很大部分会被搭便车者攫取，过去如此，现在很大程度上仍是如此。[①] 对于提高了经济体生产

① Nordhause 给出了他对溢出效应的计算结果，表明创新者能获得的有效租金极为有限：“我用美国非农就业部门的数据作了估算，结果表明在创新产生的全部剩余中，创新者只能获得 2.2% 左右。这是因为，一方面创新者对创新收益的初始占有率非常低（约为 7%），另一方面熊彼特式利润的贬值率非常高（每年约为 20%）……在 1948—2001 年间，创新利润占资本重置成本的年均比率仅为 0.19% 左右。”（Nordhause，2004，第 34 页）

能力的人，其收益通常是非常模糊的，何时能获得这些收益也较难估计；更有甚者，那些盗取了大部分收益的搭便车者通常隐蔽得很好，他们深藏不露，伺机而动。事实上，若这样一个体系运行良好，则生产率提高带来的大量（也许绝大多数）收益将会流向消费者，通常是国外居民。

道格拉斯·诺思（Douglass North）的研究表明，制度安排在决定收益结构中扮演着重要角色，所谓收益结构是指从事社会中的不同创业职业（entrepreneurial occupations）所带来的相对报酬。若诺思的结论确实成立，而且很难说这个观点不成立，由此可以推断，这些制度对决定创业活动在再分配性职业和生产性职业的配置中发挥着主要影响。直到英国工业革命之前，绝大多数国家在绝大多数时期的通行制度，均倾向于支持经济体中富于创业精神的个人从事再分配性活动。因此，与资本主义兴起相伴而来的收益结构的变化，似乎可被视为工业革命之后史无前例的经济增长的重要原因。在工业革命前，历史上从未有过这么长期的人均收入的迅猛增长，因此长期的缓慢增长必须得到解释。如我们认识到的，历史上并不缺少惊心动魄的大发明时代。但是，为何生产率和产出仍这么低，且增长得如此缓慢？本书的主要目的就是阐释这些核心问题，这不仅有助于改善穷国当前的处境，而且有助于引领富国走向未来。

为何采用历史研究法？

早就有人认为，除历史研究有望为该领域的假设提供验证之外，不存在其他的证据和分析资料来源。因此，有必要概括说明为什么采用历史研究法。但是，首先必须强调，中肯地对企业家精神进行统计分析的困难很容易被夸大。事实上，最近已有大量的经验研究文献，对企业家的个性特征、他们的活动、融资需求及心理倾向和收入等进行研究。不过，这些文献并未被用来验证从正式和非正式理论中得出的假说，更没有得出有关创新型企业家行为及其结果的宽泛假说，比如上文已提及的那些。

缺乏这类研究的主要原因在于发明所固有的本质属性，即发明必须是某种之前从未存在过的事物。当然，许多（若非绝大多数）创新都是市场上已有事物的近似替代。无疑，它们之间存在差异，但正像雪花一样，即使各不相同，我们也会发现对它们进行一些统计分析，比如对专利和伟大发明家的传记进行统计分析，从中找出经验规律是不无裨益的。但发明终究必须是一种异质产品，这妨碍了两种标准统计分析方法的应用，即时间序列分析和截面数据分析。或者更一般地说，对相关性进行统计分析必须以足够多的同类样本为基础，以确保在两个样本集的变化中观察到的相互关系不会受偶然因素的影响。但是，就我们这里论及的创新型企业家行为而言，具有内在可比性的类似数据集通常并不可得。

也许有人已注意到，类似的困难不仅阻碍了绝大多数微观经济理论背后的最优分析，也有助于说明为何缺乏一个正式的关于企业家精神的微观理论。最优计算至少需要对可选的目标决策进行隐性比较，而富于创新精神的企业家做出的目标决策通常不是能根据可量化和可比较这两个特性进行选择的确定无疑的替代性备选方案集。相反，标准厂商理论的分析对象是有效运行的企业如何在可比选项中选择确定无疑的管理方案，在这样的企业里，企业家们已经完成了他们的使命，并离开这里开始创建新的企业。

鉴于理论和数据分析上的这些障碍，我们只能名正言顺地回到历史给我们提供的经验教训。当然，我们也意识到这种选择同样受制于各种不利因素。其中最严重的一点在于，我们不能对任何类似的事物进行受控试验，因此许多决定因素之间复杂的相互作用必定会影响观察到的事件或历史时期，使我们难以用直接评估的方法来分析这些事件和历史时期。但历史研究提供了其他研究不能提供的大量信息和见解。尤其是，它使我们可以思考与我们现今截然不同的社会环境，看看当时的人们是如何处世的。这非常类似于古生物学，在所有曾出现过的有趣物种中，只有极少部分存续到了现在，我们怎么才能知道关于巨蜥或10英尺长的树懒的生理机能呢？既然经济学的所有方法均存在缺陷和障碍，那就没有理由认为历史分析是一种毫无价值的研究方法。

因此，本书转向历史研究，试图从中了解企业家、发明及其传播和利用，以及它们对经济增长的影响。

一些新的结论

政策设计者可以从阅读本书中获得许多经验教训，这些经验教训可能有助于表明哪些制度和制度修正有望改善公共福利，促进发明和创新。但我们希望普通读者也能开阔眼界、陶冶情操，获得美的享受。例如，本书得出的一个新结论是：在现代以前，那些处于生产性发明大繁荣时期的最具创造力的社会，在将这些发明用于实践时通常表现得很糟糕。亚伯拉罕·林肯（Abraham Lincola）引用了罗马帝国的例子，尽管亚历山大港的古希腊数学家赫龙（Heron）发明了实用型蒸汽机，但除了作为玩物外，它并未被用作任何有突破性意义的生产工具。当然，军事发明和一些小玩意（多数由赫龙发明）得到了利用，它们被罗马祭司用作向信徒宣扬神力的手段。更令人震惊的是唐宋时期的中国，当时中国出现了大量的发明，如纺车、壮观的天文钟、印刷术和扑克牌等。确实，中国的许多发明，比如印刷术、纺织、造船和液压技术均得到了应用。但是，制度安排并未使这些发明结出硕果。与之形成鲜明对比的是，更早期的美索不达米亚和中世纪晚期（特别是12—13世纪）的欧洲，它们有着辉煌的建筑发明，创造性地将水磨（除用于研磨谷物外）用于锯木材和锻压金属、布料精加工、去橄榄核及其他事务；当时用到的水磨如此之多，以至塞纳河出现了交通阻塞。我们的基本假说看似能解释这一悖论：占有发明的人在应用发明时通常表现平平。这些假说表明，发明得不到应用的原因在于，发明得不到相应的报酬。在所有这些时期，主要报酬都给予了军用发明：更好的装甲、更好的城堡设计和一个能使长枪骑士更有效地策马前行的马镫。人们普遍认为，就铁、马、建筑和液压技术甚至食物保存均是“寻常”技术而言，存在的溢出效应或者军用和民用技术之间的界限比如今更模糊。有些时候，宗教当局会给发明提供报酬，因为它们试图寻找那些能让信徒相信宗教魔力的设备。

这里的一番话只是为了吸引潜在读者阅读本书。本书给出了许多理念和洞见，本序言所提供的只是寥寥几个而已。

威廉·鲍莫尔

致 谢

编撰本书的想法源于罗伯特·斯特罗姆和威廉·鲍莫尔之间的一席谈话，当时斯特罗姆受邀讲授一门企业家精神的课程。当我们讨论该课程的素材以及将企业家精神置于历史背景下进行研究的方法时，便形成了本书的理念。

由于我们都不是历史学家，需要帮助是不言而喻的。我们决定寻求其他首屈一指的学者一起撰写本书，因此很快想到了戴维·兰德斯和乔尔·莫克。不可思议的是，两人均坦诚地接受了我们的邀请。他们经过深思熟虑后，列出了本书大纲，乔尔还整理出一份潜在作者的名单。我们又一次很高兴地发现绝大多数作者很快接受了邀请，并对书稿的撰写计划表现出极大的热情。

为确保本书不是一本各类无关论文的拼凑之作，我们和编者拟定了一份需要作者处理的主题列表，当然这些主题允许有一定的灵活性。2006 年 10 月在纽约大学召开的作者研讨会上，我们从主题内容和逻辑一致性两个方面对各章的草稿展开讨论和交流。经过一年多的修改和编辑，我们希望已成形的本书既具有启发性，又不乏可读性和连贯性。

尽管多数时候需要繁重的工作，但这项任务也是一种极大的乐趣，我们两人之间日益增进的友谊无疑是一项丰厚回报。除了自己的努力外，我们还要感谢阿丽思·弗雷利奇（Alyse Freilich）的宝贵贡献：她认真通读了全稿，细心且善解人意地对原稿进行编辑加工，最终把它们交付给出版社。多年来深受我们爱戴的同事苏·安妮·布莱克曼（Sue Anne Blackman）原本受委托督促本书的整个编写过程，在她不幸辞世后，阿丽思·弗雷利奇给了我们极大的安慰和实实在在的帮助。她和鲍莫尔在纽约大学的得力助手贾尼斯·刘易斯（Janeece Lewis），为本书的最终成形付出了大量心血。

我们还要向普林斯顿大学出版社的同仁致以诚挚感谢，他们和我们早有合作，因此他们的有益帮助总是显得那么自然。最后，考夫曼基金会也给了我们巨大的帮助，它不仅为本书的出版提供了非常鼓舞人心的支持，也许更重要的是，它将本书列为考夫曼基金会“创新与企业家精神系列丛书”的第二本。在此，谨一并致以衷心感谢！

威廉·鲍莫尔　罗伯特·斯特罗姆

导言　全球企业和工业表现：一个概述

戴维·兰德斯

西方的企业家精神和技术进步可追溯至几个世纪前，它们使世界面貌大为改观。尽管并非所有人都认可，但这至少是对历史记录的一种评价。一些不认同西方必胜论或诉诸亚洲（主要是中国）傲慢和优越论的学者认为，工业革命是企业家精神史上近期才产生的现象，并把它视为幸运事件（或不幸事件，取决于人们的价值观）。在他们看来，工业革命可以发生在任何地方，它只是碰巧出现在欧洲或英国，而且很大程度上要拜政治上的有利形势所赐，这些国家的海外霸权又强化了这种有利形势。从贸易、工业和技术在世界范围内的扩散来看，全球化来得甚至更晚（“二战”以后）。

但是，新近对比较世界史的研究和反思表明，全球贸易应追溯至1000年前中世纪晚期的亚洲和当时欧洲的经济发展，以及随着非洲的转型和欧洲船舶驶入亚洲水域而来的世界开放或同时发生的欧洲对美洲的入侵。① 随后几个世纪见证了西方逐渐变得比世界其他地区更富裕，它不仅超越了以往的世界领袖，而且在遥远的国度建立了殖民帝国，而所有这些均建立在更先进的科学知识、工业技术和商业企业的基础上。这种差距，以及落后地区对差距的反应——极度憎恨傲慢无礼、居高临下、慈善或无情、利欲熏心或掠夺成性的西方霸权，深刻影响了此后的绝大部分历史。

他们把富国和穷国之间的差距视为富国的过错，并把穷国的缺陷和弱点看成是其他人所作所为的结果。特别地，他们觉得发达的工业化国家并未用自己的实力帮助弱国，反而以此剥削和侵略弱国。因此，成功的帝国主义是罪恶势力。

① 关于早期亚欧贸易和发展情况的一种新的重要分析方法，参见Gordon（2008）。

但是，更领先的工业化国家取得的成就激起了其他后起国家的模仿和效法。他们希望通过这些新途径积累金钱财富。然而，愿望并不等于现实。模仿不仅需要一定的知识、拥有组织生产和让生产合理化的能力，而且需要睿智、活跃的企业家精神以及对财产和变革的法律保护。人们发现，最具备相应条件的国家多分布在西方世界，如爱尔兰岛、斯堪的纳维亚半岛、中东欧部分地区、加拿大及拉美部分地区，这些地方此前都曾因政治不幸和文化障碍而没能走上新道路。

一般来说，如果一个国家或地区能充分利用活跃的贸易和创业自由所带来的机会，那这个国家就能表现得最好，哪怕它通常面临着各种官方约束。这类国家最能吸引外国的技术进步和投资。但是，它们之所以能做到这一点，并不是因为它们遵从了富裕地区的专家所提出或强加的“药方”。成功的创业活动的本质在于创造性的想象力和行动力。

近东和远东亚洲的古老中心——伊斯兰世界、印度和中国——缺乏企业家精神赖以存在的文化和制度基础。更糟糕的是，它们往往安于传统世界，那里没有令人不安和令人不快的挑战。[②] 中国和中东的阿拉伯世界都曾抵制创新、将经济落后归咎于他人，举国上下仇视这些始作俑者。坚守相对于周边“蛮夷”的文化、道德和技术优越性，拒绝向被贬抑为“卑劣者”的人们学习，抑或只是拒绝学习，上述国家和地区使自己陷入贫困，并完全丧失了创造力。傲慢是一剂毒药，如古谚语所言，“骄傲使人落后”。

中国曾是最富裕和最值得自豪的文明社会。面对狂妄自大和贪婪的“蛮夷”，中国人表现得非常糟糕，沉溺于优越感使他们对机会置若罔闻。[③] 安格斯·麦迪逊（Angus Maddison，1991，第10页）的估算讲述了一个明确无误的故事，如表Ⅰ-1所示。

表Ⅰ-1　中国与西欧及其海外扩展

	人均GDP（以1985年美元计）		人口（百万）	
年份	西欧	中国	西欧	中国
1400	430	500	43	74
1820	1 034	500	122	342

② 特别是关于中国的，参见 Landes（2006）。

③ 关于中国企业家精神史的宽泛讨论，参见本书陈锦江撰写的第十六章。

（续表）

	人均 GDP（以 1985 年美元计）		人口（百万）	
年份	西欧	中国	西欧	中国
1950	4 902	454	412	547
1989	14 413	2 361	587	1 120

中国人拒绝同他人交流思想导致他们比潜在进步滞后了近 400 年。西方汉学家（真正的亲华者）试图尽可能推迟西方的进步历程或将其归功于幸运事件，或最小化西方进步的程度和影响，以此来宽慰中国人。但对于我在这里强调的“西方”，中国人自己很清楚。正因为中国人心里很清楚，他们现在已开始奋起直追。④

人们也可以在中东的伊斯兰世界、阿拉伯地区和奥斯曼帝国看到相似的故事。⑤ 这些地区曾是建立在科技领先之上的世界经济增长中心，曾是西方世界的“老师”。但宗教价值观糅杂着政治意识形态令人痛心地损害了生产率，这也说明那里的贫困是自己造成的，不能归咎于他人。结果便是极度僵化和满腔怨恨，这又导致伊斯兰教的大部分教义抵制西方并试图重拾所谓穆罕默德时代优越的价值观。

因此许多伊斯兰国家和伊斯兰社会竭尽全力地反对西方化，将西方化看作是物质腐败的过程，是用传统美德来祭奠自我放纵。这种防御性的闭关自守导致它们在世界上处于落后地位。毕竟，伊斯兰文明和伊斯兰统治者曾是亚欧世界的知识和文化领袖。就其智识而言，若 1000 年前就有诺贝尔奖，则不管哪个领域，它们无疑会被大量授予穆斯林（Pipes，2002，第 4 页）。（就此而言，可将诺贝尔奖得主视作当前和未来科学与工业表现的“晴雨表”，如日本过去 3 年就有 4 人获得诺贝尔奖。）⑥

那么，伊斯兰世界的表现究竟为什么乏善可陈呢？⑦ 我们在这里给出了一

④　关于一个不切实际的反欧洲中心论的亲华观点，以及对 Landes 不乏冷嘲热讽的著述，参见 Wright（2000，第 12 章），“神秘的东方”（The Inscrutable Orient）。更不切实际的新著参见 William Menzies 的 *1434*（2008）。

⑤　关于穆斯林企业家精神更详细的讨论，参见 kuran 撰写的本书第三章。

⑥　*International Herald-Tribune*，2002 年 10 月 14 日。

⑦　这是 Bernard Lewis 的书 *What Went Wrong*?（2002）的章节标题。

个关于防御性地拒绝学习、系统地抑制好奇心以及热衷于复仇和怀旧的案例研究。诚然，伊斯兰教不乏多样性和多元化。土耳其、马来西亚和印度尼西亚的穆斯林截然不同于中东阿拉伯地区、阿尔及利亚、巴基斯坦或苏丹北部地区的穆斯林（下文还会回到这点）。但几乎所有地区都推行专制或威权统治，很难容忍异己。统治者和权贵成功地压制了思想开放的持异议者，后者意识到他们的人身安全取决于自己的谨言慎行或能否同更开放的文化分道扬镳，有时这样做也还不够。

结果，许多伊斯兰国家和社会，特别是那些位于阿拉伯腹地的伊斯兰国家和社会，发现自己在政治实力和物质财富上几乎不可避免地每况愈下。不过，地理方面的意外发现，尤其是作为发动机和汽车燃料的宝贵石油这一重要资源的丰富储藏在一定程度上减缓和掩盖了这一恶化过程。阿拉伯国家由此获得了与其人口、财富乃至国家行为极不相称的政治地位。

面对挑战和衰落，伊斯兰世界不是积极应对，而是予以拒绝并强化传统，而且往往强化文化中极不利于发展的那些方面。他们对欧洲技术和商业成就的回应更是如此，在他们看来，这些成就是对道德正义的无情背叛，而且不恰当地颠覆了合理的历史关系。伊斯兰世界的回应，包括愤怒的暴力、难以言状的憎恨，是和它作为一个荣誉导向的男性社会相称的。在伊斯兰世界内部，这种对挑战和机会的消极回应带来了精神和心理上的慰藉。但其经济后果却是灾难性的，因为愤怒和不平等会“杀死”信任。信任在陌生人之间不可或缺，缺乏信任制约了商业企业和创业活动的潜在扩张。穆斯林和非穆斯林少数族裔之间尤其需要建立信任关系。

确实，伊斯兰世界也有表现较好的地区，如印度尼西亚、马来西亚和新加坡（均属亚洲国家）。但它们的成功很大程度上得益于相对宽松的宗教教义和多元文化群体，特别是非伊斯兰中国移民企业家的大量存在。由中规中矩的穆斯林掌管经济，其他文化群体就会受到全面的敌视，例如排外就已是土耳其经济政策的一个原则。但是，亚洲人已经领悟到开放和自由企业家精神的价值。不过，伊斯兰教依然重要，在马来西亚，人们心照不宣地认为，非伊斯兰（中国的）企业家应当保持低调谦恭，尽管那里的经济增长很大程度上归功于华裔的贡献，但穆斯林却居功自傲。

拉美和非洲虽然同属落后地区，但拉美的情形要复杂得多。一些国家表现较好，如巴西、阿根廷（时好时坏）、哥伦比亚和智利。像中东国家一样，这些成功建立在大自然的意外慷慨之上：贵重的原材料、特别适宜谷物种植的草原土地、具备工业价值的丛林植物，尤其是橡胶。但是，这些国家大体上仍未能将不断提高的生产率同生活和收入水平的相应提高融为一体。少数国家较富裕，更多国家则很贫穷，陷入了可追溯至殖民时代的不平衡的制度安排中，那时少数特权白人征服者统治着被打败的幸存原住民，然后迫使穷苦移民（最好且往往是受迫害的罗马天主教徒）为痛苦乏味的城市化进程干苦力。这些国家在法律上是民主和议会政体，但实践中往往偏离原则，内部和平与秩序并不稳定。从阿根廷的身上，我们再次看到了市场和企业家精神之间的脱节：阿根廷一度备受发达工业化国家的艳羡，但最近的困境表明它是一个本质上不稳定的经济体。就此而言，拉美仍是一个大问号。

非洲提供了经济失败最极端的例子。首先，地理环境对工作和努力并非很有利。空调将带来巨大改善，甚至可能吸引外来企业和劳动力，但它需要投入成本，而非洲人民并无多少钱。慈善人士将希望寄托在富人的补贴上，特别是对生产性资本投资的补助。但是，迄今为止，这些希望都落空了，这部分是由公共管理不当和腐败所致。非洲成了人才外流和资本外逃之地，在非洲取得成功成了离开非洲的“门票”。

同时，耽于自身技术和政治优越性的发达国家，越来越倾向于向劳动力廉价地区出口就业机会。这类事情无时无刻不在发生，因为企业家本身是以赚钱为目的的，在工资更低的情况下他们能获得更高利润。只需读一下无袋式真空吸尘器的发明者詹姆斯·戴森（James Dyson）的故事就能明白。戴森的英国公司在不到10年内就制造了800多万台吸尘器，仅在2000年销售额就达到了3.16亿美元，其资本市值估计可达7亿美元。但到2002年，该公司计划将所有真空吸尘器的生产转移到亚洲。毋庸置疑，这一决策引发了强烈抗议。但戴森将这些反对意见斥为非理性：“我在这项业务中投入了4000万英镑，试图在这里进行生产。但是，我必须尊重经济规律。作为一家企业若要存活下去，我们必须将工厂迁往制造业有利可图的地区。我并未背叛任何人。”⑧

或者不妨考虑宝丽来（Polaroid）公司的例子，该公司几年来一直依托马

⑧ *International Herald Tribune*，2002年2月22日。

萨诸塞州的一家工厂。该工厂于2002年夏停产，生产作业被迁往墨西哥和荷兰的新工厂。搬迁决策源于一个收购了宝丽来且更看重利润而非国民情绪的投资集团。毫无疑问，工人们很是恼火。他们中的一些人已在宝丽来公司工作了几十年，从未想过公司会迁出马萨诸塞州。马萨诸塞州政府秘书长开始调查该公司的搬迁计划，该计划要求员工购入公司股份，随后又在未经员工同意的情况下出售了股份。他评论道："我认为这是相当阴险的做法，公司就像一辆在地下拆车厂被'肢解'的失盗汽车，而员工的手里还拿着备用胎。"⑨

工作出口（job export）的新近举措并不局限于西方发达的工业化国家。当日本本田汽车公司宣布打算在中国建立工厂，既为中国市场也为全世界出口市场生产汽车时，他们的辩词是，这样做不仅能使汽车质量和日本制造的汽车相当，而且成本会降低20%。⑩

这种工作转移（"外包"）过程是当代企业家精神和全球化的一个重要方面。全球化对许多人来说是一个可怕的词，因为它会引起极端的负面回应。若某人仅依据最近关于该主题的大量论述形成判断，他可能会认为全球化是20世纪晚期的发明，是进一步的剥削，是对和平与幸福的国际冲击。但是，正如我们看到的，全球化过程可追溯至几个世纪以前，随着技术和社会机会的变化、商业企业的起落、战争与和平局势的变幻不定，全球化的强度也在不断变化。它并不是一个理想或一种意识形态，它只是对财富的追求。

如今，我们生活在一个经济活动全球化极其活跃的时代。这是一件好事，对那些依赖输入这些活动来实现追赶的穷国而言，更是如此。全球化是落后国家向发达国家学习的一种方式，也是穷国摆脱贫困的途径。考虑到这些整体上的（最终的）有益效应，为何会出现抵抗和愤恨？愤怒的骚乱和批评的洪潮又缘何产生？

一个原因是对结果的沮丧。"贫穷"，丹尼·罗德里克在一篇见解独特且颇有说服力的文章中写道，"是起决定性作用的问题"（Dani Rodrik，2002，第29页）。尽管西方富裕国家的经济学家和政府机构（国际货币基金组织和世界银行等）做出了艰苦的努力，帮助最贫困的国家开展那些被认为能促进

---

⑨ *Boston Globe*，2002年4月20日。

⑩ 参见James Brooke在*New York Times*上的文章，2002年7月11日。

发展的事情，但这些国家的表现仍差强人意。几乎所有非洲国家都陷入了失败、腐败和弊病丛生的泥沼。拉美国家经历了兴衰成败的交替，见证了经济增长率低至历史均值以下。一些前社会主义国家，虽曾有望在新获得的自由中繁荣昌盛，却以不断下降的人均收入告别了20世纪。即使南亚和东南亚所谓的奇迹经济体也出现了倒退现象。

确实，从全球层面看，贫困已大幅下降，这是因为世界人口最多的两大国家表现良好。20世纪70年代以来，中国实现了将近8%的年均GNP增长，在2005—2006年，印度的GNP增长从原来的1.5%上升至9%。中国和印度的贫困人口总和约占世界贫困人口的一半，因此两国的发展产生了总体上为正的结果。这些发展成就对各自国家的人民意味着什么呢？只需看看预期寿命就一目了然。1960年，中国的人均预期寿命仅为36岁，到1999年该数值已上升至70岁，几乎同美国相当。

即使不是大多数，也有许多第三世界国家或南方国家反对北方国家，将全球化视作西方国家向其他地区实行后帝国主义统治和剥削的一种工具或借口。这一点也没错，因为差距显然在拉大，谁是罪魁祸首呢？更令人苦恼的是，伴随着商品入侵而来的文化征服和毁灭：电影、音乐、艺术和建筑、男女英雄人物、时尚潮流、家装家具、快餐饮食文化和礼仪规矩等。全球化“吞噬”了所有地区，任何国家都未能幸免。⑪

成王败寇的观念又强化了这些反应，曾经是统治者和领导者的国家或地区，如今被晾在一边，沦为下层且饱受屈辱。自我标榜的受害者们说，西方统治着整个世界，为所欲为，随心所欲地犯下滔天罪行。以往的帝国可能早已解体，但帝国主义思潮继续滋生着战争罪犯。他们说，阿富汗、伊拉克、巴勒斯坦、黎巴嫩和叙利亚等地遭受的欺凌和压迫便是证据。由此，对美国人和犹太人（或被视为美国代理人的以色列人）的仇恨日益弥久，不断加深。于是，无限放纵野蛮的暴行被辩解为弱者反抗强者不得已而采取的合法手段。因此就有了蓄意杀害贫民的行为，就有了让儿童携带武器对非战斗人员发动自杀式袭击并加以颂扬的行为。这种推理认为，弱者的所作所为总是对的。

应该怎么做？我们并无简单明了的答案，显然也没有一个总是有效的解

⑪ 在2002年3月4—5日德国国际开发基金会（GFID）于柏林召开的一场政策论坛上，我和黎巴嫩报纸（*Assafir*）的文化版编辑Abbas Beydoun有过一次谈话，这次谈话帮助我形成了该观点。

决之道。但若政治上可行的话，部分答案将是提高对国内创业活动的激励。旨在学习他人的成功经验，并引进适当的外国实践和游戏规则以满足本国环境和文化要求的创业活动无疑不可或缺。因为只有通过引进更有效的机制来提高本国生产率和产出，才能减少贫困。当然，这并非全部答案，即使如此，历史证据也表明要做到这些并不容易。本书旨在汇集一些相关的历史事实，给出一些历史教训。我们希望本书不仅能为读者提供一些有趣的见解，也能让读者享受阅读并获得有价值的知识。

参考文献

Gordon, Stewart. 2008. *When Asia Was the World*. Cambridge, MA: Da Capo Press.

Landes, David S. 2006. "Why Europe and the West? Why Not China?" *Journal of Economic Perspectives* 20, no. 2: 3–22.

Lewis, Bernard. 2002. *What Went Wrong? Western Impact and Middle Eastern Response*. New York: Oxford University Press.

Maddison, Angus. 1991. *Dynamic Forces in Capitalist Development: A Long-run Comparative View*. New York: Oxford University Press.

Menzies, William. 2008. *1434: The Year a Magnificent Chinese Fleet Sailed to Italy and Ignited the Renaissance*. New York: William Morrow.

Pipes, Daniel. 2002. *Militant Islam Reaches America*. New York: Norton.

Rodrik, Dani. 2002. "Globalization for Whom?" *Harvard Magazine*, July–August, 29–31.

Wright, Robert. 2000. *Nonzero: The Logic of Human Destiny*. New York: Pantheon.

第一章　企业家：从近东起飞到罗马覆亡

迈克尔·赫德森

一个世纪前，经济学家只能猜测企业是如何起源的。设想创业个体受亚当·斯密论述的“以货易货”天性驱使而在古代贸易中扮演重要角色，似乎颇符合逻辑推理。如今，当考古学者挖掘出一处公元前1200年的迈锡尼希腊遗址，并从某建筑物中找到许多存有会计账簿的储藏室时，该建筑物即被冠以“商人府邸”之名，而不是公共行政中心。[①]

马克斯·韦伯（Max Weber）认为，追求社会地位的动机可能支配了人们的经济动机，这种观点似乎并不流行。马克思主义者和商业作家采用的唯物主义史学研究法假设，经济因素决定了社会地位和政治权力，而不是相反。企业产生的基础条件被视为由一些不受时间影响的因素构成，它们是货币、为计算收益记账、信贷以及基本的合约形式。人们通常把公共机构视为经济主体，并认为它们构成了企业的管理成本，不仅降低企业效率，而且无益于企业发展。很少有人认为神庙和宫廷（temples and palaces）在企业的起源中起到了促进作用，更别提在商业企业的生产、筹资或谋划中扮演关键角色。更少有人认为统治者管制市场、取消个人债务和禁止土地转让曾增进了繁荣。

但是，过去一个世纪以来对楔形文字记录的翻译和传播改变了这些观念。最近十年来，许多学术研讨会对古代美索不达米亚和其他近东地区的企业起源做了大量研究和探讨［特别是，参见 Dercksen，1999；Bongenaar，2000；Zaccagnini，2003；Manning 和 Morris，2005；以及更早些的 Archi，1984；Sasson 等人所著的 1995 年出版的《古代近东文明史》（*Civilizations of*

---

① Hudson（1996a，1996b）探讨了商人和企业的公共角色和私人角色。

the Ancient Near East)]。我们自己的研究团队——古代近东经济国际学者研讨会（ISCANEE）——主要研究了以下方面的问题：公共或私人资产（Hudson和Levine，1996），城市和农村土地市场的出现（Hudson和Levine，1999），债务惯例和社会对债务导致的经济负担的处理（Hudson和Van De Mieroop，2002），账目管理及统一价格和货币度量衡的出现（Hudson和Wunsch，2004）。研讨会的研究成果已得到许多相关专著和论文的支持，为学术界提供了一个关于商业企业起源的复杂视角。

不管老一辈研究者对古希腊经济组织的定性是“古老”、“原始”或“颇具人类学意义”（如Karl Bücher、Karl Polanyi和Moses Finley所声称的）还是“现代”（如Eduard Meyer和Mikhail Rostovtzeff所声称的），这种意识形态上的分歧已渐居其次，大量涉及经济事务的近东拓片和碑文已经获得自由翻译和传阅［芬利（Finley，1979）收集了包含近东上百年相关历史数据的基本文档，最近的讨论参见Manning和Morris（2005）］。半个世纪前，波拉尼和芬利（Polanyi和Finley）对利用“现代主义”观念研究古代社会提出了批评，他们认为古代社会并未展现出诸多创业特征，而是更多地按照“传统”的官僚化体制的一个组成部分运行。强调东方专制政体的“准马克思主义理论”（quasi-Marxist theory）甚至更加极端。然而，近几十年的学术研究已抛弃了这些观念，它们发现在古代社会中也存在许多创新型的经济实践（Hudson，2005，2006）。

现在，人们普遍认为，演变成古典时期（classical antiquity）基本商业惯例的绝大多数技术和方法，如货币、统一度量衡、测算工具、账目管理和编制年度报表所必需的价格（Hudson和Wunsch，2004）、利息收取（Van De Mieroop，2005；Hudson和Van De Mieroop，2002）以及公共机构和私营商人之间的利润分享制度，涉及长途贸易、土地租赁、作坊生产和啤酒零售销售让利等（参见Renger，1984，1994，2002），在公元前第三个千年近东青铜时代的神庙和宫廷中已经产生。亚述学家（assyriologists）如今已广泛使用“企业家”这一称谓来指代公元前第二个千年初期到埃吉贝（Egibi）家族和穆拉舒（Murashu）家族统治时期（公元前7世纪—前5世纪）亚述人和巴比伦人中出现的塔卡木（tamkarum）“商人”，塔卡木商人发明了管理财产及为宫廷和军队供应补给品的新商业策略。

这些做法起初只是为了获得纺织品、金属制品和其他劳动密集型产品的出口盈余，以便有财力进口美索不达米亚南部地区（今天的伊拉克）缺乏的其他原材料。公元前第二个千年间，这些技术通过乌加里特港和克里特岛向西扩散至迈锡尼的希腊地区。公元前1200年前后，迈锡尼文明覆亡，随之而来的是漫长的黑暗时代，在黑暗时代结束后，航海商人终于把这些技术带到希腊和意大利。约在公元前750年，希腊人和意大利人开始有限地将这些技术应用于商业实践，当时制度性的债务制约机制缺乏、依附关系盛行、经济两极分化，并不利于企业的发展。随着该时期近东居民经济观念的改变，委托关系逐渐被看作一种正常的状态。

希腊和罗马的富有家族直接控制着手工艺生产、交易和信贷，他们无须通过神庙和宫廷来协调这些活动。但古典时期的贵族却视经营商业企业为卑贱和堕落之举。交易和经营的具体事项通常被交给外来者、奴隶或其他充当现场管理者、组织者和作为赞助商中间人的下属负责。绝大多数富于进取的个人都出身于社会底层，奥古斯都时代的剧作家佩特罗尼乌斯（Petronius）在其喜剧《特立马乔的家宴》中虚构的自由民特立马乔就是这个阶层的典型代表。阿姆斯（D'Arms，1981，第45页）指出，“一个人越注重尊严（dignitas），他越可能谨小慎微地间接参与商业活动，他伪装成普通的自由民——委托人、合伙人、‘挂名负责人’或‘朋友’”，将管理事务交给奴隶或其他下属负责。当这些地位不太高的人有能力积累自己的财富后，他们便会将资金投资于土地和谋求公职，来追求更高的社会地位和声望。一旦自由民特立马乔“积累了大笔财富后，他会立即停止商业交易，转而投资于土地经营，并开始改变言谈举止，酷似某幅漫画所讽刺的罗马议员”（D'Arms，1981；也可参见Dio Chrysostom，*Or.* 46. 5）。

我们也许认为，上层罗马人拥有巨额个人财富，堪称这个城邦国家中的大富豪（这些人也可能是社会的寄生虫），但海歇尔海姆（Heichelheim，1958—1970，第3章，第125页）指出，罗马帝国的上层家族面临着入不敷出的困境，他们在追求社会地位和政治权力的过程中负债累累。“而在希腊黄金时代的私人和王公贵族中，并未出现类似现象。”

因此，古典时期的创业史很自然地分为两个时期：第一个时期是公元前约3500年—公元前1200年美索不达米亚地区经济呈现初步发展的时期；第二个时期是古典时期末期，在该时期，我们发现逐利行为已从生产性经营转向土地兼并、高利贷、以公谋私和对外武力征服。为阐述古典时期末期的企业史，我们不得不先忽略以下事实：公元前 8 世纪中叶由近东商人带到地中海地区的许多商业实践在几千年前就已经在美索不达米亚地区萌芽了。

那么，一开始是什么因素促使各个社群形成了某种商业伦理？哪些人是受益者，利益又如何分配？为何这种如今看起来显而易见的商业伦理在古代社会经历了如此长的时间才出现，还一度受到经济上更低效且破坏性更大的社会价值观的全面压制？在回答这些问题前，我们必须先说明人们之间的赠品交换如何转变成基于市场价格的大规模交易，即如何从“人类学意义上的交换和生产”转变为“经济学意义的交换和生产”。

一、革命性的企业家逐利伦理

交易行为可追溯至旧石器时代，但现代部落经验和逻辑却表明，绝大多数古代贸易很可能通过互惠性的赠品交换发生，后者的主要目的是加强社群成员的内部凝聚力，以及同邻近部落首领之间的和平关系。［莫斯（Mauss）于 1925 年出版的《礼物》（*The Gift*）一书是该领域的研究典范。］人类学研究也表明，那些只能勉强维持生存、剩余产品不多的部落，通常认为逐利行为必须以牺牲他人利益为代价。因此，传统社会价值观会对个人的财富积累行为施以制裁。经济剩余如此之少，以至获取利润或收取利息会使某些家庭沦为领主或债主的附庸或奴隶。生存的基本目标要求社群尽可能保护其成员免遭破产。例如，在古典时期，失去地权即意味着一个人丧失了公民身份，从而也丧失了军事身份，整个社群由此将面临外来者入侵的威胁。

结果，尽管剩余产品不多的社群通常确能获得一定的经济剩余，但古代政治风俗却要求将它们消耗掉。一般情况下，它们会被用于公共展示和赠品交换，在重要日期的礼仪（成人礼、婚礼或葬礼）上充当装饰物，或作为陪葬品同死者一起埋葬。在这种情形下，把自己的财富贡献出来而不是囤积起来或用于再投资，更有助于获得较高的社会地位。很长一段时期内，在公共节庆日分享经济剩余、将其供奉给祖先或储存起来以备建造神庙和其他纪念性建筑之需，仍然是文化层面最普遍尊奉的社会惯例。

二、经济剩余集中在社会金字塔的顶层群体

当部落社群内部（通常借助战争和贸易）调集剩余产品时，它们往往被集中到部落首领家庭（household）里，由部落首领家庭代表整个社群来使用这些剩余产品（至少表面上是如此）。当然，在同其他部落社群的商业或军事交往中，为了维护本部落的“面子”，部落首领家庭一定程度上会接纳逃亡者、流放者或其他孤立无援者。因此，这种互助伦理要求各部落首领光明正大地行事。

通常，一些剩余产品必须被用于特定的非农业生产。此时，部落首领家庭或社群的主导家族将负责举行一场庄严肃穆的公祭，祭典仪式上会用到一些以资本密集型生产方式（如金属加工）制造的器物。这类职位通常需要特定类型的劳动力，他们必须要有原材料，在自有土地或向其他特定群体租来的土地上从事生产，并且需要部落首领家庭提供食物。这样的群体倾向于将自己机构化，从而使自己成为各家族的楷模，但同时也有基本的公共身份。

以逐利为目的的“经济”交换无疑是一个巨大进步，至少从表面上看，它一开始似乎颇依赖于和公共机构之间的关系。据文献记载，最早对经济事务进行管理的“家庭”，是美索不达米亚的神庙“家庭”。兰贝格－卡尔洛夫斯基（Lamberg-Karlovsky，1996，第80页）描述了在公元前第六个千年到公元前第三个千年间，部落首领家庭如何演变成神庙家庭，在随后的公元前2750年左右神庙周边地区出现了宫廷。这些机构化的家庭（institutional households）确立了一种社群身份，特别是它们吸纳了大量附庸劳动力，如战争遗孤、流离失所的盲人和弱者及战争俘获的奴隶。正是这些使他们将第一次标准化的大规模生产得以组织起来，并创造出一定的商业剩余。

三、具有企业特点的神庙

美索不达米亚南部地区对自然资源的依赖程度表现得尤为突出。这里的土地主要由几千年来河流携带的泥沙冲积而成，缺乏铜矿和锡矿，没有青金石和其他石料，也缺少硬木材。因此，该地区必须从遥远的伊朗高原或安纳托利亚半岛中部获取这类原材料。公元前第四个千年中叶，苏美尔人沿幼发

拉底河向北构筑了一座座军事前哨，但人类学家的研究发现，这些军事前哨在近一个世纪后不得不被废弃。因为采取军事征服手段来获取遥远地区的原材料，并将其运回美索不达米亚南部经济圈的代价极其高昂。

在公元前第四个千年到第二个千年间，苏美尔各城邦之间战争不断。但是，由于印度河流域的对外贸易主要集中在迪尔穆恩岛，苏美尔人要组织队伍到远处获取大量外地原材料，就必须先同安纳托利亚和伊朗高原之间建立自愿和互利关系。和平贸易意味着出现了商业发展的良机，但它需要美索不达米亚南部的苏美尔地区有商品可供出口，以便为换取进口其他地区的原材料提供支撑。由于贸易总额巨大，城市中的神庙和宫廷开始充当起商品生产者和供应者的重要角色。海上商船和陆地篷车装满纺织品和其他货物，将它们运往其他地区交换苏美尔商业圈所缺乏的原材料。

近年来，亚述学家利用王室铭文及宫廷官员和商人企业家留下的档案资料，重新阐述了这种贸易体系在当时是如何运行的。一旦获得军事胜利，帝国征服者便会强制被征服者纳贡和缴税，而城市神庙和宫廷的赋税负担则要轻得多。它们通过自己经营的生产作坊、农场畜牧和交通设备，实现了自给自足和自我存续。有时，它们也会把领地和作坊租借出去，这和后来雅典人出租拉乌里翁（Laurion）银矿的做法很相似。神庙和宫廷的附庸劳动力既生产用于出口的纺织品，又酿造供本地区消费的啤酒。

出口和当地销售记录的缺乏或许表明，神庙和宫廷采取了赊销的做法，也就是说先供货给从事海外贸易的商人，待5年左右商船返航后再收账；对于从事国内贸易的商人，则待到收获季节用农作物来支付。在早期的长途贸易中，神庙甚至给商人提供伙食、“薪水”和毛驴等，这表明神庙在一定程度上发挥了公共机构的作用（Frankfort，1951，第67页）。最终，商人们积累起了属于自己的资本，他们既运用自己的资本，也运用私人资助者（通常是其亲戚）的资本。绝大多数已发现的商人档案均散佚在神庙和宫廷周边地区，表明商人“身份”和神庙公职或宫廷官僚“身份”之间并不存在利益冲突，尽管后两种身份主要掌握在主要家族手中。此外，他们的个人经营档案也是和公共行政档案一同被发现的。因此，和这些大机构打交道是成为企业家的一条途径。也正是这点，使古美索不达米亚地区出现了一种“混合型”经济，如老一辈经济现代主义者假设的那样，而非国家主义经济（根据20世纪20年代的研究假设，由公共官僚机构掌控一切经济事务，例如神权国家）或完全“私人企业型”经济。

公共机构和有身份的人物之间建立了良好的关系，这些有身份的人物在苏美尔被称为达姆伽（damgar，买卖商品，放贷银钱与大麦的专职人员），在巴比伦被称为塔卡木（tamkarum），也就是后人所谓的“商人”，而在巴比伦时期则被称为“企业家”（entrepreneur）。约翰内斯·伦格尔（Johannes Renger，2009，第155页）借用了伊斯雷尔·柯兹纳（Israel Kirzner，1979，第39页）对企业家角色的定义，他指出，“企业家”是17世纪的一个法语词，它描述了“同政府建立契约关系以规范商品和服务供给标准的这类群体。契约制定的价格是固定的，企业家一方面承担交易损失的风险，另一方面获得交易收益”。企业家通过使用自有资金或（更经常地）借入资金来谋取经济收益，或者利用为他人（包括公共机构）管理资产之便，通过降低交易成本或商业创新来谋取一定的私利。在古巴比伦，宫廷会以契约规定的租金将土地和作坊租借出去，这促进了商人积极从事纺织品和其他手工艺品的长途贸易。在此过程中，公职人员和企业家通过共同管理大规模生产和市场交易，挤压出一部分经济剩余，并将这些剩余用于再投资以获取更多回报。

四、债务关系

人们发现，当时地方权贵和中央王权之间的冲突，与12世纪英国近代史上地方贵族和国王之间的冲突并无多大不同。例如，宫廷长官的一项重要职责便是防止计息债务（特别是后来由王室税务官掌控的止赎权）掠夺公民的基本自助手段。通过废除农业“实物”债务（而非商业“货币”债务）、禁止土地没收和免除债务抵押束缚，皇室“豁免权”保留了公民的经济偿付能力。这意味着负债公民只会暂时失去他们的自由和用于自给自足的土地。

古代史研究专家发现，采取这些政策的原因在于，当权者认识到拥有土地的男性自由民是步兵的主要来源。比如，《汉谟拉比法典》规定将自营地授予骑兵，以使他们不受止赎权的约束。若这些人的自营地也面临债权人掠夺或改种经济作物的威胁，则巴比伦将很快陷入异邦人入侵的危险境地。

因此，近东地区成功地避免了困扰古典时期的债务问题。尽管债务导致战争遗孤沦为附庸，迫使病人、弱者和其他人成为人质（pledge），并使处在经济金字塔顶层的债权人得以没收前者的土地耕种权，但这种没收通常只在短期内有效（如《利未记》第25章提到的禧年[②]以及古巴比伦王国类似禧年的先例）。然而，在希腊和罗马，这种占有却是永久有效的，这迫使大多数人成了奴隶和附庸人群。这正是希腊、罗马寡头政体和近东混合型经济圈的主要区别。不可否认，相比于在古典时期取消逐利型个体债权人的债务，在美索不达米亚取消宫廷及其税务官的债务要容易得多（甚至罗马皇帝，偶尔也会取消民众的欠税，以减轻普遍盛行的债务危机）。

债务是土地在传统社会能够相互转让的杠杆，但是债务通常受到限制，以防用于自给自足的土地被转让给宗族或家庭之外的人（相关例子参见Hudson和Levine，1999）。罗马人认为私有财产的本质就是它能够被出售或者被永久没收，因此，罗马法废弃了限制止赎权以防止财产向少数人集中的旧传统。其实，罗马人的这种财产观本质上是有利于债权人的，它很快就变得极富掠夺性。但是，和近东地区一样，罗马的商法规定，船长在遭遇海难或海盗袭击时不必履行债务责任。

五、早期创业活动的文献记载

有限的资料来源使我们不得不严重依赖古巴比伦、亚述帝国及其临近地区的历史档案和碑文，作为研究早期经济组织的主要参考文献。少量残损的原始数据来自埃及，除军事侵略以外，埃及在各方面的商业独立性都比近东其他地区表现得更好。根据绘画资料，我们知道埃及已经出现市场，但布莱贝格（Bleiberg，1995，第1382—1383页）认为，在通常情况下，埃及是一个再分配型经济体。创业行为局限于“中间期”（intermediate periods），即法老权力和集权化经济生活得以削弱的过渡时期（也可参照美索不达米亚的情形）。“莫里斯·西尔韦（Morris Silver）是最近一位坚信古埃及存在私营商人的研究者，”布莱贝格评论道，“西尔韦引用的私营商人证据来自第一中间期和新王国末期（Ramesside period），这一点也不足为奇，因为这两段时期中央政权的势力要么很弱，要么根本不存在。当埃及中央政权管制下的经济体运

② “禧年”（Year of Jubilee）的称谓是取自《圣经·利未记》第25章，是指在连续7个安息年之后（即49年后），要守特别的禧年（第50年）。在这一年，土地要再休息，所有家中产业，不管是如何失去的，都可以再重新得回，所有要得自由的奴仆，都被释放。——译者注。

行良好时，并没有史料证实这类私营商人的存在。”

尽管考古证据表明，在公元前第三个千年至第二个千年期间，印度河流域已通过迪尔穆恩岛（今巴林岛）和美索不达米亚南部开展贸易往来，但我们并未找到相关书面记载。腓尼基人及其在公元第一个千年对位于西方的迦太基和西班牙的殖民，也没有任何历史文档可以佐证。人们发现的公元前1600年—公元前1200年间克里特岛和迈锡尼的音节文字史料，也仅涉及产品的生产和分配，并未提到类似的商贸情况。

涉及企业家活动的最翔实的历史文档来自新巴比伦时期。即使在经济规模创纪录的某个短暂时期，希腊和罗马也未留下企业家活动的详细描述。“由于富人假装不富裕是上层社会的成规，”阿姆斯指出，“所以议员们参与商业牟利活动的动机和表现通常得不到准确的记录。”安德罗（Andreau，1999，第17页）也指出：“当布鲁图斯通过中间人斯卡普蒂亚斯（Scaptius）和马蒂尼亚斯（Matinius）把钱贷给塞浦路斯的萨拉米斯人时，两人是当时仅有的官方债务人。而只有在布鲁图斯本人披露事情真相后，萨拉米斯人和西塞罗才知道这笔贷款的债主原来是他。”若非政治丑闻、法律诉讼和控告揭露了希腊和罗马社会的财富掠夺过程，我们可能对此一无所知［这和今天并无不同。例如，美国国会相关委员会对前纽约州总检察长艾略特·斯皮策（Eliot Spitzer）的指控、揭露和调查无疑要比各类管理学教科书更充分地揭示了公司和银行的舞弊行为］。

我们只能获得公元前150年—公元50年近两个世纪期间罗马帝国的经济细节。由于人们主要关注军事和政治事件，商业档案极度缺乏。麦克马林（MacMullen，1974，第48页）指出，奥古斯都大帝时代以后，“在数以千计详细记述了赞助人将赠品捐给行会、市政厅或其他群体的碑文中，记录赞助人捐款来源的屈指可数”。对希腊而言，经济发展的曙光在几世纪前就已出现，记载了法律诉讼的碑文是这方面的主要信息来源。总之，正是希腊和罗马的近东先驱发明了商业、银行业的业务模式和书面用词，创造了规范的合同形式，并为市场交易和创业活动创造了其他先决条件。

六、生产性创业活动和破坏性创业活动

从这种长期的角度来看，经济史学家面临的问题是解释为何商业和创业

活动会让位于黑暗时代。在近东起飞后的几千年内，是什么抑制了创业活动的发展？近一个世纪以来，人们认为罪魁祸首是国家管制。但最早引进绝大多数基础商业创新，包括首次统一价格和市场体系的，却正是苏美尔和巴比伦的神庙与宫廷。古典时期的覆亡更多是因为寡头们俘获了国家，破坏了社会中的各种制衡机制，正是这些制衡机制使近东地区避免陷入债权人和债务人、恩主（patrons）和扈从（clients）以及自由民和奴隶之间过度严重的两极分化。随着罗马的崛起，法律变得更有利于债权人，财产掠夺变得更不可逆，而税负则越来越多地被转嫁到下层社会。

世袭的土地财富往往转向破坏性的创业活动，在希腊、罗马的逐利模式中，军事色彩要浓于商业色彩。特权贵族继承了有利的经济和政治地位，但是不得不通过投身商业活动（特别是同社会下层之间的零售贸易）而非依靠自己的地产来积累财富，他们为此感到难堪。这颇类似于维多利亚时代英国的绯闻，尽管每个人似乎都对绯闻津津乐道，但这些绯闻并不会提高某人的社会声望。因为这源于人的自主性，而非商业惯例。依靠庞大的地产实现自给自足，而非“屈尊下就”地从事商业贸易和放债，仍是社会的正统理念。因此，颇具讽刺性的是，寡头集团抑制了整个经济领域的国内市场。寡头集团的成员通过债务止赎从中剥夺了整个社会的大量土地，这降低了附庸人口的数量，使商业经济甚至货币经济走向终结，并导致西欧步入了黑暗时代。

寡头政治伦理主张从国外攫取财富，而非在国内创造。掠夺财富的主要途径包括军事征服、强取豪夺、奴隶俘获和贸易、放债、包税制，以及其他类似的更具有破坏性（而非创造性）的活动。通过“搜刮”他人来积累财富被认为至少和商业牟利同样高尚（若非更高尚的话），不过没有个人勇气的商业牟利被视为剥削性的。“在我年轻时，努力使自己成为富人既安全又体面，”伊索克拉底（Isocrates）在雅典城邦陷入民主和寡头之争中时说道，“现在人们不得不为致富的指控进行竭力辩护，好像致富是莫大的罪行一样”（*Antidosis*，第 159—160 页；转引自 Humphreys，1978，第 297 页）。对商业逐利行为的这种鄙夷态度带来了严重的后果：尽管企业家在社会经济中发挥着重要作用，如管理财产、组织航运和公共工程、主持作坊生产及供应军需物资等，但在整个古典时期他们周围的环境却越来越不利于这类（生产性的创业）活动，导致他们也逐渐变成了生活更安逸的食利阶层和慈善家。其显而易见的结果就是，帝国征服领地的所有财富逐渐被消耗殆尽。

从中得到的教训是，对一个社会来说，最重要的是建立起一套引导企业家合理追求财富的制度规则和社会价值观。但这样做并不总是能带来更高的生产率，也不足以提高效率以有利于社会发展（甚至社会存续）。追逐经济利益的途径多种多样。“事实上，”如鲍莫尔（1990，第894页）所说，“企业家有时甚至会导致有损于经济的寄生性存在。”在古典时期，最有利可图的三个领域是包税制、承建公共工程以及宫廷、神庙和军队的物资供应。积累财富必须在一定的条件下和国家打交道，比如以贡品、高利贷和土地掠夺等形式的社会剩余，以及可利用公职牟利。攫取国内剩余（土地最终也不能例外）越来越多地通过计息债务（通常需借助止赎权和强制出售）和军事征服来实现。

如果把创业活动定义为设定社会规则的整个社会体制的一部分，那么人们会发现，自青铜时代的近东至古典时代的希腊和罗马，确实发生了从生产性创业活动向非生产性创业活动的转变。“若企业家被简单地定义为极具想象力和创新性地增进自身财富、权力和声望的个体，”鲍莫尔（1990，第897—898页）断言，“则人们似乎可以推断，他们并非人人都关心能满足这些目标的活动是否或多或少有利于增加社会产品，进而是否会阻碍社会生产（这种观念至少可上溯至Veblen，1904）。”③

罗马最富有和最杰出的家族，企图通过强权、高利贷和土地控制来获取尽可能多的扈从、债务人和奴隶。这种带有掠夺性的食利者观念导致了长达一个多世纪（前133—前29）的同盟者战争（Social War），期间罗马共和国在经济上出现了两极分化，这为后来的罗马帝国倒退至农奴制铺平了道路。我们没有发现，这种逐利性的创业活动推动了社会获得更高的生产水平和生活标准。即使那些政要，也根本没有想过通过制定政策来促进国内的经济增长和发展，进而让整个社会（乃至整个寡头集团）致富。

③　事实上，Livy、Diodorus和Plutarch将罗马共和国的衰落归咎于高利贷及与之密切相关的寡头政体的贪婪，以及对平民派领袖的政治迫害，如格拉古（Gracchi）兄弟被杀曾导致了罗马社会战争（Rome's Social War）。

七、关于企业起源的一些未解之谜

如果一百年前召开一次关于早期企业家的学术研讨会，则绝大多数与会者可能会将交易者视为独立自主的行为个体，以自发形成的市场均衡价格展开易货交易，能较好地回应波动无常的供给和需求状况。奥地利经济学家卡尔·门格（Carl Menger）认为，当从事易货交易的个人和商人偏向于把白银和铜当作一种更方便的支付手段、价值储存和计算其他货物价格的标准尺度时，货币便产生了。但历史并不支持奥地利学派关于商业惯例——贸易、货币和信用、利率和定价——是如何形成的个人主义式论述，有证据表明它们并不是在从事"以货易货"的个体中自发产生的。恰恰相反，以创造利益为目的的投资、利息索取、地产市场甚至原始债券（作为教会牧师的俸禄）市场的创立，起初均出现在苏美尔和巴比伦的神庙和宫廷中。

目前已可确定，大约自公元前第三个千年的美索不达米亚开始，贯穿整个古典时期，特定纯度的贵金属铸造都出现在神庙或其他公共机构（而非私人供应商）的庇护之下。"货币"一词本身来源于罗马的朱诺·莫内塔神庙（Juno Moneta），那里很早就创造了这一词语。银币是价格系统的组成部分，大型机构为确立稳定的比例以用于账目管理和制定未来计划而发明了银币。主要价格比例（包括利率）起初采取整数形式，这主要是为了便于计算（Renger，2000，2002；Hudson 和 Wunsch，2004）。

管制价格不仅没有妨碍商业贸易，反而为其繁荣发展提供了稳定的环境。对用于出租的土地和其他财产，神庙估算出一个正常的回报值，剩下的被算作管理者的收益；当财产贬值或出现其他风险时，则由管理者承担损失。这样一来，亏损额便成了一种债务。但当损失过大，以至威胁到该体系的正常运行时，神庙便会将债务一笔勾销，使企业家在不背负任何债务的情形下东山再起（Renger，2002）。这样做的目的是让企业家能继续经营业务，而不是摧毁他们。

更灵活的定价似乎已在运河沿岸码头出现。管理价格的大型公共机构和商业企业之间并不存在冲突，相反，两者存在一种共生性的互补关系。利韦拉尼（Liverani，2005，第53—54页）指出，与从事外贸的商人（即塔卡木）相比，神庙和宫廷的价格管制体系"仅局限于开始和结束两个阶段：贸易代理人从中央机构那里获得银币和（或）加工过的原材料（主要指金属和仿制品），在六个月或一年后带回价值相等的异地商品和原材料。除固定的交换价值之外，很难调控中央机构和贸易代理人之间的经济平衡。但是，商人脱离宫廷后，他们的活动就完全不同了：他们可以自由贸易，为不同国家的不同商品支付不同价格，甚至在交易过程中充分调动自己掌控的各种金融资源（如贷款），并获取尽可能多的个人收益”。

一个世纪前，人们可能会假设，国家的经济角色只是体现为征收重税和过度管制市场，因而势必会压制商业企业的发展。这正是罗斯托夫采夫（Rostovtzeff，1926）描述的罗马帝国的经济如何使中产阶级窒息的逻辑。但琼斯（Jones，1964）已经指出，这恰是古典时期走向终结时的情形，而非一开始的情形。商人和企业家的第一次登台亮相是和美索不达米亚的公共神庙和宫廷密不可分的。美索不达米亚的宗教价值观并不是专制性的和在经济上压迫性的，它们促进了商业起飞，尽管这一阶段的商业起飞因希腊、罗马的抑制而走向了覆亡。考古学证实，企业的“现代”元素在公元前第三个千年的美索不达米亚就已显现，它们甚至曾占据主导地位，且当时的制度条件也有利于长期增长。人口增长和物质生活条件的改善促进了商业扩张，创造了更多财富。当追溯这段历史时，让许多观察者深感惊讶的是，这些制度安排看上去相当成功，而且既富于变化，又相当稳定。

许多博学者在探索商业实践的起源时会从现代出发，回溯至2000多年前美索不达米亚的起飞阶段，往往又半途而废，原因大概在于“西方”长期被视为私人部门代名词的观念。近一个世纪以来，近东发展被视为独立于西方这个连续统一体之外，人们通常将公元前750年前后的古希腊定义为西方的起源。但地中海地区的很多新兴事物和制度事实上在公元前约1200年覆亡的美索不达米亚青铜时代便已存在。公元前8世纪前后由叙利亚和腓尼基商人带到爱琴海和意大利南部地区的商业和债务惯例，在近东规模较小的地方性商业圈内早已得到实践，尽管那里尚未建立区域性的公共机构。相比于共同参与经济剩余的调配，特别是为经济体提供信贷的神庙和其他公共机构，部落首领能从贸易和高利贷中获取更多收益和财富。

老一辈研究者逐渐认识到，逐利行为不断呈现出经济掠夺的特征，这促使他们更多地从社会学视角（相对于奥地利学派的个人主义视角）看待古希腊、罗马的贸易和财产（如法国结构主义者Kurke，1999；Reden，1995），但是更多地是从经济学的后波拉尼（post-Polanyian）视角看待早期美索不达米亚及近东地区。

莫里斯和曼宁（Morris 和 Manning，2005）探讨了长期以来将近东从地中海商业圈的发展中割裂出去的研究方法如何被一种更综合的观点（如 Braudel，1972；Hudson，1992）所替代，后者同涉及神话和宗教（Burkert，1984；West，1997）及艺术（Kopcke 和 Takamaru，1992）的泛区域化研究方法紧密相关。现在看来，“光从东方来”这一格言不仅适用于艺术、文化和宗教领域，也同样适用于商业实践。

八、古代创业活动与现代创业活动的一些比较

我们必须牢记，古代经济实践与现代经济实践之间存在诸多差异，这些差异和不断变化的创业环境相关。手工艺作坊通常（并非自发地）依托基本自给自足的地产，包括由大型公共机构把持的地产。这种作坊生产通常自筹资金而非求助于信贷，信贷主要用于长途大宗贸易。

从巴比伦到整个罗马帝国时期，商业收益通常被用于土地投资，但并未出现以地价上涨为支撑的土地投机行为。至多，农用耕地被改种经济作物——主要以地中海的橄榄油和葡萄酒作物以及近东的枣树为主，耕种收获越来越依靠低成本的奴隶。

我们并未发现银行中介机构把储户存款贷给富于创业精神的借款人。在整个近东史上，人们俗称的“金融世家”，如本书作者之一的温斯切在第二章描述的埃吉贝家族等，最好被理解成一般的企业家。他们确实吸收存款并发放贷款，但他们给存款人支付的利率和向借款人索取的利率（通常为每年20%）是一样的。因此并不存在套利利润，也没有信贷机构会扩大现有的货币金属供给（参见 Hudson 和 Van De Mieroop，2002，第 345 页及以后各页）。本票（promissory notes）只在关系非常密切的塔卡木团体内流通，因此信贷的上层建筑才刚刚萌芽，直到 17 世纪部分准备金制的银行体系兴起的现代时期才走向成熟（参见 Wray，2004；特别是 Ingham 和 Gardiner 的文章）。绝大多数贷款都针对商业贸易企业，此时，债权人参与利润分享并承担相应风险：他们要么采取掠夺性农业贷款的形式，要么采取拖欠王室和帝国包税人税收及其他费用的延期追索权形式。直到现代之前，小额个人借债都被视作债务

人丧失财产的第一步，不到万不得已时当事人绝不愿迈出这危险的一步。让资产（尤其是地产）远离债务是社会的主导伦理观。在任何情况下，财产几乎都不通过现代意义的“信用途径”进行交易，尽管有时为了获得某项资产而采取短期延迟支付也被允许。

在古希腊，放债主要由外来者负责，如雅典的帕西翁（Pasion）这样的异邦人，在罗马则主要由以自由民和奴隶为主的下层社会负责。罗马精英将银行业交给自由民负责，这些自由民多由以前的奴隶转变而来，他们必须“将类似的过渡性贷款和周转资金”限定在“贸易和工业活动”上（Jones，2006，第245页）。

整个古典时期，除了组织和经营航海、耕地和作坊生产及其相关领域或其他生产性活动外，企业家并不乐于朝专业化方向发展。他们很少基于对自身利益的考虑而采取独立行动，他们宁愿把自己当作整个体系的一部分。交易者或“商人”倾向于通过行会开展经商活动，如公元前第二个千年初期亚述商人所组织的行会，以及公元前8世纪叙利亚人和“腓尼基人”在爱琴海和地中海商业贸易中所成立的行会。古巴比伦时期的巴尔曼姆赫（Balmunamhe），小亚细亚半岛的亚述商人（Dercksen，1999，第86页），新巴比伦时期的埃吉贝家族、加图（Cato）和其他罗马人，将资本分散投资于众多领域，如长途贸易或本地贸易，为宫廷和神庙供应食物和原材料，向其他人出租耕地和作坊，从事放债活动和经营地产（通常是副业）。

到公元前2世纪我们能获得罗马税收官的相关记录时，还未出现从事专业化生产的企业家。尽管征税和征集其他公共收入需要掌握一套不同于给军队和其他公共机构供应物资的技能，绝大多数税收官仍采取权宜性的机会主义行径。“公司基于一般的商业经验，提供资本和高层管理人员，”巴迪安（Badian，1972，第37页）认为，同时可能还有少量助理和下属一类的固定员工。企业家很可能在经营一家陶制品作坊、金属制品作坊或其他类似作坊的同时，还从事奴隶贸易和奴隶租借活动。琼斯（Jones，1974，第871页）推断：“对交易人（negotiator）一词的理解多种多样，不仅包括商人、店主和手艺人，还包括放债者和妓女。”

当时并不存在专利保护或“知识产权”一类的东西，人们也很少能想象到今天常说的市场开发。艺术风格和新技术发明可以无成本自由复制。芬利（1973，第147页）引用了一个故事：“许多罗马作家都提到，某人——典型的无名小辈——发明了一副不易打碎的眼镜，把它展示给罗马皇帝提比略(Tiberius)，希望能获得一大笔奖赏。皇帝问他有没有其他人知道这项发明，他向皇帝保证说没有。于是，提比略很快处死了他，据称这样做是为了使黄金不出现大幅贬值……对于这位发明者向皇帝求赏，而不是向投资者筹集资本将发明付诸生产，老普林尼（elder Pliny）、佩特罗尼乌斯和卡修斯（Dio Cassius）等罗马历史学家都不觉得有什么问题。”芬利坚持认为，这种抑制企业家创造力的价值观，很大程度上归咎于古代社会从未信奉甚至提出实现技术进步和经济增长的现实目的。他（1973，第158页）断言：“在该故事发生时，社会尚缺少一种商业开发或资本利用。古代经济有廉价劳的动力，因此不会以商业开发或资本利用的方式来开疆拓土。它也没有过剩资本用于寻求更有利可图的、我们常常将之和殖民主义联系在一起的投资渠道。”

但是，如前文所述，绝大多数新一代经济史学家批评芬利对逐利性投资和“现代”经济动机的存在与否持过分极端的态度。在古代社会，特别是在近东史上，有许多如鲍莫尔所说的“生产性创业活动”的例子。人们仍普遍认为，高利贷和奴隶制越来越具有掠夺性和破坏性，战争的主要目的变成从富裕地区掠夺财富，作为战利品运回国内。

九、企业家、掠夺者和金融家

究竟有多少这样的活动真正符合我们今天所理解的生产性和创新性的创业活动？定义生产性企业家的关键是他们创造经济剩余，而不仅仅是转移经济剩余，甚至更糟糕的掠夺经济剩余。发动战争或盗取战利品和奴隶是惯用的掠夺行径，众所周知，古典时期最大的财富是通过征服和统治其他国家，或向战败国国民征税所获取的。因此，并非所有财富都通过创业活动积聚，也并非所有管理者都称得上是企业家。

即使企业家扮演着名义上的生产性角色，他们也身处以战争为中心的社会环境中。财富的主要来源之一是军队供应，主要指军饷，但还包括工业制成品。弗兰克（Frank，1933，第291页）注意到，在公元前150年—公元前80年，“我们只听说过有一个人……是通过制造业生产获取财富的，此人在同盟者战争期间承包了大量武器供应的公共契约”。在零售层面，波拉尼关于自由定价市场的典型范例是跟随希腊军队的小规模食品销售商。事实上军饷供给是一项主要活动，但更有经济进步意义的则是在批发层面为罗马军队提供相应物资的公共承包商。到公元前 1 世纪，公开竞拍合同已成了众所周知的一个“惯例”。

金融抽租（financial extraction）是一种迥然有异于工业投资的经营形式。放债很大程度上是巴比伦征收公共费用和税收的意外结果，逐渐从塔卡木商人的辅助性活动演变成罗马包税人的一项主要职能。韦伯（1976，第 316 页）把罗马的包税人看成是创业企业，但如今的绝大多数商业作家都将包税人描述得颇具掠夺性。麦克马林（1974，第 51—52 页）指出：放债导致了日益加剧的土地集中，他引用了罗斯托夫采夫对抵押贷款收益的计算，“要么是耕地止赎，要么是约为 6%—8% 的邻里借贷利率。同人们有望从农业资本投资中获得的 6%（至少在意大利）的合理收益率相比，这个利率已相对不错。可见，某人要使资本翻一番，需要花费几十年的时间。那么，他们为何不从事贸易碰碰运气呢?”结果，资本便被转投到农业贸易和高利贷上。

投资者和企业家之间很可能有一条明确的区分界限，但企业家无疑必须发挥比食利者更积极的管理作用，如古巴比伦女祭司（naditu）的继承人那样的食利者只知将世袭财产放贷出去或购买收益性财产来获取投资收益［尽管 Yoffee（1995）将她们视为企业家，且一些人也这么认为］。尽管加图关于农业的论文承认贸易和高利贷比农业生产更有利可图，但他也提醒人们商业是有风险的，且放债被看成是不道德的。地主必须具备管理才能，但通常并不被视作企业家。收取租金或没收地产不属于生产所得的利润范畴，除非土地使用得到了改良（事实上这也确实存在，如近东的椰枣树和意大利的橄榄种植园）。

从事一项贸易能否算作创业行为关键取决于人们是在为自己工作还是作为直接分享交易利润的代理人或雇员。此外，尽管个体经营的工匠也销售自己的产品，但他们并不是企业家，除非他们在整个复杂体系中扮演管理者或组织者的角色。汉弗莱（Humphreys，1978，第 153 页）指出了把工匠视为企业家所存在的问题：

> 以一种“创业者的”精神经营一家作坊，必然涉及作坊主的监督行为。然而，我们熟知的作坊通常由奴隶或自由人管理，作坊主只从中抽取固定的回报。对扩大生产规模不感兴趣……德摩斯梯尼（Demosthenes）

> 的父亲有两家作坊，一家生产床上用品，另一家生产刀具，两者之间并无关系。帕西的银行和造盾厂之间同样毫无关联，很重要的一点是，当帕西（他曾是奴隶）最终将在银行业上花费相当多的心力时，他的儿子阿波罗多洛斯（Apollodorus，和其父一起获得雅典公民身份）取得了三处地产，而且更乐于继承其父的造盾厂而非银行，并积极投身于政治活动，在各种宗教仪式上极尽炫耀之能事，表现得像一个雅典绅士。随着客籍商人（metic traders）和银行家对希腊繁荣和城邦食物供应变得越来越重要，其中最成功的那些人获得了公民特权，并面临着向平民捐赠的压力，社会风气倾向于接受富人的善举，而不是鼓励他们冒险去投资新的领域。

在跻身上层社会的抱负和贵族对直接从事商业冒险的鄙夷之间，存在着一个基本冲突。“尽管亚里士多德坚称‘违背道德的’放债无处不在，”汉弗莱说，“但我们从资料中获得的通常印象是，只要能过上一种安逸舒适的食利者生活，绝大多数雅典人都愿意放弃赚钱的努力。即使少数人继续扩张经营规模，这种精神也不会传给他们的子嗣。结果，人们仅断断续续地经营小规模的商业企业，且只评估它们的收益保障而非扩张潜力。”

最典型的创业形式仍然是长途贸易。其组织模式自美索不达米亚的神庙和宫廷给商人提供商品或资金的时代开始，已发生了些许变化。参照中世纪意大利的康曼达契约（commenda）和公司（compagnia），以及阿拉伯的穆卡拉达（muqarada）惯例，拉森（Larsen，1974，第470页）认为，这类企业家是在管理其支持者预付的资金和存货。

赚钱机会只不过是这类商业角色的副产品。在古代苏美尔人的文献中，莱曼（Leemans，1950，第11页）发现，“达穆卡拉（damkara）只是一介贸易商。但是，随着乌尔第三王朝（前2112—前2004）的建立，私营商业开始欣欣向荣，塔卡木商人很自然地被看作扮演了信贷提供者的角色”。到汉谟拉比制定《汉谟拉比法典》的古巴比伦时期，在许多时候，“塔卡木并不是流动商贩，而是放债者”。莱曼推断：“从商人发展成银行家（即放债者或资助长途贸易和类似合伙经营的投资者）是很自然的，两种职业之间并不存在本质区别，显然，在巴比伦以外的其他地区，白银（当时的货币形式）和其他可交换物品之间原则上并无区别。在一个商业欠发达的社会，贸易只是商人的事，他们从事买进卖出。但是，当商业不断扩大后，商人的业务活动便占据了更大比例。”

随着商人的地位上升到能给代理人和下属提供资金时，仿效早期的神庙模式，这些不同功能便被浓缩到达穆卡拉这一词语中。但它们和现代意义上的银行业完全不相关。达穆卡拉商人并不将存款放贷出去，相反，他们主要利用自有资金。出于同样原因，积累了一笔储蓄的个人不得不自行投资或参与合伙经营。尽管商人为加强彼此在外地贸易活动中的协作而组成了行会，但在家族之外并不存在正式的货币管理者。

随着时间的推移，资金提供者获得了相对于现场交易商的优势地位，这很大程度上是因为贸易是一项有风险的投机生意，意外失事或海盗掠夺都会吞没大多数收益。琼斯（1964，第867—868页）解释道，至罗马帝国末期，“对运货商个人知识的依赖如此之高，以至他们的货船不必依靠普通投资者，而通常由一名在该领域非常专业的人（往往是退休船长）负责”。专业化分工得到了发展，尽管远不能同17世纪英格兰和荷兰成立的大型贸易公司（如俄罗斯公司和东印度公司等）相媲美。“在海上贸易中，必须区分运货商、船长、商人及其代理人。通常，所有这些角色也许由一个人担当，他既是货船船主，又自己负责驾船，且亲自装卸货物并从事买卖交易。但是，也有一些船主不亲自驾驭自己的货船。”

积极参与商业牟利活动遭到了古代贵族伦理的鄙视，绝大多数从事罗马海上贸易的运货商都是拥有一两艘小帆船的异邦人或之前的奴隶。琼斯（1964，第868页）解释道，不管运货商是富人还是小商贩，他“都很少依靠自己的资本，而更偏向于筹集航海贷款，这有利于防范部分海事风险。因为对于这类贷款，债权人将适度承担航船失事或紧急情况下舍弃货物所导致的资金损失风险，直到查士丁尼大帝（Justinian）于公元528年将最高利率限定在每年12%（普通商业贷款的利率为8%，私人贷款的利率为6%）之前，利率并不受法律限制”。

承担风险本身并不意味着从事一项创业活动。几乎每个人都面临着风险，法律充分认识到了这一事实，因此采取了一种务实的态度。耕种者和佃农面临着遭遇干旱、洪涝和军事破坏的可能性。至少在近东，当发生这些自然或人为灾害时，拖欠大型机构和其他债权人的租金和费用将一笔勾销。在商业领域，当商船在海上失事沉没或货物遭到盗掠时，从巴比伦到罗马时代的商法均规定免除商人偿还赞助人贷款的责任。

因此，富人可通过在多家企业进行部分投资来分散风险，这和英国近现代史上的劳埃德保险公司的做法颇为类似。普卢塔尔克（Plutarch）叙述了加图“要求其贷款人成立一家大型公司”的故事，阿姆斯（1981，第39页）总结道：“后来，当谈妥50名伙伴且为安全起见组织了许多船队后，加图亲自负责一部分船队，另一部分则交由他的自由民昆蒂奥（Quintio）负责，后者在所有商业活动中都和他的委托人（即加图）同进退。这样一来，整个安全便有了一定保障，只有一部分可能会发生实际损失，因此他的利润也就更大。”

普卢塔尔克对加图的描述颇遵循韦伯所谓的新教伦理。加图是一个吝啬且克己之人，他从不将财富用于享受，拒绝为自己购买昂贵的服饰或食物，喜欢喝工人们喝的劣质酒，驱逐那些因年老体弱已不能胜任相应劳动的奴隶。在担任公职期间，他削减成本，反对贪污腐败，一方面尽量压低公共包税合约的承包价，另一方面尽量提高罗马政府从中获取的收入比例。“为了培养他儿子养成像他一样的性格，加图经常像一位地产不断减少的寡妇（而非一个正常人）那样教导他的儿子。加图最贪得无厌的幽默之处，在于他志得意满地认为自己是最完美（甚至是人格上最接近神）的人，因为他留下的财富远大于他索取的财富。”普卢塔尔克对加图行为的重点描述表明，这样的精打细算实在罕见。

总之，企业家既没有使自己发家致富，也没有通过替其他人管理财产追求财富，他们通常只获得一笔合约规定的收益。除资本来源之外，企业家需要理顺一系列非常复杂的关系，这些关系所依存的制度结构在整个公元前第二个千年和第一个千年中不断演变发展。

十、商人和企业家的社会地位

伦格尔（2000，第155页；也可参见1984，第64页）解释道，在公元前约1800年以后的巴比伦，宫廷向企业家出租地产、牲畜和作坊，这些企业家往往成为“精英或上层社会的一员”。达姆伽和塔卡木商人的称谓必须以社会地位及他们同宫廷和神庙等官僚机构之间的联系为前提条件，用“克劳斯（F. R. Kraus）发明的‘Palastgeschäft’一词表示的经济管理形式”来管理经营特许权。一些管理者供职于宫廷管理机构，但其他管理者却完全自主经营。伦格尔（2000，第178页）指出，赫赫有名的巴尔曼姆赫是一名私营塔卡木商人，而非宫廷官员。[Van De Mieroop（1987）曾对记录该商人活动的文献作了分析。]

相比之下，公共创业机构的缺乏和希腊、罗马实际上颇盛行的较不利于贸易的贵族伦理，导致异邦人在绝大多数地中海贸易中扮演了主导角色。正是叙利亚和腓尼基商人在公元前9世纪和前8世纪将近东的商业和经济惯例带到希腊和意大利，到罗马帝国末期，由于西方商业规模急剧缩小，只剩下了近东商人。在随后的过渡时期（interim），古代军事和政治中心的西移伴随着商业创业活动的社会地位下降，这主要是商业创业活动往往同外国人和下层社会关系密切，因而妨碍了上层社会直接参与其中。除了近东居民以外，奴隶和自由民也在希腊、罗马商业中扮演了重要角色。汉弗莱（1978，第148页）这样描述，他们成了"小店和作坊的工头和管理者、商船船长及地产管家；奴隶在涉及银行业和贸易的诉讼中获得了法定身份；他们生活和工作的独立自主性日益增加，向主人支付固定酬金并积累剩余收益，如果条件允许便积极争取自己的自由权……在成功严重依赖经验和商誉的银行业，奴隶最终得以上升到公民地位并获得尽可能多的财富"，通过恪守慈善家或公职人员的行为规范和处事原则，获得了更高的社会地位。

在论及商业规模和社会声望之间的关系时，西塞罗[Cicero，《论责任》(*De officiis*)，第1卷，第150—151页]表达了他那个时代的普遍观念："公众舆论把各行各业分为高尚的和低俗的两类。我们谴责令人可憎的海关官员和高利贷者，以及非技能型劳动者卑贱低下的工作，因为他们获得的工资只是一种奴役的象征。同样可鄙的是零售商的业务，因为他除了虚情假意外很难获得成功，而虚情假意正是世上最令人可耻之事。工匠的工作也是不体面的，一家作坊绝无任何高尚可言。所有行业中最不体面的是那些以取悦他人为主的行业。"这似乎是西塞罗时代和当时社会地位的典型观念，他继续解释道："小规模的商业是可鄙的，但若它涉及广泛领域并从世界各地进口大量商品，并诚实地分配商品，则它的口碑会好得多；此外，若商人对自己赚取的财富感到知足或满意，从远洋贸易功成身退并涉足地产经营，那么我想，正如他从远洋贸易冒险归来一样，他值得人们给予最高的尊敬。但在所有的财富来源中，农业生产是最好和最可靠的，也是最有利可图和最高尚的。”

上述解释对出身富裕并拥有大量地产的人而言可能说得通。当某人足够富裕，以至能捐购地方行省的总督一职时，他尽其所能地压榨其他行省财富的行为便很可能既令人尊敬，同时也构成了一项值得自豪的资本。用现代术语来说，罗马社会的伦理支持“坏的”或非生产性的创业和资产剥夺活动，抑制经济上更具生产性的逐利模式。

这种经济价值观同民族、政治和经济等级上高度分化的罗马商业角色相辅相成。企业家扮演着从属角色，因为贵族偏好于利用公共平台处理巨额融资问题，且通常在商业中充当食利者。在强调地主身份和商业融资的关系时，韦伯（1976，第316页）指出，包税人公司“是古代罗马社会最大的资本主义企业……参与这些企业的仅限于那些拥有大量奴隶和现金等资产的人。他们还必须有大量地产，最好有罗马公民的身份（一种可以享受有利经济地位的特权），因为在合约竞标中必须提供土地作为抵押。这最后一个条件，即只有根据罗马土地法享有全部特权的土地才能将其作为抵押品，塑造了罗马帝国资本家阶级特有的民族性。这种民族性比近东任何其他类似阶级表现得都要更为鲜明。比如在托勒密王朝，包税人似乎主要由异邦人担任，希腊较小的城邦事实上还鼓励外国资本家积极参与合约以促进竞争。”

韦伯（1976，第317页）继续阐述道，使罗马与众不同的地方在于，尽管存在“排斥贵族直接参与工业活动在整个古代都很普遍”的事实，但在罗马“这种排斥被扩展至对农耕和船运征税，一名元老院议员所能拥有的船只仅需满足运送自家耕地的产品就够了。结果，议员们只能通过政治职务、佃农租金支付、撮合自由民抵押贷款（尽管这是被禁止的，但早在加图时期就非常普遍了）以及间接投资于商业和航运等途径来获取财富。与之形成鲜明对比的是，直接参与资本主义创业活动的资本家阶级（骑士包税人阶级）。他们被排除在元老院之外……从盖约·格拉胡斯（Gaius Gracchus）时代起，罗马人就形成了一种合法构建的秩序”，越来越憎恨以社会为代价来牟取暴利。在追逐财富的各种途径之间，也出现了不断扩大的鸿沟。

十一、企业家经营的公共环境

到公元前19世纪亚述人同小亚细亚地区建立广泛的贸易关系时，私营商人开始扮演比美索不达米亚南部苏美尔和巴比伦时期更重要的角色。拉森（1974，第469页）将亚述人的贸易描述为“一种冒险行为，即所有货物在货主预先并无保障售价的情况下被运往国外”。他补充道：“即使神庙的角色某种程度上来说仍然含糊不清，但人们并没有在‘国家’层面发现亚述社会的经济决定因素。相反，贸易明显通过大量以亲属关系为基础的大型社群组织进行，这类社群被称作‘商社’（houses），我们可以暂时称之为‘企业’（firm）。”商业行会起着类似于贸易协会的功能，在和地方政府打交道中代表商人利益，降低了创造“永久代表制、合伙企业制和‘作坊生产’等基本模式”所涉及的风险。

将视域从近东向西移至地中海，我们发现随着社会变得更加“个人主义化”，即更加寡头政治化，出现了更多掠夺性和破坏性的经济活动。但是，即使在积极的商业企业和国家政权之间的关系比任何其他地方都松散的罗马（Weber，1976，第316页），最成功的创业途径仍然是和公共机构通力合作。公共职务和公共服务合约可追溯至公元前4世纪，起初主要是为宗教仪式、公共建筑和类似的民生项目提供物资，后来主要是为公共企业（包括采矿和作坊生产等）以及公共费用和收入的征集提供必要支撑。军队供给和向被征服地征税很快成了最大的合约类型。

由于缺乏一套具备近东混合经济体相似特征的永久性公共或皇家官僚机构，政府需要私人供应商提供政府本身无法提供的服务，并依靠个人征集税收和管理被征服地。由于缺乏公民监督，甚至缺乏有效的商业税收，罗马商人能够以牺牲公共利益为代价谋取私利。“包税人的主要利润来自*ultro tributa*（商品和服务，特别是军队供给合约）。”巴迪安（1972，第24页）总结道。考虑到合约涉及的工程规模庞大，即使利润率较低也能带来一大笔财富。罗马骑士包税人的掠夺性行为最为臭名昭著。李维（Livy，XLV 18，4）也留下了“哪里有包税人，哪里就没有有效的公法和臣民自由”的著名控诉。在描述包税人如何奴役债务人并将之大量运往提洛岛（Delos）奴隶市场交易时，巴迪安（1972，第33页）引用了狄奥多（Diodorus，V38）对西班牙富铁矿和银矿的记录，那里的包税人管理员“让奴隶拼命干活，以便在尽可能短的时间里获取最大利润”。随着罗马共和国时期矿山采掘权落入许多像克拉苏（Crassus）这样的私人手里，经济两极化变得更加严重（Frank，1933，第374页）。

对比古代上层家族和如今许多国家的《福布斯》富豪榜可以发现，有身份地位的家族的一个共同点在于，他们掌控着地产权、采矿权和国家授予的其他商业经营权，按规定的租金把它们从公共机构那里租来自己经营。国家垄断的食盐、采矿甚至邮政服务，在欧洲中世纪时期都是可以部分转让的。在此过程中，寻租的个体得以直接占有这类资产，特别是在那些被征服的地区。约翰逊（Johnson，1946，第5卷）发现，在埃及，“罗马人很快屈从于托勒密时代私营企业的垄断行为，亚历山大港发展成为罗马帝国最重要的贸易和工业中心之一”。罗马人似乎不太有兴趣通过作坊生产和工业活动（Frank，1933，第291页）从被帝国征服的城邦和行省牟取暴利。商人和金融食利者的发展良机总是出人意料的短暂——由于债务担保、资产剥离和经济两极化使国内市场急剧萎缩，这种发展良机进一步缩短。

十二、创业融资

许多经济史学家（如Andreau，1999，第151页；以及早些时候的Humphreys，1978，第151页和Larsen，1974，第470页）将巴比伦时期的商业借贷描述成古典时期和中世纪欧洲意大利康曼达借贷的雏形。这类借贷由计息债务和一份利润分成的合伙协议构成。高级合伙人通常是神庙或宫廷，在古典时期则是相关的公共机构。

《汉谟拉比法典》明确规定了债权人如何按照这种契约和债务人一同承担风险。《法典》第98—197条给出了巴比伦时期典型的贸易规范协议。商人需将商业利润同其支持者五五分成，且须认真记下商业活动的重要细节。第100条对规范程序做了注解：“若某商人为开展商业贸易而向贸易代理人支付了一笔银币，并指派他全权负责一趟商贸之行……则贸易代理人每到一处均应尽力获取贸易利润，并根据每笔交易和流逝的时间，对他拿到的这笔银币计算总利息，以让贸易委托人满意”（Roth的翻译版本，1995）。要是贸易代理人汇报说这趟商贸之行没赚到钱，那么他必须严肃解释原因何在，以消除支持者的疑惑（第101条）。如果亏损，则仍须归还初始资本（第102条）。然而，《汉谟拉比法典》第103条规定，一旦遭到抢劫或沉船事件，贸易代理人不必承担债务责任。但是，如果目击者证实代理人隐瞒事实、捏造借口，那么他将被责令赔偿损失额的3倍之多（第106条）。

在古代，绝大多数商业贷款均采取航运贷款形式。由于商船有可能无法安全抵达目的港，商人需支付高昂的回报率（近东地区为20%，另加一定的贸易利润分成比例）。从苏美尔时代到罗马帝国时代，当商人的货船发生海难或遭海盗掠夺，或其陆上商队被抢劫时，他们的债务将会被取消。因此，这类借贷具备了海洋货运保险的某些特征，尽管在罗马时代这类支持措施通常只限于经验丰富的专业人士。

韦恩霍夫（Veenhof，1999，第55页）认为，亚述人商队对资本利润的追逐促进了"安纳托利亚地区马口铁和毛纺织品的生产，该地区需要用它们来直接或间接交换白银，随后将白银运回亚述帝国。在支付了必要开销（包括成本、税收、债务、利息和分红）后，绝大多数贸易收益通常仍被用于商业目的，要么直接用于组建或组配新的商队，要么间接投资于一家企业或放贷给某个商人"。这类贸易促进了一种颇含现代元素的信贷创新，类似于"不需提及债权人姓名，只需说他是达穆卡拉'商人或债权人'的商业票据。在少数情况下，这类票据被粘贴在'这张票据的持票人是达穆卡拉×××'这句话后面。这一条款意味着债务票据和债权转让的可能性，这可能是后来'无记名支票'的雏形"（Veenhof，1999，第83页）。

在当时，绝大多数农业债务都是欠给王室承租人、收费人和税务官，或者公营企业的管理者（包括神庙和宫廷公开批准的专售啤酒的女店主）的。王室豁免权减少了他们可能因遭受自然灾害或战争而无力偿还债务的风险。《汉谟拉比法典》规定，若土地遭遇洪灾，则耕地农民不必承担偿付地租的责任。废除这些债务也意味着取消了王室代理人和租赁人欠宫廷的债务。在中央集权较弱时期，这些人似乎在任何情况下都能漏缴地租和其他费用。

在论及古典时期的社会环境时，芬利（1973，第141页）引述了使希腊和罗马经济具备前现代性（premodern）的三个特征。首先是生产性贷款的缺乏，后来的经济史学家发现这点表现得极其明显，特别是当近东商业模式发生调整时。其次是以下事实，尽管"希腊和罗马存在源源不断的放债……但所有贷款人仍不免要受手头可支配的实际现金数额的严重制约；换言之，不存在任何类似于借助可转让票据创造信贷的机制……根据希腊法律，销售行为是不合法的，在货款得到完全偿付前禁止货物交割；赊销只能采取虚拟贷款的形式"。再者，绝大多数贷款都是短期的，主要用于为航海贸易或陆路长途贸易筹集资金。

人们倾向于认为，芬利所描述的必定是刚刚开始的"原始"状态。但正如前文所述，这些一般性特征并不十分符合近东的事实，特别是考虑到从新巴比伦时期的商业实践中发现的复杂的金融安排。埃吉贝家族留下的档案与研究古希腊和罗马的老一辈经济史学家的观点明显相抵触，这些经济史学家发现几乎不存在任何用于有形资本投资的生产性贷款。埃吉贝家族从事抵押贷款（antichretic loans），也就是在贷款利息得到支付前，必须有抵押品作为担保。当今许多房地产投资商仍沿用这种策略，如格言所说：租金专为利息而生（Rent is for paying interest）。埃吉贝家族也接受城市地产（“王储府邸”）作抵押，以获取最高商业信贷额度，如本书第二章作者温斯切所述，他们的合伙企业有时也延续至好几代人。

由于希腊和罗马史学家没能找到任何更复杂的制度安排，古典时期的经济看起来陷入了更落后的金融安排。正如芬利（1973，第 108 页）曾有过一段有名的论述，最好地概括了这种最极端的观点：

> 对资本成本和劳动成本之间的差异没有清楚的认识，有计划的利润再投资、以生产为目的的长期贷款都不存在。在这种短期贷款（像短期租赁一样）的情形下，进口未能进一步扩大。尽管朝代不断更替，但人们很容易举出以贸易和改进生产为目的的财产借贷的著名例子。抵押贷款是一种灾难（“拿祖宗房子作抵押”），一种旨在“解生活必需品供应不足的燃眉之急，且通常是由一些导致借款人对资金产生意外需求的紧急情况所引发”的短期个人贷款行为，而非一种以低利率成本筹集资金投资于高收益业务的深谋远虑之举，后者正是现代商业抵押贷款的主要功能。

安德罗（Andreau，1999，第 147—148 页）发现了一些零星例子，涉及罗马商人借钱度过经营难关或者通过延期付款来平衡因从事买卖而欠下的钱。但他总结道：“罗马金融家是否在经济生活领域投入了绝大部分努力，以试图创造一种有效的投资工具呢？是否有金融机构专门从事推广生产性贷款呢？这两个问题的答案显然都是否定的。”

一个障碍是，希腊和罗马企业多以合伙制形式进行组织，这也是延续至 17 世纪整个欧洲绝大多数贸易公司的普遍特征。弗兰克（1940，第 217 页）解释道：“每个合伙人必须承担其相应债务的全部责任……只有在有的合伙人去世时，这种合伙关系才会被迫终止。”“在如此严格限制的条件下，大型商业企业很难获得发展。”沃尔班克（Walbank，1969，第48页）也认为，永续型股份制公司的缺乏抑制了企业的发展：“由于必须承担风险，为商业冒险筹集资金总是代价高昂；由于风险需个人承担，利率非常之高。”罗马法确实意识到公共建筑项目涉及的大量投入需要依赖于公司组织，并且出于大致相同的原因，骑士阶层的包税人也需要获得组建公司的授权，以便管理公共创业活动（包括包税制），特别是关系到军队供应和其他帝国支出的活动（Nicollet，1966和Badian，1972描述了这类活动）。但弗兰克（1933，第350页）也提示说：“罗马法一直试图通过不直接服务于城邦的有限责任经营来抑制股份制公司的发展，”且“经营帝国合约项目的企业也只被授予5年的经营期限。”（也可参见D'Arms，1981，第41页）④

票据信用的缺失也限制了商业的潜在起飞。需要管理的公共债务并不存在。预算赤字迫使罗马帝国的皇帝们暗中降低铸币纯度，而不是像今天的各国财政部和央行通过创造信贷使自己的支出货币化。

这些制度约束限制了商业经营中的资本储备的积累，导致资本储备往往是临时性的权宜之计。弗兰克（1940，第28页）认为，由此导致的结果是“建立在每个合伙人的完全责任之上的合伙企业几乎不能扩大规模”。在整个帝国范围内，“我们并未听说哪个银行家不可或缺……在贵族家庭里，将金融事务托付给个人奴隶和自由民的旧习俗依旧盛行，因此投资银行业务没有市场；罗马经济结构也不适合产生公司银行业务”。这“导致商业成功不能获得任何社会尊重……农业、公共机构和军事部门是适合元老会议员的少数几种职业。获利丰厚的海上商业、手工作坊和银行业几乎完全掌控在异邦人和自由民手上。对这些人而言，无论他们积累了多少财富，也很难显著提高其社会地位”。

自由民在罗马创业活动中扮演着重要角色，当精英家族给他们提供一笔

④　以公司形式组织的商业活动仍局限于一些国家工程，包括开采公有土地的地下资源。“在某些时候，”Jones（2006，第208页）指出，“征税合伙（*societas vectigalis*）被看作是一种公司实体，根据公元2世纪法学家盖约（Gaius，Digest 3.4.1）的解释：‘包税制、金矿、银矿和盐场的合伙人被允许成立公司……这些获准成立一家合伙公司的合伙人……代表国家（*ad exemplum rei publicae*）持有公共财产和公共财富，并雇用一名律师或法律顾问，开展那些本应交易和付诸实施的事务。’”

私产（peculium）时，他们成为罗马最成功的企业家之一，但琼斯（David Jones，2006，第244—245页）观察到，这并未“产生一个由商人组成的‘中产阶层’”。在中产阶级开始出现后，“非经济价值观才开始改变”。那些曾是奴隶的自由民能获取的唯一上等身份至多只是模仿土地贵族。“特立马乔从百货贸易（酒、熏肉、豆、香料和奴隶）完美地转型到经营乡间地产，并为下一代奴隶出身的企业家提供资金。”这只是效仿哲学家塞涅卡（Seneca）“描述的‘富人’的特征：一个美满的家庭、一所漂亮的房子以及大量的地产和收入。塞涅卡还说到，富人‘有黄金打造的家具……大量贷款……许多郊区地产……’（Sen.，*Epist.* 41.7；87.7，引自Jones，2006，第173页）正是依靠出租土地和出借资金，塞涅卡本人才积累了一大笔财富。”

在叙述普特奥利（Puteoli）那些成为银行家的自由民，以及罗马以南170英里的那不勒斯湾的谷物和出口商业中心时，琼斯（2006，第165页）发现：“萨尔彼茨（Sulpicii）的商业建立在提供短期小额担保贷款之上。穆里赛恩的（Murecine）档案里没有证据表明萨尔彼茨或其他存款人把资金用于高风险和高收益的海上冒险借贷。此外，银行也主要在当地开展业务。”尽管事实上也面向皇室成员吸收存款和发放贷款，但银行的借贷市场是地方性的。琼斯（2006，第174页）推断：“没有迹象表明，精英阶层获取资金的其他渠道促进（或可能促进）了贸易和产业的扩张。”“罗马史研究者和他们的读者理所当然地认为，罗马精英对商业活动不感兴趣，且并未将贸易和工业投资视作合理利用资本的一种方式。”这是一种相当缺乏远见的攫取型思维，几乎没有经济增长的概念。它解释了鲍莫尔指出的古代企业的特征，即它们未能将技术商业化，只有到了中世纪时技术发明才被商业化。

十三、企业家、债务滥用与财产转移

以合法手段“逼迫某人倾家荡产”在金融领域屡见不鲜。债务止赎首先使家庭自营地变成了在外地主拥有的财产（absentee-owned property）。普卢塔尔克对某位斯巴达父亲剥夺儿子继承权并将地产遗赠给熟人的夸张描述可以在1000多年前的巴比伦找到先例。为了逃避防止（其实是保护）公民最基本的自营地落入外族人之手的传统制裁，巴比伦债权人和西北地区努齐(Nuzi)的债权人想出来一种新对策，即将债务人认作“养子”，这样债务人便成了抵押土地的合法继承人。这种“假收养”使债权人可以完全掠夺相关土地，剥夺了失地者的公民权，进而削弱了整个社会的战斗力。

汉谟拉比（公元前1750年）制定的法律和当时建立的“经济秩序”，一直延续到阿米萨杜卡（Ammisaduqa，公元前1648年）时期，他试图通过废除农业债务和个人债务，以及阻止债权人减少永久性地受缚于债务负担的公民数量，来维持社会稳定和强大的军事实力。我们在希腊和罗马并未发现类似的法律条文。由于缺乏“神圣统治权”或其他中央权威来制止狭隘的自利行为，罗马成了一个极有利于债权人和寡头政体的国家。

根据巴比伦“智慧书”和稍后时期的圣经箴言，我们发现当时缺斤少两之类的欺诈和不当行为尤其盛行，这使零售贸易臭名昭著。但古典时期最值得注意的是大规模欺诈。对罗马包税人的最早描述出现在一份元老院的检举书中。当国库因罗马同迦太基的战争而陷入困境时，物资供应商获得了一份政府协议，以确保所有货物一经装船便能安全抵达目的地。两个著名的伊特鲁里亚承包商，蓬波尼奥斯（T. Pomponious）和波斯图穆斯（M. Postumius），“在不适于航海的船只即将沉没时，卸去了船上价值低廉的物品，以确保能安全运送军备物资”。巴迪安（1972，第17—18页）评述道：“在我们有明确记录的情形下，突发事件……表明包税人一开始便已组成了一个凌驾于法律之上的压力集团，使私人利益凌驾于公共利益之上，并乐意保护同一阶级成员的利益，而不管后者的情况多么糟糕。”西塞罗仅存的元老院辩词显示，包税人总是团结一致，以心照不宣的默契来相互支持，因此，不存在纠正不正当行为的同行压力，有的只是同流合污以及更肆无忌惮的贪婪和欺诈。

罗马阻止商业滥用的主要努力发生在公元前133年，当时盖约·格拉胡斯建立了一套相互制约的体系，使元老院和骑士包税人通过揭发彼此的罪行进行相互监督。但银行家群体却转身变成了“陪审员”，骑士和各省行政官出于共同利益而相互勾结。西西里岛的维雷斯（Verres）的例子显示了行为不端的行政官和商人是如何沆瀣一气、狼狈为奸的。西塞罗把他形容为“一匹害群之马”，商人的传统策略是选定某个人作为“替罪羊”，接受公众惩罚，这样才能使其他人继续像往常一样从事商业活动。维雷斯成了替罪羊，定格在西塞罗脍炙人口的Verrines演讲辞中。但这种制衡体系本身出现了蜕变，最后因布鲁图斯、恺撒和其他贵族对罗马各行省的横征暴敛以及对拖欠款索要高额利息而走向终结。巴迪安（1972，第107页）描述道，包税人公司形成了一个卡特尔，“必须囊括除少数传统贵族以外的整个上层社会和元老院高级议员”。钱主要花在“购买”罗马帝国民众的政治支持上，正如公共机构和掠夺权利最终沦为有利可图的生财之道（与生产性创业活动形成鲜明对比）。人们普遍认为，一名行省长官“在职内必定能获得三种生财之道：债务偿付收入、退休金收入以及因敲诈勒索面临牢狱之灾时贿赂陪审员的收入”（Walbank，1969，第7页）。元老院在制止这种滥行上不仅软弱之极，甚至无动于衷。由于他们所掠夺的是帝国最富裕的地区，结果导致社会资本被大肆挥霍，窒息了整个帝国的经济增长。

十四、从商业创业精神到寡头政治

人们广为描述的希腊、罗马的个人主义精神，主要是一种关于社会地位和声望的军事伦理和日益盛行的寡头政治伦理。它以征服和放债作为谋取收益的主要手段，而极度鄙视商业逐利活动。公元前7世纪—公元前6世纪的希腊诗人塞奥格尼斯（Theognis，第53—58页）的诗反映了传统的贵族伦理：

> ……城市依旧，但物是人非。
> 那些曾对正义和法律一无所知，
> 披着破旧不堪的山羊皮，
> 在城市郊区像麋鹿一样艰苦谋生的人，
> 如今变成了贵族……
> 那些曾是真正贵族的人，
> 如今却沦落到了社会底层。
>
> ——转引自菲盖拉和纳吉（Figueira和Nagy，1985，第16页）

商业似乎无异于贪财牟利，是对贵族伦理的一种违背，这反映了亚里士多德的观念，即寻求“合乎自然”的自给自足的家计（householding）比商业更容易被社会接受。汉弗莱（1978，第144页）发现这种精神体现在“底比斯法律中；根据底比斯法律，任何一名在近10年从事过市场贸易的人均不能担任公职，底比斯法律还敌视贸易商，将之视作残酷剥夺他人辛苦所得的异邦人，在雅典玉米价格上涨时，这种敌视变成熊熊怒火。各方的互动被认为只考虑自身的直接经济优势，公然违背社会生活理念：只有‘外来者’（异邦人）才能依靠这类市场交易谋生”。颇具讽刺性的是，掐断希腊、罗马经济起飞的一个主要因素正是贵族对商业企业（不管是生产性的还是掠夺性的）的鄙视。

罗马人被视为组织天才，但他们把这种天赋主要用在了组织军队上。研究罗马城市史的历史学家将罗马城的创建者罗穆卢斯（Romulus）和雷穆斯（Remus）描述成是一只母狼哺育的两个野男孩，在两个小山头之间的地带创立了一座接纳流亡者、难民和罪犯的避难城市，后来这些人变成了罗马城邦军队的基石。到公元前6世纪，罗马城已经建立了坚固的城墙和意大利最大的神庙。商业起飞的前提条件已经具备，但贵族寡头阶层却通过高利贷和土地掠夺获得了支配地位，他们没有意识到减少大量奴役人口会损害国内市场的发展壮大。

罗马聚敛的财富大部分来自俘虏奴隶、掠夺战利品、高利贷和被征服地的贡品。正如弗兰克（1933，第399页）所总结的，“在罗马共和国最后50年（前80—前30）腐败盛行时期，更多财富朝罗马城滚滚而来，但它们并非来自商业，而是来自军队掠夺、没收品交易和权力的各种滥用。这些手段可追溯至卢库鲁斯（Lucullus）、恺撒、庞培和克拉苏等人，他们都是当时最富裕的罗马人。”

用现代经济学术语来说，这些都是标准的寻租行为。同推行商业战略相反，“共和国时期制定罗马政策的贵族几乎全是穷兵黩武者，”弗兰克（1940，第295页）说，“显然，那时候的经济动机、自利和贪婪毫不逊色于当今的商业社会。但所寻求的收益却大为不同。当时的地中海贸易和商业很大程度上由资历较深的航海员掌控，以经营农业生产为主的罗马贵族很难与他们竞争；或者由曾是奴隶但已擅长于贸易的自由民掌控，他们对国家政治不能产生任何影响。到奥古斯都时代，帝国重要人物已将他们的投资瞄准地方行省的不动产和抵押贷款，而非工业活动或商业。”

十五、创业活动的衰落

“在恺撒去世前，罗马很可能是整个帝国的金融中心，”弗兰克（1933，第350页）评论道，“但那里并未出现支配性的银行。”安德罗（1999，第

137 页）把这一惊人事实归因于寡头政体的缺陷。绝大多数放债行为都具有掠夺性。罗马包税人把资金借给异邦人，以便剥夺他人财富，而没有将资金用于经商投资。弗兰克（1940，第 29 页）总结道："在朱里亚·克劳狄王朝成长起来的几代人，提供了历史上最为人熟知的新兴贵族挥霍繁荣成果的例子。"自公元前 2 世纪起，由于缺乏大量生产性投资，罗马的奢靡消费只能建立在从国外掠夺来的战利品的基础上——得自小亚细亚的贡品和高利贷、西班牙的煤矿采掘（大多数由奴隶开采）以及持续至马克·安东尼和恺撒东征之后的对埃及的掠夺。

当帝国官僚阶级取代骑士包税人之后，情况几乎未发生任何改变。到塞普蒂米乌斯·塞维鲁（Septimius Severus，193—211 年在位）执政时期，各地军团为争夺罗马统治权彼此间内战不断，使帝国陷入经济混乱和军事动荡中。汉弗莱（1978，第 146 页）叙述道，"除少数行伍'世家'能收回他们在国外的财产之外，只有为数不多的家族能较长时间地保住其原有的社会最富裕阶层的地位"。罗斯托夫采夫（1926，第 399 页）引证希罗多德的《历史》（第七卷，180—250 年，第3—6 页），用和塞奥格尼斯相似的口吻描述了希腊起飞之初的情形："人们每天都能看到昨天还是最富有的人一夜之间沦为乞丐。僭主政体打着需固定财库以供养军队的旗号，掩盖其内在的贪婪成性。"由此导致国家穷兵黩武，将税收负担转嫁给底层社会，与此同时也抑制了商业企业的发展壮大，并加速了中世纪黑暗时代的到来。

与近东地区采取的解放奴隶（及罗马帝国各地的奴役劳动力）和债务免除等维持适当自由民数量和债务平衡的政策不同，戴克里先（Diocletian）试图通过实行价格控制和"极权主义经济学"（Frank，1940，第 303 页）来缓解困境，对此希罗多德留下了一段经典的罗马式结语："在使绝大多数名门望族陷入赤贫之后，马克西米努斯（Maximinus，235—238 年在位）发现这种掠夺无论如何已不能满足他的私欲，于是便开始侵吞公共财产。所有那些应归市政公有的征收来用于购置公共储备粮，或应分给公民的、供剧院和宗教节日之用的钱财，他一律据为己有；神庙里的还愿祭品、众神塑像、供给英雄的贡品、所有公共建筑物的装饰品、城市的任何装饰物……只要是能铸造货币的金属，都被熔铸成了货币以供马克西米努斯挥霍。"

"商业停滞不前，工业生产也急剧萎缩，"布劳顿（Broughton，1948，第 912 页）在描述公元3 世纪至公元4 世纪这段历史时推断，"所有依赖于借贷、票据、抵押贷款和类似投资形式的财富事实上已完全耗竭。那些依附于不动产（不管是城市还是非城市）的财富，因帝国征收和掠夺已大为减少，但仍可能保留了部分价值，尽管在一段时期它们只能提供极少收入甚或不能提供任何收入。国家走向封建主义几乎是不可避免的趋势。因此，在加里恩努斯（Gallienus，253—268 年在位）执政时期，整个帝国的所有灾难终于到达顶点"，加里恩努斯执政的最后 8 年，铸币含银量从 15% 左右迅速降至 2% 以下。

罗马帝国末期，工业生产已萎缩到同帝国初期相似的水平，且主要集中在公共部门的陶器、铸币厂、纺织品生产、铸铁厂和军队盔甲制造等部门。"有时（在某段时期），"沃尔班克（1969，第 78 页及以后各页）总结道，"国家（或罗马皇帝）曾是最大的地主；现在国家（或皇帝）成了矿山和采石场的最大所有者和最大工厂主。"但在帝国经济规模不断萎缩的背景下，这些国家企业只能以实物支付工人工资，并最终成为其他世袭职业的附庸。

随着经济体的货币被抽空殆尽，财富也趋于枯竭。绝大多数财富流向了东方国家，特别是流向印度的越来越多。手工艺品和工业生产从城市转到农村和自给自足的乡下庄园，一定程度上逃脱了军事化帝国的财政掠夺。"通过现场监督一切事务，"沃尔班克（1969，第 56—57 页）解释道，"封建男爵在罗马帝国末期的'前辈们'得以省去最大一笔费用"，即交通费用。大地产成了"城市文明衰落的象征，既是普遍腐败的结果，也是加剧腐败的因素……随着每个庄园走向自给自足，越来越多的人脱离了传统经济体系，仍在原来市场上流通的商品的消费者也就日渐凋零"。

最大的地主可享受帝国税收豁免权，这将财政负担转嫁到了商业活动上（Hudson，1997）。"有影响力的人不管作为个人还是作为一个社会阶层，均能骗取豁免权，"麦克马林（1988，第 42 页）总结道，"'市政厅的登记员相互勾结，将税收负担从上等公民转嫁到下等公民身上'，君士坦丁大帝在第 313 条和第 384 条法律条文愤怒地写道：色雷斯和马其顿的元老院全体议员却不需缴纳任何地产税。"

罗马帝国通过经济摧残、焚毁大片地区和驱逐有潜力从事市场活动的大量人口，不断进行扩张。如此持续近 4 个世纪后，这些战利品和奴隶才算完全消耗殆尽。罗马最富裕的行省小亚细亚，于公元 3 世纪末期彻底走向了崩溃，由于长期处于紧急状态，神庙只好将其物资储备拿来施行善举（Broughton，1938，第

912 页）。盗窃再次盛行，几乎唯一有案可查的建筑物都和防盗城墙有关。人们所能说的也许是，在帝国西部，罗马征服时代因蛮族入侵而终结。尽管北方诸民族犹在，但整个帝国的经济早已不堪一击。

十六、结论

若能细研过去每件历史大事，以往历史必使我们更加关注未来。

——*波利比奥斯*（Polybius，XII 25e，6）

美索不达米亚地区基本原材料的匮乏，促使崇尚武力的统治者，如阿卡德王朝的缔造者萨尔贡（Sargon），以扩大了长途贸易而自豪。相反，地中海贵族只满足于自给自足。这导致西罗马帝国陷入了依附于地产的经济生活，而埃及和君士坦丁堡时期东罗马帝国的繁荣则要长久得多。

近东人最早创立了基本的商业惯例，这一事实提出了究竟该如何准确定义“西方”的问题。长期以来，古希腊、罗马一直被描绘成是崭新起点的标志，迥异于人们通常观念中停滞不前的近东经济圈。然而整个古典时期，近东都实现了更高程度的繁荣，以及更高层次的经济平衡和稳定。长期被视为新理念的个人主义，却是公元前 1200 年后整个地中海东部遭受全面破坏崩溃的产物。随后的“中间时期”陷入了一团乱局，从未产生一套有利于生产性（而非掠夺性和剥削性）逐利行为的伦理。

当叙利亚和腓尼基商人于公元前 8 世纪开始组织地中海贸易时，他们带来了标准化的度量衡、货币和一系列金融术语，以及向希腊和意大利社群举借的计息债务。地方长官将这些惯例应用于规模更小但更本土化的场合，那里缺乏近东地区的相互制衡机制，这些制衡机制可使经济避免陷入债权人和债务人的两极分化。除了梭伦（Solon）改革中颁布的《解负令》外，希腊、罗马并无废除债务防止债权人强制土地止赎和减少大量公民深受债务束缚的传统。恰恰相反，希腊、罗马以债权人衡量成功与否的标准是，债权人能否借助土地所有权和他们对佃户和扈从的恩庇提升其社会地位。人们不会将财富和财产归功于土地所有者付出的劳动，并以此来证明这些财富和财产的正当性。土地一般通过世袭或强制贫困者止赎获得，或以军事征服和内幕交易从公有土地中攫取而来。奴役越来越残酷无情，到公元 4 世纪有超过 1/4 的罗马人沦为奴隶，越来越多地依附于大农奴庄园。

阿诺德·汤因比（Arnold Toynbee）在《历史研究》（A Study of History）一书中断言，帝国崩溃必然是由“自我毁灭式的治国之道”所致，罗马经济史提供了一个重要例证。其同样符合鲍莫尔对生产性创业活动和非生产性创业活动所做的区分。罗马的对外关系尤以掠夺贡品和剥削当地民众为目的。目光短浅的帝国行政长官在掠夺行省后，并不考虑补充行省的资源。同促进国内市场需求相反，罗马放任债税负担侵蚀公民的购买力和榨干商业企业，并降低铸币纯度以应对财政危机，最终走向了封建主义。

就这些方面来说，古典时期必须被视作失败的开发模式。没有人倡导提高民众生活水平、提高劳动生产率或通过发展国内市场以促进技术进步的社会项目（program）。富人阶层的慈善赞助似乎是底层社会的最大指望。约翰·洛克（John Locke）和其他启蒙政治经济学家仍需为劳动所得的财产做道德辩护（洛克认为这是一种只适合小规模自给自足财产的理念）。但要使这种财产的劳动价值论获得认可，创业活动的政治和财政环境必须发生重大转变。

事实上，从罗马覆亡到黑暗时代，也确实出现了一个新世界。自农奴制下的奴隶劳动到自由劳动的转变使创业活动的社会特征发生了一定改变。伴随阿拉伯人贸易和南欧及西班牙摩尔人贸易的发展，商业开始复苏。1225年十字军发起的君士坦丁堡大劫掠，为西欧带回不计其数的金银财富，威尼斯人则为这次大劫掠提供了资金支持，他们获得了1/4的劫掠物作为报酬。这已足以为信贷扩张提供基础。经院学者在著述中并未完全批判银行家以差价的形式向对外贷款收取利息的做法（主要是出于为贸易和王室战争债务筹集资金的需要）。

直到中世纪末期以及（更多是在）文艺复兴和启蒙运动时期，经济逐利才开始采取扩大生产的形式。贸易成了获取货币金属的手段，信贷以国债和中央银行为基础实现了货币化。破产法变得更人性化，也更有利于债务人，至少一直到最近都是如此。

但古代史表明这种演变并非必然是进步的，经济或技术潜力并不一定能实现其价值。古往今来，企业家获得了大量经济剩余，但通常需以牺牲社会利益为代价。掠夺性贷款迅速演变成剥削资本，以资产剥夺为生的短期经济成了长期投资的普遍障碍。许多在后罗马封建时期消亡的食利者伦理的残骸至今犹存，像垂死者一样犹且挣扎。正如古典时期盛行将商业收益和利息所得投资于土地一样，现今的许多企业发现地产（以及金融投机和企业收购）

比新的资本形成更有吸引力。

当代学者批评罗马法律框架未能用永续型有限责任股份制公司来代替商业合伙企业。一旦有合伙人去世或新合伙人加入，就必须对贸易收益进行一次清算，这通常发生在每次远洋贸易结束后。但今天的股市赢家似乎在重拾历史学家所批评的掐断罗马经济起飞的短视行为。引导企业家通过投资新生产方式而非通过寻租、再分配性财产掠夺、债务止赎和内幕交易等来追逐利益，才是最有利于促进社会繁荣的经济环境。成功的企业通过增加产出或提高有利于降低成本的创新效率，而非通过债务和财产收益权的增殖来促进经济增长。其寓意在于，人类并非总能获得最强大且最有生产力的经济胜利。如更多关注技术而非信贷和财产制度的史学家常常指出的那样，文明的经济历程并非总是一帆风顺。这正是我们从正反两方面回顾古典时期的创业史中得出的主要教训。

参考文献

Andreau, Jean. 1999. *Banking and Business in the Roman World*. Trans. Janet Lloyd. Cambridge: Cambridge University Press.

Andreau, Jean, P. Briant, and R. Descat, eds. 1994. *Économie antique: Les échanges des l'Antiquité, le rôle de l'État*. Saint-Bertrand-de-Comminges: Musée archéologique départemental.

Archi, Alfonso, ed. 1984. *Circulation of Goods in Non-palatial Context in the Ancient Near East*. Rome: Edizioni dell'Ateneo.

Badian, Ernst. 1972. *Publicans and Sinners: Private Enterprise in the Service of the Roman Republic*. Ithaca, NY: Cornell University Press.

Baumol, William J. 1990. "Entrepreneurship: Productive, Unproductive and Destructive." *Journal of Political Economy* 98:893–921.

Bleiberg, Edward. 1995. "The Economy of Ancient Egypt." In *Civilizations of the Ancient Near East*, editor in chief Jack Sasson, 1373–86. Peabody, MA: Hendrickson.

Bongenaar, A.C.V.M., ed. 2000. *Interdependency of Institutions and Private Entrepreneurs: Proceedings of the Second MOS Symposium (Leiden 1998)*. Istanbul: Nederlands Historisch-Archaeologisch Instituut te Istanbul; Leiden: Nederlands Instituut voor het Nabije Oosten.

Broughton, T.R.S. 1938. "Roman Asia Minor." In *An Economic Survey of Ancient Rome*, ed. Tenney Frank, vol. 4, *Roman Africa, Syria, Greece, and Asia*. Baltimore: Johns Hopkins Press.

Burckert, Walter. 1992. *The Orientalizing Revolution: Near Eastern Influence on Greek Culture in the Early Archaic Age*. Trans. Walter Burkert and Margaret E. Pinder. Cambridge: Harvard University Press.

Calhoun, George M. 1965. *The Business Life of Ancient Athens*. Studia Historica 20. Rome: "L'Erma" di Bretschneider.

Cartledge, Paul, Edward E. Cohen, and Lin Foxhall, eds. 2001. *Money, Labour, and Land: Approaches to the Economics of Ancient Greece*. London: Routledge.

Casson, Lionel. 1984. *Ancient Trade and Society*. Detroit: Wayne State University Press.

Charpin, Dominique. 1982. "Marchands du Palais et Marchands du Temple à la Fin de la Ire Dynastie de Babylone." *Journal Asiatique* 270:25–65.

Cohen, Edward E. 1992. *Athenian Economy and Society: A Banking Perspective*. Princeton: Princeton University Press.

D'Arms, John. 1981. *Commerce and Social Standing in Ancient Rome*. Cambridge: Harvard University Press.

Dercksen, J. G., ed. 1999. *Trade and Finance in Ancient Mesopotamia: Proceedings of the First MOS Symposium (Leiden 1997)*. [Istanbul]: Nederlands Historisch-Archaeologisch Instituut te Istanbul; Leiden: Distributor, Nederlands Instituut voor het Nabije Oosten.

Diakanoff, Igor M., ed. 1991. *Early Antiquity*. Trans. Alexander Kirjanov. Chicago: University of Chicago Press.

———. 1992. "The Structure of Near Eastern Society before the Middle of the 2nd Millennium BC." *Oikumene* 3:7–100.

Figueira, Thomas J., and Gregory Nagy, eds. 1985. *Theognis of Megara: Poetry and the Polis*. Baltimore: Johns Hopkins University Press.

Finley, Moses. 1973. *The Ancient Economy*. Berkeley and Los Angeles: University of California Press.

———, ed. 1979. *The Bucher-Meyer Controversy*. New York: Arno Press.

Frank, Tenney, ed. 1933. *An Economic Survey of Ancient Rome*. Vol. 1, *Rome and Italy of the Republic*. Baltimore: Johns Hopkins Press.

———, ed. 1938. *An Economic Survey of Ancient Rome*. Vol. 4, *Roman Africa, Syria, Greece, and Asia*. Baltimore: Johns Hopkins Press.

———. 1940. *Rome and Italy of the Empire*. Baltimore: Johns Hopkins Press.

Frankfort, Henri. 1951. *Kingship and the Gods: A Study of Ancient Near Eastern Religion as the Integration of Society and Nature*. Chicago: University of Chicago Press.

Garnsey, Peter, Keith Hopkins, and C. R. Whittaker, eds. 1983. *Trade in the Ancient Economy*. Berkeley and Los Angeles: University of California Press.

Gress, David. 1998. *From Plato to NATO: The Idea of the West and Its Opponents*. New York: Free Press.

Heichelheim, Fritz. 1958–70. *An Ancient Economic History: From the Palaeolithic Age to the Migrations of the Germanic, Slavic, and Arabic Nations*. Rev. ed. 3 vols. Leiden: A.W. Sijthoff.

Hudson, Michael. 1992. "Did the Phoenicians Introduce the Idea of Interest to Greece and Italy—and If So, When?" In *Greece between East and West*, ed. Gunter Kopcke and I. Tokumaru, 128–43. Mainz: Verlag Philipp von Zabern.

———. 1996a. "The Dynamics of Privatization, from the Bronze Age to the Present." In *Privatization in the Ancient Near East and Classical Antiquity*, ed. Michael Hudson and Baruch Levine, 33–72. Cambridge, MA: Peabody Museum of Archaeology and Ethnology.

———. 1996b. "Privatization in History and Today: A Survey of the Unresolved Controversies." In *Privatization in the Ancient Near East and Classical Antiquity*, ed. Michael Hudson and Baruch Levine, 1–32. Cambridge, MA: Peabody Museum of Archaeology and Ethnology.

———. 1998. "Land Monopolization, Fiscal Crises and Clean Slate 'Jubilee' Proclamations in Antiquity." In *Property in Economic Context*, ed. Robert C. Hunt and Antonio Gilman, 139–69. Lanham, MD: University Press of America.

———. 2000. "How Interest Rates Were Set, 2500 BC–1000 AD: *Máš*, *tokos* and *fænus* as Metaphors for Interest Accruals." *Journal of the Economic and Social History of the Orient* 43:132–61.

———. 2005–6. Review of *Autour de Polanyi: Vocabularies, théories et modalities des échanges*, ed. Ph. Chancier, F. Joannès, P. Rouillard, and A. Tenu (Paris: De Boccard, 2005) and *The Ancient Economy: Evidence and Models*, ed. J. G. Manning and Ian Morris (Stanford: Stanford University Press, 2005). *Archiv für Orientforschung* 51:405–11.

Hudson, Michael, and Baruch A. Levine, eds. 1996. *Privatization in the Ancient Near East and Classical World*. Cambridge, MA: Peabody Museum of Archaeology and Ethnology.

———, eds. 2000. *Urbanization and Land Ownership in the Ancient Near East*. Cambridge, MA: Peabody Museum of Archaeology and Ethnology.

Hudson, Michael, and Marc Van De Mieroop, eds. 2002. *Debt and Economic Renewal in the Ancient Near East*. Bethesda, MD: CDL Press.

Hudson, Michael, and Cornelia Wunsch, eds. 2004. *Creating Economic Order: Record-Keeping, Standardization, and the Development of Accounting in the Ancient Near East*. Bethesda, MD: CDL Press.

Humphreys, S. C. 1978. *Anthropology and the Greeks*. London: Routledge and Kegan Paul.

Joannès, Francis. 1995. "Private Commerce and Banking in Achaemenid Babylon." In *Civilizations of the Ancient Near East*, editor in chief Jack Sasson, 1475–86. Peabody, MA: Hendrickson.

Johnson, Allan Chester. 1936. *Roman Egypt to the Reign of Diocletian*. Baltimore: Johns Hopkins Press.

Jones, A.H.M. 1964. *The Later Roman Empire, 284–610: A Social, Economic, and Administrative Survey*. Norman: University of Oklahoma Press.

Jones, David. 2006. *The Bankers of Puteoli: Finance, Trade, and Industry in the Roman World*. London: Tempus.

Kirzner, Israel M. 1979. *Perception, Opportunity, and Profit: Studies in the Theory of Entrepreneurship*. Chicago: University of Chicago Press.

Kopcke, Gunter, and I. Tokumaru, eds. 1992. *Greece between East and West*. Mainz: Verlag Philipp von Zabern.

Kurke, Leslie. 1999. *Coins, Bodies, Games, and Gold: The Politics of Meaning in Archaic Greece*. Princeton: Princeton University Press.

Lamberg-Karlovsky, Carl. 1996. "The Archaeological Evidence for International Commerce: Private and/or Public Enterprise in Mesopotamia." In *Privatization in the Ancient Near East and Classical World*, ed. Michael Hudson and Baruch A. Levine, 73–108. Cambridge, MA: Peabody Museum of Archaeology and Ethnology.

Lambert, Maurice. 1960. "La naissance de la bureaucratie." *Revue Historique* 224:1–26.

Larsen, Mogens Trolle. 1974. "The Old Assyrian Colonies in Anatolia." *Journal of the American Oriental Society* 94:468–75.

Latouche, Robert. 1961. *The Birth of Western Economy: Economic Aspects of the Dark Ages*. Trans. E. M. Wilkinson. London: Methuen.

Leemans, W. F. 1950. *The Old-Babylonian Merchant: His Business and His Social Position*. Leiden: E. J. Brill.

Liverani, Mario. 2005. "The Near East: The Bronze Age." In *The Ancient Economy: Evidence and Models*, ed. J. G. Manning and Ian Morris, 47–57. Stanford: Stanford University Press.

MacMullen, Ramsay. 1974. *Roman Social Relations, 50 BC to AD 284*. New Haven: Yale University Press.

———. 1988. *Corruption and the Decline of Rome*. New Haven: Yale University Press.

Manning, J. G., and Ian Morris, eds. 2005. *The Ancient Economy: Evidence and Models*. Stanford: Stanford University Press.

Nicolet, Claude. 1966. *L'Ordre équestre a l'Epoque républicaine*. Paris: E. de Boccard.

Parkins, Helen, and Christopher Smith, eds. 1998. *Trade, Traders, and the Ancient City*. London: Routledge.

Postgate, J. N. 1992. *Early Mesopotamia: Society and Economy at the Dawn of History*. London: Routledge.

Reden, Sitta von. 1995. *Exchange in Ancient Greece*. London: Duckworth.

Renger, Johannes. 1984. "Patterns of Non-institutional Trade and Non-commercial Exchange in Ancient Mesopotamia at the Beginning of the Second Millennium B.C." In *Circulation of Goods in Non-palatial Context in the Ancient Near East*, ed. Alfonso Archi. Rome: Edizioni dell'Ateneo.

———. 1994. "On Economic Structures in Ancient Mesopotamia." *Orientalia* n.s. 63:157–208.

———. 2000. "Das Palastgeschäft in der altbabylonischen Zeit." In *Interdependency of Institutions and Private Entrepreneurs: Proceedings of the Second MOS Symposium (Leiden 1998)*, ed. A.C.V.M. Bongenaar, 153–83. Istanbul: Nederlands Historisch-Archaeologisch Instituut te Istanbul; Leiden: Nederlands Instituut voor het Nabije Oosten.

———. 2002. "Royal Edicts of the Babylonian Period—Structural Background." In *Debt and Economic Renewal in the Ancient Near East*, ed. Michael Hudson and Marc Van De Mieroop, 139–62. Bethesda, MD: CDL Press.

Rostovtzeff, Mikhail. 1926. *The Social and Economic History of the Roman Empire*. Oxford: Clarendon Press.

Roth, Martha T. 1995. *Law Collections from Mesopotamia and Asia Minor*. Atlanta: Scholars Press.

Sasson, Jack, editor in chief. 1995. *Civilizations of the Ancient Near East*. Peabody, MA: Hendrickson.

Scheidel, Walter, and Sitta von Reden, eds. 2002. *The Ancient Economy*. Edinburgh: Edinburgh University Press.

Scott, William Robert. 1912. *The Constitution and Finance of English, Scottish, and Irish Joint-Stock Companies to 1720*. 3 vols. Cambridge: Cambridge University Press.

Stolper, Matthew. 1985. *Entrepreneurs and Empire: The Murashu Archive, the Murashu Firm, and Persian Rule in Babylonia*. Leiden: Nederlands Historisch-Archaeologisch Instituut te Istanbul.

Van De Mieroop, Marc. 1987. "The Archive of Balmunamhe." *Archiv für Orientforschung* 34:1–29.

———. 1992. *Society and Enterprise in Old Babylonian Ur*. Berlin: D. Reimer.

———. 2005. "The Invention of Interest." In *The Origins of Value: The Financial Innovations That Created Modern Capital Markets*, ed. William N. Goetzmann and K. Geert Rouwenhorst, 17–30. Oxford: Oxford University Press.

Veblen, Thorstein. 1904. *The Theory of Business Enterprise*. New York: Scribner.

Veenhof, Klass R. 1972. *Aspects of Old Assyrian Trade and Its Terminology*. Leiden: E. J. Brill.

———. 1997. "'Modern' Features of Old Assyrian Trade." *Journal of the Economic and Social History of the Orient* 40:336–66.

———. 1999. "Silver and Credit in Old Assyrian Trade." In *Trade and Finance in Ancient Mesopotamia: Proceedings of the First MOS Symposium (Leiden 1997)*, ed. J. G. Dercksen, 55–83. [Istanbul]: Nederlands Historisch-Archaeologisch Instituut te Istanbul; Leiden: Distributor, Nederlands Instituut voor het Nabije Oosten.

Walbank, F. W. 1969. *The Awful Revolution: The Decline of the Roman Empire in the West*. Liverpool: Liverpool University Press.

Weber, Max. 1976. *The Agrarian Sociology of Ancient Civilizations*. Trans. R. I. Frank. London: NLB.

West, M. L. 1997. *The East Face of Helicon: West Asiatic Elements in Greek Poetry and Myth*. Oxford: Clarendon Press.

Wray, Randall, ed. 2004. *Credit and State Theories of Money: The Contributions of A. Mitchell Innes*. Cheltenham, UK: Edward Elgar.

Yoffee, Norman. 1995. "The Economy of Ancient Western Asia." In *Civilizations of the Ancient Near East*, editor in chief Jack Sasson, 1387–1400. Peabody, MA: Hendrickson.

Zaccagnini, Carlo, ed. 2003. *Mercanti et Politica nel Mondo Antico*. Rome: "L'Erma" di Bretschneider.

第二章　新巴比伦时期的企业家

科妮莉亚·温斯切

从公元前626年到公元前539年，迦勒底统治者（Chaldaean rulers）[①] 掌权下的新巴比伦王国持续了将近一个世纪。居鲁士大帝的征服终结了迦勒底人的统治，巴比伦王国被并入版图更广阔的阿契美尼德波斯帝国。美索不达米亚南部成了帝国的权力中心，从这里出发，阿契美尼德波斯帝国控制了近东大部分地区。巴比伦是帝国的首都,位于幼发拉底河的一条支流上，在今伊拉克首都巴格达以南约75公里处。

公元前626年起，那波帕拉萨尔（Nabopolassar）逐渐夺取并巩固了对美索不达米亚地区的统治，最终在中间盟友（Median allies）的协助下率军击败了亚述帝国，并于公元前612年摧毁了亚述帝国的首都尼尼微。稍后，巴比伦成为庞大的新帝国的首都，逐渐从之前的军事毁坏和亚述帝国的残暴统治中重新恢复生机。当时，四方朝贡之物远远超过了巴比伦输往其他地方的货物。

那波帕拉萨尔著名的继任者尼布甲尼撒二世和那波尼德，将这些贡物用于修建、翻新和扩建神庙与宫殿，扩建城市防御工事和水利灌溉系统等大型建筑工程。尼布甲尼撒二世沿用亚述王朝将被征服地的大量原住民迁至巴比伦的政策。[②] 这

---

① 那波帕拉萨尔在位21年(前626—前605)，其长子尼布甲尼撒二世在位43年(前605—前562)，幼子以未米罗达在位2年（前562—前560，后遭谋杀），尼布甲尼撒二世的继子涅里格利沙尔在位4年（前560—前556），其小儿子拉波罗扫措德（Laborosoarchod）即位不到3个月便被那波尼德篡权夺位。在那波尼德率军远征阿拉伯沙漠的几年间，其子伯沙撒执掌巴比伦统治权，但他从未被当成国王对待；因此，目前所有巴比伦档案均截止于那波尼德执政时期（前556—前539，在位17年）。

② 最著名的例子是《圣经》中关于犹太人“巴比伦囚虏”的记载。巴比伦南部神庙出土的碑片，记载了备受瞩目的将俘虏或人质当作商品进行交易的情景（Weidner，1939）。众所周知的便是犹大王国上层人士被掳的事迹，约雅敬王的被俘则最为著名（参看《圣经·旧约全书》，2 Kings 24. 8 – 12；25. 27 – 30；2 Chr. 36. 9 – 10；网站 www. livius. org/ne-nn/nebuchadnezzar/anet308. html 提供了一条获取巴比伦原始资料的捷径）。最近的碑片发掘使我们能一窥那些受驱逐而迁居巴比伦乡下的普通犹太民众的生活面貌。相关概述参见 Pearce（2006），她和本文作者共同提供了更完整的研究版本。

有助于刺激经济在相对和平的国内环境下实现增长，促进人口的可持续增长和帝国的相对繁荣。

公元前538年居鲁士大帝的征服，标志着巴比伦王朝的终结和巴比伦政治史上的一次大断裂，但并未完全中断巴比伦王国的行政制度和法制传统。波斯帝国初期实施了尽可能保留被征服地现行法律和经济结构的政策，使统治权更替得以平稳推进。[③] 但阿契美尼德帝国的统治者[④]往往在现行社会结构上，另行增设自己的管理机构。由于帝国疆域更加辽阔，它有条件提供并支持更多的新商机，尽管巴比伦已不再是权力中心，王室宫廷也建在了其他地方。

根据希罗多德（Herodotus）的记载，巴比伦提供了波斯帝国1/3的贡物，其经济财力无疑是帝国的一笔重大资产。[⑤] 但正如亚述帝国统治下的情形一样，其资源曾一度被消耗殆尽，所幸经济增长缓和了这种影响。[⑥] 尽管巴比伦富甲一方，且享有特权和相对独立的自治权，但对波斯帝国高压统治的不满情绪与日俱增。一旦波斯帝国因王位继承而爆发内战，试图脱离其统治的斗争便会此起彼伏。公元前486年大流士去世，紧接着发生了一场政治混乱，两名觊觎王位者（可能出身于和当地波斯官员来往密切的巴比伦名门望族）暂时窃取了巴比伦北部的统治权。这促使战胜者泽克西斯一世（Xerxes）对两人的支持者实施了一场残酷的惩罚，并重新调整了在巴比伦的统治政策。结果，巴比伦传统上层家族的大量档案文献，不到泽克西斯一世在位的第二年便已基本流失。[⑦]

稍后的资料，如公元4世纪早期和5世纪尼普尔城邦穆拉斯夫（Murašû）家族的商业文献，描绘了一种不同于公元6世纪波斯贵族在经营和管理巴比伦大地产中所组织的创业活动。这为我们提供了一幅延续至公元前485年前后、

---

③ 关于波斯帝国对巴比伦的早期统治，参见Jursa（2007）对以往研究文献的述评。

④ 居鲁士大帝在位9年（前539—前530），其子冈比西斯一世在位8年（前530—前522），大流士（阿契美尼德家族的旁支）在位36年（前522—前486）。期间还发生了斯梅尔迪士（又称巴尔迪亚或高墨达）的短命统治以及公元前522年和公元前521年尼布甲尼撒三世和尼布甲尼撒四世的篡位统治。

⑤ 参见希罗多德《历史·卷一》（Kleio，第192页）。

⑥ Van Dreil（2002，第164—165页，第318—319页）提出了这一观点，并得到了Jursa（2004）的讨论，后者认为生产率提高和出口增加弥补了波斯帝国高税收的负面影响。巴比伦必定是靠出口纺织品和食品获得的白银供给波斯统治者的。生产率提高可能体现在农业制度的改进上，尽管长期内似乎并不足以弥补不断增加的税收负担。

⑦ 关于巴比伦反抗波斯统治及其政治影响的资料，以及这些档案最终中断的完整研究和解释，参见Waerzeggers（2003，2004）和此前的研究文献。

跨度达120年以上或超过5代人的十分相似的商业图景。大量史料证明，在王朝更替时期，不仅经济上的连续性得以保持，行政和法律制度上的连续性也得到了保持。稍后时期的文献相对较少，其来源也不够统一，这表明一些次要细节和其他方面可能已经发生了变化。

因此，广义政治史的时代划分并不适合社会经济的动态发展。由于缺少一个更精确的术语，同时也为了避免生搬硬套长期以来的惯用术语、生造词或缩略词，本章研究提及的“新巴比伦时期”（除了特指新巴比伦王国外）仅指阿契美尼德帝国第一时期（约公元前485年前）和新巴比伦王国早期（前626—前539）。

有关新巴比伦时期经济活动的基本信息主要来自阿卡德语商业文献，阿卡德语是一种现已消亡的闪族语，同希伯来语、阿拉米语和阿拉伯语有着千丝万缕的联系。阿卡德语以楔形文字的形式被刻在泥碑上，书写时，只需先把各种各样的楔形字母组成文字，再用书写工具刻入尚未风干的介质即可。碑片的形状和大小不一，主要由它们的用途决定。大多数新巴比伦时期的合约碑片如掌心般大小，包含15—25行内容。由于泥版较不易磨损，故无论有意或无意，一旦碑片被埋入地下，便能保存几千年时间。仅新巴比伦王国出土的这类碑片和碎片，世界各地博物馆的收藏量便达10万份之多，其中有近1.6万份已集册出版。[8] 它们绝大多数是由本地人或得到许可的采掘者于19世纪末挖掘出来的，现代受控挖掘技术当时尚未出现。

这些新巴比伦碑片大多来自两座神庙（即巴比伦南部的乌鲁克神庙和北部的西帕尔神庙）的档案，以及一些名门望族和少数不同地区企业家的私人文献。迄今已发现的王室残存档案为数不多，因此我们关于这段时期的观点难免带有很大的片面性。[9]

近二十年来，掀起了一股研究新巴比伦原始档案的热潮，有一定数量的私人文献得到了研究并被集册出版，或者至少已能被外界所了解和获得，这是因为博物馆对珍贵史料的开放采取了一种更加慷慨大方的态度。关于新出土的原始资料的研究成果也越来越多地得到出版，使人们对这些历史档案的解读提升

---

⑧ 参见Jursa（2005，卷一）。

⑨ Jursa（2005，第57—152页）根据新巴比伦时期档案资料的出处、考古历史和内容概要，提供了一个关于它们的英文版综述。

到了一个新的更高的层次。

我们将把讨论重点放在埃吉贝家族的活动上，埃吉贝家族留下的私人档案最为丰富，有2000多份跨5代企业家、几乎涵盖了本章要讨论的所有时段的相关碑片（包括碎片和副本）。[⑩] 当然，同意大利普拉托（Prato）商人仅14世纪就多达15万份的书面文献相比，每月平均1—2份的档案显然是“小巫见大巫”。[⑪] 即使埃吉贝家族的档案能有该数目的1/10，从更广泛的意义上说我们所了解的也只能是沧海一粟。更棘手的是，楔形碑片的措辞相当抽象和简洁，它们只披露简要事实，不仅没有提示相关参与方的意图或动机，且很少包括对以往事实的必要叙述。因此，在证据不够精细的地方，我们只能粗略地一带而过，并不得不依赖极少数记载稍详的交易例子，以作为解释性的模型。

但是，这类档案确能披露新巴比伦企业家和他们在商品贸易、食品加工、农业信贷和包税制等方面的活动情况。一方面，它可以被当作解读其他更简要档案的关键一步；另一方面，少量篇幅更短的档案较具体地描述了埃吉贝家族碑片中语焉不详的细节，否则我们仍然无法知晓这些碑片的含义。

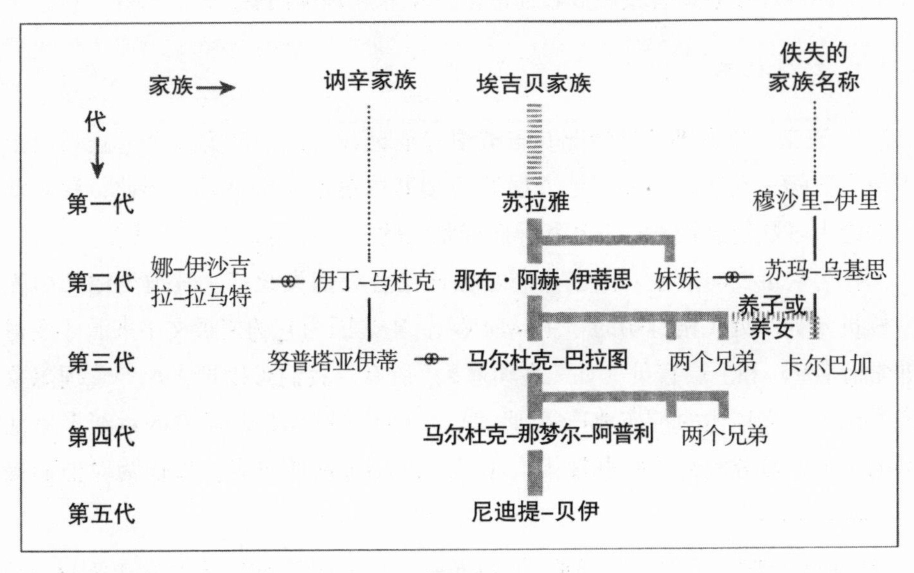

图2–1

⑩ 相关概述参见Wunsch（2007，英文版）；更详细的分析参见Wunsch（2000a，德文版，特别是第1—19页）。

⑪ 参见Francesco di Marco Datini（1335—1410）；它们绝大多数是商业文书（Origo，1997，第8页）。

一、新巴比伦时期的经济[12]

（一）自然条件

美索不达米亚南部是一个资源非常有限的冲积平原。这里缺乏金属矿床、石料和适合用作建筑材料的硬木材，因此原材料完全依赖于进口。尽管土壤肥沃，但平均降雨量不能满足作物的正常生长。幼发拉底河和底格里斯河虽然带来了丰富的灌溉水源，但和埃及的尼罗河不同，它们经常在不缺水的作物收割季节泛滥成灾。因此，灌溉技术成了美索不达米亚南部发展农耕的前提条件。这需要规模庞大且复杂的大坝、堤防和水闸系统，以适时提供水源和防止水土流失。由于两河（幼发拉底河和底格里斯河）冲刷会带来大量泥沙，还需对这些工程进行常规监管和定期维护。灌溉系统的引进使谷物收成达到相当高的水平，不适宜耕作或种植的沼泽地区则被用来养鱼和捕禽。冲积平原四周环绕着适宜发展放牧业的茫茫草原和巍巍山脉。

（二）大型机构

1. **王室**。王室的管理情况并未被很好地记载，这是因为迄今为止只出土了极少数的王室残存档案，地方层面的文书档案也非常缺乏。因此，我们掌握的绝大多数信息均来自王室和神庙或私人的交往互动。

作为最重要的地主，国王控制着巴比伦各处的大地产。其他土地则由王室成员（如一处风格鲜明的“王储府邸”，正是因为它的楔形文字来源才变得非常有名[13]）和上层官员（如王室司库[14]）所有。我们可以把大地产管理想象成类似于下文描述的神庙地产管理。大片土地，特别是新获取的运河沿岸地区的土地，被分配给了社群规模大小不一的小土地所有者，以作为对他们提

[12] Jursa（2007）提供了一份可靠的关于公元前第一个千年至公元初年美索不达米亚经济状况的最新概述（英文版）。

[13] 在新巴比伦和阿契美尼德帝国时期出土的档案中，这类机构被冠以“王储府邸”（bīt redûti）或“太子府”（bīt mār šarri），它们似乎很少受政治变革和王朝更替的影响。

[14] 例如，阿卡德王国的 rab kāṣir，波斯帝国的 ganzabara。据悉这些官员的地产位于巴比伦近郊，埃吉尔家族参与了对它们的管理。

供兵役的补偿。

王室的行政管理必须要有管理者代为监管地产，征集税收及灌溉、漕运和其他公共基础设施的使用费，组织和监督丁役（即地主为公共工程项目提供劳务的义务）。这必须以分工有别的役工和自由雇工为基础，后者需要临时或长期供养和支助。分配、销售和将收获的作物转换成货币等价物等活动，为商业企业的产生和发展提供了重要机遇。这又要求对其他配套设施进行创新，以方便向宫廷缴纳税收和各种费用（fee）。这样一来，王室、神庙和市政机构之间便形成了一套复杂的关系，其中牵涉到物资和人力的大规模调配。

2. **作为地主的神庙**。绝大多数神庙土地均位于城市附近，但也有一些位于较偏远的地区，它们的质量也不尽相同。只有在灌溉水渠能到达的地方，才有可能发展高效农业。挖掘和维护灌溉水渠是王室的任务，神庙则负责提供建造和维护河道、大坝、水闸和道路等基础设施的人力和物资。尽管土地资源丰富，但由于神庙缺少足够的劳动力，因此需借助畜力来进行耕作。

许多神庙土地由深受束缚的附庸劳动力（信众）负责耕作。[15] 这些庙农（temple farmers）通常以扩大的家庭小组为单位，组成不同的犁队从事谷物耕种，但他们的工作任务往往使他们不堪重负。神庙也会以分成制的方式雇用佃农，此时的收成分配比例将取决于土地生产力。[16] 最终，为了提高生产力并获得稳定的收入，神庙引进了租农（rent farmers），由他们部分或全部负责神庙粮田或枣园的耕作；租农须自己提供人力和生产设备，以此便可获取一个固定比例的商品和现金分成。[17] 一方面，神庙为租农制定了一些比通常更有利的激励措施，以使他们不仅会把大量时间和精力投入农业生产，而且能将个人财富投资于迫切需要的设备，并承担相当程度的个人风险。另一方面，神

---

⑮ “信众”（oblate）一词来自拉丁语“offerre”（奉献），和阿卡德语“širkū”的意思基本相同。尽管两个词汇的深层含义略微有别，但均指献身于宗教组织的个人。巴比伦神庙依附者（也指“神庙奴隶”）必须在神庙或神庙领地居住和劳作（这很像印度神庙里的农奴），但不同于基督教修道士，他们被允许和鼓励成家立业并可生儿育女。但他们中绝大多数人的生活条件必定异常艰辛，因为神庙档案充斥着他们试图逃走的事迹。

⑯ 这些条件比给予神庙信众的要好得多。在行政控制相对低效的偏远地区，神庙依附者会想方设法将他们的部分（通常是大量）任务转租出去，而神庙机构必须处理这一问题；参见（Janković，2005）。

⑰ 神庙租耕方式的相关细节，参见 Cocquerillat［1986，主要涉及乌鲁克城伊安纳（Eanna）地区的枣园，法文版］和 Jursa［1995，主要涉及西帕尔伊巴芭（Ebabbar）地区的耕地和枣园，德文版］。

庙必须确保租农不会利用这种安排做出有损于自己利益的事。显然，实现这一目标并不容易。

上述具有创业性质的活动是否总会自愿开展，还很不清楚。在古希腊，最富有的城市公民须承受特定的财政负担，如为国家建造和维修三层桨座战船，以及为戏剧表演团的演出和其他劳民伤财的公益活动提供资金。绝大多数富人似乎倾向于把这种义务当作提高声望的手段，而非用作生财牟利之道。罗斯托夫采夫描述了罗马帝国末期的这一问题。⑱

由此引出的问题是，一直以来巴比伦的租农是这些制度安排的积极参与者还是被动接受者。史料显示，甚至在正常“职权范围”内从事工作的神庙官员，通常也须为可能发生的意外事故或损失承担个人责任。许多现存例子表明，人们被迫向神庙出售资产，以偿付他们积欠的大麦、枣子、绵羊和羊毛织品等。这类赤字可能相当可观，表明神庙的债务人既包括小农家庭或牧民，还包括大家族和大商户。

某次，一个声名狼藉且颇有野心的神庙官员吉米鲁（Gimillu），对一份租耕许可证既未明确表示接受也未表示拒绝，因为他面临着役畜和播种劳力储备不足的问题。⑲ 最终，另有人接手了该许可证，前提是神庙管理层须为租农提供两倍于前的畜力，而这显然已变得更为有利可图。另一次，某租农把租耕许可证交还给了神庙管理层，因为他很难支付大量的欠款，并觉得自己已无力继续承担租耕风险。⑳ 我们很难知道他（或其他租农）的物资储备是否因年景或收成不好而陷入严重困境，抑或租农只是习惯于从事低利润率的工作。换言之，我们不清楚储备不足是偶然和暂时性的，还是系统和常规性的。

人们有可能假设，神庙管理层会把由这类损失导致的债务当作防止某些家族变得过于有钱有势的一种手段，这正如国王试图通过在特定场合强制征收附加税来遏制神庙势力发展得过分强大一样。允许企业家集聚一大笔物资储备可能也构成了一项扩充资本，租农能通过挪用其他业务关系中的货物或银币来增加他们的营运资本。不管怎样，在古代近东地区，神庙一直是至关

---

⑱ 参见本书第一章 Hudson 的论述。

⑲ Van Driel（1999）对这类档案资料进行了讨论。

⑳ 碑片文献可追溯至大流士在位第 8 年（公元前 514 年），参见 MacGinnis（2007，文档 1）。

重要的信贷机构。[21] 但为了理解这类大量积压问题的确切意义，当情况允许时，必须对具体问题进行具体分析和评估。

巴比伦尼亚不断增长的人口规模、其被并入疆域更广阔的波斯帝国以及更严重的税收负担，都需要以集约型的农业活动为支撑。神庙的应对措施是，逐渐放弃自给自足的农业模式，更加重视经济作物的生产，并把更多的任务授权给企业家，他们有的是出身于神庙官员的普通民众，有的是外地人，这颇类似于现代社会的外包现象。

畜牧业在巴比伦尼亚南部地区具有特别重要的意义。在乌鲁克城邦，饲养动物是主要经济来源。[22] 畜群被委托给牧人，牧人可以是神庙依附者也可以是独立承包商。神庙的绵羊和山羊能在草原上自由放养，并可随季节转换被赶到很远的地方放养，等到剪羊毛季节再赶回来。牧人必须对他们的羊群负责，并无偿捐供一定数量的羊羔用于祭祀，羊皮和羊毛则须在神庙作坊里得到相应的加工处理。

乳制品的重要性相对较低，因为绵羊和山羊在一年中的绝大部分时间里都很难获得。在整个夏季，牛群都较难管理和饲养。结果，它们成了一种稀缺资源，对神庙管理层有着非同寻常的意义。奶牛和公牛则主要被当作犁耕畜力使用。

不适宜耕作或种植的沼泽地区则被用来养鱼和捕禽。在这些神庙管理层所属地区，捕鱼和捕禽主要由神庙人员负责；目前并无证据表明外地企业家也参与其中。神庙试图通过许可证制度控制其所属领地中这类资源的获取权。[23]

3. **神庙及其城邑**。美索不达米亚南部地区的神庙不只是宗教实体，长期以来更是一种作为至关重要的经济中心而存在的机构。它们至少须负责和侍奉与神祇有关的活动和事务，神庙建筑的维护，以及寺众的提供和供养等。除了通过提供衣、食、住方面的物资和供奉神祇来满足当地社群的宗教信仰需求外，神庙还控制着非常庞大的土地和人口。结果，神庙及其城邑形成了

---

[21] 这并不等于说已出现了银行业。狭义的银行业务是指吸收存放、发放贷款和获取中间利差。如 Jursa（2007）所表明的，这须等到公元 3 世纪才产生。

[22] 相关细节参见 Kozuk，即将发表。

[23] 渔业在乌鲁克城邦伊安纳地区的出土文献中得到了最好的记载；参见 Kleber（2004，德文版）。

一个利益共生体，城邑在宗教中心附近得到蓬勃发展，神庙反过来又需要城邑及其周边领地的支撑。

4. **受俸者制度**。牧师俸禄是一种分享神庙收入的权利，也是对提供祭礼所需的祭司服务和神职工作的回报。受俸者专门负责圣餐的准备和提供，缝制和修补圣服，擦拭、点缀和摆放圣像，以及主持宗教仪式和守护人们的精神家园。这些任务不仅需要特定技能，个人社会地位对其本质上是否适合从事该类任务也颇为重要，换言之，保持宗教意义上的“纯洁”很关键。因此，许多为神庙做事的手艺人都是受俸者，而非神庙依附者或奴隶。受俸者代表一个社会的技能型城市自由精英阶层，受俸者制度使这些最古老和最有影响力的地方家族同神庙共栖共生、连为一体。

受俸者的服务报酬通常包括大麦、枣子、啤酒和圣餐剩余物等，由此便创造了一种稳定可靠的收入来源。这些公职起初和特定家族关系紧密，并且是可以继承的。任务可以分解为月任务和日任务，在继承过程中甚至可以在一日内进一步细分成不同时段。

二、创业活动与其他相对立的生财之道：机会和成本

巴比伦王国的城市有产阶级的经济态度和社会风貌可以用两个基本（尽管作了必要的简化）术语描述——食利者和企业家。[24] 食利者试图通过剥削受俸者和地产投机，从继承来的职位和风险较低的资源中获取可靠的收入来源。企业家则倾向于投身竞争性的环境，从事高收益和高风险并存的商业活动。

通过受俸者的责任和权力而与神庙有联系的许多家庭，作为古代社会的公职人员，均持有一种食利者的态度。他们的职位是世袭性的，尽管受俸者的“职位”逐渐沦为可用金钱捐购，但仍只有特定个人有资格承担精神信仰领域的核心职责。这意味着受俸者是不可或缺的，除了受俸者的同行外，其他人要取而代之必须经过严格评定。尽管这些公职本身并不构成关键性的创业环境，但它们有时确实为创业活动（特别是涉及食物供给方

㉔ 参见 Jursa（2004），该观念以 Vilfredo Pareto 和 Max Weber 的研究为基础。

面的）提供了机会。

例如，受俸者可以让他们的奴隶代替自己执行相应任务，只要他们对社会地位没有特定要求，比如直接列席圣礼和供奉神祇。这就为受俸者从事其他有利可图的活动提供了更大空间。复杂的商业合约可以使所有权和宗教服务相分离，因为受俸者只需支付一定比例的收入，便可把宗教服务外包出去。

受俸者职责的商业化使一些人比其他人更适合担任这一职务。那些负责长期任务且不能将其委托给他人的受俸者可能需要拥有一定的社会声望，但这会妨碍他们从事更有利可图的活动。从这个经济逻辑来看，这种长期任务就变成了负担。一份记载了某父亲力劝其幼子（而非长子！）认真履行神庙颂唱者任务（并表示会坚定支持他）的档案即体现了这点。作为交换条件，该父亲将给幼子提供一份额外的遗产。即使这更多被理解成是幼子照顾其年迈父亲的补偿，但也表明了这类受俸者职务算不上是一笔资产。

在新巴比伦王国时期，我们看到传统的城市有产阶级中出现了分化，因为他们的财富出现了相对下降，除非他们积极参与创业活动。潜在的经济收益必定非常巨大，即便并非他们所有人都能享有这样的收益，因为有一些企业家沦为破产者。但有例子显示，在破产前他们确实在极短时间内就积累了大量地产。[25]

一组来自帕息巴城（Borsippa）的传统上和神庙有关的家族私人档案表明，尽管一些人凭借其职位和收入成了企业家，但其他人却没有这么做。[26] 目前并无确切的出土文献显示受俸者可能会采取哪种行为。继承了较少财产的幼子很可能因为特殊的激励成为企业家。但是，这需要他们具备坚强的意志和良好的身体状况，可能还需要具备常人所没有的商业动机。

三、企业家的社会地位

历史资料清楚地显示，创业活动能获得社会收益，这和创业者的社会地位无关。没有证据表明，创业活动被视为“肮脏的职业”，或者像罗马时代那

㉕ Šangû-Gula 家族的例子参见 Wunsch（2002a，第 139—150 页）。

㉖ Caroline Waerzeggers 研究了相关证据，并在 2004 年的一次研讨会上做了报告。她的结论包含在一份即将发表的研究中。这里的概述基于本章作者同她的交流和讨论。

样被委派给下属负责。神庙租农通常出身于神庙公职人员或受俸者阶层。但总体上看，出身于城市名门望族的企业家相对较少，这些人一出生便继承了大笔财富、官职和良好的人脉资源。

不幸的是，对不具备上述优越条件的企业家，我们的资料并未显示他们是如何获得大量财富和较高社会地位的；经过了史料极其匮乏的几个世纪后，到有史料记载的公元前6世纪，他们已经从下层社会成功地跻身于上层社会。我们在现已发现的历史档案中找到了这些受俸者家族或神庙高层公职家族的成员，在几代人以前就从事商业交易的记载。其中一个例子来自伊提鲁家族（Ētiru family）：到涅里格利沙尔（Neriglissar）国王统治时期，伊提鲁家族的某个成员在大神庙担任屠夫受俸者职务，并和一个王室法官的女儿结了婚，同时他还涉足商业冒险活动。[27]

出身显贵家族——不管关系多松散——无疑有助于开拓商业关系，拓展创业前景。但并非所有这些家族的旁支都是有钱有势的。例如，到公元7世纪末，埃吉贝家族已在一些巴比伦城市建立了牢固的势力，把持着受俸者和官职。但给人留下深刻印象的5代企业家档案的巴比伦埃吉贝家族旁支是白手起家的，起初既无地产也无俸禄。

大多数企业家似乎都是雄心勃勃且设法挤进上层社会的人。他们通常没有一个家族姓氏，也就是说，他们并非出身于城市名门望族。许多人努力在王室机构出人头地，或同王室建立了重要关系。一旦具备了获取经济成功所必备的部分条件后，他们就会寻求和有影响力的家族建立联盟关系，这颇类似于18—19世纪抱负远大的欧洲人和相对卑微的贵族家族旁支结成姻亲的做法。例如，拉尔萨城（Larsa）的一位“无名”企业家伊蒂-萨马斯-巴拉图（Itti-Šamaš-balātu），从事包税业务、农业承包和简单贸易，并将女儿嫁给了拉尔萨城一个有名的受俸者家族的男嗣。[28] 因此，家族联姻有助于获得社会地位，拓广一个人获取经济机会的途径。

1. **联姻和创业策略**。在绝大多数有文字记载的历史上，通过联姻扩展商

[27] Wunsch（2004，第370—371页）。

[28] 关于Itti-Šamaš-balātu（家族）文献和Šamaš-bāri（家族）档案的概述和两者关联的简要讨论，参见Jursa（2005b，第108—109页，sub 7.9.1.1.）。对Itti-Šamaš-balātu（家族）的活动更详细的论述参见Beaulieu（2000）。

业关系是一种惯常做法。对埃吉贝家族而言，更是如此，这一点也反映在该家族成员的婚姻谱系中。在最早的例子中，我们发现埃吉贝家族的一名女眷嫁给了一位没有家族姓氏的男子。该男子和他的继兄以经商为业，而且似乎同王室机构之间关系不错，甚至还在王室机构任职。这种联姻关系有助于解释埃吉贝家族发家史的某些方面，不过其早期阶段的发家史并无明确的文字记载。例如，埃吉贝说已教会他外甥阅读和书写楔形文字等技能，随后便收养了他，但没有像其他三名亲生儿子那样给他提供一份遗产。这表明埃吉贝妹妹的婚姻旨在促进埃吉贝家族的业务发展，而埃吉贝收养他的外甥也只是为了弥补后者出身卑微的不利条件。

在以后几代埃吉贝家族成员中，长子往往迎娶家庭背景更好的女子为妻，她们的父亲出身“显赫”家族，拥有良好的社会关系资源，并可提供丰厚的嫁妆。相反，他们的年轻女眷则嫁给了商业伙伴（嫁妆通常只相当于长子娶妻所得女方嫁妆的很少一部分），这表明埃吉贝家族在同这些姻亲的关系中处于优势地位。[29]

2. **放债人的声望**。在古代社会，债权人一般只能获得较低的声望，这在《圣经》的记载中有所反映。不过，我们对新巴比伦时期债权人的社会地位所知甚少。我们掌握的少量史料通常并未记载社会如何看待债权人的信息。倒是有文学作品偶尔规劝债权人善待债务人。我们也有一份表明某债权人对其债务人深怀同情的碑片。[30]

四、企业家的活动

除前文已论述的租耕农业外，其他一些创业活动领域也很重要。

1. **农业企业和改变土地用途**。在古代，土地所有权是判断一个人政治、经济和社会地位的标准。土地成为一个家族实现基本自给自足及供养依附者和救济者的保障。绝大多数罗马商人一旦赚了钱，便会投资于作为声望产品（prestige good）的土地，新巴比伦时期也不例外。

埃吉贝家族用他们的商业利得来添置农田，再以分成制的形式出租农田。

㉙ Roth（1991）。

㉚ 对参考资料的讨论参见 Jursa（2002，第 203—205 页）

他们有长远的眼光。例如，他们的租赁安排为租户提供了一种经济激励，促使租户对栽培和种植资本密集程度更高的作物进行投资，比方说从谷物种植转向枣类种植。作为种植椰枣的补偿，埃吉贝家族允许租户在前几年支付较低的租金，以牺牲短期的谷物租金来换取长期（椰枣树需要好几年才能长大结果）更高的椰枣收益。此外，椰枣还需得到良好的灌溉和照料，因此只能在临近水源的地块种植。

在持续三代人的时间里，埃吉贝家族沿新运河（New Canal）特定地区的椰枣栽培从占总面积的1/30增至1/4。[31] 除果园以外的多数土地均适宜种植谷物，但离运河太远就很难获得灌溉水源。因此，若租户愿在只能用水桶取水灌溉的地区栽培椰枣，他们将获得非常有利的租约。

2. **小众产品**。专门栽培某种小众产品（niche products）是讷辛（Nūr-Sîn）家族的伊丁-马杜克（Iddin-Marduk）获得成功的关键。他只种植洋葱，一种运河沿岸地区的副产品。相比于同等价值的谷物或椰枣，洋葱的运输和配送难度更大，但伊丁-马杜克的经营策略很成功。

3. **运输和销售机会**。人们往往认为企业家只是推动了工业新技术的发展。但在整个历史上，运输和销售有着同等重要的地位（如由沃顿家族创立的沃尔玛大型连锁超市）。公元前6世纪，在种植户和大型机构之间的商品供给和采购上存在巨大的商业机遇。[32] 经营管理者必须在种植户要缴纳地租、税收、灌溉费和其他苛捐杂税的农村和城市地区（城市需要商品以满足消费需求，神庙和王室机构需要现金或大量贡品以供养其依附者和行政人员）建立市场联系。

问题是，租户和小地产所有者把自己的农作物运往城市销售的途径非常有限。其中的关键是要建立一套稳定的商业机制，将农作物从农村地区收集上来并输送给城市消费者、宫廷依附者、军队和神庙。合约必须规定按照农村农户的需求配送，因为这确保了农户的农作物能换取等值货币。按照美索

---

[31] 埃吉贝家族很可能在尼布甲尼撒统治早期就已获得这块土地，其范围包括运河两岸各2000米宽的地带，又细分为1/50和1/1000单元。埃吉贝家族于公元前559年从某前巴比伦总督的继承人处购得这块土地。

[32] 关于乌鲁克的Eanna，参见Cocquerillat（1968）；关于西帕尔的Ebabbar，参见Jursa（1995，1998）。

不达米亚地区的传统惯例，必须先起草一份在收获季节缴纳一定量农作物的债务合约，以确保租户及时偿还提前使用种子和役畜的欠款，并缴纳灌溉费、实物税（kindred taxes）或类似款项。从这点来看，早期创业活动从创建一套缜密的市场关系制度所带来的无限商机中受益匪浅，该制度有助于促进农业生产超越基本生计水平且更加以市场为导向。几乎从一开始，这套制度便引进了一些极具现代特征的商业惯例。

4. **包税制**。包税制是一种制度安排，指有权向某特定地区征税的机构委托他人代为向该地区征税，作为交换条件，此人可免交原本应向该机构缴纳的一次性税收。一次性税额以该地区的预期税收收入为基础。实际征得税款和应付一次性税额间的差额，和通常伴随征税活动而来的借贷机会（最臭名昭著的便是面向缺乏即期付款现金的种植户的农村高利贷行为）一起，构成了包税人的利得。

高征税率既是包税人的主要目标，也是一种推动商业企业发展的经济激励。除非把重点放在维持税基和促进更高效的农业生产上，否则这类活动将面临日趋腐败的危险。在古代近东地区，当包税制同运输和市场机会良性结合时，它便会产生积极的效果。

小生产者面临的主要问题之一是，税收越来越多地以货币而非商品形式缴纳。由于偏远地区的销售渠道非常有限，农户深受自产滞销的农作物所累。新巴比伦时期的包税人往往把自己定位成中间商，他们接纳小农种植户以农产品形式上缴的税收，并通过调配和销售将其折换成现金，如此一来便连接了生产者和消费者的各自需求，最后他们把税款上缴给王室。通过对接生产者和消费者，以及组织货物的调配和运送，包税人扩大了市场生产规模。包税人有两种获利途径：其一，使实际征得的税款超过其必须缴纳给国家的部分；其二，通过把农作物转售给消费者来获利。越来越多的人涌入城市定居，他们必须购买商品以满足自己的消费需求。因此，中介商对经济的良好运行变得至关重要。

埃吉贝家族将包税业务的重点放在运河沿岸的农村地区，雇用船只和船夫运送货物。包括神庙在内的土地所有人，必须支付一定费用以整修河道和灌溉系统。埃吉贝家族先是同负责整修河道和向河道使用者收费的地方官员签订合约，然后给这些地方官员支付既定款项供他们上缴宫廷，并从中获取实物形式的差额收益。借贷、农作物采购和配送的相关制度安排（它们均须以债务合约为基础）也随之逐渐形成，这些制度安排要求种植户在指定的缴税日前把农作物运送到运河沿岸的码头。货船将定期把农作物发往巴比伦，若到了截止日期货物还未装船，则作为债务人的种植户有义务自费把它们运往巴比伦。这种包税制度使埃吉贝家族只需向地方政府支付一笔固定费用即可将农作物运往巴比伦，从而省去了高额的分批运费。

随着埃吉贝家族获取贸易商品的能力不断增强，对收费节点的有效控制使他们相较于弱势的竞争者能获得大部分利润，这和约翰·洛克菲勒（John D. Rockefeller）通过同铁路公司谈定更优惠的运费来创建标准石油公司的做法颇为类似。包税很可能不是埃吉贝家族的主要商业目的，它旨在更有效地配合该家族其他方面的商品贸易。一旦埃吉贝家族建立起强大的运输、储备和食品加工网络，他们就会致力于保持供应链的稳定。不管包税是主要还是次要的盈利动机，埃吉贝家族均作为中间商参与其中，这不仅推动了种植户以等值农作物的形式抵缴王室税款的进程，而且在通过市场控制以扩大利润率的同时促进了农业生产和消费。

即使在王朝更替时期，如从那波尼德到居鲁士大帝（公元前539年）统治时期，埃吉贝家族似乎也仍在充当包税商的角色。为维持这种地位，伊丁-马尔杜克-巴拉图（Itti-Marduk-balātu）曾远赴波斯法庭寻求其他上层巴比伦人的支持，并最终和负责管理波斯帝国税收的官员结为朋友。于是，当波斯人接管巴比伦王国的税收体系时，他们就把权力下放给了当地的官员和商人，如埃吉贝家族和其他熟悉该体系如何运行的巴比伦名门望族。

5. **借贷活动**。人们会出于各种原因借钱。当然，只要有资产可供抵押，穷人通常也能为补贴生计开支而借入资金。私人借钱一般均用于缴纳税款或弥补暂时性的损失，但有时也会借入资金，用来支付雇人代服兵役或劳役所需要的费用。

企业家借钱主要是用来增加流动资本，添置原材料、设备，以及招募员工，而农民则会借钱来储备种子。与现代不同，我们并未发现新巴比伦时期有借钱购买房屋和耕地的情形。由于不存在抵押贷款市场，也就不会产生资产价格的泡沫现象。新巴比伦的企业家只能通过积极改良土地来抬高地价，如在城市地产上建造房屋或住宅，或在灌溉地区种植椰枣。

6. **食品的加工、配送与销售**。商品交易商自然会把自身活动扩展至食品加工和配送环节，以更好地满足消费者的需求。例如，椰枣商可能会雇用下属专事椰枣酒酿造业务。[33] 如此一来，便会提高纵向一体化的程度。

7. **纺织品生产**。纺织品是美索不达米亚地区的主要出口品之一。埃吉贝家族，或至少他们的亲戚，曾从事过纺织品贸易。文献表明，他们曾用羊毛收入“贿赂”那波尼德的皇太子伯沙撒（Belshazzar），以获准从事纺织品生产和出口贸易。

五、对奴隶的创造性役用

除非供给能使重置成本保持低位，否则奴隶劳动力的成本将高于自由劳动力。[34] 许多罗马奴隶主强迫奴隶超负荷劳作以致他们过早地死去，但这种做法只能维持一段较短时期。新巴比伦的奴隶是重商品，他们不容易得到补给，其售价相当于一名雇佣劳动者几年的收入总和。他们可能来自于外地征战获得的战俘或奴隶贸易。遭遗弃或被父母甩卖的儿童也被当作奴隶抚养长大。奴隶的后代也被当作奴隶而投入奴隶贸易。女奴隶则往往被奴隶主当作女儿的嫁妆，帮助其女儿在成家后干家务活和照料孩子。奴隶的衣食等必须由奴隶主提供，因此成本也不低。

通过技能培训提升奴隶的价值并把他们租出去的做法在经济上是合算的。这可视为“人力资本”的早期例子，尽管其采取了由劳动力所有者而非受培训者本人获取投资回报的形式。家族掌权者经常把管理任务分配给表现出良好业务能力的奴隶，包括让他们代为负责商业贸易，或适当管理家族业务。

只有少数家族会自愿出售奴隶。在卖出奴隶前通常须确保该奴隶已负债累累。奴隶家庭成员通常会一起被买卖，只有当儿童到了工作年龄时才和父母分开。绝大多数奴隶的待遇和生活条件确实很严酷，但是在新巴比伦时期，并没有古罗马时期那样的蓄奴大庄园。在农业上，奴隶通常充当佃户而非强迫劳动力。绝大多数农活和灌溉系统的维护，均要求他们辛勤劳作、富有远见且细心认真。给奴隶提供允许他们独立劳作的合约，使他

[33] 这可从埃吉贝家族和 Bēl-etēri-Šamaš 家族的档案中略窥一二。

[34] 对照 Goody（1980）的研究。在某些社会，奴隶制因声望方面的考虑而存在，“通过资助生产能力可能低于雇工的奴隶，奴隶主事实上向他人展示了自己的财富……赋闲无事可能是奴隶唯一的真正责任，但这像其他服务一样必然会被剥夺”（Watson，1998，第 8 页）。

们关注成果，显得更加切实可行。同样地，和罗马时期形成鲜明对比的是，新巴比伦时期较少出现奴隶以农业工具为武器发动起义的情形。但是，一些关于由商业伙伴或奴隶主家族为遗产分配而保留的财产清单的史料表明，奴隶也经常逃跑。

在给奴隶主支付一笔“授权费”（mandattu fee）后，奴隶的生活和劳作便能获得一定的独立性。本质上说，他们是从主人那里自我雇佣或租用自己。由于他们必须赚取比一般雇员更多的收入，所以只有少数聪明能干和受过良好训练的奴隶才会做出这样的选择。除了支付自己的授权费外，埃吉贝家族一些享有特权的奴隶也替妻子支付了授权费，以便她们能陪在自己身边。其他奴隶则作为高级合伙人参与合伙经营。后文将更详细地讨论这种商业制度安排。

和古希腊时期的做法一样，一些新巴比伦奴隶充当着奴隶主代理人的角色，替奴隶主操持各项事务。但和古希腊不同，新巴比伦奴隶显然不涉足大规模的货币借贷行为。这可能是因为在巴比伦不存在伴随货币借贷而来的道德污名，这种污名很可能会阻碍奴隶主亲自从事类似活动。

埃吉贝家族的伊丁－马尔杜克－巴拉图，至少授权 3 名奴隶在他本人不在的较长时期内代为管理现场事务。在他们的往来信件中，奴隶们称伊丁－马尔杜克－巴拉图为“我的主人”，后者则把奴隶称为“我的兄弟”。其中有个奴隶甚至和两名高级合伙人一起，仅凭 5 迈纳（mina，古希腊和古埃及等地的重量单位和货币单位——译者注）银锭便开创了自己的事业，他也因此出了大名。[35] 相对而言，在商业事务上，伊丁－马尔杜克－巴拉图似乎不太信任他的亲兄弟。

和古罗马时期的做法相反，没有证据表明巴比伦奴隶会用创业赚来的钱财换取人身自由，不管他们已变得多么富有。解放奴隶是只能由奴隶主主动实施的自愿行为。在巴比伦，奴隶解放通常附带着照料老年奴隶主和女主人并为他们送终的义务。因此，奴隶解放最常发生在他们劳动生涯的末期。

---

[35] *Nbn* 466（Strassmaier，1889b；545 BC）：Nergal-rēṣūa。他名义上仍为 Ina-Esagil-ramât（伊丁－马杜克之妻和伊丁－马尔杜克－巴拉图的岳母）所有，且很可能是 Ina-Esagil-ramât 陪嫁奴隶之子。

六、新巴比伦的经济和法律制度：财产与契约法

大约一个世纪前，萨伊提到："英国经济学家几乎已混淆了作为'企业家'凭才能从事工商行业所得的'利润'和资本利得这两者的含义。"[36] 企业家和更消极的出资者之间的差异，在新巴比伦时期以债权—债务关系为基础构筑贸易和商业合伙关系的 *barrānu*[37] 契约中，有相当清楚的说明。

这类合伙关系一般形成于一名资深出资人和一名在现场负责实际工作的资浅合伙人之间。[38] 作为一种免息债务合约，它们意味着出资人在业务解散时可以收回初始投资，只有利润可共同分享，或用于再投资，或定期拿来分配。这种合伙关系既不新颖也不独特，类似的商业经营形式在公元前第二个千年的初期就已广为人知，其中犹以长途贸易领域为甚，当时它们被称作 *tappûtum*。《汉谟拉比法典》（约公元前1750年）中曾规定：

> 若某人给他人提供金银以帮助后者投资一家合伙企业，则他们应在神灵面前平等承担风险并共享利润。[39]

这些合伙关系建立的方式和伊斯兰的利润分享（*mudāraba*）[40]、意大利康曼达（commenda）和汉萨同盟（Hanseatic）贸易合伙关系的原则相一致，它们均被视为合伙企业的古代雏形。新巴比伦时期的新进展使商业活动的规模和领域得到了不断扩大，许多人开始从事商业活动，并将其商业原则应用于区域间贸易。

商业上的成功使资浅合伙人能逐渐偿清出资人的投资，并将商业成果完全据为己有。尼布甲尼撒在位第13年（公元前575年）的一份契约 *Nbk* 216，

---

[36] Say（1803，第2册，第5章；1972，第352页）。英文版本参见 Charles Gide "Jean Baptiste Say"，《帕尔格雷夫政治经济学大辞典》（*Palgrave's Dictionary of Political Economy*，伦敦，1926）。

[37] 最初意指"通途，道路"，后来扩大到各种各样的陆路旅行，如"行军、探险、商旅和商队"。其作为法律术语的使用代表着一种特殊类型的合伙企业和融资模式。

[38] Lanz（1976）对这些合伙企业的法律方面做了研究。更多细节参见 Jursa（2005a，第212—222页，德文版）。我们急需对这类合伙企业的经济性质（包括1976年后公布的原始资料）进行全面研究。

[39] 参见 Roth（1995，第99页）的翻译版本。

[40] 参见本书第三章 Timur Kuran 的研究。

记述了这一过程：

> 在一家 *barrānu* 中，某人A将6迈纳（即3公斤）银锭，出借给某人B（作为运营资本）。不论B用该笔借款在城乡各地赚了多少钱，A都将和B平分商业利得。到尼布甲尼撒大帝在位第24年时，（之前的6迈纳）银锭（B尚未向A偿付本金）已增值到11迈纳的 *barrānu* 企业债款。（后面是3名见证人和抄写员的签名、地点及日期。）[41]

在上述情形中，A是资深出资人，B是资浅经营合伙人（working partner）。不管资浅合伙人通过自身努力并运用资深合伙人的资本获得多少利润，他都必须和后者平等分享。每隔6年，他须把将近一半的初始风险资本（前引例子中为11迈纳银锭）返还给风险投资人。

如该例子所示，这类合伙经营通常会平均分配利润。但合约安排也留有弹性，可适用于不同情形，这取决于合伙人数量、各自的作用及资本和劳动投入的比率。[42]

这种制度安排使富人扮演着风险投资家的角色，他们寻求有能力的合伙人代为经管自己的 *barrānu* 业务。肯定有许多很想投身于商业活动但却缺乏足够资金独立创业的人，如只继承了较少家族资产的幼子。一些新巴比伦时期的史料显示，这些人起初作为资浅合伙人利用赞助方的资金从事创业活动，当他们积累了跻身于高级合伙人的足够资本后，便转而投资于其他新进入的经营合伙人。

讷辛家族的卡瑟（Kāsir）是其中的一个例子。他于公元前581年作为资浅合伙人借入11迈纳（约5.5公斤）银锭，6年后便能用经营所得偿还出资方近一半的初始投资。[43] 后来，大概在公元前576年—前572年间，他同弟弟伊丁-马尔杜克共同创业。两人几乎完全（也可能部分）依靠自有资金运营，只雇用一名代理合伙人，尽管也一度遭到失败。[44] 伊丁-马尔杜克的婚姻使兄

---

[41] 参见 Wunsch（1993，注释5）。关于罗马儒略历时代巴比伦的兑换比率以 Parker 和 Dubberstein（1956）的研究为基础。

[42] 如 Jursa（2004）所指出的，他讨论了许多种可能性。

[43] *Nbk* 216；参见注释38中提及的翻译版本。

[44] BRM 1 49（Clay，1912），转引自 Wunsch（1993，注释7）。

弟俩的业务受益匪浅，马尔杜克从妻子的嫁妆中拿出 7 迈纳（即 3.5 公斤）银锭投资于兄弟二人的冒险事业。[45] 资料显示，债权人必定向两兄弟和他们的父亲提出过强烈的索赔要求，因为伊丁 – 马尔杜克的岳父曾于公元前 571 年敦促伊丁 – 马尔杜克把他所有资产转入妻子名下，以作为伊丁 – 马尔杜克将妻子的嫁妆投资于家族业务的一种保障。伊丁 – 马尔杜克顺从地签字同意让出两名女奴和她们的 5 个孩子，还最终转出了自己所有同业务无关的财产。[46]

偶尔也会出现两名或更多合伙人联合集资的现象，他们平等参与其中以达到必要的业务规模。埃吉贝家族的文献 *Dar* 97（公元前 518 年）提供了这类安排的一个例子：

> A 和 B 分别出资 5 迈纳银锭，以成立一家 *barrānu*。这 10 迈纳银锭的经营所得，须在两人间平分。
>
> 4 名以上见证人和 1 名抄录员的签名，以及地点和日期。[47]

我们发现这种安排也出现在前面提到的伊丁 – 马尔杜克的例子中。在伊丁 – 马尔杜克脱离兄长的业务单干后，他同另外一个人加入了某家 *barrānu* 企业，起初只是资浅合伙人，但很快便获得了该企业为期 7 年的平等合伙地位。同时，他雇用了自己的资浅合伙人。通过这种方式，伊丁 – 马尔杜克仍亲自负责部分实际业务，这既分散了经营风险又考验了下属的能力。伊丁 – 马尔杜克成了他那个时代企业家的典范，而且他在商业上的杰出成就也使他与众不同。

barrānu 企业的回报通常极高。根据惯例，年收益率须达到 20%。这是资本使用的机会成本，即出资人出借资金的无风险收益率。由于利润必须平等分享，故一家 *barrānu* 企业只有在年收益率达到或超过 40%，即两倍于 20% 的无风险借贷利率时，对出资方才有意义。

资浅合伙人的目标是用经营所得偿清风险资本，以便能独立完整地掌控一家企业。但即使在全资控股该企业后，他也可能会向前高级合伙人或其他

---

[45] *Nbk* 254（Strassmaier，1889a；公元前 572 年，1993 年 Wunsch 编，注释 9）记载：由 PN_2 挪用 PN_1（即其岳父）作为女儿嫁妆的银锭以及 PN_2 和 PN_3（兄弟俩）以女方名义借钱导致的账户亏空，兄弟俩最终并未填补。

[46] *Nbk* 265（Strassmaier，1889a），Wunsch（1993）编，注释 13。

[47] *Dar* 97（Strassmaier，1897；518 BC）。

人借入计息资本，用于短期周转甚至扩张业务规模。

在子辈继承并接手家族业务后，*barrānu* 企业便能超越创始人的生命期限而存续下去。希腊、罗马商业合伙企业的存续期限相对较短，它们往往在每次航海或其他冒险活动结束后便告终止；新巴比伦时期则不然，埃吉贝家族文献记载了他们创建的一家合伙企业，持续了跨越两代人 40 年以上的时间。直到主管合伙人因过于年迈体衰而不能继续管理业务时，继承人才被迫解散或拆分该企业。[48] 即使这样，至少在 3 年多的时间里所有合伙人仍共同分享用业务收益购置的某处地产的收入。

七、创业效率：一项案例研究

1. **埃吉贝家族如何从资浅合伙人攀升为大金融企业家**。埃吉贝家族是熊彼特企业家概念的一个杰出例子，熊彼特认为能获取暴利和准租金的重大创业机会在于创造出新的商业经营方式。将货物变换成金钱的能力，是埃吉贝家族分布广泛的经营业务获得成功的关键，他们建立了一套集农业生产、纳税和沿巴比伦运河体系输送农产品的销售体系。

埃吉贝家族创始人花了许多年才积累起足够的财富以支撑其家族业务。文献并未记录谁为埃吉贝家族的早期创业活动提供了资金。最终他们成功地找到了出资方（或出资方找到了他们），开始作为资浅主管合伙人（managing partners）参与利润共享的 *barrānu* 企业。经过两代人的时间，埃吉贝家族同一些负责征收地权税费的王室官员建立了关系。到家族第三代时，文献记载他们和巴比伦总督维持着亲密关系，总督主要负责纳税、徭役管理和征兵事务。

2. **记账和企业经营**。企业一经创立，埃吉贝家族便会采取同其他人合伙的方式开展业务，像家族企业创始人曾获得他人资助那样，这些人通常是他们找到的并给予资助的实干企业家（on-the-spot entrepreneurs）。这类合伙企业参与一些具体活动，如酿制椰枣酒或收购地方农作物并将其运往巴比伦销售。埃吉贝家族按事先准备好的定期账目计算这些商业活动的盈亏情况。

---

[48] 第一份合伙企业契约：*Nbk* 300（Strassmaier，1889a；569 BC）。该契约于冈比西斯统治第三年被勒令终止，参见 BM 31959，Wunsch（2000a）编，注释 10；更多细节参见 Wunsch（2000a，1：第 99—104 页）。

这类业务通常会使埃吉贝家族的运营资本维持在一个稳定水平，并有财力给各合伙人分配利润以供他们自主支配。合伙人一般不会把分到的利润用来扩展合伙企业的业务，而是将其投资于自己的独立业务。他们的账目明细显示了各合伙方在具体经营项目上的投资额度，文献也估算了合伙人在各项业务中的财产和收入。其详细程度可同2000多年后欧洲汉萨同盟的城镇商业档案相媲美。

3. **经济创新**。在那波尼德统治初期（公元前555年）或更早时期，埃吉贝家族就因和王室家族最有权有势的管家有特殊关系而闻名遐迩。在埃吉贝家族购置了一栋毗邻王储府邸的房产后，他们以该房产作抵押借入资金，使这笔房产投资实现了杠杆化。他们设计了一种“贷款—租借”抵押贷款交易，向房屋租客借入资金，按照通行利率标准收取20%的房租，这颇类似于现代人所定义的资产价格、租金和分期付款利息间的均衡关系。换言之，埃吉贝家族用借来的钱购买了一栋豪宅，并把它转租给了其他债权人。[49]

相抵利用信贷安排（antichretic credit arrangement，即债权人拥有抵押品的使用权，以代替债务人应偿付的利率）本身并不新奇，但它们一般被用在一种不同的情形中。当急需资金的人将房屋或地产作为抵押品向债权人借钱，但在某个时间段没能力及时偿付利息时，他可以把抵押品的使用权让渡给债权人，以作为拖欠利息的一种补偿。这往往是所有权转让的最后一个阶段(有时需较长时间才能完成)。埃吉贝家族显然不属于处境窘迫的债务人。他们不过是想利用这种合约安排既获得房产权，又不影响家族其他业务的运营资本；这恰是他们在既定法律框架下发挥创造性的显著表现。这种安排的巧妙之处在于，它将王储的管家作为债权人—承租人纳入其中，这是该安排行之有效的基本前提。对埃吉贝家族而言，这样做本质上是一种免息贷款，在偿清债务前不需任何实际上的资金划转。类似的贷款—出租合约偶尔也会得到改进，并历经四个朝代，甚至在那波尼德到大流士的整个王朝更替时期，这类合约依然盛行。考虑到20%的无风险年利率，这种创新就显得尤为重要，它不仅反映了经济增长和繁荣，还抑制了有利可图的房地产投机，这正是房地产价格保持稳定的一个主要因素。

㊾　更多细节参见Wunsch（2000a，第103—104页）。

4. **放债和银行业问题**。19世纪末的研究文献将埃吉贝家族描述为犹太族裔的银行家，这些研究文献出现在该家族档案被发掘后不久。据认为，埃吉贝家族的名字来自希伯来文的“雅各”（Jacob）。这符合关于犹太人及其在银行业中发挥作用的现代观念（可能是错误观念）。尽管认为“银行家”和埃吉贝家族属于犹太族裔的看法在几十年前就已被证明是错误的，但至今仍有一些出版物不加注释地援引这种看法。家族姓氏“埃吉贝”明显起源于苏美尔—巴比伦[50]，留下著名档案的埃吉贝旁系家族的业务亦与我们所描述的“企业家”相符，而与存款银行业务无关。[51]

5. **企业利润的投资**。成功的业务运作能带来高利润，但只有在合理扩张的条件下，这些利润作为运营资本用于再投资才是明智之举。合伙人通常会选择撤走部分资本，按照自己的意愿，伺机决定是添置土地、房产还是购买奴隶或奢侈品。一方面。这可作为价值储存形式，在急需贷款时充当抵押品；另一方面，这样做也会获得更多收入，且有助于塑造自身的社会声望。埃吉贝家族记录的一套档案中，将该家族出售的价值达50迈纳银锭的资产视为还债之需，但实际上这可能是对库存积压的处理。

当埃吉贝家族财产于公元前508年在第4代子嗣手中划分时，该家族在巴比伦和帕息巴城拥有16处房产和100多名奴隶，更不用说当时尚未统计在册的大量农业地产了。

八、整个经济的创业效率

租赁和包税制颇类似于现代公用事业公司的私有化，它们既可能是无效率的也可能是有效率的。这些机构实行私有化的动机并不难理解。它们需要可靠性、稳定性和问责制，但出于各种原因它们很难从内部实现这些。企业

---

[50] “Egibi”（埃吉贝）是苏美尔语“E. GI-BA-TI. LA”的缩写，文献记录很少用全写形式。在一份已被破解的埃吉贝最古老家族姓氏的文献中，巴比伦书吏把它当作巴比伦名字“Sîn-taqīša-liblut”使用，文献大意为“俄辛（O Sin，即月神），你既已赐予（我们这孩子），但愿他能茁壮成长”，后面附有一份有史有据的苏美尔姓氏图谱。亚述学家F. E. Peiser在1897年指出，埃吉贝同“雅各”没有任何关联，前者在远早于巴比伦沦陷时期的公元前8世纪的楔形文字档案中就已出现。

[51] R. Bogaert（1966）关于早期“银行业”的详细研究显示，当时并未出现“把金钱存起来并以更高利率贷出去”这一银行业的本质特征。

家参与其中的主要目的无非是为了获得经济利益。在这种情形下，一个绕不开的问题是，私营企业家能否比公共机构或其代理官员更尽职尽责地为公众服务，并实现更高的效率。逐利动机会带来效率还是会导致腐败盛行，投资者是否会在尽可能短的时间内大肆攫取利润而完全不顾企业死活？不管我们的答案如何，新巴比伦社会似乎成功地使王室和神庙各种功能的外包沿着一套重要的生产性经济实践的方向发展。当然这种论断是有约束条件的。

九、创新的激励及其抑制因素

我们可指出企业发展的两种障碍，即政治游说方面的努力和财产继承制度。

1. **政治游说**。从事租赁和包税制的商人依赖于特定的政治制度和官僚体系。这种业务需要重视政治关系。租赁商或包税人不得不花大量时间建立和维护这类关系，并以赠送礼品、诱饵或贿赂等形式将资源投在声望产品上。这是一项具有内在风险的业务，因为企业家从来不能完全确定那些有权有势的恩者是否会“反翻脸不认人”。伊丁－马尔杜克－巴拉图长期辗转于波斯等地，努力确保其包税制业务的良好运营。这类商务旅行无疑既充满艰辛又险恶多端，因此他在第一次动身前便已立好了遗嘱。政治游说对伊丁－马尔杜克－巴拉图的事业成功至关重要，对其他巴比伦家族也不例外。

2. **遗产分配**。继承法往往被责难为充当了商业破坏者的角色，它们导致生产性资产被许多继承人共同分割，从而使每人所得远不足以支撑商业发展。这出现在伊斯兰传统律法中，常被当作伊斯兰社会没能走向和西方相同的资本主义发展道路的原因之一。[52] 按照新巴比伦惯例，儿子是唯一继承人，旁系亲属不具有继承权，女眷也不能在无遗嘱明示的情况下继承家族财产。此外，至少一半的财产将由一人继承，因为法律规定长子有权获得两倍于幼子的遗产，或者当兄弟不止两人时可获得家族一半的财产。[53] 这种中间路线确信，只

---

[52] 更详细的阐述参见本书第三章 Timur Kuran 的研究。

[53] 这些律法规则根据遗产分割、财产转让和遗嘱等具体实践中的文献资料概括而来，因为自公元第二个千年初期以来，类似于《汉谟拉比法典》这样的法律条文此后并未得到执行。长子有权获得双倍于幼子的遗产也是新巴比伦时期以前的惯例。当兄弟多于 3 人时，长子有权获得一半遗产（即高于幼子双倍的遗产）这一事实是最新发现；参见 Wunsch（2004，第 130—131 页，第 144—145 页）。本章作者正在准备一份关于公元第一个千年美索不达米亚继承法的全面研究。

要使核心业务正常运行，所有兄弟都不至于陷入身无分文的境地。

此外，新巴比伦社会有种类似于印度联合家庭[54]的“未分家的兄弟”（undivided brothers）制度，从而使企业在父辈去世后一段较长时间内仍能作为单一实体正常运转。不需要任何法定程序，长子便能继承父辈遗产并充当所有继承人的集体代表。这使遗产分割尽可能往后推迟，成了平稳过渡的一个必要条件。只要兄弟们不分割父辈遗产，所有经营收益便须根据他们各自的继承份额共同分享，而不管由谁负责实际工作。

这种制度安排并不总是没有冲突。埃吉贝家族的档案再次提供了相关证据。当伊丁－马尔杜克－巴拉图的长子在其父去世约14年后，同另两个兄弟一起对家族业务进行清理时，他试图索取一定的补偿，理由是这两人曾挪用过他妻子名下的钱财。但兄弟俩拒绝了他的要求，因为嫁妆的使用权归男方父亲（即三兄弟的父亲——译者注）所有，只要子辈继承人维持“未分家”状态，便可自然而然地获得这种使用权。最终，三兄弟不得不把全部东西都拿出来分割。[55] 总之，尽管同长子继承制相比，新巴比伦继承法会给企业经营带来一些消极影响，但并未导致在其他许多制度安排（如可分割继承权或普遍继承权）下常见的严重破坏。

十、对当代创新型企业家精神的借鉴意义

新巴比伦时期的政治和经济环境为一个以农业为基础的经济体提供了实现更高生产力水平的广阔创新空间。它允许并要求企业家一方面在基本水平的农业生产和消费者之间，另一方面在个体土地所有者和王室或神庙各级的行政管理机构之间，发挥中间商的作用。作为中间商，他们帮助扩大并加强

---

[54] 联合家庭（joint family）包括了好几代人，所有男性成员均有血缘关系。整个家庭由族长（往往由最年长的男性担当）领导，族长基于家族利益制定经济和社会事务方面的决策。家族所有财产由成员共享，分配比例则根据各成员的遗产份额评定。只要保持家族的完整，由任何成员取得的收入均须按各自比例归属全体成员。

[55] 公元前508年的 *Dar* 379（Strassmaier，1897）提供了一份遗产分割资料，其包括以下规定（第2款第55条、第56条、第59条、第60条）：（关于）家族的所有地产，只要确实存在的，包括……（长子）以自己、妻子或其他人名义购置的地产……（长子）有权分到一半……（幼子）只能分到（前述资产的）另一半。

了农业生产和原材料加工。通过扩大信贷和促进实物税收向货币税收的转变，他们加速了经济的货币化和不同生产部门的一体化进程。

其寓意在于，新技术和新设备并非提高生产率的唯一重要手段。创业成功的关键方面还包括：建立人际关系的方式，劳动力和利润分享的方式，融资方法、产品销售和配送渠道。

参考文献

Abraham, Kathleen. 2004. *Business and Politics under the Persian Empire. The Financial Dealings of Marduk-nāṣir-apli of the House of Egibi*. Bethesda, MD: CDL Press.

Baker, Heather D., and Michael Jursa, eds. 2005. *Approaching the Neo-Babylonian Economy: Proceedings of the START Project Symposium Held in Vienna, 1–3 July 2004*. Alter Orient und Altes Testament 330. Münster: Ugarit-Verlag.

Beaulieu, Paul-Alain. 2000. "A Finger in Every Pie: The Institutional Connections of a Family of Entrepreneurs in Neo-Babylonian Larsa." In *Interdependency of Institutions and Private Entrepreneurs: Proceedings of the Second MOS Symposium (Leiden 1998)*, ed. A.C.V.M. Bongenaar, 43–72. Istanbul: Nederlands Historisch-Archaeologisch Instituut te Istanbul; Leiden: Nederlands Instituut voor het Nabije Oosten.

Bongenaar, A.C.V.M., ed. 2000. *Interdependency of Institutions and Private Entrepreneurs: Proceedings of the Second MOS Symposium (Leiden 1998)*. Istanbul: Nederlands Historisch-Archaeologisch Instituut te Istanbul; Leiden: Nederlands Instituut voor het Nabije Oosten.

Cocquerillat, Denise. 1968. *Palmeraies et cultures de l'Eanna d'Uruk (559–520)*. Ausgrabungen der Deutschen Forschungsgemeinschaft in Uruk-Warka 8. Berlin: Mann.

Clay, Albert T., ed. 1912. *BRM 1. Babylonian Records in the Library of J. Pierpont Morgan*. Part 1. New York, privately printed.

van Driel, Govert. 1999. "Agricultural Entrepreneurs in Mesopotamia." In *Landwirtschaft im Alten Orient (CRRAI 41, 1994)*, ed. Horst Klengel and Johannes Renger, 213–23. Berliner Beiträge zum Vorderen Orient 18. Berlin: Reimer.

———. 2002. *Elusive Silver: In Search of a Role for a Market in an Agrarian Environment. Aspects of Mesopotamia's Society*. Istanbul: Nederlands Instituut voor het Nabije Oosten.

Goody, Jack. 1980. "Slavery in Time and Space." In *Asian and African Systems of Slavery*, ed. James L. Watson, 16–42. Oxford: Basil Blackwell.

Janković, Bojana. 2005. "Between a Rock and a Hard Place: An Aspect of the Manpower Problem in the Agricultural Sector of Eanna." In *Approaching the Neo-Babylonian Economy: Proceedings of the START Project Symposium Held in Vienna, 1–3 July 2004*, ed. Heather D. Baker and Michael Jursa, 167–81. Alter Orient und Altes Testament 330. Münster: Ugarit-Verlag.

Joannès, Francis. 2000. "Relations entre intérêts privés et biens des sanctuaires à l'époque néo-babylonienne." In *Interdependency of Institutions and Private Entrepreneurs: Proceedings of the Second MOS Symposium (Leiden 1998)*, ed. A.C.V.M. Bongenaar, 25–41.

Istanbul: Nederlands Historisch-Archaeologisch Instituut te Istanbul; Leiden: Nederlands Instituut voor het Nabije Oosten.

Jones, David. 2006. *The Bankers of Puteoli: Finance, Trade, and Industry in the Roman World*. London: Tempus.

Jursa, Michael. 1995. *Die Landwirtschaft in Sippar in neubabylonischer Zeit*. Archiv für Orientforschung, Beiheft 25. Vienna: Institut für Orientalistik.

———. 1998. *Der Tempelzehnt in Babylonien vom siebenten bis zum dritten Jahrhundert v. Chr.* Alter Orient und Altes Testament 254. Münster: Ugarit-Verlag.

———. 2004. "Grundzüge der Wirtschaftsformen Babyloniens im ersten Jahrtausend v. Chr." In *Commerce and Monetary Systems in the Ancient World: Means of Transmission and Cultural Interaction. Proceedings of the Fifth Annual Symposium of the Assyrian and Babylonian Intellectual Heritage Project Held in Innsbruck, Austria, October 3rd–8th, 2002*, ed. Robert Rollinger and Christopf Ulf, 115–36. Melammu 5. Stuttgart: Franz Steiner Verlag.

———. 2005a. "Das Archiv von Bēl-eṭēri-Šamaš." In *Approaching the Neo-Babylonian Economy: Proceedings of the START Project Symposium Held in Vienna, 1–3 July 2004*, ed. Heather D. Baker and Michael Jursa, 197–268. Alter Orient und Altes Testament 330. Münster: Ugarit-Verlag.

———. 2005b. *Neo-Babylonian Legal and Administrative Archives: Typology, Contents, and Archives*. Guides to the Mesopotamian Textual Record 1. Münster: Ugarit-Verlag.

———. 2007a. "The Transition of Babylonia from the Neo-Babylonian Empire to Achaemenid Rule." In *Regime Change in the Ancient Near East and Egypt: From Sargon of Agade to Saddam Hussein*, ed. Harriet Crawford, 73–94. Proceedings of the British Academy 136. Oxford: Oxford University Press.

———. 2007b. "The Babylonian Economy in the First Millennium BC." In *The Babylonian World*, ed. Gwendolyn Leick, 220–31. London: Routledge.

Kleber, Kristin. 2004. "Die Fischerei in der spätbabylonischen Zeit." *Wissenschaftliche Zeitschrift für die Kunde des Morgenlandes* 94:133–65.

Kozuh, Michael. Forthcoming. *The Sacrificial Economy: On the Management of Sacrificial Sheep and Goats at the Neo-Babylonian/Achaemenid Temple of Uruk*.

Lanz, Hugo. 1976. *Die neubabylonischen* ḫarrânu-*Geschäftsunternehmen*. Münchener Universitätsschriften, Juristische Fakultät. Abhandlungen zur rechtswissenschaftlichen Grundlagenforschung 18. Berlin: J. Schweitzer.

Leick, Gwendolyn, ed. 2007. *The Babylonian World*. London: Routledge.

MacGinnis, John D. 2007. "Fields of Endeavour: Leasing and Releasing the Land of Šamaš." *Jaarbericht van het Vooraziatisch-Egyptisch Genotshap Ex Oriente Lux* 40:91–101.

Origo, Iris. 1997. *"Im Namen Gottes und des Geschäfts": Lebensbild eines toskanischen Kaufmannes der Frührenaissance*. Trans. U. Trott. Berlin: Klaus Wagenbach. First ed. in English under the title *The Merchant of Prato: Francesco di Marco Datini* (London: Jonathan Cape, 1957).

Parker, Richard A., and Waldo H. Dubberstein. 1956. *Babylonian Chronology, 626 B.C.–A.D. 75*. Brown University Studies 19. Providence, RI: Brown University Press.

Pearce, Laurie E. 2006. "New Evidence for Judeans in Babylonia." In *Judah and the Judeans in the Persian Period*, ed. Oded Lipschits and Manfred Oeming, 399–411. Winona Lake, IN: Eisenbrauns.

Roth, Martha T. 1991. "The Women of the Itti-Marduk-balāṭu Family." *Journal of the American Oriental Society* 111:19–37.

———. 1995. *Law Collection from Mesopotamia and Asia Minor*. Writings from the Ancient World—Society of Biblical Literature 6. Atlanta: Scholars Press.

Say, Jean Baptiste. 1972. *Traité d'économie politique ou simple exposition de la manière dont se forment, se distribuent ou se consomment les richesses* (1803). Collection Perspectives de l'économique—Les fondateurs. Paris: Calmann-Lévy Éditeur.

Strassmaier, Johann Nepomuk. 1889a. *Inschriften von Nabuchodonosor, König von Babylon (604–561 v. Chr.)*. Babylonische Texte, vols. 5–6. Leipzig.

———. 1889b. *Inschriften von Nabonidus, König von Babylon (555–538 v. Chr.)*. Babylonische Texte, vols. 1–4. Leipzig.

———. 1897. *Inschriften von Darius, König von Babylon (521–485)*. Babylonische Texte, vols. 10–12. Leipzig.

Waerzeggers, Caroline. 2003–4. "The Babylonian Revolts Against Xerxes and the 'End of Archives.'" *Archiv für Orientforschung* 50:150–73.

Watson, James L., ed. 1980. *Asian and African Systems of Slavery*. Oxford: Basil Blackwell.

Weidner, Ernst F. 1939. "Jojachin, König von Juda, in babylonischen Keilschrifttexten." In *Mélanges syriens offerts à Monsieur René Dussaud…par ses amis et ses élèves*, 2:923–35. Paris: P. Geuthner.

Wunsch, Cornelia. 1993. *Die Urkunden des babylonischen Geschäftsmannes Iddin-Marduk. Zum Handel mit Naturalien im 6. Jh. v. Chr.* Cuneiform Monographs, 3 A and B. Groningen: STYX.

———. 2000a. *Das Egibi-Archiv. I. Die Felder und Gärten*. Cuneiform Monographs, 20 A and B. Groningen: STYX.

———. 2000b. "Neubabylonische Geschäftsleute und ihre Beziehungen zu Palast- und Tempelverwaltungen: Das Beispiel der Familie Egibi." In *Interdependency of Institutions and Private Entrepreneurs: Proceedings of the Second MOS Symposium (Leiden 1998)*, ed. A.C.V.M. Bongenaar, 95–118. Istanbul: Nederlands Historisch-Archaeologisch Instituut te Istanbul; Leiden: Nederlands Instituut voor het Nabije Oosten.

———. 2003. "Mesopotamia: Neo-Babylonian Period." In *A History of Ancient Near Eastern Law*, ed. Raymond Westbrook, 2:920–44. Handbuch der Orientalistik 72. Leiden: Brill.

———. 2004. *Urkunden zum Ehe-, Vermögens- und Erbrecht aus verschiedenen neubabylonischen Archiven*. Babylonische Archive 2. Dresden: ISLET.

———. 2005. "The Šangû-Ninurta Family." In *Approaching the Neo-Babylonian Economy: Proceedings of the START Project Symposium Held in Vienna, 1–3 July 2004*, ed. Heather D. Baker and Michael Jursa, 355–416. Alter Orient und Altes Testament 330. Münster: Ugarit-Verlag.

———. 2007. "The Egibi Family." In *The Babylonian World*, ed. Gwendolyn Leick, 232–43. London: Routledge.

第三章　中东企业家精神：伊斯兰教制度的影响*

至少从19世纪时起，某些观察家就发现，伊斯兰教推崇的宿命论、信从教义和保守主义，抑制了企业家精神的发展。① 19世纪，包括哲马尔丁·阿富汗尼（Jamal al-Din al-Afghani，1839—1897）在内的杰出穆斯林改革家认为，这个观点把被人曲解为规劝世人遇事听天由命的伊斯兰教与对个人行为负责并运用神赐天赋的正宗伊斯兰教混为一谈（Hourani，1983，第128—129页）。

赛义德·毛杜迪（Sayyid Abul-Ala Mawdudi，1903—1979）、赛义德·库特布（Sayyid Qutb，1906—1966）和穆罕默德·巴吉尔·萨德尔（Muhammad Baqir al-Sadr，1931—1980）等人的著作中所呈现的伊斯兰教义普遍认为，伊斯兰教是鼓励企业家精神的。伊斯兰教提倡富有创造性的大胆尝试，至少是在科学、技术和经济方面的尝试。以伊斯兰教为根源的伊斯兰经济学理论强调，其制度设计的初衷是促进企业家精神。② 伊斯兰经济学最突出的成就——伊斯兰银行学，就是想在不考虑企业家有无抵押能力的情况下为他们的创业活动提供资金。③ 伊斯兰经济学教科书经常援引各种用来解释鼓励企业家精神

* 作者感谢Wilfred Dolsma、Naomi Lamoreaux、Debin Ma和Jan Luiten van Zanden对本文早期版本给予的有益讨论和建设性意见；也感谢Hania Abou Al-Shamat出色的研究协助。Ewing Marion Kauffman Foundation为该研究提供了资助。本文引用的数据来自Templeton Foundation和南加州理工大学经济文明研究学院Metanexus研究所。

① 针对这三个因素的影响，参见Patai（1983，第310页），Sayigh（1958，第123页）和Lewis（2002）。后一个资料来源强调了9—11世纪期间穆斯林思想的封闭。

② Mannan（1970）作了一些介绍。大量对待企业家精神的方法见于Siddiqi（1979）和Sadeq（1990）。至于伊斯兰经济学及其历史描述，参见Kuran（2004）。

③ 在现实中，大多数伊斯兰银行的运作与普通商业银行相似；它们的伊斯兰特征大多是幌子。参见Kuran（2004）和El-Gamal（2006）。

的《圣经》片段，比如："祷告结束后，解散并寻求真主的恩赐"（Sadeq，1990，第25页，第36页）。

不知情者难免会怀疑这些诠释是否仅与同一地区或同一宗教相关。事实上，各种解释都做了夸张的描述。伊斯兰经济学将人们对伊斯兰教义的选择性解读等同于穆斯林的实际做法，并未认识到伊斯兰制度的存在及其历史惯性对经济创造力产生的负面作用。有学者认为，20世纪70年代伊斯兰银行学的出现证实了伊斯兰法律的适应性，却未能解释为什么在伊斯兰法律下私人金融体系停滞了将近一千年（Ahmed，2006）。阿富汗尼指出穆斯林实际做法的不足之处在于腐败，但没有阐明为什么"正宗伊斯兰教"容易导致腐败。那些认为伊斯兰教推崇宿命论和保守主义的观察家们，都忽略了在伊斯兰的大部分历史里，中东一直被视为富裕之地的事实。虽然前现代欧洲反伊斯兰的种种抨击对伊斯兰教百般挑剔，可他们并未把伊斯兰教当作经济落后的一个根源（Rodinson，1987，尤其参见第18—23页）。16世纪访问中东的学者都不认为该地区缺乏企业家精神。

尽管有伊斯兰经济学这样的个别例外，但过去的理论传统忽视了创新决策对制度的依赖。无论人们多想积极把握机会，倘若无法筹到资金，或是创业回报不安全，他们都会把精力转向别处。在外人看来，穆斯林似乎都听天由命（宿命论），固守传统，对提高生活水平毫无兴趣。然而，宿命论和保守主义的特性并不能完全解释当今阿拉伯人、中东人或穆斯林欠发达的原因。只要把反创业的特性归因于伊斯兰教，就会产生更深层的问题，即伊斯兰教有着非常丰富的文化传统，能够支撑起各种各样的事业和生活方式。如果反创业思想占据主导地位，那就有必要解释对伊斯兰教的某种特定解读大行其道的原因。

值得赞许的是，伊斯兰经济学认识到，制度之间的纽带影响创业的激励。然而，它所提供的一套理想制度，是对成形于7—10世纪的古典伊斯兰法的一种过于简化的解释。实际上，它假定制度的效率在各种情况下均保持不变。[④] 描述伊斯兰教观念障碍的历史记载也显示了这一特性：由于忽视了交易所需的基础设施，他们其实认为这种基础设施与创业表现毫无关系。

---

④　对此的详细批判，参见Kuran（2004）和El－Gamal（2006）。

事实上，创业的供给取决于现行制度面对当前挑战的适应性。正如我将要阐明的，非常适合于人格化交易（中世纪时代的国际标准）的中东制度，变成了阻滞向非人格化交易转型的根本原因。尽管中东的那些制度仍然支持小规模创业，却抑制了大规模的企业家精神。消除那些制约了企业家精神发展的障碍本身就是一种企业家精神。然而有些障碍确实会更难克服。要更全面地解释伊斯兰教和中东企业家精神之间的关系，我们不仅需要了解观察到的创业纪录，还需厘清相关的制度历史。

一、企业家精神及其历史依赖性

企业家精神是一个常常被误用的概念。在这里，它指的是对获益机会高度敏锐且极其渴望利用这类机会的人所从事的活动。和其他人一样，企业家获得的信息比他们可以处理的信息多。与众不同的是，他们能发现一些大多数人没有发现的机会。哈耶克（Friedrich Hayek，1937）与柯兹纳（1979）强调的是，这些人的反应弱化了不均衡。莱宾斯坦（Harvey Leibenstein，1968）指出，他们还能减少低效率。但熊彼特（Joseph Schumpeter，1934）则认为，企业家的快速反应会产生新的不均衡和低效率，从而为他人创造了可资利用的机会。

对一个易受自然界冲击、处于全球动态经济之中的经济体来说，这些五花八门的评论折射了一个分散化转型过程的方方面面。如果像马克·卡森（2003）已经尝试的那样，把这些观点整合成一套企业家精神理论，就能即刻使企业家成为变革的创始人、开发者和管理人。他们在创造新市场的同时，也提高了自身在现有市场中的生产率。他们创建新的组织形式，寻找应用这些新形式的新方法，并开展种种改良运动。

这种有关企业家精神的综合观意味着企业家精神能够自我增强。由于每位活跃的企业家都在不知不觉中为他人创造机会，所以创新可以进一步激发创新。一个社会如果在近期涌现出大量创新，那么就会有许多市场处于非均衡状态，从而为那些能敏锐捕捉到机会的人创造出无数可用之机。这些创业活动会继续带来新的混乱，为其他企业家再创机会。同理，如果企业家精神匮乏，这种匮乏状态无法进行自我调整。正因为缺少企业家精神，所以可利用的不均衡也会稀缺，企业家精神有限的这一状态将会自我延续。一个长期停滞的社会体系不会出现多少混乱局面，企业家也就很难找到机会发挥自己的聪明才智。因此，一个社会的止步不前可能就是由于它过去的停滞造成的。这时，人们可能会发现社会陷入一种企业家精神低迷的困顿状态，不是因为缺少冒险者，而是因为囿于自身的创业历史。

企业家精神持续低迷的社会单元并不一定大到是某个文明地区，甚或一个国家。它可能是某个经济部门或地理区域。一个经济部门也许会出现结构性停滞，其成员往往敷衍了事、故步自封、听天由命，即使其他领域展现出创造力和活力。这种反差会随着企业家的流动而不断加剧。为了使自己的才能获得更高的回报，他们会涌向充满活力的部门。

认为中东或更广泛的伊斯兰世界明显缺乏企业家精神的学者通常指的是它们的商业部门。这个观点具有可靠的经验基础。从历史上看，国家在直接关系到自己生存的关键领域都表现出相当大的灵活性。例如，在税收方法上就反复进行了改革以适应新的环境（Løkkegaard，1950；Darling，1996；Çoçgel，2005）。相比之下，无论是伊斯兰合同法还是伊斯兰商业惯例，在 10—17 世纪期间都没有发生过显著变化。⑤ 我们会发现，这种制度停滞与中东创业成就在全球范围的相对下滑密切相关。我们面临的挑战，是找出这种相对衰落的根源。

二、中世纪中东的创业活动

伊斯兰教在公元 7 世纪初叶的兴起和传播，和其他伟大宗教的发展一样，掀起了创造力巨大的创业热潮。穆罕默德展现出非凡的社交、政治、经济和军事才能，吸引了最早的信徒，接着他和他的信徒从麦加迁移到麦地那，并建立起最早的伊斯兰教政权，然后通过控制该地区的商业命脉击败了敌对他的异教徒。在接下来的几个世纪里，伊斯兰教创造性地将其规范、准则、教规、法律、惯例、组织、信仰体系和报酬机制发展成一套综合的制度体系，不仅没有推翻之前的伊斯兰制度，而且对其进行了完善和修正。

---

⑤ Goitein（1967）提供了 10 世纪埃及使用的合同模型。我本人给出的数据集，是伊斯坦布尔的伊斯兰法庭 1602—1696 年间办理的商业案例。审查法院登记编号（defters）：Galata 24，25，27，41，42，130，145；Istanbul 1，2，3，4，9，16，22，23。

这里特别令人感兴趣的是那些旨在促进企业家精神的制度。企业家普遍缺乏资源来实现他们的抱负。为了取得成功，他们要依靠别人的资本和劳动力。古典伊斯兰法律下的合同法，为企业家提供各种合同模板，适用于各个领域不同的目标（Udovitch，1970；Nyazee，1999）。这部法律为8世纪从大西洋延伸到中国海岸的整个伊斯兰世界的人们，提供了一套基本上统一的法律制度，在任何穆斯林统治的地方均可实施。

伊斯兰合同法中规定的对其他文明社会的债务是一个很有争议的问题，它对地中海地区的制度演化所产生的影响也众说纷纭。但毋庸置辩的是，在10世纪左右，该法至少像其他地方流行的类似法律一样先进。所以毫不奇怪，当时的伊斯兰教仍在不断扩张到世界的各个角落，有时借助于武力，有时则通过依据伊斯兰法律进行的贸易殖民。是商人们把伊斯兰教传播到东非大部分地区、印度、中国和后来的印度尼西亚。他们的贸易站吸引了各色专业人士。除了有权获得他们的服务外，改信伊斯兰教的激励机制还包括可以进入穆斯林的贸易网络，享受伊斯兰法庭的优惠待遇，有资格担任高级行政职务，时常还能降低税赋。

这种有助于伊斯兰教扩张的商业使团（commercial missions）一般都要进军未知领域。在中国的穆斯林聚居地出现之前，登上一艘船或加入一个商队前往中国需要勇气和冒险精神。踏上这种征程的个人通常得按照伊斯兰法律寻求外部融资。获取必要资金本身就是一个需要创造力的挑战。商业使团还要注重集体行动，以确保合伙人的安全和谈判中的议价能力。虽然有关伊斯兰教早期商业扩张的资料匮乏，但是我们知道，当一艘载满中东人的船只抵达一个陌生国度时，船上的人会派出代表与当地的统治者就贸易权限和居住权利进行商谈。

把中东商人带到未知的异国他乡的旅程往往开拓出新的市场（Ashtor，1976，第3章；Abu-Lughod，1989，第8章；Chaudhuri，1985，第2章）。早期移居东非的中东人向非洲大陆引介了许多新商品。但凡商业欠发达的社会，市场开放进程同样需要某些中东制度的广泛传播。如此一来，在连接热带非洲地区与全球市场的同时，穆斯林商人也把商业法规带到了那些没有成文法的地方。他们还推行算术，简化了账目管理；使用金属硬币则方便结算和积聚财富。此外，他们把阿拉伯语发展成为一种商业通用语言，这既促进了以前由于语言差异而隔阂的地区之间的沟通，又助推了贸易与合作。伊斯兰教在所有这些方面的商业扩张，都包含了一种或多种形式的企业家精神。跨区域移植制度，组织结果不可测的商业之旅，与未知国度建立商业联系，开拓创新市场，向人们推介新商品，这些全都是卓绝超群的创业活动。

以当时的标准来看，伊斯兰教的商业扩张代表了一种巨大的成就。那时许多赫赫有名的大型商业中心都是中东移民一手打造的，包括非洲的蒙巴萨和摩加迪沙，亚洲的卡利卡特、马六甲和广东。伊斯兰教成为许多这类商业中心的主要宗教，虽然这些地区的中东移民里也包括基督徒、犹太人和索罗亚斯德教教徒。迁移到某些遥远地域的中东人建起巨大社区。公元878年，当土匪占领广东并屠杀当地百姓时，受害人中就有12万中东移民，而且绝大多数是穆斯林（Hourani，1995，第61—79页；Chaudhuri，1985，第2章）。

在热带非洲、南亚次大陆和东亚建立穆斯林主导的贸易中心，主要是因为那些地区的人民没有到中东创建他们的贸易殖民地，或是传播他们的商业制度。这种不对称是由季风和季节作物模式的周期律动（cyclical rhythms）所造成的。但诸如中国等其他地区的人民，原本可以通过在中东建立贸易殖民地以及适当的体制，来克服种种气候上的不利因素。除了气候观点外，另一种附带的观点认为，中国的内部经济提供了足够的税基，中国皇帝并不需要对外贸易（Chaudhuri，1985，第21—29页，第188页）。姑且不论这种声称中国统治者束缚自己野心的观点有多么不足为信，至少肯定有人会问，为什么中国商人不像他们到东南亚那样去中东寻找商机呢？原因可能就在于逐渐主宰各条贸易路线的中东人占据了先发优势。在伊斯兰教已经获得显要地位的地方，当地人民没有激励去欢迎移居者，除非他们有更胜一筹的商业体制。可中国的制度并没有明显的优势。

如果说伊斯兰早期时代的中东人建立了有利于企业家精神发展的制度，促进了伊斯兰法律下的商业扩张，那么一个重要原因即是，把这些制度纳入伊斯兰法的穆斯林法理学家本身就是商人。在公元9—10世纪，阿拉伯伊斯兰教核心地区内75%的宗教学者（ulama），包括所有的法理学家，基本上都以商业贸易为生。虽然大多数是工匠或生产者，但不少人以投资者身份从事商务，另外还有一小部分的旅商（Cohen，1970，表C-1）。出生于商人主导部落的穆罕默德，他自己的职业就是商人。这些因素并不能确保伊斯兰教可以促成支持企业家精神的制度。然而它们保证了在制度的形成时期人们深谙创业需求，甚至是企业家本人，也占据着颇具影响力的地位。

三、创业低效之始

伊斯兰教形成的最初几百年，堪称中东人创立商业丰功伟绩的辉煌时代。随后，中东商业在全球的重要性显著下降。在16世纪，仍有部分阿拉伯人前往印度；但很少有人长途远涉到中国。到了18世纪，甚至连与印度（曾经神话般的财富源泉地）的香料贸易，也失去了重要意义。由于欧洲国家开发并垄断了一条绕过好望角的更便利的航线，往返于印度洋和地中海之间的香料商队从此成为过去式。有较长一段时间内，中东人还继续控制着非洲的某些贸易路线。但是在19世纪的时候，欧洲人把一度与中东通商的非洲地区也占领了。

到20世纪中叶时，中东人在全球商业扩张的进程中顶多只扮演着次要角色。达·伽马、哥伦布、麦哲伦和科尔特斯等人带领展开的全球探险与征服行动，从计划、资助到执行都与中东地区没多大干系。此外，在工业革命前的500年里，无数为现代经济奠定基础的制度革新主要是由西方国家的商人、金融家、政治家和其他专业人士创建的。与中世纪时期相反，在近代早期导致了工业化的制度转型漫长阶段，中东人并没有发挥主导作用。

可以肯定地说，甚至在西方人引领发展出全球市场之后，各代中东商人、金融家和生产者中都出现过非比寻常的创新人才。1580—1625年间活跃于开罗的埃及商人阿布·塔基亚（Ismail Abu Taqiyya），就是一个光辉典范。他出生的时候，咖啡饮料由伊斯兰苏菲（Sufis）传遍了整个中东，当时苏菲们喝咖啡是为了夜间做礼拜时保持清醒。极端拘谨的宗教学者们觉得这种新饮料很令人反感，正式的理由是它会引起极度兴奋（这在他们看来这是有罪的），但多半也因为它让人联想到是对伊斯兰教义的一种不严谨解释。然而，咖啡主要还是经由咖啡馆得以在普通人群中普及。统治者煽动反对咖啡的情绪并迫害违规者有其自身目的，即便有时候他们自己也非常喜欢喝咖啡。政治活动是咖啡馆社交生活不可或缺的部分，这对社会治安构成了一定威胁（Hattox，1985）。

在这样的环境下，阿布·塔基亚与各个合作伙伴一起，开始从也门摩卡把咖啡进口到埃及。早在星巴克咖啡连锁店出现的几个世纪之前，他已经通过创办大量的咖啡馆促进了咖啡消费。如果说获利机会很大，那么风险也同样极大。一方面，暴徒们总是捣毁咖啡馆。另一方面，未来对咖啡的需求往往取决于社会和政治环境，而这两者都极具不确定性。阿布·塔基亚在试图重振埃及制糖业方面也表现出类似的企业家精神。在发现有巨大市场扩张和价格上涨潜力之后，他出资种植甘蔗、建立炼糖厂，并把产品销往国内外（Hanna，1998，第78—95页）。

从阿布·塔基亚的时代，到后来那些适应了新兴市场机会、采用精明举措改进产品或创造新市场的中东商人，可以列举的例子并不少。在17世纪，一张以伊朗新焦勒法（Julfa）为中心的亚美尼亚商业网，连接了远至威尼斯、俄国、印度和中国的市场（Curtin，1984；McCabe 1999；Aghassian 和 Kévonian，1999）。其间，面对大批精致的印度织物，伊朗人、土耳其人和其他群体运用产自各地（包括印度本身）的染料，开发出种类繁多的替代品并进行销售（Veinstein，1999）。而与他们同时代的大多数商人们还只懂得墨守成规，走别人的老套路。有关特定城市特定时期商业生活的描述大多是些日常的业务活动，鲜有例外。[6] 那些最终放弃事业的商人都缺乏雄心壮志和创造力。

四、中东企业的规模和寿命

我们将回过头来探讨一下工业革命前夕的典型模式。从阿布·塔基亚丰富多彩而令人印象深刻的职业生涯中也能洞察他所在地区的创业能力。他的成就远不止于咖啡和食糖市场上获得的成功。不过，就像福尔摩斯通过观察到狗不吠叫破解了一起案件，我们也能从确认哪些是阿布·塔基亚没有完成的事情中有所收获。

阿布·塔基亚的传记作者所做的研究，根据的全都是阿布·塔基亚作为当事人或证人出席过的数百起法庭案例。她无法获得阿布·塔基亚的财务账簿、订购单据、公司章程、与合作伙伴的战略会议纪要，甚或偶尔收发的来往信件。研究运营于东地中海的英国黎凡特公司（1583—1825）的历史学家掌握了大量的这类资料（Wood，1935）。与英国和其他北欧国家的海外贸易

⑥　例如，可参见18世纪的 Marcus（1989）和 Abdullah（2001）。

公司一样，几个世纪前的某些意大利公司也保存了详尽的档案。以佛罗伦萨为基地的梅第奇家族企业（1397—1494）所残留的财务报表既丰富又有系统性，现代学者据这些历史资料重建了其商业惯例（De Roover，1963）。从理论上讲，阿布·塔基亚任何私人资料的不可获得性也许是因为某个偶然事件，比如火灾、水灾等。然而，这种推理只符合一般模式。19世纪以前该地区的私人商业记录几乎都没有保留下来。有一本262页的书籍主要研究了奥斯曼帝国的历史渊源，而阿布·塔基亚时代的埃及隶属于奥斯曼帝国，但作为杰出历史学家的该书作者对“私人档案”的描述只有寥寥几笔（Faroqhi，1999，第58页）。一个基本原因是当时压根儿就没有谁建立私人档案，更别提要保存几个世代之久。[7]

储存、分类和保护文件需要用到很多资源。因此，只有在预期收益足够大时，一个商人才会有心思做那些麻烦事。如果储存档案是现代企业一项必不可少的活动，那是因为这些企业的寿命很长，和很多个体签订了长期合同，而且会面临各种需要出具很久以前达成的协议的诉讼。股东甚至可以根据几个世纪前公司注册时的创建章程要求获得相关权利。所以，意大利和英国的商业史学家能够找到保存了好几个世代的大型企业记录绝非偶然。梅第奇和黎凡特公司之所以留下井井有条的记录，是因为它们的寿命和复杂的活动令公司有建档立册的价值。

在跨越半个世纪的职业生涯中，阿布·塔基亚与地理上极分散的人们建立了无数独立的合伙经营关系。每种合伙关系都基于为某一特定目的而设计的单独合同，如融资给农民用于甘蔗种植（一季），把咖啡豆从摩卡运到亚历山大，或在达米亚经营一家咖啡馆等。这些伙伴关系汇集了有限的资源，而且通常也只是昙花一现。由于这些原因，没人用得着那些无限期的档案记录。事实上，阿布·塔基亚的企业集团并不比他本人长寿。阿布·塔基亚死后，一些合伙人接管了集团的部分业务。虽然他的咖啡馆的命运最后不得而知，但没准有很多家都在不同业主手中和新的财务安排下得以存续。然而，随他而去的是一个经历几十年才形成的关系网络，没有任何人或组织传承了他在整个地区的商业声誉。他的商业资本也随之挥散一空。他的继承人无法维持

---

⑦ Faroqhi把中东私人档案的稀缺归因于“战争和内战”。但是西欧也经历过毁灭性的政治动荡，这表明一个更根本的因素在于记录保存的激励机制存在地域性差异。

他的企业集团，更不用说将其发扬光大。这就是为什么阿布·塔基亚的传记作者找不到任何关于他的档案的最根本原因。假如阿布·塔基亚预期到他的事业会在自己离世后跟着消亡，他是不会有丝毫热情进行条理清晰的存档记录的。

储存档案的一个基本动机是想切实协助后世的业主和管理者。然而伊斯兰的继承制度令维系一个成功企业变得非常困难。以现代标准来看，伊斯兰继承制度高度奉行平等主义。它规定所有核心家庭应继承的财产份额，不论男女，在某些情况下甚至还包括死者的远亲。这么一来，由于该制度在分配上占绝对优势，所以导致了成功企业的分崩瓦解。理论上，人们可以重组某位已故商人被分配了的资本。但是，通常总会出现一两个财政拮据或执拗的继承人阻止这种结果的发生。这对那些相当成功的商人来说尤为严峻，因为他们大都有很多孩子，而这些孩子往往由不同妻子所生。阿布·塔基亚的继承人里就包括当时健在的 11 个孩子和 4 个妻子。虽然其中几名继承人想要合并他们获得的遗产，但是为此付出的惨重代价是 10 年的家庭内讧、疾病和更多的死亡（Hanna，1998，第 162—164 页）。

伊斯兰继承制度产生的另一个意想不到的后果是，削减了商业企业的规模和寿命。商人、生产者和投资者通过建立小规模且短暂的合作关系，最小化他们与合伙人的继承者交涉的概率。在此过程中，他们也最小化了那些不适时结算的预期成本（Kuran，2003，第 414—416 页）。和当时的其他许多成功商人一样，阿布·塔基亚的企业建立了众多的合作伙伴关系，从法律角度来看，这些关系相互独立，而且每种关系只需要他资本的很一小部分，通常频率为一年或两年一次。

那么，阿布·塔基亚式档案资料的缺失就是前现代中东经济的一个基本特征：通常依赖于很短暂的商业企业。如果阿布·塔基亚没有建立能让子孙后代继续经营的正规企业集团，也就没有必要进行详细的记录保存。一个基本原因是，当时他所在地区的商业制度使得简单而短暂的私营企业是最佳的运作方式。

五、公司理念的缺失

目前认为的不利于建立庞大而持久的合作伙伴关系的那些伊斯兰法律障

碍，并不能完全解释阿布·塔基亚的企业集团在他去世后无法存续的原因。制度的局限性并非必然不可逾越。阿布·塔基亚也许可以借助某种类似于法人企业的组织形式克服伊斯兰合同法的缺陷：建立一种享有法人资格、能够永续存在的企业，由可以向他人转让股份的成员共同拥有。如果他把他的商业活动整合成股份公司，那他的企业集团或许能够得以幸存。此外，那些希望把遗产转换成现金的后代可以转让股权而不必损害集团本身。公司的股份既可以世代相传，整个企业也能够在成员变动的环境下继续存在。

然而，伊斯兰法只承认有血有肉的人；完全没有法人（legal personhood）的概念（Kuran，2005b）。这无疑成为在中东推行公司制的一个巨大障碍。阿布·塔基亚要想成立股份制公司，除了要说服合作伙伴以一种全新的企业结构运营外，还必须改革司法体制。这类工程浩大的创新在任何领域都是极其罕见的。当年黎凡特公司订立出自己的公司章程后，它便逐渐站在了商业转型的风口浪尖上。但阿布·塔基亚要实现的制度突破远不止于此。在商业领域之外，这种公司形式已经在西欧运用了500多年之久。英国黎凡特公司并不需要构想出法人的概念，或是从零开始推动法人概念的应用，也无须与不熟悉这些理念的法官打交道。

假如阿布·塔基亚生活在21世纪，他可能会成立一家控股公司，与埃及电信公司（Orascom Telecom）或投资银行（EFG-Hermes）之类的企业竞争，在开罗及亚历山大证券交易所和伦敦证券交易所进行交易。当今埃及的大公司采用的组织形式在阿布·塔基亚时期完全无法想象。它们所依赖的经济制度对他而言也闻所未闻：如二级股票市场、银行、商业新闻等。埃及目前的经济制度与更广泛的中东地区一样，都基于始于19世纪中叶的一波波影响深远的改革。接连不断的改革钳制了伊斯兰法庭的管辖权，并推行了一定程度上基于外国模式制定的新法律规范。21世纪初期埃及的经济模式根本称不上有效率。但是，在400多年前，阿布·塔基亚能选择的组织形式无疑更为有限。

中东企业家精神的黄金时代早在阿布·塔基亚登台前就已经结束。某些圈子里流行的观点并不支持这个看法，他们认为中东地区是经历了绝对的经济衰退。虽然阿布·塔基亚没有把生意拓展到中国，但他和商业伙伴也是在几个世纪前相当庞大的经济体内经营他们的事业，而且其组织机构同样也是很先进的。不同之处在于，如今是更加广泛的全球经济体系。欧洲的商业体制早已历经渐进的革命性转变，将包括中东在内的其余大部分世界远远甩在了身后。

因此，中东地区只是出现了相对的经济绩效下降。在中东研究专家看来，阿布·塔基亚的功绩非凡，但对熟悉英国和荷兰同时代的企业规模、寿命和结构复杂性的商业史学家来说，就显得没那么显赫了。在阿布·塔基亚时代，中东的企业家在制度上已比同时代的西方商人更逊一筹。他们的不利条件还在随后的250多年里进一步恶化，直至开始实施根本性的改革。

在中东组织制度缺陷不断恶化期间，企业家所面临的挑战是，他们面对的私人经济的规模远比他们的西方同行小。实际上，他们陷入了一个企业家精神缺乏的均衡状态陷阱，进一步限制了非均衡的范围；反过来，不均衡的匮乏又制约了生产和贸易上的创新机会。举例而言，如果阿布·塔基亚那代的商人与美洲建立直接的商业关系，那么随之而来的金融、航海、通信方面的挑战就能创造出大量的创新机会。由此所致的企业家精神也许可以制造更多混乱，从而刺激更多创造性的回应。

六、伊斯兰教对创新态度的影响

我们已经看到，有些伊斯兰制度对中东地区广泛的经济停滞明显起着关键作用。伊斯兰继承制度使人们没有很强的激励去推动公元10世纪左右形成的伊斯兰古典合同法实现现代化。传统伊斯兰合同法非常适合于中世纪全球经济中盛行的人格化交易。但是，随着全球商业、进而中东地区的贸易，日趋非人格化，这种法律越来越功能失调。接着，在许多年里，伊斯兰教通过提高集资能力、推动商业化扩张、从事长期投资和保护成功企业等方式，影响了企业家精神供给机制和企业家的生产力。

在中世纪时代，这些影响也许被认为是有利的。这一点可以从伊斯兰法传播到离伊斯兰教中心地带很远地区的这一事实中看出来。在工业革命爆发前的500年时间里，那些影响就变成了障碍，严重阻碍了科学技术助推那些能支持复杂经济交流的优越制度前进的步伐。在此之后的改革家们把现代经济制度移植到中东的动因与当初伊斯兰法得以传播的动因是一样的：即保持和提高经济的竞争力。

人们所认为的伊斯兰教和企业家精神之间的关系，与提出宿命论或因循守旧乃伊斯兰教基本特征的观点是矛盾的。鉴于他们认为伊斯兰教精神中必然包含了某种永久性障碍，因此现行机制突出强调了改变环境所产生的影响。只有当该地区外的人们发展出非人格化的交换制度后，伊斯兰合同法才变成了企业家精神的一个障碍。但我们可以驳斥这种在经验上站不住脚的“宗教僵化”论，同时也不能排除植根于宗教或由宗教引发的观念影响。从理论上讲，不利于革新、创意或冒险的观念在伊斯兰历史的早期或较晚期的任何时候都出现过。

在阿布·塔基亚时代，咖啡的生产者、贸易商和消费者都遭到了反对，认为“黑水”实属 bid'a（禁忌），是一种违反伊斯兰教义的有害创新。Bid'a 这个词语在伊斯兰教创立早期就已经进入教派的讨论之中，用以表征直到先知穆罕默德于公元 632 年逝世的那段短暂时期仍未获批的行为。因此咖啡违反了圣行（sunna），即穆罕默德和他的虔诚教徒倡导的行为规范。从最严格的形式来说，bid'a 用于驳斥穆罕默德在世时期阿拉伯所未知的任何非伊斯兰的商品、习惯和观念。多年以来，保守派和传统主义者一直将各种创新严厉斥责为 bid'a，其中包括印刷机和足球（Talbi，1960；Lewis，1993，第 283—284 页）。喝咖啡者必遭地狱之火的指控，既不是第一次也不是最后一次反对创新者从伊斯兰传统寻求合法性的举动。

然而，伊斯兰教的反对并没能阻止阿布·塔基亚在埃及开拓咖啡市场。从长远来看，这场反咖啡运动其实遭遇了惨重失败。在 16 世纪，阿拉伯许多神职人员一直力促自己的教众捣毁咖啡馆。500 年后，古板严厉的沙特阿拉伯瓦哈比教派领导者骄傲地用咖啡款待客人，将咖啡视为一种悠久的阿拉伯美味饮品，常常忘记阿拉伯和伊斯兰曾经强烈抵制过这个他们现在极其珍爱的习俗。许多其他创新经过一段时间的狂热抵触后，都获得了伊斯兰法律的认可。在 20 世纪 60 年代初，瓦哈比教派的领袖甚至连电视都反对。他们认为，这种东西违反了伊斯兰教的偶像膜拜禁令，而且可能会鼓励偶像崇拜。瓦哈比教徒们发动骚乱，以致沙特警方向示威者开枪镇压后才平息下来。当瓦哈比教派领袖领悟到电视作为宗教传播工具的巨大潜力后，他们旋即发觉这东西还是圣行范围之内的事物。“有朝一日，人们能在山的另一面看到山这边的兄弟”，他们引证了穆罕默德说过的话，于是这成了 14 世纪左右时期对电视的预先祝福。[8]

---

⑧ Lackner（1978，第 84—88 页）和 Boyd（1973，尤其参见第 107—109 页）。关于沙特阿拉伯在宗教上反对技术变革的更广泛分析，参见 Al-Rasheed（2002，第 2—4 章）；Steinberg（2005）。

借用传统主义者的言论诋毁创新并非伊斯兰世界所独有。无论是过去和现在的各个社会，都会有这样一些群体：他们总是通过指责创新不爱国、反宗教、有害于当地文化，从而或是捍卫本土文化，或是保护地方行业，或是维系某种生活方式。看看法国抵制麦当劳的运动，不是出于健康原因，而是指责它威胁了“法国人的生活方式”。[⑨] 阿布·塔基亚时期开罗的逊尼派宗教学者把咖啡描绘成反伊斯兰之物，借以削弱他们的苏菲派对手；与他们类似，巴黎的餐馆老板们用法国国旗包裹着自己以恐吓那种新式快餐业和它的顾客。因此，这些事件（包括对 bid'a 的种种谴责）本身并不特别致使伊斯兰教抗拒企业家精神。

无论怎么说，创新的发起人也可以像他们的反对者那样借助宗教信仰的力量。术语“bid'a”很少出现在《古兰经》里，使用的时候也不带有任何它后来的贬义色彩。在此基础上，那些支持特定创新以及大体上拥护接受创新的人，一直寻求通过争辩“bid'a 的概念本身就是 bid'a”以扭转局势，战胜拘谨的保守派们（Talbi，1960，第 73—76 页）。还有一些人则试图限制该概念的适用范围，从而将那些并没确切证明为反伊斯兰教的有用创新排除在范围之外。伊斯兰四大法律流派之一的杰出贡献者哈桑·沙菲仪（Al-Shafi'i，第 767—821 页）认为，bid'a 包括与《古兰经》、圣训和穆斯林社会共识（ijmā）相抵触的创新；但是不包含那些无可争议的创新。依照这种逻辑，所有的 bid'a 都该受到谴责，可并非所有的创新都是 bid'a（Talbi，1960）。另有其他神学家修订了 bid'a 的意思，允许存在“坏 bid'a”和“好 bid'a”之分。在他们看来，坏 bid'a 指的是所有该下地狱的罪过。而有利于穆斯林社区的新奇事物则是好 bid'a。[⑩]

因此，在整个伊斯兰历史上，一直存在愿意为企业家创新提供宗教支持的神职人员。随着咖啡渐渐在开罗蔓延，出现的一个反对中心就是爱资哈尔（al-Azhar），也即开罗的主要大学和大清真寺。虽然某位有声望的爱资哈尔牧师宣布了禁止饮用咖啡，但其他爱资哈尔神职人员则支持提议咖啡使用合法化者。哈纳菲法学院的一名法官组织了一场协议会，其间他向所有与会者提供咖啡，然后观察是否出现诸如口齿不清、昏昏欲睡或闷闷不乐等中毒迹象。

⑨　有关反对跨文化灌输现代运动的重要观点，参见 Lowenthal（1996）和 Cowen（2002）。

⑩　在一定程度上，我们从那些试图诋毁他们的论文中得知这类修正主义观点。参见 Fierro（1992）和 Labib（1970）。

令新兴的咖啡部门感到欣喜的是，在没有发现任何不妥之后，他做出裁决：咖啡是伊斯兰法容许的事物（Hattox，1985，第39—40页）。

印刷机是有关创新的又一实例，证明新事物的支持者也可以借助宗教本身来反击他们的敌对者。在欧洲发明印刷机（1450年）后的200多年里，中东的抄写员行会一直反对建立当地的印刷厂（除了那些以自己的语言印刷书籍的少数民族外）。他们认为，权威知识只能靠人与人之间的传授，就如同书法家把手抄本卖给买家那样。印刷使得作者在买家眼里变得平淡无奇，所以会削弱学问精深者的权威进而削弱伊斯兰教本身。由于以前书籍需求非常小，所以无数代人里一直没有形成强大的反抗压力。然而在18世纪初，赫然出现了那么一股游说力量。他们认为，印刷版书籍就算没有强化现有的各种宗教权威的功能，至少也能维护它们（Robinson，1993，尤其是第239—242页；Berkes，1998，第36—50页；Babinger，2004，第9—11页）。一名位高权重的伊斯坦布尔牧师被请求裁决印刷机的合法性时如是说：

> 神知道什么是最好的！如果懂得印刷和造字技术能重现手写文书，且如果他的商行具备生产快速、复制简便、价格低廉的优势，并足以把书籍送到每个人手里；最后，如果能找到精通的校对能手，那么这项事业是值得称道、应受支持的。（引述自Babinger，2004，第13页）

对bid'a的指控无疑给某些创新的传播造成了阻滞，也可能抑制了企业家精神的激励机制。然而，那些指控本身无法解释的是，为什么穆斯林教规经过几个世纪的革新之后，中东地区失去了部分制度活力。毕竟，bid'a的概念早在中东企业家精神的黄金时代已经出现。在8世纪时，那些反对创新的人发现，穆斯林企业家用中国制造的纸代替容易烂且又很昂贵的纸莎草纸，接着开办造纸坊生产一种优良的替代品巴格达迪纸（Ashtor，1956，第99—100页）。此外在9世纪期间，穆斯林法学家继续发展后来成为古典伊斯兰合同法的法律时，他们使用的就是巴格达迪纸。阿布·塔基亚和其他杰出企业家采用的组织形式不同于穆罕默德及其同伴所使用的，因此他们可能被斥为反伊斯兰者。如果bid'a指控确实阻碍了伊斯兰早些时期组织机构的发展，那么就不会有证据保留至今了。而据我们所知，在穆斯林权威人士眼里，阿布·塔基亚建立的合伙经营形式具有充分的合法性。

七、伊斯兰教永恒完美的自我形象所起的稳定作用

假如伊斯兰教影响企业家精神供给机制的渠道之一是bid'a教条，那么一个更为重要的渠道可能就是伊斯兰教制定了一个永恒理想社会秩序的教导。穆斯林坚信，给过去一大群先知们天启的《古兰经》，一字不差地代表着神所说的话。因此，它勾勒出了无法加以改进的生活方式。某些程度上，这个假定的完美成为固定不变的理由：在一个已经完美无瑕的社会秩序下，任何创新都不能产生效益甚至可能是有害的。

当然，根据实践经验，并不存在完美的社会秩序。面对不断变化的情况、异常机遇和新的挑战，一代又一代穆斯林毫无意外地回应于新颖的构思和创造性的解决方案。而且那些解决方案普遍得到伊斯兰法律流派的认可。而在大众的印象中，它们也与传统的伊斯兰教义相关。伊斯兰合同法就是其中一例。经过了250多年的时间，伊斯兰教经典合同中的合同理论特征才得以成形。在这一路上，发生了各种各样的修正、完善，当中许多改进方法所针对的实际问题，是穆罕默德一生都无法想象到的，更别说能够解决了（Udovitch，1970，尤其是第1章第7页）。因此，伊斯兰合同法实际上一直在不断改变。而对于什么才是真正的伊斯兰教的理解也逐渐进化发展。从这一点和其他方面看，伊斯兰教义的演变包括了重新诠释《古兰经》和穆罕默德流传下来的言行。

各个地区面临的挑战往往不同，从而导致采取的解决方案有诸多差异。其中的部分差异转化成了伊斯兰教不同的主要法学流派：哈纳菲（Hanafi）、马利基（Maliki）、沙斐仪（Shafi'i）和罕百里（Hanbali）。例如，在合同法的具体内容方面，这些流派的教规通常各不相同（Udovitch，1970，第2章，第4—5页；Nyazee，1999，第7章，第10—16页）。在某些领域，对教义的依赖一开始就十分弱，因此时间和空间上的变化尤为突出。资源方面的时间和地理差异不可避免地导致了税收措施的极大差别。譬如16—18世纪期间，小麦种植者支付的税款在土耳其和埃及就有天壤之别，甚至这两个国家国内的该税赋也大相径庭（Inalcik，1994，第55—154页）。

然而，无论是与伊斯兰教相关的业务惯例变化还是各种活动的地域多元化，都未获得正式批准。相反，制度固定论实际上却否决了创新过程的合法

性。此外，为多种创新伪造伊斯兰先例，就从集体记忆里抹掉了穆斯林往昔的创新精神以及伊斯兰历史上的活力。由此所致的变了形的集体记忆，令新生代无法体会到自己的生活远比前几代穆斯林（包括7世纪时期阿拉伯第一个穆斯林社会）的更加舒适富裕。

把各种变化和借鉴来的观点融入伊斯兰教义而又不承认伊斯兰文明具有灵活性的做法，也否定了革新者的地位。中东造纸业的创始人既没被世人记住，也没被颂扬为企业家；但恰恰是他们发现了中国的纸张，接着在当地推销，最后开发出引发地域性变化的技术。就这一点而言，制定伊斯兰合同法的几代法学家也没被纪念为制度的缔造者。他们被视为解说人而非创新家；是一个包罗万象、固定、永远完美的法律体系的发现者，不是凭自身能力进行创造的立法者。伊斯兰教的制度固定论也许就这样抑制了企业家精神，或者低估了它的社会意义，或者拒绝给个体创新者以社会回报。

从古时到现代，卓越的社会思想家一直都发现他人的尊重影响着人类行为。[11] 鉴于伊斯兰教永恒完美的自我形象拒绝穆斯林尊重改革创新者，它可能始终制约着人们开发新商品、创造新生产工艺和谋划法律改革的激励机制。

八、教权上的创新障碍

在近代以前，中东的企业家在一套基于神之启示的法律体系内经营自己的事业。实际上，法学家（muftis，其中有些人与政治当局没有什么关系）根据针对他们面临的困境所发布的咨询意见（fatwas，穆斯林领袖发出的教令）扩展和修订法律。另外，国家任命的法官（kadis）则寻找创造性的方法以解决日常冲突（Masud、Messick和Powers，1996）。

传统上，创新的宗教观点和伊斯兰法院的创造性判决均不被视为广义的法律进步。能将法律演进变成普遍先例的体系并不存在。其结果之一就是司法结果的简单重复：每当有案件发生时，法官都必须回溯最初的原则来解决这些常见的争端。虽然司法裁决的信息可以传播，但是由于缺乏授予创造先例权限的系统，法律的发展可能遭到了扼杀。此外，这也可能进一步加强了

[11] 有关的最近期例子，参见Brennan和Pettit（2004）。

前面讨论的制度固定的观念。前一种影响可能制约了创业能力；后一种影响则可能抑制了创新的回报。

如果法律解释造成了极大不便，当时通用的应对措施就是决疑法（hiyal，希也勒）。例如，在那些把禁止“riba”（一种古老的阿拉伯制度）视为广义禁息令的地方，计息贷款要经过双重出售（double sale）处理，或是通过货币兑换隐藏利息，或是标高交易商品的价格，以及其他类似的处理方式。使用决疑法满足共同需要的做法增加了交易成本（Kuran，2005a，第597—602页）。

此处最重要的就是创业机会受到的影响。虽然决疑法为简单的融资安排合法化提供了低成本的方法，但是对于那些涉及庞大群体无限期集资的复杂合同却几无用处。那类当事人通常都会坚决要求合同的透明度，而这正好是决疑法想攻克的问题。打个比方，如果阿布·塔基亚想成立一家公司，那么潜在股东会要求一份公司章程来明确他们的权利。他们还要求通过可靠的措施来监督公司的财务流动承诺的执行情况。因此，当时的决疑法和私底下的另行解释，与建立非人格化交易基础设施所必需的制度修改及创新的规模极不相称。

在工业革命爆发前500年，私人发起的一场最大的中东制度改革：“现金宗教基金”（cash waqf）部门的出现，就可以证实这一观点。宗教基金（waqf）是一种非法人形式的信托，根据伊斯兰法建立而成，能提供一种永久的特定社会服务。依照惯例，信托的资金必须由不动产组成；捐赠部分不准有任何流动款项。因为每一项宗教基金都被认为是神圣的，所以这些“禀赋资产”基本上都不会被盘剥。出于这个原因，加上创办人及其家属可以从中索取部分收入，宗教基金成了大受欢迎的财富庇护所。16世纪前后，不同地区的宗教基金拥有的耕地和城市不动产占全部不动产的25%—50%不等（Kuran，2001）。

早在公元8世纪宗教基金式不动产出现之时，财富大部分属流动资产的专业放贷者就已经试图打破既有教规，使用流动性捐赠财物建立宗教基金。沉寂几百年后，在15世纪，现金宗教基金主要在土耳其和巴尔干地区开始迅速蔓延。这类财产越来越受大家青睐，并引发了激烈的宗教论战，情形与今天人们对堕胎的争议别无二致。在保守派神职人员看来，现金宗教基金既违反了宗教基金法（waqf law），也触犯了推定的禁息令。开明的神职人员（其中部分人本身就投资于现金宗教基金）则以这类财产明显的用途为依据捍卫这项创举（Mandaville，1979，第297—300页，第306—308页）。

绝大多数的现金宗教基金按资产总值计算都微不足道，而且它们基本上也只是短贷给客户（Çizakça，2000，第48页）。和银行一样，现金宗教基金能够永久保持资本。不同于银行的是，它不能通过吸纳众多个人储蓄来进行大规模放贷。从理论上说，现金宗教基金应该能发展成类似银行的金融机构。或许是因为它实质上具备了法律人格，所以神职人员才睁一只眼闭一只眼。他们也可以重新诠释宗教基金法，以便促进宗教基金的合并。具体来说，就像在放贷者的压力下宗教基金资产的传统限制被有效废除那样，要求资产必须严格按照其创始人的规定使用的宗教基金规则可能变得宽松，让后代的管理者（mutawallis）能够聚集资产。

现金宗教基金合法化和允许灵活使用资本这两个挑战的主要区别在于外部性的不同。捐赠流动性资产的举措没有明显的负外部性。事实上，没人能确称直接受到了扩大可捐赠资产范围的伤害。相比之下，宗教基金合并会招致个体宗教基金指定受益人的反对。一些受益者可以合理地指出，基金合并令他们的权益遭到了威胁。那么，把宗教基金形式转变为名副其实的银行业就需要采取大规模的集体行动以对抗必然出现的阻力。这或许就是为什么放贷人把宗教基金不动产作为新型金融机构的基础，而不采取进一步合理举措建立银行的原因。[12]

现金宗教基金非常适用于人格化交易。其管理者放贷给可信任网络中的成员，而且通常只贷款给自己认识的人。银行属于一种更复杂的经济结构，其中非人格化交易正逐渐甚或已经变得十分普遍。所以，种种阻挠现金宗教基金转变为银行的障碍，通过限制信贷供给从而束缚了企业家精神的规模。牧师们对此的担忧是罪魁祸首，这阻碍了企业家精神的发展，从而致使中东人发展现代经济的进程举步维艰，因为新技术的高效利用需要浩大的投资。

---

[12] 这种解释的一个可能异议是，新型现金宗教基金可以在不直接威胁到任何既有受益者的情况下被赋予更大的灵活性。诚然，大体说来一个无处不在的威胁就是对腐蚀公共道德的特许。事实上，对“急剧滑坡”的恐惧已经成为抵制重新诠释伊斯兰教的一个共同主题。Mandaville（1979，第304—306页）证明，这是在现金宗教基金争议中展现的保守言论的要素之一。至于其他情况的例子，参见Zilfi（1988，第4章）。

由于现金宗教基金没有蜕变为银行，所以要建立一种适合工业化的金融体系，就要展开根本性的法律改革：或是大范围地重新阐释伊斯兰法律，或是合法世俗化与商业和金融有关的事务。中东的改革者最终于19世纪采用了后一种方法（Kuran，2005b，第608—612页）。改革的时机显得意味深长。领土丧失、政治动荡以及持久的经济危机早已减弱了民众对大面积改革的抵触。

九、国家对创业能力的影响

所有国家都对解决集体行动问题起着极大作用。因此，在伊斯兰教兴起之前和之后，中东各国一直都保护财产权利、执行法律、守疆卫国，并发动了进行领土扩张的战争。在追求这些目标的过程中，他们常常从自身的错误里吸取教训、接受新技术、改进组织形式。[13] 虽然国家所带来的收益并不均匀受益，但大多数国家的表现都比无政府状态的霍布斯“丛林世界”要好。原则上，国家也可以促进商业制度的发展。比如，它们可以采取措施，助推包括长期投资在内的大规模创业活动。在一些最早的商业公司的发源地英国，王室都曾被授权以协助这些机构的发展。

假如中东也出现类似情况，那么该地区也会成为一般模式（即支持私人经济活动的小国家）的例外。传统上，穆斯林统治的国家垄断了法律和秩序的制定权。它们可以直接提高税收，但更经常的是间接通过经拍卖获得收税权的税吏（tax farmer）来增加税赋。然而，在伊斯兰创始初期，中东国家几乎不积极主动地发展基础商业制度。在19世纪中东发起轰轰烈烈的伊斯兰法律编纂活动之前，伊斯兰法院的法官对合同规则的解释五花八门，并没有国家的统一指示。

该地区也没有哪个国家挑起提供社会服务的大梁。在中世纪中东各大城市，社会服务主要由宗教基金提供。正是借助于那些宗教基金，学校、医院、粥厂、喷泉甚至道路和公园才能得到资助和维修。该地区各个商业要道上设立的商队旅社通常都按宗教基金的形式组织。事实上，统治者并非对宗教基

---

⑬ Ágoston（2005）在他对奥斯曼帝国军需工业的分析中发展出所有这些观点。有关的补充评论，参见İhsanoğlu（2004，第2—3章）。

金资源分配漠不关心。他们意识到宗教基金系统的庞大资产有助于实现自己的战略目标，于是力促成立宗教基金的精英们（尤其是他们的亲戚）对特殊区域和部门给予支持。然而，直到现代，许多目前主要由诸如市政、公路部门、教育委员会和用水部门等机构集中提供的服务，都还处于分散化供给的状态。从这一点上看，前现代中东社会的治理倒是十分契合现代自由主义的理想境界（Kuran，2001）。

就像马木留克（Mamluk）王朝、奥斯曼帝国（Ottoman）和其他中东统治者试图施行对自己有利的宗教基金制度那样，在很多情况下，他们都设法从商人和生产者的活动中获益。政治稳定性要求主要城市保有一应俱全的重要商品，所以保护制度一直延伸到相关供应链上的各类商人。统治者也会施加经济限制，用以缓和特定群体可感知的威胁。例如，某些行会和商人被授予受法院保护的专卖权或买方垄断权。[14] 最后，统治者还保护那些与他们建立合作关系的长途贸易商。像阿尤布和马木留克王朝，把资金供应和商业特权扩展到卡里米商人，这些商人掌控着 12 世纪和 13 世纪印度洋的香料贸易（Ashtor，1956）。而伊朗的沙阿阿巴斯一世（1587—1629 年在位）及其若干继任者，曾投资于由亚美尼亚商人组织、总部设在新焦勒法的跨大陆丝绸贸易。伊朗统治者还对新焦勒法亚美尼亚人给予军事和外交支持（Curtin，1984，第 9 章；McCabe，1999，尤其是第 4 章）。

令人奇怪的是，这些国家大体上都没有积极主动地去提高商业能力。建立集中的城市市场或是大型集贸市场，是证明这条规律的一个主要例外。组建大型集市的动机之一是要刺激商业。然而，统治者也希望借此能监控贸易流量以方便征税。理论上，更大税基的诱惑或许可以促使苏丹们改善商人在伊斯兰法下的经营组织能力。他们可以鼓励牧师以某种有利于保护成功企业的方式重新解释伊斯兰继承制度；或者把自然人和法人之间的区别引入伊斯兰法。但是，如果前现代时期的政治家们察觉了这类改革的好处，他们绝不会采取任何留下历史痕迹的举措。在财政困难时期，统治者会加倍努力寻找未开发的财富来源，而不是实施激发财富创造的体制改革。直到 19 世纪，他们才意识到资源筹集方法或创业规模是需要国家干预的。

---

⑭ 有关证据详见下列出自伊斯坦布尔法院第 9 号记录的案例，涵盖的时间为 1661 年—1662 年：56b/1，64a/5，121a/1，125b/2，171b/2，190b/3，262b/3。

相反，他们时不时反对旨在提高商业能力的制度创新。1695 年，正值奥斯曼帝国陷入军事溃退的预算危机之际，政府把大量短期征税权（tax farm）转变为长期征税权（malikanes）。目的是通过提高购买征税权的首付款来预支未来收入。有趣的是，延长征税权的期限引发了影响深远的金融市场创新。为了能够支付所拍征税权的费用，税吏们开始建立长期的伙伴关系。可以想见，个人危机或商机令合伙关系中的某些成员尝试出售自己的权利。根据伊斯兰法，严格来讲这种转让是违法的；每次有人退出时，原先的合作关系都将变得无效，需要重新订约。然而，税吏和国家在权利转让中有共同的利害关系。因此，一个官方容忍的非正规征税权股份制市场得以生根发芽并固定下来（Çizakça，1996，第 159—186 页）。

如果这一趋势持续下去，中东地区可能已经逐步发展出有组织的证券交易所，而不是依靠自上而下的改革移植国外的制度。但是，奥斯曼政府既不愿意跟踪了解所有权模式，又要担心税吏日益增强的影响力。在 19 世纪初期，政府限制征税权的所有权可分割性，进而开始没收征税权。这些举措缓解了私人金融市场进一步创新的压力。帝国首次有组织的股票市场于 1866 年开始运行，当时该地区刚刚成立了最早的本地银行，正式引入现代会计准则，并设立世俗法庭（secular courts），与传统的伊斯兰法院并行操作。⑮

和中东历史上的许多其他国家政策一样，奥斯曼政府反对企业股份的可转让性，通常被认为是由统治精英阶层的经济保守主义造成的（Genç，2000，第 1 章）。而且，统治者的保守思想往往被视为企业家精神不足的一个基本决定因素。然而，政治精英们的思维倾向并非在真空中形成或维持。工匠、商店老板、旅商、放贷者等非国家行为主体都有份促进了这些思想的发展。因此，要充分解释政府官员的经济保守主义或是他们对建立能促进创业能力的制度漠不关心，就必须考虑哪些因素塑造了商业社区中盛行的意识形态。

由于种种已经发现的原因，前现代中东的商业领域呈现出原子形态。非亲属通过合约建立起来的企业通常规模很小而且寿命不长。人们一般只和彼此认识的人进行交易。相应的，商人、投资者和生产者的世界观由人格化交换的迫切需要所塑造。在商业和金融惯例没有发生根本改变的情况下，这些

---

⑮ 这些发展的相关概述，参见 Liebesny（1975）和 Anderson（1968）。

群体也不会去思考是否可能创立新的制度。他们对制度现状的满足，或许制约了刺激政治家思考商业改革的动机。如果商人在商业结构方面有更多新的想法，他们可能就制度的选择发起争论，迫使政治家们考量可取的改革。至少部分政治精英可以由此发现扩大企业家精神的种种措施所能带来的长期收益。

人们在提出中东政治家在经济上很保守的观点时，通常还一并认为在现代经济发源地的西欧，政治家们处理经济问题的态度更加开明。17 世纪的英、法统治者确实帮助他们的商人进军全世界。而且同时期的奥斯曼帝国和萨法维王朝的统治者也试图努力支持他们的商人，但效率相对较低。然而，所记录的官方意识形态差异本身并不能解释观察到的商业绩效差距。无论是西方还是中东地区，政治家们的经济世界观都与商业界的观念共同进化。此外，每个地区商业制度的演变也影响了思想体系的发展。

由于伊斯兰宗教基金部门在前现代中东经济中巨大的经济重要性，如果不考虑宗教基金对经济创造力的影响，就无法全面了解该地区的创业能力。宗教基金 waqf 的字面含义里包含了“停止”和“形成依赖”（Wehr，1980，第 1091—1094 页）。这些意思传达了宗教基金的一项基本原则：“静态永恒”（static perpetuity），这势必要求宗教基金章程里规定的捐赠资产须是没法流通的。假设某个宗教基金用于一座喷泉的建造及其维修，其资产通常要永久性满足这一目的。当然，也会出现资产可以再分配的情况。比如某个捐赠喷泉周边地区废弃了，那么法官就会允许重新分配相关的资产。然而，在经济环境没有太大变化的情况下，静态永恒原则通常把资源锁定在低效使用状态（Kuran，2001，第 861—869 页）。

当一个成功商人通过建立宗教基金获取物资保障时，资源就从某个可以流动的部门，转移到另一个或多或少限制配置的部门，并因此给企业家精神制造出更多障碍。如果说中东商人是由于缺乏足够手段而没能建立起大型企业，那么宗教基金的管理者通常也被禁止进行资金筹集。资产从商业部门流动到宗教基金从另外两个方面危及创业能力。因为法院对宗教基金有监督权力，所以实际上努力保存宗教基金资产价值的管理人比私人投资组合的经理人更不自由。加之宗教基金制度禁止资源用于政治目的，因此制度改革也受到了限制。

宗教基金并不属于伊斯兰教的原始制度。其历史只能追溯到 8 世纪，即伊斯兰教出现后的100年。虽然它是怎么诞生的鲜为人知，但作为弱产权保护的辅助方法，它保护了高级官员（其中许多人是大地主）的利益。在修改和丰富伊斯兰法律的过程中，国家官员协助解决了由于他们的掠夺行为而恶化的社会问题。如果1000年来，资源流入了某个限制配置灵活性和制度创造性的部门，那么这也是某种制度选择的一个意料之外的结果。

那么，宗教基金对企业家精神供给机制的影响，是植根于伊斯兰教还是国家政策呢？这两种效果是不能分开理解的。国家政策影响了具体的伊斯兰宗教基金法。同样，国家本身以伊斯兰教的名义进行治理，伊斯兰教并不承认宗教与国家之间有任何正式分离。前现代中东国家的反重商主义倾向，作为财富庇护所的宗教基金大行其道，以及在全球经济变革情势下该地区不断加剧的企业家精神不足，都是几个相互增强的社会机制的表现。

十、对中东经济史的回顾及其启示

以上论点表明，有关中东历史上伊斯兰教和企业家精神之间关系的两个极端观点都不足令人信服。无论是绝对的负面观点还是绝对的正面观点，都经不起经验考验。以当前的全球标准来看，中东地区的创业绩效早已随着时间的推移发生了改变。尽管伊斯兰制度是引发变化的根本原因，但是起作用的已经不同于人们通常所引证的机制。

历史记载反驳了伊斯兰的信从教义或宿命论阻碍企业家精神发展的说法。在过去14个世纪的大部分时间里，中东地区并不乏企业家精神。甚至在近代，中东人（尤其是穆斯林）开展的各种活动常令我们联想起企业家精神。

伊斯兰教徒提出了最强烈的反对观点，他们认为，伊斯兰教提供的制度必然有利于企业家精神的发展，这种观点完全无视中东的经济现代化运动。在中世纪全球经济中使革新者受益匪浅的伊斯兰制度，随着世界转型到非人格化交易而逐渐功能失常。在这个过程中，中东的相对创业绩效出现了滑落。事实上，倘若该地区没能采取相应的措施，移植国外各种制度以补充或取代他们基于传统伊斯兰法的制度，那么观察到的创业绩效可能下滑更厉害。

要想解读中东地区相对创业绩效的变化，需要仔细分析创业能力和潜力的动态变化。国家政策也是创业机会的决定因素之一。虽然在伊斯兰的早期，中东各国都支持商业发展，但随后它们几乎没有为提高创业绩效做过什么。

1000 多年来，他们把涉及创业能力的服务供给都留给了逐渐控制着大量经济资源的宗教基金。因此，宗教基金不仅出资沿通商要道修建旅商旅社，还给传授读写知识的学校提供资金。由于宗教基金部门旨在固定住那些专用于特定目的的资源，从而也限制了灵活性和创新，因此宗教基金吸收资源并使资源聚集在了对企业家精神十分不利的部门。正是国家任意征收和课税的嗜好迫使富人们寻求资产庇护，所以国家间接助推了宗教基金的形成。伊斯兰教也在其中发挥了一定作用，而确保其资产的是他们认定的神圣不可侵犯性。

伊斯兰教还通过其他几个渠道影响中东的企业家精神。其一是神职人员的影响。每代穆斯林神职人员中都有反对这类或那类创新的人物。他们为企业家精神制造了人为的障碍，从而降低了企业家精神的供给。然而，这种抵制不是决定性的，因为广泛受益的创新同样能得到牧师的支持。牧师的阻挠类似于现代环保主义者的影响。如今的土地开发商面临着环保人士的反对，环保人士要求开发商证明（通常通过昂贵的法律程序）开发土地不会对环境造成损害。环保主义的反增长运动减少了土地开发计划的投资，但还没到废止土地开发的地步。巨额利润的诱惑令投资者借助反环保运动战胜了对手。类似的，当中东商人认为创新有充足盈利时，以伊斯兰教名义施加反对往往只能起到延缓作用。

有益创新的机会从来都不是明摆着的。具备必要才能和动机的人一定首先注意到某个问题，感知到创造一种新需求的可能性，或是发现能更有效地满足现有需求的新技术或新资源组合。企业家是否察觉到新机会，一定程度上取决于公共话语为此做出准备的程度。这将我们引到了伊斯兰教影响企业家精神的另一渠道上。伊斯兰教永恒完美的自我形象要求穆斯林社会漠视、甚至掩饰能带来成功的活力。他们必须从早期的伊斯兰教中寻找新发展的依据，这进一步强化了他们所认定的观念：穆斯林后人要追随祖先诠释《古兰经》，并从先知穆罕默德的智慧中汲取经验，而不必做任何根本性的创新。在大众传播出现之前，学校以及清真寺颂扬的这个神话，可能已将人们囿于只能依靠复制活动来寻求个人发展。因此，它可能把伊斯兰国家从最初几个世纪企业家精神相对较高的状态，拖拽到了企业家精神相对较弱的状态，从而使“固定不变”的观念或多或少成为自我实现的观念。

于是，当人们经历结构性变革并见证了私人领域的进步时，永恒完美的神话帮助打破了能带来结构性变化和私人部门进步的社会均衡，代之以长期沿袭连续（continuity）论的社会均衡。这一种转变关键还取决于伊斯兰教和企业家精神之间的另一种联动。伊斯兰法的某些元素压制个人建立更大、更持久的商业组织，因而限制了企业家精神发展的可能性。具体来说，伊斯兰教的平等继承原则促使商人和投资者经营规模较小、寿命短的企业；反过来，这类组织选择抑制了改进传统合作关系、发展非人格化交易技术的激励机制。那些发现伊斯兰合伙经营关系的局限性、并寻求建立更复杂组织形式的企业家，还会因伊斯兰教没有公司概念而受阻。这些组织上的局限性共同阻挠了商业和金融领域的结构变革步伐，从而巩固了永恒完美神话。即使欧洲人已经发展出大规模生产和交易的方法，中东地区的商业经营规模依然很小。控制着庞大资产的宗教基金系统根本替代不了现代经济制度，因为这种基金只服务于固定目标。

中东为何缺乏企业家精神，与该地区何以落后于西方世界这一更广泛问题息息相关。在其多部著作中，马克斯·韦伯在其多部著作中援引若干因素进行解释：僵化的伊斯兰法、未能实现法律正式化（legal formalization）、专横独断的个人统治，以及缺乏助燃“救世渴望”的克己修行精神（1978，第572—576页，第818—822页，第1231—1234页）。最后一项因素从经验来看不足采信（Turner，1978，第1章）。但是前三个因素本文中也都曾引用，只是使用了不同的术语。把它们视为伊斯兰文明的固定属性后，韦伯指出，那些因素抑制了创业的驱动力。在这里，我认为对于中东不发达的根源，韦伯问错了问题。我认为，最根本的问题不是哪些因素损害了经济发展，而是对经济不利的特性为什么经久不灭。直到现代，这些特性仍然相互强化，而且还从限制创业规模和寿命的法律条款中汲取了力量。

十一、现代中东发展创新型企业家精神可资借鉴的经验教训

动机、信仰、法律、法规以及惯例，都是可塑的。因此，伊斯兰教中任何不利中东地区相对创业绩效的因素，总是受到反复思考和修正。19世纪的大规模改革证明，在长期以伊斯兰名义实施监管的地域内进行制度变革是可能的。

这些改革使个体创业者能够向银行借贷，建立永久性的组织，并根据标准会计准则追踪复杂的资金流动情况。因此，它们消除了导致中东企业原子化和短暂性的各种障碍。《财富》杂志编列了截至2007年2月全球2000家主要公开上市公司的名单，其中包括14家马来西亚公司，11家土耳其公司，5家沙特阿

拉伯公司，3家埃及公司，2家巴基斯坦公司和1家约旦公司，共有36家公司的总部设在穆斯林占主导地位的国家。[16] 这些公司地理多样性的分布表明，现在在伊斯兰世界的任何地方创建大型私人公司都是有可能的。倘若阿布·塔基亚活在当下，他很可能会被如今种种集中资源和保护企业的契机弄傻了眼。他将意识到，现代的组织形式会在17世纪的埃及产生不可思议的创业能力。

在整个中东地区，甚至在其最贫穷的角落，过去两个世纪的制度改革为创造现代企业扫清了障碍。其中的许多改革，用西方国家刚刚出现或已臻于成熟的制度，取代了古老的伊斯兰制度。在哲马尔丁·阿富汗尼之后，今天的伊斯兰信徒常常声称，穆斯林是在停止履行正宗的伊斯兰教后失去经济地位的。事实上，穆斯林并未因移植了伊斯兰法辖区之外的制度而蒙受经济损失。正相反，他们急剧扩大了自己的创业能力，从而显著提高了该地区的绝对生活水平。如果没有移植这些制度，今天的全球2000强公司里，没有哪家能在伊斯兰法下生存或运营。

阿富汗尼也曾指出，欧洲的基督徒取得经济实力是因为他们并非真正的基督徒（Hourani，1983，第129页）。他的话确也有几分道理。虽然大多数开创了新商业技术和新生产方法的威尼斯人、荷兰人和英国人遵守某种形式的基督教，但他们极少从圣经或教会法律中找寻解决业务问题的方法。在第二个千年初期发生的政教分离，使欧洲企业家能在基本上是非宗教的空间内发展出各种制度，而且通常无须担心宗教的反对。

诚然，基督教的历史并非千篇一律或一以贯之的世俗化进程。对于伊斯兰教的飞速崛起，东部基督徒不是去努力理解这一新教成功背后的社会经济因素，而是将它视为对他们自身或兄弟们的罪恶的惩罚。他们认为这是上帝在指引他们成为更好的基督徒（Kaegi，1969）。出于同样的逻辑，今天的伊斯兰教徒宣称，为了克服伊斯兰国家的经济落后，穆斯林的当务之急必须是成为虔诚的穆斯林。至于经济生活，他们认为，穆斯林必须恢复伊斯兰教的早期做法。这种纯净而诚实的主导思想蒙蔽了伊斯兰教徒的眼睛，他们把这类说辞的表面意义以及多元文化的发展，当成了伊斯兰传统经济制度和现代全球经济之间的不兼容。这种思想还把充满活力且具有潜在创造力的穆斯林的精力，从提高生产力

[16] http://www.forbes.com/lists。该名单以销售、市场价值、资产和利润为依据定期更新。

的开放式思考转移到了无休止地争论“什么是正确的伊斯兰教”问题上。在某些生活领域，革新者还在担心自己是否会被指控推行了违禁做法，即在某些圈子被称为 bid'a 的行为。

在伊斯兰国家，并非每个人都赞同伊斯兰教徒的纲领。各色世俗人士的抵制引发了政治不稳定。阿富汗、伊拉克、苏丹、阿尔及利亚等国的经历证明，懂技术、有首创精神的人们纷纷迁离政治动荡地区，一并带走了他们的创业才能。虽然相对实用主义的伊斯兰教义推动了社会流动性，但是它的激进部分却明显损害了创业绩效。⑰

我们观察到当今的企业家可以建立现代组织形式，这并不是说中东历史上的组织形式不再重要。前现代时期利润导向型企业一直保持着较小的规模，这阻碍了文明社会的发展，宗教基金资产使用上的局限性也起着相同作用。在绝大部分的伊斯兰世界，权威体制填补了随之而生的政治真空地带。面对来自私人组织的小小阻力，这些政权奉行干预性经济政策性，抑制个人积极性，削弱了法治。

以上观点表明，中东的企业家精神可以通过多管齐下的策略加以刺激。加强法治的举措或有助益，那些增强私营部门和公民社会的政策也会发挥作用。教育民众了解伊斯兰世界经济地位下滑的原因和动态机制，将有助于达成相关改革的共识。还可以公开说明伊斯兰教徒努力重建中世纪经济惯例所产生的直接或间接影响，以此来减少阻碍企业家精神发展的羁绊。

让中东地区通晓有利于大规模创业的组织形式并不一定有用，因为现在这个地区所有企业家对组织形式的选择，都不再仅限于伊斯兰的合伙制。

参考文献

Abdullah, Thabit A. J. 2001. *Merchants, Mamluks, and Murder: The Political Economy of Trade in Eighteenth-Century Basra*. Albany: State University of New York Press.

Abu-Lughod, Janet L. 1989. *Before European Hegemony: The World System, A.D. 1250–1350*. New York: Oxford University Press.

Aghassian, Michel, and Kéram Kévonian. 1999. "The Armenian Merchant Network: Overall Autonomy and Integration." Trans. Cyprian P. Blamires. In *Merchants, Companies, and*

⑰ Kuran（2004，第 2 章）。关于伊斯兰教经济辅助效果的作用，也可参见 Singerman（1995，第 3—4 章），Özcan 和 Öokgezen（2006）。

Trade: Europe and Asia in the Early Modern Era, ed. Sushil Chaudhury and Michel Morineau, 74–94. Cambridge: Cambridge University Press.

Ágoston, Gábor. 2005. *Guns for the Sultan: Military Power and the Weapons Industry in the Ottoman Empire*. Cambridge: Cambridge University Press.

Ahmed, Habib. 2006. "Islamic Law, Adaptability and Financial Development." *Islamic Economic Studies* 13:79–101.

Al-Rasheed, Madawi. 2002. *A History of Saudi Arabia*. Cambridge: Cambridge University Press.

Anderson, J.N.D. 1968. "Law Reform in Egypt: 1850–1950." In *Political and Social Change in Modern Egypt*, ed. P. M. Holt, 209–30. London: Oxford University Press.

Ashtor, Eliyahu. 1956. "The Kārīmi Merchants." *Journal of the Royal Asiatic Society* pts. 1–2: 45–56.

———. 1976. *A Social and Economic History of the Near East in the Middle Ages*. London: Collins.

Babinger, Franz. 2004. *Müteferrika ve Osmanlı Matbaası: 18. Yüzyılda İstanbul'da Kitabiyat*. Trans. Nedret Kuran-Burçoğlu. Istanbul: Tarih Vakfı.

Berkes, Niyazi. 1998. *The Development of Secularism in Turkey*. Reprint. New York: Routledge.

Boyd, Douglas A. 1973. "An Historical and Descriptive Analysis of the Evolution and Development of Saudi Arabian Television, 1963–1972." Ph.D. diss., Department of Mass Communication, University of Minnesota.

Brennan, Geoffrey, and Philip Pettit. 2004. *The Economy of Esteem: An Essay on Civil and Political Society*. New York: Oxford University Press.

Casale, Giancarlo. 2006. "The Ottoman Administration of the Spice Trade in the Sixteenth-Century Red Sea and Persian Gulf." *Journal of the Economic and Social History of the Orient* 49, no. 2: 1–29.

Casson, Mark C. 2003. *The Entrepreneur: An Economic Theory*. 2nd ed. Cheltenham, UK: Edward Elgar.

Chaudhuri, K. N. 1985. *Trade and Civilisation in the Indian Ocean: An Economic History from the Rise of Islam to 1750*. Cambridge: Cambridge University Press.

Cohen, Hayyim J. 1970. "The Economic Background and the Secular Occupations of Muslim Jurisprudents and Traditionists in the Classical Period of Islam (until the Middle of the Eleventh Century)." *Journal of the Economic and Social History of the Orient* 13:16–61.

Coşgel, Metin M. 2005. "Efficiency and Continuity in Public Finance: The Ottoman System of Taxation." *International Journal of Middle East Studies* 37:567–86.

Cowen, Tyler. 2002. *Creative Destruction: How Globalization Is Changing the World's Cultures*. Princeton: Princeton University Press.

Curtin, Philip D. 1984. *Cross-Cultural Trade in World History*. Cambridge: Cambridge University Press.

Çizakça, Murat. 1996. *A Comparative Evolution of Business Partnerships: The Islamic World and Europe, with Special Reference to the Ottoman Archives*. Leiden: E. J. Brill.

———. 2000. *A History of Philanthropic Foundations: The Islamic World from the Seventh Century to the Present*. Istanbul: Boğaziçi University Press.

Darling, Linda. 1996. *Revenue-Raising and Legitimacy: Tax Collection and Finance Administration in the Ottoman Empire*. Leiden: E. J. Brill.

De Roover, Raymond. 1963. *The Rise and Decline of the Medici Bank, 1397–1494*. Cambridge: Harvard University Press.

El-Gamal, Mahmoud A. 2006. *Islamic Finance: Law, Economics, and Practice*. Cambridge: Cambridge University Press.

Faroqhi, Suraiya. 1999. *Approaching Ottoman History: An Introduction to the Sources*. Cambridge: Cambridge University Press.

Fierro, Maribel. 1992. "The Treatises against Innovations (*Kutub al-bida'*)." *Der Islam* 69:204–46.

Genç, Mehmet. 2000. *Osmanlı İmparatorluğunda Devlet ve Ekonomi*. Istanbul: Ötüken.
Goitein, S. D. 1967. *A Mediterranean Society*. Vol. 1, *Economic Foundations*. Berkeley and Los Angeles: University of California Press.
Hanna, Nelly. 1998. *Making Big Money in 1600: The Life and Times of Isma'il Abu Taqiyya, Egyptian Merchant*. Syracuse: Syracuse University Press.
Hattox, Ralph S. 1985. *Coffee and Coffeehouses: The Origins of a Social Beverage in the Medieval Middle East*. Seattle: University of Washington Press.
Hayek, Friedrich A. 1937. "Economics and Knowledge." *Economica* n.s. 4:33–54.
Hourani, Albert. 1983. *Arabic Thought in the Liberal Age, 1798–1839*. Rev. ed. Cambridge: Cambridge University Press.
Hourani, George F. 1995. *Arab Seafaring*. Expanded ed. Princeton: Princeton University Press.
İhsanoğlu, Ekmeleddin. 2004. *Science, Technology, and Learning in the Ottoman Empire: Western Influence, Local Institutions, and the Transfer of Technology*. Aldershot, Hampshire, UK: Ashgate.
İnalcık, Halil. 1994. "The Ottoman State: Economy and Society, 1300–1600." In *An Economic and Social History of the Ottoman Empire, 1300–1914*, ed. Halil İnalcık with Donald Quataert, 9–409. New York: Cambridge University Press.
Kaegi, Walter E. J. 1969. "Initial Byzantine Reactions to the Arab Conquest." *Church History* 38:139–49.
Kirzner, Israel M. 1979. *Perception, Opportunity, and Profit: Studies in the Theory of Entrepreneurship*. Chicago: University of Chicago Press.
Kuran, Timur. 2001. "The Provision of Public Goods under Islamic Law: Origins, Impact, and Limitations of the Waqf System." *Law and Society Review* 35:841–97.
———. 2003. "The Islamic Commercial Crisis: Institutional Roots of Economic Underdevelopment in the Middle East." *Journal of Economic History* 63:414–46.
———. 2004. *Islam and Mammon: The Economic Predicaments of Islamism*. Princeton: Princeton University Press.
———. 2005a. "The Absence of the Corporation in Islamic Law: Origins and Persistence." *American Journal of Comparative Law* 53:785–834.
———. 2005b. "The Logic of Financial Westernization in the Middle East." *Journal of Economic Behavior and Organization* 56:593–615.
Labib, Subhi. 1970. "The Problem of the Bida' in the Light of an Arabic Manuscript of the 14th Century." In *Proceedings of the Twenty-Sixth International Congress of Orientalists, New Delhi, 4–10th January, 1964*, vol. 4. New Delhi: International Congress of Orientalists.
Lackner, Helen. 1978. *A House Built on Sand: A Political Economy of Saudi Arabia*. London: Ithaca Press.
Leibenstein, Harvey. 1968. "Entrepreneurship and Development." *American Economic Review* 58:72–83.
Lewis, Bernard. 1993. *Islam in History: Ideas, People, and Events in the Middle East*. 2nd ed. Chicago: Open Court.
———. 2002. *What Went Wrong? Western Impact and Middle Eastern Response*. New York: Oxford University Press.
Liebesny, Herbert J. 1975. *The Law of the Near and Middle East: Readings, Cases, and Materials*. Albany: State University of New York Press.
Løkkegaard, Frede. 1950. *Islamic Taxation in the Classic Period, with Special Reference to Circumstances in Iraq*. Copenhagen: Branner and Korch.
Lowenthal, David. 1996. *Possessed by the Past: The Heritage Crusade and the Spoils of History*. New York: Free Press.
Mandaville, Jon E. 1979. "Usurious Piety: The Cash Waqf Controversy in the Ottoman Empire." *International Journal of Middle East Studies* 10:298–308.
Mannan, Muhammad A. 1970. *Islamic Economics: Theory and Practice*. Lahore: Sh. Muhammad Ashraf.

Marcus, Abraham. 1989. *The Middle East on the Eve of Modernity: Aleppo in the Eighteenth Century*. New York: Columbia University Press.

Masud, Muhammad Khalid, Brinkley Messick, and David S. Powers. 1996. "Muftis, Fatwas, and Islamic Legal Interpretation." In *Islamic Legal Interpretation: Muftis and Their Fatwas*, ed. Muhammad Khalid Masud, Brinkley Messick, and David S. Powers, 3–32. Cambridge: Harvard University Press.

McCabe, Ina Baghdiantz. 1999. *The Shah's Silk for Europe's Silver: The Eurasian Trade of the Julfa Armenians in Safavid Iran and India (1530–1750)*. Atlanta: Scholars Press.

Nyazee, Imran Ahsan Khan. 1999. *Islamic Law of Business Organization: Partnerships*. Islamabad: Islamic Research Institute.

Özcan, Gül Berna, and Murat Çokgezen. 2006. "Trusted Markets: The Exchanges of Islamic Companies." *Comparative Economic Studies* 48:132–55.

Palmer, Monte, Abdelrahman Al-Hegelan, Mohammed Bushara Abdelrahman, Ali Leila, and El Sayeed Yassin. 1989. "Bureaucratic Innovation and Economic Development in the Middle East: A Study of Egypt, Saudi Arabia, and the Sudan." In *Bureaucracy and.Development in the Arab World*, ed. Joseph G. Jabbra, 12–27. Leiden: E. J. Brill.

Patai, Raphael. 1983. *The Arab Mind*. Rev. ed. New York: Charles Scribner's.

Robinson, Francis. 1993. "Technology and Religious Change: Islam and the Impact of Print." *Modern Asian Studies* 27:229–51.

Rodinson, Maxime. 1987. *Europe and the Mystique of Islam*. Trans. Roger Veinus. Seattle: University of Washington Press.

Sadeq, AbulHasan Muhammad. 1990. *Economic Development in Islam*. Petaling Jaya, Malaysia: Pelanduk Publications.

Sayigh, Yusif A. 1958. "Toward a Theory of Entrepreneurship for the Arab East." *Explorations in Entrepreneurial History* 10:123–27.

Schumpeter, Joseph A. 1934. *The Theory of Economic Development: An Inquiry into Profits, Capital, Credit, Interest, and the Business Cycle*. Trans. Redvers Opie. Cambridge: Harvard University Press.

Siddiqi, Muhammad Nejatullah. 1979. *The Economic Enterprise in Islam*. 2nd ed. Lahore: Islamic Publications.

Singerman, Diane. 1995. *Avenues of Participation: Family, Politics, and Networks in Urban Quarters of Cairo*. Princeton: Princeton University Press.

Steinberg, Guido. 2005. "The Wahhabi Ulama and the Saudi State: 1745 to the Present." In *Saudi Arabia in the Balance: Political Economy, Society, Foreign Affairs*, ed. Paul Aarts and Gerd Nonneman, 11–34. Washington Square: New York University Press.

Talbi, Mohammed. 1960. "Les Bida'." *Studia Islamica* 12:43–77.

Turner, Bryan S. 1974. *Weber and Islam: A Critical Study*. London: Routledge and Kegan Paul.

Udovitch, Abraham L. 1970. *Partnership and Profit in Medieval Islam*. Princeton: Princeton University Press.

Veinstein, Gilles. 1999. "Commercial Relations between India and the Ottoman Empire (Late Fifteenth to Late Eighteenth Centuries): A Few Notes and Hypotheses." Trans. Cyprian P. Blamires. In *Merchants, Companies and Trade: Europe and Asia in the Early Modern Era*, ed. Sushil Chaudhury and Michel Morineau, 95–115. Cambridge: Cambridge University Press.

Weber, Max. 1978. *Economy and Society: An Outline of Interpretive Sociology*. Ed. Guenther Roth and Claus Wittich. Trans. Ephraim Fischoff et al. 2 vols. Berkeley and Los Angeles: University of California Press.

Wehr, Hans. 1980. *A Dictionary of Modern Written Arabic*. Beirut: Librarie du Liban.

Wood, Alfred C. 1935. *A History of the Levant Company*. London: Oxford University Press.

Zilfi, Madeline C. 1988. *The Politics of Piety: The Ottoman Ulema in the Postclassical Age (1600–1800)*. Minneapolis: Bibliotheca Islamica.

第四章 中世纪欧洲的企业家和企业家精神

詹姆斯·穆雷

我们最早使用“企业家”（entrepreneur）一词源自中世纪末期，当时这个法国贷款术语被用来形容一名战场指挥官。后来，它的意思逐渐扩展到商业领域。同时，它也被用来描述“某个公共音乐机构的主管或管理者”，这要早于19世纪末经济学家理查德·埃利（Richard T. Ely）在《政治经济学导论》（*Introduction to Political Economy*）一书中对它略带不屑的阐述：我们不得不从法语中借用一个词语来形容组织和管理生产要素的人，我们把这些人称作企业家。《牛津英语词典》认为，自理查德·埃利之后的经济学家，包括凯恩斯，无疑还有熊彼特，都已经使用“企业家”这个词，虽然当时的高等学府尚未认识到研究和培养企业家的价值。①

尽管“企业家”的说法很现代，它所描述的活动却不然，因为“生产要素”及其管理者像文明一样源远流长。我将表明欧洲中世纪（传统上被定义为公元500—1500年）在企业家精神史上占据的特殊地位，因为这段近千年的历史时期快结束时，人们才开始用特定的行为和性格特征来形容一个特定的社会群体。日耳曼语系中描绘的这类14世纪的“商人”（merchants），掌握了作为一名商人的技艺，后者在佛兰芒语和德语中分别对应于Coopmanscepe或“Kaufmannschaft”（商人团体），从词源学上看和英语的“推销员”有关，但其意义更接近我们今天所说的企业家精神。出生和成长于商业城市佛罗伦萨的意大利著名诗人但丁出生和成长于商业城市佛罗伦萨，在《神曲·地狱篇》中，他以辛辣的笔触栩栩如生地描绘了商人因其职业（主要是发放高利

---

① 本章内容大量引用了Hunt和Murray（1999）的早期研究成果，作者感谢原版权所有方剑桥大学出版社的授权。

贷）而犯下罪行被打入某一层地狱。[2] 换言之，在中世纪末期，商人开始在城市里管理社会的大量“生产要素”，并须接受上帝的审判，因为当时的社会仍有义务履行“平息人神冲突，让所有受洗者获得救赎”的基督教使命。

一、从古代到中世纪：公元1世纪—5世纪

众所周知，历史学家爱德华·吉本（Edward Gibbon）把古代世界的终结归因于粗蛮族和基督教的胜利，仿佛这些因素与延续至公元500年前后的罗马文明无关。但事实上，罗马化的基督教使不断迁移的日耳曼部落了解罗马文明并渴望从中受益。无论是好是坏，从古代美索不达米亚到埃及几千年地中海文明的精华，都体现在作为犹太教产物的基督教中；意大利中部城市成了古代世界最强大的地中海国家的发源地。中世纪前期正是从罗马帝国行省制度的残骸中自生自发地演化而来的。

二、封建庄园经济

马克思和其他人把公元500年后兴起的基督教和日耳曼族相混合的经济称作“封建经济”，但这个新发明的词语并无确切定义。虽然直到最近还有诸多争议，但我们仍可用封建制来描述一种由军事或宗教精英通过垄断暴力，操纵对人类社会及其目的的解释进而控制劳苦大众的法律和社会体制。受圣父、圣子、圣灵三位一体所启发，西欧社会由三种人组成：祷告者、士兵和绝大多数劳动者。其职责在于通过为基督第二次降临做好准备而获得个人和集体救赎。自11世纪以来，对这种“世界合理秩序”（Right Order in the World）的展望成了宣扬内在戒律但实施不力的罗马教会的一项改革议程，与此同时，基督教世界也在不断地向穆斯林、斯拉夫人、希腊人和凯尔特人的领地扩张（Duby，1982）。

虽然深受神学的影响，但西欧从未变成一个神权政体，这主要是因为欧洲上层武士有着既互补（某种程度上）又矛盾的意识形态；到12世纪，这些

---

② 参见《神曲》第十七章。

武士开始自称骑士，把他们的共同文化称为骑士精神。依靠一系列旨在击退强敌（维京人、马扎尔人和撒克逊人）的即兴军事行动，骑士阶层垄断了配备长矛、剑和盾的马背作战技术，严格按照军令编队行动，并通过建造城堡等活动磨砺自身意志。中世纪骑士坚持其权力的神授，不受教皇、牧师和僧侣的干涉。从叙事诗和传奇文学到体育竞赛和十字军东征，再到崇尚“高贵生活”的炫耀性消费文化，各种形式的骑士精神可谓无处不在（Keen，2005）。

三、富于创业精神的封建主阶层

尽管职责略有不同，上议院神职议员和世俗议员均颇依赖于对权利和租金的聚敛，租金来自劳动阶层，他们的劳动为庄园制文明提供了物质基础。这些“农奴”（serfs，源于拉丁词 servi 或 slave）主要以一种历史学家所谓的庄园制（manorialism）形式定居在村落社区，我们最好把庄园制理解成一切同欧洲乡村领地、森林和牧场有关的人为生产力的总和。作为土地财产（尽管并非具有完全所有权）的回报，欧洲农民不仅须为领主提供无偿劳动，而且还须上缴各种金银财物。因此，他们不得不把自己的谷物拿到领主的磨坊里碾磨，把自己的面粉拿到领主的烤炉里烘烤，他们既没有支配农作物收成和投资农业生产的自由，也没有未经领主许可就迁移到其他地方的自由。另一方面，和奴隶不同，农户不能被拆散并被领主出售，农奴有权留在原地，并享有反对领主将其劳动所得全部没收的习俗权。

一方面，新的劳动制度为欧洲封建主提供了符合其混合文化传统的饮食和生活资料。另一方面，罗马人长期依靠谷物（尤其是小麦）为生，习惯制作面包或麦片，并配以少量肉类和蔬菜，酒也成了最受欢迎的饮品。日耳曼民族一直是游牧民族，喜欢把肉类和其他肉制品摆上饭桌。因此，融谷物耕作和动物饲养为一体的混合农耕制度开始在西欧适宜耕种的广袤腹地生根发芽，并被移植到中欧和东欧新开辟的欧洲殖民地，如爱尔兰和西班牙以及格陵兰岛和冰岛的半冻原地带。但一代代封建主和农民在中世纪前的 500 年间仍面临许多现实问题（Hunt 和 Murray，1999，第 250 页）。

先是西罗马帝国的崩溃，随后是对大量农业基础设施的全面废弃。意大利和其他地区所消费的绝大多数谷物来自北非和西西里岛的农奴制种植园，城市政府出于公共分配目的按合约收购这些谷物。受农业和人口大规模减少的严重冲击，意大利和阿尔卑斯山脉南麓许多乡村退化成了湿地和森林。由于土壤类型不利于地中海耕作方式，技术和劳动力投资也不现实，所以大部分北高卢地区从未出现农耕文明。为农民提供激励和投资于劳动节约型技术，成为富有创业精神的封建主引领许多匿名改革的标志。

欧洲封建主的技术投资主要包括各类犁田所需的重要工具。在北欧，这些工具和役用牲畜一起构成了一项巨额投资。犁耕技术需配备一个结实的铁犁头、一块翻松重黏土的犁板和一支由两到四头牛组成的牛队或（少数情况下）马队（Langdon，1986）。这样的重型轮式犁不仅物超所值，而且到 11 世纪时已成了北欧绝大多数农田通用的标准犁具。与此同时，从法国中部到波兰的广阔平原地带正逐渐成为整个欧洲的主要产粮区。

封建主引进的另一种使社会普遍受益的工具是水磨。像重型犁具一样，水磨也是罗马人最早开始使用的。在中世纪，欧洲封建主面临着农村劳动力短缺问题，他们建造了数不胜数的水磨，1086 年英格兰就约有 6082 口水磨，这大大解放了农民的谷物碾磨劳作，使农民的劳动直接转向生产效率更高的作业。由于以往妇女须手工碾磨自家消费的谷物，水磨对她们的意义就非同一般。到 12 世纪，风磨和水磨的结合成了一种用途极为广泛的高效灵活的技术（Lucas，2006；Langdon，2004）。其用途已远远超出碾磨谷物的范畴，扩展到了锯木、锤炼金属和裁衣等领域。

公元 1000 年前后的欧洲，仅靠技术和土地使用的改良尚不足以实现产量激增。要获得更高的谷物和动物产量，除了森林附近的乡村部落等传统定居地之外，还必须开垦更多耕地。公元 9—11 世纪的中世纪对森林荒地的征服，可能是对创业型封建主势力的最好体现——为了利用农民的劳动来满足各种目的，封建主必须给农民提供资本和激励。这里所指的封建主包括修道院、王公贵族和主教等，他们为新获取的农用土地提供特殊许可和权力。这些激励导致定居村落不断向临近水域扩张，使这些土地越来越多地成为可耕地。

招募劳动力向新征服的地区迁移，是另一种有利于农业革命的封建主和农民之间的合作形式。为保障殖民拓荒者的基本生存，封建主往往会和同意迁移者的代表签订一些协议，给他们提供比原居住地更有利的条件。作为每块宅地缴纳小额税收的交换，殖民拓荒者拥有更大的耕地经营权和个人自由。一个例子是马格德堡大主教维克曼（Wichmann，1152—1192），他派遣工匠为来自人口相对较多的佛兰德和荷兰乡镇的殖民拓荒者建造房屋。殖民拓荒有相当大的吸引力，因为这样可以使殖民拓荒者摆脱封建主领地上的强制劳动（forced labor），而且只需缴纳相对较少的地租就可拥有土地。因此，到12世纪末，日耳曼部落已在爱沙尼亚到喀尔巴阡山脉的广大东欧地区定居下来。定居者并非全是农民。日耳曼人还在欧洲斯拉夫人（Slavic）定居的中部腹地发现的矿藏中从事金矿和银矿开采工作（Bartlett，1994）。

如何解释罗马文明覆亡后的几个世纪和中世纪鼎盛时期欧洲农业核心地区的蓬勃发展呢？显然，封建庄园制和封建教会制均非建立在创新型增长的基础上。但是，不管有意无意，从最不值一提的主教到最孤立城堡的所有者，大大小小的封建主的需求推动欧洲摆脱了落后状态。这些需求既承自古罗马时代，又混合了日耳曼骑士精神，形成了一种惯于炫耀性展示和消费的、复杂且通常代价不菲的物质文化标准。例如，饮食习惯便从以面包和酒为主食，以橄榄油为替代性食用脂的地中海传统风俗发展而来。这种饮食习俗向阿尔卑斯山以北有着特定土壤和气候条件的欧洲地区扩散，成了中世纪农业的一项重大挑战，由此也催生了一种略有差异的小麦品种，包括供给封建主的小麦、大麦、黑麦和农民自用的斯佩耳特小麦（spelt）。平民百姓的饮品绝大多数是由小麦酿造的麦芽酒，葡萄酒则专供最富有的封建主享用。畜牧业一直是中世纪农村谷物种植的副业，猪肉成了人们最喜爱的肉类，牛羊肉则位居其次（Biddick，1989；Berman，1986）。

但饮食条件只是封建主的基本生活需求。教堂和修道院还需要祭服、圣物、场所和书籍。骑士需配备战马、盔甲、佩剑和长矛，城堡的建筑构造也更趋精细复杂，它们起初是按木栅栏结构设计的，在1100年后逐渐被石质结构取代。基督徒迫切需要通过朝圣之旅以寻求精神和肉体救赎，罪大恶极者往往被流放到遥远的异地他乡。

以下是一些公元1000年前商业发展的显见例子。教会需求使长途贸易网络在整个中世纪保持着生机和活力。人们对许多广为交易的货物均颇熟悉，如焚香、丝织品和其他医用香料等礼拜仪式上的常用物品（McCormick，2001，第291—293页）。令人惊奇的是，地中海出产的圣物不仅数量多，而且质量高，它们成了法兰克帝国核心教区的主要收藏品。例如，到公元1000年，勃艮第的桑斯（Sens）保存下来的收藏品已逾600件。这当中有许多来自地中海圣徒的圣祠，也有一些来自遥远的地中海东部地区。法兰西岛的谢勒在随后不久发展到了鼎盛期，那里收藏的历史遗物提供了关于该地区同意大利（特别是罗马）和基督教圣地（Holy Land）之间贸易契约的更多证据。最近的研究也表明，公元500年—750年间，法兰克帝国同外部之间存在着稳定、持久的长途交往和贸易联系。

即使根据最宽的估算，相较于同时期周边的穆斯林和拜占庭帝国，法兰克帝国早期也显得更为落后。但是，企业家仍然在这些文化和经济体的内部夹缝中艰难谋生，他们源源不断地输送奴隶这种西方“产物”。在公元800年—1000年这段中世纪时期，对奴隶的需求极为强烈。零碎记录表明了当时的奴隶贸易情况，盎格鲁—撒克逊奴隶被运送到法国南部、意大利北部和罗马等地进行贸易。在公元750年后的加洛林王朝时期，奴隶贸易的规模迅速膨胀、对中欧和东欧的征服则把斯拉夫族异教徒推入了奴隶贸易市场，“斯拉夫人”这一称谓成了这类奴隶的永久性标记。到公元8世纪，威尼斯成了奴隶贸易大港，威尼斯商人充当地中海南部和东部奴隶贸易市场的中间人。有观点坚持认为，“欧洲地中海的商业经济恰恰诞生于那不勒斯、阿马尔菲和威尼斯等地同阿拉伯世界之间充满活力的奴隶贸易”（Michael McCormick，2001，第736—739页、第776页；也可参见Schwarcz，2003，第279—282页）。

在公元1000年前近两个世纪的欧洲封建主的所有成就中，最伟大的创造无疑是中世纪城市。无论从规模还是地理范围来看，中世纪城市均是无与伦比的创造性成就，它产生了一种新的城市社区形态，直到20世纪末都是企业家精神的试验场。城市变革的持续时间比整个11世纪还要长，大致横跨了公元1050年—1220年间，这段时期欧洲不仅城镇和城市数量急剧增加，而且旧社区的规模和范围也不断扩大。最令人印象深刻的是以下事实，即在公元950—1200年间，欧洲人口几乎翻了一番，而城市社区的数量却翻了两番（Nicholas，2003，第1—23页）。

考虑到城市社区的多样性和庞大数量，要概述这种变革过程颇为困难。事实上，中世纪时期的南欧只建立了为数不多的新城市，它们的封地（enclosed areas）和人口却呈指数级扩张，亚平宁半岛北部无论在城市数量和重要性方面，都要优于南部。日内瓦、威尼斯和新兴内陆城市佛罗伦萨迅速崛起。其他地区，特别是西班牙以及斯拉夫人和凯尔特人新开辟的欧洲殖民地，封建主通常在以往定居地或出于特定政治目的而建立新的附属领地，以及创建新的领地。在西班牙，人们发现新殖民定居者对穆斯林保持着很强的防御性。在爱尔兰，诺曼人一方面把城市军事区当作定居地，另一方面则积极开辟乡村地区。在佛兰德，已发现的历史文献表明这里曾有过许多城镇，但只有少数具有一定的重要性。在易北河以东的德国，大量城市种植园在12世纪波罗的海贸易复苏后开始变得十分重要。因此，即使像慕尼黑和吕贝克这样彼此间相距遥远且毫无瓜葛的城市，它们的起源也可以归功于目光远大的建立者。③

这波城市化浪潮既气势磅礴又纷繁复杂，它使经济生活的面貌发生了两个永久性的变化。其一，到1220年，城市版图已或多或少变得更为稳定，在南欧和北欧形成了两个城市化密集区，其地域范围从英格兰东南部到巴黎，横跨皮卡第平原和佛兰德平原，囊括莱茵河流域的最大城市科隆。其二，这些社区从封建庄园演变成了商业中心，对各式商品（不仅是奢侈品）的需求推动了中世纪企业家的崛起。封建主无疑在这些新兴市场中心扮演着促进者的角色，许多欧洲城市成了政府官僚机构的重要驻地，王公贵族不仅购买和消费商人的商品，把资本投入到新开拓的城镇地区，而且他们所授予的特权和垄断权对城市增长也至关重要。这种转变可能充满了混乱，因为作为资本家或资产阶级市民的城市定居者往往会要求改变现状，增加他们相对于主教、伯爵、修道院院长或教堂总监的自治权。

在这段过渡时期，封建主的显著功能是充当商品消费者，以促进社会创业兴趣的形成和发展。11世纪，绝大多数定居地（它们稍后即发展成了长途贸易中心）都有犹太人社区，犹太人把金钱贷给城镇封建主，对推动郊区发展繁荣的工业资本也贡献颇多。12世纪则是犹太人参与资本形成，将资本汇集于城市的黄金时期。此后，宗教迫害和采用更复杂金融技术（目的是为躲避教会的高利贷禁令）的基督徒放贷者的兴起，有效地取代了这些犹太人的早期创业激情。

南欧和北欧的城市化密集区促进了市场和商业网络的有机整合，带来了彼特所描述的“临界规模”（critical mass），由此导致商业活动从量变走向质变”（Peter Spufford，2002，19，第388—389页）。这些变化的总和就是在经

③ 参见 Nicholas（2003，第11页）；除了西班牙和德国外，多数城市均出现了普遍增长。

济史上著称于世的“商业革命”，它必须被理解成欧洲南北两地相隔遥远的城市化“试验场”中的创业活动，特别是从13世纪到现代早期两地相互作用的结果。客观地说，欧洲商业和经济史上的绝大多数创新和重大突破，都产生于这种南北对应的呈双极化的城市社区网络，并辅之以中欧金矿和银矿开采所获得的大量钱币。

四、超级公司现象

中世纪南欧商人最重要的成就是所谓的超级公司（super-company），这是13世纪一种能最有效地组合盈利可能性的企业形式，因此我们这里的讨论不妨以它们为例。这类组织通常规模庞大且质量不等，同时在许多地区长期从事各类活动，如一般贸易、商品贸易、银行业和制造业等。它们均扎根于拥有商业沃土的佛罗伦萨，处在充满竞争和活力的爱琴海群岛各城市中。这些城市人口的食物需求对创立超级公司的企业家形成了挑战，超级公司筹集并合伙经营资金，以便同意大利南部的安茹王朝（Angevin rulers）签订长期谷物合约，并在此基础上开展各类长途贸易和地方制造业生产等。这些大企业是如何组织的？像绝大多数具备一定规模的意大利企业那样，它们采取了一种准永续型多方合伙制（quasi-permanent multiple partnerships），不会因为主管合伙人的死亡或卸任而解散。甚至“解散”的合伙企业也会马上重新运营。合伙企业只要合理，便会一直存续下去，在实际中从2年到12年不等，且往往有一个联系紧密的核心合伙人圈子以作为资本的主要提供者。通常，公司（来源于“那些只有一块面包的人”的表述）会以家族姓氏命名，如巴尔迪家族和佩鲁奇家族，尽管它们并非只有本家族成员组成。例如，1300年成立的佩鲁奇公司吸纳了部分家族成员和10名非家族成员，家族成员和非家族成员的投资比例分别为当时总额巨大的8.5万弗罗林的60%和40%（Hunt和Murray，1999，第105页）。合伙企业还可以更加多样化，如1310年成立的巴尔迪公司就包括了56股股份，每股股份均可转让和延续，外人亦可通过类似于现代公司债券的固定利率把钱存入巴尔迪公司，从而使其资本存量大大增加。像现代对冲基金一样，“高净值人群”的中世纪先驱主要是贵族或富商，他们擅长把剩余资金投资于一家或多家这类公司（Spufford，2002，第22—23页）。

以相对廉价的成本便能获得大量资本，为未来发展打开了广阔的空间。尽管在欧洲主要商业城市成立的所有分支机构或辅助代理机构，通常均由公司董事会（掌握领导权的董事长几乎总是由公司以其姓氏命名的家族主要成员担任）所委派的股东管理，但各公司配置资源的方式并不相同。受委派负责管理国内和国外分支机构的股东，能使客户确信即使合伙关系不断变更，该公司仍是一个永续组织。设计并使用简洁醒目的公司标志强化了人们认为公司将永远存在的感觉（Spufford，2002，第44页、第46页）。

尽管没有直接证据表明任何一家大公司会制定正式的责任分担或管理层级，但保存下来的佩鲁齐公司在佛罗伦萨和其他城市各类经营业务的许多相关记录，仍使我们可以在相当程度上了解当时的大公司实际上是如何运作的。这些记录显示，虽然佩鲁齐公司采取了允许某种程度分散化经营的组织形式，但公司的重大决策权仍由位于佛罗伦萨的董事长办公室掌控。公司在佛罗伦萨的业务运营是相当集中的，一些分公司甚至直接受董事长领导。大致来说，所谓的“tavola”（字面意思为“桌子”）主要处理佛罗伦萨的银行业务，“mercanzia”（字面意思为“商业”）则处理佛罗伦萨以外的贸易和物流业务，“drapperia”（字面意思为“纺织品”）负责处理小额纺织品合约制造业务。佛罗伦萨总部还通过“专项账目”直接监督重要的外地客户（如教会慈善团和某些教会显要人物）的订单。救济金账目（limosina）则仅用来记录公司慈善捐赠的去处。约有2%的公司资本是为“上帝的工作”（God's work，即宗教慈善事业）预留，救济金账目可获得这笔资本的利润分配（Hunt，1994，第76—100页）。

这些大企业的雇员多达几百人。如14世纪30年代，佩鲁奇公司有133名雇员；1310年—1345年期间，巴尔迪公司有346名雇员。只有少数雇员和冠名成立公司的家族之间有血缘关系，这表明亲属或裙带关系并非招募和提拔员工的主要依据。但家族联姻却是一种习惯做法，商业精英通常会让最聪明的子嗣沿袭互利互助的联姻旧习，而竞争对手公司的家族成员则不会在本公司任职。年轻人一般通过驻外工作来掌握某家特定公司的机密和实务，等到时机成熟便返回佛罗伦萨，和其他具备足够财力的商人一起创办自己的家族企业。

五、贸易工具

超级公司继承和发展了一套行之有效的商业惯例，试图冲破由社会习俗和距离所带来的贸易限制。中世纪企业家最深受其困的问题之一是货币供给的刚性，一些最富于创造力的创新被直接用来缓解该问题。在13世纪，流通中的货币几乎完全以铸币为形式。一些价值较低的硬币可能由基本金属铸造，当日常交易发生小幅变动时，它们代表更多的信用价值。商业贸易中使用的绝大多数货币由具有内在价值的硬币构成，主要包括银币和13世纪中叶以后盛行的金币。因此，货币供给主要受和贵金属有关的物理现象，如贵金属产量、磨损和贮存损失、切割技术，以及消除同东方贸易失衡的经常项目出口的影响。只要贵金属产量维持在高位，欧洲经济就能获得充足的铸币供给。事实上，通过促进一般贸易和降低通胀压力，在贸易中用金币和银币结算能带来显著的正面效应。但是，当贵金属产量止步不前且出口持续时，欧洲便会遭遇14—15世纪反复出现的因“黄金短缺”而导致的通货紧缩（Spufford，1988，第339—362页）。

若贵金属能带来利润，则企业家将乐于把它们作为出口商品或铸币材料从一处转运到另一处。但货币输送却是一项不能增加交易价值的商业成本。通行费、安全保障成本和运输成本可能非常大。对各城市的市场派遣商业信息员也是一个很大的困扰，特别是当每分每厘铸币的贵金属含量都需要测算时。解决货币这种不便性的措施之一是引进货币兑换商，后者在欧洲市场普遍存在，构成了中世纪银行业的雏形。通过评估铸币的重量和纯度等技能，这些兑换商在促进一个有序的以铸币为主要交易媒介的经济中发挥着重要作用。作为金银和铸币的主要供给商，他们也为政府机构提供必要服务。在金银价格和外币汇率上的信息优势使他们获得了相对于其他同行的商业优势，但同时也承担着促进公平交易的义务。一些兑换商吸收了大量客户的铸币存款，代为保管，他们用标准的记账货币来记录这些存款。商人们也开始用这类“记账”货币代替实物货币开展贸易（Murray，2005，第119—177页）。

通过这种方式，商业货币兑换商逐渐变成了商业银行家，他们通过对客户存款和信贷的调度而非发行支票（至少在14世纪以前）来获取报酬。这便是欧洲仍在使用的所谓直接转账制度［自意大利语“旋转”（girare）］。该制度之所以奏效，是因为银行家和他们的商业客户相互认识，且在银行家的“方桌”上就双方要求做了明确的口头说明，从而使业务可以当场确定。这类业务的人格化特征和银行吸收代为保管存款的这一事实，不可避免地通过各种各样的透支导致了信贷扩张。这种基于部分本金储备的借贷行为事实上创造了额外的货币供给，尽管这种借贷行为只在极少数的借贷商业城市盛行（de Roover，1948）。

商业革命中最重要的金融创新是汇票，对于在西欧各国经商贸易的跨国企业家，汇票具备三种意义重大的特性。首先，它避免了铸币运送成本；其次，它为跨国信贷和货币兑换提供了可实施的机制；再者，它巧妙地规避了教会实行的高利贷禁令。汇票演化发展自意大利港口城市热那亚首次使用的公证交易工具（notarize exchange instrument），到13世纪末，最终成形（Murray，2005，第65页；Spufford，2002，第34—35页）。发展完善后的汇票使一方能在某日某地收取某种货币的一笔资金，并在以后某日的另一地以另一种货币进行偿还。其中的交易涉及四方：汇票签发地的借款方和贷款方，以及汇票偿付地借款方的代理银行（付款人）和贷款方的代表（收款人）。日期的不同称作“偿还期限”，通常反映货物在两地之间移交和运送所需的约定时间，如威尼斯和布鲁日之间的60天以及威尼斯和伦敦之间的90天。当然，汇票的流动可以快得多，我们都听说过意大利托斯卡纳地区各城市间和13世纪60年代以来的香槟集市（Champagne fairs）的专业快递服务（Spufford，1988，第25页）。除了目的地、签发和偿还日期外，汇票还需指明汇率，以便给签发人提供一个合理的交易利润。贷款方的代表可能要遵照前者的要求用外国汇票购买商品，或通过签发一份新的反向汇票将其兑换成贷款人的本币。尽管汇票主要用于商人之间的贸易往来，但其好处不仅为商人享有，教会和政府等大型机构也从中受益匪浅（Murray，2005，第66页和注释9；Spufford，2002，第37页）。

意大利商人另一个重大的创业突破是会计。大量商人和官僚机构很早以前便已使用单式记账。这种记账形式的优点是可以低成本地为决策制定提供理性基础（rational basis），因为信贷和债务很容易被跟踪。它的缺点在于不能自动计算利润，也不能单独测算资本和收益。但最重要的是，它使隐性欺诈更加容易，因此必须要有频繁的审计和其他反欺诈措施。超级公司贸易的复杂性和会计产生了记录现金收支的复式记账法，先将现金收支在债权人的账目中消掉，然后在出纳员的账目里录入，从而形成交叉参照。到1300年，这种新的记账方法已在意大利公司颇为盛行，且很快就发展到极其复杂的层次，能为公司提供资产负债的日常状况以及资本和收益的单独核算，同时还引进了增值和贬值等重要概念。

风险管理工具也是这个伟大的商业时代的一个显著进步。1300年以前，商人通常会把商品分装在几条货船上，海上财产往往分属多个所有者，以使任何个人免遭灾难性损失。以保险贷款形式作为风险分散的主要途径始于13世纪。这涉及两方：一方是商船船主，他向商人预付了一笔货款，等值于全部或部分受托承运的货物。若货物安全抵达，则商人将偿付船主的贷款或预付款，并支付一笔额外费用以弥补货物保管和航运风险。若货物遭到损失，则商人将把预付款作为损失补偿而据为己有。据我们所知，海上保险始于14世纪上半叶的热那亚，当时就普遍出现了收取保险费以防范损失的做法，这可以参见相关的商业公证记录。到14世纪末，保险商已将业务扩散至比萨、威尼斯和意大利其他地区，他们以影响风险的诸多因素为基础来估算风险和确定保险费率。到15世纪末，海上保险已遍布包括荷兰各港口在内的所有欧洲主要港口城市（Spufford，2002，第33页）。

但是，佛罗伦萨超级公司的命运表明并非所有风险都是可保的，商业环境的改变甚至能摧毁最复杂精致的商业大厦。同意大利南部之间获利颇丰的贸易收益一直是这些企业的根基，但由于长期遭受不利气候因素的影响，有关价格设定和商品供给的政府管制便大大增加。即使1329年大饥荒时期，也未给谷物经销带来商业良机，饥荒如此严重和普遍，大型公司被迫采取传统的压价措施。尽管卖方市场上的谷物抢夺异常激烈，但他们仍被要求以政治上可容忍的价格出售谷物。到14世纪30年代，市政府开始作为谷物采购商干预市场，从而切断了大型公司在许多城市的谷物销售，导致意大利人口在1347年黑死病席卷欧洲之前已出现急剧下降。巴尔迪公司和佩鲁齐公司在30个月内相继破产，震惊了整个欧洲，使当时一些人将英国国王的欠债视为罪魁祸首。但是，导致这类大企业无法存续的经济条件的变化，才是它们破产的真正原因。由这类企业所开创和实施的许多技术和创新在今日仍然是标准的商业惯例，这一事实表明它们的实体虽早已覆亡，但其精髓和影响却源远流长。

六、欧洲北部

尽管欧洲北部未能摆脱南欧（绝大多数是意大利）企业家和商业技术的势力和影响，但其发展情况却和欧洲南部截然不同。然而，低估北欧商业的复杂性或将它们视为派生的，却是一种错误做法。事实上，商业创新在许多方面均源于香槟集市，这种囊括南北各路商人和货物的大型集市最终于 14 世纪盛行于布鲁日并推动了当地的城市化，随后被移植和扩散至安特卫普和阿姆斯特丹。

北欧和南欧城市社区之间的一个关键区别是北欧城镇工业，特别是毛纺织品制造业的早期发展状况。随着 11 世纪脚踏卧式织机的发明（可能在佛兰德），使规模经济和质量的大幅提升成为可能。到 13 世纪，卧式织机取代旧式织机使产品质量获得进一步提升。机织成了一门男性职业，主要集中在城市地区，接受政府的行政管制。来自临近乡村的移民提供了丰富的劳动力，尽管一些诸如羊毛清洗和纺纱等纺织工艺仍然在乡下。生产扩大创造了更多的原材料需求，特别是羊毛和染料。到 12 世纪，佛兰德的城镇和英国牧场已融为一体，从而使大量英国羊毛得以经由佛兰德织布工、漂洗工和染色工之手，转变为成品布料。对佛兰德布料的需求来自遥远的经济圈，催生了一大批以布料交换金钱（或染料）的定期市场。香槟集市也由此诞生（Nicholas，1992；Munro，2003）。

六大香槟集市是表明北欧企业家机遇和限制并存的有趣例子。距离低地国家和意大利欧洲城市化这两个孪生地带差不多远的香槟伯爵领地被一些渴望开辟和维续贸易往来的伯爵统治，他们要求国王能给当地社区颁发集市特权并确保货运安全。约在 1175 年，中等档次的布料由佛兰德商人带到南欧已很普遍，它们被出售给意大利商人，而意大利商人则使欧洲毛纺织品成为地中海地区重要的出口商品。在接下来的一个世纪中，六大香槟集市的发展和商人的频繁参与，创造出了一套与信贷和支付有关的金融体系，该体系成了商业银行业的开端（尽管只是尝试性的）。拥有大量资本的意大利人不仅向未来偿付的交易发放信贷，而且在意大利本地发放延期偿还的预贷款。除了意大利人外，以香槟集市为中心的经济的最大受益者是许多法国或佛兰德北部城市的布料企业家，尤其是阿拉斯、里尔、康布雷、图尔奈、瓦朗谢讷，其中，阿拉斯则成了整个地区的金融中心（Spufford，2002，第144—147页）。

工业生产、金融和交易的分布使北欧企业家在历史上留下了深深的印记。他们倾向于以商会形式团结在一起，亨利·皮雷纳（Henri Pirenne）推断这是由参与历次集市贸易的商队往往结伴而行所致。到12世纪，在从英国到德国的城市中，商人群体意识发挥着重要的社会和政治功能。此外，根据长期习惯，北欧商人彼此间形成了较南欧商人更短暂和更有活力的业务关系。他们很少以家族扩张为基础，而是倾向于通过商人行会形成更具流动性的关系。投资资本，甚至城市金融，正是通过这些联盟关系而流动的。只有到15世纪以后，北欧商人才开始仿效意大利的股份制公司，即使这样，北欧商人也往往单独行动或者和若干其他人（通常隶属于单一企业）一起行动。这些趋势在布鲁日的街道和市场上得到了充分体现。

经过一系列的变革和混乱，布鲁日于1300年后逐渐成为商业贸易的新兴之地，也第一次成了整个北欧地区除巴黎和伦敦等大城市之外的金融中心。布鲁日的新地位很大程度上受益于作为英国毛纺织品传统贸易港的优越地理位置，以及处在东、西、南各路陆上商道汇聚地的区位重要性。布鲁日还从运输偏好由陆运转向船运中获益匪浅，它成了地中海贸易商队的目的地，第一批商队在12世纪80年代抵达这里。由于在英国毛纺织品和佛兰德布料贸易中的传统角色，布鲁日能够为意大利商队提供回报丰厚的货物。被称为“东欧人”（Easterners）的德国人和其他汉萨同盟成员，也深为意大利人带来的商品及出售他们本地特产（起初如毛皮、蜡、蜂蜜和琥珀，后来如谷物、啤酒和金属）的机会所吸引。去往布鲁日的另一个原因是，低地国家和法国北部富裕的内陆贸易区的市场需求创造了巨大商机，人们希望能把握这些商机。因此，布鲁日自然而然成了奢侈品的集散中心，这些奢侈品专供给佛兰德、布拉班特和埃诺统治者以及德意志西部各公国的人消费。作为一个重要的物流集散中心，布鲁日吸引了大批来自不同城市的英国人、德意志人和意大利人，以及加泰罗尼亚人、北西班牙人和葡萄牙人等外地定居商人（Murray，2005，第95—97页）。

伴随这种贸易模式转变而来的是，意大利人取代了佛兰德人，成为英国毛纺织品出口至欧洲大陆国家的中间人。在此过程中，战争发挥了重要作用。英国国王借发动战争实施了一系列禁运、报复性没收、出口税以及针对佛兰德（当时和英国有重要经济联系的法国地区）的海盗行为，来报复性地打击本国商人的法国竞争同行。意大利人也带来了大量现金，用于采购未来的羊毛和资助英国的战争行动（其他意大利公司则支持法国国王）。久而久之，佛兰德人不得不放弃商品运输和直接贸易，退而充当经纪人、合伙人和企业家的传统角色。

布鲁日政府未采取任何措施和努力来建设本市的商业基础环境，这加剧了上述商业中心的转移。早在布鲁日建成一个合适的市政厅之前，它便以拥有两幢宏伟的商业建筑、一些市政管理标准和由几代佛兰德设计师集体设计的著名的巨型人力吊桥而引以为豪。布鲁日也是低地国家第一个禁止在市中心采用茅草屋顶以避免中世纪城镇常遭火灾破坏这一“诅咒”的城市。大量有利于商业发展的令人印象深刻的措施无疑增加了布鲁日的魅力，但它最大的吸引力在于为外地商人提供寄宿、金融服务、中介和商业契约等广泛的人际关系网络（Hunt 和 Murray，1999，第 160—164 页）。

对布鲁日的成功至关重要的是由该市客栈老板（innkeepers）和货币兑换商提供的转账（book transfer）和补充支付（complementary payment）服务体系。这种复杂且覆盖面广的转账体系使那些在布鲁日拥有账户的商人能在遥远的外地支付商品和服务。事实上，布鲁日的货币兑换商把这种直接转账体系推广到了外贸和本地交易中。一个常见的例子便是定居在布鲁日的商人能在安特卫普从事经商贸易的同时，操控他们在布鲁日的账户。客栈老板和货币兑换商一样重要，从许多方面看，他们是货币兑换商的高级合伙人，为他们的外地商户提供全面周到的服务，包括在市议员前充当外地商人的法律代表，提供金融和其他商业服务。但最重要的是，布鲁日客栈老板均属于金融家，他们不仅受商户委托代为管理资本、组建合伙企业，而且致力于追求自身的商业机遇。因此，以往分处于香槟小镇和阿拉斯等地的支付和金融体系，被整合进了同一座城市（Murray，2005，第 216—258 页）。

若仅从布鲁日充当各地商贸汇聚地的作用上看，它属于当时出现的中央集权型经济体制，所有重要的长途客商均必须在布鲁日展示自己的存在，即使不能亲临布鲁日。因此，布鲁日非常类似于电脑网络中的节点，将不同的地域和金融体系整合到一起——从托斯卡纳到德国汉萨同盟成员最偏远的小镇——使这些商人能够开展贸易和相互合作。这是布鲁日交易所成立的基本背景，交易所是整个 15 世纪专供商人集会和做生意的公共场所。客栈经营和经纪商业务之间的关联在“交易所”（Bourse）这一名称中表现得非常明显，该名称取自在公共广场经营一家著名客栈的家族的名字。这些“交易所商人”汇集在一起交流信息，形成货币兑换比率，并据此签署汇票。在将近一个世纪里，布鲁日交易所成了欧洲的主要货币市场（Murray，2005，第178—215页）。

七、社会限制：高利贷、骑士制度和行会

考虑到商业和个人价值观如此紧密相连，基督教教义和教会机构深刻地影响着日常商业活动。宗教态度无处不在的证据出现在最世俗的商业文献中。一家公司的账薄通常以对商业成功以及个人健康和安全的祷告为开篇。佛兰德银行家在他们的账簿扉页就写着“祈求上帝赐福”这句话。基督教《圣经》和教会法（或教规）远不止是一种装饰，它们构成了创业生活的一个重要维度。形成于13世纪的“正义价格”（just price）的中世纪概念，是以《马太福音》（Matthew's Gospel）中的基督禁令为基础的——“你希望别人怎样对待你，你就应该怎样对待别人，这是律法和先知的训谕”。这种信息尤其和西欧的农业文化和小镇文化关系紧密，那里的生活被视为零和博弈，某人的所得必将以其他人的代价为前提。教会神学家和律师认真研究了所有类型的经济交易活动，并宣告它们的道德性和合法性。在商业革命时代，这类宣告的数量和种类随着商业增长而急剧增加。

对高利贷的处理是影响欧洲创业环境的最大问题。中世纪的高利贷信条，根植于《旧约全书》和《新约全书》中，其将任何利息（不只是过高的利息）都视为一种不可饶恕的罪恶。教会理事会（Church councils）从公元4世纪起一直到9世纪都在不断重申这种高利贷禁令，即使是颇为开明的查理曼大帝也颁布了针对牧师和非专业人员的高利贷禁令。在13世纪连篇累牍的高利贷戒律中，经院神学家吸取了亚里士多德的观点，亚里士多德将计息货币借贷视为对自然律（natural law）的违背。从12世纪末到整个14世纪，教会和国王颁布了一系列对高利贷行为的惩罚措施，禁止高利贷者埋葬在教徒墓地并为其操办圣事，甚至剥夺他们立下有效遗嘱的权利（Armstrong，2003）。

将教会满怀恶意的反高利贷立场普及于众的主要是方济各会和多明我会这两个托钵修会。弗兰西斯（Francis）本人便是一名托斯卡纳布商之子，他对金钱和商业的厌恶深刻影响了历代方济各会传道士，他们分布在整个欧洲，孜孜以求于满足欧洲城市阶层的精神需要。多明我会是中世纪最卓越的托钵

传道士修会，他们在思想上狂热地遵奉有关金钱及其使用的教会戒律。托马斯·阿基那（Thomas Aquinas）和大阿尔伯特（Albert the Great）均对高利贷的本质做出过深刻论述，且都将之视同于盗窃。对于贪婪的高利贷者将永堕炼狱这一可怕的宗教劝谕，所有欧洲人必定都耳熟能详。但丁著名的《神曲》（原名《神圣的喜剧》），对高利贷者作了入木三分的刻画，他们在地狱中同谋杀者、亵渎者和鸡奸者一起被排在极其卑贱的层次。

针对中世纪企业家高利贷行为的教会戒律的主要问题在于，它并未区分消费贷款和用于生产性目的的贷款，所有的计息贷款均被视为有罪。随着信贷需求在12世纪的商业金融中不断膨胀，合法放贷和非法放贷之间的冲突日益加剧。另一方面，消费信贷的提供者被边缘化——犹太教和基督教典当商以及非正式放债者，均面临着法律和社会对其职业的严厉惩罚。即使货币兑换商和其他“合法”商人，也不能完全洗清高利贷的污点，许多商人在遗嘱中要求返还部分高利贷所得，尽管在汇票中并未明确表明利息收益。然而，完全禁止高利贷行为在锡耶纳的彼得·约翰·奥利维（Peter John Olivi）和贝尔纳迪诺（Bernardino）等神学家的著作中有所弱化，他们认为某些类型的非消费贷款因贷款人收入的潜在损失——货币时间价值这一概念的雏形——而具有合法性（Little，1978；Hunt和Murray，1999，第70—74页）。

八、骑士精神

有闲贵族是欧洲历史上最古老的遗产之一，他们鄙视商业活动，将商业活动视为卑贱和有辱自身社会地位之举。涉足“贸易”被认为是不光彩的，在18世纪以前的一些欧洲国家（特别是法国），法律禁止获封贵族从事除农业、王室服务和福利事业以外的任何商业活动。换言之，作为“贵族生活”重要内容的精英阶层的物质享受和社会安逸，在整个中世纪和现代早期一直都是少数社会流动性较强的个人孜孜以求的目标，这种精神气质似乎为企业家活动提供了强大的反作用力。但正如大量中世纪经济增长史所表明的，这样的反作用力在现实中往往不堪一击。

关于骑士精神的历史掌故能提供一些很好的例子。在一首歌颂威廉·马歇尔（William Marshal，约1146—1219）壮举的史诗中，叙述了主人公在侍从的护卫下途经法国西北部，这时他邂逅了一位僧侣和一名逃亡中的年轻贵妇。

经过一番询问后，威廉得知这两人计划一起到远离贵妇家族的某个无名小镇生活，他们打算靠和当地放债者共同投资一笔金钱所得的收入过活。尽管威廉对年轻贵妇的家族有所了解且不赞成她的这一举措，但他并未阻止两人继续前行。然而，在威廉放他们走之前，没收了两人原打算据此为生的金钱，以使他们避免涉足高利贷的罪恶和丑行。即使这看上去有点像是威廉行盗的一个幌子，但它确实反映出一名典型骑士对滥用金钱的憎恶。靠利息生活对一名贵族而言简直不可想象，而威廉对金钱的使用同样令人难以置信。在威廉返回当地旅馆下榻处后，他叫护卫清点了从僧侣和贵妇那里没收来的金钱（他不打算自己过手），并把它们分给了随从，然后将剩下的用来大吃大喝一顿。换言之，金钱只是充当彰显个人身份和提高社会地位的手段，本身并不是一种值得追求的目标。④

虽然骑士不重视积攒金钱并将之投资于贸易，但他们和金钱之间有着复杂的关系。同样的，威廉·马歇尔提供了骑士作为企业家的一个生动例子。身为算不上名门望族的贵族家庭的幼子，威廉不能享有家族地产和财产的合法继承权，其父在遗嘱中也未特别给他指定一笔财产，这同其他贵族家庭的幼子和女眷所面临的情况一样。在一个更有钱有势的亲戚家里习武一段时间后，威廉开始走上了职业格斗士（骑士）之路，他积极参加各类集搏击、运动和商业为一体的格斗比赛。当时，格斗比赛已获得王公贵族的尊重，且至少已逐渐为宗教势力所认可，后者一开始曾规定将所有格斗者逐出教会，并拒绝为任何在格斗中死去的人举行葬礼。举行格斗比赛也成了一项收益颇丰的活动，因为作为其赞助者的大地主和富绅能通过俘获和赎买对手获得大量回报。事实上，一些牧师用同一词语形容格斗比赛和贸易集市，这两者对外行而言似乎相差无几（Crouch，2002，第192—199页）。

在长达16年的职业格斗士生涯中，威廉·马歇尔也是一个无与伦比的赚钱能手，他三下五除二便击败对手，然后要求被击败的对手交出一笔赎金以换取个人自由和武器装备。由于这样做可获得丰厚回报，马歇尔和另一名骑士联手成立了一家正规格斗公司，由马歇尔的厨师担任该公司的会计。在两年时间里，从法国到佛兰德，骑士企业家们在赛季每隔两周便举行一场格斗

④ 参见Duby（1985）；需注意David Crouch（2002）对该研究的修正和扩展。

比赛，俘获了多达500名骑士。因此，马歇尔把聚敛来的巨额财富花在其追随者的娱乐、武器装备和厚礼款待上，一切均旨在提高他的声望和社会地位。最终，在约翰王死后的几年里，马歇尔这个曾流浪四方的骑士成了英格兰的摄政者和最高将领。这无疑是那个时代最伟大的骑士所能获得的一笔最丰厚的回报（Crouch，2002，第194页）。

九、中世纪行会

行会通常被视为企业家精神发展的重大障碍，即使当代史学家已不再拘泥于这种观点，但关于行会消极作用的未解之谜在通俗史中仍占支配地位。这是以往过度依赖行会地位的字面解释以及过度迷信马克思主义者和自由主义意识形态的历史研究所导致的一个不幸结果。过去半个世纪的研究给传统观点提出了重要补充，表明手工业行会亦能充当创新和经济变迁的驱动力，正如当前的保险业协会一样。这很大程度上取决于特定行会的行业和市场条件，以及该行会所处的地理位置和政治环境（Black，1984；Stabel，2004）。

需要澄清的第一个错误看法是，行会一直扮演着垄断机构的角色，受到法定垄断和固有社会结构强有力的保护。如我们现在所知的，中世纪城市的人口分布使任何机构均不可能保持永久的稳定性，因为极高的死亡率会影响到社会各个部门。婴儿夭折、传染病、犯罪和战乱导致的高死亡率，意味着中世纪行会必须对移民保持开放态势，以便能在一个市场经济中保持活力。针对新进入者的开放性在长途贸易产品行会中似乎表现得最明显，如低地国家和意大利北部的布料行业。例如，在15世纪的布鲁日，一些行会中有超过3/4的会员为外地人或非附属的本地人。那些通常将会员身份限制在其成员子嗣的行会，多集中在同谷物有关的较稳定的贸易部门，它们需要控制当地销售场所的摊位（Stabel，2004，第194页）。

当竞争和市场条件变化使行业不得不进行重组时，手工业行会也能充当商业企业家的重要合作伙伴。类似于劳动力组织者和产品质量担保人，行会会员通常会和其他人合作以合理调配生产。这种流动性和协作能力有利于中世纪城市形成稳定的权力结构，使行会领袖和商人集团能在市政机构中和睦相处，群策群力。因此，在中世纪的佛兰德，通过纺织中心城市专业化生产优质纺织品、淘汰一些纺织品种类及施行一套完善的质量和品质标准，成功实现了纺织品产出的深刻调整和优化升级。这种深刻变革是交易商和纺织品行会领袖为适应市场数据和长途运输网络安全性的变动而进行长期谈判的结果。高价纺织品作为一种由行会从中协调的复杂生产过程的产品，能更好地补偿欧洲战乱不断所造成的高昂交易成本。我们可以在意大利北部的纺织品工业中找到这类行会组织型企业的变体，它们能通过降低成本和质量模仿来挑战北欧纺织品行业的霸主地位（Hunt 和 Murray，1999，第 166—170 页）。

十、结论

中世纪的 1000 年间（500—1500）企业家的历史在许多方面对人们均有大量的启发性意义。第一个启发是，中世纪社会很可能是一个富于创新精神（即能有效实现经济增长）的社会，尽管他通常并未产生个性鲜明的企业家群体。这截然不同于现代的个人主义观，这种观点认为，那些成功的个人往往善于抓住和利用经济机会，而且游离于社会和政治规范之外，事实上经常挑战社会和政治规范。推动中世纪经济增长的并不是个人利润最大化，而是对各种商业目标的孜孜追求，这些目标均源自基督教社会的一个教会戒律。在此框架下，天主教会和修道院等宗教机构得以把经济势力范围推广到不断扩张的欧洲各地，到 1200 年本笃会和熙笃会修道院已能在爱尔兰到西里西亚以及西西里岛到挪威等地组织农业生产，并能从这些地区和其他服务于罗马教皇的欧洲早期长途金融网络中获取收益。此外，中世纪贵族在履行保卫基督教世界纯洁的神圣天职中，不仅扩大了欧洲的地理边界，而且形成了一种高度依赖战马、武器和盔甲的崇尚武力的生活方式。贵族需求和满足这些需求的投资之间的强力组合，极大地促进了始于公元 9—10 世纪且持续至 14 世纪初期的农业增长浪潮。

非企业家群体体现出的中世纪早期企业家精神，是水磨和风磨、畜力利用技术（如耕犁和马具）和土地改良技术等农业机械方面关键性投资的主要动力。人们通常忽视了以下两点：其一，修道院是生产管理和记账方法的始作俑者；其二，经筛选和改良后的种子、谷物和家畜对保持土壤肥力具有重要意义。到 1200 年时，僧侣不仅牧养着英格兰数量最庞大的羊群，而且经管着法国最有价值的葡萄园，这并非只是一种偶然现象。从这些创新中获得的收益，为大型建筑工程、宗教文化投资和贸易网络的开辟提供了重要支持，后者则为欧洲僧侣盛行时期的圣餐仪式和长餐桌带来了必需的黄金、丝绸和铸币。修道院作为存续时间较久的典型机构，为中世纪欧洲乡村的拓荒和转型提供了稳定的社会环境和必要的资金投入。

作为最庞大的创业机构，中世纪城市的起源从封建主的宗教和世俗活动中受益匪浅，这些活动所创造的商品和服务需求使经济专业化社区（economically specialized communities）聚集于城堡和修道院附近成为可能。除作为消费者以外，封建主还为新拓荒城镇的自由贸易提供了许多自由权和税收豁免权，并充当有利于吸引外地人和外地投资的市场担保人和执法人的角色。这种以相对自由且财产和贸易有法律担保为背景的生产和分配贸易的组合，正是欧洲城市社区复兴的共同标志。此外，有别于此前的罗马或希腊城市，中世纪城镇和城市尤为重视创业传统和企业家精神，这使它们直到今天仍然是经济创新的重要试验场。

欧洲商业中心城市的人们能通过创业努力变得无比富有，但财富从来不是他们追求的终极目标。像佛罗伦萨的美第奇家族这样的名门望族，通常把金钱作为控制意大利地方和区域政治的手段，赞助艺术界的发展等其他一切活动也只是为了巩固其统治地位。英国富商威廉·德拉波罗（William de la Pole）是权倾一时的著名政府官员和王室金融家，但他只是其家族在接下来的几代人中就没落为低等贵族的唯一企业家。类似例子不胜枚举，它们均表明这样做只是为了提高实力和社会地位，而非获取永久性的商业或经济优势。大约自 14 世纪和 15 世纪起，城市富裕家庭和没落贵族之间的联姻习俗开始广为盛行。因此，中世纪的社会进步通常是指贵族阶级的进步，而非企业家群体的成功。对整个欧洲历史的现代早期而言都是如此。

对中世纪企业家的研究提醒我们，不要一般性地贸然断言存在着行为不受时空约束的抽象企业家。在很多（即便不是绝大多数）时代和地方，约瑟夫·熊彼特所设想的以经济进步为名的创造性破坏既不存在也不可取。同样重要的是，独立企业家的相对稀缺或无足轻重的地位，并不必然会妨碍经济增长。经济史学家必须意识到其他时代和文化的独特气质，并予以足够重视，也应对以偏概全或过于抽象的模型保持合理的怀疑态度。

参考文献

Armstrong, Lawrin. 2003. "Usury." In *Oxford Encyclopedia of Economic History*, ed. Joel Mokyr, 5:183–85. Oxford: Oxford University Press.

Bartlett, Robert. 1994. *The Making of Europe: Conquest, Colonization, and Cultural Change, 950–1350*. Princeton: Princeton University Press.

Berman, Constance H. 1986. *Medieval Agriculture, the Southern French Countryside, and the Early Cistercians: A Study of Forty-three Monasteries*. Philadelphia: American Philosophical Society.

Biddick, Kathleen. 1989. *The Other Economy: Pastoral Husbandry on a Medieval Estate*. Berkeley and Los Angeles: University of California Press.

Black, Anthony. 1984. *Guilds and Civil Society in European Political Thought from the Twelfth Century to the Present*. London: Routledge.

Crouch, David. 2002. *William Marshal: Knighthood, War, and Chivalry, 1147–1219*. 2nd ed. London: Longman.

Duby, Georges. 1982. *Three Orders: Feudal Society Imagined*. Chicago: University of Chicago Press.

———. 1985. *William Marshal, the Flower of Chivalry*. New York: Pantheon.

Hunt, Edwin S. 1994. *The Medieval Super-companies: A Study of the Peruzzi Company of Florence*. Cambridge: Cambridge University Press.

Hunt, Edwin S., and James M. Murray. 1999. *A History of Business in Medieval Europe, 1200–1550*. Cambridge: Cambridge University Press.

Keen, Maurice. 2005. *Chivalry*. 2nd ed. New Haven: Yale University Press.

Langdon, John. 1986. *Horses, Oxen, and Technological Innovation: The Use of Draught Animals in English Farming from 1066–1500*. Cambridge: Cambridge University Press.

———. 2004. *Mills in the Medieval Economy: England 1300–1540*. Oxford: Oxford University Press.

Little, Lester K. 1978. *Religious Poverty and the Profit Economy in Medieval Europe*. Ithaca, NY: Cornell University Press.

Lucas, Adam. 2006. *Wind, Water, Work: Ancient and Medieval Milling Technology*. Leiden: Brill.

McCormick, Michael. 2001. *Origins of the European Economy: Communications and Commerce, AD 300–900*. Cambridge: Cambridge University Press.

Munro, John H. 2003. "Medieval Woolens: Textiles, Textile Technology and Industrial Organisation, 800–1500." In *Cambridge History of Western Textiles*, ed. David Jenkins, 1:181–227. Cambridge: Cambridge University Press.

Murray, James M. 2005. *Bruges, Cradle of Capitalism, 1280–1390*. Cambridge: Cambridge University Press.

Nicholas, David. 1992. *Medieval Flanders*. London: Longman.

———. 2003. *Urban Europe, 1100–1700*. New York: Palgrave.

de Roover, Raymond. 1948. *Money, Banking, and Credit in Mediaeval Bruges*. Cambridge: Mediaeval Academy.

Schwarcz, Andreas. 2003. "Some Open Questions." *Early Medieval Europe* 12, no. 3: 279–82.

Spufford, Peter. 1988. *Money and Its Use in Medieval Europe*. Cambridge: Cambridge University Press.

———. 2002. *Power and Profit: The Merchant in Medieval Europe*. London: Thames and Hudson.

Stabel, Peter. 2004. "Guilds in the Late Medieval Low Countries: Myth and Reality of Guild Life in an Export-Oriented Environment." *Journal of Medieval History* 30:187–212.

第五章　托尼世纪（1540—1640）：现代资本主义企业家精神之源

约翰·芒罗

一、韦伯和托尼论新教和资本主义：新教徒在科学和工业革命（1660—1820）中的角色

工业革命时代一个尤为显著的特征是，在英国皇家科学院（1660 年成立）及其关联机构伯明翰月光社（Lunar Society of Birmingham，1764 年成立）列出的科学家和发明家中，不信奉英国国教的新教徒[①]占很大比例（可能有 50%）。[②] 对企业家精神史而言，更重要的一个事实是，在工业革命时代（约完成于 1820 年）的著名企业家（和其他商界领袖）中，有一半是新教徒。但是，新教徒仍然属于极少数派：18 世纪末英国的近 1250 个会众组织中，新教

① 他们主要是一些拒绝宣誓尊奉英国国教第三十九条教规的加尔文教徒。如网站 http://www. Answers. com/ 所准确陈述的："第三十九条教规于 1563 年制定……最终在 1571 年的英国国教会议上得到通过。它包括了许多试图界定宗教改革后的英国国教地位的教义。这些教义在 1662 年印行的《公祈书》（1662 Book of Common Prayer）中被视为附录，宣称其目的在于'避免观念的多样性，确立通往真实信仰的共识'。它们仔细（有时模糊地）区分了天主教教义和新教教义。神职人员仍必须践行这些教义，但 1865 年后只需大体上遵守其宗旨即可。"

② Merton（1970）的研究最重要，特别是"新教教义与文化价值观"（第 4 章，第 55—79 页），"新教教义、敬虔主义与科学"（第 6 章，第 112—136 页）。也可参见 Merton（1938，1957）、Thorner（1952）、Mason（1953）、Hill（1964a，1964b，1964c，1965a）、Kearney（1964，1965）、Rabb（1965）、Hill（1965b）对 Kearney 和 Rabb 的研究所做的评论和 Rabb（1966）对 Hill 的回应，以及 Musson 和 Robinson（1960，1969）、Musson（1972）的专题选集和 Calder（1953）。此外，还可参见 Landes（1998，第 176—177 页）。

徒的会众组织只占5%，占会众总人数的不足10%。[③]

对于这种极端现象，并无一个普遍公认的解释。继马克斯·韦伯和理查德·托尼（Richard Tawney）提出了他们众所周知且迄今仍饱受争议的论点后，人们犹津津乐道于宗教在现代早期（early-modern）的英格兰和苏格兰经济发展中扮演的角色，并提出了一些不同的理论假说。由于各种显而易见的原因，这些讨论均围绕理查德·托尼（1880—1962）的研究展开，托尼无疑是英国本土有史以来最重要的经济史学家之一，特别是他对解释现代资本主义企业家精神的产生（现在，1540—1640年这段时期通常被称为"托尼世纪"）做出了巨大贡献。[④] 但是，本章的中心论题是，导致现代资本主义产生或迅速扩张的所有事件和转折点，本质上都是一种真正意义上的现代资本主义精神，因此企业家精神并非起源于托尼世纪，而是发端于接下来的一个世纪（1640—1740），即现代工业革命开始的前夕。事实上，本章正是就这一论题展开的相应讨论。

由于坚信基督教和费边社会主义，托尼曾一度着迷于新教同现代资本主义产生和发展之间的关系，这已隐含地触及现代资本主义企业家精神的根源。为此，他在1926年出版了生平最有名的著作《宗教与资本主义的兴起》（*Religion and the Rise of Capitalism*）。由于提供了关于十六七世纪英国宗教和社会的大量新信息，该书备受推崇，最重要的一点是，它解释、拓展和推广了最初由马克斯·韦伯在《新教伦理与资本主义精神》（*The Protestant Ethic and the Spirit of Capitalism*，1904—1905年以德文出版）一书中提出的命题。[⑤]

但必须强调的是，韦伯和托尼均未主张新教教义导致了欧洲资本主义的实际诞生，他们非常清楚，资本主义早在中世纪就已经发端源头。此外，他们也远不是最早把新教教义和现代资本主义联系在一起的学者，实际上，对

③ 参见Davis（1973a，第310页）的论述："反国教在英国北部和中部地区表现得最为强烈，这两个地区的工业发展最快，18世纪末绝大多数著名的发明家、创新者和成功的企业家都是异教徒。"也可参见Ashton（1948，第17—21页），他也指出"工业增长同反对英国国教的异教徒群体兴起之间有历史性的关联"。

④ Richard Tawney在1917—1949年间执教于伦敦经济学院（1931年后担任经济史教授）。参见Fisher（1961，第1—14页）、Wright（1987）和Terrill（1974）。

⑤ 也可参见Weber（1961，第4章，第207—270页）"现代资本主义的起源"，特别是"资本主义精神的演化"（第20章，第258—270页）；还可参见下文注释。

于这一联系，有许多不同的理论解释。相反，韦伯和托尼旨在提供一个分析框架，在历史社会学的范畴下，解释新教教义（加尔文教派）最终如何影响现代欧洲资本主义“精神”（ethos、spirit 或 mentalité）的发展，后者完全不同于早期的资本主义。[⑥] 韦伯和托尼均认为，加尔文教派的三条基本教义或戒律通过对社会心理的影响，最终影响了现代欧洲的资本主义精神。

加尔文教派的第一条教义是先定论。它本质上宣称，只有全知全能的上帝才能决定（包括已经决定和将要决定）哪些人有资格成为少数所谓的“上帝选民”，从而获得上帝的永恒救赎。其他所有人，由于原罪和自由意志，只能（或即将）使自身永久地在地狱中沉沦，完全不能凭借一己之力得到救赎。[⑦] 即使对最虔诚的加尔文教徒，这条教义也着实令人沮丧，且让人难以接受，事实上令人心生恐惧。不但如此，加尔文还鄙视那些积极求证上帝选民的人，他宣称这样做本质上就是恶的。经过一个世纪或更长时间以后，严格的加尔文教徒的观念已不能也不再盛行，这可能是由加尔文教派占优势地区的公共舆论压力所致（参见 Pettegree、Duke 和 Lewis，1994；Riemersma，1967；Little，1969），也可能是由加尔文教派三条基本教义中的另两条教义的影响不断加强所致，这两条教义用韦伯的术语来说，就是“天职”（calling）和“入世禁欲主义”。

“天职”这一教义也以上帝全知全能的原则为基础。它宣称，世界的存在只依赖于上帝的意志，上帝按照自己的愿望来创造世界；侍奉上帝是每一位善男信女的分内之责，他们通过尽其所能地从事各种各样的“天职”——只要是体面（不含罪恶）的职业即可——以实现这样做所能取得的最大成功。[⑧] 加尔文所接受的是做一名律师的教育，他认为各行各业的信徒均在从事上帝赐予的尊贵“天职”，不管他们是其他专业人士（如医生、教授和神学家），还是商人或企业家。事实上，这已隐含地将商人、金融家、实业家、零售商和店主以及工匠纳入其中，有了他们，一个秩序井然的市民社会才能维系并繁荣发展。

对许多商人而言，从事“天职”就是谋取利润，除此以外，别无其他更

⑥　约翰·加尔文（John Calvin，1509—1564）于1536年发表了他的《基督教要义》（*Institutes of the Christian Religion*）初稿。特别地，参见 Harkness（1958）、Bainton（1952）和 Biéler（1959）。

⑦　以下内容参见前面注释5和注释6，以及后面注释10的资料来源。

⑧　参见注释5、注释6和注释7，以及注释11的资料来源。

好更切合实际的成功象征。这意味着人们不断追求利润最大化，它无疑是现代微观经济学的本质所在。越来越多的人开始相信，这种成功地从事某种“天职”的证据，也应该是成为上帝选民的某种积极可靠的信号。在加尔文教派盛行的社会里，由于如此多的人将能否成功地从事某种“天职”视同于能否成为上帝选民，整个社会便开始把这种成功，特别是获得更广泛认可的成功经营营利性工商企业，视为比中世纪乃至中世纪之前任何时候都更合乎社会需求的目标。

但到了17—18世纪时，个体企业家或商人能否在其“天职”上获得成功［主要由利润，在今天人们习惯称为“盈亏”（bottom line）来衡量］，将严格地取决于他如何使用这些利润，用韦伯和托尼的概念来说，即“入世禁欲主义”。如果企业家或商人将大多数利润用于“奢侈消费”，将冒招致社会非议的风险，换言之，社会将指责他只崇拜贪欲之神（Mammon）[9] 而不遵奉上帝。既然用这种方式消耗利润罪孽深重，显然，最值得（社会和教会）赞赏的做法便是把这些利润重新投资于工商企业，也就是说，用来扩大资本存量和企业规模，使企业家能更好地从事创新活动，增加后续经营的利润，并在上帝的无限恩泽下，更好地致力于自身的“天职”。

当然，自20世纪20年代以来，韦伯—托尼命题（Weber-Tawney thesis）迄今已产生了大量争议，重新回顾这些争议对本章的研究目的似乎帮助不大。[10] 在我看来，不管韦伯—托尼命题对英国企业家精神史和一个更加真实的“资本主义”经济的演化而言，是否具有任何现实意义，关键之处不在于“托尼世纪”本身，因为当时敌视资本主义（和高利贷）的人似乎更多，而在于

---

⑨ 根据网站 http://www.answers.com/：“在《新约全书》中，财富、贪婪和世俗索取皆是邪恶之源。中古英语里的贪欲之神，可能源自后期拉丁语‘mammon’或希腊语‘mamōnās’或阿拉伯语‘māmonā’，财富一词则可能来自希伯来语‘māmôn’。”

⑩ 支持韦伯—托尼命题的重要概述，可参见 Landes（2003），以及 Landes（1998，第174—181页、第516页）。毫无疑问，我完全赞成兰德斯的观点，他认为“当今的绝大多数历史学家都把韦伯命题看作是难以置信且不可接受的”。其他不同观点，参见 Lehmann、Roth（1985）和 Turner（2000），特别是 Elster（2000）、Hamilton（2000）、Engerman（2000）、Besnard（1970）、Munro（1973）基于 Besnard 研究的评论文章，以及 Mitzman（1970）、Schumpeter（1991）、Fischoff（1944）、Hill（1961）、Luthy（1963，1964）、Eisenstadt（1968）、Van Stuivenberg（1975）、Burrell（1964）和 Kitch（1967）。主要批评，也可参见 Robertson（1933）、Fanfani（1935）和 Samuelsson（1961）。

接下来的一个世纪（1640—1740）。[11]

首先，在英国内战期间，共和国时期（Commonwealth）、克伦威尔摄政时期（1642—1659）的政体和加尔文教徒（不管是清教徒还是苏格兰长老会教徒），在赢得同王室、骑士和保王党的战争中均发挥了重要作用；此外，他们在治理共和摄政时期的英国和改变英国传统教会的性质中，也发挥了不容小觑的巨大作用。[12] 1659 年，克伦威尔去世后的次年，反对军推翻了克伦威尔儿子理查德·克伦威尔所统治的护国政体，并解散了长期议会。1660 年 4 月，取代长期议会的新议会邀请曾流亡欧洲大陆各国的查理二世（1660—1685 年在位）回国复辟王室。随后，复辟议会颁布了两部法律，即 1661 年的《市镇机关法》（Corporation Act）和 1673 年的《宣誓法》[13]，旨在清除加尔文教派和共和派在英国教会和政府（国家政府及地方政府）内的影响力。

这两部法律规定，任何谋求教会或政府相关公职（包括军队士兵、地方法官和教育界人士等）的人，必须宣誓遵守英国国教第三十九条教规，并且每年必须参加国教教会举办的圣餐仪式。如前文所述，那些拒绝宣誓的信徒被称为非国教教徒或异教徒。同加尔文教徒和长老会教徒（加尔文派和长老派）一道，这些异教徒中还包括其他的新教教派，如浸礼宗、贵格会、一神论派，以及后来的卫理公会派。[14] 但是，信奉天主教的国王詹姆斯二世

---

[11] 有关托尼世纪英格兰和苏格兰地区新教教义和新“资本主义”之间关系的部分研究文献，参见注释 10 的资料来源，也可参见 Jones（1997）、George 和 George（1958）、Burrell（1960）、Hill（1964b）、Ashton（1965）针对 Christopher Hill 关于这一主题研究的批评，以及 Trevor Roper（1967）、Little（1969）、Marshall（1980）、Durston 和 Eales（1996）。另一种有价值的观点，参见 O'Connell（1976）。关于高利贷问题，参见注释 24—29 及其附文。

[12] 特别地，参见 Heal 和 O'Day（1977）、O'Day（1986）、Cliffe（1984，1988）、Durston 和 Eales（1996）和 Wedgwood（1966，1970a，1970b）。

[13] 1661 年颁布的《公司法》的第一篇第二章第十三条（statute 13 Car. II c. 1）构成了王室复辟之后克拉伦登伯爵（Earl of Clarendon）重申圣公会至上的基础，它要求任何市政公职人员都必须出席英国国教的圣餐仪式。1673 年颁布的《宣誓条例》的第二篇第二章第二十五条，规定所有王政复辟时期的公职人员（包括议会成员），每年至少出席一次英国国教所规定（第三十九条）的圣餐仪式，并宣誓反对天主教圣餐变体论的教义。直到 1828 年，上述规定才得以废除，1929 年议会颁布了《天主教徒解放法案》（*Catholic Emancipation Act*）。

[14] 神体一位论派否认基督的神性，将自身起源归功于 16 世纪的意大利神学家莱利奥·索齐尼（Lelio Sozzini，1525—1562），索齐尼的追随者主要集中在波兰（索齐尼避难之地），被称作索齐尼派。卫理公会（Methodists）由卫斯理兄弟于 1729 年在牛津的圣洁会（Oxford's Holy Club）上创立。

（1685—1688 年在位）在光荣革命中被废黜后，他的女儿玛丽二世（1689—1694 年在位）及其丈夫荷兰奥兰治王子威廉三世（1689—1702 年在位）开始联合执政，玛丽和威廉在 1689 年的《宽容法案》（Toleration Act）中，坚持宣称议会将保护加尔文教徒（天主教徒和一神派除外）的宗教权利。⑮ 但该法案并未废除之前《市政机关法》和《宣誓法》中的规定，因此异教徒仍不能谋求前文提及的政府职位，或同政府和教会有关的职位或教职。

这些社会政治事件和环境本身，是否解释了为何异教徒会在接下来的科学革命（始于 1660 年）和随后的工业革命时代，扮演如此重要和明显不相称的角色？抑或如韦伯—托尼命题所表明的，我们可以从加尔文新教教义的社会心理演进过程中寻找答案？又或者，除了补充性的解释外，是否还存在其他的替代性解释？

显然，在第一个设问中，对这种明显不相称的角色，我们可以找到一个显而易见的解释，即新教徒人数很少，他们并没有受到真正的压迫，尽管只获得社会的部分宽容，但仍享有适度的信仰自由，因此，他们具有挑战精神。由于发现自身不能通过正常途径来谋求财富、权利和社会声望（只有英国国教信徒才能借助这些途径），异教徒只能设法寻找其他仍向他们敞开的途径，即通过创建工商企业、从事贸易经商及金融银行和工业实业（当然还有商品农业）等途径，来获得成功，追求财富。在自我期许和社会压力之下，他们也可能有证明自己的强烈心理冲动和社会动力，因此即使为数甚少，也不意味着异教徒的社会地位更加卑微。

另一种解释来自阿什顿（T. S. Ashton），他认为“事实表明，大致看来，非国教徒构成了中产阶级中受过更好教育的群体”，这主要是因为存在着大量所谓的异教徒院校（1948，第 19 页）。由于传统的教会学校与国家赞助的学校和大学拒绝接收异教徒学生，后者只能建立属于自己的教育机构，即异教徒院校。许多这样的院校均参照苏格兰长老会的学校建造，在

---

⑮ 更加正式的是 1689 年 5 月 24 日颁布的《宽容法案》，（即 statute 1 William & Mary c. 18）其标题为“一部旨在让国王陛下的不信奉国教的新教徒臣民免于某些法律惩罚的法案”。它包括除神体一位论者以外的所有非国教徒。也可参见 Mijers（2007）、Troost（2005）和 Claydon（2002）。直到 1690 年对詹姆斯二世及其爱尔兰军队的博因河战役取得胜利后，威廉三世的统治和光荣革命的胜利才算有了保障。参见 Goldstone（2002）的相关讨论。

阿什顿看来（不乏其他人的赞同），它们如苏格兰的大学一样，“早于任何其他处在同一时期的欧洲国家”。[16] 这类学校重点教授数学、物理学、生物学和现代语言（特别是英语、法语和德语）。课程中也包括一些实践性的科目，如会计、测量和工程学等。若不考虑机会成本，它们就不必避开英国国教学校（即公立文法学校）长期所擅长的传统科目，如希腊语和拉丁语文学、哲学、神学和历史学等。即使异教徒院校也教授历史学和拉丁语，但教授的学科框架和重点有所不同，事实上许多异教徒对拉丁语的疑虑很深，因为它仍然是天主教会的基本语言。

在阿什顿看来（当然其他许多历史学家也这样认为），苏格兰学校和英国异教徒院校提供的教育，更符合1660年后科学革命及随后英国工业革命的需要，更有可能激发出有利可图的创新和企业家精神。但阿什顿命题事实上并未告诉我们，这些学校和传统学校相比，为什么会有如此大的区别和优势，特别是，为什么它们会如此以科学界和商界为导向。答案之一可能在于，设计课程的人并不囿于几个世纪以来的传统惯例、教会制裁和贵族社会的各种要求。但也可能是由市场需求所致，绝大多数来自主流中产阶级家庭的学生，在毕业后均步入了工商贸易、金融和机械工程等领域。

即使上述两种解释都成立，我们也不会舍弃韦伯—托尼命题的精髓，尤其是从英国社会在17世纪末、18世纪及19世纪初所经历的道路看，上文讨论的加尔文教义确实有很强的解释力。为了换一个历史视角，我们不妨回顾法国的经历。1685年，即威廉三世颁布《宽容法案》的四年之前，法国国王路易十四废除了亨利四世（本是加尔文教徒，为保住王位，不得不改信天主教）于1598年颁布的《南特敕令》（Edict of Nantes），以便给法国的新教胡格诺派教徒授予完全的宗教信仰自由权和公民自由权，从而结束国家的四分五裂和灾难深重的宗教战争（1562—1598）。《南特敕令》的废除很快便导致法国大量胡格诺派教徒背井离乡，他们中的许

⑯ Ashton（1948，第19页）指出：“该观点得到了一项研究的支持，该项研究旨在探讨1707年英格兰与苏格兰合并后涌入英格兰的苏格兰长老会的作用”。参见Herman（2001）“苏格兰人在科学和工业发展中所扮演的角色”（第12章，第59—73页），也可参见O' Day（1982）。

多人像英国异教徒一样，在贸易、商业和银行业中扮演着极其重要的角色。[17]许多胡格诺教徒逃到了信奉新教的荷兰和德意志各邦国，另一些则逃到英国，他们对英国工商业界的发展做出了巨大的贡献，特别是在贸易和银行业（参见 Crozet，1991）。

斯坦利·查普曼（Stanley Chapman）在其颇有影响力的专著《英国的商业企业》（*Merchant Enterprise in Britain*，1992）中，为工业革命时代异教徒非同寻常的经济和社会作用提供了许多额外的支持性证据，他尤其强调异教徒对海外地区（特别是美洲殖民地）同宗教徒之间的国际商业联系发挥了重要作用，事实上，就“发放信贷和传递交易报告（trading report）”所必需的信任而言，异教徒的家族谱系和宗教关系无疑至关重要。委托—代理关系（在欧洲经济史上，这类交易关系可能占大多数）中涉及的所有经济交易，极度仰赖各参与方之间的互信互赖，以此才能避免实施契约和监督大量活动所需的高昂的交易成本。当然，绝大多数经济学家将很快认识到这种委托—代理关系的重要性，它以宗教信仰相同、社会环境和商业活动经历相似的人们的知识和信任为基础，或者建立在宗教信仰相同者和某一家族成员联合抵抗敌对势力的共同需求之上。或者如戴维·兰德斯如此深刻精辟地观察到的那样：“在银行业（和商业贸易领域），关系极其重要。”[18] 最后，查普曼认为，对 18 世纪和 19 世纪贵格会和一神论派教徒突出的商业成就来说，经济理念所发挥的作用不亚于关系网络（1992，第 43—47 页）。

当然，在新教教义和现代资本主义，特别是已得到很大一部分历史学家和社会学家关注的资本主义企业家精神的发展之间，也存在许多其他可能的

---

⑰ 黎赛留主教（Cardinal Richelieu）在回应天主教神职人员对《南特赦令》的深切痛恨时，这些政治条款事实上已经于 1629 年废除，但路易十六在 1685 年造成了更大的破坏。再次谈及英国异教徒时，Ralph Davis 评论道：“在法国，他们显然不能获得这种特定的社会地位，法国的经济状况要糟糕得多”（1973a，第 310 页），“尽管法国对创新的需求和英国一样强烈，但法国有利于创新的社会环境比英国差得多”（1973a，第 313 页）。

⑱ Landes（2006，第 8 页）：“这意味着家庭、连续性、美满的婚姻和王朝更替。”他也评述道：“在英国工商业界，银行业地位最高，国际贸易和大规模商业通常能获得比工业生产活动更多的尊重。”有关家族关系在移居国外的“移民社群”中具有的国际意义，在 18 世纪和 19 世纪法国胡格诺派和犹太人经营的银行业和商业企业中得到了进一步证实。

关系或假设关系，本章并未一并予以考虑。[19] 这些关系的研究，包括对工匠、商人、专业人士及企业家同样适用的新教“职业道德”（work ethic）更深入的社会学分析。另一种可能的关系是忏悔和自责，它也是新教教义和天主教教义之间的一个主要区别，并未得到很好的研究。当然，人们对天主教忏悔的影响和普及性早已耳熟能详，在告解礼上，忏悔者必须向某个不露面的牧师忏悔他或她曾犯下的罪行，以求得对这些罪行的赦免或正式解除，也即求得宽恕，因而暂时解除罪恶感。但新教徒却无这种忏悔仪式，他们不必求得这样的赦免，从而也无须获得对自身所犯罪行的解除。因此，究竟在何种程度上，新教徒（不仅包括加尔文派和其他异教徒）有动机获取成功以消除他们的内疚心理？与其说为犯下的本罪（actual sins）内疚，倒不如说为没能履行根深蒂固的宗教理念，包括新教“职业道德”而内疚？[20]

二、英国光荣革命和随后财政改革时期的新教徒

最终，任何涉及新教教义和资本主义之间的关系，以及自内战结束和克伦威尔摄政到工业革命兴起这段时期（近一个世纪期间）异教徒角色的分析，必须被置于英国重大宪政和制度变迁的背景之下。推翻国王詹姆斯二世（1685—1688 年在位）的复辟统治，取而代之以玛丽二世及其荷兰丈夫奥兰治公爵威廉三世的联合执政，这两者均是光荣革命的重要产物。1989 年，道格拉斯·诺思和巴里·温加斯特（Barry Weingast）写了一篇论述英国光荣革命影响的著名文章。这些影响不止包括 1689 年《宽容法案》颁布后的准宗教信仰自由（quasi-religious freedom），更重要的是最终确立了议会下院在财政领域拥有至高无上的权力。这反过来催生了司法独立、法律制度和产权的确立，既涉及市场经济（由此极大地降低了诺思所定义的交易成本）领域，又涉及政治领域和民事行为能力。最直接具体的例子便是 1689 年颁布的《权利

---

⑲ 特别地，参见 Jonassen（1947）、McClelland（1953，1975）以及 McClelland 和 Winter（1969），也可参见注释 10。

⑳ 参见 Thompson（1967）。关于天主教徒和新教徒在忏悔上的差异，法国人的观点可参见 Camus（1981）和 McBride（1992）。

法案》（Bill of Rights），它确立了法律高于王权的规则。[21]

特别是对企业家精神研究而言，可能同样重要的是，英国人所称道的财政改革（Financial Revolution），其主要的制度特征显然是从威廉的荷兰共和国（联省自治制度）移植而来的。[22] 这产生了一种由议会（而非王室）负责的可永久融资的国债，它以政府出售完全可转让的无限期年金（荷兰养老金）为基本前提，可以在伦敦和阿姆斯特丹证券交易所进行交易，并且通过征收获议会授权的消费税来偿还。[23]

对经济史中关键“转折点”的此类颠覆性再解释，很自然地在近期的期刊文献中引起了相当大的反响（参见 Sussman 和 Yafeh，2006；Stasavage，2003，2007）。尽管我认为这些批评并没有成功地驳斥诺思—温加斯特命题，但鉴于本章研究的是英国企业家精神且篇幅有限，故而不会进一步分析上述争议，不过我会提及重要的一点，即异教徒和天主教徒均须面对的一个重要的宗教问题——高利贷——同财政改革的起源及性质之间的关系。

正如我在其他地方指出的，财政改革起源于 13 世纪初反高利贷运动的迅猛复苏。随后，约在 1215 年，教会执事拉特兰四世（Lateran IV）及同一时期成立的两个托钵修道会（方济会和道明会），大力劝诫那些索取和偿付贷款利息的信众远离高利贷这一带来地狱之火和永恒诅咒的罪行。大量证据表明，从 13 世纪 20 年代起，在法国北部和佛兰德的许多城镇里，越来越多的商人和金融家对这些永恒诅咒充满恐惧，他们宁愿以低得多的回报购买市政府的年金（长期公债或退休金），而从贷款和债券中所能获得的利息收入则要高得多。早在 1251 年，教皇英诺森四世（Innocent IV）便已规定，长期公债或年金不算贷款，不受高利贷禁令的约束，因为购买方已将其资本永久性地让渡给了出售方，他已没有权利赎回或撤回这项投资，而出售方却能在以后按票面价值赎回年金。到 16 世纪，年金（长期公债）的销售已开始取代借贷，成了西欧国家公共借贷的主要形式，这样一来，它便为英国自身的财政改革提

[21] North 和 Weingast（1989），也可参见 North（1984，1985）。

[22] 参见 Tracy（1985），Hart、Jonker 和 Van Zanden（1997），以及 Hart（1991）和 Fritschy（2003）。

[23] 特别地，参见 Dickson（1967），也可参见 Roseveare（1991）、O'Brien（1988，2002）、O' Brien 和 Hunt（1993）以及 Brewer（1990）。

供了历史先例（Munro，2003a，2008c；Tracy，1985，1995，2003）。

对17世纪的英国来说，重要的不过是：绝大多数新教徒仍然像绝大多数罗马天主教徒那样，对高利贷充满敌意，甚至可能比后者还要严重。但是，传统观念认为，在伊丽莎白一世于1571年修订了高利贷法，以允许借贷利率最高可达10%（此后高利贷意味着任何高于这一上限的利率）后，公众对社会上一些“正常”利息的敌意似乎已逐渐消退。然而，这种观念其实同真相相差甚远。甚至在重订法令的序言中，伊丽莎白一世也用了大量贬义词，几乎以自相矛盾的口吻称“所有高利贷”均是“上帝律令所禁止的”。[24] 事实上，伊丽莎白只是恢复了她父亲亨利八世于1545年制定的法令而已，该法令认为：“高利贷无论如何都是上帝彻底禁止的，它也许是最可憎和最可恨的恶习（Usurie is by the worde of God utterly prohibited，as a vyce moste odyous and detestable）”[25]。更偏向新教徒的爱德华六世曾于1552废除了这一法令。

此外，宗教改革运动的两位倡导者兼领袖，约翰·加尔文（1509—1564）和马丁·路德（Martin Luther，1483—1546），在高利贷问题上，实际上并不像人们普遍认为的那样更开明。他们只是勉强接受利息偿付，但这只针对投资贷款，且利率有5%的最高上限。[26] 加尔文本人明确表达了他反对高利贷的立场，他认为“一个高利贷者很少能做到诚实”。[27] 他还声称，所有习惯于做高利贷者的教徒，均该被逐出教会（Noonan，1957，第365—367页）；事实上，1581年在荷兰召开的加尔文派宗教会议已经下令，银行家永远不得参与圣餐仪式（Parker，1974，第538页）。随后，在17世纪，某位英国清教徒牧师注意到，“加尔文把高利贷行为看作一种类似于药剂师施毒的勾当”。[28] 也是在17世纪初，著名哲学家弗兰西斯·培根（Francis Bacon）爵士（1561—

㉔　13 Elizabeth I，c. 8（1571）：in Great Britain，Record Commission，Statutes of the Realm，ed. T. E. Tom-lins，J. Raithby，et al.，6 vols.（London，1810－22），4：1，542.

㉕　Statute 37 Henrici VIII，c. 9（1545）and Statute 5－6 Edwardi VI c. 20，in *Statutes of the Realm*，3：996；4：1，155.

㉖　参见 Bainton（1952，第247—250页），请注意，路德和加尔文在这一问题上的观点略有差异。也可参见注释6。

㉗　Harkness（1958，第201—210页），参见注释6。

㉘　引自 Tawney（1926，第94页、第61—115页）。

1626）便已断言，“高利贷毫无疑问是众恶之一，尽管不是其中最恶劣的一个”。[29] 在理查德·托尼看来，直到英国内战爆发前夕，英国的新教徒牧师仍竭力劝诫信徒远离“高利贷这种使人灵魂堕落的恶行”（Wilson，1925，第106—134页，尤其是第117页；Tawney，1926，第91—115页、第132—139页、第178—189页）。

因此，注意到以下这点很重要，即在高利贷律令的现代早期发展历程和英国财政改革的起源中，尽管伊丽莎白一世（1571年）制定了10%的最高利率，议会却在不久后降低了这一法定上限，最终使之同实际利率的长期下降保持一致：从1623年的8%，降至1660年的6%，再降至1713年的5%，最终5%的利率上限一直延续到了1854年议会废除高利贷律令为止。[30] 所以，关于英国财政改革，另一个重要之处在于确立了可永久筹措的国债，完全以年金而非借贷工具（债券和信用券）为基础，由于法定利率上限很低，所以便不受高利贷律令的约束。[31] 财政改革大获成功的表现之一是，政府借贷利率从1693年百万英镑贷款（Million Pound Loan，实际上是一种终生年金，它成了实施财政改革的基础）时的14%，已降至1757年3%的统一公债收益率，其间，首相兼财政大臣佩勒姆（Pelham）完成了国债转换（Pelham's Conversion）。[32]

用于筹措战款的政府借贷成本如此大幅下降，“挤出了”私营企业的资本投资；但是，完全可转让的统一公债为英国企业家借入资本（不管是营运资本还是固定资本）提供了一种极有价值的抵押品。[33] 在企业运作和发展的某些阶段，

---

[29] Coquillette（1993，第94—99页），类似观点也可参见John Blaxton的《英国高利贷者》（*The English Usurer*，1634）。

[30] Richards（1929，第19—20页）和statute 17－18 Victoria c. 90，1854。

[31] 参见注释23和Dickson（1967，第80页表7）。要指出的是，在1711年和1712年，英国财政大臣以6.0%的收益率发行了可赎回国债，此后年金债券的收益率降至5.0%或更低。

[32] 参见注释23。英国财政大臣兼首相（1743—1754年间任职）亨利·佩勒姆爵士（Henry Pelham）爵士于1749—1752年间实施了一项国债转换政策。一开始是转换成收益率为3.5%的统一公债，1757后（由其继任者施行）收益率降至3.0%，且延续到1888年间，财政大臣George Goschen进一步将其转换成收益率为2.75%的年金债券，根据条款，它们于1903年时被转换成收益率为2.5%的年金债券，等价于当时伦敦证券交易所统一公债的收益率。2009年6月9日，伦敦证券交易所收益率为2.5%的统一公债的市场售价为53.04英镑，收益率为4.71%（即2.5/53.04）。参见Dickson（1967，第486—520页）和Harley（1967，第101—106页）。

[33] 一些不同视角的分析（其中多数针对后来时期），参见Williamson（1984）、Crafts和Harley（1992）、Heim和Mirowski（1987）、Mokyr（1987）、Black和Gilmore（1990）、Heim和Mirowski（1991）以及Clark（2001，第403—436页）。

如果不能及时借到所需资金，则只有少数企业家能生存下来。

三、关于“农业资本主义”的托尼命题及“绅士阶层的兴起”之争

早在《宗教与资本主义的兴起》出版前的1912年，托尼便已凭借《16世纪的农业问题》一书对都铎王朝和斯图亚特王朝时期英国圈地运动和“农业资本主义”演化的研究而在学术界享有盛名。大约30年后，即在1941年他的声望正如日中天时，他的著名论文“绅士阶层的兴起”遭到了纷至沓来的尖锐批评、贬损和恶意攻击。他的志向是探讨英国内战和现代资本主义的社会与经济起源。在托尼看来，英国绅士阶层已经（或大部分已经）变成了农业“资本家”，浑身洋溢着创业精神和利润最大化动机，完全不同于军事导向的传统贵族——或者更准确地说是贵族阶级，包括公侯伯子男五等爵士和大主教等。

“绅士”的称谓必须被理解成一种特定的英国社会制度安排，同纯粹的贵族阶级密切相关。[34] 因为从许多方面看，英国贵族均不同于欧洲大陆国家。首先，根据长子继承法，只有长子才能继承贵族头衔和附属庄园，从而有权在上议院中和议员们平起平坐。法律规定，即使能终身世袭贵族称号，其他家族同辈成员也只能是普通平民。但在欧洲大陆国家，他们却被当作贵族中的一员。因此，许多英国绅士是比家族长子年轻的弟弟和嫡亲，结果正如托尼不愿意承认的那样，双方之间在经济上、社会上和政治上通常差别不大。他们显然还称不上是一个独立的社会阶级。其次，在大陆国家，所有骑士（骑马的士兵）均被看成是贵族（noblesse d'épée），而在英国，他们则是法律意义上的平民，构成了中世纪和现代早期英国下议院的大多数。再者，英国绅士也是由这些父辈通常出身于资产阶级甚或自耕农的第二代农民绅士所构成

---

[34] 关于英国绅士及其同贵族或贵族阶层之间的关系，最重要的研究参见Mingay（1976）。也可参见对托尼命题的以下讨论文献：Stone（1948）、Trevor-Roper（1951）、Stone（1952）、Trevor-Roper（1953）和Stone（1956），Kerridge（1969）的文章事实上更关注圈地运动而非针对绅士问题；以及Simpson（1961）、Cornwall（1965，1988）、Batho（1967）、Aston和Philpin（1987）——其中收入了Brenner（1982）和Cooper（1978）的文章，还有Cooper（1956）和Coss（1995，2003）。

的，这些农民绅士的父辈通过购买大量庄园，并以小庄园贵族般的生活方式培养孩子，尽管（在托尼看来）他们并未丢弃其资产阶级的贪婪和创业本能。㉟

托尼命题再次以新教教义问题为切入点，即国王亨利八世为确立英国国教的独立性，于1534年颁布了《至尊法案》（Act of Supremacy，宣布王权高于教权），由此和罗马天主教会公开决裂，1536—1541年期间修道院的解散，则使双方的决裂更加彻底。起初，几乎占英国已开发耕地20%的修道院土地中，绝大部分被奖赏或出售给了亨利八世的贵族支持者，以确保他们能支持亨利八世对抗罗马教廷。但在接下来的100多年间（从1536年到内战爆发时的1642年），约有90%（取最大估计值）的修道院土地流转到了绅士阶层手上。㊱

在托尼看来，隐藏在上述土地向绅士阶层大量转移背后的经济机制是价格革命，特别是对1520年至17世纪50年代中期这场旷日持久的通货膨胀的各种不同回应。㊲ 他声称，传统的封建贵族在价格革命时代一直疲于应付三个相关问题：第一个问题是，绝大多数贵族的不动产，都以成百上千个不止分散于英国还分散于不列颠群岛的庄园为形式。这种分散化使不动产管理变得异常困难，加上多数不动产收入都由自由持有农、公簿持有农在土地使用期内缴纳固定的封建税费（feudal dues）和相对固定的（名义）地租构成，结果使不动产收入没有随物价上涨而增加。

第二个问题在于，许多贵族仍怀着一种封建心态（feudal mentality），鄙视任何改进商业地产和追求利润最大化的想法，这显然不是托尼所说的任何一种“农业资本主义”。对那些有可能严重冲击农奴生活的想法，他们也不屑

㉟ 同一时期对都铎王朝绅士的定义，参见Smith（1906）的相关论述（第20章，第39—40页）：“他们能学习法律，接受大学教育和通识教育……总之，他们可以悠闲地生活，而不需要从事体力劳动，拥有属于自己的庄园，以便为他们的绅士生活提供条件……作为绅士，他们还能受到社会应有的尊敬。”

㊱ Habakkuk（1958）。亨利八世和罗马教廷断绝关系的直接原因在于，教皇克雷芒七世（Pope Clement VII）于1529年拒绝了亨利八世想同阿拉贡的凯瑟琳离婚的请求，因为凯瑟琳只育有一女（1516年出生的玛丽），没有子嗣不足以确保亨利八世的都铎王朝能延续下去。

㊲ 关于价格革命的研究和我对通货膨胀的观点，参见Munro（2003c，2004，2008b）。这些研究对当前关于这一主题的大量研究进行了相应讨论。事实上，托尼并未很好地理解价格革命（或一般所指的通货膨胀）。

一顾，因为许多农奴世世代代保持着对封建领主的忠诚。第三个密切相关的问题是，维持贵族等级的政治、军事和社会地位所需的开销越来越大，已经很难支撑下去，特别是许多这类成本（主要是军事和诉讼服务）的上升速度远大于消费价格指数或一般价格指数的上涨速度。㊳

对伊丽莎白一世时代的贵族而言，不管这些情形是否属实，许多贵族确实采取了最消极的措施来应对通货膨胀，他们靠出售土地（尤其是新近获得的不适用贵族不动产限定继承权的土地）维持生计。这意味着首先出售的主要是修道院土地，尽管许多贵族最终不得不出售他们祖传的庄园土地。出于相同原因，都铎王朝和斯图亚特王朝时期的君主也不得不廉价变现王室土地。㊴

另一方面，在托尼看来，许多绅士却不必面对上述棘手难题。由于绅士的不动产要少得多，通常只有几个庄园，他们能更理智地管理这些地产，其能力也绰绰有余。事实上，在都铎王朝、斯图亚特王朝和汉诺威时代的英国，管理庄园附属领地已变得非常普遍，因此到17世纪初，大约70%的英国耕地已经成了庄园的附庸。㊵ 这种趋势剥夺了其他共同体（communal）农民的土地租赁权，使分散土地得以合并成块，以往农奴租赁的土地能在简单的统一管理下形成紧凑的小农场，而不管是庄园主还是按市场租金租赁土地的农奴都采取了这种管理方式。这使绅士地主和已免于农奴产权和共同体约束的大农奴能从事新的畜牧业，畜牧品种则大多从低地国家进口。因此，不管是把不动产当作资本农场来自己管理，还是将附属土地短期出租给佃农经营，多数绅士均能获得更多的经济租金（李嘉图租金），这些租金随着绝大多数农产品真实价格的稳定上升而不断积累，否则这些租金一般会流到自由持有农和

㊳ 参见 Phelps Brown 和 Hopkins（1981），他们纳入了1956年初版时未考虑的分组指数。他们的一篮子消费品价格指数按照5年均值计算，以1451—1475年间的均值为基数100，从1511—1515年间的108.60上涨至1646—1650年间的最高值733.20。我根据他们的工作论文中引用的《大英图书馆政治学和经济学文献》，使用不同方法（基于实际价格）对这一物价指数的计算（未发表）结果表明，1511—1515年至1646—1650年这段时期之间，5年均值从106.04上涨至646.40的峰值水平。

㊴ 相关证据和分析，参见 Tawney（1941），以及注释34和注释40。

㊵ 关于都铎—斯图亚特王朝时期圈地运动的研究文献汗牛充栋。特别地，参见 Thirsk（1967a，1967b，1984，1985a）、Overton（1996a）、McCloskey（1975a，1975b）、Yelling（1977）、Kussmaul（1990）、Allen（1992）、Mingay（1968）、Brewer（1972）和 Wordie（1983）。

公簿持有农手中，因为他们只需向庄园主缴纳固定的名义地租。

现在能不能找到土地所有权如此大规模转移的证据呢？根据各种资料来源（托尼当时尚不能获得这些资料），如表5－1所示，绅士持有的土地占英国耕地的比例从1436年的25%左右（这表明绅士阶层远在1536年以前已经“崛起”）迅速上升至1690年的45%，到1790年为50%。

表5－1　英国不同社会群体所持有的土地比例（1436年、1690年和1790年）

群体分类	1436年	1690年	1790年
教会和王室	35%	10%	10%
贵族	20%	18%	25%
绅士	25%	45%	50%
自耕农	20%	27%	15%

资料来源：Mingay（1976，表3.1，第59页），基于Cooper（1967），Thompson（1966，表3.1）
注：数据做了相应处理，以使各年份比例之和为100%。

1690年之前，这些绅士似乎主要来自教会和王室，两者占土地总量的比例从1436年的35%下降至1690年的10%左右，同一时期内，拥有贵族爵位的人所占的比例却只从20%下降至18%。但上述数据有很大的误导性，它们并未披露1690年时贵族土地（地产）占全部耕地中相当大的比例，贵族土地主要由封建庄园构成，这些庄园为1660年后（出于各种原因，贵族头衔的授予已经大大减少）获得贵族爵位的绅士所有。如表5－1所示，像哈巴库克（H. J. Habakkuk）声称的那样，这些数据无疑为以下现象提供了重要解释，即一个世纪后的1790年，这些重新焕发出生机的贵族（他们已完全不同于伊丽莎白时代）所持有的土地比例再次回升到25%左右。请注意，从该表可以看出，自1690年至1790年，贵族和绅士的土地获得主要以牺牲自耕农的土地保有权为代价。

我们不应假设这些新兴贵族阶级已经抛弃了以前绅士的习惯、文化和社会经济（特别是创业）观念。事实上，他们中的许多人，如诺福克的第二代子爵雷纳姆的查尔斯·汤森（Charles Townsend，1675—1738，人称“萝卜汤森”，均是新耕作法（New Husbandry）的鼓吹者和践行者。[41] 当然，人们也会发现许多差异，一些绅士作为农业资本家颇为失败，另一些则不能较好地管

[41] 特别地，参见Habakkuk（1940），也可参见注释40、注释44。

理家族庄园，他们与其他一些有能力应付物价上涨和经济增长的贵族地主形成了鲜明的对比，尽管在后复辟时代，绝大多数这样的绅士都由贵族绅士出身。

总之，即使绅士阶层在托尼生活时代的许久之前已开始崛起，但关于“绅士兴起”的托尼命题仍值得获得比绝大多数历史学家愿意给予的更多支持和称赞。无疑，都铎王朝和斯图亚特王朝时期的英国，确实经历了大量膏腴之地转移到更有可能、更有能力且显然更愿意从事不动产管理和其他商业运作（实际上可称之为追求利润最大化的创业行为）的人们手中。[42] 而且，如托尼和其他人已指明的，这些绅士中的许多人（特别是在17世纪）均是清教徒，其中最著名的例子无疑是奥利弗·克伦威尔（Oliver Cromwell）本人（参见1984，1988）。

在多大程度上，至少数量可观的英国绅士和他们的主要租户变成了真正的“农业资本家”，引进以市场为导向的混合畜牧业（在种植粮食和其他耕地作物的同时，饲养绵羊和奶牛等牲畜）方面的重大创新，并着眼于获取最大化利润，这点并未得到充分研究。但不妨想象一下，赫里福德郡（Hereford-shire）的乡绅罗兰·沃恩（Roland Vaughan）身上体现出的创造性和企业家精神。他于1589年发明并普及了“浮动草甸”技术。这项资本密集型创新必须用到闸门、堤坝和水渠，每年12月，需从小溪和河流中取水来浇灌草甸，3月又要把积水排尽。如此一来，在冰冻季节便给草甸提供了一个保温层，使冰层下面的土地免受冻害，泥土中的草根能更早和更好地萌芽，从而获得了近8倍于以往的牧草产量。[43]

当然，这一时期英国农业的特征确实发生了巨大变化，特别是由于轮作技术的大量普及，使农业生产率大幅提高。从根本上看，轮作技术意味着对农用土地的轮换利用，即在五年或更长一个周期里交替用于农耕和畜牧（这与以往永久耕地和永久畜牧的方法截然不同）。因此，大量作物，包括生长能

㊷ 参见注释34中有关该争论的研究文献。对托尼命题最尖锐（通常不公正）的批评来自Eric Kerridge、Hugh Trevor-Roper（Lord Dacre）和J. P. Cooper。

㊸ Bettey（2003）、Delorme（1989）、Bowie（1987）、Martins 和 Williamson（1994）、Kerridge（1973）“伟大的发明”（第4章，第103—129页）、Kerridge（1967）和Overton（1996a）“1500—1800年间的农业产出和生产力”（第3章，第63—132页）。

力更强的固氮豆科植物（三叶草、苜蓿和红豆草）、其他饲料作物和经济作物的栽培，降低了对开垦处于休耕期耕地的需求。这还导致了草甸更为茂盛多产，从而使畜牧业的生产率大大提升。上述现象反过来改进了牲畜饲养技术（从耕地中获得的饲料作物大幅增加），扩大了牛羊饲养规模。同样重要的是，圈地和轮作技术也使牲畜的选择性育种成为可能，而在此之前的开放草甸的公共放牧方式下，这几乎是不可能实现的。轮作技术对后来发生的农业革命至关重要，在现代化学肥料发明之前，它提供了最有效、生产率最高的农耕方式。㊹

轮作技术最大规模和最广泛的扩散出现在17世纪60年代至18世纪40年代的农业衰退时期，特别是随着新豆科植物的栽培，当时相对价格的变化更有利于饲料作物和经济作物，尤其是更有利于牲畜产品，而不利于粮食作物。与此同时，谷物价格的下跌同工资和其他农业生产成本的上涨一道，带来了价格—成本的下行压力，这反过来又为农民提高单位劳动力和每英亩土地生产力提供了强大的激励。引进轮作技术和浮动草甸，需要投入大量资本，通常通过抵押圈地获得这些资本，而若是在开放草甸的公共放牧方式下，土地抵押几乎不可能出现。这些地主和实力最雄厚的佃户确实已能获得土地抵押融资，他们和那些成功地大幅提高了地租和利润空间的人们一起，显然可以被称为企业家，不管从何种意义上说他们都无愧于农业资本家的称号。㊺

但人们可能会质疑，尽管许多这样的绅士已经算得上是真正意义上的农业资本家（用托尼的话来说），推动了能提高农业生产力的重大技术创新，而且也确实促进了英国的经济发展，但这些进展实际上同企业家精神的研究并无多大关联。其实，如果我们根据约瑟夫·熊彼特的见解，则托尼关于农业资本主义的命题至少有两个方面的重要意义。

㊹ 参见注释40、注释43的资料来源，也可参见Thirsk（1967c，1985b）、Jones（1967）、Mingay（1977）、Broad（1980）、Overton（1984）、Outhwaite（1986）、Clay（1984，第1卷，第3章“农业社会”，第53—101页和第4章“农业进展情况”（第102—141页）、Campbell和Overton（1991）；特别是参见Overton、Allen、Shiel和Clark等人的研究，以及Campbell和Overton（1993）、Overton（1996b）、Allen（1999）、Wrigley（2006）和Allen（2008）。

㊺ 关于用圈来的土地作为抵押品以筹集资本的重要意义，参见Hudson（2004）。

四、熊彼特论企业家精神

首先，我们当中研究企业家精神的多数人，都深受熊彼特的研究所启发，特别是他论述企业家精神问题的经典论文，当然也包括他的其他许多著作。[46]熊彼特对企业家精神的历史发展观似乎不局限于工业、商业和金融业。我认为，他私下很可能会同意托尼关于“农业资本主义”（如果熊彼特认可这种说法）是现代企业家精神演化中的重要部分这一论述。事实上，熊彼特对企业家精神的定义极其宽泛，即“成功地将要素转化或组合成产品（和服务）的活动”。他进一步解释说：“如果创业活动和一般管理活动之间不一定存在着明显的分界线”，则“对给定条件的适应性回应和创造性回应之间可能就不存在恰当与否的问题，但两者有着本质上的区别”。对熊彼特而言，企业家的同义词是商业创新者（business innovator），即那些在自己经营的企业中，有能力成功引进和维持富有成效且有利可图的经济变化的人。尤其重要的一点是，熊彼特认为“创业才能不一定体现在某个自然人，特别是某个具体的自然人身上”（Schumpeter，1949，第254—255页）。

当然，本章的基本目的之一是要研究促使有利可图的创新成为经济增长关键的经济、社会和文化力量。一个相关问题是，我必须阐述在经济体的四个部门（包括农业部门）中，创新（特别是技术创新）向来都是资本主义企业家精神的基本产物。首先，我们必须明确区分纯粹的发明和企业家创新，在纯粹的发明中，有许多发明在它们那个时代从未得到运用，例如亚历山大港的希罗（Hero of Alexandria）发明的约由60台内燃机组成的气泵，而企业家创新则是成功运用新工艺和某些工商企业，包括农业企业中的新技术，由此带来生产率的提高和利润最大化。

探讨现代早期英国绅士在这类企业家创新中扮演着何种角色的另一个目的，仅仅是长期以来被接受的一个事实，即许多绅士地主未能从地租中获得更多的土地收入分成。他们也没有把企业限定在农业部门。他们也投资于采矿业、冶金业和纺织业。需要注意的是，许多资本主义工商企业（特别是在

---

[46] 参见 Schumpeter（1949），也可参见 Schumpeter（1961，1987，1989，1997）和 Backhaus（2003）。

采矿业和冶金业），必定都能在绅士庄园中找到；这些企业的资本投资许多都来自绅士地主，他们从这些投资中显然获得了巨额的国民财富（特别是，参见 Simpson，1961）。除了最近一些重要的研究外，他们究竟在多大程度上促进或致力于推动现代早期英国的工业发展，并为之提供了必要的资本条件，是另一条需要更全面地加以探讨的研究思路。[47] 更重要的是，需要对这些绅士做全面的历史分析，特别是受过良好教育的绅士，以及那些在社会、经济和政治上均出身于名门的绅士后代，他们成了在商业中追求利润最大化的成功企业家，这里的商业就是通常所理解的工业、商业和金融业。

五、关于价格革命时代利润通胀和工业资本主义兴起的汉密尔顿—凯恩斯命题，以及古尔德替代命题

“二战”前对托尼世纪（1540—1640）的经济问题，特别是关于价格革命问题的研究中，有两位曾颇负名望的学者，尽管他们（对相关问题）的研究层次尚未达到托尼的水准。对任何探讨现代早期工业资本主义的起源以及与之密切相关的资本主义企业家精神等问题的学者而言，他们两人在引出一些非常重要的主题上仍然很重要。如果他们确实通过对这些关键问题的研究，促进了我们对现代早期英国企业家精神和工业资本主义的理解，那么我们就不能因为其学术研究中的一些所谓的纰漏而忽视他们。

第一个作者是厄尔·汉密尔顿（Earl Hamilton，1899—1989），芝加哥大学经济学教授（1949—1969）和1951—1952年美国经济史学会主席。他对经济史的主要贡献在于为解释欧洲价格革命时代的通货膨胀现象提供了一些基于货币数量论的统计学基础（Hamilton，1928，1929a，1929b，1934，1936，1942，1947，1952）。从法国哲学家让·博丹（Jean Bodin，1566）开始，多数学者事实上已经假设价格革命的主要原因是美洲白银的流入（Bodin，1946；Wiebe，1895）。事实上，西班牙、英国和低地国家的通货膨胀早就开始了，意大利至少从16世纪20年代便已开始，这比任何有明确记录的西属美洲殖民地白银流入欧洲的时间都要早得多。一些经济史学家，尽管注意到

[47] 参见注释40、注释43、注释44的资料来源。

了这一事实，却不幸跳到了一个错误的结论上，即认为这种通货膨胀真正的基本诱因是人口增长。事实上，通货膨胀的最初原因是货币方面的，表现为德国南部和中欧白银采掘业的繁荣（约1460—约1550），以及16世纪20年代的财政革命，这两点是显而易见的，因为汉密尔顿本人也意识到了这两点重要性，并且与流行的观点相反，他并不认为美洲白银流入是价格革命的初始原因或17世纪上半叶西班牙通货膨胀的主要原因，当时通货膨胀其实已渐入尾声。[48]

汉密尔顿的第二个著名论断是他在1929年提出的一个命题，即价格革命时代的通货膨胀现象借助“利润通胀”（profit inflation）机制，从根本上导致了现代工业资本主义的诞生，这个命题同本章研究的企业家精神这一主题有着更强的相关性。著名经济学家凯恩斯公开表示对汉密尔顿的论文极为赞赏，使汉密尔顿声名远扬，而且“利润通胀”这一术语实际上也是凯恩斯发明的（1930）。[49]

从根本上说，汉密尔顿和凯恩斯均认为在这一时代，行业工资（industrial wages）滞后于价格上涨，特别是在英国（西班牙要好一些），因此为获得不断增加的利润，多数英国企业家选择投资于规模更大的、资本更为密集的制造业行业和其他工业或商业企业，例如，海外股份制贸易公司（参见下文）。

在英国，正如许多其他欧洲国家那样，名义工资或货币工资的增长确实滞后于消费价格的上涨，这种现象（即使到了20世纪）在许多其他地区也能发现。但汉密尔顿的不幸之处在于，他用小麦价格来计算物价水平。从20世纪50年代起，绝大多数经济学家习惯用亨利·布朗（Henry Phelps Brown）和希拉·霍普金斯（Sheila Hopkins）建立的模型，即通过构建一个由“一篮子消费品”加权所得出的消费价格指数。在他们的指数中，大约有80%的商品权重由小麦、黑麦、豌豆、大麦、麦芽（酿啤酒用）、黄油、奶酪、肉类和鱼类等食品构成。剩下的20%为一般工业产品，主要是纺织品和燃料。[50] 这一

---

[48] 参见Hamilton（1928，1929a，1929b，1934，1936，1942，1947，1952）和Munro（2007a）。

[49] 参见Keynes（1930，第2卷：第152—163页，特别是第154—155页）的论述：“本书的主要见解在于，国民财富在‘利润通胀’（也就是说价格脱离成本时）而非‘收入通胀’时期得到了增加”，“从长期来看，适度的‘利润通胀’有助于促进现代世界的崛起，因此其无疑利大于弊。”

[50] 参见注释38提及的Phelps Brown的“一篮子消费品”综合物价指数。

时期所有的价格指数中，谷物价格上涨最快，其上涨幅度非常明显，其次是木材燃料和牲畜。工业制成品的价格确实也出现了上涨，但上涨幅度远小得多。不同行业各自制造品的价格上涨幅度是否快于该行业从业者的工资上涨幅度，目前对这一点尚不清楚。

在这种情况下，人们可能会问，当劳动力变得相对便宜，且从绝对值上看变得更为廉价时，为什么根据汉密尔顿模型（Hamilton model），英国的工业企业家一定要将他们设想中的额外利润（如果有的话）投资于大规模的资本密集程度更高的行业？此外，如果工业劳动力的实际工资已经下降，则从他们生活成本却在上涨这一点来看，一般只有在其他经济部门（农业、商业和金融业）从业人员的实际收入大于补偿性增长时，工业家才能获得市场收益。这是一个汉密尔顿和凯恩斯（事实上其他绝大多数历史学家）均没有认真考虑过的重要问题。

由于目前已能更好地观察到现代早期欧洲相对价格和工资的长期变化，我们似乎可以自信地断言，汉密尔顿和凯恩斯关于工业家未能获得任何可证实的通胀利润这一论述是不合理的。事实上，若没有确切考量行业工资和由工薪阶层生产的制造品批发价格之间的长期关系，任何经济史学家都不能得出这一论断。在16世纪末和17世纪，低地国家无疑是欧洲最发达的工业区，我本人已经发现了关于“利润通胀”的相反证据，即（对建筑工人而言）行业工资的上涨幅度总体上要大于工业价格指数的上涨幅度，但这似乎并未削弱17世纪低地国家绝大多数工业家和企业家的利润和财富（Munro，2002）。

且不论这些地区和其他地区的通货膨胀是否降低了经济体各部门的劳动要素成本，这似乎只是一个毫无实际意义的趣味性问题，但它却引出了两个非常重要且更重大的问题：（1）通货膨胀和通货紧缩对所有生产要素的成本究竟有怎样的历史影响？（2）工业企业家如何应对实际要素成本的变化，即这些变化是不是刺激企业家创新的另一种因素？

只有极少数经济史学家讨论了这个重要问题，约翰·古尔德（John D. Gould）算是其中之一，尽管他（很遗憾地）没能影响对该问题的历史诠释。在一篇如今已被遗忘的发表于1964年的文章中，古尔德声称，通货膨胀通常会降低资本这种更重要的要素的成本。因此，在现代早期的企业家通过合约（这些合约明确规定了以通行记账货币支付年度利息，最终偿还本金）借入资金进行资本投资的情形下，价格革命时代的通货膨胀降低了以前借入的资本的成本。认为这一时代（从现代标准来看，当时的年度通货膨胀率并不算高）的贷款人通过提高利率来应对资本成本下降的论点是不能成立的，因为有充分的证据表明，名义利率在16世纪出现了持续下跌，在佛兰德，名义利率从1511—1515年的20.5%跌至1566—1570年的11.0%，因此实际利率实际上由于通货膨胀而下跌得更快。[51]

最后，我们可以观察到，一旦价格革命确实降低了资本成本，它也是通过更直接地促进资本密集度更高的大规模制造业的发展来实现的。人们也可能会认为，它只是促进了大规模资本密集型农业和商业企业的发展。

但未得到很好阐述的汉密尔顿命题真正重要的地方可能在于，受它的启发，汉密尔顿的同事约翰·内夫（John Nef）提出了一个替代理论，来解释都铎—斯图亚特王朝时期英国真正意义上的工业资本主义的现代早期起源，该理论显然涉及理性（若非更甘冒风险）的创新型企业家精神。

六、内夫命题再反思：都铎—斯图亚特王朝能源危机和早期工业革命

约翰·内夫关于同一问题的对应命题是，英国在托尼世纪（1540—1640）经历了一场名副其实的“能源危机”，在内夫看来，企业家们通过“早期工业革命”很大程度上化解了这场危机。这次工业革命涉及非常重要的工业创新，尤其是燃料消耗方面的重大技术创新，这些创新也是通过大范围的真正意义上的资本主义企业来实现的。[52]

传统的中世纪经济和现代早期工业经济基本上都是以木材为基础的，木材不仅是燃料还是建筑材料。在内夫看来，能源危机表现为木材和木炭价格的不断攀升，几乎上涨到了谷物价格的两倍多。导致这种现象的潜在原因是人口增长。事实上，如我们现在（比内夫更清楚地）所知道的，英格兰和威尔士的人口在这一时期翻了一倍多，从16世纪20年代的225万左右增长至

---

[51] 参见Van der Wee（1963，第1卷，附录45/2，第525—527页）。在这一点上，如果能获得相关资料，1568年爆发的低地国家起义很可能会刷新此后的数据。实际利率等于名义利率减去通货膨胀率。

[52] 参见Nef（1923，特别是第一卷第二部分，第133—264页）“煤炭与工业主义”（该部分第2章的标题为“早期工业革命”，第165—189页），以及Nef（1934，1936，1937）、Nef（1950）第一部分“1494—1640年”第4章“资本主义工业的进展情况”（第65—88页）。

17世纪50年代中期577.3万的峰值水平。[53] 人口膨胀同城市化的迅猛发展和服务于海外贸易的造船业的快速增长一起，导致英国出现了一场远甚于北欧各地所经历过的森林过度砍伐。

此外，如内夫所指出的，同其他遭受类似燃料危机的欧洲地区相比，英国有一种非同寻常的优势，即它比较容易获得大量相对廉价的煤炭供给，英国多数地区均能很方便地通过水道（河运或海运）运输这些煤炭。因此，木炭和煤炭的价差持续扩大，为工业企业家从木头燃料或木炭转向煤炭燃料提供了强大的成本—价格和利润激励。但从20世纪50年代中期开始，这一论点很快激起了各领域学者相当多的通常是饱含敌意的批评。[54]

在这一点上，内夫对燃料价格的分析中有两个重大缺陷必须引起注意，但是，内夫的批评者们也并没有彻底、明确且令人信服地解决这两个缺陷。第一个缺陷是，正如许多批评者事实上已指出的，内夫荒谬地断言，英国在该世纪经历了一场“全国性的”能源危机，因为当时并未形成全国性的木材、木炭或煤炭市场，且一些区域市场的可得证据也表明，各地能源价格通常存在着显著差异。由于内陆运输和商业基础设施仍然严重不足，一个全国性的市场也就绝不可能出现。应该注意到，木炭并非一种容易运输的商品，这主要是因为它本身的脆弱性，即物理形态上的不稳定使得这种燃料只要被轻轻一碰或一撞就变成碎粒。事实上，在都铎—斯图亚特王朝时期的英国，在一些纯粹的区域性或地方性市场中，木材供应仍然非常充足，木炭也通常出自采伐区。在另一些地区，木材和木炭很快就变得非常稀缺和昂贵，特别是和煤炭相比而言。

第二个缺陷在于，内夫基于不充分的样本数据便声称，到16世纪末，木炭价格和煤炭价格之间已经出现了显著差异。我关于相同区域市场的木材、木炭和煤炭价格更详尽的比较分析（参见图5－1）也表明，在很多这类区域市场中，相对价格确实存在明显差异，这一点恰好与某些批评人士的意见相反，但

---

[53] 参见Wrigley等（1997，附录9，第613—616页），也可参见Wrigley和Schofield（1980，第528—529页）。

[54] 特别地，参见Coleman（1956；1975b，第35—49页；1975a，第5章，“职业和行业：1450—1650年”，第69—90页；第9章，“工业变迁：1650—1750年”，第151—172页）、Rackham（1976，1980）和Zell（1993）。文献综述，参见Hatcher（1993，第31—55页）。事实上，如Brinley Thomas（1985，1986）的两篇文章一样，在承认Nef的研究和分析有许多缺陷的同时，Hatcher也为Nef的命题提供了证据。也可参见注释55、注释64。

这种差异通常只有到17世纪40年代后才出现，当时煤炭价格开始下跌，木炭价格（名义价格和实际价格）却持续上涨。(55) 然而，对某些具体的地方性市场而言，如剑桥和威斯敏斯特地区，事实上在17世纪40年代之前，1吨煤炭的价格远不及1吨木炭价格的一半，尽管两者所能提供的热量单位相差无几。(56)

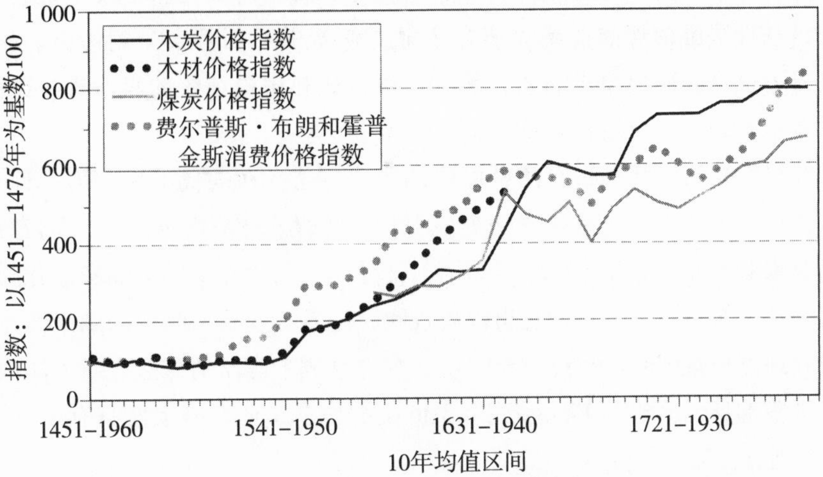

图5-1 燃料（木材、木炭和煤炭）价格对比及费尔普斯·布朗（Phelps Brown）和霍普金斯“一篮子消费品价格指数”（调整后的版本）：1451—1460年和1781—1790年的10年均值；所有指数均以1451—1475年间为基数100

(55) 参见图5-1。木炭价格来自剑桥伊顿（温莎附近的伯克郡）和威斯敏斯特（伦敦）的大学和机构统计；煤炭价格除来自上述两处以外还来自格林尼治，主要根据（我在伦敦经济学院查阅的）Phelps Brown和Beveridge从《大英图书馆政治学和经济学文献》统计得出的价格数据。木材价格仅来自剑桥，根据Bowden（1967，表6，第846—850页）。我对Bowden的原始数据做了处理，以1450—1499 = 100（100捆木材约7.99英镑）转换成1451—1475年间的PBH基数。不幸的是，我并未得出任何可以和木炭价格进行比较的有用的煤炭价格序列，这种情况一直延续到1584年（1471—1700年间赫尔地区的煤炭价格除外），参见Hatcher（1993，第577—578页，表B.4）。该统计表所基于的数据来源参见Munro（2008a，第57页，表8）。

(56) Hatcher准确地观察到，在威斯敏斯特，“17世纪30年代末的木炭价格几乎是煤炭价格的两倍（以产生的热量衡量）”（1993，第39页）。在剑桥，当我们考虑到另一种因素——1吨木炭和1吨煤炭所产生的热量几乎相同［以货载量（约1吨）来衡量木炭价格和以煤量名（36蒲式耳 = 28英担 = 3135磅 = 1.568吨）来衡量煤炭价格一样，均具有误导性］时，两者的价差会更大。17世纪30年代，剑桥地区的1吨木炭平均需花费27.38先令，而1吨煤炭却只需10.70先令（参见Rogers：1866—1902，第4卷：第385—387页；第5卷：第398—402页）。但如果以1580—1589年作为基数100，那么从相对价格来看，木炭价格指数上升到了1630—1639年间的140.3，而同一时期的煤炭价格指数只上升到126.9。关于热量值，参见Hatcher（1993，第39页）。

如果纯粹基于相对价格的从木炭到煤炭的产业转移已经是全部的故事内容，那么对现代早期英国企业家精神的严肃考察或许就显得毫无必要。实际利率取决于以技术创新为形式的创业回应以及随之而来的工业规模的扩大，这种燃料选择上的变化是不可或缺的，如果缺少这样的创新，许多工业企业家将面临失败和破产。选择煤炭而非木炭作为燃料涉及的基本技术难题在于煤炭是一种很脏的燃料，绝大多数接触过煤炭的产品都会受到污染。相反，木炭只不过是一种纯净炭晶体，是所有可得燃料中最纯粹的炭形式，这就是几千年来人们广泛使用它的原因。

针对燃料污染问题，有两种可能的解决方法。在现代早期，第一种事实上也是唯一的技术方法是建立一个反射炉，将煤炭燃料和它排放出的有毒气体以及煤炭工业制成品进行隔离。第二种处理方法是煤炭的蒸馏和净化技术，也就是把煤炭转化成焦炭，它出现得较晚，随着工业革命时代的到来而产生。这种处理方法被证明只有经过长时期、费力且成本高昂的试验之后才能成功，这些试验本身也反映了 17 世纪末 18 世纪初许多工业家身上所具有的真正的创业精神。[57]

第一种建造反射炉的污染解决方法最初由万诺乔·比林古乔（Vanoccio Birunguccio）在其 1540 年撰写的《火法技艺》（*De la pirotechnica*）中进行了描述，尽管我们已不知道谁是它的原始发明人或企业家，以及谁最早成功地取得了这项至关重要的技术进步。这是一种非常庞大复杂的砖窑炉，通过对流和“反射”来传递热量，将窑炉顶部的热量反射到正在冶炼的物质上，通过清理烟囱来隔离煤炭燃料本身及煤烟，并借助地下管道将煤烟和废气排入干净的大气中。[58] 这项新窑炉技术还需要用到水力机械，配以大型水力皮风箱，以将燃烧中的煤炭燃料排入大气并达到必要的高温燃烧程度。技术上如此复杂的窑炉显然需要大幅增加资本投入规模，这反过来意味着从简单的手工生产向真正意义上的工业资本主义的巨大转变，后者不再需要雇用传统工

---

[57] 来自网站 http：//www. answers. com/，最好的例子是第九代 Dudley 男爵 Edward Sutton 的私生子 Dud Dudley（1599—1684），他被责令去经营斯坦福郡的家族钢铁厂。Dudley 最早在一个以煤炭为动力的锅炉里进行了冶炼铁矿石的试验，并于 1621 年取得了这项发明的专利权，但是当时生产的铁矿石质量很差，从而限制了其使用和生产规模。Abraham Darby 于 1709 年使用以焦炭为动力的锅炉改进了 Dudley 的生产技术，参见注释 64。

[58] 参见 Mokyr（1990），也可参见注释 53、注释 55 所引用的资料来源。

匠（他们拥有属于自己的资本），而是雇用工薪劳动者，即实际上的工厂工人。

这项成本如此高昂的窑炉技术是否给新兴工业资本家的利润空间造成了威胁？不论他们一开始会有怎样的担忧和期望，答案都是否定的。对内夫所谓的燃料技术上的工业革命而言，事实上必须要有三种不同的成本下降。首先，这种资本成本极高的新燃料技术需要工业规模同等程度地扩大，这反过来意味着边际生产成本的显著下降。但规模经济的这些变化必须基于且与市场规模的急剧扩大相适应，后者又源自人口的普遍增长、城市化的大幅推进（下文讨论）以及具备必要的商业金融机构的市场经济本身的迅速扩张（也参见下文）。换言之，这一工业创新的成功取决于生产和销售足够大的增长，以便能将高昂的初始固定成本分摊到产出量中（production run），从而降低单位成本。其次，通过将生产集中到一个类似于工厂的集中化单位，工业资本家能节省部分交易、组织和劳动成本，获得更多的产品收益。再者，至少在17世纪40年代后，他们显然也能受益于用相对低廉的煤炭替代成本高昂的木炭。因此，内夫的主要观点是，工业企业家面临这一“能源危机”时（尽管内夫误解了危机的确切时期），只能通过实施技术变革才能保持企业的繁荣，而技术变革反过来又需要工业和商业组织的巨大变革，以实现更大的规模经济。

关于新兴“工业资本主义”，特别是在现代早期（斯图亚特—汉诺威王朝末期）的英国，内夫和其他研究英国煤炭工业的史学家，如约翰·哈彻（John Hatcher），提供了哪些例子呢？以下创新型行业均是主要例子：玻璃（可能是首次出现这一行业，时间约在1610年）[59]、红砖、陶砖、陶艺制作、煅烧石灰（建筑和农业）、肥皂、造纸、火药、黄铜制品、制盐（海盐蒸发）、明矾和染料、制糖（1660年后）。在冶金领域，新的烧煤工业包括煅烧矿石（在冶炼前先烧去杂质），铜基工业（copper-based industries，特别是锻制黄铜和青铜合金），从铅中分离银的金属工艺以及多种金属的最后加工（如拉丝或上钉）。当然，从最终产品而非从工业技术上看，这些工艺均不是完全新兴的，但许多确实成为重要的进口替代行业。

---

[59] 玻璃制造工业是一个很好的例子，它已经采用了新的锅炉技术，由于显然很难通过糟糕透顶的道路将精致的玻璃制品从林区运往城市市场，事实上厂商必须尽可能地靠近消费市场。参见Crossley（1972）、Hatcher（1993，第422—458页）和Mokyr（1990，第62页）。

这里重申下另一个关键之处，若这些行业能找到足够大的产品消费市场，它们很可能会成功地实现必要的规模经济。它们同出口市场无关，因为（除了少数工业品出口到西非和美洲市场外）这些“新兴”行业均不涉及任何大量出口。由于前文所述的人口增长，它们在国内市场获得了巨大成功。如上文提到的，尽管英格兰和威尔士的人口在1656年达到了577.3万的17世纪峰值水平，且此后人口总量确实出现某种程度的下降和停滞，但在18世纪20年代后再次出现增长，一直达到1761年工业革命时代前夕的675.7万的高位水平。伦敦城规模的扩大则更为迅速，也无疑更为重要。1500年，只有5万左右人口的伦敦还是一个相对微不足道的城市，到1600年伦敦人口增长至20万，1650年增长至35万，而到1750年时，人口已经增长至55万，成了名副其实的欧洲第一大城市。这提供了一个交易成本低得多的密集的大众市场，那里的产品销量冠绝欧洲。[60]

同样重要的是，诸如玻璃、红砖、肥皂、染料、啤酒、黄铜和青铜制品等产品具备显著的需求价格弹性，从而使成本和竞争性降价能确保需求量和消费量出现更大比例的增加。对自17世纪50年代起就开始增长的实际工资收入在这个时期也稳定增长，因此，对于那些有较高需求收入弹性的产品来说，也有这种效应。[61]

但该时期其他主要制造工业并未出现或享受到由新锅炉技术带来的这些变化或收益。当时毛纺织业仍是英国最重要的制造业，所生产的毛纺织品直到18世纪仍在英国出口品中占据压倒性优势（17世纪40年代，占出口总值的92.5%），一直到18世纪末（即18世纪60年代起）的工业革命前，都未取得任何真正重要的技术进步，即使所谓的“新窗帘”（New Draperies）在社会上颇为风靡时，亦然。[62] 事实上，18世纪羊毛工业的生产率仍然同15世纪的情况相差无几（Munro，2003b，1988）。

此外，英国其他成长中的重要工业，如钢铁制造业，并没有利用好新的

---

[60] 参见注释53。

[61] 关于该时期（至少在建筑工业中）实际工资不断上涨的证据，参见Phelps Brown和Hopkins（1956）、Allen（2001）和Munro（2002）。

[62] 1640年，纺织品仍占据英国出口的绝大多数，约为出口总额的92.3%，旧式毛织品的出口额大于新式毛织品（如吊帘和哔叽等），分别约占48.9%和43.3%。参见Clay（1984，第2卷，第144页，表13），也可参见Van der Wee（2003）。

锅炉技术。直到18世纪初，它依旧完全以木炭（和水力）为燃料和动力。导致这种现象的技术原因一目了然：铁矿石冶炼需要直接接触铁矿石，三氧化二铁（Fe_2O_3）经过高温锻炼后，木炭中的碳元素和三氧化二铁中的氧元素混合，从而精炼出铁元素（Fe）并释放出二氧化碳（CO_2）。与此同时，这一问题的初始解决方法，即前文提到的对整个"煤炭问题"的第二种解决方法，在1709—1710年亚伯拉罕·达比（Abraham Darby）发明了焦炭燃料时出现了。这种燃料是在一个密不透风的窑炉里成功地把煤炭蒸馏成焦炭（一种完全纯净的碳形式）的成果。[63] 但该方法随后并未带来一场"工业革命"，因为起初焦炭燃料的成本高于木炭燃料，获取焦炭也需要额外的萃取成本，以消除煤炭中的硅元素（这样做能提高生铁质量）。只有当约翰·斯密顿（John Smeaton）发明的活塞气泵（取代皮风箱，约1760年）和1776年詹姆斯·瓦特的改良蒸汽机得到运用后，焦炭冶炼才完全成为一种具有成本效益并获得极大成功的事实上的"革命性"工艺技术。要指出的是，绝大多数对内夫命题的尖锐反驳均和他（与阿什顿）认定的"木材和水的暴政"（tyranny of wood and water）抑制了现代早期炼铁工业增长的观点有关。但这已不是本章的研究范畴，而应属于18世纪工业革命的研究主题。[64]

---

[63] 参见《哥伦比亚百科全书》（*Columbia Encyclopedia*）的论述："焦炭是低灰、低硫烟煤的固体碳残留物。在一个封闭锅炉里，将煤炭烧至1000℃，便会释放出挥发性碳物质（包括煤气和煤焦油等），从而精炼出固定碳和残灰。由于气体成分在煤炭焦化过程中已挥发掉，焦化炭便成了一种理想的燃料。"

[64] 参见注释54所引用的资料来源，也可参见Ashton（1924，第1—23页）、Ashton和Sykes（1964）、Schubert（1957）、Hammersley（1957，1973，1976）、Flinn（1958，1959，1978，1984，特别是第23—35页和第286—328页）、Jack（1977，特别是第2章，第66—121页）、Riden（1977）、Hyde（1973，1977，特别是第1章，第7—22页和第3章，第42—52页）、Pollard（1980）和Harris（1988）。还可参见Mokyr（1990，第93页和第160页），作者引用Flinn（1958，1978）的研究，讨论了"木材稀缺性"命题，表明Flinn"关于价格的证据并未证实这一论点"。但Flinn在其论述中并未提供任何价格统计资料，本章图5－1中的木材、木炭和煤炭价格也否定了Flinn的论点，尽管如上文所述，只有到了17世纪40年代以后才是如此。Flinn（1984）未给出可比较的价格，但关于1700—1830年间的煤炭价格指数，仍可参见Flinn（1984，第303—304页，表9.4）。自1701—1705年至1726—1730年，5年价格均值指数（以1770—1779年为基数100）从90.94跌至80.22，在随后的工业革命前期开始缓慢回升，1771—1775年达到95.60；同一时期，Phelps Brown-Hopkins综合物价指数（经过调整后，取相同年份为基数）却从1701—1705年的70.85升至1771—1775年的103.45，涨幅显然远高于煤炭价格指数。

总之，从上述各方面看，我们有充分理由对内夫命题提出批评，因为都铎—斯图亚特王朝时期（甚至汉诺威早期）的英国并没有发生工业革命，在产出、出口或就业方面，工业部门均未出现显著增长。此外，不管在托尼世纪还是此后一个世纪，均没有出现劳动力和资源从农业向工业、商业、金融业和服务业的明显转移，这两段时期显然不能同18世纪末和19世纪相比。

但我们也不能忽视以下事实，即从16世纪到工业革命爆发前夕的18世纪，煤炭确实在英国工业经济中扮演了更为重要的角色。哈彻认为，“在17世纪下半叶，英国工业经济开始发生显著变化，工业用煤消费迅猛增加”，“到1700年，在几乎所有的能源消耗工业中，煤炭成了最常用的燃料，获取煤炭供应已成为工业选址的决定性影响因素”（Hatcher，1993，第450页、第458页）。甚至前面提到的纺织工业，它在这段时期（如前所述）并未经历任何重大技术进步，更不用说和能源或动力有关的技术进步，从梳理、染色到精整和完工，再到染料和腐蚀剂制造等诸多工业生产流程中，也出现了煤炭消耗的显著增长（Tann，1973；Wrigley，1988，第78页；Hatcher，1993，第442—444页）。哈彻估计，英国（包括英格兰、苏格兰和威尔士）煤炭产量已几乎扩大了12倍，从1560年的22.7万吨增至1700年的264万吨，大致提供了英国能源需求总量的一半（Hatcher，1993，表4.1，第68页）。此外，根据安东尼·里格利（Anthony Wrigley）的统计，当时的英国煤炭产量至少是世界其他地区总产量的5倍多。1800年，英国煤炭产量已至少扩大了5倍，年产量约为1500万吨，至少比欧洲大陆国家煤炭总产量的5倍还要多。[65] 根据迈克尔·弗林（Michael Flinn）的估计，到1830年时，英国年产煤量为3081.6万吨（3402.4万吨），几乎相当于1700年产煤量的12倍。[66]

前文所述伦敦人口的迅猛增长本身对英国煤矿工业和贸易具有重要的影响，因为只有在能够大量进口煤炭（特别是用于家庭取暖，主要从纽斯卡尔

---

[65] 参见Wrigley（1988，第54页），也可参见Wrigley（2000）和Hatcher（1993，第555—556页），后者也引用1800年1500万吨这一数据，且表明“英国煤炭工业的重要转折点发生在18世纪下半叶”。还可参见Pollard（1980）。

[66] Flinn（1984，第26页表1.2）给出了煤炭总产量的估计值为303.3万吨，Hatcher在随后公布的1700年的煤炭产量统计数据略有不同，为264万吨。参见Hatcher（1993）和注释64；1吨=1000千克=2205磅=1.1025美吨。

经由海路运往伦敦）的前提下，人口才能出现如此急剧的增长。当然，伦敦不可能进口到足够的木炭，来满足城市的家庭取暖和工业生产需求。如里格利已指出的，一吨煤“能释放的热量大致是同样多的干木炭的两倍”。此外，他注意到1英亩林地每年只能提供约2吨干木炭，这样一来，100万吨煤（自产或进口）所能释放的热量将相当于100万英亩的林地！[67]

如许多历史学家认为的，在18—19世纪的欧洲工业化时期，煤炭成了推动和促进一些重大技术进步的关键要素，而这些技术进步就其本质而言，也算是创业变革。[68] 事实上，里格利已经触及“英国经济增长和工业革命均取决于从‘有机’经济（木炭）向‘矿产’经济（煤炭）的转型”这一开创性命题。[69] 煤炭被蒸馏成焦炭后，几乎完全取代了木炭在冶金（以及伴随生产规模急剧扩大而来的混合冶炼和精炼）中的使用；燃煤蒸汽机最终取代水磨，随后燃煤汽轮机产生了一种成本极低的新电力能源。最终，经过相当长的一段时间后，煤炭成了一系列极富创新性的化学工业的重要基础，特别是在19世纪70年代后，这些化学工业成了所谓第二次工业革命的重要组成部分。

总之，现在看来，内夫给出了一个能较好解释英国为何能成为现代工业革命诞生地的理由，这个理由的实质就是英国在作为现代工业化基本组成部分的煤炭利用中占据创业、技术和工业等方面的主导地位。但内夫犯了一个严重错误，即他分析案例时用到的数据非常糟糕，这使他夸大了都铎—斯图亚特王朝时期英国工业产出的增长速度。也许他最重大的错误是一份大事年表。对重述本章关于英国企业家精神史研究的主要论点而言，内夫命题和托尼命题均能较好地总结托尼世纪之后的世纪，即工业革命之前的一个世纪。这个世纪的创新型企业家精神的发展演化，的确有助于我们更好地理解随后发生的（特别是17世纪60年代后）工业革命的本质及其形式，从而避免了托尼世纪和工业革命的时间差距。

---

[67] Wrigley（1988，第54—55页）也表明“燃烧1千克干木材释放的热量约为4200千卡，烟煤约为8000千卡”。类似估计，参见Hatcher（1993，第39页）。

[68] 最近一种颇为不同的论点，参见Clark和Jacks（2007）。在我看来，他们的数据集和本章图5－1相比有很大差异且更不完整，对燃料价格的比较分析也很不同。

[69] 参见注释65、注释66、注释67。

七、海外扩张和商业—金融结构变迁

（一）大西洋船

但是，在托尼世纪的英国，还有其他的经济和创业发展值得我们注意，即海外航海大探险、殖民化和贸易时代，这个时代实际上始于之前一个世纪的伊比利亚半岛。它们反过来最终导致了经济“全球化”。在物理上和经济上使经济全球化成为可能的技术创新和企业家创造力的结合——它实际上是现代早期一种极其重要的工业资本主义形式——是所谓的大西洋船或快速帆船的发明和利用。[70] 为了满足那些想在非洲沿岸开展大西洋贸易的远洋海员的需求，葡萄牙造船商通过仿造和改进阿拉伯沿海的三角帆船（体积非常小，俗称单桅三角帆船），开启了这种工业和商业转型，并制造出了一种桅杆更粗更高、体积也更大（载重量能达到40—200 吨）的卡拉维尔帆船（caravel）。配备大三角帆的卡拉维尔帆船有足够的机动性来应对大西洋信风，这使葡萄牙水手自1434 年起便能到达博哈多尔角（Cape Bojador）南端（北纬26°），在非洲西海岸开展商业贸易和殖民掠夺活动，最终借助于改进后的远洋航船，抵达亚洲（印度和东印度群岛地区）并成功找到了大量金矿和香料。

此后，约在15 世纪中叶，一些伊比利亚无名造船商再一次改进了帆船的构造，它们结合了北方汉萨同盟的 *cogge* 大直角帆（能更好地提供动力和速度）和卡拉维尔大三角帆的各自优点，在首艉方向配置一种较小的斜杆帆，中间部分插置直角帆，船尾或后桅则悬挂较大的三角帆。这种快速帆船或大西洋帆船，俗称克拉克帆船（carracks）或西班牙大帆船，比葡萄牙卡拉维尔帆船要大得多，16 世纪初，其吃水量为600 吨，到16 世纪90 年代达到了1500吨。帆船吃水量迅速增加的主要原因是配置了海军舰炮，每艘帆船最多可装载50—60 门大炮，它们被置于甲板上面或甲板下面。正是这种配备齐全的大型武装帆船，使欧洲人得以在19 世纪前垄断世界远洋贸易航线。事实上，它和古登堡（Gutenberg，约1450 年）发明的印刷机一起，可被看作是

---

[70] 参见Unger（1980，1981，1987）、Cipolla（1965）、Boxer（1969）、Elbl（1985，1994）以及Lewis和Runyan（1985）。

15 世纪最重要的两项技术创新，也是欧洲企业家精神的光辉写照。

当然，新的海外扩张时代的另一个主要方面是西属美洲殖民地财富（特别是白银）的大量输入，它很大程度上刺激和推动了价格革命时代的通货膨胀（参见 Munro，2003c）。但财富大量输入最重要的经济功能和影响，无疑是为欧洲人将贸易圈扩大到亚洲提供了基本条件，特别地，白银在亚洲地区相对于黄金和商品而言，通常比在欧洲地区具有更高的价值。反过来，这也是解释后来西欧在经济全球化中所取得的重大成就的首要因素。

（二）16 世纪 50 年代安特卫普市场的英国贸易危机

如果将 1415 年葡萄牙占领摩洛哥的休达港视为海外扩张新时代的开端，那么同葡萄牙人和西班牙人在非洲、亚洲、大西洋岛屿和美洲等地开展殖民掠夺活动相比，到 16 世纪 20 年代时，英国在寻求新的海外商机方面似乎已远远落在了后面。原因之一可能是，16 世纪 20 年代的英国出口（曾以原毛为主）几乎完全是呢绒，如前所述，这类产品出口至少占英国出口总值的 90%。而且，几乎所有的出口贸易都指向需横渡英吉利海峡的港口地区和安特卫普市场。

事实上，安特卫普得以在现代初期（约 1460—1560）成为著名的商业、金融和工业中心的三个关键或基本要素：首先是英国的呢绒，其次是德国南部的金属（银和铜）、粗绒织物和银行业，最后是始于 1501 年的主要供葡萄牙王室使用的香料（均采自东印度群岛）贸易。向来被排除在佛兰德、波罗的海和地中海贸易圈之外的英国布料商发现，只有安特卫普是可以利用的出口市场（布拉班特博览会）；与此同时，德国商人正贪婪地寻找他们的毛织品销售市场，他们将安特卫普地区作为主要的回程货（return cargo）市场，正如葡萄牙人后来把德国南部的银、铜和银行业用于开展新的非洲和亚洲贸易一样（参见 Munro，1994，1999）。

大约 1460—1552 年间是英国呢绒贸易的繁荣期，这一时期几乎完全和都铎王朝时期的圈地运动（当时主要是牧羊场）重叠，随着高峰期的临近，出现了一场大灾难，即 1542—1552 年间亨利八世及其继任者为筹备战款而实施的货币大贬值（Great Debasement）。随后，在 1552 年中，诺森伯兰郡的护国政府突然宣布将英国铸币升值 253%（白银升值 3.5 倍）。显然，这次法定升值使英镑汇价出现迅速上升，从而导致购买英国毛织品的海外成本大幅（即使不是同等比例地）提高，安特卫普的毛织品销售量也一落千丈。[71]

由于以往货币贬值刺激了布料出口，安特卫普市场可能已出现供给过剩，因此即使没有这次货币升值，出口也可能会下降（尽管下降幅度会小得多）。自1546—1550年至1551—1555年，伦敦布料出口的五年均值下降了10.4%，从12.378万绒面呢（broadcloths）降至11.0888万绒面呢，16世纪60年代，伦敦布料的平均出口量降低到只有8.5952万绒面呢（几乎下降了30.5%）。[72] 60年代末，荷兰独立革命（1568—1609）的爆发使安特卫普市场对英国贸易充满敌意。但很早以前，英国便已开始寻找其他的通商口岸，而这样做必将涉及商业组织的巨大变革和转型，如采取股份制公司等。

（三）16世纪末和17世纪新出现的股份制公司

第一家这样的海外股份制贸易公司，莫斯科公司或俄国公司（Muscovy or Russia Company），于安特卫普危机结束后不久的1553年5月成立。[73] 它也是第一家（历史上有据可查的）股份制公司，成为具有里程碑意义的新型商业组织形式。[74] 在公司草创之初发行股票时，创始人认购了总额为6000英镑的股票（即所有权份额），每股面值25英镑，也就是刚好240股。随后，公司用这些资本进行投资，同4000英镑的其他额外支出一起，购买了三艘船和一些贸易品。其中的两艘船在驶往俄国的白海领域时丢失了，幸运的是，另一艘船在远征队队长理查德·钱斯勒（Richard Chanceller）的率领下，成功抵达阿尔汉格尔（Archangel）。钱斯勒和沙皇伊凡四世（Czar Ivan IV，俗称“可怕之人”）签订了一项贸易协议。他回国后，获得了一张皇家特许状，允许他将新公司组建成“一个永久型会员资格和共同利益的实体”（as one bodie and

---

[71] 参见Gould（1970）、Challis（1967，1971，1978）和Van der Wee（2003），以及注释62。

[72] 1552年之后，我们只能获得伦敦的布料出口统计数据，当时布料出口占英国出口总额的90%还多，且几乎全部出口到安特卫普市场。参见Carus-Wilson和Coleman（1963）、Bridbury（1982，附录F，第118—122页）、Gould（1970，136）和Fisher（1940）。一匹完工的标准绒面呢长24码，宽1.75码。

[73] 其最初的名称叫作“旨在探索未知地域、领土、岛屿和其他地方的商人冒险家公司”。1556年，根据一项议会法案，该名称被缩减为“探索新贸易（领地）的英国商人团体”。参见后面的注释。

[74] 比较经典的研究，参见Scott（1912）。荷兰共和国或荷兰联省自治共和国（基本上由乌特勒支省于1579年1月领导成立）也出现了类似的股份制公司，它们也可能更早就出现在荷兰以前的部分郡县中，在海运和商业中以rederij著称于世。

perpetuall fellowship and communaltie），垄断同俄国和邻近亚洲地区的所有贸易往来。到1563年，公司的股票总值已经增加到3.36万英镑，每股面值上涨了60英镑，乘以240股即增值总额为1.44万英镑，从而使公司总资本达到4.8万英镑。[75]

这种新的商业组织形式的革命性意义，可通过与著名的商人冒险家公司（Merchants Adventurers Company）进行比较，得到最好的体现。这家公司最初成立于1407年，主要从事英国布料出口贸易，1505年时获得了专事该类贸易的皇家特许状。[76] 作为一家更早的企业，商人冒险家公司事实上是一家“受控制的公司”，尽管它拥有皇家特许状和贸易垄断权，但必须经过管理委员会才能实施这种权利，该管理委员会由获皇室委任的总督及其助理和位于海外总部安特卫普的法庭组成。此外，具体商业活动，即布料出口贸易，主要通过大量的私人企业（家族企业和简单合伙制企业）开展，它们在商人冒险家公司的庇护下，独立自主地从事业务经营。他们通过汇集家族成员或合伙人（一般不超过6名）的资金来筹集公司资本。或者，还可以通过借贷（通常是财产抵押贷款）来筹集资本。受这些公司本身的贸易特征（伦敦和安特卫普之间短距离的跨英吉利海峡贸易）所限，它们的资本要求（不管是固定资本还是营运资本）都不高。这些商人很少会拥有或经营自己的船队，他们通常以赊账的形式在布莱克威尔大厅（Blackwell Hall）购进毛织品，然后租用小货船将其运往英吉利海峡对面的安特卫普。安特卫普市场布料销售的大获成功，以及定期从布拉班特省集市采购各种商品销往英国［以伦敦纺织品商公司（Mercers Company of London）为代表］所获得的投资收益，使这些商人冒险实现了非常迅速的货物和商业交易周转率（至多只需几周时间），由此一来，他们便能将利润再投资于这种双边贸易，或者用这些投资收益从其他商人那里收购商业承兑汇票，来打开安特卫普市场。

相反，俄国公司（莫斯科公司）却完全建立在长距离的海外贸易商业冒

---

[75] Scott（1912，第1卷：第18—21页和第2卷：第36—69页）将该公司的实际存续历史追溯至1699年，当时它丧失了在俄国—波斯贸易中的垄断权。但一直到1917年前，该公司仍未被解散。也可参见Willan（1956，1968，1973）。

[76] 参见Scott（1912，第1卷：第8—12页），也可参见Carus-Wilson（1933）、Van Houtte（1940，1961）以及Van der Wee（1963，第2卷，第1篇，第2—5章）和Davis（1976）。

险上，每项经营业务均需一年或更长时间才能获得利润。实际上，所有新成立的海外贸易公司均是如此。这样一家从事长期投资的大型企业，必须有非常雄厚的初始固定资本投资，因此很难通过向家族成员或新合伙人筹资的传统方法来融资。事实上，这类企业的必要资本，一般只能通过向数以百计的投资者发行股票（公司股份）来筹集。

这种商业组织形式的起源仍不太清楚。它们可能源自意大利人的发明，中世纪康曼达契约通常会被分割成许多股份或loca，但它们只涉及某一项海上商业冒险活动。[77] 对这种现代早期的英国商业组织而言，“合资”（joint stock）的术语意味着公司股本由作为公司联合业主的所有股东集体持有。它是一家具备公共资本的集体企业，投资于公司本身，而非个体参与者。每位股东均有权选举公司董事会成员，但须以投资者各自的相对股份数量为基础。根据每股应得的红利数，股东获得公司分红收益。同样重要的是，股东有权把股票转售给其他股东，从而获得大量潜在的资本投资收益。

如合伙制企业一样，股票转售或股东死亡不会影响股份制公司的存续和经营。而一家合伙制企业只有当所有合伙人继续持有时，才能存续。某个合伙人退出或死亡，必然会在法律上中断一家合伙制企业，除非有新合伙人加入，否则合伙制企业将遭解散。与此相反，只要股东不投票决定终止公司业务，并将投入资本分给现有股东，股份制公司便会继续维持常规经营。

16世纪末，另两家比较重要的从事海外贸易的股份制公司，分别是黎凡特公司（其前身是成立于1581年的土耳其公司，1591年重组为黎凡特公司）和创立于1600年的具有皇家特许垄断南亚（除俄国公司垄断特许权之外的其他亚洲地区）贸易的东印度公司。[78]

当然，16世纪末17世纪初最重要的海外股份制贸易公司无疑是黎凡特公

---

[77] 参见Scott（1912，第1卷：第18页），作者推测俄国公司的第一届主管Sebastian Cabot（1476—1557），即不幸的John Cabot之子，他可能从祖国意大利那里学到了不少股份制组织的常识。

[78] 这里未提及的一家重要的新贸易企业是伊斯特兰公司（Eastland Company），该公司由其母公司商人冒险家公司于1579年成立，旨在促进英国毛织品在东波罗的海普鲁士和利沃尼亚的销售业务，但它不属于股份制企业。尽管标志着一个多世纪以来英国首次重返波罗的海贸易圈的努力，但伊斯特兰公司注定要失败，特别是因为它的资本投入极为有限。关于荷兰和波罗的海的商贸情况，参见Israel（1989）、De Vries和Van der Woude（1995）以及Unger（1997）。

司。它表明英国很早便相当成功地参与了当时盈利可观的地中海贸易。[79] 黎凡特公司的建立和英国商业的兴盛，某种程度上说具有偶然性：1570—1571 年，奥斯曼土耳其人占领了塞浦路斯，从而控制了从威尼斯进入爱琴海的通道；随后，1571 年 10 月，威尼斯人领导的欧洲舰队同盟在勒班陀战役中攻陷了奥斯曼土耳其人。这终结了欧洲人对奥斯曼帝国海军在地中海霸权的恐惧，使英国人在处理同奥斯曼土耳其人的关系时能利用欧洲的差异。距勒班陀战役结束后仅 10 年，黎凡特公司便得以成立。

土耳其人想与欧洲建立新的同盟，这个同盟要比以往与法国建立的同盟更可靠。他们也想获得有保障的枪支、弹药和其他欧洲纺织品（尤其是优质英国绒面呢）的供给来源，以降低对威尼斯毛织品不断增加的依赖（特别是因为土耳其人经常卷入同威尼斯的战争）。英国人不仅想开辟地中海贸易，更具体地说，他们考虑到安特卫普和其他潜在北方市场仍面临严重困境，还想使之成为一个新的更有利可图的毛织品销售市场。此外，英国商人也想更好地参与隐含无限商机的（土耳其和波斯）生丝和亚洲香料的进口贸易。

黎凡特公司辉煌的创业成就主要基于两个因素：第一个因素是娴熟的外交技巧，特别是在通过改善公司商业关系和商业服务方面，这使它能供应相对于欧洲（尤其是维也纳）同行更优质的纺织品。[80] 第二个因素是更先进的海军技术和海军战术。17 世纪中叶，英国已能制造体积更大也更坚固的以橡木为主要材料的克拉克帆船和西班牙帆船，这些帆船的武器装备比英国在地中海地区的竞争对手要好得多。结果，它们不可避免地引起了海盗和穆斯林海盗的注意，后者一直是地中海航道的重大隐患。尽管它们的运费率比竞争对手高约 10%，但保险费率远低得多，尤其是黎凡特公司的西班牙大帆船几乎能确保安全运送公司货物。[81]

1600 年，黎凡特公司的一些领军企业家开始筹建一家后来更有影响力的

---

[79] 从技术上看，英国第一次成功的海上探险活动是 1573 年 6 月 23 日抵达里窝那港（莱戈恩）的 Swallow 号，里窝那一直都是英国在地中海沿岸地区非常重要的贸易港。参见 Pagano de Divitiis（1997，第 5 页）、Scott（1912，第 2 卷：第 83—88 页）以及 Cawston 和 Keane（1968，第 67—85 页）。

[80] 参见 Munro（2007b）。正如 Ralph Davis 所说的：“当寒冷的秋风从小亚细亚高地和巴尔干半岛吹来之际，土耳其或波斯的富人开始庆幸他们能披上又厚又保暖的英国毛衣”（1961，第 122—123 页）。

[81] 参见 Davis（1961，第 126—137 页；1962，第 1—57 页，第 228—256 页；1973b，第 20—31 页）和 Pagano di Divitiis（1997，第 41—55 页，特别是第 43 页，表 2.1）。

海外股份制贸易公司，即东印度公司。该公司的目标是同荷兰人开展竞争，它不顾一切地开辟了一条经由南非（好望角航线）抵达印度洋和东印度进行香料贸易的直接海上通道，当时战火中断了那里的香料贸易，两个主要贸易方威尼斯和葡萄牙因深陷战争而自顾不暇。

但到17世纪初，英国似乎注定会丧失这种竞争优势，尤其是当1623年荷兰人将英国人从东印度群岛的主要香料产地之一的摩鹿加群岛的安波沙洲（现在的安汶）强行驱赶出之后，荷兰人几乎完全控制了该地区的贸易。荷兰人的胜利在于其更先进的资本化结构和股份制公司制度（如联合东印度公司，即VOC），以及强大的军事实力和英国东印度公司所缺乏的政府强有力的支持。因此，英国东印度公司的董事们决定“退而求其次”，将其主要商业、政治和军事活动放在对印度次大陆的控制上。然而，至少在17世纪60年代前，他们并未获得成功，也没能显著扩大亚洲贸易。但如果白银出口（上述两家公司在亚洲的主要出口品）能算一个相对成功的衡量指标，那么到1720年时英国出口已经超过了荷兰。[82] 当然，两家东印度公司在永久取代威尼斯人和葡萄牙人在亚洲香料贸易中的角色这一点上，表现得相当成功。[83]

在伊丽莎白时代后期和斯图亚特王朝时期，英国对手工业生产和海外贸易（绝大多数均需要且享有皇室垄断权）垄断日益增长的敌意，同对“财富”（黄金和白银）输出日益加重的重商主义敌意一起，阻碍了新股份制公司的创建。直到内战和共和摄政时期，即当1660年查理二世复辟后，比较重要的新股份制公司才得以建立，特别是：（1）1662年成立的皇家非洲公司，1672年重组为一家新的特许公司；（2）1670年成立的哈得孙湾公司；（3）1694年成立的英格兰银行；（4）1698年成立的新东印度公司，其大部分注册资金来自于政府贷款，和原来的东印度公司形成了竞争关系，但于1709年被后者兼并；以及（5）1711年成立的南海公司（Scott，1912，第1卷，第263—421页，第2卷，第228—240页；Cawston和Keene，1968，第154—243页）。

---

[82] 1710—1720年这10年间，英国东印度公司优质白银的年均出口量为41133.6千克，荷兰公司为37108.1千克。参见Gaastra（1983）和Chaudhuri（1968，第497—498页）。

[83] 关于英国东印度公司，参见Scott（1912，第2卷：第89—206页）、Cawston和Keane（1968，第86—153页）、Chaudhuri（1965，1968，1978），以及Bowen、Lincoln和Rigby（2002）和Bowen（2006）。

只有从17世纪60年代起，股份制海外贸易公司才成功改变了英国外贸结构，并建立经济上切实可行的大不列颠商业殖民帝国。它们主要通过将贸易对象从香料、贵金属和奢侈丝织品转向以大众消费为主的殖民地产品的转口贸易来实现这点，殖民地产品是批量化生产的，主要有糖、亚洲棉纺织品（白棉布和平纹棉布）、烟草、茶叶、咖啡、鳕鱼和木材。自1640年至1700年，殖民地转口贸易占总出口额的比例从4%迅速增加到31%，与此同时，对呢绒的依赖程度也从92%下降到48%。[84] 整个18世纪，殖民地转口贸易一直占英国出口总量的1/3左右。[85] 拉尔夫·戴维斯（Ralph Davis）将这种转变称作商业革命，埃里克·霍布斯鲍姆（Eric Hobsbawm）则称之为新殖民主义，这意味着它较所谓的旧殖民主义（霍布斯鲍姆认为旧殖民主义建立在对香料和贵金属虚幻的赚钱诱惑这一基础上）更加有利可图，也更有助于经济增长。[86] 当然，它也被称为重商主义时代，它对本章的重要意义可能在于，国家支持的经济民族主义，虽然实现了国民财富和提升国家实力的两个主要目标，但同时也刺激和强化了许多英国企业家（特别是从事商业和金融业）的寻租目的（Viner，1948；Wilson，1949，1958）。

（四）现代早期股份制公司的局限性

股份制公司并非注定能成为商业企业的主要形式，更不要说注定能成为工业革命时期采矿业和制造业资本形成的重要推动力。至少对那些经营范围以国内市场为主的股份制公司而言，法律地位是它们的内在缺陷。英国法律并未把股份制公司看作一种和大型合伙制企业迥然有别的公司形式。自古罗马时代以来，在西欧各国的传统商业法律框架下，一家纯粹的合伙制企业（societas或compagnia）的所有合伙人要承担无限责任，对未获得特许状的股份制公司的全体股东而言，也是如此。通常，合伙人根据各自在公司的资本投入比例来承担损失份额，但事实上，在习惯法和普通法的框架下，全体合

[84] 资料来源：Fisher（1950）、Davis（1954；1973a，第52—57页，表1—表5）、Clay（1984，第2卷：第103—202页，特别是第125页，表10；第142—146页，表11—表15；第155—160页，表16—表20；第180页，表21）。

[85] 数据来自Mitchell和Deane（1962，第274—337页）和Mathias（1983，第87—88页）。

[86] 参见Davis（1973b，第250—287页；1973a，第26—40页）和Hobsbawm（1954），也可参见Parker和Smith（1978）、Rabb（1976，第3—34页）以及De Vries（1976，第1—29页）。

伙人须共同为公司的所有债务、损失或其他负债承担连带责任。这种对无限责任的预期像一把“达摩克利斯之剑”，阻碍那些不喜欢非对称信息、掌握着有关公司业务内部信息的人购买该公司的股票（参见 Scott，1912，第 1 卷：第 1—14 页，第 150—165 页，第 439—472 页）。

前文所述的对外贸易领域出现的在现代早期英国经济中极其重要的股份制公司，相比于多数其他公司有一项重大优势和有利条件，即它们拥有注册成立的特许状。这些特许状产生于中世纪英国行会（同业公会）和民间企业章程，它们使企业作为一个主体、一个独立机构和法律实体，能以企业自身名义行使权利和承担责任，而不必背负经济或法律义务，或牵涉企业成员的个人地位和财富状况。一家股份制公司即意味着一种特定的有限责任，换言之，每个独立股东的责任仅局限于他或她（通常以保证金的形式）所购买的股票份额上。

奇怪的是，英国并未趁机建立一种如法国政府（随后为其他欧洲国家政府所效法）在 1670 年前后批准的折中主义形式的商业组织，即有限合伙制公司。这类公司要求所有不参与公司日常经营的股东（或合伙人）提供有限责任，那些扮演积极活跃的经营角色的股东则需承担全部或无限责任。当然，有限责任问题实际上是一个风险分担和道德风险问题，从某种程度上看，持有公司股票的股东是受到有限责任保护的，因此加大了公司债权人（贷款人、债券或公司债券持有人）承担由公司经营不善或破产所导致的损失风险。为补偿这些增加的风险，债权人可能会要求获得更高的借贷利率或投资收益率（Heywood，1992；Price，1981）。

另一个主要限制是缺乏组织良好且运行有效的股票市场，即缺乏一个证券交易的二级市场，这几乎对所有自 16 世纪中叶至 17 世纪末的股份制公司而言均是如此。显然，如果不能通过向其他参与方转售股票来收回资本投资，绝大多数投资者将不愿购买股份制公司的股票。事实上，购买股票的一个强烈动机是希望能通过后续交易获取资本投资收益，尽管购买者也要承担资本损失风险。尽管富人群体、知名人物和有影响力的商人确实有望找到个体经纪人转售（对于想获得新股票或更多股票的人，则是购买）这些二级股票，但绝大多数潜在投资者不能这么做。

1695 年，英国人终于有了自己的伦敦证券交易所（或伦敦交易所）。起初，股票经纪人或证券经销商，定期聚集在伦敦咖啡馆或 1694 年刚成立的新英格兰银行附近的朗伯德街，商议和交流相关信息。当时，包括国内企业和国外企业，英国共有137家股份制公司。伦敦证券交易所成立后不久，许多新的股份制公司便纷纷成立，它们通常是未获得特许状或不具有法人地位（unincorporated）的股份制公司（Scott，1912，第1卷：第326—387页；Michie，1999）。这反过来最终诱发了一场投机性繁荣，特别是自1711年以后，从南海公司成立（拥有皇家特许状）到1720—1721年声名狼藉的南海泡沫——一个与美国20世纪20年代颇为类似的投机时代。[87]

上述论题极其复杂，已不在我们这里的讨论范围之内。值得一提的是，成立南海公司的目的表面上是为了获得英国在太平洋沿岸地区的贸易垄断权，但这是一个可疑的命题，因为贸易被牢牢地掌控在西班牙手里，而西班牙不久后便对英国满怀敌意。其实，南海公司的真正目的在于收购优质国债，即当时不被英格兰银行和东印度公司所持有的国债，这些国债在1701—1714年间代价惨重的西班牙王位继承战争中出现了激增，达到了3149.08万英镑，占永久性国债总量的63.2%。其实，公司是想通过收购或转售其绝大多数短期国债筹备资金以购买无期限的南海公司股票，这些股票在伦敦证券市场以5%的溢价火热地买进卖出。

1720年，作为一家杰出企业的南海公司已步入衰退期，当时它不得不通过发行新股来筹集新的资本，因为公司董事们不明智地试图通过议会颁布的“乔治一世第十八章第六款”（statute 6 George I cap. 18），即后来臭名昭著的《泡沫法案》（Bubble Act）来抑制资本市场上其他股份制公司的竞争。该法案禁止在证券交易所交易以下两类公司发行的股票：未获得特许状的股份制公司，或获得了特许状但为其他目的而发行股票的公司。1720年8月，南海公司试图确保对一些未获得特许状或持有可疑特许状的公司实施法院的制裁告知令，试图借此强制推行这一法案。与此同时，公司董事们忙于从事后来所披露的非法活动，来抬高南海公司的股价，以便用更少的股票换取优质政府债券，为不断膨胀的“泡沫”提供支撑。

不幸的是，他们未能预期到这样做的严重后果。随着涉事公司的股价出现暴跌，以及随之而来的其他公司股价的下跌，那些以“保证金”方式购买

---

[87] 关于下文更具体详细的例子，参见Scott（1912，第1卷：第387—438页；第3卷：第287—360页）、Dickson（1967）和Neal（1990）。

股票的人（通常只需首付10%，剩余90%以短期贷款支付）被他们的债权人要求马上全额支付欠款。许多用股票作抵押品借入其他贷款的商人，也面临着相同的处境。这意味着为了筹集还债所需的资金，被强制抛售的不只是受影响的股票，绩优股票也未能幸免。其实质正是股票市场上的格雷欣法则。

随后发生的股市灾难性崩盘带来了严重的政治后果，迫使英国国会自1720年开始进行了一场调查。调查披露了南海公司官员贿赂政府部长、其他国会议员和皇室官员的真凭实据；也证实了早些时候就已显现的恶意抬高股价的不法行为。[88] 许多历史学家认为，泡沫导致的财务损失以及腐败恶习如此严重，以至后来的政府和国会以非常严厉的措辞解释《泡沫法案》。特别是，国会使公司注册变得极为困难，也就是说，这迫使国会采取一部适用所有情况的极其严格的私法（private act），这反过来往往又需要所有或绝大多数认缴资本（subscribed capital）存放在英格兰银行，直到公司注册法正式获得提议并通过。当时，若不是没有的话，也只有极少数小公司，特别是刚开始营业的公司才有财力满足此类法案和必需的特许状。

在之后长达105年的泡沫时代（一直到1825年《泡沫法案》被废除时），唯一比较明显的例外，即唯一一类不具备这种特许状的股份制公司是18世纪八九十年代成立的各个运河公司。它们之所以例外的原因一目了然，一方面是它们需要大量的资本投资，另一方面它们显然充当了普通公共产品的角色，诸如此类的交通改善对工业革命时代的市场扩张无疑是必不可少的。但不管怎样，授权成立一家拥有垄断权和必要的公共征用（土地征用权）的运输公司，仍需要国会的私法。

对于《泡沫法案》阻碍英国工业资本形成、进而间接妨碍工业化进程这一观点，主要回应基于以下明显事实，即工业革命的确发生在这个限制泡沫的时代。特别是，菲莉斯·迪恩（Phyllis Deane）和其他人已经表明，无论是工业革命的技术需求还是企业规模（商业规模的一个方面），一开始均不需要大量的资本投入，这在棉纺织工业的增长中表现得尤为明显（Deane，1965，第203—206页；也可参见Ashton，1955，第118—121页）。但是，当考虑到

---

[88] 参见注释87。

以焦炭或蒸汽为动力的新兴钢铁工业（包括采矿、冶炼和精炼）对资金的大量需求时，人们可能会认为，如果特许股份公司和法人股份公司能获得融资，没有前文所述的法律和金融障碍，英国工业革命可能会更早发生，进程也会更快，工业企业规模会更大，融资也会便利得多。与此同时，我们也应考虑到，根据上文论述的韦伯—托尼命题，由于股权融资事实上的缺乏，创业利润的再投资（或利润留存）对工业革命早期（1825 年之前）的工业资本形成而言显得更加重要。

八、关于现代早期英国企业家精神的几点结论

如本章开篇就强调的，理查德·托尼对全新的“现代”（迥异于中世纪）资本主义的毕生探索，已间接触及现代资本主义企业家精神和发端于 18 世纪下半叶的现代工业革命起源这一主题。本章的主要论点是，这些起源并非出现在托尼世纪（1540—1640），而是出现在此后一个世纪（1640—1740），即从英国内战和清教徒崛起时期到工业革命爆发前夜。由此推出的一个命题是，这种崭新的企业家精神，即使不能完全解释现代工业革命如何发生，也必然是诱发工业革命（特别是在其发源地英国，包括英格兰、苏格兰和威尔士）的最重要力量。尽管一些经济史学家怀疑工业革命的真实性，指出英国经济增长水平直到 19 世纪三四十年代仍然很低，[89] 但“事实上并不存在工业革命”这种观点无疑不值一提。缺少工业革命的铺垫，也就是说，如果没有一场让几乎所有经济部门皆经历的具有革命性意义的巨大转型（这种转型使各行业的前后联系更加紧密），英国很难实现自 19 世纪 40 年代到“一战”前总体经济前所未有的持续增长、人口增长以及人均收入增长。若非如此，英格兰和威尔士的人口总量绝不可能在 1811—1911 年间的一个世纪内增长 3 倍多（从 1056. 3万增至 3613. 6 万），（通过进口）不仅庞大的人口得到了很好供养，而且实际工资指数增长了 2. 76 倍（例如，建筑工匠的工资指数从 49 上升至 135），死亡率也降低了 43. 4%（从 1811 年的 35. 6‰降至 1911 年的 14. 5‰）。这无疑标志着人类历史上一个里程碑式的转折点，以往从未出现过如此普遍

---

[89] 参见前面注释 33。

且持续的经济增长（貌似已能完全摆脱所谓的“马尔萨斯陷阱”）。[90]

无疑，如果人们不能驳斥或否认企业家在工业革命的诞生和发展中，以及在此前一个世纪（1640—1740）为工业革命创造基础条件中所扮演的重要角色，那么我们必须推断，现代早期的英国（那时的大不列颠岛）确实得天独厚地拥有大量的实践创新型、高效多产、追求利润最大化的成功企业家，其数量也许远远超过了荷兰和北美殖民地（当时它事实上是英国的延伸）可能除外的其他任何地区。如本章颇为详细论证的，1640—1740 年这一重要世纪所发生的大量制度创新和技术创新（不仅在工业领域，也在农业、海外贸易和金融领域），说明英国企业家在追求和维系这些创业成就上表现得多么成功。谁能怀疑他们对随之而来的工业革命和持续至“一战”的英国经济增长，有着至关重要的意义呢?

当然，恰如前文所强调的，我们必须认真区分发明（它们有的可能会对经济增长产生实际影响，有的则不会）和创新（它们往往具有重要影响）之间的差异。我们还必须意识到，市场经济中的许多企业家必定会遭遇失败，例如，在亚伯拉罕·达比获得成功之前，人们应该想到那些曾试图创造和使用焦炭燃料但失败的人们（比方说 Dud Dudley）。绝大多数经济史学家本能地倾向于研究成功案例，而非失败案例，且在这样做的时候，除了部分关于长期影响的一般性指标外，通常并不具备衡量这些成功的可靠数据。因此，我们往往缺乏任何机制衡量那些开创了有利于提高生产力且有利可图的创新的个体企业家实际上能获得多少经济报酬。此外，考虑到前面讨论的新教伦理和制度约束（《泡沫法案》），企业家的经济报酬可能主要是其企业规模的增长和扩大（包括优胜者接管落后者资产的企业兼并）。

我们还应限定利润最大化这一术语的范围。由于本章开篇和主要部分已分析的诸多原因，它只适合用来描述为数众多的某类企业家的精神风貌，即在 1640—1740 年间这一至关重要的世纪中，宗教（异教徒）、社会和政治制度以及企业家精神之间的关系。特别是，本章已把重点放在那些自 1688 年光

[90] 由于苏格兰的数据不可得，我们没有将其纳入比较。参见 Phelps Brown 和 Hopkins（1956，第 30—31 页）、Wrigley 等（1997，第 613—616 页）以及 Komlos（2000）和 Thomas（1985）。不同观点，参见 Clark（2007）。

荣革命，尤其是以1749—1757年的佩勒姆国债转换为高潮的财政变革以来（或至少伴随其而来）的政治和制度变迁上。当然也包括这一时期许多新股份制公司的显著成功，尽管我们必须注意到它们当中的许多成功要追溯到更早的后王朝复辟时期（post-Restoration，即1660年后）。如本章前文所述，这些政治、社会和制度变迁是推动和确保大量企业家能获得经济成功的一个极为重要的因素。

这给我们提出了现代早期（或1640年后）英国企业家的社会地位这一重要问题。显然，本章紧扣韦伯—托尼命题展开论述，特别是以下观点：如果创业成功被视为积极求证“上帝选民”，也就是说在死后能升入天堂——当然只是到17世纪中叶，16世纪中叶并非如此——那么宗教和社会思潮的这些变化本身就是一种社会经济革命，它们塑造了高度个人主义和激励竞争的资本主义企业家精神，成功的企业家精神不仅得到了社会认可，而且为社会所尊敬和赞许。

这截然不同于中世纪社会的流行观念，这些观念强调社区（特别是城市社区）作为一个整体相对于个体的主导地位，且往往把商业成功视为社会和谐的威胁，与此同时还反映了鄙视高利贷和商业逐利行为的一般宗教观。[91] 在中世纪社会，事实上一直到17世纪早期，一种非常普遍的观念是经常被引述的耶稣教导：“富人要进天堂，比骆驼穿过针眼还难。”（《马太福音》第19卷，第24章）在中世纪社会，大部分人认为富人只有牺牲其他人的直接利益，而非通过一种能带来经济增长、提高实际收入并使社会绝大多数人受益的创造性、创新型和生产性的企业家精神，才能实现富裕。如前文所述，在盛行之初的头一个世纪（17世纪40年代前），像以往的天主教那样，加尔文主义（或者通常所谓的新教）非常敌视高利贷，更一般地说，是敌视资本主义。但自内战时期以来，这种敌意几乎完全消失了（不管是在荷兰还是在英国），这为整个社会对竞争性资本主义企业家精神和商业企业态度的革命性转变创造了条件，并促进了后者的发展。

此外，17世纪末18世纪，如此多的（但显然并非全部）英国异教徒和苏格兰长老会教徒，在科学和商业领域取得的罕见成功，也反映出后王朝复

---

[91] 参见Tawney（1926）和注释2至注释29及其相对应的本章正文分析。

辟时期宗教、政治和社会限制通过议会制定的《公司法》和《宣誓法案》(*Test Acts*) 给他们带来的影响。这些限制在光荣革命后的1689年颁布的《宽容法案》中，只是部分被废除。但正如前文已论述的，随之而来的准宽容的(quasi-toleration) 社会状态，确保了异教徒与众不同的少数派地位，这可能(即使只是部分地) 有助于解释其本身的创业成功。(异教徒) 院校 (Academies) 是这些法律上处于少数派地位的异教徒的一个特别重要的属性，由于不被准许进入传统教育机构，他们不得不为这些异教徒建立院校。显然，这些新建立的异教徒院校确实促进了创业成功。换言之，在现代早期的英国，一些貌似有害的制度缺陷事实上可能是成功的企业家创新 (或者更通俗地说，是经济增长本身) 的关键推动力。

最后，人们也认为，不利于商业组织 (因而也可能影响创业成功) 的制度障碍仍然存在，那就是1720—1825年间施行的《泡沫法案》，或者更准确地说，是这一时期议会为禁止设立股份制公司而对该法案所做的解释。在《泡沫法案》被废除后的工业革命时期，商业企业及其领军企业家是否获得了一种全然不同于以往且可能更有利可图的社会地位，现在看来，这种反事实的经济史研究没有太大的价值值得讨论。

参考文献

Allen, Robert C. 1992. *Enclosure and the Yeoman: The Agricultural Development of the South Midlands, 1450–1850*. Oxford: Clarendon Press.

———. 1999. "Tracking the Agricultural Revolution in England." *Economic History Review*, 2nd ser., 52:209–35.

———. 2001. "The Great Divergence in European Wages and Prices from the Middle Ages to the First World War." *Explorations in Economic History* 38(4): 411–47.

———. 2008. "The Nitrogen Hypothesis and the English Agricultural Revolution: A Biological Analysis." *The Journal of Economic History* 68(1): 182–210

Ashton, Robert. 1965. "Puritanism and Progress. " *Economic History Review*, 2nd ser., 17:579–87.

Ashton, T. S. 1924. *Iron and Steel in the Industrial Revolution*. Manchester: Manchester University Press, reprinted 1951.

———. 1948. *The Industrial Revolution, 1760–1830*. New York: Oxford University Press.
———. 1955. *An Economic History of England: The 18th Century*. London: Methuen
Ashton, T. S., and Joseph Sykes. 1964. *The Coal Industry of the Eighteenth Century.* 2nd ed. Manchester: Manchester University Press.
Aston, T. H., and C.H.E. Philpin, eds. 1987. *The Brenner Debate: Agrarian Class Structure and Economic Development in Pre-industrial Europe*. Cambridge: Cambridge University Press.
Backhaus, Jürgen. 2003. *Joseph Alois Schumpeter: Entrepreneurship, Style, and Vision*. New York: Kluwer Academic Publishers.
Bainton, Roland. 1952. *The Reformation of the Sixteenth Century.* Boston: Beacon Press.
Batho, Gordon. 1967. "Noblemen, Gentlemen, and Yeomen." In *The Agrarian History of England and Wales,* vol. 4, *1500–1640,* ed. Joan Thirsk, 276–306. Cambridge: Cambridge University Press.
Besnard, Philippe, ed. 1970. *Protestantisme et capitalisme: La controverse post-Weberienne*. Paris: A. Colin.
Bettey, Joseph. 2003. "The Development of Water Meadows on the Salisbury Avon, 1665–1690." *Agricultural History Review* 51:163–72.
Biéler, André. 1959. *La pensée économique et sociale de Calvin*. Geneva: Librairie de l'université.
Black, Robert, and Claire Gilmore. 1990. "Crowding Out during Britain's Industrial Revolution." *Journal of Economic History* 50, no. 1: 109–31.
Bodin, Jean. 1946. *The Response of Jean Bodin to the Paradoxes of Malestroit and The Paradoxes, translated from the French Second Edition, Paris 1578*. Trans. George A. Moore. Washington, DC: Country Dollar Press.
Bowden, Peter. 1967. "Agricultural Prices, Farm Profits, and Rents." In *The Agrarian History of England and Wales*, vol. 4, *1500–1640*, ed. Joan Thirsk. Cambridge: Cambridge University Press.
Bowen, H. V. 2006. *The Business of Empire: The East India Company and Imperial Britain, 1756–1833*. Cambridge: Cambridge University Press.
Bowen, H. V., Margarette Lincoln, and Nigel Rigby, eds. 2002. *The Worlds of the East India Company*. Woodbridge, Suffolk: Boydell Press.
Bowie, G. G. 1987. "Watermeadows in Wessex: A Re-evaluation for the Period 1640–1850." *Agricultural History Review* 35:151–58.
Boxer, C. R. 1969. *The Portuguese Seaborne Empire, 1415–1825*. London: Hutchinson.
Brenner, Robert. 1982. "The Agrarian Roots of European Capitalism." *Past and Present* 97:16–113.
Brewer, J. G. 1972. *Enclosures and the Open Fields: A Bibliography*. London: British Agricultural History Society.
Brewer, John. 1990. *The Sinews of Powers: War, Money, and the English State, 1688–1783*. Cambridge: Harvard University Press.
Bridbury, A. R. 1982. *Medieval English Clothmaking: An Economic Survey*. London: Heinemann Educational, Pasold Research Fund.
Broad, John. 1980. "Alternate Husbandry and Permanent Pasture in the Midlands, 1650–1800." *Agricultural History Review* 28:77–89.
Burrell, Sidney A. 1960. "Calvinism, Capitalism, and the Middle Classes: Some Afterthoughts on an Old Problem." *Journal of Modern History* 32:129–41.
———, ed. 1964. *The Role of Religion in Modern European History*. New York: Macmillan.
Calder, Ritchie. 1953. *Profile of Science*. London: Allen and Unwin
Calvin, Jean, 1960. *Calvin: Institutes of the Christian Religion*. 2 vols. London: Westminster Press.
———. 1961. *Institution de la religion chrestienne*. 4 vols. Paris: Société d'Édition "Les Belles Lettres."

Campbell, Bruce M. S., and Mark Overton, eds. 1991. *Land, Labour, and Livestock: Historical Studies in European Agricultural Productivity*. Manchester: Manchester University Press.
———. 1993. "A New Perspective on Medieval and Early Modern Agriculture: Six Centuries of Norfolk Farming, c.1250–c.1850." *Past and Present* 141:38–105.
Camus, Albert. 1981. *Correspondance, 1932–1960*. Paris: Gallimard.
Carus-Wilson, Eleanora M. 1933. "The Origins and Early Development of the Merchant Adventurers' Organization in London as Shown in Their Own Medieval Records." *Economic History Review*, 1st ser., 4:147–76. Reprinted in Eleanora M. Carus-Wilson, *Medieval Merchant Venturers: Collected Studies* (London: Methuen, 1954), 143–82.
Carus-Wilson, Eleanora M., and Olive Coleman. 1963. *England's Export Trade, 1275–1547*. Oxford: Oxford University Press.
Cawston, George, and A. H. Keane. 1968. *The Early Chartered Companies, A.D. 1296–1858*. 1896; New York: B. Franklin.
Challis, Christopher E. 1967. "The Debasement of the Coinage, 1542–1551." *Economic History Review*, 2nd ser., 20:441–66.
———. 1971. "The Circulating Medium and the Movement of Prices in Mid-Tudor England." In *The Price Revolution in Sixteenth-Century England*, ed. Peter Ramsey, 117–46. London: Methuen.
———. 1978. *The Tudor Coinage*. Manchester: Manchester University Press; New York: Barnes and Noble.
Chapman, Stanley. 1992. *Merchant Enterprise in Britain from the Industrial Revolution to World War I*. Cambridge: Cambridge University Press.
Chaudhuri, K. N. 1965. *The English East India Company: The Study of an Early Joint Stock Company, 1600–1640*. London: F. Cass.
———. 1968. "Treasure and Trade Balances: The East India Company's Export Trade, 1660–1720." *Economic History Review*, 2nd ser., 21:480–502.
———. 1978. *The Trading World of Asia and the English East India Company, 1669–1760*. Cambridge: Cambridge University Press.
Cipolla, Carlo. 1965. *Guns, Sails, and Empires: Technological Innovation and the Early Phases of European Expansion 1400–1700*. New York: Pantheon.
Clark, Gregory. 2001. "Debts, Deficits, and Crowding Out: England, 1727–1840." *European Review of Economic History* 5:403–36.
———. 2007. *A Farewell to Alms: A Brief Economic History of the World*. Princeton: Princeton University Press.
Clark, Gregory, and David Jacks. 2007. "Coal and the Industrial Revolution, 1700–1869." *European Review of Economic History* 11:39–72.
Clay, Christopher. 1984. *Economic Expansion and Social Change: England, 1500–1700*. 2 vols. Cambridge: Cambridge University Press.
Claydon, Tony. 2002. *William III*. London: Longman.
Cliffe, J. T. 1984. *The Puritan Gentry: The Great Puritan Families of Early Stuart England*. London: Routledge.
———. 1988. *Puritans in Conflict: The Puritan Gentry during and after the Civil Wars*. London: Routledge.
Coleman, Donald C. 1956. "Industrial Growth and Industrial Revolutions." *Economica* n.s. 23:1–22. Reprinted in *Essays in Economic History*, ed. Eleanora M. Carus-Wilson (London: E. Arnold, 1962), 3:334–52.
———. 1975a. *The Economy of England, 1450–1750*. London: Oxford University Press.
———. 1975b. *Industry in Tudor and Stuart England*. London: Macmillan.
Cooper, J. P. 1956. "The Counting of Manors." *Economic History Review*, 2nd ser., 8:377–86.
———. 1967. "The Social Distribution of Land and Men in England, 1436–1700." *Economic History Review*, 2nd ser., 20:419–40.
———. August 1978. "In Search of Agrarian Capitalism." *Past and Present* 80:20–65.

Coquillette, Daniel. 1993. "The Mystery of the New Fashioned Goldsmiths: From Usury to the Bank of England (1622–1694)." In *The Growth of the Bank as Institution and the Development of Money-Business Law*, ed. Vito Piergiovanni, 94–99. Berlin: Duncker & Humblot.

Cornwall, Julian. 1965. "The Early Tudor Gentry." *Economic History Review*, 2nd ser., 17:456–71.

———. 1988. *Wealth and Society in Early Sixteenth-Century England.* London: Routledge and Kegan Paul.

Coss, Peter R. 1995. "The Formation of the English Gentry." *Past and Present* 147:38–64.

———. 2003. *The Origins of the English Gentry.* Cambridge: Cambridge University Press.

Crafts, N.F.R., and C. K. Harley. 1992. "Output Growth and the British Industrial Revolution: A Restatement of the Crafts-Harley View." *Economic History Review*, 2nd ser., 45:703–30.

Crossley, D. W. 1972. "The Performance of the Glass Industry in Sixteenth-Century England." *Economic History Review*, 2nd ser., 25:421–33.

Crouzet, François. 1991. "The Huguenots and the English Financial Revolution." In *Favorites of Fortune: Technology, Growth, and Economic Development since the Industrial Revolution*, ed. Patrice Higonnet, David Landes, and Henry Rosovsky, 221–66. Cambridge: Harvard University Press.

Davis, Ralph. 1954. "English Foreign Trade, 1660–1700." *Economic History Review*, 2nd ser., 7:150–66.

———. 1961. "England and the Mediterranean, 1570–1670." In *Essays in the Economic and Social History of Tudor and Stuart England, in Honour of R. H. Tawney*, ed. F. J. Fisher, 117–26. Cambridge: Cambridge University Press.

———. 1962. *The Rise of the English Shipping Industry in the Seventeenth and Eighteenth Centuries.* London: Macmillan.

———. 1973a. *English Overseas Trade, 1500–1700.* London: Macmillan.

———. 1973b. *Rise of the Atlantic Economies.* Ithaca, NY: Cornell University Press.

———. 1976. "The Rise of Antwerp and Its English Connection." In *Trade, Government, and Economy in Pre-industrial England: Essays Presented to F. J. Fisher*, ed. Donald C. Coleman and A. H. John, 2–20. London: Weidenfeld and Nicholson.

De Vries, Jan. 1976. *The Economy of Europe in an Age of Crisis, 1600–1750.* Cambridge: Cambridge University Press.

De Vries, Jan, and Ad Van der Woude. 1995. *Nederland 1500–1815: De eerste ronde van moderne economische groei.* Amsterdam: Balans. Translated as *The First Modern Economy: Success, Failure, and Perseverance of the Dutch Economy, 1500–1815* (Cambridge: Cambridge University Press, 1997).

Deane, Phyllis. 1965. *The First Industrial Revolution.* Cambridge: Cambridge University Press.

Delorme, Mary. 1989. "A Watery Paradise: Roland Vaughan and Hereford's 'Golden Vale.'" *History Today* 39:38–43.

Dickson, Peter G. M. 1967. *The Financial Revolution in England: A Study in the Development of Public Credit, 1688–1756.* London: Macmillan; New York: St. Martin's Press.

Durston, Christopher, and Jacqueline Eales, eds. 1996. *The Culture of English Puritanism, 1560–1700.* London: Macmillan.

Eisenstadt, S. N., ed. 1968. *The Protestant Ethic and Modernization: A Comparative View.* New York: Basic Books.

Elbl, Martin. 1985. "The Portuguese Caravel and European Shipbuilding: Phases of Development and Diversity." *Revista da Universidade de Coimbra* 33:543–72.

———. 1994. "The Caravel and the Galleon." In *Cogs, Caravels, and Galleons: The Sailing Ship, 1000–1650*, ed. Robert Gardiner, 91–98. London: Conway Maritime Press.

Elster, Jon. 2000. "Rationality, Economy, and Society." In *The Cambridge Companion to Weber*, ed. Stephen P. Turner, 21–41. Cambridge: Cambridge University Press.

Engerman, Stanley. 2000. "Max Weber as Economist and Economic Historian." In *The Cambridge Companion to Weber*, ed. Stephen P. Turner, 256–71. Cambridge: Cambridge University Press.

Fanfani, Amintore. 1935. *Catholicism, Protestantism, and Capitalism.* London: Sheed & Ward.

Fischoff, Ephraim. 1944. "The Protestant Ethic and the Spirit of Capitalism: The History of a Controversy." *Social Research* 11:61–77.

Fisher, F. J. 1940. "Commercial Trends and Policy in Sixteenth-Century England." *Economic History Review*, 1st ser., 10:95–117.

———. 1950. "London's Export Trade in the Early Seventeenth Century." *Economic History Review*, 2nd ser., 3:151–61.

———. 1961. "Tawney's Century." In *Essays in the Economic and Social History of Tudor and Stuart England, in Honour of R. H. Tawney*, ed. F. J. Fisher, 1–14. Cambridge: Cambridge University Press.

Flinn, Michael. 1958. "Revisions in Economic History: XVII: The Growth of the English Iron Industry, 1660–1760." *Economic History Review*, 2nd ser., 11:144–53.

———. 1959. "Timber and the Advance of Technology: A Reconsideration." *Annals of Science* 15:109–20.

———. 1978. "Technical Change as an Escape from Resource Scarcity: England in the Seventeenth and Eighteenth Centuries. In *Natural Resources in European History: A Conference Report*, ed. Antoni Mączak and William N. Parker, 139–59. Washington, DC: Resources for the Future.

———. 1984. *The History of the British Coal Industry*. Vol. 2, *1700–1830: The Industrial Revolution.* Oxford: Clarendon Press.

Fritschy, Wantje. 2003. "A 'Financial Revolution' Revisited: Public Finance in Holland During the Dutch Revolt, 1568–1648." *Economic History Review*, 2nd ser., 56:57–89.

Gaastra, F. S. 1983. "The Exports of Precious Metal from Europe to Asia by the Dutch East India Company, 1602–1795 A.D." In *Precious Metals in the Medieval and Early Modern Worlds*, ed. John F. Richards, 447–76. Durham, NC: Carolina Academic Press.

George, C., and K. George. 1958. "Protestantism and Capitalism in Pre-Revolutionary England." *Church History* 27:351–71.

Goldstone, Jack A. 2002. "Europe's Peculiar Path: Would the World Be 'Modern' if William III's Invasion of England in 1688 Had Failed?" In *Unmaking the West; What-If Scenarios That Rewrite World History*, ed. Philip E. Tetlock, Ned Lebow, and Geoffrey Parker, 168–196. Ann Arbor: University of Michigan Press.

Gould, John D. 1964. "The Price Revolution Reconsidered." *Economic History Review*, 2nd ser., 17:249–66. Reprinted in *The Price Revolution in Sixteenth-Century England,* ed. Peter H. Ramsey (London: Methuen, 1971), 91–116.

———. 1970. *The Great Debasement: Currency and the Economy in Mid-Tudor England.* Oxford: Oxford University Press.

Habakkuk, H. J. 1940. "English Land Ownership, 1680–1740." *Economic History Review*, 1st ser., 10:2–17.

———. 1958. "The Market for Monastic Property, 1539–1603." *Economic History Review*, 2nd ser., 10:362–80.

Hamilton, Alastair. 2000. "Max Weber's *Protestant Ethic and the Spirit of Capitalism.*" In *The Cambridge Companion to Weber*, ed. Stephen P. Turner, 151–71. Cambridge: Cambridge University Press.

Hamilton, Earl J. 1928. "American Treasure and Andalusian Prices, 1503–1660: A Study in the Spanish Price Revolution." *Journal of Economic and Business History* 1:1–35. Reprinted in *The Price Revolution in Sixteenth-Century England,* ed. Peter H. Ramsey (London: Methuen, 1971), 147–81.

———. 1929a. "American Treasure and the Rise of Capitalism, 1500–1700." *Economica* 27:38–57.

———. 1929b. "Imports of American Gold and Silver into Spain, 1503–1660." *Quarterly Journal of Economics* 43:436–72.

———. 1934. *American Treasure and the Price Revolution in Spain, 1501–1650*. Cambridge: Harvard University Press.

———. 1936. *Money, Prices, and Wages in Valencia, Aragon, and Navarre, 1351–1500*. Cambridge: Harvard University Press.

———. 1942. "Profit Inflation and the Industrial Revolution, 1751–1800." *Quarterly Journal of Economics* 56:256–73. Reprinted in *Enterprise and Secular Change: Readings in Economic History*, ed. Frederic C. Lane and Jelle C. Riemersma (London: George Allen and Unwin, 1953), 322–49.

———. 1947. *War and Prices in Spain, 1651–1800*. Cambridge: Harvard University Press.

———. 1952. "Prices as a Factor in Business Growth: Prices and Progress." *Journal of Economic History* 12:325–49.

Hammersley, George. 1957. "The Crown Woods and Their Exploitation in the Sixteenth and Seventeenth Centuries." *Bulletin of the Institute of Historical Research, University of London* 30:154–59.

———. 1973. "The Charcoal Iron Industry and Its Fuel, 1540–1750." *Economic History Review*, 2nd ser., 26:593–613.

———. 1976. "The State and the English Iron Industry in the Sixteenth and Seventeenth Centuries." In *Trade, Government, and Economy in Pre-Industrial England: Essays Presented to F. J. Fisher*, ed. Donald Coleman and A. H. John, 166–86. London: Weidenfeld and Nicholson.

Harkness, Georgia. 1958. *John Calvin: The Man and His Ethics*. New York: H. Holt.

Harley, C. Knick. 1967. "Goschen's Conversion of the National Debt and the Yield on Consols." *Economic History Review*, 2nd ser., 29:101–6.

Harris, John R. 1988. *The British Iron Industry, 1700–1850*. London: Macmillan.

Hart, Marjolein 't. 1991. " 'The Devil or the Dutch': Holland's Impact on the Financial Revolution in England, 1643–1694." *Parliaments, Estates and Representatives* 11, no. 1: 39–52.

Hart, Marjolein 't, Joost Jonker, and Jan Luiten van Zanden, eds. 1997. *Financial History of the Netherlands*. Cambridge: Cambridge University Press.

Hatcher, John. 1993. *The History of the British Coal Industry*. Vol. 1, *Before 1700: Towards the Age of Coal*. Oxford: Clarendon Press.

Heal, Felicity, and Felicity O'Day, eds. 1977. *Church and Society in England: Henry VIII to James I*. London: Macmillan.

Heim, Carol E., and Philip Mirowski. 1987. "Interest Rates and Crowding-Out during Britain's Industrial Revolution." *Journal of Economic History* 47:117–39.

———. 1991. "Crowding Out: A Response to Black and Gilmore." *Journal of Economic History* 51:701–6.

Herman, Arthur. 2001. *How the Scots Invented the Modern World*. New York: Three Rivers Press.

Heywood, Colin. 1992. *The Development of the French Economy, 1750–1914*. Basingstoke: Macmillan.

Hill, Christopher. 1961. "Protestantism and the Rise of Capitalism." In *Essays in the Economic and Social History of Tudor and Stuart England, in Honour of R. H. Tawney*, ed. F. J. Fisher, 15–39. Cambridge: Cambridge University Press.

———. 1964a. "Puritanism, Capitalism, and the Scientific Revolution." *Past and Present* 29:88–97.

———. 1964b. *Society and Puritanism in Pre-Revolutionary England*. London: Secker & Warburg.

———. April 1964c. "William Harvey and the Idea of Monarchy." *Past and Present* 27: 54–57.
———. 1965a. *The Intellectual Origins of the English Revolution*. Oxford: Oxford University Press.
———. 1965b. "Science, Religion and Society in the Sixteenth and Seventeenth Centuries." *Past and Present* 32:110–12.
Hobsbawm, Eric. 1954. "The Crisis of the Seventeenth Century." *Past and Present* 5:33–53 and 6:44–65. Reprinted in *Crisis in Europe, 1560–1660: Essays from Past and Present*, ed. Trevor Aston (London: Routledge and Kegan Paul, 1965), 5–58, 97–112.
Hudson, Patricia. 2004. "Land Markets, Credit and Proto-Industrialization in Britain and Europe." In *Il mercato della terra, seccoli XIII–XVIII*, ed. Simonetta Cavaciocchi, 721–42. Florence: Le Monnier.
Hyde, Charles K. 1973. "The Adoption of Coke-Smelting by the British Iron Industry, 1709–1790." *Explorations in Economic History* 10:397–418.
———. 1977. *Technological Change and the British Iron Industry, 1700–1870*. Princeton: Princeton University Press.
Israel, Jonathan I. 1989. *Dutch Primacy in World Trade, 1585–1740*. Oxford: Clarendon Press.
Jack, Sybil. 1977. *Trade and Industry in Tudor and Stuart England*. London: Allen and Unwin.
Jonassen, Christen T. 1947. "The Protestant Ethic and the Spirit of Capitalism in Norway." *American Sociological Review* 12:676–86.
Jones, E. L., ed. 1967. *Agriculture and Economic Growth in England, 1650–1815*. London: Methuen; New York: Barnes and Noble.
———. 1997. "Capitalism: One Origin or Two?" *Journal of Early Modern History: Contacts, Comparisons, Contrasts* 1, no. 1: 71–76.
Kearney, H. F. 1964. "Puritanism, Capitalism, and the Scientific Revolution." *Past and Present* 28:81–101.
———. 1965. "Puritanism and Science: Problems of Definition." *Past and Present* 31: 104–10.
Kerridge, Eric. 1967. *The Agricultural Revolution*. London: Allen and Unwin.
———. 1969. *Agrarian Problems in the Sixteenth Century and After*. London: Allen and Unwin; New York: Barnes and Noble.
———. 1973. *The Farmers of Old England*. London: Allen and Unwin.
Keynes, John Maynard. 1930. *A Treatise on Money*. 2 vols. London: Macmillan.
Kitch, M. J., ed. 1967. *Capitalism and the Reformation*. London: Longmans.
Komlos, John. 2000. "The Industrial Revolution as the Escape from the Malthusian Trap." *Journal of European Economic History* 29:307–31.
Kussmaul, Ann. 1990. *A General View of the Rural Economy of England, 1538–1840*. Cambridge: Cambridge University Press.
Landes, David. 1998. *The Wealth and Poverty of Nations: Why Some Are So Rich and Some So Poor*. New York: Norton
———. 2003. *The Unbound Prometheus: Technological Change and Industrial Development in Western Europe from 1750 to the Present*. 2nd ed. Cambridge: Cambridge University Press.
———. 2006. *Dynasties: Fortunes and Misfortunes of the World's Great Family Businesses*. New York: Viking.
Lehmann, Hartmut, and Guenther Roth, eds. 1985. *Weber's Protestant Ethic: Origins, Evidence, Contexts*. Cambridge: Cambridge University Press.
Lewis, Archibald, and Timothy Runyan. 1985. *European Naval and Maritime History, 300–1500*. Bloomington: Indiana University Press.

Little, David. 1969. *Religion, Order, and Law: A Study in Pre-Revolutionary England.* New York: Harper and Row.

Luthy, Hubert. 1963. "Calvinisme et capitalisme: Après soixante ans de débat." *Cahiers Vilfredo Pareto* 2:5–35. Republished in Hubert Luthy, *Le passé present: Combats d'idées de Calvin à Rousseau* (Monaco: Éditions du Rocher, 1965).

———. 1964. "Once Again: Calvinism and Capitalism." *Encounter* 22, no. 1: 26–38.

Marshall, Gordon. 1980. *Presbyteries and Profits: Calvinism and the Development of Capitalism in Scotland, 1560–1707.* Oxford: Clarendon Press.

Martins, Susanna Wade, and Tom Williamson. 1994. "Floated Water-Meadows in Norfolk: A Misplaced Innovation." *Agricultural History Review* 421:20–37.

Mason, S. F. 1953. "Science and Religion in Seventeenth-Century England." *Past and Present* 3:28–44.

Mathias, Peter. 1983. *The First Industrial Nation: An Economic History of Britain, 1700–1914.* 2nd ed. London: Methuen.

McBride, Joseph. 1992. *Albert Camus: Philosopher and Littérateur.* London: St. Martin's Press.

McClelland, David C. 1953. *The Achievement Motive.* New York: Appleton-Century-Crofts.

———. 1975. *The Achieving Society: With a New Introduction.* New York: Irvington, distributed by Halstead Press.

McClelland, David C., David G. Winter, and Sara K. Winter. 1969. *Motivating Economic Achievement.* New York: Free Press.

McCloskey, Donald N. 1975a. "The Economics of Enclosure: A Market Analysis." In *European Peasants and Their Markets: Essays in Agrarian Economic History*, ed. W. N. Parker and E. L. Jones, 123–60. Princeton: Princeton University Press.

———. 1975b. "The Persistence of English Common Fields." In *European Peasants and Their Markets: Essays in Agrarian Economic History*, ed. W. N. Parker and E. L. Jones, 92–120. Princeton: Princeton University Press.

Merton, Robert K. 1938. "Science, Technology, and Society in Seventeenth-Century England." *Osiris* 4:360–78.

———. 1957. "Puritanism, Pietism, and Science." In *Social Theory and Social Structure*, 575–606. Rev. ed. Glencoe, IL, Free Press.

———. 1970. *Science, Technology, and Society in Seventeenth-Century England.* New York: H. Fertig.

Michie, Ranald. 1999. *The London Stock Exchange: A History.* Oxford: Oxford University Press.

Mijers, Esther. 2007. *Redefining William III: The Impact of the King-Stadholder in International Context.* Aldershot: Ashgate.

Mingay, George E. 1968. *Enclosure and the Small Farmer in the Age of the Industrial Revolution*, Studies in Economic History series. London: Macmillan.

———. 1976. *The Gentry: The Rise and Fall of a Ruling Class.* London.

———, ed. 1977. *The Agricultural Revolution: Changes in Agriculture, 1650–1880.* London: Longman.

Mitchell, B. R., and Phyllis Deane. 1962. *Abstract of British Historical Statistics.* Cambridge: Cambridge University Press.

Mitzman, A. 1970. *The Iron Cage: An Historical Interpretation of Max Weber.* New York.

Mokyr, Joel, 1987. "Has the Industrial Revolution Been Crowded Out? Some Reflections on Crafts and Williamson." *Explorations in Economic History*, 24(3): 293–319.

———. 1990. *The Lever of Riches: Technological Creativity and Economic Progress* p. 62. Oxford and New York: Oxford University Press, 1990.

Munro, John. 1973. "The Weber Thesis Revisited—and Revindicated?" *Revue belge de philologie et d'histoire* 51:381–91.

———. 1988. "Textile Technology." in Joseph R. Strayer, et al., eds., *Dictionary of the Middle Ages*, 13 vols. (New York: Charles Scribner's Sons/MacMillan, 1982–88), Vol. 11, pp. 693–711.

———. 1994. "Patterns of Trade, Money, and Credit." In *Handbook of European History in the Later Middle Ages, Renaissance, and Reformation, 1400–1600*, ed. James Tracy, Thomas Brady Jr., and Heiko Oberman, vol. 1, *Structures and Assertions*, 147–95. Leiden: E. J. Brill.

———. 1999. "The Symbiosis of Towns and Textiles: Urban Institutions and the Changing Fortunes of Cloth Manufacturing in the Low Countries and England, 1270–1570." *Journal of Early Modern History: Contacts, Comparisons, Contrasts* 3, no. 1: 1–74.

———. 2002. "Prices, Wages, and Prospects for 'Profit Inflation' in England, Brabant, and Spain, 1501–1670: A Comparative Analysis." Working paper, Department of Economics, University of Toronto.
http://www.economics.utoronto.ca/index.php/index/research/workingPaperDetails/141.

———. 2003a. "The Medieval Origins of the Financial Revolution: Usury, *Rentes*, and Negotiablity." *International History Review* 25:505–62.

———. 2003b. "Medieval Woollens: Textiles, Textile Technology, and Industrial Organisation, c. 800–1500." In *The Cambridge History of Western Textiles*, ed. David Jenkins, 1:181–227. Cambridge: Cambridge University Press.

———. 2003c. "The Monetary Origins of the 'Price Revolution': South German Silver Mining, Merchant-Banking, and Venetian Commerce, 1470–1540." In *Global Connections and Monetary History, 1470–1800,* ed. Dennis Flynn, Arturo Giráldez, and Richard von Glahn, 1–34. Aldershot: Ashgate.

———. 2004. "Inflation." In *Europe, 1450–1789: Encyclopedia of the Early Modern World*, ed. Jonathan Dewald et al., 3:262–65. New York: Charles Scribner's Sons, Gale Group.

———. 2007a. "Classic Reviews in Economic History:" Earl Hamilton, *American Treasure and the Price Revolution in Spain, 1501–1650*. EH.NET Book Review, January 15. http://eh.net/bookreviews/library/munro.

———. 2007b. "South German Silver, European Textiles, and Venetian Trade with the Levant and Ottoman Empire, c. 1370 to c. 1720: A Non-mercantilist Approach to the Balance of Payments Problem." In *Relazione economiche tra Europa e mondo islamico, seccoli XIII–XVIII*, ed. Simonetta Cavaciocchi, 907–62. Florence: Le Monnier.

———. 2008a. "Money, Prices, Wages, and 'Profit Inflation' in Spain, the Southern Netherlands, and England during the Price Revolution Era: ca. 1520–ca. 1650." *História e Economia: Revista Interdisciplinar* 4:13–71.

———. 2008b. "The Price Revolution." In *The New Palgrave Dictionary of Economics*, ed. Steven N. Durlauf and Lawrence E. Blume, no. 1339. 2nd ed. 6 vols., London: Palgrave Macmillan.

———. 2008c. "The Usury Doctrine and Urban Public Finances in Late-Medieval Flanders (1220–1550): Rentes (Annuities), Excise Taxes, and Income Transfers from the Poor to the Rich." In *La fiscalità nell'economia Europea, secc. XIII–XVIII / Fiscal Systems in the European Economy from the 13th to the 18th Centuries*, ed. Simonetta Cavaciocchi, 973–1026. Florence: Firenze University Press.

Musson, Albert E. 1972. *Science, Technology, and Economic Growth in the Eighteenth Century*. London: Methuen.

Musson, Albert E., and Eric Robinson. 1960. "Science and Industry in the Late Eighteenth Century." *Economic History Review*, 2nd ser., 13:222–45.

———. 1969. *Science and Technology in the Industrial Revolution*. Toronto: University of Toronto Press.

Neal, Larry. 1990. *The Rise of Financial Capitalism: International Capital Markets in the Age of Reason*. Cambridge: Cambridge University Press.

Nef, John U. 1923. *The Rise of the British Coal Industry*. 2 vols. London: G. Routledge. Reprinted London: F. Cass, 1966.

———. 1934. "The Progress of Technology and the Growth of Large Scale Industry in Great Britain, 1540–1640." *Economic History Review*, 1st ser., 5:3–24. Reprinted in John U. Nef, *Conquest of the Material World* (Chicago: University of Chicago Press, 1964), 121–43.

———. 1936. "A Comparison of Industrial Growth in France and England, 1540–1640." *Journal of Political Economy* 44:643-66. Reprinted in John U. Nef, *Conquest of the Material World* (Chicago: University of Chicago Press, 1964), 144–212.

———. 1937. "Prices and Industrial Capitalism in France and England, 1540–1640." *Economic History Review*, 1st. ser., 7:155–85. Reprinted in *Enterprise and Secular Change: Readings in Economic History*, ed. Frederic C. Lane and Jelle C. Riemersma (London: George Allen and Unwin, 1953), 292–321.

———. 1950. *War and Human Progress: An Essay on the Rise of Industrial Civilization*. Cambridge: Harvard University Press. Reprinted New York: Russell & Russell, 1968.

Noonan, John T. 1957. *The Scholastic Analysis of Usury*. Cambridge: Harvard University Press

North, Douglass. 1984. "Government and the Cost of Exchange in History." *Journal of Economic History* 44:255–64.

North, Douglass. 1985. "Transaction Costs in History." *Journal of European Economic History* 14:557–76.

North, Douglass, and Barry Weingast. 1989. "Constitutions and Commitment: The Evolution of Institutions Governing Public Choice in Seventeenth-Century Britain." *Journal of Economic History* 49:803–32.

O'Brien, Patrick. 1988. "The Political Economy of British Taxation." *Economic History Review* 2nd ser., 41:1–32.

———. 2002. "Fiscal Exceptionalism: Great Britain and Its European Rivals—from Civil War to Triumph at Trafalgar and Waterloo." In *The Political Economy of British Historical Experience, 1688–1914*, ed. Patrick O'Brien and Donald Winch, 245–65. Oxford: Oxford University Press.

O'Brien, Patrick, and P. Hunt. 1993. "The Rise of a Fiscal State in England, 1485–1815." *Historical Research* 66:129–76.

O'Connell, Laura. 1976. "Anti-entrepreneurial Attitudes in Elizabethan Sermons and Popular Literature." *Journal of British Studies* 15:1–20.

O'Day, Rosemary. 1982. *Education and Society, 1500–1800: The Social Foundations of Education in Early Modern Britain*. London: Longman.

———. 1986. *The Debate on the English Reformation*. London: Methuen.

Outhwaite, R. B. 1986. "Progress and Backwardness in English Agriculture, 1500–1650." *Economic History Review*, 2nd ser., 39:1–18.

Overton, Mark. 1984. "Agricultural Revolution? Development of the Agrarian Economy in Early-Modern England." In *Explorations in Historical Geography: Interpretative Essays*, ed. A.R.H. Baker and D. J. Gregory, 118–39. Cambridge: Cambridge University Press.

———. 1996a. *Agricultural Revolution in England: The Transformation of the Agrarian Economy, 1500–1800*. Cambridge: Cambridge University Press.

———. 1996b. "Re-establishing the English Agricultural Revolution." *Agricultural History Review* 44:1–20.

Pagano de Divitiis, Giglioa. 1997. *English Merchants in Seventeenth-Century Italy*. Trans. Stephen Parkin. Cambridge: Cambridge University Press. Originally published as *Mercanti inglesi nell'Italia del Seicento: Navi, traffici, egemonie* (Venice: Marsilio Editore, 1990).

Parker, Geoffrey. 1974. "The Emergence of Modern Finance in Europe, 1500–1750." In *The Fontana Economic History of Europe*, vol. 2, *Sixteenth and Seventeenth Centuries*, ed. Carlo Cipolla, 527–94. Glasgow: Collins/Fontana.

Parker, Geoffrey, and L. M. Smith, eds. 1978. *The General Crisis of the Seventeenth Century*. London: Routledge and Kegan Paul.

Pettegree, Andrew, Alastair Duke, and Gillian Lewis, eds. 1994. *Calvinism in Europe, 1540–1620*. Cambridge: Cambridge University Press.

Phelps Brown, E. H., and Sheila V. Hopkins. 1956. "Seven Centuries of the Prices of Consumables, Compared with Builders' Wage Rates." *Economica* 23:296–314. Reprinted in E. H. Phelps Brown and Sheila V. Hopkins, *A Perspective of Wages and Prices* (London: Methuen, 1981), 13–39.

Pollard, Sidney. 1980. "A New Estimate of British Coal Production, 1750–1850." *Economic History Review*, 2nd ser., 33:212–35.

Price, Roger. 1981. *An Economic History of Modern France, 1730–1914*. Rev. ed. London: Macmillan.

Rabb, Theodore K. July 1965. "Religion and the Rise of Modern Science." *Past and Present* 31:111–26.

———. 1966. "Science, Religion and Society in the Sixteenth and Seventeenth Centuries." *Past and Present* 33:148.

———. 1976. *The Struggle for Stability in Early Modern Europe*. Oxford: Oxford University Press.

Rackham, Oliver. 1976. *Trees and Woodland in the British Landscape*. London: J. M. Dent.

———. 1980. *Ancient Woodland: Its History, Vegetation, and Uses in England*. London: Edward Arnold.

Richards, R. D. 1929. *The Early History of Banking in England*. London: P. S. King & Son.

Riden, Philip. 1977. "The Output of the British Iron Industry before 1870." *Economic History Review*, 2nd ser., 30:442–59.

Riemersma, Jelle C. 1967. *Religious Factors in Early Dutch Capitalism, 1550–1650*. The Hague: Mouton,

Robertson, H. M. 1933. *Aspects of the Rise of Economic Individualism: A Criticism of Max Weber and His School*. Cambridge: Cambridge University Press.

Rogers, James E. Thorold. 1866–1902. *History of Agriculture and Prices in England*. 7 vols. Oxford: Clarendon Press.

Roseveare, Henry. 1991. *The Financial Revolution, 1660–1760*. London: Longman.

Samuelsson, Kurt. 1961. *Religion and Economic Action*. London: Heinemann.

Schubert, H. R. 1957. *The History of the British Iron and Steel Industry from ca. 450 B.C. to A.D. 1775*. London: Routledge and Kegan Paul.

Schumpeter, Joseph A. 1949. "Economic Theory and Entrepreneurial History." In *Change and the Entrepreneur: Postulates and Patterns for Entrepreneurial History*, ed. Research Center in Entrepreneurial History, Harvard University, 63–84. Cambridge: Harvard University Press. Republished in *Essays of J. A. Schumpeter*, ed. Richard Clemence (Cambridge, Addison-Wesley, 1951), 248–66.

———. 1961. *The Theory of Economic Development: An Inquiry into Profits, Capital, Credit, Interest, and the Business Cycle*. Trans. Redvers Opie. 1934; New York: Oxford University Press.

———. 1987. *Capitalism, Socialism, and Democracy*. London. Unwin Paperbacks.

———. 1989. *Business Cycles: A Theoretical, Historical, and Statistical Analysis of the Capitalist Process*. 1964; New York: Porcupine Press.

———. 1991. "Max Weber's Work." In *The Economics and Sociology of Capitalism*. Ed. Richard Swedberg. Princeton: Princeton University Press.

———. 1997. *Essays: On Entrepreneurs, Innovations, Business Cycles, and the Evolution of Capitalism*. New York: Transaction.

Scott, William Robert. 1912. *The Constitution and Finance of English, Scottish, and Irish Joint-Stock Companies to 1720*. 3 vols. Cambridge: Cambridge University Press.

Simpson, Alan. 1961. *The Wealth of the Gentry, 1540–1660*. Chicago: University of Chicago Press.

Smith, Sir Thomas. 1906. *De Republica Anglorum: A Discourse on the Commonwealth of England*. 1583. Ed. L. Alston. Cambridge: Cambridge University Press.

Stasavage, David. 2003. *Public Debt and the Birth of the Democratic State: France and Great Britain, 1688–1789*. Cambridge: Cambridge University Press

———. 2007. "Partisan Politics and Public Debt: The Importance of the 'Whig Supremacy' for Britain's Financial Revolution." *European Review of Economic History* 11:123–53.

Stone, Lawrence. 1948. "The Anatomy of the Elizabethan Aristocracy." *Economic History Review*, 1st ser., 18:1–53.

———. 1952. "The Elizabethan Aristocracy: A Restatement." *Economic History Review*, 2nd ser., 4:302–21.

———. 1956. *The Crisis of the Aristocracy, 1558–1641*. Oxford: Oxford University Press.

Sussman, Nathan, and Yafeh, Yishay. 2006. "Institutional Reforms, Financial Development and Sovereign Debt: Britain, 1690–1790." *Journal of Economic History* 66:882–905.

Tann, Jennifer. 1973. "Fuel Saving in the Process Industries during the Industrial Revolution: A Study in Technological Diffusion." *Business History* 15:149–59.

Tawney, Richard H. 1912. *The Agrarian Problem in the Sixteenth Century*. London: Longmans, Green. Reissued with an introduction by Lawrence Stone (London: Harper and Row, 1967).

———. 1926. *Religion and the Rise of Capitalism: A Historical Study*. London: J. Murrary. Reissued London: Penguin, 1990.

———. 1941. "The Rise of the Gentry, 1558–1640." *Economic History Review*, 1st ser., 11:1–38. Reprinted with a postscript in *Essays in Economic History*, ed. Eleanora M. Carus-Wilson (London: E. Arnold, 1954), 1:173–214.

Terrill, Ross. 1974. *R.H. Tawney and His Times: Socialism as Fellowship*. London: Deutsch.

Thirsk, Joan, ed. 1967a. *The Agrarian History of England and Wales*. Vol. 4, *1500–1640*. Cambridge: Cambridge University Press.

———. 1967b. "Engrossing and Enclosing." In *The Agrarian History of England and Wales*, ed. Joan Thirsk, vol. 4, *1500–1640*, 200–256. Cambridge: Cambridge University Press.

———. 1967c. "Farming Techniques." In *The Agrarian History of England and Wales*, ed. Joan Thirsk, vol. 4, *1500–1640*, 161–99. Cambridge: Cambridge University Press

———. 1984. *The Agrarian History of England and Wales*. Vol. 5, *1640–1750*. Part 1, *Regional Farming Systems*. Cambridge: Cambridge University Press.

———. 1985a. *The Agrarian History of England and Wales*. Vol. 5, *1640–1750*. Part 2, *Agrarian Change*. Cambridge: Cambridge University Press.

———. 1985b. "Agricultural Innovations and their Diffusion." In *Agrarian History of England*, vol. 5, ed. Joan Thirsk, part 2, *Agrarian Change*, 533–89. Cambridge: Cambridge University Press.

Thomas, Brinley. 1985. "Escaping from Constraints: The Industrial Revolution in a Malthusian Context." *Journal of Interdisciplinary History* 15:729–54.

———. 1986. "Was There an Energy Crisis in Great Britain in the 17th Century?" *Explorations in Economic History* 23:124–52.

Thompson, E. P. 1967. "Time, Work-Discipline, and Industrial Capitalism." *Past and Present* 38:56–97.

Thompson, F.M.L. 1966. "The Social Distribution of Landed Property in England since the Sixteenth Century." *Economic History Review*, 2nd ser., 19:505–17.

Thorner, Isidor. 1952. "Ascetic Protestantism and the Development of Science and Technology." *American Journal of Sociology* 58:25–33.

Tracy, James D. 1985. *A Financial Revolution in the Habsburg Netherlands: Renten and Renteniers in the County of Holland, 1515–1565*. Berkeley and Los Angeles: University of California Press.

———. 1995. "Taxation and State Debt." In *Handbook of European History, 1500–1600: Late Middle Ages, Renaissance, and Reformation*, ed. Thomas Brady, Heiko Oberman, and James Tracy, vol. 1, *Structures and Assertions*, 563–88. Leiden, E. J. Brill.

———. 2003. "On the Dual Origins of Long-Term Urban Debt in Medieval Europe." In *Urban Public Debts: Urban Government and the Market for Annuities in Western Europe, 14th–18th Centuries*, ed. Karel Davids, Marc Boone, and V. Janssens, 13–26. Turnout: Brepols

Trevor-Roper, Hugh R. 1951. "The Elizabethan Aristocracy: An Anatomy Anatomized." *Economic History Review*, 2nd ser., 3:279–98.

———. 1953. *The Gentry, 1540–1640. Economic History Review*, supplement no. 1. Cambridge: Cambridge University Press

———. 1963. *Religion, the Reformation, and Social Change*. London: Bowes & Bowes.

Troost, Wouter. 2005. *William III the Stadholder-King: A Political Biography*. Aldershot: Ashgate

Turner, Stephen P., ed. 2000. *The Cambridge Companion to Weber*. Cambridge: Cambridge University Press.

Unger, Richard W. 1980. *The Ship in the Medieval Economy, 600–1600*. London: Croom Helm.

———. 1981. "Warships and Cargo Ships in Medieval Europe." *Technology and Culture* 22:233–52.

———. 1987. "Portuguese Shipbuilding and the Early Voyages to the Guinea Coast." In *Vice-Almirante Avelino Teixeira da Mota, In Memoriam*, ed. Academia Portuguesa da História, 1:229–49. Lisbon: Academia de Marinha / Instituto de Investigacao Cientifica Tropical.

———. 1997. *Ships and Shipping in the North Sea and Atlantic, 1400–1800*. Aldershot: Ashgate.

Van der Wee, Herman. 1963. *The Growth of the Antwerp Market and the European Economy, 14th–16th Centuries*. 3 vols. The Hague: Martinus Nijhoff.

Van der Wee, Herman (in collaboration with John Munro). 2003. "The Western European Woollen Industries, 1500–1750." In *The Cambridge History of Western Textiles*, ed. David Jenkins, 2:397–472. Cambridge: Cambridge University Press.

Van Houtte, Jan A. 1940. "La genèse du grande marché international d'Anvers à la fin du moyen âge." *Revue belge de philologie et d'histoire* 19:87–126.

———. 1961. "Anvers aux XVe et XVIe siècle." *Annales: Economies, Sociétés, Civilisations* 16:248–78.

Van Stuivenberg, J. H. 1975. "The Weber Thesis: Attempt at Interpretation." *Acta Historiae Neerlandicae* 8:50–66.

Viner, Jacob. 1948. "Power vs. Plenty as Objectives of Foreign Policy in the Seventeenth and Eighteenth Centuries." *World Politics* 1:1–29. Republished in *Revisions in Mercantilism*, ed. Donald C. Coleman (London: Methuen, 1969), 61–91.

Weber, Max. 1904–5. *Die Protestantische Ethik und der Geist des Kapitalismus*. Berlin. Trans. Talcott Parsons as *The Protestant Ethic and the Spirit of Capitalism* (New York: Charles Scribner's Sons, 1930).

———. 1961. *General Economic History*. Trans. Frank H. Knight. New York: Collier Books

Wedgwood, Cicely V. 1966. *The King's War, 1641–1647*. London: Collins.

———. 1970a. *The King's Peace, 1637–1641: The Great Rebellion*. London: Collins Fontana.

———. 1970b. *Oliver Cromwell and the Elizabethan Inheritance*. London: J. Cape

West, E. G. 1975. *Education and the Industrial Revolution*. London: B. T. Batsford.

Wiebe, Georg, 1895. *Zur Geschichte der Preisrevolution des XVI. und XVII. Jahrhunderts*. Leipzig: Duncker & Humblot.

Williamson, Jeffrey. 1984. "Why Was British Growth So Slow during the Industrial Revolution?" *Journal of Economic History* 44:687–712.

Willan, Thomas S. 1956. *The Early History of the Russia Company, 1553–1603*. Manchester: Manchester University Press.

———. 1973. *The Muscovy Merchants of 1555*. New York: A. M. Kelly.
———. 1968. *Studies in Elizabethan Foreign Trade*. New York: A. M. Kelly.
Wilson, Charles. 1949. "Treasure and Trade Balances: The Mercantilist Problem." *Economic History Review*, 2nd ser., 2:152–61.
———. 1958. *Mercantilism*. Historical Association Pamphlet No. 37. London: Historical Association.
Wilson, Thomas. 1925. *A Discourse Upon Usury By Way of Dialogue and Orations*. With a historical introduction by R. H. Tawney. London: G. Bell.
Wordie, S. R. 1983. "The Chronology of English Enclosure, 1500–1914." *Economic History Review*, 2nd ser., 36:483–505.
Wright, Anthony. 1987. *R. H. Tawney*. Manchester: Manchester University Press.
Wrigley, E. Anthony. 1988. *Continuity, Chance, and Change: The Character of the Industrial Revolution in England*. Cambridge: Cambridge University Press.
———. 2000. "The Divergence of England: The Growth of the English Economy in the Seventeenth and Eighteenth Centuries." *Transactions of the Royal Society*, 6th ser., 10:117–41.
———. 2006. "The Transition to an Advanced Organic Economy: Half a Millennium of English Agriculture." *Economic History Review*, 2nd ser., 59:425–80.
Wrigley, E. Anthony, R. S. Davies, J. E. Oeppen, and R. S. Schofield. 1997. *English Population History from Family Reconstitution, 1580–1837*. Cambridge: Cambridge University Press.
Wrigley, E. Anthony, and, R. S. Schofield. 1980. *The Population History of England, 1541–1871: A Reconstruction*. Cambridge: Cambridge University Press.
Yelling, J. A. 1977. *Common Field and Enclosure in England, 1450–1850*. London: Macmillan.
Zell, Michael. 1993. *Industry in the Countryside: Wealden Society in the Sixteenth Century*. Cambridge: Cambridge University Press.

第六章　荷兰共和国的黄金时代

奥斯卡·吉尔德布洛姆

荷兰黄金时代是前现代经济增长的一个缩影。16 世纪末 17 世纪初荷兰人民反抗腓力二世（Philip II）及其继任者统治的叛乱，恰逢一段史无前例的经济繁荣和文化鼎盛期。1580—1650 年间，荷兰逐渐成为欧洲贸易主导者，这是一项建立在大规模商品农业和渔业、市场导向型制造业和低成本航运服务业基础上的伟大成就。军事举措和商业活动相互结合，使荷兰两大殖民公司荷兰东印度公司（VOC）和西印度公司（WIC）建立了一个连接亚洲、非洲和美洲主要贸易港的密集网络。

荷兰共和国是一个企业家的国度，一个多数国民的生计取决于他们对商品和服务买卖的判断性决策（judgmental decisions）的社会。[①] 企业家不仅包括长途贸易商，还包括船主、渔民、技工、农夫和匠人。除了股份制殖民公司董事和大庄园管理者（他们凭判断性决策获得一份固定报酬）外，企业家的收入主要取决于市场活动的损益情况。

荷兰创业阶层的崛起至少比黄金时代早了两个世纪。自 14 世纪末起，荷兰开始参与商业乳品业、面包谷物输入及鲱鱼、啤酒和纺织品输出等商业活动。16 世纪上半叶，农业商品化进程伴随畜牧业和泥炭采掘的发展继续深化，沿海省份的商人和船主同佛兰德、布拉班特、波罗的海地区、英国及法国和西班牙的大西洋沿岸建立了常规贸易联系。因此，黄金时代的创业成就很大程度上是一种原有潜能的变现。

尽管如此，在荷兰共和国独立后确实也发生了一些重大变化。16 世纪八九十年代，成千上万劳动力和匠人迁离南部省份，这刺激了纺织业、

① 企业家精神的定义延用 Casson（2003）。

制糖业、军工业及油漆业、书籍、地图和其他各种奢侈品行业的发展。1585 年安特卫普城的衰落和该城至少 1/5 商人的群体外迁，则显著扩大了阿姆斯特丹市场的规模和范围。此外，若荷兰共和国未能摆脱哈布斯堡王朝的统治，低地国家要同亚洲、非洲和美洲建立直接贸易联系也无法想象。

本章分析荷兰黄金时代的企业家在农业、工业和贸易方面做出的贡献。企业家们是否具备优秀的个人品质，并体现在人力资本、社会资本或金融资本上？抑或是一套更有利的法律、政治和商业制度，不管传承自以往时代还是从其他先进国家复制，使荷兰拥有比欧洲其他地区更多的男人和女人创建私营企业，买卖商品、服务，并管理因依赖市场交易而带来的风险？又或者，荷兰的企业家或制度并无特别之处，它只是把握了深陷经济危机和连绵战乱的欧洲其他潜在竞争者所错失的经济机会？

一、企业家的国度

在绝大多数荷兰黄金时代的文献中，企业家的贡献均绕不开一小群极为成功的商人和制造商的经济成就。[②] 他们通常包括 16 世纪和 17 世纪之交定居阿姆斯特丹的门第显赫的佛兰德和葡萄牙富商，稍后来自佛兰德和布拉班特的技能型仪器制造商、制图师、专家学者、出版商、制糖师、油漆匠、丝织工，以及 17 世纪末来自法国的胡格诺派熟练丝织工。[③] 极少数研究企业家精神的历史学家会考虑其他依靠判断性决策从事商品和服务买卖的人群。[④] 但他们的人数必定数以万计。

关于表现活跃的企业家数量，一种非常粗略的统计是荷兰共和国的城市化率。到 17 世纪中叶，总人口中约有 40% 生活在城市，尽管存在显著的

② Klein（1965）。也可参见 Israel（1989）和 Lesger（2006）。即使贬低企业家精神贡献的学者，也隐含地考虑到一小群创新型商人（De Vries 和 Van der Woude，1997；Prak，2005）。

③ 关于佛兰德移民，参见 Gelderblom（2003a）及同该主题有关的各种荷兰参考文献；也可参见 Lesger（2006）。关于胡格诺派教徒，参见 Frijhoff（2003）。关于葡萄牙犹太人，参见 Israel（2002）及包括他本人在内的其他已有研究所提及的参考文献。

④ 一个显著例外是大量关于手工业行会的荷兰语文献，它们一直都聚焦于小作坊的匠人（Prak 等，2006）。对荷兰共和国女性企业家角色的重新评估，参见 Van den Heuvel（2007）。

地区差异。虽然一些内陆省份城市化率未超过25%，整个国家的城市化率却一度高达不可思议的60%（De Vries 和 Van der Woude，1997）。如此高的城市化水平若缺少企业家的参与将不可想象。首先，存在不计其数的商品农（commercial farmers）、批发商、零售商及负责城市人口食物供应的船主。[⑤] 其次，存在一群为居民提供各种各样耐用消费品的自雇型（self-employed）匠人和店主（Posthumus，1908，第269—270页、第274页）。再者，荷兰经济从农产品、制造品和殖民地商品的进出口贸易中获得了蓬勃发展。[⑥]

但断言荷兰共和国是一个企业家的国度需要更多有说服力的推理。我们必须推算企业家的数量。14—15世纪末荷兰省、弗里斯兰省和西兰省等沿海省份的乡村是一个合理的切入点，当时泥土夯实作业极大地改变了农村人口的经济概貌。[⑦] 以往种植面包谷物的农民将家庭生产转向了奶制品、肉类及大麻和茜草等工业作物，这些工业作物随后被售往荷兰各省份。与此同时，他们将泥炭采掘、捕鱼和造船等作为一种副业，结果产生了一种颇具现代色彩的农村经济，其中至少有部分农户已依靠雇佣劳动和创业活动相混合的形式作为生计来源（Van Bavel，2003，2004）。

农村企业家数量的最佳近似可通过考察涉足乳品业的家庭数量获得，乳品业可能是当时最重要的单一农业部门。意大利编年史家洛多维科·圭恰迪尼（Lodovico Guicciardini）于1567年写道，仅荷兰省奶酪和黄油的年产量便相当于葡萄牙香料进口总额（Guicciardini 等，1567）。考虑到占用土地的较少规模和每户家庭有限的奶牛头数，粗略计算显示，约有1500户（占荷兰省家庭总数的1/2—2/3）乡民从事商业乳品业。绝大多数农户的生产能力足以确保自己家人充分就业，有时甚至需额外雇用女工或农场佣工（Van Bavel 和 Gelderblom，2010）。整个荷兰省的农村企业家总数显然更多。一方面，依赖于乡村或小城镇批发商或零售商的农户开始供应他们的食品、

---

⑤ De Vries 和 Van der Woude（1997，第61页）。对城镇供给更详细的案例研究包括 Lesger（1990）和 Boschma-Aarnoudse（2003）。

⑥ 关于荷兰现代早期的企业家精神，最全面的英语概述是两卷研究论文集，参见 Lesger 和 Noordegraaf（1995，1995）。更早的文献参见 Klein 和 Veluwenkamp（1993）。

⑦ Van Zanden（1993），De Vries 和 Van der Woude（1997），也可参见 Hoppenbrouwers 和 Van Zanden（2001）的相关研究。

服饰以及粪肥、干草、饲料、设备和良种畜等农用物资。[8] 另一方面，存在数以百计的鲱鱼渔民和船主，以及规模虽小却发展迅猛的企业家队伍，他们经营着造纸厂、锯木厂、晒盐场、茜草加工、砖瓦厂及位于大江大湖沿岸的造船厂（Van der Woude，1972；Van Bavel 和 Van Zanden，2004）。

但这类企业家究竟有多少？阿姆斯特丹北部小镇艾登（Edam）上流家庭的财富和主要职业情况，使我们能得出一个初步估计。[9] 1462 年的艾登只有 2400名人口，包括至少 200 名渔民、船主、批发商、造船工和富农（拥有 5 头或以上奶牛的农民）。当中还不包括面包师、屠夫和鱼贩子之流。若假设他们总共占总人口的 2/3，则该时期这类企业家的比例将达到 12.5%。1560 年城镇居民曾增加到 3750 人，但此时具备相似经济地位的企业家（160 名）更少而非更多。这种情形似乎可通过拥有大地产、大规模工业作坊及掌控着大量航运和贸易业务的阿姆斯特丹商人和船主这类城镇居民人数的下降来解释。

即使从整个荷兰共和国来看，当时高度商业化的荷兰省乡村也是一个异类。[10] 在早期，只有弗里斯兰省和西兰省等沿海省份的部分地区经历过类似的农业专业化过程。[11] 在更广阔的内陆省份，占主导的仍是自给自足型农业，城市企业家只提供极为有限的商品和服务种类（Brusse，1999）。但即使这些地方，人们也能发现由生产力较高的少数富农支配的农业区。例如，在格德司河（Guelders）流域，定期租赁的发展及土地所有者（贵族、宗教机构和城镇居民）为维修作业、水利工程和基础设施建设提供资金的义务，导致了较高的投资率（Van Bavel，2001）。这促进了一小群佃农大户的发展，他们将高额农业收入用于牲畜、种子、工具和劳动力等方面的短期投资。他们利用由更集中的土地产权和租赁权分配所释放的本地剩余劳动力，在 16 世纪便能从事面向市场的生产。

同样的，考察创业活动最显而易见的地方仍然是积极参与国内外贸易的主要港口和制造业中心。其中包括莱顿（Leiden）、哈勒姆（Haarlem）、鹿特

---

⑧ De Vries 和 Van der Woude（1997，第 204—205 页）。参见 Lesger 和 Noordegraaf（1999，第 27—29 页）及该书论述当地商业基础设施建设的引用资料。

⑨ 下文分析基于 BosChma-Aarnoudse（2003，第 423—426 页、第 453—457 页）的研究。

⑩ De Vries（1974）；一个相对应的分析，参见 De Vries 和 Van der Woude（1997，第 507—521 页）。

⑪ 最精彩的一般性概述，参见 Bieleman（1992）。对这类地区更详细的案例研究，参见 Van Cruyningen（2000）。

丹和米德尔堡，以及一些荷兰省和弗里斯兰省的小港口，当然还有阿姆斯特丹城。阿姆斯特丹极为丰富的编年史料使我们可以估算17世纪前的25年中这里活跃着的企业家数量（参见表6－1）。

表6－1　阿姆斯特丹各部门企业家数量的估计值（约1620年）

从业部门	人数	占劳动人口（15—64岁）比例
零售贸易	2 600	3.7%
制造业	2 300	3.3%
批发贸易	1 350	1.9%
交通运输	1 250	1.8%
其他服务部门	1 100	1.6%
总数	8 600	12.2%

资料来源：参见本章附录

阿姆斯特丹最大的企业家群体是人数约为2600名的店主。屠夫、面包师、杂货商、补鞋匠及酒类、鱼类和水果类交易商维持着1620年达12万的城市人口。还有数量不相上下的制造商，他们中部分也供应本地居民的需求。但除了制造服饰、鞋子、坛坛罐罐和其他家居用品的能工巧匠外，还有许多造船工、金银匠、油漆工和印刷工，为本地和外地顾客提供服务。阿姆斯特丹在国际贸易中的主导地位，可通过商人和船主及为商业部门提供支持的经纪商、旅馆主人和公证员一窥全貌。据估算，各类企业家加起来约占阿姆斯特丹劳动力人口的12.5%。若这一相对比例能代表荷兰共和国的其他城镇，那么按当时多达1600个的城镇数量计算，企业家总数将高达4.5万名，到1650年则超过6万名。[12]

二、企业家与创新

城乡个体经营户的较高比率是早期现代荷兰经济的一个显著特点。但这

[12] 这里的估计分别基于：（a）根据De Vries和Van der Woude（1997，第50—52页）的估计，人口总量下限和上限情况如下：1600年为140万和160万，1650年为185万和190万；（b）这些人口中15—65岁的占2/3；（c）40%的人口生活在城镇。

些企业家是否可用熊彼特的创造性破坏理论来解释？显然，多数人只会对经济机会做出被动反应而非主动创造它们。事实上，关于企业家如何推动前工业化欧洲经济变迁的传统解释，均支持一种更严格的定义，因为它们主要关注少数人的独特品质，包括他们的管理技能、技术能力、商业网络、金融资本甚至资本主义精神。⑬

这种对少数实属例外的企业家个人品质的兴趣，在荷兰黄金时代的编年史文献中得到了回应。特别地，1585 年后迁自南部省份的佛兰德商人和匠人，往往被描述成较他们的荷兰同行技能更高、更富有、门第更显赫且胆识更大，该时期定居荷兰的一小群葡萄牙犹太人也享有这一赞誉。⑭ 相关例子如安特卫普商人艾萨克·勒迈尔（Isaac Lemaire）和德克·范俄斯（Dirck van Os），这两人在扩展同俄国、西班牙和意大利的贸易关系，以及东印度香料贸易和阿姆斯特丹北部大规模土地开垦中表现得极其抢眼。勒迈尔对荷兰东印度公司的投资虽招致多起讼诉，遭到破产，并最终不得不离开安特卫普城，却使他的声望有增无减。⑮

一个国家似乎完全有可能通过创新型企业家的大规模流动，来迅速获得经济和技术上的领导权。一个例子是居住在阿姆斯特丹近郊的农民和技工科内利斯（Cornelis Corneliz. van Uitgeest），他于 1594 年开办了第一家风力锯木场（De Vries 和 Van der Woude，1997，第 345—349 页；Bonke 等，2002）。威廉·于塞林克斯（Willem Usselincx）的名字则和 1600 年后美洲新市场的开辟密不可分（Den Heijer，2005）。16 世纪头十年，兰伯特·范特威汉森（Lambert van Tweenhuysen）最早在北部海域开始捕鲸活动。⑯ 1618 年，路易斯·吉尔（Louis de Geer）和埃利亚斯·特里普（Elias Trip）开始在瑞典建立多家钢铁厂。然而，即使这些人都有着异乎寻常的商业头脑，但他们的活动

⑬ 例如，参见 Ehrenberg（1896）和 Jeannin（1957）。Fernand Brandel（1979）明确区分了现代早期欧洲主要商业中心的资本主义企业家（capitalist entrepreneurs）和其他地区的个体经营者。

⑭ 最近涉及佛兰德移民企业家的荷兰研究文献有：De Jong（2005）；Wijnroks（2003）；Gelderblom（2000）；Enthoven（1996）。关于葡萄牙裔商人，参见 Vlessing（1995）；Lesger（2006）和 Israel（1990）。

⑮ 关于 Lemaire 和 Van Os 的更多细节，参见 Gelderblom（2000），也可参见 Van Dillen（1930）。

⑯ 对 Tweenhuysen 第一次远洋航行的详细记录，参见 Hart（1957），也可参见更早时期的 Muller（1874）。

也不能很好地解释荷兰经济无可比拟的增长。

在许多经济部门，重大技术和组织革新早在黄金时代许久前便已出现。例如，鲱鱼渔业和远洋运输船舶的改进（Unger，1978），黄油、酒类和鲱鱼等食品的加工[17]，斯堪的纳维亚、波兰、法国和伊比利亚半岛等地新市场的开拓（Van Tielhof，2002；Posthumus，1971；Lesger，2006），荷兰省圩田的水利管理（Van Tielhof 和 Van Dam，2007；Greefs 和 Hart，2006），泥炭作为一种制造业能源来源的引进（Van Tielhof，2005），以及从茜草中提取红色染料的工艺、晒盐和造砖等乡村工业的发展等。[18] 注意到这些创新极少和某些特定的工程师或企业家有关联很重要。即使名噪一时的工艺或技术进步，如往往和佛兰德渔民威廉·伯克索（Willem Beukelszoon）一起被提起的去除鲱鱼内脏的工序，在目前仍不乏争议（Doorman，1956）。

和这些黄金时代以前的创新有关联的人物名字的遗失，并非只是不完整历史记录的人为原因。[19] 例如，这在荷兰省和弗里斯兰省竞争日趋剧烈的黄油和奶酪生产中随处可见。15 世纪、16 世纪奶制品产量的不断增加和质量的逐步提高是下列各因素的共同结果，包括导致每头奶牛产奶量更高的牲畜照料、饲养和育种方式的改进，农场建筑物内部构造的相应改良，以及搅奶和制干酪器具、黄油和奶酪实际制备方法的改进。结果，人们并不把这种成就归功于任何一个农民或其妻子。事实上，甚至 17 世纪取代大量手工劳作的牛拉搅拌磨也没有一个为人熟知的发明者（Boekel，1929，注释 42）。

同时，荷兰共和国的技术进步由各经济部门之间持续不断的相互作用所驱动（Davids，1995，2008）。这类创新网络的一个例子是围绕荷兰风车的一系列发明（Davids，1998）。随着 15 世纪为满足水利管理需求而首次采用谷物磨粉机后，风车技术在荷兰黄金时代的石油、纸张和木材等工业作坊得到了进一步普及。由于船舶设计的进步，锯木作业反过来又刺激了荷兰造船业的发展。荷兰航运和贸易竞争力同导航仪器和地图的改进及“*partenrederij*”（一

---

⑰ 关于酒类（啤酒），参见 Yntema（1992）和 Unger（2001）。关于奶制品生产，参见 Boekel（1929）及 Van Bavel 和 Gelderblom（2010）。

⑱ 关于砖瓦匠，参见 Kloot-Meybury（1925）；关于茜草，参见 Priester（1998，第 324—365 页）；关于食盐加工，参见 Van Dam（2006）。

⑲ 我对技术变迁的解释以 Davids（1995）为基础，也可参见 Davids（2008）。

种最早用于航运但慢慢也被用于造纸厂和锯木厂的有限责任契约）的引进密切相关（参见下面章节的“产权与契约法”）。

地区间的商品和服务交易也促进了单个部门的发展。这在16世纪低地国家北方和南方省份之间不断加强的互动联系中体现得最为明显。为了获得南方省份的高附加值制成品和资本，荷兰省须出口大量奶酪、鲱鱼和泥炭，该省居民建立了一种过境贸易，交换来自波罗的海和法国大西洋沿岸的谷物、兽皮、食盐和酒类，结果推动了经济专业化的进程（Lesger，2006；Gelderblom，2003a）。

产品、市场和生产工序的绝大多数创新也无法追溯到个体企业家。但是，也有少数例外，最明显的是安特卫普于1585年衰落后的头几十年间。这些企业家包括同意大利、俄国和西非开展贸易的第一批商人，同亚洲和美洲有贸易往来的先行者，建造第一艘福禄特帆船（fluytschip）的造船工人，优质地图的印刷商，织带机的发明者（Vogel，1986）以及玻璃、郁金香和象牙梳等奢侈品的最早生产商。有时，人们也能指出引进了新产品和新技术的一小群人，如在荷兰省和西兰省主要港口教授复式记账法的佛兰德学者，早期制糖厂的业主或阿姆斯特丹的第一批珠宝商（Davids，2008）。[20]

16—17世纪之交，工业、航运和贸易上的这一连串创新至少部分源于该时期的政治动乱。在“八十年战争”（Dutch Revolt）的头几十年，低地国家的经济遭到极其严重的破坏，由此导致的商品和服务供不应求推升了物价，使利润虚增，并减少了最早一批企业家（他们大多是来自南部省份的移民）的创业风险。同时，对引进新市场、新产品和新技术持认同态度的企业家，从移民劳动力的知识和技能中受益匪浅。例如，1595年后定居阿姆斯特丹的佛兰德和葡萄牙珠宝商，展现出了他们从安特卫普带来的作为金匠和钻石切割商的精湛技术。早期制糖厂业主雇用经验丰富的日耳曼和佛兰德能工巧匠来监督生产，同时限制自己的原材料采购和成品糖销售规模。技能型工人和富商之间的此类组合关系，在丝织品、皮革、食盐、茜草和烟草等的生产中普遍存在。[21]

---

[20] 关于新市场的开辟，参见Israel（1989）；关于记账，参见Davinds（2004）。

[21] 例如，关于食糖提炼，参见Poelwijk（2003）；关于皮革生产，参见Gelderblom（2003b）；关于烟草制造业，参见Roessingh（1976）。

这些城市工业组织也证实了那些使制造业得以成型的制度框架的重要性。荷兰城镇手工业行会允许商人给从事奢侈品生产的能工巧匠支付报酬，从而认可了很大一部分由他们创造的附加值。城市手艺人接受了这些制度安排（至少在经济扩张早期），因为他们挣得的收入多得足以让他们中的某些人跻身上层社会，并成为商人。这可通过16世纪末阿姆斯特丹一些以金匠起家并在职业生涯末期成了富裕珠宝商的匠人得到证实。㉒

城市地方官也试图将早期企业家吸引到他们的辖区，特别是在1580—1620年间的经济繁荣时期。丝织工、玻璃制造商、制糖商和其他各种各样的制造商从免缴税款、廉价劳动力（童工）、优惠贷款、担保销售，甚至整套生产设备中获益颇丰。㉓ 市政当局的主要兴趣在进口替代、非技能型劳动力或城市平民的就业、境况不佳行业的扶持等方面。在许多行业欣欣向荣的地方，这类政策的效应很难衡量。另一方面，一些企业家在好几年里都背井离乡，乃至在试图种植桑树以取代亚洲丝绸进口的商业投资中惨遭失败（Eerenbeemt，1983，1985，1993）。

一种对创业活动更有针对性的刺激措施是17世纪末荷兰省各地引进的专利制度（Davids，1995；De Vires和Van der Woude，1997）。在纺织业、碾磨业、航运业和其他一些部门，由于专利制度，新知识的生产者可以从应用他们的知识中获得一定份额的收益。特别是在1580—1650年间，专利为数以百计有天赋的手艺人和工程师收获自己的独创性“果实”提供了可能。政府刺激创新的另一项常用措施是颁发进入新市场或销售新产品的垄断权。这些排他性的销售权利［准确的称谓是“专利”（octrooien），类似于技术创新专利］为创新者提供了相似的经济报酬（Davids，1995）。最著名的例子是致力于亚洲和美洲贸易的股份制公司，但垄断权也被授给格陵兰岛附近的捕鲸者（Hacquebord，1994）、莱顿的佛兰德布料商（Posthumus，1939），以及诸如麝猫香（一种取自美洲麝香猫尾部囊体的用来制作香水的有味物质）等非耐用商品的生产商和交易商（Prins，1936）。尽管除了殖民公司外，这类垄断权在1650年后戛然而止，但后来荷兰企业家从试图刺激本国经济的国外统治者那

㉒ 该例子基于Gelderblom（2003b）。

㉓ Davids（1995）；关于玻璃制造商，参见Mentink（1981）；关于丝绸加工，参见Colenbrander（1992）。

里获得了许多类似的特权（Eeghen，1961）。

由于创造的租金被认为超过了支付劳动和资本报酬所必需的利润，故借助卡特尔和垄断权来排除竞争对手的做法一直饱受诟病。但荷兰“专利”的实际应用事实上相当于一种企业家能用来补偿启动成本和部分创新活动风险的收入。[24] 这种经济逻辑映衬了约瑟夫·熊彼特对企业家精神的理解，并指向一种对荷兰黄金时代广泛应用新知识的、最终也可能是最重要的解释，即企业家有强大的能力动员资本投资于农业、工业和服务业。

三、富人

关于荷兰黄金时代，尤为令人费解的一点是，直到1580年企业家财富尚不足以为农业、工业和贸易上的大型投资提供资金。“八十年战争”以前，酿酒商、纺织品制造商和低地国家的北部商人很少能有超过几千荷兰盾的资产（Brünner，1924）。例如，在1498年，莱顿（当时荷兰省的主要毛织品产地）只有五名布料商的财富超过了5000荷兰盾（Posthumus，1908，第278页）。16世纪中叶荷兰省和西兰省商人和制造商的营运资本也不过尔尔。根据1543年哈布斯堡税收员的推算，阿姆斯特丹、代尔夫特、米德尔堡、弗卢辛（Flushing）和维里（Veere）企业家的平均投资资本为6000荷兰盾左右。[25] 这些估算值同当时安特卫普的外地和本地富商拥有的数以万计荷兰盾的财富比起来显然相形见绌。

因此，许多历史学家认为的，只有当南部省份的富商大批涌入北方时经济扩张才算真正开始的这种观点就不足为其了。他们的资本为欧洲内部贸易的迅速扩张、西印度公司（1602）和东印度公司（1621）这两大荷兰殖民公司的创立，以及1609年阿姆斯特丹银行在成立之初便实现巨大营业额，提供了必要条件。但仔细考察这些移民的财富后会发现，涌入阿姆斯特丹的绝大多数南省人都资财不多或身无分文。即使西印度公司的最大投资方，其初始投

---

[24] Lesger（1999，第33—35页，第39—40页）提出，通过这些措施可以获得更高效率，从而使政府不得不认真权衡相互冲突的经济利益。

[25] Meilink（1922）。1542年，哈布斯堡统治者要求征收10%的贸易所得税。经过几番激烈抵抗后，该税收被替换成一种对商人、船主、鲱鱼渔民和出口酿酒商征收额外的6%的资本收益税。

人也不过才几千荷兰盾（Gelderblom，2002；也可参见 Gelderblom，2003a）。有关其他移民商人（特别是德国人和葡萄牙犹太人）财富的有限可得的资料也显示了类似的情况。

这并不是说这些企业家对阿姆斯特丹市场的增长毫无贡献。恰恰相反，1580—1630 年间，来自南部省份的移民及其后代构成了阿姆斯特丹 1/3 的商人群体。他们的个人财富所占的比例也差不多，因此他们的到来大约使可得的投资资本增加了 50%。若这些资本对开展商业活动无足轻重，则人们如何解释大约在 1590—1620 年间荷兰经济的爆炸性增长？

一种解释可能是斯凯尔特河（Scheldt）的封航，以及哈布斯堡王朝、法国和英国之间的战乱为甘冒政治风险从事伊比利亚半岛、意大利和黎凡特等地贸易的荷兰商人创造了意外之财。但在所有这些地区的市场上，荷兰人必须同英国和法国商人展开竞争。同时，在竞争激烈的波罗的海商业圈（传统的荷兰商业据点），投资收益率也从未高于 5%—10%（Van Tielhof，2002；Gelderblom，2000）。

一个更为重要的财富杠杆是同东印度地区的贸易。到 1608 年，于1595—1602 年间来自阿姆斯特丹的早期公司的累计收益已达到了 1500 万荷兰盾，相应的投资总额为 900 万荷兰盾（包括 1602 年荷兰东印度公司在当地商会的 360 万荷兰盾的投资）。在随后几十年中，荷兰东印度公司的获利能力至少未出现明显下滑。1631 年，当荷兰东印度公司创立 30 年后，其派发的红利总额高达 1100万荷兰盾。换言之，参与荷兰东印度贸易的阿姆斯特丹投资者在不到 40 年的时间里，积累了 1700 万荷兰盾的财富。单从这一数字来看，1631 年约 0. 5% 的财富税创造了总额高达 6600 万荷兰盾的财富，其中 3500 万荷兰盾可归功于阿姆斯特丹的商人群体。当时，即使这些税收不包括动产税和纳税人的财富税，东印度贸易对阿姆斯特丹财富的贡献仍极其巨大。但问题是，这些中等收入的商人如何能成功地为启动如此巨大的投资筹到资金？

四、财产与契约法

经济状况一般的企业家必须依靠他人为其业务提供资金。在前工业化的欧洲，获得追加资本的首选途径是借助于亲戚关系。荷兰的农业、工业、航运和贸易也不例外。一方面，父子、兄弟、叔伯和堂兄弟共同经营合伙企业；

另一方面，有闲钱但不愿承担商业风险的亲戚，可把闲置资金存借给富于创业精神的家族成员，并获得固定的借贷收益。通过婚姻和长期的交情，也可进一步拓宽这种互信互赖的合伙人和债权人圈子。

在荷兰共和国刚步入黄金时代时，企业家面临的资金挑战是其亲朋好友的财富有限，而潜在有利可图的投资项目则到处都是。把握这些机会的唯一可行的做法是寻求外部投资者，即愿意同担风险并共享收益的合伙人，或愿意为获得一笔固定报酬而出借资金的贷款人。但缺乏可靠的人际关系，局外人很难同潜在合伙人或债务人事先建立信任关系，正如不能确保契约签订后他们定会照章执行一样。这给能使陌生人之间实现资金转让的债务和股权契约的发展带来了额外成本。

第一种解决方法是引进写明公司契约条款的普通合伙制。[26] 明确一家合资企业的存续期限和经营目的，限制合伙人承担协议期内失败交易的责任。阿姆斯特丹存留下来的多份公证书表明，这类公司契约被应用于各种各样的经济部门。但是，这种非常基本的有限责任制的应用范围可能更广，因为到16世纪末许多合伙人已开始自行记录这类协议（Moree，1990）。公司契约并不限制债务伙伴在协议范围内发生的责任。换言之，公司债权人随时可以向该公司任何一名合伙人追讨其未偿债务，不管后者是否正和其他合伙人一同遭受损失。这正是公司契约通常都在彼此有社会纽带的企业家之间签订的原因。

除此以外的另一种方法是引进“股份制公司”（partenrederij），即一种共同拥有渔船、运输船或商船的契约安排（Riemersma，1952；Posthumus，1953；Broeze，1976—1978）。当时，将海上损失限定为一家船运企业全部价值的做法似已得到普遍采用，因此，股份制公司把每个股东的责任限定在各自的投资份额上。将所有权分割成8股、16股、32股甚至更多，从而使财力最单薄的股东也有参与机会的公司并不少见。此外，这种契约允许公司管理层把实际经营权授予一两名股东，因而可以面向更多的潜在投资者。这种契约形式最早在何时何地实行尚不清楚，但可以确定的是，到1450年它已成为低地国家和德国北部渔业和航运业的习惯做法。

---

[26] 下文分析基于Gelderblom（即将发表）的研究。

在黄金时代，股份制公司扩展到了其他对资本要求较高的部门，包括造纸厂、锯木厂、泥炭采掘场以及第一批前往西非和亚洲的公司。[27] 阿姆斯特丹、鹿特丹、米德尔堡和其他一些16世纪90年代港口的所有早期殖民公司，都由许多股东共同所有，当中一些人把自己的部分投资转售给了他人。尽管存在一个重要差异，即人们普遍认为荷兰东印度公司的投资不是一次性的海外贸易，但该公司的财务架构其实同股份制公司极为相似。事实上，该公司的特许状一开始规定初始股份的偿还期限为10年，但它被多次延长，最终创造了一家永续型股份制公司，即荷兰东印度公司。

到1650年，有限责任的股权融资在荷兰远洋航运、鲱鱼捕捞、捕鲸、殖民贸易及少数资本密集型制造业中已是通行惯例，但其他经济部门并非如此（De Vries 和 Van der Woude，1997）。在农业、批发贸易、零售业和手工艺生产中，企业家仍靠自有资金或小规模合伙企业运作。如有需要，他们会通过中长期贷款进一步扩大营运资本，这些贷款主要来自亲戚（也可能是外部人）的存款。但企业家要获得陌生人的信贷，必须提供某些抵押品，以向债权人保证后者能收回出借的资本。

有意思的是，这种抵押品最古老的一种形式仍然是以人际关系为基础的：必须有担保人，他们足够了解债务人的经济状况，在债权人中又有可靠的声望。一旦债务违约，债权人很容易就能找到担保人，担保人在确保债务偿还中便能起重大作用。[28] 究竟有多少信贷依靠个人担保人并不清楚，但公证书资料显示，这种方法在黄金时代以前或期间的荷兰贸易、工业和农业部门得到了广泛应用。

不能或不愿借用亲朋好友信誉的企业家，可以用他们自己的财产作抵押。一个显而易见的可能方法是，企业家拿自己的产品作抵押以获得贷款。当然，这正是商品延期付款的基本原理，但它也被用于长期信贷业务。例如，荷兰省和西兰省的农民会给他们的谷物、茜草和黄油签订远期契约。城市手艺人

---

[27] 下文分析基于 Gelderblom 和 Jonker（2004）的研究。

[28] 担保人若值得信赖，则必须拿自己的人格和商品作保证。除了信守担保承诺外，他不需采取任何实际行动，因此通常只有财力能让另一方心里相对有数的商人才能充当担保人。这种对熟悉度的依赖性，使流动商人面临更多问题，会危及隐含在日耳曼流动商人特权中的“任何群体都能承担责任”的初始规则。

和零售商为获得现金，可将他们的财产拿到当铺或贷款银行（banken van lening）作抵押。[29] 但把货物作为抵押品有严重的局限性。债权人必须准确评估商品的成色，且不得不把它们储存在一个安全的地方，以防出现变质、损坏、失窃或被借款人挪用等（Gelderblom 和 Jonker，2005）。特别是后面几点，使得临时转售这些商品较为困难。此外，把商品抵押给债权人对想在短期内把它们转手出去的企业家意义不大。[30]

一种更合适的获取长期融资的手段是发行由不动产担保的年金债券。这种做法最早在 13 世纪的低地国家使用，其重要性在此后几个世纪大大增加（Zuijderduijin，2009）。急需资金的企业家出售年收入（年金）索取权，以换取一定数量的本金。对既想获得稳定的未来租金流又不愿承担高风险的拥有过剩资金的储户而言，购买年金债券是一个不错的方案。一方面，年金债券通常被认为不具有高利贷性质；另一方面，年金所依托的不动产的价值极其稳定，特别是越来越多的房屋已改用砖块而非木料建造。此外，16 世纪初查理五世（Charles V）颁布的法规，授予想转让债权的债权人可将其债权出售给某个第三方（Van der Wee，1967；Gelderblom 和 Jonker，2004）。最后，所有不动产交易及相关信贷业务都必须由城镇和乡村法官登记在案。[31] 这样做主要是出于财政方面的考虑，但登记资料显然包含年金债券购买者在同其债务人确立信任关系时所需的全部信息，这些信息在发生违约时对法院裁决非常有用。

---

[29] Maassen（2005）。至少从 12 世纪起，典当在低地国家已是一种通行做法，参见 Godding（1987，第 256—257 页）。

[30] 由此一来，作为贷款而非延期支付抵押物的商品只能是珠宝、金银器和宝石。在阿姆斯特丹，公证书证实了把宝石和珠宝作为抵押物的做法。1627 年，某阿姆斯特丹商人被责令“交出”珠宝和藏画，以补偿 1029 荷兰盾（包括利息在内）的欠债（GAA NA Card Index，NA 392/82，August 2，1627）。1630 年，某阿姆斯特丹商人要求拿一颗珠宝作为借钱给另一名同行商人的担保（GAA NA Card Index，NA 847/141，April 6，1630）。其他例子，参见 NA 646b 1035 – 36（October 22，1624）；NA 700 A 235 – 37（June 21，1625）；NA 307/blz. 196 – 97（November 26，1632）；NA 642/344（February 24，1637）和 NA 676/68 – 69（September 24，1637）。

[31] 中世纪晚期对这些规则的引进，参见 Zuijderduijn（2009）。1622 年，荷兰共和国规定，在销售或作为担保抵押物时，若货船载运量达到或超过 4 吨，则需根据地方法院的要求经登记员登记或经公证员（阿姆斯特丹市）公证。荷兰习惯法不允许接受船只作为抵押品发放贷款的债权人通过转售船只来收回贷款资金（Lichtenauer，1934，第 53—56 页）。

来自低地国家不同地区的证据显示，年金债券是小企业家扩张业务的一种重要手段。在荷兰省和布拉班特省，私人债务登记资料自15世纪末便得到了保存。[32] 关于珠宝交易的案例研究表明，在1530—1565年间的安特卫普，来自佛兰德、布拉班特和荷兰省的金匠和钻石切割商通过出售年金债券跻身独立珠宝商之列。[33] 对莱顿市政官记录的1620—1660年间该市年金债券情况的初步分析，也披露了相似的情形（参见表6-2）。

表6-2 莱顿市参议员登记的1620—1660年间该市定期年金债券的数量和总值

	1620年	1620年	1660年	1660年
经济部门	数量	总值	数量	总值
建筑业	47	26 732	15	34 300
纺织业	41	12 144	12	8 100
餐饮业	14	7 613	9	9 300
渔业和航运业	15	6 936	1	800
手工艺行业	15	5 639	9	7 950
批发贸易	2	3 600	3	12 000
商品加工	4	650	3	3 100
学校教育	1	500	2	4 500
公共部门			1	800
寡妇（Widows）	10	2 738	11	8 550
其他	20	10 628	104	118 431
总计	169	77 179	180	207 832

资料来源：莱顿市档案，Rentenboeken，Inv. Nr. 71，nrs. P，Q，LL，MM，NN，OO

1620年，莱顿约有170名小企业家发行了总额达77000荷兰盾的定期年金债券。他们中有一半从事纺织品和建筑行业，另有1/3是手艺人、零售商、船主和渔民。全部年金债券的平均价值为450荷兰盾，这个价值相当低，特

㉜ Hugo Soly（1977，第81页）最早注意到了年金债券被用做小商贩的融资工具。他对1545—1555年间安特卫普这类年金债券发行者的分析证实了该融资工具对商人、布料成品加工商、泥瓦匠、木匠和其他各行各业匠人的重要性。

㉝ 关于金匠贷款的详细分析，参见Gelderblom（2008）。

别是相比于少数零售商发行的年金债券（平均1800荷兰盾）。40年后，使用这种信用工具的企业家虽略有增加，但每份债权的总价值却几乎翻了3倍。建筑商、纺织品生产商和其他手艺人仍然是主要贷款人。

但年金债券在为企业提供融资上也有局限性。除了强制登记外，其利率被固定在6.25%，尽管这一利率值在16世纪较有竞争力，但到17世纪已越来越不具有优势（Gelderblom和Jonker，2004）。该问题最终通过降低法定利率得到解决，但其他问题仍然存在。最大的问题是，人们只能把大量“年金债券”固定在一项具体的不动产上。当17世纪末和18世纪城镇不再扩张、不动产租赁价值趋于稳定甚至下跌时，这种缺陷便表现得愈加明显。因此，除年金债券以外，企业家确实需要与不动产所有权无关的其他中长期贷款。但他们还能拿什么做抵押呢？

16世纪中叶，安特卫普货币市场上的商人开始签发本票，也就是人们熟知的承兑票据（bills obligatory）或借据（IOUs）。这种其他国家也在使用的信用工具具有可转让性，是一种标准期限为3个月、6个月或1年不等的计息贷款（Ehrenberg，1896，第25页；Van der Wee，1967，第1080—1081页；Van der Wee，1977）。1585年后，安特卫普商人的大规模外迁将这种承兑票据带到了阿姆斯特丹。承兑票据较之年金债券和家庭存款的优点是，债权人能事先决定什么时候收回自己的资金。这对借款人而言并不成问题，因为他们可选择的签订债务契约的贷款人非常多，也可以使不同贷款的偿还期限差异化。[34] 而且，许多票据实际上在到期时一再被拖延，最终变成了一种长期信用工具（Gelderblom和Jonker，2004）。

至少对贷款人而言，剩下的唯一问题和抵押品有关。借款人只需拿他们的人格和货物担保即可，不必提供任何进一步的说明。即使个人票据只代表少量资金（通常不高于1000荷兰盾或1500荷兰盾），考虑到抵押标的的随意性和低门槛，坏账清算也会带来一定问题。即使以国家法令强制借据的可转让性，也并未真正解决这一问题，因为只有了解债务人经济状况的商人才愿意接手一份债务契约。因此，1543年查理五世追加颁布的法令事实上限制了活跃在安特卫普市场上的商人对借据的使用（Gelderblom和Jonker，2004）。

---

[34] 根据16世纪40年代查理五世颁布的法律，只要有意愿，债权人便可通过将偿债义务转让给第三方来一次性地消除一笔债务权利。

1602年荷兰东印度公司的成立才最终发明了一种理想的贷款抵押品，即东印度公司的股票。[35] 16世纪90年代便已使用安特卫普式借据来为业务吸纳外部资金的阿姆斯特丹商人，几乎立刻认识到了股票作为“一种某知名公司债权（所有权）凭证，具有流动性强、发生违约时也容易转手，可参考每日报价进行快速估值，且所有权表述清晰”等潜在优势（Gelderblom和Jonker，2004，第660页）。利用股票的安全性来借钱，即使在今天也是一种广泛使用的融资方式，它使不具备私人关系的商人得以涉足信贷业务，因为贷款人总是可以把股票背书转让出去或予以清算。它很快便在更大的商人群体里得到了应用。

但未持有荷兰东印度公司股票的小企业家怎样才能获得其业务的追加投资？这正是当前研究荷兰共和国金融市场演化的重点所在。一项基于某市某年所收集资料的尝试性分析，披露了公证员在资金供求匹配中可能发挥的重要作用。荷兰豪达市（Gouda）1650年的现存公证员协议资料包括了220份债权义务手稿，涉及不同群体的匠人、船主、零售商和其他小商贩。拿它们和同年发行的定期年金债券（绝大多数由市政官登记，偶尔也由公证员登记）总值作一比较，便可发现：如众所周知的现代早期的法国那样，公证信贷（notarial credit）可能填补了空白。[36] 但坦率地说，考虑到现有资料的稀缺性，这还只是一种推测（参见表6－3）。

表6－3　1650年豪达市公证员记录的债权义务及公证员和市政官记录的定期年金债券情况

	公正借据		定期年金债券	
部门	**数量**	**总值**	**数量**	**总值**
餐饮业	18	13 424	5	2 900
手工艺行业	15	6 155	32	11 336
服务业	6	6 724	3	3 500
建筑业	12	6 260	6	2 500
渔业和航运业	18	4 231	2	200
批发贸易	6	3 745	1	200

[35] 下文分析基于Gelderblom和Jonker（2004）的研究。

[36] 关于1660年以后公证人在巴黎市场所起的作用，参见Hoffman等（2000）。

（续表）

部门	公正借据		定期年金债券	
	数量	总值	数量	总值
专业人员	3	2 300		
公共部门	3	725		
纺织业	3	612	10	2 190
其他	140	75 843	29	10 450
总计	224	120 109	88	33 276

资料来源：豪达市档案，Oud Rechterlijk Archief，Inv. no. 477 Rentenboek no. VII，1649 – 55；Notarial archives 1650

五、风险

就商品和服务买卖做出判断性决策即意味着风险，而不仅仅是不利市场条件所导致的意外价格波动。荷兰企业家还面临着自然灾害、战乱、犯罪及合伙人和雇员的欺诈行为（Van Leeuwen，2000）。农民经常会遭受极端天气、疾病和战乱之害。商人、船主和渔民也会遭遇海难或海盗袭击。批发商、零售商和制造商则必须处理好小偷、无赖客户和肆意改变商品质量的供应商等问题。荷兰企业家跟任何其他人一样，想尽力防止这类灾难，或至少确保能使既成损失获得部分补偿。[37]

荷兰共和国的地方和中央政府在预防投机倒把行为、暴力及（人们甚至可能认为）自然灾害上扮演着重要角色（Gelderblom，2003）。荷兰统治者显然意识到他们不可能总能获得上天眷顾，因此无论如何要采取果断措施减少自然界最大威胁（即水灾）的损害程度。随着中世纪晚期水利委员会（water boards）的设立，荷兰发明了一套防治沿海省份不断下沉的低地发生洪灾的有效管理制度。起初地主和租农必须无偿提供劳动力，后来变成必须捐助资金，来建造和维护河道、堤坝、水闸和风车。尽管相邻的水利委员会有时会指责

[37] 人们也可以认为，黄金时代荷兰企业家的成功源于他们承担风险的无畏精神。这正是 Roessingh 用来解释 17 世纪的荷兰农民乐于种植面向国内外市场销售的烟草作物的两个论点之一（Roessingh，1976，第 278—279 页），但作者并未给出该论断的确凿证据。

对方不够努力，但该制度总体上还是较成功地稳定了土壤质量（Van Tiehof，2009）。

荷兰共和国也依靠政府干预来防范对企业家的暴力袭击。几乎在中世纪末，城镇已经垄断了打击盗贼、小偷和其他罪犯的地方暴力。通过劝诱和相对温和的镇压，荷兰省地方官员也成功地将17—18世纪发生的粮食和税收暴乱消灭于萌芽状态（Dekker，1982）。同时，荷兰人成功地把国家独立战争的战场移到国土边界，从而确保了国家心脏地区（即荷兰省）商品和服务交易的有序进行（Tracy，2004）。最后，荷兰共和国还是欧洲第一个使用常规海军（除了执行其他任务外）为商业船队提供保驾护航的国家（Bruijin，1993）。

此外，地方和中央统治者也帮助防止交易伙伴、雇员和其他行为人的欺骗和懈怠行为。尽管荷兰商人长期以来一直喜欢和亲朋好友进行交易，但也不可避免地要在市场上和陌生人开展商业交易（Gelderblom，2003b）。市政官们创建市场基础设施的创建，监管金融和商业中介机构，使商人们更容易找到诚实的交易对象。地方法院在允许当事人向上级法院上诉的同时，也让尽可能多的商业冲突以快速和解的方式解决（Gelderblom，2005）。

荷兰黄金时代争端解决的一个重大进步源于地方官员和企业家的共同努力。一方面，法院开始认可把账簿作为解决交易争端的合法证据；另一方面，商人越来越多地保存其商业和财务事项的明细账目。[38] 因此，荷兰共和国主要港口的长途贸易商学习如何使用复式记账法，也就不足为奇了。但用一张纸来记录某人资金和货物变动情况的习惯做法更受欢迎。农民、纺织品制造商和零售商也都保存其业务的明细账目。事实上，荷兰人也训练妇女这样做，自17世纪以来保存下来的账册中就能说明这一点（Sterck，1916；Boot，1974，第32—33页；Vrugt，1996）。随着法院认可这些账簿，原先作为商业活动监督机制的账簿现在多了一种充当契约执行手段的功能。

最后，政府在减轻价格波动不利影响中的角色在各部门之间有很大差异。尽管欧洲贸易不受任何进入壁垒影响，但荷兰两大殖民公司——东印度公司和西印度公司在各自业务上却有完全垄断权。在农业部门，所有农民和农场

---

[38] 这一观点在Gelderblom的研究（即将发表）中得到了进一步阐述。

主均可按照自己的意愿决定生产什么，但若能防止饥荒，市政官将责无旁贷地对谷物、面包和其他生活必需品进行管制。在制造业部门，一些行会借助自己的法人权限来排斥竞争者，以确保其成员能获得稳定收入，而其他行会却允许外部人参与分包生产（Prak，1994；Davids，1995；Posthumus，1908，第118—129页、第275页）。后一种自由显然存在于加工糖料和钻石等殖民地商品的非公司型行业。

尽管存在上述各种努力，自然灾害、暴力、投机行为和价格波动仍会不断出现（Klein 和 Veluwenkamp，1993，第27—53页）。因此，企业家必须思考能有效管理这些风险的措施。一种基本（尽管不一定明智）的措施是限制这些风险在市场上的发生频率。这在荷兰农业商品化的早期阶段极为常见。在荷兰省的农户开始面向市场生产黄油、奶酪和大麻（hemp）的同时，他们继续提供至少一部分供自己消费的粮食，并在泥炭采掘、渔业、航运业中谋求额外的就业机会，在大农场干各种粗活（Van Bavel，2003；Baars，1975，第28页）。城市手艺人也可一边从事个体经营，一边为他人提供雇佣劳动。一个例子是阿姆斯特丹的金匠和钻石切割商，17世纪初他们向请自己加工项链的当地商人收取工资。但城市家庭包工制（putting-out）的盛行程度迄今尚未得到充分研究。

然而，荷兰经济确因其相对庞大的企业家队伍而引人注目，这些企业家的收入完全取决于市场损益情况。对于只有中等收入的民众（他们显然包括大部分农民、手艺人和零售商），维持一个稳定的客户群能确保获得稳定的收入。资金实力更雄厚的企业家则试图从事多样化经营。这是荷兰步入黄金时代头几十年阿姆斯特丹商人的典型策略。他们在几个欧洲市场交易不同种类的产品，并投资于航运业、捕鲸业、工业甚至土地开垦。特别是航运业股份制公司（partenrederijen），甚至允许中等收入商人进行组合投资。类似的多样性偏好也能在农业部门找到，那里的奶农把他们的部分土地用来种植大麻，而粮农们也开始种植烟草。

但混耕模式并非总是可行。如在西兰省，农民只有谷物和茜草两种基本选择，这两种作物都需要把投入的资本绑定在一段相当长的投资周期上，而销售却集中在收获季节，因此对不利的市场条件极其敏感。对茜草生产而言，一种解决之道是将财务风险转嫁给城市金融家。鹿特丹商人在茜草还在地里生长时便订购了它们，当它们经过加工后，再把各种成色的红色染料出售给荷兰省周边及国外的纺织品成品加工商（Priester，1998；Baars，1975，第22页，第52页）。

荷兰黄金时代最频繁、广泛的远期交易（forward trading）发生在阿姆斯特丹。阿姆斯特丹商人于16世纪50年代中期开始引进谷物的远期交割合约。他们在预期到未来短缺时的提前购买招致了一场公共抗议，尽管政府试图采取一些措施阻止远期交易，但远期交易仍然得以继续，且在后来扩展至诸如鲱鱼和糖料等大宗商品，以及荷兰东印度公司的股票和郁金香上。同理，需要足够大的富商群体来承担和分担这类交易中的财务风险，因此它仍然是长途贸易所隐含的风险的一种次要解决方法。

一种争议小得多的将风险转嫁给第三方的途径是海上保险。14世纪的意大利最早引进这种方法，到16世纪时它已被安特卫普商人普遍采用。很可能在16世纪90年代，荷兰人为商队通往南欧的战乱连绵的商道制定了第一批保护性政策。到1650年，阿姆斯特丹商人已能为发往欧洲各地市场销售的货物投保，一些规模略小的市场也已在米德尔堡和鹿特丹等次要港口出现。

六、结论

中世纪晚期越来越贫瘠的土壤条件为专业化从事乳品业、航运业、渔业、泥炭采掘和纺织业的荷兰省农民创造了比较优势。作为重要农业基地的地位，连同毗邻市场机会结构截然不同的地区、进入北部海域的便利性及大量可通航的江河湖泊一起，导致1400年后荷兰内陆航运和海洋航运及国内外贸易较早的增长。在16世纪，荷兰省经济同南部省份形成了互补关系。奢侈品制造业和资本开始流入北方，各种各样的食品、原材料和航运服务被售往南方。

南北两地的早期互相依赖从一个侧面解释了为何有如此多的佛兰德和布拉班特商人和匠人在“八十年战争”后迁入北方。随之而来的贸易、航运、手工艺生产和农业繁荣，使历史学家不断强调个人财富、社会关系网、商业和技术能力，甚至这些移民的资本主义精神的重要性。除了大量佛兰德新定居者和规模略小的葡萄牙犹太人外，存在一群队伍更庞大的当地企业家群体，他们在引进新产品或开辟新市场上获得了同样的成功。远洋航运、纺织品制造、谷物碾磨、渔业、殖民贸易和食品加工等部门，在1580—1650年间均出现了重大创新。

比数量有限的创新型企业家的特定技能更重要的，是一套能使更多中等收入的民众独立从事商品和服务贸易的制度框架。一方面，城镇和村庄创造了商品市场，具备了合适的物质基础设施、支付体系、缔约规则及一套保护商人及其货物免遭暴力和机会主义侵害的法律制度。另一方面，荷兰共和国具备了其引以为豪的高效要素市场，这使企业家能雇到所需劳动力、租赁土地并获得业务运营所需的资本。商品市场和资本市场使商人们可以更好地管理商品和服务销售的判断性决策所涉及的风险，进而做出了更大的贡献。

荷兰企业家的收益令人印象深刻。从16世纪80年代起，商人和制造商积累了巨额资本。殖民贸易、农业商品化、城市制造商和欧洲内部的商品交易都帮助创造了大量财富（Soltow和Van Zanden，1998）。将挣来的钱用于再投资的做法至少一直持续至17世纪中叶。当时，荷兰共和国拥有一个由数以万计在高度城市化的荷兰社会过着舒适生活的个体经营者组成的中产阶层（De Vries和Van der Woude，1997，第507—606页）。一小撮统治者和公职人员过得更为安逸，而绝大多数荷兰民众则必须从中等收入甚至更贫穷的状态白手起家（Prak，2005，第122—134页）。

黄金时代的荷兰企业家表现得如此出众，以至很难解释为何该国经济在17世纪末和18世纪会黯然失色。人口增长停止、技术变迁步伐放缓、对外贸易和制造业举步不前……这些均被视为创业失败的经典理由。[39] 垄断和卡特尔的引进提高了风险厌恶意识，甚至炫耀性消费也可能抑制增长。考虑到18世纪的荷兰共和国属于摄政政体和食利者社会，所以这是一个颇为有趣的问题。三代以上经商的家族少之又少，国家财富越来越集中在少数人手里，最卓越的资本家热衷于投资政府债券和外债而非商业企业。

但是，把经济停滞归咎于创业失败并不正确。相关例子表明，一些城镇为应对不断变化的环境也引进了手工生产（craft production）组织（Lesger和Noordegraaf，1999b）。在阿姆斯特丹，商业和金融创新一直持续到了1670年后。定居于此的外国商人建立了广泛的代办贸易（commission trade）机构，金融企业家发明了最早的互助基金和单位信托基金；银行家如外国统治者般住在气势恢宏的商业宅邸里（Jonker和Sluyterman，2000）。同时，16—17世

[39] 关于“创业失败说”之争的来龙去脉，参见Lucassen（1991）。

纪创立的金融和贸易制度框架如此高效，以至周边国家争相仿效。那些想改进本国水利管理、建筑工程和制造业的外国统治者仍争相追捧荷兰手艺人和工程师（Davids，1998）。从某种程度上说，荷兰人似乎是其自身技术成就的受害者，因为现存基础设施、运输系统和能源供应的高质量大大降低了做出进一步改进的预期收益（Davids，1995）。

如果有什么不同的话，就是稍后17—18世纪企业家表现出对这一时期政治和经济约束的理性态度。从17世纪70年代起，英国和法国采取了保护本国市场的措施，限制荷兰商品的进口。投资流向被迫改变，保护主义未触及的部门则继续保持比较优势，直到18世纪晚期还颇具竞争力。[40] 特别值得注意的是，随着阿姆斯特丹从亚洲和美洲的进口不断增加，以及为国际交易商和外国统治者提供的金融服务不断增加，其经济实力不断增强。阿姆斯特丹市场的这种反弹暴露出一个弱点，那就是，支持长途贸易发展的内陆省份的工业企业家做出了巨大的利益牺牲。[41]

附录　1620年前后阿姆斯特丹企业家数量的一个估计

对阿姆斯特丹企业家数量进行数值估算的基本资料来源是一组官方记录，这份记录要归功于市政官在1688年发起的对该市表现活跃的行会会员的调查（Oldewelt，1942）。除了7个行会外，其他所有行会都对该调查做出了积极回应，并报告了各自行会的会员规模。为得出1620年的估计值，我们先计算出不同职业群体占1680年总人口的比例，再把他们的相对比例乘上1622年的人口总量。[42] 由此得到相关部门企业家数量的粗略估计值为：制造业2638人，交通运输业950人，零售贸易业1688人，专业服务部门（如外科医生、公证员和律师等）199人。

显然，这类行会调查至多只能给我们提供一个粗略估计。一个潜在的扭

---

[40] 关于烟草加工的新举措，参见Roessingh（1976，第408—424页）、Verduijn（1998）和Mayer-Hirsch（1999）。一个成功的白手起家的例子如乌特勒支葡萄酒销售商Barend Blomsaet，他凭几百荷兰盾起步，短短两年内资产便增加至1.5万荷兰盾（Tigelaar，1998，第23—24页）。

[41] Lesger和Noordegraaf（1999）的解释认为，城市和地方特殊主义（一种中世纪传统）使荷兰省的地位高居共和国其他各省之上。这在促进荷兰省增长的同时，也损害了其他各省的经济利益。

[42] 城市人口数据来自Lourens和Lucassen（1997）的研究。

曲是企业家可能同时属于多个行会（Van Tiehof，2002）。此外，我们只是简单延用研究荷兰行会的大量文献的主流观点，即行会的会员资格通常只限于授给业界精英，不授予熟练工和学徒（Prak 等，2006）。尽管有证据表明一些这样的业界精英（如造船大师）受雇于他人或提供雇佣劳动，从独立做出劳动和资本使用的判断性决策这一意义上看，将绝大多数行会成员归为企业家似乎是合理的。

对本章的研究来说，幸运的是 1688 年未答复市政官问卷的 7 个行会中有 4 个均由搬运工和其他货物装卸工构成，他们是“行会由企业家组成”这一规律的例外。另外 3 个行会只有大零售商（Groote Kramers），这是一个问题。我们可以得出经纪人和驳船夫的替代估算值。同时，对于各个职业群体，我们的估计值得到了其他证据的证实。例如，18 世纪阿姆斯特丹手工作坊（包括铜器加工厂和造纸厂等）总数的估算值为 135 家，1688 年的玉米磨坊主和锯木厂业主行会的会员估算值为 94 人（Honig，1930）。

最后，大量一手和二手资料使我们可以对估计值进行修改和进一步完善，如下文所述：

（1）有两种方法可估计阿姆斯特丹“批发商”总数：其一是将 1620 年汇兑银行（Exchange Bank）开户数（1202 人）作为一个代理变量（Van Dillen，1925，第 2 章，第 985 页）；其二是借助 1620 年活跃于阿姆斯特丹的来自荷兰南部省份的商人数量的详细估计（400 人），估计他们占该市商人总数的 30%（Gelderblom，2000）。这得出了一个稍高的商人数量估计值，为 1333 人。考虑到当时威瑟尔银行（Wisselbank）的客户仍在增长（1631 年开户数达到了 1348 人），我们采用第二种方法，取 1620 年的批发商数量为 1350 人。

（2）行会调查遗漏了一组重要的“零售商”群体，即专门从事各类纺织品零售业务的大零售商。我们估计他们的数量同小零售商（约 400 人）不相上下，据此可得到阿姆斯特丹零售商总数估计值为 2600 人。

（3）交通运输。除了下列两类情形，阿姆斯特丹所有类型的主要船主均出现在 1688 年的行会调查中。

a. “驳船夫”（即主要通过远洋船只运送谷物的船主）行会也在调查范围内，但未给出成员规模等相关信息。1624 年颁布的一份法律条例规定将他们的人数减少到225人，这表明，在1620年他们必定至少有250人（Van Tielhof，2002）。

b. 我们也缺乏1620年阿姆斯特丹常住远洋船主数量的信息。若我们综合考虑17世纪30年代荷兰舰队战船的估计规模（1750艘）及1595—1650年间驶往波罗的海（3%—6%）、挪威（0—5%）和伊比利亚半岛（17%）的商队货运合同样本中记载的船主宅邸信息，则阿姆斯特丹常住船主的乐观估计值约为150人（即8.5%）。[43]

（4）制造业

a. 首先，我们纳入了其行业未在行会组织内的企业家（Van Dillen，1929）。我们估计制糖商为25家、制肥皂厂为13—17家、酿酒厂为15—20家（Poelwijk，2003）。当然，一些这类厂坊可能由两名或两名以上往往是商人的业主所有，因此这意味着他们已被计入商人一类。基于当前资料来源提到的“distilleerder”和“brandewijnbrander”这两个职业的发生率（1580—1630年间的90个蒸馏师和125个酿酒师，他们集工人和业主为一体），为了和酿酒师相一致，我们估计（白兰地酒）蒸馏师的数量为15人。我们知道，在17世纪早期，阿姆斯特丹约有1—2家玻璃生产商，一些铜器加工厂，可能还有1家食盐加工厂和1家造醋坊。总的来说，1620年活跃于阿姆斯特丹未组成行会行业的企业家总量的估计值为150人似乎是较合理的。

b. 钻石切割商没有单独计算，因为对1590—1610年间该部门的一项分析表明，在17世纪的前几十年，石材切割很大程度上是一项由商人进行组织的家庭包工制业务（Gelderblom，2003a，2008）。

（5）最后一类“其他服务业”由经纪人、旅店老板、外科医生、律师和公证员这些职业群体构成。

a. 奥尔德维特（Oldewelt，1942）认为，1688年公证员和律师的数量为175人，按照本文的估计方法得到1620年为84人。考虑到阿姆斯特丹市档案保存下来的16份公证协议，该估计值是较为合理的。

b. 奥尔德维特（1942）发现，1688年有241名外科医生，我们对

---

[43] Jonker和Sluyterman（2000）；Knoppers（1977）；Winkelman（1983）；Schreiner（1993）；Christensen（1941，第264—265页）。

1620 年的估计值为 115 名。

c. 1618 年经纪人的数量为 438 名，这可从行会的注册成员中得出。据以往史学家估计，17 世纪早期的阿姆斯特丹大概有 500 名旅店老板（Stuart，1879；Visser，1997）。这一估计值似乎极高，但在 1578—1606 年间只有略多于 100 人的旅店老板拥有阿姆斯特丹市自由民身份（Amsterdam City Archives，*poorterboeken*）。如果我们认可该估计值，则除了旅店之外，阿姆斯特丹还有为数差不多的酒馆，因此 500 名的估计值似乎更能说得通。

成年人数量由 1622 年的总人口经 1680 年 15—64 岁人口所占比例［根据范莱文等人（Van Leeuwen 和 Oeppen，1993）的估计，为 32. 8%］调整后得到。

参考文献

Baars, C. 1975. “Boekhoudingen van landbouwbedrijven in de Hoeksewaard uit de zeventiende en achttiende eeuw.” *A.A.G. Bijdragen* 19:3–136.

Bieleman, Jan. 1992. *Geschiedenis van de landbouw in Nederland, 1500–1950: Veranderingen en verscheidenheid*. Meppel: Boom.

Boekel, Pieter N. 1929. *De zuivelexport van Nederland tot 1813*. Utrecht: Drukkerij Fa. Schotanus & Jens.

Bonke, A.J.J.M., W. Dobber, et al. 2002. *Cornelis Corneliszoon van Uitgeest: Uitvinder aan de basis van de Gouden Eeuw*. Zutphen: Walburg Pers.

Boot, J. A. 1974. “De markt voor Twents-Achterhoekse weefsels in de tweede helft van de 18de eeuw.” *Textielhistorische Bijdragen Jaarverslag* 16:21–68.

Boschma-Aarnoudse, C. 2003. *Tot verbeteringe van de neeringe deser stede*. Hilversum: Verloren.

Braudel, Fernand. 1979. *Civilisation Matérielle, économie et capitalisme, XVe–XVIIIe siècles*. Paris: Colin.

Broeze, F.J.A. 1976–78. “Rederij.” In *Maritieme geschiedenis der Nederlanden*, ed. F.J.A. Broeze, J. R. Bruijn, and F. S. Gaastra, vol. 3. Bussum: Unieboek.

Bruijn, Jaap R. 1993. *The Dutch Navy of the Seventeenth and Eighteenth Centuries*. Columbia: University of South Carolina Press.

Brünner, Eduard C. G. 1924. “Een Hoornsch koopmansboek uit de tweede helft der 15e eeuw.” *Economisch-Historisch Jaarboek* 10:3–79.

Brusse, Paul. 1999. *Overleven door ondernemen: De agrarische geschiedenis van de Over-Betuwe 1650–1850*. Wageningen: Afdeling Agrarische Geschiedenis Landbouwuniversiteit.

Casson, Mark C. 2003. “Entrepreneurship.” In *Oxford Encyclopaedia of Economic History*, ed. Joel Mokyr, 2:210–15. Oxford: Oxford University Press.

Christensen, Aksel E. 1941. *Dutch Trade to the Baltic about 1600: Studies in the Sound Toll Register and Dutch Shipping Records*. Copenhagen: E. Munksgaard.

Colenbrander, S. 1992. “Zolang de weefkonst bloeijt in ‘t machtig Amsterdam. Zijdelakenfabrikeurs in Amsterdam in de 17de en 18de eeuw.” *Textielhistorische Bijdragen Jaarverslag* 32:27–44.

Davids, Karel. 1995. “Beginning Entrepreneurs and Municipal Governments in Holland at the Time of the Republic.” In *Entrepreneurs and Entrepreneurship in Early Modern Times: Merchants and Industrialists within the Orbit of the Dutch Staple Market*, ed. Clé M. Lesger and Leo Noordegraaf, 167–83. The Hague: Stichting Hollandse Historische Reeks.

———. 1995. “Shifts of Technological Leadership in Early Modern Europe.” In *A Miracle Mirrored: The Dutch Republic in European Perspective*, ed. K. Davids and J. Lucassen, 338–66. Cambridge: Cambridge University Press.

———. 1998. “Successful and Failed Transitions: A Comparison of Innovations in Windmill Technology in Britain and the Netherlands in the Early Modern Period.” *History and Technology* 14:225–47.

———. 2004. “The Bookkeeper’s Tale: Learning Merchant Skills in the Northern Netherlands in the Sixteenth Century.” In *Education and Learning in the Netherlands, 1400–1600: Essays in Honour of Hilde de Ridder-Symoens*, ed. K. Goudriaan, J. v. Moolenbroek, and A. Tervoort, 235–51. Leiden: Brill.

———. 2008. The Rise and Decline of Dutch Technological Leadership. Technology, Economy and Culture in the Netherlands, 1350-1800. 2 vols. Leiden/Boston: Brill.

Den Heijer, H. J. 2005. *De geoctrooieerde compagnie: De VOC en de WIC als voorlopers van de naamloze vennootschap*. Deventer: Kluwer.

De Vries, Jan. 1974. *The Dutch Rural Economy in the Golden Age, 1500–1700*. New Haven: Yale University Press.

De Vries, Jan, and Ad Van der Woude. 1997. *The First Modern Economy: Success, Failure, and Perseverance of the Dutch Economy, 1500–1815*. Cambridge: Cambridge University Press.

Dekker, Rudolf. 1982. *Holland in beroering. Oproeren in de 17de en de 18de eeuw*. Baarn.

Doorman, G. i. 1956. “Het haringkaken en Willem Beukels.” *Tijdschrift voor Geschiedenis* 69:371–86.

Eeghen, I.H.v. 1961. “Buitenlandse monopolies voor de Amsterdamse kooplieden in de tweede helft der zeventiende eeuw.” *Jaarboek van het Genootschap Amstelodamum* 53:176–84.

Eerenbeemt, H.F.J.M van den. 1983. “Zijdeteelt in Nederland in de 17e en eerste helft 18e eeuw.” *Nederlands Economisch Historisch Archief—Jaarboek* 46:142–53.

———. 1985. “Zijdeteelt in de tweede helft van de 18e eeuw.” *Nederlands Economisch Historisch Archief—Jaarboek* 48:130–49.

———. 1993. *Op zoek naar het zachte goud. Pogingen tot innovatie via een zijdeteelt in Nederland 17e–20e eeuw*. Tilburg: Gianotten.

Ehrenberg, Richard. 1896. *Das Zeitalter der Fugger, Geldkapital und Creditverkehr im 16. Jahrhundert*. Vol. 2, *Die Weltbörsen und Finanzkrisen des 16. Jahrhunderts*. Jena: Fischer.

Enthoven, Victor. 1996. “Zeeland en de opkomst van de Republiek. Handel en strijd in de Scheldedelta c. 1550–1621.” Ph.D. diss., Rijksuniversiteit Leiden.

Frijhoff, Willem. 2003. “Uncertain Brotherhood: The Huguenots in the Dutch Republic.” In *Memory and Identity: The Huguenots in France and the Atlantic Diaspora*, ed. Bertrand Van Ruymbeke and Randy J. Sparks, 128–71. Columbia: University of South Carolina Press.

Gelderblom, Oscar. 2000. *Zuid-Nederlandse kooplieden en de opkomst van de Amsterdamse stapelmarkt (1578–1630)*. Hilversum: Verloren.

———. 2003a. “From Antwerp to Amsterdam: The Contribution of Merchants from the Southern Netherlands to the Commercial Expansion of Amsterdam (c. 1540–1609).” *Review: A Journal of the Fernand Braudel Center* 26, no. 3: 247–83.

———. 2003b. "The Governance of Early Modern Trade: The Case of Hans Thijs (1556–1611)." *Enterprise and Society* 4:606–39.

———. 2005. "The Resolution of Commercial Conflicts in Bruges, Antwerp, and Amsterdam, 1250–1650." http://www.lowcountries.nl/2005-2_gelderblom.pdf.

———. 2008. "Het juweliersbedrijf in de Lage Landen," *unpublished working paper* Utrecht University.

———. Forthcoming. *Violence, Opportunism, and the Growth of Long-Distance Trade in the Low Countries (1250–1650).*

Gelderblom, Oscar, and Joost Jonker. 2004. "Completing a Financial Revolution: The Finance of the Dutch East India Trade and the Rise of the Amsterdam Capital Market, 1595–1612." *Journal of Economic History* 64, no. 3: 641–72.

———. 2005. "Amsterdam as the Cradle of Modern Futures Trading and Options Trading, 1550–1650." In *The Origins of Value: The Financial Innovations That Created Modern Capital Markets*, ed. William N. Goetzmann and K. Geert Rouwenhorst, 189–205. Oxford: Oxford University Press.

Godding, Philippe. 1987. *Le droit privé dans les Pays-Bas méridionaux, du 12e au 18e siècle.* Brussels: Académie royale de Belgique.

Greefs, Hilde, and Marjolein 't Hart, eds. 2006. *Water Management, Communities, and Environment: The Low Countries in Comparative Perspective, c. 1000—c. 1800.* Hilversum: Verloren.

Guicciardini, L., G. Silvius, et al. 1567. *Descrittione di M. Lodouico Guicciardini patritio Fiorentino, di tutti i Paesi Bassi, altrimenti detti Germania inferiore: Con piu carte di geographia del paese, & col ritratto naturale di piu terre principali.* In Anuersa: Apresso Guglielmo Siluio stampatore regio.

Hacquebord, L. 1994. "Van Noordse Compagnie tot Maatschappij voor de Walvisvaart. Honderd jaar onderzoek naar de geschiedenis van de Nederlandse walvisvaart." *Tijdschrift voor Zeegeschiedenis* 13:19–40.

Hart, Simon. 1957. "De eerste Nederlandse tochten ter walvisvaart." *Jaarboek van het Genootschap Amstelodamum* 49:27–64.

Hoffman, Philip T., Gilles Postel-Vinay, and Jean-Laurent Rosenthal. 2000. *Priceless Markets: The Political Economy of Credit in Paris, 1660–1870.* Chicago: University of Chicago Press.

Honig, Gerrit J. 1930. "De Molens van Amsterdam (De invloed van de molens op het Industrieele leven in de Gouden Eeuw)." *Amstelodamum. Jaarboek van het genootschap Amstelodamum* 27:79–159.

Hoppenbrouwers, Peter C. M., and Jan Luiten Van Zanden, eds. 2001. *Peasants into Farmers? The Transformation of Rural Economy and Society in the Low Countries (Middle Ages–19th Century) in Light of the Brenner Debate.* CORN Publication Series 4. Turnhout: Brepols.

Israel, Jonathan I. 1989. *Dutch Primacy in World Trade, 1585–1740.* Oxford: Clarendon Press; New York: Oxford University Press.

———. 1990. *Empires and Entrepots: The Dutch, the Spanish Monarchy, and the Jews, 1585–1713.* London: Hambledon Press.

———. 2002. *Diasporas within a Diaspora: Jews, Crypto-Jews, and the World Maritime Empires (1540–1740).* Leiden: Brill.

Jeannin, Pierre. 1957. *Les marchands au XVIe siecle.* Paris: Editions du Seuil.

Jong, Michiel de. 2005. *"Staat van oorlog." Wapenbedrijf en militaire hervorming in de Republiek der Verenigde Nederlanden, 1585–1621.* Hilversum: Verloren.

Jonker, Joost, and Keetie E. Sluyterman. 2000. *At Home on the World Markets: Dutch International Trading Companies from the 16th Century until the Present.* The Hague: Sdu Uitgevers.

Klein, P. W. 1965. *De Trippen in de 17e eeuw: Een studie over het ondernemersgedrag op de Hollandse stapelmarkt*. Assen: Van Gorcum.

Klein, P. W., and Jan-Willem Veluwenkamp. 1993. "The Role of the Entrepreneur in the Economic Expansion of the Dutch Republic." In *The Dutch Economy in the Golden Age: Nine Studies*, ed. Karel Davids and Leo Noordegraaf, 27–53. Amsterdam: Nederlandsch Economisch-Historisch Archief.

Kloot-Meyburg, B.W.v.d. 1925. "Eenige gegevens over de Hollandsche steenindustrie in de 17e eeuw." *Nederlands Economisch Historisch Archief—Jaarboek* 10:79–160.

Knoppers, J.V.T. 1977. "De vaart in Europa." In *Maritieme geschiedenis der Nederlanden*, ed. F.J.A. Broeze, J. R. Bruijn and F. S. Gaastra, 226–61. Bussum: Unieboek.

Lesger, Clé M. 1990. *Hoorn als stedelijk knooppunt: Stedensystemen tijdens de late middeleeuwen en vroegmoderne tijd*. Hilversum: Verloren.

———. 2006. *The Rise of the Amsterdam Market and Information Exchange: Merchants, Commercial Expansion, and Change in the Spatial Economy of the Low Countries, c. 1550–1630*. Trans. J. C. Grayson. Burlington, VT: Ashgate.

Lesger, Clé M., and Leo Noordegraaf, eds. 1995. *Entrepreneurs and Entrepreneurship in Early Modern Times: Merchants and Industrialists within the Orbit of the Dutch Staple Market*. The Hague: Stichting Hollandse Historische Reeks.

———. 1999a. Introduction. *Ondernemers & bestuurders: Economie en politiek in de Noordelijke Nederlanden in de late Middeleeuwen en vroegmoderne tijd*, ed. Clé M. Lesger and Leo Noordegraaf, 11–60. Amsterdam: Nederlandsch Economisch-Historisch Archief.

Lesger, Clé M., and Leo Noordegraaf, eds. 1999b. *Ondernemers & bestuurders: Economie en politiek in de Noordelijke Nederlanden in de late Middeleeuwen en vroegmoderne tijd*. Amsterdam: Nederlandsch Economisch-Historisch Archief.

Lichtenauer, W. F. 1934. "De ontwikkeling van het Nederlandsche Zeerecht onder den invloed van wetenschap en handelspraktijk met bijzondere inachtneming van de Rotterdamsche invloeden." *Themis. Verzameling van bijdragen tot de kennis van het publiek en privaatrecht* 95:48–80, 115–70.

Lourens, Piet, and Jan Lucassen. 1997. *Inwonertallen van Nederlandse steden ca. 1300–1800*. Amsterdam: Nederlandsch Economisch-Historisch Archief.

Lucassen, Jan. 1991. *Jan, Jan Salie en diens kinderen. Vergelijkend onderzoek naar continuiteit en discontinuiteit*. Amsterdam: Stichting beheer IISG.

Maassen, H.A.J. 2005. *Tussen commercieel en sociaal krediet. De ontwikkeling van de Bank van Lening in Nederland van Lombard tot Gemeentelijke Kredietbank 1260–1940*. Hilversum: Verloren.

Mayer-Hirsch, S.B.N. 1999. "Benjamin Cohen (1725–1800) tabaksplanter, koopman, bankier." In *Utrechtse biografieën. Het Eemland. Levensbeschrijvingen van bekende en onbekende mensen uit het Eemland*, ed. Y. M. van den Akker et al, 2:51–57. Utrecht: SPOU.

Meilink, P. A. 1922. "Gegevens aangaande bedrijfskapitalen in den Hollandschen en Zeeuwschen handel in 1543." *Economisch-Historisch Jaarboek* 8:254–77.

Mentink, G. J. 1981. "Fabricage van 'klein-geweer' te Culemborg in de periode 1759–1812." *Nederlands Economisch Historisch Archief—Jaarboek* 44:22–30.

Moree, M. 1990. "Echten tot Echten, Roelof van (1592–1643)." In *Drentse biografieën. Levensbeschrijvingen van bekende en onbekende Drenten*, ed. Paul Brood, Willem Foorthuis, and Jan Bos, 2:44–48. Meppel: Boom.

Muller, Samuel. 1874. *Geschiedenis der Noordsche Compagnie*. Utrecht: Provinciaal Utrechts Genootschap van Kunsten en Wetenschappen.

Oldewelt, W.F.H. 1942. "Een beroepstelling uit den jare 1688." In *Amsterdamsche Archiefvondsten*, ed. W.F.H. Oldewelt, 172–76. Amsterdam: J. H. de Bussy.

Poelwijk, Arjan. 2003. *"In dienste vant suyckerbacken": De Amsterdamse suikernijverheid en haar ondernemers, 1580–1630*. Hilversum: Verloren.

Posthumus, N. W. 1908. *De geschiedenis van de Leidsche lakenindustrie*. Vol. 1, *De Middeleeuwen (veertiende tot zestiende eeuw)*. The Hague: Martinus Nijhoff.

———. 1939. *De geschiedenis van de Leidsche Lakenindustrie*. Vol. 2, *De Nieuwe tijd (zestiende tot achttiende eeuw) de lakenindustrie en verwante industrieën (eerste deel)*. The Hague: Martinus Nijhoff.

———. 1953. *De Oosterse handel te Amsterdam: Het oudst bewaarde koopmansboek van een Amsterdamsche vennootschap betreffende de handel op de Oostzee, 1485–1490*. Leiden.

———. 1971. *De uitvoer van Amsterdam, 1543–1545*. Leiden: Brill Archive.

Prak, Maarten. 1994. "Ambachtsgilden vroeger en nu." *Nederlands Economisch Historisch Archief—Jaarboek* 57:10–33.

———. 2005. *The Dutch Republic in the Seventeenth Century: The Golden Age*. Cambridge: Cambridge University Press

Prak, Maarten, Catharina Lis, Jan Lucassen, and Hugo Soly, eds. 2006. *Craft Guilds in the Early Modern Low Countries: Work, Power, and Representation*. Aldershot, UK: Ashgate.

Priester, Peter R. 1998. *Geschiedenis van de Zeeuwse landbouw. ca. 1600–1910*. 't Goy-Houten: Hes Uitgevers.

Prins, I. 1936. "Gegevens betreffende de 'Oprechte Hollansche Civet' (17e–18e eeuw)." *Economisch-Historisch Jaarboek* 20:1–211.

Riemersma, Jelle C. 1952. "Trading and Shipping Associations in 16th Century Holland." *Tijdschrift voor Geschiedenis* 65:330–38.

Roessingh, H. K. 1976. *Inlandse tabak: Expansie en contractie van een handelsgewas in de 17e en 18e eeuw in Nederland*. Zutphen: Walburg Pers.

Schreiner, Johan. 1933. *Nederland og Norge, 1625–1650: Trelastutførsel og handelspolitikk*. Oslo: Dybwad.

Soltow, Lee, and Jan Luiten Van Zanden. 1998. *Income and Wealth Inequality in the Netherlands, 16th–20th Century*. Amsterdam: Het Spinhuis.

Soly, Hugo. 1977. *Urbanisme en kapitalisme te Antwerpen in de 16de eeuw: De stedebouwkundige en industriële ondernemingen van Gilbert van Schoonbeke*. [Brussels]: Gemeentekrediet van België.

Sterck, J.F.M. 1916. "Een Amsterdamsche Zijdewinkel in de Warmoesstraat 1634–1637." *Jaarboek Amstelodamum* 14:145–83.

Stuart, T. 1879. *De Amsterdamse makelaardij. Bijdrage tot de geschiedenis onzer handelswetgeving*. Amsterdam.

Tigelaar, H. 1998. "Barend Blomsaet (1669–1730), Wijnkoopman, ter dood veroordeeld wegens sodomie." In *Utrechtse biografieen. Levensbeschrijvingen van bekende en onbekende Utrechters*, ed. W.v.d. Broeke et al., 5:23–28. Amsterdam: Boom.

Tracy, James D. 2004. *For Holland's Garden: The War Aims of the States of Holland, 1572–1588*. Amsterdam: Amsterdams centrum voor de studie van de Gouden Eeuw, Universiteit van Amsterdam.

Unger, Richard W. 1978. *Dutch Shipbuilding before 1800*. Assen: Van Gorcum.

———. 2001. *A History of Brewing in Holland, 900–1900: Economy, Technology, and the State*. Leiden: Brill.

Van Bavel, Bas J. P. 2001. "Land, Lease and Agriculture: The Transition of the Rural Economy in the Dutch River Area from the Fourteenth to the Sixteenth Century." *Past and Present* 172:3–43.

———. 2003. "Early Proto-industrialization in the Low Countries? The Importance and Nature of Market-Oriented Non-agricultural Activities in the Countryside in Flanders and Holland, c. 1250–1570." *Revue Belge de Philologie et d'Histoire* 81:1109–63.

Van Bavel, Bas J. P., and Oscar Gelderblom. 2010. "A Land of Milk and Butter: The Economic Origins of Cleanliness in the Dutch Golden Age." *Past and Present*, forthcomimg.

Van Bavel, Bas J. P., and Jan Luiten Van Zanden. 2004. "The Jump-Start of the Holland Economy during the Late-Medieval Crisis, c. 1350–c.1550." *Economic History Review* 57:503–32.

Van Cruyningen, P. J. 2000. *Behoudend maar buigzaam. Boeren in West-Zeeuws Vlaanderen 1650–1850*. Wagening: Afd. Agrarische Geschiedenis, Wageningen universiteit.

Van Dam, Petra. 2006. "Middeleeuwse bedrijven in zout en zel in Zuidwest-Nederland. Een analyse op basis van de moerneringsrekening van Puttermoer van 1386 in vergelijkend perspectief." *Jaarboek voor Middeleeuwse Geschiedenis* 9:85–115.

Van den Heuvel, Danielle. 2007. *Women and Entrepreneurship: Female Traders in the Northern Netherlands c. 1580–1815*. Amsterdam: Aksant Academic Publishers.

Van der Wee, Herman. 1967. "Anvers et les innovations de la technique financière aux XVIe et XVIIe siècles." *Annales ESC* 22:1067–89.

———. 1977. "Monetary, Credit and Banking Systems." In *The Cambridge Economic History of Europe*, vol. 5, *The Economic Organization of Early Modern Europe*, ed. E. E. Rich and C. H. Wilson, 290–392. Cambridge: Cambridge University Press.

Van der Woude, Adrianus Maria. 1972. *Het Noorderkwartier. Een regionaal historisch onderzoek in de demografische en economische geschiedenis van westelijk Nederland van de late Middeleeuwen tot het begin van de 19e eeuw*. Wageningen: H. Veenman & Zonen.

Van Dillen, J. G. 1925. *Bronnen tot de geschiedenis der Wisselbanken. (Amsterdam, Middelburg, Delft, Rotterdam*. Rijks geschiedkundige publicatien, 59. The Hague: Nijhoff.

———, ed. 1929. *Bronnen tot de geschiedenis van het bedrijfsleven en het gildewezen van Amsterdam*. Vol. 2, *1612–1635*. Rijks geschiedkundige publicatiën. Grote serie 78. The Hague: Nijhoff.

———. 1930. "Isaac le Maire en de handel in actiën der Oost-Indische compagnie." *Economisch-Historisch Jaarboek* 16:1–165.

Van Leeuwen, Marco H. D. 2000. De rijke Republiek. Gilden, assuradeurs en armenzorg, 1500–1800. Amsterdam: Verbond van verzekeraars / Nederlandsch Economisch-Historisch Archief.

Van Leeuwen, Marco H. D., and James E. Oeppen. 1993. "Reconstructing the Demographic Regime of Amsterdam 1681–1920." Economic and Social History in the Netherlands 5:61–102.

Van Tielhof, Milja. 2002. *The "Mother of All Trades": The Baltic Grain Trade in Amsterdam from the Late 16th to the Early 19th Centuy*. Leiden: Brill.

———. 2005. "Turfwinning en proletarisering in Rijnland 1530–1670." *Tijdschrift voor Sociale en Economische Geschiedenis* 4:95–121.

———. 2009. "Financing Water Management in Rijnland,1500-1800." In *The Political Economy of the Dutch Republic*, ed. Oscar Gelderblom, 197–222. Aldershot: Ashgate.

Van Tielhof, Milja, and Petra Van Dam. 2007. *Waterstaat in stedenland. Het hoogheemraadschap van Rijnland voor 1857*. Utrecht: Matrijs.

Van Zanden, Jan Luiten. 1993. *The Rise and Decline of Holland's Economy: Merchant Capitalism and the Labour Market*. Manchester: Manchester University Press.

Verduin, J. 1998. "Jan Agges Scholten (1690–1772). Tabaksteler en heer van Aschat." In *Utrechtse biografieën. Het Eemland. Levensbeschrijvingen van bekende en onbekende mensen uit het Eemland*, ed. Y. M. v. d. Akker et al., 1:180–85. Utrecht: SPOU.

Visser, N. 1997. "Adriaentgen Adriaens (±1590–1648), Herbergierster." In *Utrechtse biografieën. Levensbeschrijvingen van bekende en onbekende Utrechters*, ed. W.v.d. Broeke et al., 4:11–17. Amsterdam: Boom.

Vlessing, O. 1995. "The Portuguese-Jewish Mercantile Community in Seventeenth-Century Amsterdam." In *Entrepreneurs and Entrepreneurship in the Orbit of the Dutch Staple Market*, ed. Clé M. Lesger and Leo Noordegraaf, 223–43. The Hague: Stichting Hollandse Historische Reeks.

Vogel, J. 1986. "De zijdelintindustrie te Haarlem, 1663–1780." *Jaarboek voor de Geschiedenis van Bedrijf en Techniek* 3:76–91.

Vrugt, M.v.d. 1996. "Johanna de Milan-del Corne (?–1674)." In *Utrechtse biografieën*, ed. J. Aalbers et al., 3:131–35. Amsterdam: Boom.

Wijnroks, Eric H. 2003. *Handel tussen Rusland en de Nederlanden, 1560–1640: Een netwerkanalyse van de Antwerpse en Amsterdamse kooplieden, handelend op Rusland*. Hilversum: Verloren.

Winkelman, P. H. 1971–83. *Bronnen voor de geschiedenis van de Nederlandse Oostzeehandel in de zeventiende eeuw*. The Hague: Nijhoff.

Yntema, Richard J. 1992. "The Brewing Industry in Holland, 1300–1800: A Study in Industrial Development." Ph.D. diss., University of Chicago.

Zuijderduijn, C. J. 2009. *Medieval Capital Markets: Markets for Renten, State Formation, and Private Investment in Holland (1300–1550)*. Leiden: Brill.

第七章　企业家精神和英国工业革命*

乔尔·莫克

“新经济史”（New Economic History）很少从企业家精神的角度解释重大的经济发展事件。自20世纪70年代出现关于现代英国经济史的计量历史学研究以来，训练有素的经济史学家已驳斥了“导致创业失败的社会因素可以在一定程度上解释19世纪晚期英国衰落”的观点。① 本章将透析更早时期，即工业革命时代的企业家精神问题。该主题的争议程度不亚于“维多利亚时代的衰落”。工业革命仍是重点研究领域，尽管一些荒谬做法试图忽视这点。② 现在，有些怀疑论者认为对维多利亚时代的衰落根本不存在，因此，我们需要一个关于英国失败的理论。

解释工业革命和企业家精神之间的关系所面临的基本知识困境很好理解。它本质上是一个识别问题（indentification problem）。创业行为能否导致经济进步和技术变迁，抑或潜在企业家是否会很自然地对产生于新技术、新兴市场或价格波动的机会做出回应？若答案肯定，那么这样的机会是否确实存在？这些争论不是计量经济学研究的突破就能解决的，两个问题都需深入研究才有望得

---

* 作者感谢Marianne Hinds尽心尽责和优异的研究助理工作。感谢Michael Silver编辑本章手稿。William Baumol、Louis Cain、Andrew Godley和Deirdre McCloskey的评论和建议对改进本章初稿帮助颇大，在此一并致谢。初稿提交给2006年10月20日至21日在纽约召开的“历史上的企业家精神”研讨会。

① “经典论述”（opus classicus）仍在McCloskey（1971）的研究中。最近的研究如Dormois和Dintenfass（1999）谨慎处理了所谓英国经济衰落时期的创业因素问题。Wiener（1981）的杰出著作已重拾文化因素导致创业失败的主题，但它连计量历史学家都未能说服。更深入的分析可参见McCloskey（1998，2006），他认为“解释市场如何存续及技术和偏好如何产生……需要求助于文化”（McCloskey，1998，第300页）。

② 关于工业革命经济解释的分类，参见Mokyr（1998，2002），也可参见Floud和Johnson（2004，第1章和第5章）最近的研究。

出满意答案。即使不能产生确凿证据，我们也能从相互讨论中获得有用信息。

过去10年来，经济学界对制度和文化因素的整体观念已经改变。曾被视为“软的”和“不能测量的”制度，在最近已被作为解释经济成就差异的重要因素。③ 在对中世纪商业革命的突破性研究中，格雷夫已说明了“文化信念”的重要性（Greif，1994，2005）。经济学家在测量文化因素上也表现出巨大的创造性，且成功地将它同经济发展联系在一起（特别参见 Guiso、Sapienza 和 Zingales，2006；Tabellini，2008）。经济史学家开始回过头来反思文化在不断变化的经济中的意义，并对经济学家和其他社会科学家的文化研究提出了批评（Jones，2006）。

对经济变迁中的文化和制度重新燃起的兴趣无疑影响了我们关于企业家精神的思考。④ 若经济学想把文化重新带回到有关经济增长源泉的争论中，它也必须回到企业家精神上。安德鲁·戈德利（Andrew Godley，2001，第13页）已非常明确地指出：“文化在解释企业家精神供给的差异上似乎尤为重要。”有些人认为企业家精神的供给像文化禀赋一样是外生的；另一些人认为，企业家精神是对激励和机遇的回应，因而内生于其他因素，新制度分析得出的诸多新洞见，可以推动和深化这两者之间的讨论。制度为潜在企业家创造了激励和相对报酬。这些激励是关于制度影响经济发展的现代解释的要点之一。对经济史上制度的研究曾一度主要关注产权保护及“法律与秩序”问题。现在人们已意识到制度的作用要大得多：它们引导和带领绝大多数最有创造力且聪明机智的人，把努力用在任何能使自己获得最高报酬的地方（Murphy、Shleifer 和 Vishny，1991；Baumol，2002）。有利于增长的制度促使人们以最有利可图和最具社会生产力的方式发挥聪明才智。换言之，制度决定了人们的努力将导致财富的“创造”抑或只是财富的“再分配”。相较于更加自由的市场社会，寻租社会的“创业型企业家精神”并不必然更少。但寻租社会的企业家会投身于通过再分配来创造收入，如获得例外条款和特权、有利诉讼和税收减免，以及操控能达成这些目的的政治机器（Baumol，1993，2002）。除了掠夺性剥削和其他暴力犯罪外，这类

---

③ 特别是参见 Acemoglu、Johnson 和 Robinson（2005），Rodrik、Subramanian 和 Trebbi（2004），Dam（2005）；相关批评参见 Glaeser 等（2004）。将制度分析引入经济史的标准研究参见 North（1990，2005）和 Greif（2005）。

④ 这里我遵循诺思对制度的定义，即制度包括经济活动得以开展且外生于各参与主体的由社会决定的“规则”，包括正式制度和非正式制度。文化只是通过“非遗传”（即柔性关联）机制代代相传的共同信念、态度和偏好的集合。

活动最具破坏性的形式是现行既得利益集团抵制创新，他们试图用守旧来“保卫”受到创新威胁的实物资本或人力资本价值。⑤ 如果成功，这种抵制势必会使企业家远离创新活动，因为它降低了已经是高风险的创新活动的预期收益。

下文将提出的观点是，在 18 世纪的英国（可能比其他任何地方都明显），制度正变得更越来越有利于支持“技术上的”创新型企业家精神。以往，这些制度变迁总是和法律规则、知识产权及对工业家有利的政府立法等正式制度相联系（North，1990）。但学者们日益认识到非正式制度的重要性，往往表现为公认的行为准则、信念模式、信任关系和类似的社会模式。第三方实施似乎并非工业革命时期经济进步所依赖的主要制度（Mokyr，2008）。18 世纪英国的正式法律实施有许多不足之处，因此若大量经济主体决定采取毁约或公然的机会主义行为，相关法院和执法机关能否阻止它们很值得怀疑。这些代表正式制度的执法机构也并不一定会这么做。

将创造力导向生产性活动的制度是创业成功的主要根源。但该观点似乎只会使我们回到以前的问题，即为何一些国家相较其他国家具有更适合创造性企业家精神的制度？本章无意给出一个完整的制度理论，但以下四点似乎同企业家精神密不可分。首先，制度在历史上表现出较大的惯性。当社会建立某套制度结构后，多数情况下它们会发生变化，但像文化一样变化得非常缓慢。尽管迥异于历史命定论，现代制度分析仍强调制度遵循一个演化过程，“现在”要受“历史传承”的制约，因此短期内制度至多只能发生局部改变。在长期内，这会导致经济绩效的巨大差异。其次，如前所述，非正式规范和行为准则同正式的法律规则一样重要。在交换博弈或生产博弈中，参与者某种程度上出于道德和声誉考虑而采取合作行为。再者，若存在某种元制度（meta-institution，通常认为，元制度改变可以合法地改变其他制度且受损方必须接受依据这一制度做出的决定），则制度变迁会更容易，成本也会更低。1650 年后，英国在欧洲国家中独一无二地发展出了元制度。事实上，到 1714 年，英国议会已经获得了（至少现在看来）合法地位和大量权力，且实力越来越稳固。此外，制度和意识形态息息相关。社会所建立的制度是利益和信念共同作用的结果。任何将制度归因于纯粹物质因素或信念的简单理论均不能解释 1688—1850 年间英国所发生的制

⑤ 对抵制技术进步的政治经济学分析，参见 Mokyr（2002）。

度变迁。制度除必须反映服务于人们利益的事物外，还必须反映人们认为“合理”和“正当”的事物。在这里，我们必须考察启蒙运动理念的影响及其最终的胜利（参见 Mokyr，2006a，2006b）。随着英国决策者逐渐接受“排他性安排、垄断、限制、特权、关税、出口奖励和对自由市场的控制危害无穷”的理念，这一制度都得到了改革且最终被废除。尽管这个过程到 19 世纪中叶才完成，但它是在现存政治框架下以非暴力形式发生的。

因此，18 世纪英国的制度发展整体上比其他国家更有利于企业家精神。这并不是说英国的制度按某种标准衡量是最优的或极好的。但是，从当时的标准来看它无疑处于优势地位。相较于其他国家，英国为成功的企业家提供了更好的机会追求经济和社会成功，且能从国外吸纳大量极富创造性的成功企业家以增加补充创业才能的供给。⑥ 优越的制度环境使英国成了其他欧洲国家技术进步的引领者，后者的制度变迁要缓慢和艰难得多。

从工业革命“开启”前的 100 多年里，英国制造业和服务部门的进入壁垒和排他性安排便已被打破，或因不遵守这些规则的行为而受到削弱。1776 年，亚当·斯密或许仍会抱怨《殖民法案》（Laws of Settlement）或行会所导致的经济损害，但事实上，在 18 世纪的英国，各种正式或非正式壁垒已大为减少，年轻的小伙子们可以自主跨入那些他们认为能比 200 年前的人们获得更大成就的行

---

⑥ 最著名的例子有 Swiss Aimé Argand，他发明了具有革命性意义的照明灯，但未能获得巴黎人的青睐。他于 18 世纪 80 年代到了英国，那里的商业成功（commercial success）使他的发明成就黯然失色。更成功的例子是瓦隆（Walloon）发明家 John-Joseph Merlin，他的众多专利包括溜冰鞋、乐器、烤肉架（rotisserie）和轮椅，他是继 James Cox 之后纯粹的技术天才，而 James Cox 于 1772 年（在）伦敦查林十字街附近的 Spring Gardens 街道开设了旨在展示各种各样新奇发明的“机械博物馆”（Mechanical museum）。成功的德国人包括 Friedrich Koenig，这个印刷商在 1806 年抱怨道：“大陆国家没有任何鼓励新发明推广的措施……我在德国和俄国花了两年时间申请专利，但一无所获，最后只得求助于英国”（转引自 Smiles，1884，第 6 章）。他发明的蒸汽印刷机第一次引进了圆压轴和油墨印刷，1814 年底一期《时代》杂志即用蒸汽印刷机印刷。Frederic Winsor（né Winzer）在煤气照明技术的开发和商业化中起了重要作用。出生于阿尔萨斯的 John Jacob Holtzapffel 在 1787 年定居伦敦，创建了非常成功的车床制造和销售企业。伟大的瑞典工程师和发明家 John Ericsson 在 1826 年来到伦敦，直到 1839 年才从伦敦前往美国。布鲁奈尔斯家族（the Brunels）无疑是最重要的法国“进口品”，（作为）父亲（的）Marc Isambard 在 1793 年的大革命中逃离法国（他是保王党的同情者，有一个英国妻子），并于 1799 年定居伦敦。尽管他发现伦敦有从事各类创新活动的自由和机会，且声名鹊起，但他并未致富，而是先后依靠妻子和儿子 Isambaard（在当时算得上是出类拔萃的土木工程师）的收入为生。

业。[7] 确实，《学徒法案》（Statute of Apprentices）在形式上虽仍禁止学徒期未满的人独立从事各类业务，但远在1809年被废止前，它的执行效力已大打折扣。各行各业的经济活动都充满竞争。商业准入壁垒或遭忽视，或执行起来障碍重重。只有军队、文职机关和政治领域仍大体上由信奉英国国教的地主特权阶级所掌控。除了某些特例外，这种分工能较好地服务于经济发展。

英国的另一项制度优势在于，它是一个可靠信息和可置信承诺能使互不熟悉且利益不一致的人们彼此间进行交换的社会。我将说明，工业革命时期的成功企业家并不一定非得是一个无所不能的多面手，查尔斯·威尔逊（Charles Wilson，1955，第175页）也持这样的观点。查尔斯·威尔逊描述成功企业家有着某方面的商业天赋（如技术或管理），有能力识别需求或机会，并和其他有不同比较优势的人合作以充分利用他们来获利。合作通常采取合伙企业或距离型市场交易的形式，尽管有时也需顾及人格化因素。在某些情况下，需要雇用一名值得信任的专家、经理或监督工程师。波拉德（Sidney Pollard，1968）指出，寻找这样的人本身就是一项重要技能，且往往是成功的企业家精神的一种检验。有时，这些雇员自己也会慢慢变成成功的企业家，一个著名的例子是罗伯特·欧文（Robert Owen）。在另一些情况下，如博尔顿和瓦特的得力工程师威廉·默多克（William Murdoch），他们仍然在雇主手下打工。创业成功以成功的交易为基础，而不一定要有一个多才多艺的全能型人物。即使在公司层面，劳动分工和比较优势的经典原理也适用。成功的制度须能降低企业家的交易成本。

一、企业家精神与制度

工业革命通常被视为欧洲现代经济增长的开端。尽管如此，人们仍然认为工业革命在刚开始的时候是一种局部现象，只限于英国少数地区数量极为有限的成功行业。直到19世纪20年代中期以后，才出现可持续的经济增长。这些行业在成功实现机械化后并未出现增长中断，尽管第一波技术机会已耗尽，但史无前例的技术进步运动并未失去动力，相反随时间的推移而获得越来越大的

⑦ Josiah Mason（1795—1881）的职业生涯是一个很好的例子。作为地毯织造工的儿子，他在成为伯明翰一家五金制品厂的经理之前，曾从事过制鞋工、木匠、铁匠和粉刷工等职业。1829年，Josiah Mason涉足使他大获成功的钢笔业务，后来他还进入了电镀工业。

推力。相较于其他国家，英国的技术创新绝大多数仅限于私人部门，尽管国家有时会进行干预，但其范围比欧洲其他国家更有限。推动这一进程的关键群体便是企业家。企业家精神的社会起源及其对社会流动性的影响已得到广泛研究，但促使企业家采取相应举措的激励和动机却较少受到关注。[⑧]

人们很容易认为创业努力和独创性的报酬在18世纪得到了提高。但正如墨菲等人（Murphy、Shleifer和Vishny，1993；Baumol，2002）所强调的，这些努力和创造力可以用于向政府游说以获得排他性特权或补贴，或转到从军、私掠和其他徒劳无功的事情上。获取财富的其他途径对经济结果有着完全不同的影响，因为通过政治游说的再分配是一种“双漏桶式”（leaky bucket）的转移。政治游说本身会浪费大量资源。在大陆国家，如法国和普鲁士，市场对才能和天赋的吸引力远不及法院、政府部门特别是军队的诱惑。如果说这在（法国大革命以前的）旧制度（ancien régime）下如此，在1789年以后更不需多言。英国的制度代表了某种悖论。虽然英国是欧洲税赋最重的国家之一（远重于法国和普鲁士），但民众越来越感受不到严苛的政府管制和普遍干预。18世纪英国的文职机关微不足道，司法职务多由义务兼职者或志愿者担当，警察和其他公共服务基本不存在。许多同公路、学校和公共安全等公共品有关的机构都由私人部门负责运营。英国同纯粹放任自由的经济仍相距较远，但正变得越来越接近。政府的唯一大笔支出是国防，即花在战争、作战的海陆军部队及以往战争债务的利息支出上（特别是参见O'Brien，1994，2002，2006）。[⑨] 这些措施包括对不列颠内部一些较难驾驭地区，如爱尔兰的管辖和控制。但总的来说，一名有抱负、有才华的年轻人若在英国，将会比在欧洲其他地区更愿意通过商业、工业或金融业来创造自己的财富。

其首要结果是促进了推动工业革命的少数重要经济精英的成长。精英由许多更小的子群体构成，他们并非都可以被描述成严格意义上的“企业家”。企业家精神和硬件设施是互补性的投入要素，一个擅长培育硬件设施（及其使用者）的国家将为那些能充分利用它们的人提供极难得的机会。博尔顿发现了瓦特，克莱格发现了默多克，马歇尔发现了穆雷，库克发现了惠斯通。拥有专门技术

---

⑧ 从许多方面对工业革命时期的英国企业家所做的最系统研究，参见Crouzet（1985），稍逊色一点的可参见Honeyman（1982）。

⑨ 特别是参见O'Brien（1994，2002，2006）。

和具备商业头脑的人们一经结合便能将英国人力资本和有利制度相互补充的这个巨大优势个人化。除了塞缪尔·斯迈尔斯（Samuel Smiles）和其他维多利亚时代商业作家不吝赞颂且高中课本里永不缺少的“发明英雄”外，工业革命依赖的是一支更庞大的默默无闻的高技能匠人和仪器制造者队伍，他们能把最初的构想转变成一件件具体实物，实际制造了由他们那些聪明的同事所设计的机器，他们并非偶尔为之，而是不断地这样做。这些大多数不为人知的匠人和技工堪称工业革命的无名英雄。他们既心灵手巧又不乏经验，且具备学校里学不到的技术才干，创意和产品之间的差异充分体现了他们的精湛技艺。在英国，处处可获得高质量的技艺以实现各种精彩的创意（不管源自本国还是外国），这无疑有助于工业革命的兴起和发展。⑩

互补性是对称的：那些掌握着专门技术的人，不管是创造性的还是辅助性的，都需要那些能经营企业、熟悉市场、知道如何招募并管理员工和领班、能获得信贷和其他技术咨询以及最重要的乐于接受创新不确定性的人。经济学家知道这样的人每个社会都有，但他们的才能用在哪里却取决于由社会的制度框架所设定的激励机制。事业有成者，如皇家乐队指挥官和宗教组织领袖，所需的天赋非常相似。

---

⑩ 举例来说，英国（尤其是苏格兰）技工是极有经验的，比如工程师 John Fairbairn，他本人便是一名技工，他注意到 18 世纪英国的技工“有很高的造诣和学识”，一名典型的技工也是“一位优秀的算术家，熟悉几何、水准测量和测定法等知识，并且掌握足以胜任的实用性机械知识”（转引自 Musson 和 Robinson，1969，第 73 页）。如将滑动舱口盖引入水车并建造了伦敦好几座大型桥梁的 John Rennie（1761—1821）便是以技工为职业生涯开端的，他的徒弟 Peter Ewart（1767—1842）同样如此，后者曾相继为博尔顿和瓦特及棉纺织商 Samuel Oldkown 工作，最终以皇家造船厂（His Majesty's dockyards）的首席经理人结束了自己的职业生涯。由此，英国得以具备了一个其他国家所不能比拟的技术人才群体。差别不仅在于机械技术的先进程度或风靡程度，还在于这些经验丰富的技术人才上。他们当中包括高度精致复杂的器械的制造者：如眼镜商 John Dollond（1707—1761），起初他是一名丝织工和业余眼镜商，因在消色差透镜上的贡献而赢得了科普利奖章（1761 年）；又如杰出的仪器制造商 Jesse Ramsden，他设计出了精确度和使用便利性均史无前例的测算和计量工具；再如发明了一种新的更精确的叫作哈德雷四分仪（或哈德雷八分仪）的数学家 John Hadley（1682—1744），以及继 Jesse Ramsden 之后伦敦城最优秀的仪器制造者 Edward Troughton（1753—1835）。此外，还有机械师 Joseph Bramah 和他极具天赋的学徒 Henry Maudslay，后者是英国机床制造工业之父之一。以改进了机械化造纸的基础机器而著称的 Bryan Donkin，同时也是转速表、钢质削尖笔和食品金属罐头的发明者。同样令人印象深刻的还有 John Kay（此处并非指发明飞梭的 John Kay）等钟表匠，John Kay 是 Richard Arkwright 和 John Whitehurst 的得力助手，后者是英国月协会（Lunar Society）的会员，后来伦敦城邮票和计重器的保管者。

二、规范、绅士和企业家

如前所述，这些企业家的供给部分由竞争性活动的报酬决定。就这一点而言，在工业革命以前的几十年里，一套超越正式“法律规则”、对机会主义行为施以明确惩罚，且使创业活动在英国更有吸引力的社会规范逐渐形成，这一点颇为重要。工业革命归根到底受到了技术进步的推动，但要产生蔚为大观的传播者（企业家、工程师、商人、金融家和技术顾问），则契约、信贷和可置信承诺必不可少。由于第三方（国家）契约实施机制至多只是一个基本条件，那么什么才是让英国社会经济保持凝聚力的黏合剂呢？答案在于除了往往作为最终救济手段的国家的正式机制外，还存在一套未受到足够重视的支持创业活动的社会规范。这些规范可称作“绅士—企业家”（gentleman-entrepreneur）文化。

“绅士”这个概念的文化重要性已是许多研究的主题，但它约束机会主义行为和支撑市场良好运行的经济意义，只得到了凯恩和霍普金斯（Cain 和 Hopkins，1993，第22—42页；也可参见 Daunton，1989；Casson 和 Godley，本书第八章）等少数见识敏锐的学者的重视。其困难在于，“绅士”这个词有两种很不一致的含义。一种是指地主绅士，即有闲暇承担公民义务，没有私心利益、无固定职业因而高贵和值得信赖的人。根据该定义，一个“经商的绅士是荒谬可笑的”（参见 McCloskey，2006，第471页）。人们曾认为，“绅士心态”是反创业型的，绅士以轻蔑和消极的态度看待经济活动，在真正的贵族看来，暴发户不过是一个笑柄。[11] 尽管有这样的观念，但这并没有使上流阶层对经济生活产生重要影响。这不仅因为贵族生活方式需要靠金钱维持，更可能因为贵族文化有比势利和闲逸嗜好更多的内涵。绅士文化理念的起源可追溯至封建时代和中世纪地主贵族阶级。

另一种含义乍一看恰好相反。到1700年，上流阶层的概念和财富的关联性大为减小，通过工商业活动获得财富已同依靠土地所有权获得财富大抵相当。笛福（Defoe）写道：“财富，不管如何获得，在英国使技工取代了地主，使

---

⑪ 如 Daunton（1989，第125页）在总结传统论点时所言：“某种职业或收入来源越能满足同地主阶级相类似的生活方式，它所带来的声望越高、权力越大。绅士资本家并未对市场经济抱鄙夷态度，但他们确实不太关注生产，且往往回避全职工作。”

平民取代了绅士；不论辈分和出身；厚颜无耻和金钱就像一对伙伴。”约翰逊博士（Dr. Johnson）怀着同样的观点论及：“一名英国商人是新的绅士类型”，只要他能获得足够的成功。[12] 一些酿酒商、造纸商、陶艺家和铁器制造商成为贵族、爵士、国会议员和城堡主人。[13] 更多人希望跻身于他们当中。但这种关联性只具有历史意义。在这里重要的是，只要每个人都把自己想象成潜在的贵族，他们便有义务遵循一套具有绅士风度的行为准则。如梅森（Mason，1982）所指出的，“绅士”这个词有两重含义：其一，指一个同下层社会毫无交集且表现出某种差异性特征的人；其二，“总是暗示着某些行为规范”。至于是哪些行为规范，梅森解释说，尽管作为行为规范的基督教教义过于苛刻，但一些标准仍不可或缺，如“像绅士那样为人处世”。绅士必须言行一致、廉洁公正，最重要的，“必须充分履行他应当履行的义务”（Mason，1982，第16—17页）。

在18世纪的英国，商人最重要的资产可能是他作为一名绅士的声望，尽管他还不是一名绅士。如挥舞着刀剑的中世纪暴徒不被视为具有“侠义精神”一样，土地寄生阶层更不等同于“绅士风度”。理想与现实越来越相背离。绅士必须有可为和不可为之事；由于这些规范显然不可能比正式法律得到更好的遵守，打破具有绅士风度的行为规则代价不菲。[14] 18世纪中叶，在工业革命爆发之前，绅士概念意味着某人所体现出的特定行为准则值得信赖。最重要的是，不会给人一种贪得无厌的印象。[15]

---

[12] Defoe（1703，第19页）；Poter（1990，第50页）所引Johnson的论述。如Malthus（1820，第470页）所指出的，商人“不断挤入社会上层，他们同地主阶级一样，满足于休闲娱乐和奢侈享受”。

[13] 局部研究证实了财富作为社会地位决定因素的重要性。Urdank（1990，第52页）在对格洛斯特郡的一项研究中发现，“1780—1850年间，财富比以往更加堂而皇之地充当起划分社会地位的标准这一角色，以至从事最卑贱职业的人都会自诩为‘绅士’，只要其个人财产似乎已能确保这一头衔”。

[14] MaCloskey（2006，第294—296页）将“荣誉”这一词的变形从其贵族意义（“声望”）追溯至资本主义味道更浓的“诚实、正直”（可靠、坦诚），这些词汇的概念在18世纪显得越来越重要。

[15] 什罗浦郡的Freemason Wellins Calcott于18世纪50年代给出了他对“值得尊敬的人”的解释：他们不仅“以正义和尊严履行生活中的相对义务”，而且通过“源自一种优良风气的奖励、雅量和慈悲”实现这一点。Sallust（1795，第155页、第159页）认为：“值得尊敬的人”是“一群忠诚之徒……如仁慈的地主、富于同情心的工场主、慷慨的赞助人、穷人孜孜不倦的救济者……一句话，是品德高尚的‘绅士精英’”。

过去10年来，通过构建一些同“社会资本”相关的概念，“绅士—企业家”文化的经济意义已被阐述得相当清楚。波斯纳（Posner，2000）提供了一个较好的总结，他指出，两个相互信任的行为人之间的合作不仅能产生私人产品，而且能为所有人创造一种外部性或网络效应。加入一个由值得信赖的人组成的团体，关键是要发送一个成本高昂的信号，以使该信号可置信。对英国绅士而言，这些信号包括着装规范、餐桌礼仪、谈吐风格和个人举止，还包括某个组织的会员身份，因为这种身份有助于传递和遴选同个人信用有关的信号（Sunderland，2007）。

形成这样的社会网络并不难。一种思路（如Spagnolo，1999）是使两类不同博弈，即持续至一段很长时间的社会博弈和一次性的经济博弈相互关联。若两名参与人在两个博弈中互相对立，则其中一个博弈的惩罚可能被用来促成另一个博弈产生合作结果。这类合作并非总是福利改进型的，因为信任和合作也能用在对社会有害的组织和网络上。但在英国工业革命时期，随着诚实和正直越来越受到重视，使商业和信贷交易不必过度担心机会主义行为即可完成的合作均衡得以实现。绅士（或渴望成为绅士的人）在相似的圈子里行动，在各种相互关联的情形下相互交往。这些模式表明，信任可以从一种社会关系转移到一种经济关系，进而维持合作结果，在这个结果中交易能够继续，而即使缺少由强大公正的法院和仲裁体制作为第三方强制实施合同，争端也能得到解决。正是在这种环境下，尽管有限博弈的标准行为表明背叛和欺诈行为可能是一种占优策略，但自愿合作依然有可能实现。

我们该如何评估上流阶层文化对企业家精神的本质所产生的影响？一些企业家执迷于通过发财致富成为乡绅的理想。亚当·斯密在论述商人的抱负是成为乡绅时，仍在思考商人问题（1776，第432页）。对许多工业家而言同样如此。虽然不乏富有的棉花商，如理查德·阿克赖特（Richard Arkwright）、杰迪代亚·斯特拉特（Jedediah Strutt）、约翰·霍罗克斯（John Horrocks）和亚麻制造商约翰·马歇尔、工程师约翰·布雷思韦特（John Braithwaite）等著名例子及其他一些不太有名的例子，但工业革命时期只有相对少数的企业家实现了这一理想。然而，我们也不能确定当中不存在反向因果关系在起作用，因为英国文化并不是一成不变的，它本身会对18世纪社会经济机遇的变化做出调整，为非地产财富营造越来越多的尊重，以使市场和新技术发挥尽可能大的功效（Jones，2006）。

从某种意义上讲，商人能通过成功和美德跻身于精英和绅士阶层是一件好事，这可以为商人和制造商追求成功创造激励，因为金钱不仅能买到有形商品，而且能“买到”社会进阶之梯（Perkin，1969）。[16] 同时，到17世纪晚期，至少部分土地贵族日渐减少了他们对牟利活动的传统偏见，开始接受市场经济理念，尽管主要通过房地产经纪人等中间商。“改进”可能意味着“增加租金”，大地主——除了少数例外——通常并未深入参与农业改进活动（Mingay，1963，第172页）。但租金运动（movement of rents）清晰地表明那些收租人很清楚市场的承受限度。土地贵族的优雅文化和商人的贪婪文化相互渗透，产生了后来被证明颇适合18世纪晚期英国经济现状的混合体。著名法学家威廉·布莱克斯通（William Blackstone）将不列颠称之为“有教养的商业国度”。[17] “有教养”被笼统地视同于守法行为，人们凭直觉就能意识到商业成功很大程度上依赖于教养。

如凯恩和霍普金斯所指出的：“绅士理想……提供了一个共同准则，它以荣誉和义务为基础，充当着职业行为指南的角色，首要功能是管理人而不是机器”（1993，第26页）。但我想补充一点，即工业革命时期的典型企业家必须同时管理机器和人，还必须管理使用机器的人。这些共同准则通过家庭传承，是一个使文化传播得以实现的教育和其他机制问题，同着装、言谈及更一般的礼貌等具体礼仪形式密切相关。

对经济发展颇为重要的是，那些内心受绅士行为准则约束的人会文明行事，信守承诺且绝不食言。他们并非盲目追求利润最大化。如阿萨·布里格斯（Asa Briggs，1959，第411页）所言，绅士是这样一种人，他们既接受进步的观念，又不至于对金钱过于崇拜。换言之，在囚徒困境状态下，他们也

---

[16] Perkin敏锐地指出，内战之后的英国社会，财富和社会地位之间的联系越来越强。这里的社会地位不仅指政治影响力和对他人生计的间接操控，而且指某人受邀出席的场合，有资格司掌某人子辈婚姻的合伙人，能从军入伍的社会阶层，他们出身行伍，从而也就决定了其后代能接受较好的教育。在Perkin看来，生活质量不只取决于经济学家通常所定义的“消费”，还取决于个人在社会等级中的相对地位。

[17] “人们常常恼怒于我们的法律不够简单：它们混淆不清，矛盾重重。他们援引专制政府的例子，如丹麦、沙俄和普鲁士；引用野蛮和未开化国家的例子，如非洲和美洲的野蛮国家；以及狭隘的公民共和政体的例子，如古希腊和现代瑞士，进而不合理地要求同样少的法律、同样的实践意识、自由人国度、商业良民以及人口稠密的领土”（Blackstone，1765—1769，卷3，第22章）。

不一定会选择“背叛”，即使这样做能带来直接利益。也就是说，“绅士资本主义”（gentlemanly capitalism）使人们对机会主义行为保持足够忌惮，从而只在少数情况下才有必要诉诸正式制度来惩罚背叛者。它创造了经济行为人预期对方会采取规范行为的文化信念。这些信念为企业家及其技术伙伴之间实现互补创造了条件。

塞缪尔·斯迈尔斯于1859年写道，真正的绅士面对面地看着对方的眼睛交流以示尊重，从心底里信任对方（转引自Briggs，1959，第411页）。对斯迈尔斯及其同时代人而言，正直理念对手艺人、商人和制造商的意义相当于荣誉对军人的意义。这一标准由绅士理想设定：绅士的“正直标准很高……公正是他的律令……特别是他必须诚实”（Smiles，1863，第8章，第36页；第13章，第28—29页）。⑱ 褪去维多利亚时代假装虔诚的外衣，这些观念确实树立了一种规范，斯迈尔斯的精彩叙述也使他的著作激起了巨大反响。若足够多的人遵守这些行为准则，就有可能不汲汲于在短期利益的情况下达成陌生人之间的交易和距离型的非重复交易。凯恩和霍普金斯（1993，第6页）认为，绅士进取心（gentlemanly enterprise）是高度人格化的，它通过社会网络凝聚而成。简言之，绅士进取心是一种非正式制度，它促进了英国市场的整合及不久后全国性市场的形成。尽管这个市场可能并未直接催生工业革命，却是工业革命的一个重要补充。⑲

为了帮助产生一套有望克服搭便车和机会主义的行为准则，必须要有支撑这些规范的机制。人们所说的“社会资本”在启蒙时代获得了飞速增长。从科学研究院到饮酒俱乐部，英国见证了自愿性组织史无前例的繁荣发展，这创造了支撑市场活动的网络。如我们看到的，这些组织为有助于促进合作行为的社会联系创造了理想的条件。市场要存在，契约要得到遵守，这类社会关系网络便至关重要。英国共济会的收容所和互助社团不仅提供了互助保

---

⑱　外国旅行者，即使是最久经世故的，也注意到了同一现象。伟大的历史学家Hippolyte Taine曾于19世纪50年代造访英国，他在《英国琐记》（*Note sur l'Angleterre*）一书中论述道：“‘绅士’一词包揽了英国上层阶级的所有差异化特征……一个真正高尚的人，配得上领导角色，足以被誉为一个正直无私者”（1958，第145页）。

⑲　Langford（1989，第71页）指出了“礼貌”这一词语的含糊性，它既可指物质财产，又可指智识和审美上的偏好，最重要的是，它指一种“难以描述的区别，这种区别存在于天生的绅士对文明举止的理解同其他人在后天习得的绅士规范之间”。

险和孤寡养老金，还巩固了商业关系。许多集合了不同行业匠人的社会团体，都采用了每种职业只接受一名会员的规则，它们认为正式会员在任何商业交易中都将获得优先权，因此明确地把不同商业企业之间的纵向关系同社会关系联系在一起（Brewer，1982，第222页）。许多这样的俱乐部在选择会员时，不是依据宗教和政治背景，而是依据能强化合作结果的行为准则和共同的经济利益。这些社会规范在自私自利的经济行为人之间建立克服机会主义本能的社会联系，从而演变成对经济发展极为有利的重要制度。在这个转型时期，社会网络是英国企业家精神的重要支撑，它们通过传播信息使声誉机制产生效力。要维持企业家经营所需的缔约环境，声誉机制至关重要。尽管许多这样的俱乐部纯粹是社会性的吃喝俱乐部，或致力于共同的兴趣和爱好，但它们显然也起到了信息交流中心的作用。[20]

绅士准则如何起作用的一个重要例子是18世纪的信贷市场。一个交换经济体须依赖于交换手段。在英国，像其他地方一样，交易通过信贷和现金的某种组合结算。当时的人们就已充分认识到，信贷对经济极为重要，特别是因为人们普遍认为货币体系并不能完全胜任。当时，人们认为信贷为英国的绝大多数交易提供了资金，就该目的而言它比现金更为重要。查尔斯·戴夫南特（Charles Davenant）于1695年写道：“没有什么比信贷更有趣和精妙的了”，许多18世纪的作家甚至觉得它是“贸易之珠”（Jewel of Trade）。但信贷最终必须偿还，因此其在很大程度上依赖于信念和信任。信贷市场很像观念市场，极其倚重于一套由绅士行为规范所构建的自我实施准则。即使欠债有可能被判终身监禁，17世纪的信贷市场交易仍主要通过声誉机制实施（Muldrew，1998，第148—172页）。[21] 声誉机制的重要性在证券交易中尤为突出。1734年，《巴纳德法案》（Barnard's Act）宣布证券期货交易（即期权）

---

[20] 这些俱乐部的流行程度可通过1735年成立的高级牛排俱乐部（Sublime Club of Beefsteaks）略窥一斑。据估计，1800年英国互助会的会员总人数高达60万（Porter，1990，第156—157页）。特别参见Clark（2000）。

[21] Daniel Defoe像以往一样敏锐地注意到：“信贷是结果而非原因……其产生和迅速发展于公平和正直的交易及守时守信……是普遍廉正的产物”（1710，第9页）。在其他地方，他还注意到了贸易信贷对商人的至关重要性：“贸易信贷是商人最便利的交易媒介……相当于商人现金库里的流通货币；它适用于商人的所有账单，相当于商人贸易的生命和灵魂。”这里，声誉等于一切，“商人的信用和少女的德行一样，相对谗言和诽谤而言是极其稀缺的”（1738，卷1：第195—214页）。

不合法，由此证券市场不得不依靠一套内在实施的行为准则，因为它在形式上不受法律支配，不能依靠第三方实施，而只能依赖于声誉机制和对违规行为将被剥夺交易资格的恐惧（Michie，2001，第31页）。

如越来越被其他经济体所认可的，关系和社会网络对创业成功至关重要（Laird，2006）。一方面，它降低了风险。在注册公司尚不可行的时候，信任创业者使利用合伙人的资金或才能及向当地银行借钱成为可能。获得短期信贷不仅对营运资本至关重要，而且仍然是资本需求的最大来源。另一方面，它促进了各行业间的资本流动。在一篇重要论文中，皮尔森和理查森（Pearson 和 Richardson，2001）表明工业革命时期的典型企业家是高度多样化经营的。他们并未将企业家描述成是终其一生专门从事某一行业的所有人兼经理，而是展现了早期企业家涉足非核心业务的多样化程度。我们不难发现，曼彻斯特、利兹和利物浦的棉花商和其他纺织品生产商，同时也是保险公司、运河和收费高速公路公司、油气公司、银行和其他行业公司的董事。[22]

皮尔森和理查森关于工业革命时期英国企业家网络化特征的论述，对当时的非正式制度提供了一个有趣解释。不同宗教背景和政治信仰的商人在董事会一起共事。他们完全能一起建设地方基础设施，为慈善事业、文化赞助和自愿捐款贡献力量（Pearson 和 Richardson，2001，第672页）。尽管局部来看，声誉即是一切，但超越于他们彼此间差异的共同规范有助于解决争端和使机会主义行为最小化。诚实、庄重和正直的声誉是获得成功的关键要素。换言之，非正式制度能使社会比每个人完全按纳什策略行事（机会主义行为）时更有效地运行。很显然，国家不可能完全没有尤赖亚·希普（Uriah Heep，19世纪英国著名作家查尔斯·狄更斯的名著《大卫·科波菲尔》中的人物，是一个阴险狡诈、卑鄙无耻的小人。——译者注）之徒，但只要机会主义行为仍是少数现象，会受到严厉惩罚，则绅士阶层的文化规范便会普遍盛行。工业革命时期的英国企业家远不同于“新古典主义的”追求利润最大化的自私自利者，而更像是一套共同价值体系的一分子，直到最近经济学家才开始重视他们对支撑一个复杂的市场经济的至关重要性（McClos-

---

[22] 根据棉花商 Benjamin Braidley 在其日记中的估算，他每周要花36个小时以上在“和我的业务不相关的事情上”（转引自 Pearson，1991，第388页）。

key，2006）。

因此绅士准则会带来信任，信任则是有效市场的基本构成和创造了英国企业家精神的社会环境的关键要素。需要说明的是，这种情况不只局限于经济领域。信任对英国自然科学的发展同样重要。在一部极富原创性的著作中，史蒂文·沙平（Steven Shapin，1994）表明，在科学发展中（非常类似于在商业中），信任是不可或缺的，绅士的标志性品质在于他值得信赖，他敢于说出真相。当一名科学家向公众报告一组实验或观察结果时，其绅士地位便意味着他值得信任。当一套行为准则被尊奉为规范陌生人交往的标准时，它便使市民社会的产生和发展成为可能。这种非正式准则在英国社会广泛存在，正是它们确立了如此有利于创业成功的收益结构。

我们能否确定英国商业和手工业阶层中更高的信任水平增加和改进了企业家精神的供给呢？鉴于我们没办法测算以前的信任水平，这里的推断仍然是间接性的和猜测性的。来自旅行者的坊间数据和上述推断相一致。[23] 基于直接询问受访者对信任的看法（他们是否信任他人，或他们是否认为自己值得被他人信任）的现代数据，可被用来测算这方面的社会资本。研究结论颇为惊人，津加莱斯等人（Guiso、Sapienza 和 Zingales，2006，第 34—36 页）发现，除了信任水平和成为企业家（用某人是否属于个体经营者作为变量）的概率存在强相关外，他们对估计值的比较也显示，信任不仅通过他们所选择的信任代理变量（宗教信仰和种族背景），而且通过其他尚未得到完全解释的途径影响人们成为企业家的倾向。换言之，现代经济研究已初步断定，“更好的文化价值观带来更大的

[23] 法国旅行家 Pierre Jean Grosley 注意到，普通民众和店主“或多或少”表现出“礼貌、教养和好管闲事”（1772，卷 1：第 89 页、第 92 页）。18 世纪意大利作家和哲学家 Alessandro Verri 认为，伦敦商人远比巴黎商人更值得信赖（转引自 Langford，2000，第 124 页）。19 世纪早期去过伦敦的一名法国旅行者，也对英国店主的廉正和诚信印象深刻，因为连小孩都能像经验丰富的市场买家一样放心地购买商品。他认为这些习惯是英国商人阶级从贵格会信徒那里学来的（Nougaret，1816，第 12 页）。在把英国的经济成功归功于英国国民的“智慧、节俭以及最重要的正直”上，Charles Dupin（1825，第 xi—xii 页）走得更远。声誉至关重要。1857 年，Prosper Mérimée 在论及大英博物馆的开放准入政策时，观察到“英国人习惯于在各自所具有的性格上表现出最大的自信，即不管是谁……只要被尊崇为绅士，他都会对自己的这种身份倍加珍视，因为一旦失去便很难重新获得”（1930，第 153—154 页）。

经济收益”（Guiso、Sapienza 和 Zingales，2006，第 45 页）。断然否定这些得自早期（如英国工业革命时期）经验的结论难免过于草率，事实上人们普遍认为它们在早期更加稳健（Sunderland，2007）。

更一般地，把“法律和秩序”相联系的做法忽视了以下事实，即文明社会的道德准则是市场经济良好运行的一种重要机制。缺少法律（即第三方实施机制），秩序仍可存在，恰如当今时代（Ellickson，1991）。相较于一整套由司法部等机构组成的司法体系，日常安全更依赖于社会习俗和各种自我实施的行为准则。商业争端往往通过仲裁解决，而很少诉诸法院。自愿服从及把所有权和等级视为社会规范来遵守，在铸就英国经济的伟大转型中所起的作用可能不亚于正式的产权制度。查尔斯·戴夫南特（1699，第 55 页）较好地阐述了这点：“如今法律不像以前那样大行其道了，它们的执行效率已被大大削弱。”民事诉讼在 18 世纪普遍下降，特别仲裁法院则应运而生（Brooks，1989）。

尽管工业革命深刻改变了经济活动，绅士理想却并未消失，事实上在维多利亚时代似乎获得了更蓬勃的发展。但随着个人流动性的不断上升，非正式的荣誉准则在大城市变得不如以往有效，从机会主义者和骗子中区分真正的绅士越来越难（Robb，1992）。随着 19 世纪的推进，正式的法律虽缓慢却不可阻挡地取代了声誉机制和绅士行为准则。这便是社会进步的代价。新兴工业家需要在市场环境中应对越来越庞杂的人群：供应商、债权人、分包商、雇员、客户和顾问等。获取有用知识和最佳实践型技术变得越来越重要，合同也变得越来越复杂。尽管事实上工业家发现自己越来越不符合最初的“绅士”理念，他们的行为却仍停留在（很大程度上属虚构的）以往时代被人们奉为圭臬的体面和高贵的标准上。

在产生于这些标准的均衡中，我们发现，个人主动性、创新、迅速果断地把握机会以及所有我们将之和成功的企业家精神相联系的活动，都存在高额回报。但这些结果都是事前的预期。一个至关重要的问题是，企业家精神在事后是否确实获得了相应回报，即我们设想中的创业活动收益是否变成了现实。下面我们分析这个问题。

三、运气、不确定性与工业革命

制度，通过设定激励来支撑工业革命时期的企业家精神，不管是正式的还是非正式的。但行为人实际上有没有获得企业家精神的相应回报，却是一个较难回答的问题。若没有，也不一定意味着激励是无效的。当然，我们知道工业革命时期的企业家同工程师、技能型工匠和发明家一道，创造了一个技术进步日新月异的现代经济部门，并最终实现了现代经济转型。一般观念认为，企业家较能容忍不确定性和奈特意义上的不可保风险，有较强能力应对不确定情况，且不会对既成事实耿耿于怀并担心自己的错误决策会损害他人。[24] 当然，承担风险须消耗稀缺资源，但风险发生率可通过分散得到转移。精英群体密集的社会网络能产生皮尔森（Pearson，1991）所谓的"集体性的多样化经营"（collective diversification），使英国棉花商得以将投资分散到大量相关性较低的项目上，如保险、运河、铁路、公用事业和银行。这样一来，由英国中产阶级精英的社会资本所产生的信任，便能使他们经受住机械化棉纺织业前半个世纪面临的剧烈冲击。

此外，英国工业革命时期的企业家都是兢兢业业的劳动者、技术行家和（通常是）商业能手，他们胆识过人且锲而不舍，一门心思扑在事业上，很少参与多数英国特权阶层乐此不疲的时尚休闲活动。但这是否说明他们定能获得回报？通常，企业家是否确能从他们承担的风险和投资业务上获得收益？显然，要使激励发挥作用，企业家的事前预期很重要，而非事后所得。但若事前预期和事后回报差距很大，这一体系便会失去平衡，经济理论表明，预期最终会发生变化，工业革命的整个势头亦会放缓。

创业活动的回报率问题不易通过经验分析来处理。一个重要的观点认为，企业家充分发挥才能的唯一原因是他们会系统性地高估自己的能力。约翰·奈伊在一篇开创性的论文中极力鼓吹这一观点，他认为企业家"是一群有点过于乐观的人，他们系统性地高估了某项创新或研究项目的回报（或低估了其风险）"（John Nye，1991，第134页）。亚当·斯密在一段著名的论述中将这

[24] 在F. Scott Fitzgerald看来，优秀企业家的鲜明特征是，其脑海里虽有两种截然不同的观念，却能很好地将任何一者付诸践行的能力（转引自Kamien，2005，第2页）。

种过度乐观被视为人们的一个普遍特征，虽然他并未推断这种行为能解释创新和创业，但他注意到这样的偏颇使人们敢于从事没有胜算的冒险且不愿意购买保险。[25] 恰如奈伊（1991）和卡明（Kamien，2005）都强调的，创业活动和买彩票有几分相似，结果却往往不尽如人意（也可参见 Baumol，2005）。均衡分析表明，若企业家身居高风险职业，他们的收益应该会“更高”，从而足以补偿高风险成本。不过，该结论假设所有人对风险的评估都一样，而这显然与事实不符。

对历史学家而言，经验问题显然是一个显而易见的截尾问题（truncation）。我们并未观察到那些昙花一现因而在历史上没有留下任何记录的潜在企业家的尾部分布。事实上，我们不能确定这些人是否只构成了潜在企业家分布的一个“尾部”。其实，根据某些定义可归为企业家的人中，很可能大多数因惨遭失败而未能留下任何历史痕迹。奈伊不乏质疑地表明，经这种截尾修正后，企业家精神的回报率很可能为负。他认为，从社会福利意义上说，企业家精神要成为经济发展的积极因素，则必须要有显著的外部性，也即由企业家创造却未能据为己有的正面社会价值。对当代数据的研究表明，发明家所获得的报酬比例出奇之低，如诺德豪斯（2004）估计，在现代美国只有 2.2% 的发明剩余为发明家本人所获得。18 世纪发明家的境况是否会更好呢？

工业革命时期商业失败的传闻证据似乎表明，在很多情况下，发明的这种溢出效应事实上非常大。一些众所周知的例子来自工业革命时期的著名发明家，和詹姆斯·瓦特不同，这些发明家既在商业领域又在技术领域一试身手。因此，苏格兰化学家和发明家、福尔柯克附近的卡依钢铁厂（Carron Ironworks）的创始人、以发明铅室法制造硫酸而闻名于世的约翰·罗巴克（John Roebuck），同工业革命的两大巨头塞缪尔·加贝特（Samuel Garbett）和詹姆斯·瓦特一起开始涉足商界，却未能获得成功。高压蒸汽机的发明者理查·特里维西克（Richard Trevithick）、堪称 19 世纪早期最伟大的机械天才理查德·罗伯茨（Richard Roberts），也都是失败的企业家，两人去世时均身无分文。从发明家不能将发明成果据为己有但其他人可以据而有之的意义上说，这些发明家及其同行创造了

[25] 以下是一句著名引述，“他们对美好前程的荒谬假设……仍（比人们对自身能力的高估）更为普遍……获利概率或多或少源于人们（对商品价值）的高估，损失概率则源于人们的低估”（Smith，1996，第 120 页）。更现代的观点，参见 Brunnermeier 和 Parker（2005）。

巨大的外部性。有时，这些成就也会获得当局的奖励，默认了社会收益和私人收益之间的差距。[26]

但奈伊略带悲观的观点在许多方面需引起注意。首先，奈伊并未很好地定义“失败”的成本，由于创业失败的成本被低估，因此我们无法确定历史记录中的幸存偏差（survival bias）的大小。必定存在许多企业家，他们大举投资于未获成功的创业活动，最终落入创业收益分布的截尾部分（即大致落在收益平面图的负象限上），而对此我们一无所知。我们并不了解这些创业活动的确切机会成本，也很难确定有多少这样的“失败者”确确实实耗费了整个生涯，将其资产投资于一家失败企业。照理说，许多破产商人可以做出次优选择，转而去做一名管理者或咨询顾问；即使先前的失败使他们倍感沮丧，但他们自己（且不论社会）也弄不清失败的净成本究竟有多大，更不要说社会净成本的大小。[27]一些更杰出的创业家虽屡遭失败却从未放弃，最后获得成功。[28] 尽管我们不能

[26] 走锭纺纱机的发明者 Samuel Crompton 和动力织布机的发明者 Edmund Cartwright 都获得了英国议会的大量奖励，尽管他们只获取了各自发明所带来的一小部分社会剩余。虽然申请 Henry Cort 的遗产遭到了议会的拒绝，但其他钢铁商出于 Cort 遗孀的利益而利用 Cort 手稿的事实表明时人认识到了其中显著的溢出效应。造纸机的先驱 Henry 和 Sealy Fourdrinier 也获得了议会委员会 2 万英镑的奖励（在许多制造商证实了该连续型造纸机能给他们的工序带来极大的便利后），但迟至 1840 年才落实，且被削减到了 7000英镑。经议会投票表决，Edward Jenner 于 1815 年也获得了 3 万英镑的奖励。19 世纪 30 年代电力技术的先驱者之一、科学家 William Sturgeon，在晚年生活颇为窘迫，因此 John Russell（任届内的英国）政府给他提供 200 英镑的一次性补助和一小笔年金。在上述及其他许多例子中，社会明确认可了这些人对增加现实福利的贡献。换言之，他们产生了正外部性。

[27] 如我们所看到的，John Roebuck 在 1773 年的一次传统后向一体化并购中遭遇了失败，他试图用煤炭给位于卡伦（Carron）的钢铁厂提供动力，因此便购买了一座煤矿，结果表明这超出了他的技术能力，最终他不得不宣告破产。但他仍是其所创立的工厂的经理，并且某种程度上仍过着苏格兰绅士般的生活，而他去世后，其遗孀确已一贫如洗。19 世纪早期煤气照明技术的先驱者之一 Samuel Clegg，不太走运地加入了一家倒霉透顶的利物浦工程企业，并“丧失了他曾拥有的一切”，但他仍有一份体面的顾问工程师的工作，且在后来出任了葡萄牙政府的顾问，成为该国议会核实新煤气账单申请的调查组成员。众所周知，平纹细布织造商 Samuel Oldknow，在 1792 年其商业帝国崩溃后不久便撒手人寰，死时还欠 Richard Arkwright 20 多万英镑。但这是否意味着他是一位“失败的企业家”呢？在 1792 年破产后，他成了拿破仑战争时期英国德比郡一名成功的农场主，并成了该郡的高级郡长和英国农业学会会长。

[28] 苏格兰化学家和工业家 James Keir 在 45 岁时曾试图向博尔顿和瓦特推销一种新型化合物，并把他自己获有专利的合金（所谓的“凯依尔合金”，即一种不含铁的金属合金）推向市场，但遭遇失败。然而 James Keir 坚持了下来，被他用来试验自己的实用性化学知识的位于伯明翰运河附近的制碱厂最终大获成功，这使他在去世时留下 25 万英镑的财产。

确定这类情况是否普遍，但克鲁泽（Crouzet）的研究结论间接支持了以下观点：绝大多数工业家和成功的企业家都来自一个多少有些相关行业背景和基础的群体。约一半的“创始人”要么出身商人阶层，要么以管理者、手艺人或技能型工人等身份在制造业界谋生。这些人若不太走运，未能成为个体企业家，仍可重操旧业，过着虽不富裕但还算体面的中产阶级生活。[29] 最后，可以断定的是，不管根据何种企业家定义，在工业革命时期的英国，所有企业家中只有极少数事实上处在技术变革的前沿。其他企业家，包括商人、承包商、制造商、金融家和传统货物交易商，无疑也在高风险的条件下创造出了大量的社会价值。但不能就此说他们是工业革命的领航者。因为后者中包括了少数技术先驱，这些先驱才是19世纪后半叶经济迅速增长的最大功臣，但他们可能是自我选择型的（self-selected），并非全体企业家的典型代表。

此外，这些企业家不止受利益动机驱使。如熊彼特（1934，第93页）所言，他们还受创造的乐趣、完成工作的成就感和解决问题的胜利感所驱使。当然，对该时期的英国企业家群体而言，贪婪起着重要的激励作用。但对于其他许多企业家，实现壮志宏图和满足出人头地的内在需要也同样重要。[30] 在创业活动饱含逐利（套利）特征的商界和金融界，非金钱动机可能并不具有重大影响。但在工业革命时期，处在技术前沿领域的企业家是在创造一个崭

[29] 一个有趣的例子是伯明翰的钢铁商Samuel Garbett，此人于1782年宣告破产，随后作为他本人和陶艺家Josiah Wedgwood创立的制造商总商会（General Chamber of Manufactures）的负责人，他变成了英国制造商在议会里的主要游说者。Garbett去世时留下1.2万英镑财产，因此很显然他并非穷困潦倒，以往的经历和社会关系使他的商人职业成为其主要收入来源。参见Norris（1958）。

[30] 斯密在《道德情操论》（*Theory of Moral Sentiments*）中的著名论述在这里值得再次品味：“这个世界上所有的辛苦和劳碌是为了什么呢？贪婪和野心，追求财富、权力和优越地位的目的又是什么呢？是为了提供生活上的必需品吗？最低级劳动者的工资就可以提供这些……那么，是什么原因使我们对他们的情况感到嫌恶呢？……是他们（富人）认为自己的胃更高级些，还是认为在一所华丽的大厦里比在一座茅舍里能睡得更安稳些呢？情况恰恰相反……改善我们的条件而谋求的利益又是什么呢？……吸引我们的，是虚荣而不是舒适或快乐。不过，虚荣总是立基于我们相信自己是被关心和赞赏的对象。富人因富有而洋洋得意，这是因为他感到他的财富自然而然地会引起世人对他的注意……人们都倾向于赞赏他……他的举动成为公众关注的对象，连一句话、一个手势人们也不会全然忽视。在盛大集会上，他是众人关注的焦点……正是这一点使大人物变成众人羡慕的对象，并补偿了因追求这种地位而必定要经历的种种辛苦、焦虑和对各种欲望的克制；为了获得它，宁可永远失去一切闲暇、舒适和无忧无虑的保证。”（1795，第50—51页）（此处对应译文参见《道德情操论》，亚当·斯密著，蒋自强、钦北愚、朱钟棣、沈凯璋译，胡企林校，商务印书馆1997年版。——译者注）

新的世界，他们也不断意识到这一点。[31] 许多最有天赋的机械人才和操作能手，开始以各种形式试手自己的创业能力，但他们的主要兴趣在其他地方。[32] 鲍莫尔（Baumol，2005）把企业家长期接受低报酬的意愿归因于普遍的过度乐观和成为一名企业家的“心理收益”，尽管这些收益是否也适合明显属于金融失败者的企业家仍是一个问题。[33] 况且，遵守绅士文化的理想和商业实践之间并不存在冲突。尽管地主阶级出身的英国工业家并不多，但在前沿科技领域却逐渐不乏有许多绅士表现出对创新的浓厚兴趣。[34]

总的来说，在该时期的英国，成为这样一名企业家和买彩票颇有共通之处：根据斯密的解释，即使中奖概率微乎其微，人们仍愿意买彩票的部分原因是他们对自己的能力或运气做出了错误判断。此外，参与的刺激和中奖的美梦必定也起了作用。但奈伊正确地指出了企业家精神不完全等同于玩彩票，因为创业成功的概率并非事先注定，而是取决于创业者的所作所为。就此而言，把企业家比作彩票玩家颇有误导性。

1760 年后，许多新技术不断涌现，而人们对产品的生产和市场销售尚毫无经验，这无疑大大加剧了不确定性。不仅棉纺织品和铁路部门迅速引进了各类新技术，煤气灯、机械工具和仪器、食品保存、造纸、漂白及玻璃和陶

㉛ 一名典型的开明企业家 Josiah Wedgwood，在 1767 年给他的朋友（一名商人，后来成了他的合伙人）写信说：“一场革命即将到来”，并敦促后者“把握其中的机遇，做革命的促进者”（1973，1：第 164—165 页）。Robert Owen（1927，第 120 页、第 121 页）补充道：“整整一个世纪内，制成品的普及，使生活在该世纪的人们养成了一种新的品格……这种改变主要归因于催生英国棉纺织贸易的各种机械发明……制造业的蓬勃发展直接导致了大英帝国国民财富、工业产值、人口规模和政治影响力的迅猛增长”。这是令人向往的时代，成为她的宠儿无疑是种莫大的恩典。

㉜ 如伦敦的 Francis Hauksbee，作为一名光学仪器、天平秤和水泵制造商，他不仅热衷于科学宣传家的角色，而且涉足许多商业冒险活动，其中一些（如推销一种治疗性病的新药物）同他的机械技能毫无关联。

㉝ 有趣的是，对当代数据的研究（Hamilton，2000）同样表明，相较于具备同等技能和经验的工人，企业家的中位收入大约要低 1/3，Hamilton 将其解释成作为一名企业家的非经济收益补偿。Hamilton 对“企业家”的定义和这里有较大出入，他认为企业家主要由个体经营者组成。这种定义显然不符合工业革命时期的英国现实。注意到以下这点颇为有趣，即尽管 Hamilton 对数据的分析非常谨慎，但他并未对“企业家”事前可能系统性地高估自身实力这种解释进行验证。然而，Hamilton 的结论却隐含地证实了这点，这是因为少数“大赢家”的存在会使个体经营者的“平均”收入变得非常之高。

㉞ 人们会想起表演者 Coke 对年度剪羊毛庆典和 Kame 勋爵对农业技术的描述，而对公认的举止古怪的 Dundonald 伯爵或 Henry Cavendish 只字不提。

瓷制造、印刷和其他工业同样如此。当经验只能为某个新创意是否可行提供有限信息时，潜在创新者的前景更加不明确，因此只能形成关于收益分布的模糊概念。如前所述，这可能是一个优势，因为它产生了一种夸大的乐观主义情绪，但就事后的沮丧和浪费的努力而言，它无疑也是代价不菲的。[35] 同时，企业家也不是傻瓜，许多更成功的企业家会在不同领域进行多样化经营，以此降低失败概率。

四、工业革命时期的创业失败和创业成功

奈伊假说（Nye hypothesis）认为，在经济学家看来，整个企业家群体的平均创业回报率很可能为负（即创业收益低于企业家从事其他可能职业的所得）。这一假说不能得到直接验证，因为历史资料只提到了较惨烈的或在其他情形也广为人知的失败例子。毫无疑问，许多结论取决于我们对企业家群体的确切定义。若我们像巴顿·汉密尔顿（2000）或吉尔德布洛姆（参见本书第六章）一样，把企业家定义为其收入主要来自市场活动的个体经营者，那么相比于把企业家定义为领导者、创新者及其经济活动给许多人带来影响的群体，我们会得出截然不同的结论。毕竟，根据前一个更宽泛的定义，许多属于“考夫体系”（Kaufsystem）——即出售自己的货物，而非为代理商人制造商工作——一分子的国内工业家将被归入企业家，而对于这些人，工业革命显然是一个灾难性的时代。

若转向更传统的定义，我们很容易找到一些极其成功或失败惨重的企业家的例子，但如何以一种有意义的方式把它们整合起来仍颇棘手。同理，通过更细心地分析和当事人有关的历史资料，我们能得出一些有用信息，但在下推断时须牢记历史记录中的幸存偏差只是其中的一个问题。例如，这种情

---

[35] Payne（1973，第191页）认为历史学家们夸大了新技术的技术风险，由于技术前沿是有限度的，因此所能取得的改进程度非常明显。他没有意识到以新设备和原材料为载体的新技术会加大这种风险，若新技术不能很好地发挥作用，则修正和调整本身将成为一种代价不菲的试错过程。能用新载体掌握和操作不熟练的新设备或新作业的互补性人力资本投入非常稀缺，任何因故障而导致的停工期无疑都是一种相当大的成本。此外，新技术要求有与之相配套的新的、不常见的组织形式，特别是所谓的“工厂制生产”。就其本质而言，新技术不仅会给需求方带来不确定，而且会给管理和设备领域造成不确定，甚至微观发明也会给生产稳定带来严重的扰乱和冲击风险。

况下，我们须确定谁才是真正的失败者。在6个月的创业努力后选择放弃并重操旧业的人，能否算作失败的企业家？曾铸就辉煌后来又因破产而倾家荡产的人，能否算作失败的企业家？严格地说，我们应通过比较创业活动的终身净财富及其机会成本来计算企业家精神的报酬，但实际上不可能准确地测算两者之比。

许多和英国工业革命时期的企业家精神有关的经济学研究，都处理了企业家的起源（出身）问题。他们是异教徒还是英国国教徒？少数群体有何优势？他们是否出身于中产阶级，且与商人之间有着良好关系？[36] 但这些问题的答案终究很难解释居于首位的激励问题，以及对社会有利的生产性企业家精神是否也提供了相当大的私人收益。衡量成功与否的一个不完美指标是去世时留下的财富。这方面的资料在《英国传记词典》（*Dictionary of National Biography*）中比比皆是，目前可从网上获取。理论上说，应将去世时留下的财富和出生时的财富进行比较，后者有时大致可根据父母的职位和社会经济地位推断。通过这种方式，至少可获得部分有用结论。利兹市的亚麻纺织商约翰·马歇尔，在1845年去世时留下了高达200万英镑的财产，而他从父亲那里继承的财产仅为9000英镑。众所周知的遗产多于约翰·马歇尔的唯一制造商是钢铁大亨威廉·克劳夏伊（William Crawshay），但他的出身无疑也显赫得多。在棉纺织业，除教科书中经常提到的阿克赖特外，我们对大获成功的杰迪代亚·斯特拉特也耳熟能详，作为阿克赖特的昔日伙伴及“小农场主和麦芽制造商”之子，斯特拉特在1797年去世时留下了16万英镑的家产。约翰·霍罗克斯（John Horrocks，其父是一名“小采石商”，参见Crouzet，1985，第131页）留下15万英镑，许多不为人知的纺织商也都留下了价值4万英镑或更多的家产。

如我在前文所述，即使去世时资不抵债者，也不一定能简单地被归为失败者。当然，在棉纺织业，确能找到一些明显的失败者的例子。例如，德比郡的“棉纺织机械改进者”威廉·拉德克利夫（William Radcliffe），他在塞缪尔·奥德诺（Samuel Oldknow）破产后收购了后者的纺织厂，经历人生大起大

[36] Crouzet（1985）推断，多数企业家来自于小商人和小手工艺者的底层中产阶级群体。尽管很难确定1829年以前公共部门的异教徒究竟有多大的宗教影响力，但工业革命时期不同宗教信仰在提供与其信众人数不成比例之高的工业领军者中的重要性不言而喻。

落后在一贫如洗中死去。另一个例子是塞缪尔·霍尔（Samuel Hall），一名死于“生活质量比原来大幅下降的”棉纺织商和工程师。棉花商托马斯·沃克（Thomas Walker）不得不靠一笔遗产度过生命中的最后几年。失败企业家最突出的例子可能是古怪透顶的敦唐纳德（Dundonald）伯爵阿奇博尔德·科克伦（Archibald Cochrane），他把家族财产耗费在一家倒霉透顶的化工企业上。特别是，科克伦确实太不幸了。[37] 同科克伦略有可比性的是亨利·佛德利奈（Henry Fourdrinier），一名家境殷实的伦敦文具商，几乎把全部家当押在当时造纸术的重大创新上。他投资了6万英镑，却在1810年遭遇彻底失败。科克伦和佛德利奈都是企业家精神导致显著的负私人收益的极好案例，两人在穷困潦倒中了此一生的悲惨境遇使他们的创业生涯坏名远扬。但他们是否具有典型性？

使“失败者”的定义模糊不清的是，许多可归为工业革命时期创业失败的例子都来自工程师、商人和制造商，这些人从社会底层开始，一步步向上闯出一条自己的路，并借此得以跻身《英国传记词典》或被记载于克鲁泽所援引的其他历史文档中，但最终在勉强糊口或穷困潦倒的境况中死去。英国工业革命时期可归于这类失败者的最著名人物包括：发明家理查德·罗伯茨、理查·特里维西克和亨利·科特（Henry Cort），以及毛纺织品制造商威廉·赫斯特（William Hirst）和钢铁生产商戴维·坦纳（David Tanner）。如前所述，很难确切衡量这些失败者的社会成本：他们有的似乎不太在意如何使自己更富裕；有的太专注于他们的技术工作，以致忽略了财务问题；也有的只是不够幸运或太过幼稚。不能笼统地说这些人是否应算作创业“失败者”。若他们一生都没经历过大起大落、平平淡淡地过去，是否一定会更好呢？答案几乎是否定的，恰如我们敢断定缺了他们英国经济必然会更糟一样。

为了更完整地描绘工业革命时期企业家精神的收益情况，我制作了一个当时活跃于英国的1249名可被视为企业家或创新者（包括建筑师、工程师、发明家、仪器制造商和类似的专业人士）的数据库。我不关注这些人的出身问题，而只是考察他们即将去世时的境况。除了《英国传记词典》外，我收集了克鲁泽（1985）和霍尼曼（Honeyman，1983）的研究及其参考文献中的

---

[37] 他的煤焦油原本打算用来作为一种船体底部的密封剂，海军部门却对此视而不见。但总的来说，像Dundonald所预见的那样，煤焦油最终被证明是一种极有价值的原料。

相关人物和信息。入选者涵盖交易商、商人、银行家和工业家，以及发明家、建筑师、工程师、出版商和机械师。他们还须有一些经济或商业活动，所以纯粹的学院科学家不在此列。由于一些活动可被看成具有创业性质，少数在其他某些活动中颇乎名望的人也被纳入其中。[38]

数据库中的数据在某些方面很不完整。事实上我们只能从部分样本的法定遗嘱文献中获悉当事人去世时的财富情况。但即使这些遗嘱文献也存在模棱两可，因为《英国传记词典》极为依赖的法定遗嘱只列出“个人财产”，而排除了不动产资产（Rubinstein，1981，第35页、第59页）。家族成员的大财产分割很可能超过了总资产，如格拉斯哥烟草商和棉纺织商约翰·格拉斯福德（John Glassford）。但格拉斯福德留下了4万英镑未限定继承的资产，因此尽管他的经济状况混乱不堪，他显然并非一贫如洗。而其中的许多人并没有确切的临终财产的数据，但一些传记文献或多或少表明了他们的状况。威廉·詹姆斯（William James），一名铁路开发商和地产商，在1837年去世时已倾家荡产，导致“其家属失去了生活来源”。巴特利的钢铁生产商本杰明·欧特朗（Benjamin Outram）在1805年撒手人寰时，留下的经营事务更是混乱不堪。“在欧特朗死后不久，由他生前的鲁莽举措导致的严重后果日益显现，他的妻儿老小……很快就陷入了贫困边缘。”职业归类的模棱两可加剧了数据来源问题，706人中声称有两种（或以上）职业的不少于75人，因此对他们进行归类也是一个难题。商人、银行家和工业家之间的关联并非一成不变，如前所述，许多人从事的商业活动多种多样。这种模糊性导致了表7－1中A类和B类的差异。

为给这些传记人物理出头绪，我们把《英国传记词典》和其他资料来源中所有出生于1700—1799年间的入选潜在企业家分成三类。首先，对于那些临终前以货币价值指明法定遗产的，若遗产少于1000英镑，则归为不成功者（W＝1），若遗产在1000—10000英镑内，则归为成功者（W＝2），若遗产超过10000英镑，则归为非常成功者（W＝3）。其次，对于临终前未以货币价值指明法定遗产但能从传记中推定他们经济状况的，我们遵循更主观的划分

---

[38] 因此，我加入了物理学家George Green（1793—1841）的例子，因为他同时也是一名工场主；我还加入了雕刻师John Oldham（1779—1840）的例子，因为他还发明了能单独给纸币编号以防出现假钞的机器，及依靠蒸汽驱动船桨来推进船只的航船技术。

规则。总的来说，这样做是可行的。许多在传记中被描述为“赤贫者”或“生活状况大幅下降者”的企业家，我们给他们赋值 W = 1。那些根据传记描述不能确定其财富但在临终前留下一份非常赚钱的家业的，我们赋值 W = 2。如圣海伦斯市的化工制造商约西亚·盖贝尔（Josias Gamble），他把公司留给儿子戴维；又如康沃尔郡的商人和工业企业家罗伯特·福克斯（Robert Were Fox），他于 1810 年前就使公司在康沃尔郡储藏丰富的格文奈普（Gwennap）铜矿有了一席之地；再如西布罗姆维奇的五金制造商阿奇博尔德·肯利克（Archibald Kenrick），他在去世前给子辈们留下了一家雇员多达 200—300 人的企业。最后，诸如酿酒商威廉·沃辛顿（William Worthington，去世前“给妻儿在伯顿留下巨额财产，在哈茨霍恩和格雷斯利留有大量农场，还有一大笔其他财富”）这类企业家，则被赋值 W = 3。这种分类显然具有主观性，一些模棱两可的例子可能会被错误归类。此外，这还是初次尝试系统性地分析那些跻身《英国传记词典》的群体临终遗产。除了 706 人可根据临终遗产进行分类外，样本还包括 543 名难以做出明确判断的人物。

尽管这类分析本身带有截尾偏差（由残值省略所致），但成功企业家在临终前留下的可观财富仍相当惊人。总体而言，所有样本的 W 均值约为 2.4，尽管标准差较高（约 0.7）。同时，工业革命时期关键人物（工业家和建筑师/工程师）的表现在某种程度上要比商人和金融家更糟糕。

表 7 - 1、表 7 - 2 和表 7 - 3 总结了 18 世纪英国企业家精神的数据。除整个样本较高的 W 取值外，奈伊假说的较弱版本得到了以下事实的验证，即从整段考察期（表 7 - 1A）来看，工业家的遗产显著（$t = 1.79$）低于商人，且在表 7 - 1B 中呈中等显著性（$t = 1.62$）。工程师和银行家/金融家之间的差异在表 7 - 1A 和表 7 - 1B 中都较大且显著（分别为 $t = 3.82$ 和 $t = 3.24$）。因此，工业化程度更高的职业似乎只获得较低的平均回报率，并且从标准差来看，其风险更高。这貌似和下述直观上颇有吸引力的假说相吻合，即现代部门的企业家面临更高的失败概率，但是一旦他们把企业发展壮大，便可实现规模收益。这也符合鲁宾斯坦的观点，他认为：“英国富人在商业和金融……而非制造业和工业领域取得了极高的财富”（Rubinstein，1981，第 61 页）。但须注意到这种差异随时间推移而缩小，到 1850 年后已变得非常小。同样很明显的是，表 7 - 2 或表 7 - 3 中的临终财富随时间推移的增加并不大，但那些 1850 年以后去世的例子除外。这又一次和鲁宾斯坦的研究结论相一致，尽管

他所使用的方法截然不同（1981，第35—37页）。这必然部分反映了以下事实：工业革命时期创业活动的经济收益绝大多数留存给了生活在19世纪后半叶的人们，尽管这也部分反映了一些当事人活到很高年龄才去世的事实。

表7－1　临终遗产（按职业分类）

	W值	标准差	样本数
A. 据记载从事一种职业者			
商人	2.48	0.71	105
工业家	2.33	0.76	266
银行家/金融家	2.65	0.64	69
工程师/建筑师	2.28	0.79	180
物理学家/化学家	2.50	0.65	14
总体	2.38	0.75	634
B. 据记载从事多种职业者			
商人	2.44	0.75	144
工业家	2.32	0.77	311
银行家/金融家	2.55	0.71	110
工程师/建筑师	2.27	0.79	194
物理学家/化学家	2.55	0.67	22
总体	2.37	0.76	781*

*由于某些当事人被计入多种职业，故这里的总体大于实际样本总数706。

表7－2　临终遗产（按分段时期和职业分类）

	1800年前	1800—1825年	1826—1850年	1850年后
商人	2.35（0.81），34	2.24（0.79），33	2.41（0.78），29	2.67（0.59），49
工业家	2.16（0.78），64	2.22（0.72），59	2.20（0.83），66	2.52（0.73），124
银行家/金融家	2.38（0.81），16	2.50（0.75），28	2.50（0.71），26	2.70（0.65），40
工程师/建筑师	2.08（0.78），24	2.32（0.77），28	2.18（0.80），38	2.33（0.79），104

（续表）

	1800 年前	1800—1825 年	1826—1850 年	1850 年后
物理学家/化学家	3.00（—），2	2.83（0.41），6	2.00（0.82），4	2.50（0.71），10
总体*	2.23（0.78），123	2.30（0.75），135	2.27（0.80），149	2.51（0.72），302

注：单元格里的值分别为均值、标准差和样本数。

*各栏对应值总和要大于本栏数值，这是因为某些类别的职业计算了多次。

表 7-3　以货币价值指明遗产的均值情况（按分段时期和职业分类，单位：英镑）

	1800 年前	1800—1825 年	1826—1850 年	1850 年后	总体
商人	182 405 （292 322，16）	176 214 （360 326，17）	193 810 （221 761，20）	378 339 （856 345，43）	271 445 （625 283，96）
工业家	121 726 （236 193，26）	141587 （313 672，27）	93311 （336 339，44）	148346 （336 671，109）	132445 （321 269，206）
银行家/金融家	4 000 （65 803，5）	174 952 （246 674，18）	267 998 （551 537，19）	511 508 （972 354，38）	344 138 （740 763，80）
工程师/建筑师	21 275 （48 913，13）	25 067 （36 354，19）	41 879 （7 048 423）	60 019 （131 081，90）	49 088 （1 094 171，45）
物理学家/化学家	25 000 （na，1）	98 643 （131 537，3）	n/a	22 369 （23 190，10）	38 902 （63 897，14）
总体	89 966 （194 065，49）	105 785 （236 883，68）	126 865 （357 693，96）	197 319 （551 926，256）	157 275 （444 826，491）

注：标准差和单元尺寸（cell sizes）由括号内数值给定。

五、结论

本文可得出三点重要结论。其一，对企业家精神相关问题的研究须作为经济增长现象的现代分析的一部分，并须着眼于使更复杂的经济形态成为可能的文化和制度因素。这种方法可能更有助于阐释“为何英国成了工业革命的领先者”而非“为何有人会说工业革命事实上从未发生”。在工业革命时期，使英国企业家精神如此有效的社会环境包括能产生适当激励的制度，以及由人力资本、自然资源和一套更有效的政策所带来的互补效应

（Mokyr，2008）。若从这些方面来分析企业家的角色，则恢复他们同发明家、科学家和开明政治家一起作为经济进步主要推动者的应有地位正当其时。

其二，我已表明，和人们有时候所持有的观点相反，工业革命时期的企业家总体上似乎并非“幸运的傻瓜”，而是面临同等成功概率（甚至在运气不好时）的须履行义务的个体。在竞争环境下，这一点似乎很自然。但在当时，更多人享有同代人的尊重和某种程度的经济保障，且满足于自己的所作所为。换言之，英国企业家有理由期待自己的贡献能带来相应回报，即使这种回报不一定和他们创造的社会剩余成正比。事实证明，企业家的贡献不仅取决于他们的传统品质，还取决于他们同其他人合作以及建立不依赖于第三方实施机制的信任关系的能力。

其三，英国的制度环境是工业革命早期英国领先地位的重要因素（Mokyr，2008）。在18世纪，寻租和其他“双漏桶”政策逐渐被人们抛弃，这部分是因为新兴工业阶级强烈抵制纯粹的私人动机。因此，反对限制新技术使用的斗争显然有利于企业家和创新者。但寻租行为日渐失势部分也是因为土地精英和商业精英接受了一种新的启蒙思想。这种思想使他们确信，经济活动并非零和博弈，营造一个由自由准入、竞争和不受约束的创新构成的自由市场环境是利国利民之事。事实证明，这的确是颇有利可图之举。

参考文献

Acemoglu, Daron, Simon Johnson, and James Robinson. 2005. “Institutions as a Fundamental Cause of Long-Run Growth.” In *Handbook of Economic Growth,* ed. Philippe Aghion and Steven N. Durlauf, 1A:385–472. Amsterdam: Elsevier.

Baumol, William J. 1993. *Entrepreneurship, Management, and the Structure of Payoffs*. Cambridge: MIT Press.

———. 2002. *The Free-Market Innovation Machine: Analyzing the Growth Miracle of Capitalism*. Princeton: Princeton University Press.

———. 2005. "The Return of the Invisible Men: The Microeconomic Value of Inventors and Entrepreneurs." Presented at the meetings of the American Economic Association, Boston.

Blackstone, William. 1765–69. *Commentaries on the Laws of England*. Oxford: Clarendon Press. http://www.yale.edu/lawweb/avalon/blackstone/blacksto.htm.

Brewer, John. 1982. "Commercialization and Politics." In *The Birth of a Consumer Society: The Commercialization of Eighteenth Century England*, ed. Neil McKendrick et al., 197–262. Bloomington: Indiana University Press.

Briggs, Asa. 1959. *The Age of Improvement*. London: Longman.

Brooks, C. W. 1989. "Interpersonal Conflict and Social Tension: Civil Litigation in England, 1640–1830." In *The First Modern Society: Essays in English History in Honor of Lawrence Stone*, ed. A. L. Beier. Cambridge: Cambridge University Press.

Brunnermeier, Markus K., and Jonathan A. Parker. 2005. "Optimal Expectations." *American Economic Review* 95, no. 4: 1092–118.

Cain, Peter, and Anthony G. Hopkins. 1993. *British Imperialism: Innovation and Expansion*. Harlow, Essex: Longman.

Calcott, Wellins. 1759. *Thoughts moral and divine; collected and intended for the better instruction and conduct of life*. 3rd ed. Coventry: Printed by T. Luckman.

Clark, Peter. 2000. *British Clubs and Societies, 1580–1800: The Origins of an Associational World*. Oxford: Clarendon Press.

Crouzet, François. 1985. *The First Industrialists: The Problems of Origins*. Cambridge: Cambridge University Press.

Dam, Kenneth W. 2005. *The Law-Growth Nexus: The Rule of Law and Economic Development*. Washington, DC: Brookings Institution Press.

Daunton, Martin J. 1989. "Gentlemanly Capitalism and British Industry 1820–1914." *Past and Present* 122:119–58.

Davenant, Charles. 1699. *Essay upon the probably methods of making a people gainers in the balance of trade... By the author of the Essay on ways and means*. London: printed for J. Knapton. Reprinted in *The political and commercial works of that celebrated writer Charles D'avenant, LL.D.*, collected and revised by Charles Whitworth (London, 1771), 2: 168–382.

Defoe, Daniel. 1703. *A collection of the writings of the author of The true-born English-man*. London: n.p.

———. 1710. *An Essay upon Publick Credit*. London: Printed and sold by the Booksellers.

———. 1738. *The Complete English Tradesman*. 4th ed. 2 vols. London: C. Rivington.

Dormois, Jean-Pierre, and Michael Dinterfass. 1999. *The British Industrial Decline*. London: Routledge.

Dupin, Charles. 1825. *The Commercial Power of Great Britain: Exhibiting a complete view of the public works of this country*. 2 vols. London: Printed for C. Knight.

Ellickson, Robert C. 1991. *Order without Law: How Neighbors Settle Disputes*. Cambridge: Harvard University Press.

Floud, Roderick, and Paul Johnson, eds. 2004. *The Cambridge Economic History of Modern Britain*. Vol. 1, *Industrialization, 1700–1860*. Cambridge: Cambridge University Press.

Glaeser, Edward L., Rafael La Porta, Florencio Lopez-de-Silanes, and Andrei Shleifer. 2004. "Do Institutions Cause Growth?" *Journal of Economic Growth* 9:271–303.

Godley, Andrew. 2001. *Jewish Immigrant Entrepreneurship in New York and London, 1880–1914*. Houndsmills, Basingstoke: Palgrave.

Greif, Avner. 1994. "Cultural Beliefs and the Organization of Society: A Historical and Theoretical Reflection on Collectivist and Individualist Societies." *Journal of Political Economy* 102:912–41.

———. 2005. *Institutions and the Path to the Modern Economy: Lessons from Medieval Trade*. Cambridge: Cambridge University Press.

Grosley, Pierre Jean. 1772. *A Tour to London; or, New observations on England, and its Inhabitants*. Trans. Thomas Nugent. London: Printed for Lockyer Davis.

Guiso, Luigi, Paola Sapienza, and Luigi Zingales. 2006. "Does Culture Affect Economic Outcomes?" *Journal of Economic Perspectives* 20, no. 2: 23–48.

Hamilton, Barton H. 2000. "Does Entrepreneurship Pay? An Empirical Analysis of the Returns to Self Employment." *Journal of Political Economy* 108:604–31.

Honeyman, Katrina. 1983. *Origins of Enterprise: Business Leadership in the Industrial Revolution*. New York: St. Martin's Press.

Jones, Eric L. 2006. *Cultures Merging: A Historical and Economic Critique of Culture*. Princeton: Princeton University Press.

Kamien, Morton I. 2005. "Entrepreneurship by the Books." Kellogg Graduate School of Management.

Laird, Pamela Walker. 2006. *Pull: Networking and Success since Benjamin Franklin*. Cambridge: Harvard University Press.

Langford, Paul. 1989. *A Polite and Commercial People: England, 1727–1783*. Oxford: Oxford University Press.

———. 2002. "The Uses of Eighteenth-Century Politeness." *Transactions of the Royal Historical Society* 12:311–31.

Maitland, Frederic. 1911. *The Constitutional History of England*. Cambridge: At the University Press.

Malthus, Thomas R. 1820. *Principles of Political Economy*. London: J. Murray.

Mason, Philip. 1982. *The English Gentleman: The Rise and Fall of an Ideal*. New York: William Morrow.

McCloskey, Deirdre N., ed. 1971. *Essays on a Mature Economy: Britain after 1840*. London: Methuen.

———. 1998. "Bourgeois Virtues and the History of P & S." *Journal of Economic History* 58:297–317.

———. 2006. *The Bourgeois Virtues: Ethics for an Age of Commerce*. Chicago: University of Chicago Press.

Merimée, Prosper. 1930. "Études Anglo-Americaines." In *Oevres Complètes*, ed. Pierre Trahard and Édouard Champion, vol. 8. Paris: Librairie Ancienne Honoré Champion.

Mingay, George E. 1963. *English Landed Society in the Eighteenth Century*. London: Routledge and Kegan Paul.

Michie, Ranald. 2001. *The London Stock Exchange: A History*. Oxford: Oxford University Press.

Mokyr, Joel. 1998. "Editor's Introduction: The New Economic History and the Industrial Revolution." In *The British Industrial Revolution: An Economic Perspective*, ed. Joel Mokyr, 1–127. Boulder, CO: Westview Press.

———. 2002. *The Gifts of Athena: Historical Origins of the Knowledge Economy*. Princeton: Princeton University Press.

———. 2006a. "The Great Synergy: The European Enlightenment as a Factor in Modern Economic Growth." In *Understanding the Dynamics of a Knowledge Economy*, ed. Wilfred Dolfsma and Luc Soete, 7–41. Cheltenham: Edward Elgar.

———. 2006b. "Mercantilism, the Enlightenment, and the Industrial Revolution." In *Eli F. Heckscher (1879–1952): A Celebratory Symposium*, ed. Ronald Findlay, Rolf Henriksson, Håkan Lindgren, and Mats Lundahl, 269–303. Cambridge: MIT Press.

———. 2008. "The Institutional Origins of the Industrial Revolution." In *Institutions and Economic Performance*, ed. Elhanan Helpman, 64–119. Cambridge: Harvard University Press.

Muldrew, Craig. 1998. *The Economy of Obligation*. New York: St. Martin's Press.

Murphy, Kevin, Andrei Shleifer, and Robert Vishny. 1991. "The Allocation of Talent: Implications for Growth." *Quarterly Journal of Economics* 106:503–30.

Musson, A. E., and Eric Robinson. 1969. *Science and Technology in the Industrial Revolution*. Manchester: Manchester University Press.

Nordhaus, William D. 2004. "Schumpeterian Profits in the American Economy: Theory and Measurement." Cowles Foundation Discussion Paper No. 1457, April.

Norris, J. M. 1958. "Samuel Garbett and the Early Development of Industrial Lobbying in Great Britain." *Economic History Review* 10:450–60.

North, Douglass C. 1990. *Institutions, Institutional Change, and Economic Performance*. Cambridge: Cambridge University Press.

———. 2006. *Understanding the Process of Economic Change*. Princeton: Princeton University Press.

Nougaret, Pierre J-B. 1816. *Londres: La Cour et Les provinces d'Angleterre*. 2 vols. Paris: Chez Briand.

Nye, John Vincent. 1991. "Lucky Fools and Cautious Businessmen: On Entrepreneurship and the Measurement of Entrepreneurial Failure." In "The Vital One: Essays in Honor of Jonathan R. T. Hughes," ed. Joel Mokyr, *Research in Economic History*, suppl. 6:131–52.

O'Brien, Patrick K. 1994. "Central Government and the Economy." In *The Economic History of Britain since 1700*, 2nd ed., ed. Roderick Floud and Deirdre N. McCloskey, 1:203–41. Cambridge: Cambridge University Press.

———. 2002. "Fiscal Exceptionalism: Great Britain and Its European Rivals from Civil War to Triumph at Trafalgar and Waterloo." In *The Political Economy of the British Historical Experience, 1688–1914*, ed. Donald Winch and Patrick O'Brien, 245–65. Oxford: Oxford University Press.

———. 2006. "The Hanoverian State and the Defeat of the Continental System: A Conversation with Eli Heckscher." In *Eli Heckscher, International Trade, and Economic History*, ed. Ronald Findlay, Rolf G. H. Henriksson, Håkan Lindgren, and Mats Lundahl, 373–405. Cambridge: MIT Press.

Owen, Robert. 1927. "Observations on the Effects of the Manufacturing System." In *A New View of Society and Other Writings*, ed. G.D.H. Cole. London: Everyman's Library.

Payne, Peter. 1978. "Industrial Entrepreneurship and Management in Great Britain." In *The Cambridge Economic History of Europe*, ed. Peter Mathias and M. M. Postan, 3.1: 193–210. Cambridge: Cambridge University Press.

Pearson, Robin. 1991. "Collective Diversification: Manchester Cotton Merchants and the Insurance Business in the Early Nineteenth Century." *Business History Review* 65:379–414.

Pearson, Robin, and David Richardson. 2001. "Business Networking in the Industrial Revolution." *Economic History Review* 54:657–79.

Perkin, Harold J. 1969. *The Origins of Modern English Society, 1780–1880*. London: Routledge and Kegan Paul.

Pollard, Sidney. 1968. *The Genesis of Modern Management*. London: Penguin.

Porter, Roy. 1990. *English Society in the 18th Century*. Rev. ed. London: Penguin.

Posner, Eric. 2000. *Law and Social Norms*. Cambridge: Harvard University Press.

Robb, George. 1992. *White-Collar Crime in Modern England: Financial Fraud and Business Morality, 1845–1929*. Cambridge: Cambridge University Press.

Rodrik, Dani, Arvind Subramanian, and Francesco Trebbi. 2004. "Institutions Rule: The Primacy of Institutions over Geography and Integration in Economic Development." *Journal of Economic Growth* 9:131–65.

Rubinstein, William D. 1981. *Men of Property: The Very Wealthy in Britain since the Industrial Revolution*. London: Croom Helm.

Schumpeter, Joseph A. 1934, *The Theory of Economic Development*. Oxford: Oxford University Press.

Shapin, Steven. 1994. *A Social History of Truth*. Chicago: University of Chicago Press.

Smiles, Samuel. 1863. *Self-Help: With Illustration of Character and Conduct*. Boston: Ticknor and Fields.
———. 1884. *Men of Invention and Industry*. London: J. Murray.
Smith, Adam. 1759. *The Theory of Moral Sentiments*. London: A. Millar.
———. 1976. *The Wealth of Nations*. Ed. Edwin Cannan. Chicago: University of Chicago Press.
Spagnolo, Giancarlo. 1999. "Social Relations and Cooperations in Organizations." *Journal of Economic Behavior and Organizations* 38:1–25.
Sunderland, David. 2007. *Social Capital, Trust and the Industrial Revolution, 1780–1880*. London and New York: Routledge.
Tabellini, Guido. 2008. "Institutions and Culture (Presidential Address)." *Journal of the European Economic Association* 6, nos. 2–3: 255–94.
Taine, Hippolyte. 1958. *Notes on England*. Trans. Edward Hyams. Fair Lawn, NJ: Essential Books.
Urdank, Albion. 1990. *Religion and Society in a Cotswold Vale*. Berkeley and Los Angeles: University of California Press.
Wedgwood, Josiah, 1973. *Letters of Josiah Wedgwood*. Ed. Katherine Euphemia, Lady Farrer. Manchester: E. J. Morten [for] the Trustees of the Wedgwood Museum.
Wiener, Martin J. 1981. *English Culture and the Decline of the Industrial Spirit, 1850–1980*. Cambridge: Cambridge University Press.
Wilson, Charles. 1963. "The Entrepreneur in the Industrial Revolution in Britain." In *The Experience of Economic Growth*, ed. Barry Supple, 171–78. New York: Random House.

第八章　英国的企业家精神：1830—1900

马克·卡森　安德鲁·戈德利

本章研究企业家精神在维多利亚时代的经济增长中所扮演的角色，该时代始于逐步走向成熟的工业革命（参见本书第七章），终于如日中天的大英帝国海外殖民活动（参见本书第九章），前后持续了近70多年。

工厂制是工业革命（1760—1830）的主要技术创新，铁路的发明及远洋航运从帆船转为蒸汽船则是维多利亚时代（1830—1900）的主要技术创新。维多利亚时代的英国人在基础设施领域，特别是交通运输而非制造业部门，留下了他们自己的深刻烙印。

因此，认为制造业部门的技术创新是维多利亚时代英国经济的驱动力是错误的。制造业中确实出现了许多与完善产品设计有关的渐进式创新，但激进式创新却相对较少。到维多利亚时代后期，蒸汽能已成了主要动力，正如该时代初期马匹仍是陆路运输的主要动力一样。尽管电磁学原理在维多利亚时代以前的英国已被发现，但只有在维多利亚时代过后，大规模的城市电气化（更别提农村电气化）才逐渐普及。除了电车外，直到19世纪末人们才开始系统性地利用电能。

但是，维多利亚时代颇为重要的并非只有技术创新，制度创新也很重要。创业态度并不局限于私营企业部门，也体现在极富远见的政治领导层以及迅猛扩张的职业行政部门。

维多利亚时代的人们深以英国（不成文的）政治制度而自豪。他们缔造了大英帝国，向世界许多地区输出英国的制度，尤其是印度次大陆及广袤的加拿大和澳大利亚等移民经济体。1776年美国独立战争使英国在北美的主要殖民地纷纷宣布独立，在“吸取”这次战争的“教训”后，英国政府采取了一种相对分权的方式管理帝国事务。尽管外国商品和服务进入英国市场颇受限制，帝国的内部贸易却已大多建立在亚当·斯密所阐述的自由贸易原则之上。由此，英国得以为本国制造业企业构建了一个广阔且有利可图的出口市场，通过铁路和海运提供的交通运输网，英国商品能方便地进入这些海外市场。自然增长和领土扩张带来的帝国人口的稳定增长，同移民经济体不断增加的收入一道，鼓励了国内的产品创新。到维多利亚时代末期，英国企业，特别是蒸汽机械和金属类家居用品制造部门的企业，已开始出口各式各样带有注册商标的产品。

在维多利亚时代的英国，私营企业家并不享有特别高的社会地位。事实上，小企业主往往被归为“商人”，受到中产阶级职业群体和财富继承者的轻视。另一方面，由于管制少，办企业就比较容易。由一名财力雄厚的投资者和一名创业能力突出的技工共同设立的合伙企业，成为非常成功的流行商业模式。但是，通过其他途径积累财富也是可能的。不断变动的帝国疆界为士兵和赏金猎人提供了丰厚的潜在不义之财。此外，许多才干超群的年轻人选择步入教堂以追求精神而非物质上的回报，那些敢于冒险的人则选择献身于海外传教事业。

在维多利亚时代，合伙企业的基本原理通过公司法的一系列改革得到了扩展，这些改革使大企业更容易设立只对股东负有限责任的股份制公司。由于普通人买卖小面额的公司股票变得更方便、容易，上述变化增加了股票市场的流动性，这反过来又促进了大公司的增长。

但人们似乎不太相信法律能充当解决商业争端的良好手段。法律因其迟缓、复杂和代价高昂而臭名昭著。因此许多企业，包括相当大的企业，主要依靠当地人来募集资本。家庭成了一种重要的商业组织单位，它既是维多利亚时代英国社会的道德基石，也是企业内部合伙人之间建立信任关系的载体。许多大型企业仍然由家族王朝（family dynasties）控制，在许多企业里，“娶老板的女儿为妻”是确保职场晋升的一条可靠途径。这阐释了以下一般性观点：维多利亚时代的人们不仅大量投资于政治制度，而且不惜投资于社会和道德制度建设。

尽管维多利亚时代的英国经济在许多方面都很成功，但也免不了有不足之处。如上所述，它未能开发和利用电学等新技术的经济潜能。通过电报，电学在促进帝国的通信上得到广泛运用，但家庭照明和能源供给等日常领域对电学的应用却相对遭到了忽视。同样饱受诟病的是，英国没能充分利用合成染料等化学发明，它们曾使德国在化学和制药工业获得巨大的技术领先优势。在挖掘内燃机的巨大潜能上，英国也是后知后觉。工程师们更关心如何完善蒸汽机的工作流程，国内廉价煤炭的大量供给、糟糕的道路状况及维护行人和马车运输利益的公路管制，进一步强化了这种忽视新技术的做法。

维多利亚时代英国企业家精神的表现，同一般性的企业家精神理论相一致，这些理论都强调了企业家在做出与高风险创新有关的正确决策中所发挥的重要作用。维多利亚时代的英国人往往在基础设施相关领域的投资及其对创建一个自由贸易国家的重要意义上做出明智的判断，但在制造业部门他们的决断要逊色得多。企业家似乎意识到了其自身的优缺点，因此集中投资于那些他们判断有望获得成功的领域。但是，如若单从小企业的创立和增长（主要归功于个体经营者）这一角度来理解企业家精神，则上述理论并不能很好地解释维多利亚时代的事实。维多利亚时代英国人颇擅长的大型基础设施项目，如铁路，并非由个体经营者建造和运营，而是由股份制公司的董事会掌管；董事会则由工程师、银行家和律师等各行业专家，以及在商界和制造业界已经拥有大企业的领军人物组成。维多利亚时代成功的企业家精神的显著特征是，它建立在财力雄厚的投资者和业界专家之间广泛的合伙关系之上，而非基于成千上万小规模个体经营商的创业努力。尽管存在大量这样的小企业主，但绝大多数成功的小企业之所以能获得蓬勃发展，似乎主要得益于其产品的广阔销售市场。这些市场并非产生于小型私营企业的技术创新，而是以大型基础设施项目为支撑的、获得政治家和公职人员支持的、由大型股份制企业具体实施的政治行动的结果。

一、背景：1830—1900 年英国经济和社会发展的重要特征

1830—1900 年是英国政治和社会领域发生重大变革的时期。这一时期的开端相当糟糕。在 1815 年拿破仑战争结束后，英国经济陷入了一段严峻的萧条期。曼彻斯特和其他城市骚乱不断。滑铁卢战役的英雄威灵顿公爵，很快成了一位最不受欢迎的英国首相。

在 1832 年《改革法案》（Reform Act）扩大公民权并废除一些“有名无实的选区”之后，政治形势才稍有改善。但新问题也随之而来。在爱尔兰，对饥荒的不当管理激化了民众对地方自治的呼声。人口增长迅猛（参见

图8－1)，农村贫困随处可见。大型工业城市污浊不堪，公共健康成了维多利亚时代的重大困扰之一。数十万人远离故土，迁往澳大利亚、新西兰、北美和其他地区。

但相比于欧洲其他国家，英国仍算很稳定。维多利亚时代的父爱主义鼓励地方精英积极应对本地需求，许多成功的商人成了社会改革家。宗教对维多利亚时代的人们而言极其重要。它给不同社会和经济阶层的人提供了一条纽带，特别是在那些技工和小商人也能行使牧师之职的非国教徒教堂。尽管不同教派之间存在冲突，基督教伦理仍是一股强大的凝聚力，提升了公共和私人生活领域较高的行为标准。

按照现代标准来看，英国的经济表现即使不那么令人瞩目，也颇为稳定。如果同中世纪和现代早期的相对停滞相比，增长就显得相当高。自1830年至1900年，人均国内生产总值从1672英镑上升到3911英镑（以2003年的物价水平为基准)，平均年度复合增长率只有1.2%多一点（图8－2)。除了周期性繁荣和低迷导致的周期性变化外，该时期的价格水平表现得颇为稳定（图8－3)。价格的稳定有利于维持相对低的利率水平。尽管短期利率的波动较大，特别是在1846年和1866年的金融危机时期，长期利率却很少高于3.5%，在19世纪90年代甚至低于2.5%（图8－4)。

低通胀和低利率组合鼓励了长期投资。几乎从各个方面看，维多利亚时代的英国人都称得上伟大的建造者。他们建造宏伟壮丽的公共建筑，如新的议会大厦，使其成为民族自豪感的象征；在地方层面，他们建造许许

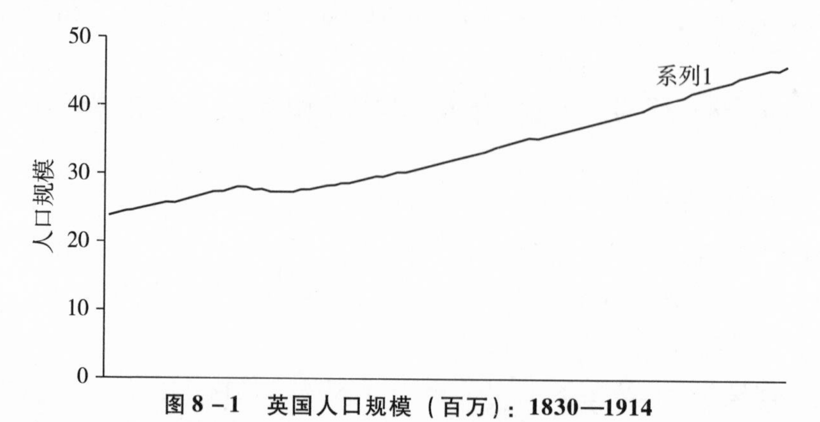

图8－1　英国人口规模（百万)：1830—1914

资料来源：2005年官方统计

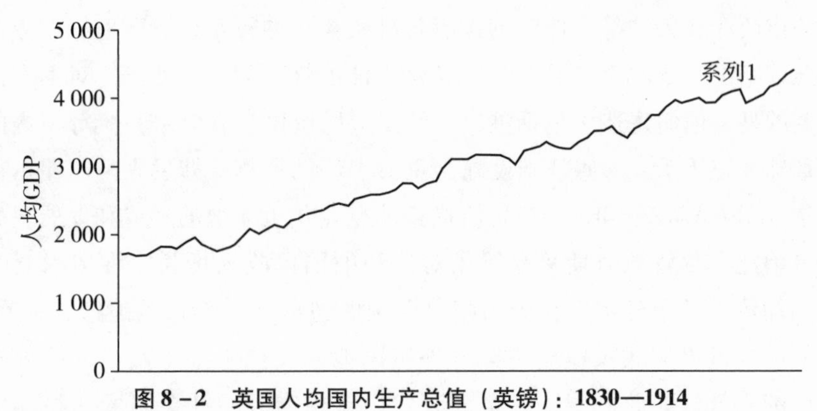

图 8－2　英国人均国内生产总值（英镑）：1830—1914

资料来源：2005 年官方统计

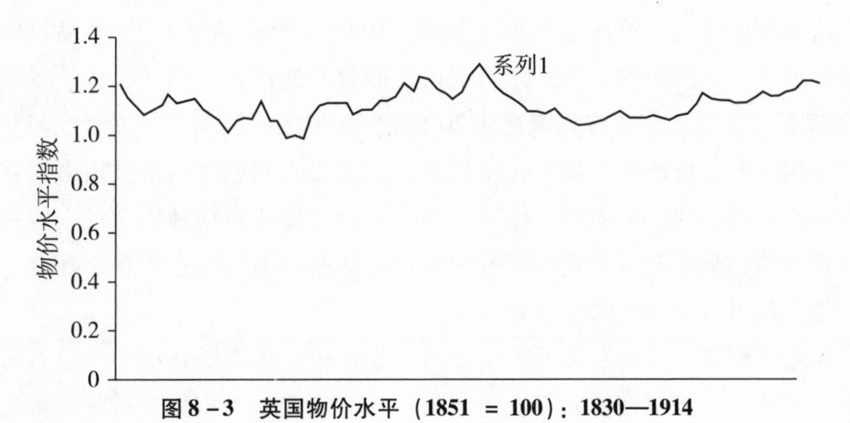

图 8－3　英国物价水平（1851 ＝ 100）：1830—1914

资料来源：2005 年官方统计

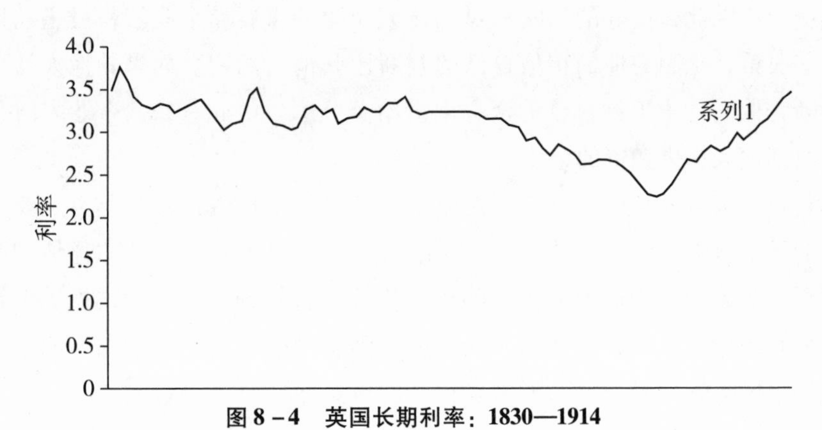

图 8－4　英国长期利率：1830—1914

资料来源：2005 年官方统计

多多的市政厅和钟楼等。他们创设了各种机构，如改革地方政府，成立诸多地方慈善组织；他们建立了一个自以为“日不落”的大英帝国；对本书而言最重要的是，他们建造了包括港口、铁路、城市供气和供水系统等在内的大规模基础设施体系。这些基础设施为重要工厂的聚集，即后来阿尔弗雷德·马歇尔（Alfred Marshall，1923）所描述的专业化工业区的形成和发展提供了支撑。因此，尽管该时期只取得相对温和的国民收入增长，维多利亚时代的人们却留下了十分宝贵和令人印象深刻的遗产。虽然这些遗产大多在20世纪的两次世界大战及镇压帝国海外殖民地的反抗中挥霍殆尽，但维多利亚时代的成就是如此辉煌，以至该时代仍有相当大的社会制度和物质成就留存至今。

维多利亚时代的英国总是不乏争议。1901年维多利亚女王逝世后不久，爱德华七世时代的知识分子便开始批评她的政治遗产，自那时起各种各样的争议就不绝于耳。本章首先审视从20世纪60年代持续至今的关于维多利亚时代英国企业家精神的争议。我将说明，诸多令人困惑的因素被用来解释维多利亚时代英国的经济表现。尽管一些研究者把企业家精神作为一个解释因素，但他们的解释并未构成一套系统完整的体系，而是严重依赖于社会上有关企业家的过分简化的刻板印象。

本章采用了一种更系统的方法来研究企业家。该方法在前一章已有所提及，本章将进一步阐述。人们普遍认为，企业家善于承担重大投资决策的高风险。这些投资涉及不可逆的承诺，一旦创业项目失败，投资者很难收回他们的资金。因此，良好的判断力对创业成功至关重要。企业家积极主动地做出这些决策，是因为他们相信自己的判断比其他人高明。如果其他人认可这些判断，他们会乐于把自己的资金出借给企业家。由此一来，企业家将掌管一家由其他人提供融资的企业。

若企业家投入自己的资金，他便是一名风险承担者；若企业家主要拿其他人的资金冒险，他更多的是一名风险管理者。企业家对风险的评估判断正确与否，要接受他所从事的项目的市场检验，若他的判断正确，投资者将获得部分利润作为回报；若他的判断错误，则将遭受损失以为惩罚。如果企业家纯粹是风险管理者，那么他是拿自己的声誉而非财富来冒险。维多利亚时代的英国社会极其看重个人声誉，因此声誉损失对风险管理者而言是一种非常严重的潜在惩罚。

如其他章节所强调的，若营利性项目具有社会效益，则社会将从企业家的活动中获益；反之，若企业家通过政治游说和暗箱操作以牺牲公众利益来牟利，则社会将变得更加糟糕。

我们将说明，维多利亚时代成功的企业家基本上是在正面激励下开展业务的，所谓正面激励就是给那些让社会受益的企业提供丰厚的回报。但他们并非在所有方面都很擅长。随着维多利亚时代的推进，企业家越来越把他们的努力倾注在大型基础设施项目上。这是因为工厂生产日渐无利可图，基础设施项目却获利丰厚。

在18世纪晚期工业革命开始起步时，基础设施项目通常作为创办工厂的副产品。企业家精神集中在以水力为动能（后来是蒸汽能）的工厂创新上。运河开凿及道路转为收费高速公路对企业家极有帮助，因为它们降低了运输成本，拓宽了工厂大批量生产的商品的销售市场。许多工厂主因此而大力投资于运河开凿工程（Pearson and Richardson，2001）。但到了维多利亚时代初期，第一波办厂经商的热潮已经消退。在1815年拿破仑彻底溃败后，英国成为海上霸主，出现了扩张海上贸易的巨大机遇。这反过来又鼓励了对建设港口和海港的投资。

然而，为了充分发挥其潜能，港口必须同大型工业中心保持密切联系，运河恰巧能很好地满足这一需求；但运河面临着夏季干涸、冬季结冰的问题。因此，铁路便成了一种替代性的解决之道。人们很快就认识到铁路远不止能运输货物，它还能以难以置信的高速度运送邮件和旅客。这样一来，观光旅游、乘车上下班及全国性银行体系的发展等一系列新机遇便相继而来。基础设施建设本身也获得了蓬勃发展。城市开始发展成为信息中心和工业中心，虽然城市的这种功能自古已然，但远程交通的提速更好地实现了这一功能。

前文提到的社会紧张状态给许多工厂制行业（factory-based industries）带来了棘手的劳资纠纷问题。英国工人很注重自治（这种自治状态与熟练工匠密切相关），极厌恶工厂的军事化管理纪律。若劳动相对廉价，则工厂主便可轻易忽视其雇员的意愿，但雇员除在工厂干活外还有别的选择。工人不仅可选择移居他处，还可选择在运输业、零售业和银行业等服务行业谋生。因此，工厂生产变得越来越不景气。

另一方面，基础设施建设领域却欣欣向荣。大英帝国的海外殖民地迅猛增加，各殖民地都提供了新的发展机遇。港口、铁路、电报和城市建设投资是重点。工程车间取代工厂变成了英国制造业的中心。尽管工厂在纺织品贸易中仍占主导地位，但工程车间和“厂坞”（yards）制造着绝大多数出口到国外的复杂机械，特别是轮船、蒸汽机车及供海外殖民地建设之用的预制桥梁和管道设备。到19世纪末，维多利亚时代的英国经济已主要依靠帝国主义殖民地建设的推动。

当帝国主义时代于1914年突然中断时，英国的企业家精神饱受打击（如下一章所述）。一整代茁壮成长中的企业家在一战期间惨遭扼杀。此外，由战后凡尔赛会议导致的国际政治的不稳定颠覆了大英帝国严重依赖的国际贸易体系。英国企业家深陷如此脆弱不堪的帝国主义体系而不能自拔，这并非归咎于他们自身。若要追究的话，责任在于由英国政治领袖鼓吹的大英帝国事业必然会顺利发展的过度乐观的信念。

二、维多利亚时代英国企业家精神的兴衰历程：争论

维多利亚时代企业家精神的历史研究文献大多集中在极其有限的议题上。这里简单分析其中的两个议题。其一涉及自由贸易和自由放任政策对鼓励企业家精神的作用，其二涉及维多利亚时代后期英国企业家精神的明显衰落。

（一）自由放任

现代政治学者回溯至维多利亚时代早期的英国，试图寻求现代经济增长的根源。一个常见的观点是，维多利亚时代的英国奉行自由放任政策。根据这种观点，那时的人们普遍相信，只有在自由竞争的条件下，对利润的追逐才会使所有人获益。由此，国家干预被视为多余，并受到了人们的抵制。在自由放任体系下，企业家精神欣欣向荣，政府管制的束缚被打破，经济出现“起飞”。但随后产生了工会组织，它们逐渐垄断了劳动力供给，情况开始急转直下。英国独立工党凭借其政治权力，摧毁了自由企业精神。维多利亚时代的英国经济随即步入衰落，而美国则承担起了传递自由企业精神之火炬的责任。

但这种论述存在许多问题。首先是确定时间的问题。1830年以前，英国有相当长的时间处于同拿破仑时代的法国相互交战状态。在这一时期，政府在刺激纺织品（如军队制服）和工程产品（如枪支和盔甲）的需求中扮演着

积极角色，当这种需求随着战争结束而大幅下降时，便导致了一场严峻的衰退。事实上，一些军事历史学家或多或少认为，军队采购通过给企业家设定有挑战性的目标，刺激了精确制造的工厂制品的投资和创新。

此外，在1846年《谷物法》被废除之前，自由贸易并非官方正式政策，推动这项改革的首相罗伯特·皮尔（Robert Peel）爵士，也在此过程中造成了新成立的保守党内部的分裂。尽管理查德·科布登（Richard Cobden）、约翰·布赖特（John Bright）和其他"曼彻斯特学派"（Manchester School）成员都是自由贸易的大力鼓吹者，但最终影响皮尔及其同僚的并非他们的自由市场理念及其对英国工业的潜在益处，而是工人阶级本身的利益。皮尔担心谷物价格下跌给工人带来的好处将被工资下降抵消，只有当他被说服工资仍将因强劲的产品需求而保持在高位后，他才同意这项改革（Prest，2004）。

政府参与经济领域的另一个原因是，维多利亚时代英国的许多重大工业项目都和土地的强制性获取有关，如下文将要解释的。远不同于给个体私人产权提供明确保护，政府基于国家权威，强制推行了大量攫取私有土地的制度。认为像美国一样，英国也可通过开疆拓土轻易获取土地是一个错误。到1830年，英国已是一个相对成熟和人口密集的国家，政府经常准许私有产权服从于公共利益。

尽管亚当·斯密确实早在1776年出版的《国富论》一书中，就已深刻阐述了撤销管制的市场经济的好处，但人们有时会认为他的理念并未对政策产生直接影响。作为启蒙时代的伟大思想家之一，斯密被社会进步的根源这一问题深深吸引。他的重要贡献是指明了劳动分工和贸易增长是社会进步的两大主要推动力。斯密对英国政府的主要批评是，英国政府不应当授予东印度公司等特许贸易公司从事对外贸易的垄断权力。鉴于这些公司的利润主要来自贸易税收，斯密提议剥夺它们的特权以消除这种税收和促进竞争。尽管斯密认为竞争是自然秩序的题中之意，应能产生良好效果，但他并未声称竞争应当如后来的自由放任学说所信奉的那样不受任何限制（Nicholson，1909）。

如果说维多利亚时代早期的英国社会有一条支配性原则，那便是技术进步使生活水平的持续改善成为可能。使这种可能成为现实需要良好的制度，由于并非所有制度都是完全合理的，制度变革便必不可少。斯密所强调的市场自由化只是改革不可或缺的一个方面。确保制度改革的好处在不同社会成员之间的公平分配也很重要。通过政治改革更公正地分配社会进步带来的好处，是1830—1850年间英国立法的一项重要内容。

但是，在改革的激进程度上存在着分歧。一些人认为，现存制度必然是合理的，因为从务实的角度看，它们已经经受住了时间的考验。其他人则认为，它们是中世纪时代遗留下来的不合理的“遗产”。激进的平民论者如马克思和恩格斯（19世纪40年代，两人均在英国定居）认为，技术进步可以把劳动者从农业生产的艰苦劳作中解放出来，使他们可以更多地从事报酬丰厚且极富创造性的手工生产。但他们却观察到，工厂制既缺乏创造性，又不能为劳动者提供合理回报。相反，它是一种简单重复、高度纪律化的生产，且容易造成人的异化。摆脱了地方乡绅压榨的劳动者，现在又不得不忍受地方工业资本家的剥削。马克思和恩格斯预言将爆发一场工人革命，但事实上1848年的宪章派革命（Chartist Revolution）很快就宣告失败。

19世纪70年代，民主社会主义者推动了工会组织的形成和发展。他们认为，工会应该形成一种对抗性的垄断力量控制劳动力的供给，以适当约束资本家的权力。1880年后，工会运动获得了相当大的社会支持，起初是在技能型工人中，后来也包括了大量非技能型工人。到1900年，在许多行业中，势力强大的工会已占据主导地位，一些工会领袖开始试图通过罢工运动来提高其成员的工资待遇和就业条件，并挑战雇主相对于其雇员的传统权力。在制造业、采掘业和交通运输业，工资开始上升，基本工作时间得到缩短，生产率增长出现停滞（Broadberry，1997，2006）。

劳资纠纷使政治观点出现了分化。一些雇主转向了对抗立场，在罢工产生不良影响前便把工人锁在工厂里，并且雇用了破坏罢工者，另一些雇主则同意采取调解措施。一些雇主接受了和雇员之间新的利润分享形式和部分所有权，另一些雇主则断然坚持作为雇主的绝对权力。政府开始加大在工人权利和工会代表上的立法力度，这引发了许多备受瞩目的旨在解决紧迫问题的诉讼案件，给劳资双方带来的不满比以往有过之而无不及。

到1900年，经济生活的许多方面已受到严格管制，越来越多的（社会经济）活动，如教育和地方交通等，正日益受到地方政府的控制。如果说英国曾出现自由放任时期，那么它也必定是昙花一现（如1850—1880年间），即便在这些时期，经济自由在英国的盛行也远不及同时期的美国。

（二）衰落的开端

英国技术领导地位的顶峰通常被认为是1851年，这一年在伦敦海德公园举办了一场著名的世界博览会。技工企业家被看作是极其重要的创新者，自19世纪晚期以来，他们便引领着机械化工厂制体系（Deane，1979；Mokyr，2004）。世界博览会在19世纪颇为流行，吸引了越来越多的普通民众，而且在1851年后，荣获博览会奖章的英国企业家人数开始减少，同时美国和欧洲大陆国家的获奖企业家却不断增加。

但并非所有人都认同维多利亚时代英国企业家精神的衰落可简单地追溯至19世纪中叶的某个时点。对经济绩效而非技术创新速度的强调似乎表明，应将这种衰落追溯至维多利亚时代中期英国经济繁荣的终结和1873年大萧条的开始时期（Church，1975；Saul，1969）。

克拉夫茨（Crafts，1985）的观点更为偏激。他认为“工业革命”对19世纪上半叶英国生产率增长的影响被过分夸大了。大规模生产仅局限于北部的纺织工业，如兰开夏郡的棉纺织工业和约克郡的毛织品行业。更一般地，波拉德（1997）已表明，在整个欧洲史上，制造业的创新均集中于相对边缘的农业区域，如英国北部地区，那里的本地居民往往一边从事混合农耕，一边从事初级工业化生产。克拉夫茨的观点表明，19世纪前半叶和后半叶之间的连续性比传统观点所认为的要大，尽管该世纪仅取得相对温和的生产率增长。

创业精神持续的时间可能也比以往认为的要更长，只是方向发生了改变。如本章开头部分所阐述的，英国企业家精神曾出现了从开发国内经济资源向帝国海外殖民扩张的重大转变。19世纪中叶前后，许多热衷于名望和财富的“中产阶层”踊跃迁往大英帝国的海外新殖民地，如澳大利亚和新西兰等；而受教育程度更高的人则加入了日渐庞大的殖民地文职机关。从这一点来看，维多利亚时代晚期英国经济的增长活力已转向帝国的海外殖民地。一些贵族家庭顺利地转向了商业银行业，为英国海外贸易增长和来自伦敦中心的投资提供融资帮助。金融服务的迅猛发展连同技工的迁移一起，使经济资源从制造业中大举外流。工业城市的过度拥挤和卫生恶化降低了制造业劳动力的质量，激化了劳动者的不满情绪，且加速了工会制度向非技能型劳动者的扩散。结果，美国、德国和其他欧洲大陆国家的快速工业化，随即暴露出英国制造业生产率低增长所带来的各种缺陷。

熊彼特（1939）对世界经济中长波的分析得出了关于结构变迁的相似结论，但变迁的轨迹却迥然不同。在熊彼特看来，英国不止引领一个而是引领两个重大的创新领域：起初是工厂制，随后是铁路建设。由于铁路系统的普及是19世纪下半叶而非上半叶的特征，这表明英国似乎仍然富于创业精神，不过其重点已从制造业转向了交通运输等基础设施和公用事业领域（Broadberry，2006）。早期的交通运输投资集中于国内经济，后期则主要为国际贸易提供支持。英国率先发明的铁路运输技术得到了海外殖民地的争相效仿。海外铁路投资获得了航运公司投资的大力支持，其中蒸汽船通过服务于地方铁路公司的港口提供了常规通航。英国对海外燃料储运站的煤炭出口增加，供应给国内重工业的煤产量比例不断下降，反映了基础设施投资日益增强的影响及国际化定位（Church，1986）。

然而，钱德勒（1990）根据不同的资料来源，包括商业史资料而非国民收入账户和商业周期数据，提出关于英国衰落的不同观点（下一章将详细阐述）。钱德勒认为，市场销售、专业化管理和有组织的研究是一个经济体从手工业生产向大规模生产转型必不可少的，而英国迟迟没有投资于这三个领域。保守地依赖家族企业制度、盲目尊崇非专业管理，使19世纪晚期的英国企业无法在高科技产业领域有效应对美国和德国的竞争。

不过也有一种观点认为，英国企业家之所以忽视对大规模制造业生产的投资，是因为他们察觉到其他领域更有利可图。大规模生产的规模经济，如芝加哥肉类加工业的例子，受益于廉价的非技能型移民劳动力和充裕的土地资源。英国并不具备这两项要素，在英国，不仅土地稀缺、城镇拥挤，而且绝大多数劳动者都渴望成为技工。由于英国领土较美国小得太多，英国企业家也就更热衷于从事海外扩张。他们投资于海外相对较小的殖民地市场，结果，发展出了比钱德勒式的科层制企业更灵活的组织管理形式。一个很好的例子是"独立企业"（free-standing firm），其运作完全依托海外，往往是单个国家，且由一个通常位于伦敦的较小的总公司控制（Wilkins，1986；Wilkins和Schroter，1998）。多家独立公司相互并存提供了比一家美国式科层制企业更大的灵活性，后者通过全国的分支机构开展海外业务。将各重大项目分别整合成一家单独的公司，财务透明度得到了提高，并使股东而非职业经理人能决定公司是否应该把利润再投资于新的计划。

此外，奥尔森（Olson，1982）也提供了一个关于该主题的不同观点。他认为合谋的制度化是导致各国经济衰落的共同原因之一，并把英国作为一个典型案例。奥尔森主要关注两种类型的横向合并：其一是工人的合并，即工会；其二是企业的合并，即行业协会和卡特尔。两者都旨在通过消除竞争来抬高工资和价格，换言之，它们均产生于寻租行为而非追求效率的行为（Baumol，1994）。

合并可获得国家授予的一些特权，以抑制新竞争者的进入，例如，工会的罢工者享有豁免权，行业协会可以充当官方认可的游说者。此外，工会和雇主可联合起来游说政府采取保护性关税。在奥尔森看来，这正是19世纪末英国所发生的情形。漫长的学徒期和限制竞争协议降低了职业流动性。劳动力市场被不同工种的手工业者所分割，特定类型的工作须保留给特定工会的成员。由此便形成了一种类似于印度种姓制度的手工业者社会等级制度。就企业而言，随着英国劳工国际竞争力的下降，政府对国内市场和殖民地市场的保护变得越来越重要。

奥尔森的观点隐含着一个问题：他所假设的阻碍英国经济增长的合并类型恰好被认为是欧洲大陆国家经济增长的促进因素。例如，人们普遍认为，在德国，卡特尔促进了工业的合理化，通过利用规模经济获得了巨大的效率提升，与此同时，工会也通过行业培训计划支持了技术知识的扩散。

其实，奥尔森自己的理论也表明，横向合并是一把双刃剑，既能提高生产率，又会降低生产率。地方性行业协会不仅设定价格，还组织公共品的生产和提供，如有助于提高工业区生产率的港口改造等。事实上，股份制公司的股东通过彼此间的横向合并为不可分割的投资筹集资金，缺少这种合并，大型企业很难有效地参与国际市场竞争。因此，横向合并本身并不必然是合谋性的。

为了用奥尔森的观点解释人们对19世纪英国经济表现的传统看法，有必要做出以下假设：同知识扩散和公共品提供相适应的以追求效率为目的的合并，在19世纪上半叶占主导地位，而寻租型工会和卡特尔则在19世纪下半叶占支配地位。其中的部分原因可能是，经过维多利亚时代的发展成熟，在许多制造业行业中，越来越多的生产效率相对低下的企业被淘汰出局。在一个主要由充满活力的小企业组成的幼稚产业，如前文所述的早期纺织工业，很可能存在行业专用型公共品提供的问题。由于小企业势单力薄，政治影响力有限，它们必须通过成立行业协会等途径合力提供行业专用型公共品。但是，随着产业不断成熟，价格竞争日趋激烈，由规模经济带来的成本下降便会促进产业集中，小企业通过合并、接管或关闭并退出该行业，以连成一体来壮大实力。剩下的大企业便有了更大的政治影响力，能轻易支配行业协会，并让行业协会充当游说者，从政府那里获得补贴或国外竞争保护。就此来看，形成于工业革命时期的制造业的发展成熟，确能解释维多利亚时代晚期英国制造业似乎颇受困扰的诸多问题。在成熟的制造业中，多数企业已把资源从追求效率的活动转向寻租行为，面对由此带来的政策挑战，英国政府并未能做出有效应对。

三、创业衰退的文化解释

英国的创业衰退通常被归咎于早熟的中产阶级化（gentrification）。19世纪后半叶，技工和贵族之间的社会鸿沟进一步加大。自雇型技工和家族小企业主，不再热衷于追求曾激发先辈们创业积极性的名誉和财富。富有的工厂主不再挑战贵族的政治权力，而是通过投资不动产来操控政治权力。

韦纳（Wiener，1981）认为，约在1850年后，维多利亚时代的英国人开始日益担心快速工业化导致的不良道德和社会后果。有才干的年轻人偏向于到教会或政府部门而非商贸部门就职，宗教热忱和社会改革能给他们带来比唯利是图地追求个人利益大得多的情感慰藉。英国最有声望的学院和大学只教授古典学科而非科学技术，因为人们认为希腊和罗马帝国的知识传统对从军、从事宗教职业教会或殖民地事务更重要。随着私营企业的人才流失，企业家精神开始衰退，利润下滑，投资减少。

麦克洛斯基等人（McCloskey，1971；Leunig，2001）对英国企业家精神衰退的传统观念提出了质疑，他们认为英国企业家未投资于新技术（例如，棉纺织业中环锭细纱机所需配设的锭子）的决定，是面对本国条件而做出的完全合理的回应。麦克洛斯基的批评主要针对把经济衰退归咎于英国管理质量低下的奥尔德克罗夫特（Aldcroft，1964）和其他人。同韦纳一样，这些作者把糟糕的管理和文化缺陷混为一谈。

麦克洛斯基认为，文化分析方法并未切中要害，他声称企业家一直都在做出理性决策。比方说，如果个体创业决策的累积效应是纺织工业衰落的根源，那么这是因为企业家采取了一种更有远见的长期“退出策略”，以应对英国比较优势的丧失，如国际贸易格局的转变所表明的那样。

但经济理性并不必然符合麦克洛斯基所给出的狭隘解释。理性个体可能会以牺牲金钱利益为代价来追求非金钱利益，因此选择退出那些不能完全实现其社会抱负的行业和贸易领域。其他国家的企业家，因有着不同的偏好，且更看重金钱收益，则可能会积极参与世界市场竞争。理性行为也可能要视具体企业家所遵循的心智模式（mental model）而定，因为不同文化的企业家可能会以不同方式去认识相似的约束。一种心智模式也许只能识别一小组行为选项，比如小范围的科学技术，另一种心智模式则可能揭示更广泛的行为选项。可以从更广泛的行为选项中进行选择的企业家有望做出更好的决策。戈德利（2001）已表明，定居伦敦的东欧犹太籍移民很快接受了通过职业生涯获取社会地位的本土文化，而那些定居于纽约的犹太人则更认可独立小企业家的本土文化。这样一来，即便在移民率很高的时期，本土文化也能通过同化过程使自身得到延续。

强调由文化决定的心智模式内部的理性行为，是一种很有用的分析框架，我们可以据此评价凯恩和霍普金斯（Cain 和 Hopkins，2002）的论点。他们认为，“绅士资本主义”是17—20世纪英国贸易和投资领域一个持续（尽管不断演变）的主题。他们强调，支配绅士行为的道德和社会志向，不仅影响从事贸易职业的合理性（desirability），而且影响贸易本身的开展方式。绅商（gentleman trader）偏好与同一社会阶层出身的人们开展交易，他们接受同样的学校教育，服务于同样的社群，而且他们的家族背景即使差别较大，也或多或少有些关联。绅士可通过其他绅士（作为一名有声望的第三方）的引荐扩大其社交圈子。第三方在各自绅士所属的两个社交圈子之间充当桥梁作用。社会地位高的妇女能很好地胜任这种“牵线搭桥人”的角色，因为她们既有积累人际关系网的机会，又有能力举办大规模的联谊会。

维持绅士生活方式需要最低限度的财富（或信用），娶一位富有的女继承人（如成功绅商的女儿）为妻能壮大某人的商界资本。因此，牵线搭桥人可起到婚介人的重要作用。

绅士资本主义和钱德勒（1990）所谓的“个人资本主义”（personal capitalism）密切相关，尽管两者并非完全等同。但钱德勒主要强调个人资本主义的负面影响，凯恩和霍普金斯则重点突出了绅士资本主义的积极影响。他们表明，社会关系网投资减少了交易成本。特别地，绅士资本主义很好地适应了海上贸易的开展，因为商人需要在所有业务涉及的重大港口建立一个可信赖的代理商网络。一些文化不得不依靠亲情纽带来维持信任，相反绅士资本主义则可依赖于群体忠诚度和家族世交关系（Jones，1998，2000）。海外代理商不仅可从扩大的家族中招聘，还可从更广泛的移居海外的同胞中招募。以“俱乐部”为基础的海外同胞社区内部同辈群体的监督，增强了当地代理商的诚信。

绅士资本主义也有其政治用途。绅士的价值观对确保殖民管理的统一完整不无裨益。绅士对社会弱势群体肩负着一定责任，相较于只把自己看作大英帝国雇佣官僚的官员，他们更有可能关注当地民众的需求。这些权力实施中的自我约束价值观促进了帝国势力的扩展，使大英帝国可以通过和当地领袖签订协议而非军事征服来扩大自身。帝国观念作为维多利亚时代英国经济、政治和文化各领域的纽带的重要性，是本章最后部分将讨论的主题。

四、企业家的概念

尽管“企业家”的称谓被广泛用于对维多利亚时代英国史的分析，但不同用法之间并无一致性。绝大多数作者把企业家处理成韦伯式的理想类型。反过来说，这种理想类型的企业家来自研究文献而非现实生活。查尔斯·狄更斯对东约克郡豪登（Howden）市场上的马商所做的描述，便是其中一例。在四处弥漫的烟酒味中，马商们用一种私下语言进行交流，彼此间握一握手就算敲定了一桩交易。每匹马都有标价，狄更斯开玩笑说，要是女王陛下驾着四匹马拉的大马车大驾光临，交易商很可能会大言不惭地给她的马匹提供一个报价。

作为一名社会批评家，狄更斯并未用赞美的语言描写维多利亚时代的企业家。卡尔·马克思可能是狄更斯的最具影响力的同代人，他把企业家视同于资本家。对马克思而言，维多利亚时代早期英国资本主义的基本特点是工人作为生产手段的异化。技工不再拥有自己的生产工具，他们的劳动已变得非技能化。在工厂制下，工人的生产工具被大机器取代，由军事化纪律控制下的工人队伍操作。机器投入的高昂成本意味着生产资料的所有权，进而对工人的控制权落入了从事专业化生产的资产阶级手里。

虽然马克思将资本主义企业家视同于大规模生产，但他也意识到了小资产阶级（如狄更斯所描绘的交易商）的作用。现代劳动经济学家在讨论企业家精神时，也强调了小资产阶级的作用。他们通常从个体经营的意义上定义企业家精神（Casson 等，2006）。但这种定义过于狭隘，对分析维多利亚时代的英国经济帮助不大。19 世纪早期，英国人口中完全或部分从事个体经营的占很高比例。甚至在收割后的田野里拾穗的妇孺，也往往是自雇型的。通过使自雇型外包工转变成雇佣劳动者，工厂革命事实上减少而非增加了个体经营者，重大运输和公用事业部门的后续增长维持了这一趋势。随着这个"小店主国家"的繁荣发展，个体经营型的企业家精神在零售贸易中仍然充满活力，但在引进新式零售经营观念，如繁华街道连锁和百货商店经营上，只有一小部分店主表现出显著的创业能力。所以，把维多利亚时代的企业家精神视同于个体经营活动是有误导性的，因为这种企业家精神减少而非增加了个体经营者，况且个体经营者也并没有表现出特别值得注意的企业家精神。

这突显了成为企业家比成为个体经营者更难的事实。企业家精神深受重视且往往能在成功的经济体赢得尊重的原因之一在于它是一种稀缺能力。这种稀缺能力的价值表现为成功企业家掌管的企业能获得高于平均水平的利润。企业家可通过掌控一家企业的所有权或担当该企业的经营者来获取个人报酬，作为经营者，他们的成功能通过岗位晋升、奖金红利、股权激励或同绩效相关的其他报酬形式得到认可。事实上，根据盈利标准，许多小企业算不上成功，小企业的平均利润率通常低于大企业。这是因为一些小企业主可能会通过不断试错来验证其判断的正误，另一些小企业主则可能会因看重个体经营所具有的独立性而乐于接受一个较低的利润率。这隐含着以下事实：从"自雇型业主经理"管理的意义上理解，许多小企业可以算作是"创业"活动，但从这里所述的意义上理解就算不上是创业活动，因为这些小企业主缺乏稀缺的创业能力，他们糟糕的判断力导致企业只能获得低于平均水平的利润率。

企业家会用这种稀缺能力做出怎样的决策？根据熊彼特（1939）的阐释，企业家致力于创新活动。缺乏企业家，创新速率会更低，生产率增长将更小，经济将不能按照应有的水平发展（Baumol，2002）。但是，创新能力为何如此稀缺？熊彼特认为，创新需要想象力和献身精神，既能洞察到创新发生后可能出现的新世界，又要倾注全部精力调动各方资源实现这种想象力，而非坐

“想”其成。在熊彼特看来，只有少数富有英雄气概的人，才具备这些品质。

柯兹纳（1973，1979）持有不同观点，他认为企业家只是发现了转瞬即逝的机会而已。在一个波动无常的经济中，市场总是处于非均衡状态，机敏者总能发现大量低买高卖的机会。企业家是发现某个机会并利用这个机会套利的人。和熊彼特不同，柯兹纳认为几乎所有人都有成为企业家的潜能。熊彼特强调英雄般的个人带来的间歇性重大创新，柯兹纳则突出普通人从事的连续性逐利行为。就这一点而言，两人的分析似乎能很好地互补。熊彼特的分析能解释工厂和铁路部门的根本性创新，柯兹纳的分析则能解释小型制造业企业和零售部门的创业活力。

但并非所有机会都像看上去那样美好。有些机会一不小心就会变成陷阱。奈特（Knight，1921）强调了企业家面临的风险，没有人能确保一个机会最终定能有利可图。风险是主观的，不同的人在面对同样的机会时，会感受到不同程度的风险（Casson，1982）。这种主观性突显了成为一名企业家和成为一名成功的企业家之间的重要区别。企业家从事创新并承担风险，成功的企业家则甄别有利风险和不利风险。他不必做出完美无瑕的甄别，只需比同一行业的竞争者做得更好就行。

当企业家集体做出决策时，将影响经济体的总体表现。人们有时会认为，从社会角度看，更多的企业家精神总是合意的，其实这取决于我们如何定义企业家精神。若企业家精神被定义为创新，则显然有可能出现“过犹不及”的情况。过度创新会人为地减少传统产品的供给，迫使产品使用寿命发生不必要的改变。这无疑会导致更多风险。尽管一些风险在任何创新中都不可避免，成功的企业家，不管他多么勇敢和睿智，都不会主动招致可避免的风险。

对于好的判断力，我们永远不可能嫌多（Casson，2000）。判断力是在没有议定程序或者缺乏客观证据的毫无前例的情况下做出成功决策的能力。好的判断力会权衡“由创新失败导致错失有利机会带来的风险”和“实施错误创新所产生的犯错风险”这两者间的利弊得失。具备良好判断力的成功企业家只会利用那些确实有利可图的机会。如果社会激励经由竞争性市场体系得到合理安排，则私人收益将同社会福利增加和经济产出提高相生相伴。公司控制权市场将把最好的企业家配置给最负责任的工作岗位，通过招募最有声望的企业家经管各行各业最大的公司。已经失去声誉且经营绩效糟糕的企业家将被取而代之；若董事会不解雇他们，随着股东把公司出售给最高竞标者，该公司也会被其他人接管。

上述对判断力的强调能很好地适用于对维多利亚时代英国企业家精神的研究。企业家开展业务所依赖的公司法框架在维多利亚时代发生了显著变化，因此根据企业所有权或管理权对企业家精神的任何定义，均面临该时期内企业的法律性质一直经历着重大变化的问题。另一方面，在高风险的创新领域做出判断的能力仍是一个不变的必要条件。

在维多利亚时代早期的英国，企业只能遵循之前由特许贸易公司设定的先例，通过议会法案获得股份制地位并承担有限责任。例如，所有运河和铁路发起方，要想获得这些特权，都必须向议会提出申请（参见下文）。这些公司通常在注册成立时就投入大量法定资本，因为追加投资只能通过新的法案筹集。因此，绝大多数大企业都是“与生俱来的”，它们并非从小企业发展而来，这不同于后来的情形。绝大多数小企业以合伙公司或家族企业起家，尽管能通过增加合伙人数量或利用联姻扩大家族势力等途径发展壮大，但它们能走得多远、走得多快是很受限制的。但到19世纪末，公司只需通过一项简单的注册法案，便可合并成股份制有限责任公司。这使小企业无须进行重大的资本重组就能成长为大型工业企业。

然而，如钱德勒已指出的，许多家族企业对股票交易波动导致的所有权稀释仍有疑虑。他们也不情愿把创业决策下放给拥有专业技能的雇员，特别是当行业专家比企业家族成员更有实力和资质时。这种保守的家族企业的支配地位阻碍了上文提到的公司控制权市场的有效运行。许多家族企业的业主都有一种“朝代更替式的”观念，他们把企业当作自己的地产一样对待，视其为一种只要保持家族所有权和控制权便可传给后代的资产。长子具有接管经营家族企业的习惯性权利及行驶这一权利的义务，而不论他的爱好或特长如何。这产生了独特的“继承”问题（Rose，1993），以“三代而衰”的“布登勃洛克综合征”（Buddenbrooks syndrome）而广为人知。但像钱德勒一样过多关注小家族企业的局限性，会曲解维多利亚时代英国企业家精神的图景，因为当时最重要的创业决策不是发生在小型制造业企业中，而是发生在为数越来越多的大型股份制公司中。

五、一个基于项目的经济观

为充分认识创新和风险管理的重要性，以及良好判断力对经济绩效的影响，采纳一种基于项目的（project-centered）经济观颇为有用。根据这种观点，经济体并非如标准经济学教科书所阐述的各种活动的集合，而是一系列项目的集合。项目的异质性远大于活动，正如奈特强调的，从来没有两个项目是相似的，比如，它们的产品满足不同的细分市场，项目投入的可得性反映了各种设施的区位等。项目有大量的启动成本，活动则没有。项目的持续期是有限的，有一个明显的生命周期，包括启动期、强化期、成熟期和衰落期。项目是有风险的，因为一旦失败，启动成本便不能收回。这种风险也不能被完全分散。项目有一个最小的有效规模，其风险不能通过大量的小项目来分散。个人也许可以通过投资组合来分散风险，但是，一个重大项目失败时，社会只能暴露在系统性的风险中。

基于项目的经济观非常适用于维多利亚时代的英国经济。整个 19 世纪，英国企业家实施的项目越来越宏大，特别是在规模上。甚至早期的铁路规划都有一个令人印象深刻的名号，如“大西部铁路”（Great Western Railway）和“大铁路枢纽”（Grand Junction Railway），效仿罗马帝国和埃及法老的建筑壮举相当普遍。尽管英国技术进步的步伐进入 19 世纪后逐渐放缓，但项目及其所针对地区的多样化却随帝国的扩张而显著增加。企业家精神开始越来越集中于基础设施、城市开发、航运及金融服务等领域的项目管理和融资。这些项目不仅利用了英国本土的资源，还利用了殖民地、海外租界、帝国领地以及英国势力范围内的其他独立国家的资源。

这些帝国项目多以国内蓝图为基础。英国率先创立的交通、通信、公用事业和公共服务被移植到国外，不断被应用于外国的具体实践中。虽然这些海外项目有时会因当地条件迥异于英国而遭遇失败，但由于吸取了英国本土项目的经验教训，其表现通常会优于国内项目。如印度铁路系统的建造，便避免了英国铁路狂热及当时有缺陷的政府管制体系导致的诸多问题。

表 8－1 给出了 1800—1910 年间议会法案授权实施大型项目的法案数量。该表还给出了按项目类型划分的相关法案（所谓的《地方和个人法案》，LPAs）的数量。表中数据以 10 年平均值的形式呈现，相关证据用图 8－5 中

的柱状图概括。该表还给出了以项目为中心的创业活动水平和方向的一个近似测算。若没有这样的法案，任何企业家均不能强制获取土地，否则就是对产权的侵犯。并非所有的法案申请都能顺利通过，因为来自地主和项目竞争对手的抵制通常很激烈。若考虑到申请失败的法案数量，表中的数据至少会翻一番。此外，并非所有的授权项目都能成功完成，许多项目会因资金缺乏而失败或被迫缩减规模。

表 8－1 表明了新项目的流量而非现存项目的存量。但是，由于它也包括了对进展中项目的授权修正及现存项目资本存量的变动，所以任何时间段的流量某种程度上也都反映出了累积存量。这反过来突显了以下事实：当项目陷入困境时，企业家精神变成了连续性的活动，因为企业家必须持续作出判断以免项目彻底失败。

1830 年前，大型项目主要集中在公地圈占、农业地产扩张以及受收费高速公路信托和运河开凿影响的道路改善等领域。这些改革提高了土地生产力，改善了地方交通基础设施，提高了铁路系统的运输和配送能力。城镇的改进，如新屠宰场和牲畜市场等，也不无帮助。

表 8－1　1800—1910 年间地方和个人议会法案数目（按项目类型分类，10 年平均值）

（a）同内陆运输相关的项目

	铁路	电车轨道	公路	运河	河道	下水道	桥梁
1800—1809	1.2	0	48.9	5.9	2.9	3.4	3.1
1810—1819	1.5	0.1	50.6	5.3	1.9	3.5	4.8
1820—1829	5.2	0	63.7	3.7	2.8	1.6	6.8
1830—1839	18.4	0	41.4	3.0	2.6	2.5	5.9
1840—1849	82.0	0	13.4	3.8	3.2	3.0	2.3
1850—1859	73.1	0.2	18.8	1.3	4.0	2.7	2.7
1860—1869	144.6	1.0	11.7	1.4	2.9	4.0	5.0
1870—1879	81.7	11.7	1.2	1.8	3.4	5.9	4.2
1980—1889	70.4	17.9	1.8	1.2	3.2	5.3	4.0
1890—1899	64.1	13.4	0.6	4.1	3.7	3.2	2.7
1900—1909	40.4	20.9	0.1	1.4	2.2	3.4	1.4
1940—1914	21.8	7.6	2.2	1.4	2.6	5.6	1.0

（续表）

(b) 同外贸、城市基础设施和社会改良相关的项目							
	海港	供水	供气	电力	城镇	社会领域	其他
1800—1809	6.4	1.6	0.1	0	9.7	6.3	52.2
1810—1819	5.3	2.3	2.2	0	15.4	8.6	55.8
1820—1829	5.6	3.1	8.0	0	16.6	5.0	11.1
1830—1839	8.5	4.4	3.8	0	12.1	3.9	14.2
1840—1849	13.7	7.4	7.8	0	18.4	4.7	14.0
1850—1859	10.3	14.7	12.0	0	17.5	2.2	10.6
1860—1869	13.5	19.3	19.8	0	16.3	3.9	10.7
1870—1879	15	19.6	22.5	0.1	21.6	12.6	18.5
1980—1889	13.5	18.5	12.5	2.4	23.6	15.2	28.6
1890—1899	15	25.0	17.5	11.3	32.6	13.0	32.0
1900—1909	11.5	20.9	27.2	15.0	41.3	11.2	30.5
1940—1914	10.6	16.0	24.8	9.2	34.4	8.4	29.8

资料来源：综合整理自英国法律委员会和苏格兰法律委员会（1996）

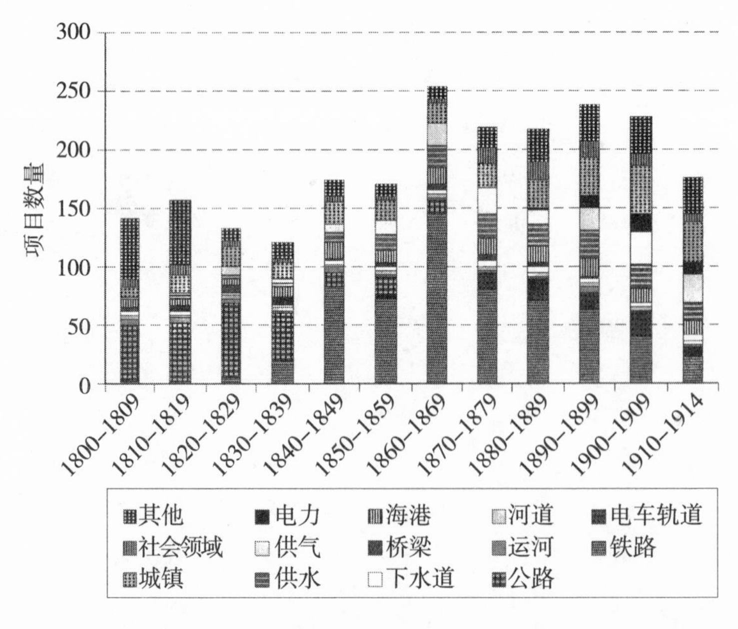

图 8-5　1800—1914 年间需要法律授权的英国大型项目实施情况

铁路项目从19世纪30年代“起飞”，于19世纪60年代到达顶峰。第一波铁路狂热发生在1844—1846年间。该时期推进的铁路项目获得授权要滞后1年，即处在1845—1847年间。1845年、1846年和1847年的铁路法案分别为119个、263个和187个。许多小投资者在这一波铁路投机狂潮中倾家荡产。经过很长一段时间后，公众才恢复对铁路投资的信心，但第二波破坏较轻的铁路狂热已悄然袭来。它始于1861年，这一年有160个铁路建设项目获授权。1865年，获授权项目增至251件，1866年略微降至199件。最终，这波铁路狂热随着1866年欧沃伦·格尼银行（Overend Gurney bankers）的倒闭而终结，欧沃伦·格尼银行是一家深陷铁路融资困境的颇受人们尊敬的企业。

在第二波铁路狂热中，许多第一波铁路狂热中惨遭失败的项目以新的名义、在新的管理层领导下重新启动。一些规划获得了与铁道线毫不相关的城镇的支持，其他城镇则大肆鼓吹实施新项目以挑起更激烈的竞争，它们认为这将带来更低的票价和运费。

当第一条城际铁路利物浦—曼彻斯特线于1830年竣工时，许多新运河开凿项目仍在进行中。这解释了为何在发展铁路的早些年来自运河受益方的反对会如此强烈。但到了1840年，绝大多数运河开凿项目要么被合并和精减，要么从运河开凿转向铁路建设。运河开凿在19世纪末伴随曼彻斯特通海运河的建造才有所复苏。

从17世纪起，内河航运使河道运输深入广大内地，将工业腹地同沿海地区连为一体，从而对英国货物运输的发展做出了重大贡献。在东安格利亚，内河航运也促进了沼泽地排水系统的建设。海上贸易对英国这样一个岛国的重要性，充分反映在19世纪实施的规模宏大的港口和海港改善计划。海港统计信息包括了旨在开发滨海度假旅游区的码头建设。

不同交通规划彼此之间相辅相成。公路运输为铁路运输提供支撑，铁路运输又为港口提供支撑。1870年后“新帝国主义”（high imperialism）时代海上贸易的迅猛扩张，使部分铁路系统充当了北海东海岸海港、南海岸运河河港和大西洋西海岸港口之间的交通大陆桥。甚至同铁路形成直接竞争关系的运河，也能部分缓和拥堵的铁路运输，为高价值运输释放运力。

到19世纪中叶，不仅在英国中北部工业地区，而且在伦敦，由迅速城市化导致的社会问题已变得异常尖锐。维多利亚时代的道德批判（moral revulsion），特别是涉及儿童贫困和疾病发病率方面的，转变成了为市中心提供新鲜水源的各类供水系统建设项目。这些项目往往同那些将污水排入近海河道和下水道的施工计划密切相关。控制犯罪从街道照明系统中获益颇多。受铁路运输促进的煤炭的丰沛供应，鼓励了街道和家庭煤气照明。尽管就城郊交通而言，由马力向电力的转变已使电车成了铁路的重要竞争者，但电力系统发展仍颇为缓慢。

自诺曼征服时代以来，“城镇改善”的概念在英国便已深入人心（Chalklin，1998）。在18世纪，如巴思和切尔滕纳姆等温泉小镇和韦茅斯等时尚度假村，经过大规模佐治亚风格的地产开发，已得到了极大改观。19世纪前半叶，通过建造济贫院和养老院，为贫弱体衰者提供食物及必需品成了优先事项。早期的火车站往往建在城镇边缘，即建在开发价值较低的沼泽地块上，如临近牲畜市场、煤气厂、收容所和监狱地区。随着火车站日益靠近市中心，它们变成了拆除贫民区的主要动因（Kellett，1969）。一些工人被迫迁离贫民窟，搬到新建立的郊区工薪阶层住宅区，每天从那里乘坐专门的工人火车专线上下班。19世纪70年代开始风靡一时的市政社会主义给城镇改善带来了额外的推动力。以往由单个议会法案推进的新的城市设施，越来越多地在地方政府法案的框架下得到实施，恰如获得议会通过的法规命令一样。城市和乡镇扩大了它们的行政边界，且往往从私营企业那里夺走了项目实施的主动权。许多这样的城镇由商业精英掌控，他们利用影响力扩大自己所在城镇的边界，将当地的投资收益用于能提高城镇（相对于其对手）竞争力的公共设施建设上。

表8-1中的（b）部分包括了各种不断变化的项目组合。19世纪前半叶，金融机构（互助保险协会，mutual assurance societies）占主导地位，19世纪后半叶，投资信托和大型工业企业（包括一些汽船航运公司）开始崭露头角。工业专利和教育机构成了一些法案的主题。当前文提及的越来越多的地方政府立法不能归入表中包含的任何单个部门时，也被归入这类。

地方和个人法案主要涉及那些完全针对英国国内的项目。涉及殖民地建设的项目由殖民地政府或殖民署（Colonial Office）授权，除非情况特殊，否则概不例外。其他资料也较好地记录了英国控制或管理的海外项目的显著增长。例如，威尔金斯（Wilkins，1989）提供了19世纪美国的英国企业总数。以英国为基础的企业家精神在全球扩散的情况可根据其他资料来源进行评估。布拉德肖（Bradshaw）的《铁路手册》（Railway Manual）表明，到1912年，共有29个国家不低于109个大型海外铁路系统由英国掌控或管理，其中32个位于大英帝国殖民地，65个位于拉丁美洲（Bassett，1913，第2—4部分；一些略高的统计数据参见Corley，1994）。尽管很多这样的公司因通常能获得所在国政府默许的控制权而做出大笔投资，但它们并不总能永久性地享有这种所有权，一如传统的制造业投资。

六、企业家在大型项目发起和实施中的角色：以铁路系统为案例

铁路工业为我们研究英国企业家在大型项目融资和管理中所发挥的作用提供了很好的案例。铁路系统的开发需要有远见卓识。设想要被付诸实践，就必须依靠那些在任何困境下都表现出强大意志力的企业家。

我们可在维多利亚时代早期的英国铁路系统中，归纳出五大主要愿景：

（1）19世纪20年代，技工哲学家托马斯·格雷（Thomas Gray，1825）提出了围绕一条南北中心干线布局的国家综合铁路网设想。但他提出的相关技术，从当时已有的矿物运输铁路线来看不太符合未来潮流。

（2）“铁路之父”乔治·斯蒂芬森发现了使现代铁路得以实现的关键因素组合：坡度平缓的笔直轨道、蒸汽机车和双规道铁轨。但是，作为一名采矿工程师，斯蒂芬森总是更加注重货物运输，特别是煤炭运输而非旅客运载。据说当勘测一条新的铁路线时，斯蒂芬森总是要找附近有无煤矿矿床的迹象。他对英国铁路系统的构想曾被刻薄地形容为一套美化的煤炭配送体系。

（3）对斯蒂芬森构想做出以上评价的作者布鲁内尔（Brunel）提供了最宏伟的铁路系统设想：一套服务于社会精英的豪华版高速运输系统（Rolt，1957）。精英有乘火车往返本国各地的需求，他们还会乘坐铁制蒸汽班轮去往国外，这样便可使各趟火车在港口相汇。

（4）乔治·斯蒂芬森的儿子罗伯特·斯蒂芬森认为，全国各地都应有临近的铁路线通过。他感兴趣的是铁路应当作为带动乡村发展的主体，而非只作为一种服务于工商业的手段（Bailey，2003；Addyman和Haworth，2005）。这种观点在其他国家极有影响力，但在英国，他的许多区域性项目只取得了有限的成功。

（5）最后，还有一种与铁路规划密切相关的政治愿景。铁路被认为对苏

格兰和爱尔兰议员在威斯敏斯特区担任相关职务，并使那里实施的政策重回省级选区（provincial constituencies）有着重要意义。因此，政府进行了干预，以确保伦敦可通过渡轮和爱丁堡与都柏林有便利的铁路线相连。

1830 年前，典型的铁路项目都会包含一段较短的从煤矿或采石场到临近港口、沿河码头或运河码头的木轨线，货物将从这些地方换成水运（Lewis，1970）。1830 年，世界上第一条城际高速铁路线开通，定班运载乘客和货物。该铁路线在刺激新的运输需求及转移公路和运河运载量上的巨大成功，直接导致了 1845 年的铁路狂热。当时，财务危机摧毁了铁路狂热时期推进的许多项目，直到 1914 年才重新恢复这些失败的项目，完成 1845 年就已规划的国家铁路网。

1830—1860 年间，一条铁路线的建设往往依靠一小群当地公民，他们急于想把自己所在城镇同某个本地港口或工业城市连接起来，或者将自己所在地的港口或所在城市同伦敦连接起来（Casson，2009）。他们会从著名工程师那里获得线路设计的建议，并向当地律师咨询购买土地的相关问题。他们组织一场公共会议，推选一名地方显要人物为主席，并在会上提出支持该铁路线建设规划的议案。反对者，如当地地主、运河经营者、收费高速公路受托人或运河项目竞争方，通常会大量涌现，试图阻挠会议的顺利进行。在这种情况下，结果很可能取决于工程师的适时介入，而布鲁内尔等“爱出风头的人”貌似更能胜任这一角色。

随后，他们将成立一个临时委员会，该委员会被授权以确保议会通过法案，到那时，临时委员会就能行使“影子”（shadow）董事会的职责。10% 的股东存款为董事会成员提供了颇受欢迎的临时凭证，即一种可交易的期权。这些期权相对股票而言是如此廉价，甚至家仆和佣工都能拿他们微薄的积蓄买卖投机性的铁路股票。在第一条通往伦敦的主干线于 1840 年投入运行后，那些铁路线绕道而过的城镇注定走向衰落也就一目了然。铁路建设现在成了一项公民职责，为了使自己能被纳入“铁道线路图”，各城镇之间展开了激烈竞争。

尽管许多城市的社会精英分属不同宗教教派和政党，如英国国教徒和非英国国教徒，辉格党人和托利党人，但公民自豪感和集体利益足以使他们紧密团结在一起。绝大多数竞争都发生在不同城市之间，而非发生在城市内部。出现城镇内部的竞争，往往由外部投机者试图进入所致，如伦敦—布莱顿线。

但在1850年后，不同企业之间的竞争变得越来越普遍，大型区域性公司，如伦敦和西北铁路公司（London & North Western Railway）及大西部铁路公司（Great Western Railway），试图入侵对方领域。

英国议会认为，公共利益是侵犯地主私有产权的唯一理由。铁路项目能带来潜在的“社会改良”，并且存在一种源于以往各种改良（如圈地运动和运河项目）的悠久传统，即一项社会改良的收益应公平分配给所有相关群体。任何一方均不该被遗漏，如果发生遗漏，当事方应得到相应补偿。因此，铁路收益应由出资修建铁路并承担商业风险的股东和享受到铁路便利的当地社区共同分享。

在向议会递交备案申请时，发起方必须证明项目的预期收益相当大。发起方须沿规划中的轨道线和运河进行运量调查，以便证明是否存在需求，并且拟出最高票价和运费表，以确保绝大部分铁路运营收益将归公众所有。同时，发起方必须说明他们的工程造价是合理的，他们的估算是站得住脚的。若他们的项目规划存在财务隐患，则铁路线沿途的乡村地区将会普遍遭殃。

如此多的律师在议会充当下院议员和上院议员，受聘代讼人间的交叉质询成了向议会委员会呈送证据的最佳方法也就不足为奇了（Kostal，1994）。为确保遵守长期适用的议事规程，发起方需聘用议会代理人。当事方会达成许多法律上的“连档申请”（knockouts），由于这类申请通常是相互关联的，所以双方的项目都会失败。当一个项目遭到失败时，工程师、律师和议会代理人会继续递上他们的费用申请，直至耗尽所有存款而使股东一无所获。若该方案获得了成功，则新设立的委员会将发行股票权证，以便能顺利启动施工计划。铁路线各独立分段的工程合同将采取公开招标方式。尽管招标过程表面上看竞争激烈，但一些承包商很可能有朋友在委员会任职。与许多建设项目一样，一开始的估算通常会过低，因此项目要么不得不缩小规模或放弃部分路段，要么不得不筹集更多资金。由于法案已对项目的资本数量及其融资期限作了限制，如有变化需要向议会另行申请。

一旦某线路通车后，对运量的竞争就开始了（Reed，1957）。在许多情形下，最强大的竞争对手来自其他替代性的铁路线。随着铁路网的完善，任何两地之间的备选线路数目都增加了（Turnock，1998）。项目兼并提供了一个不同的解决方案，但自19世纪50年代中期以来，议会越来越担心它们的垄断趋势，因此只在例外情况下才予以批准。但在19世纪40年代和50年代早期，推进项目兼并带来了巨大的投机收益。“铁路大王”乔治·哈德森（George Hudson）是一名来自纽约的布料商，以领导创建了英格兰中部铁路公司（Midland Railway）的兼并而闻名于世（Arnold 和 McCartney，2004）。他消除了德比郡和伦敦、里德和赫尔（Hull）之间的竞争。“第二铁路大王”爱德华·华特金爵士（Sir Edward Watkin）延续了“铁路政治”（railway politics）的传统，通过联席主席制度，使不同公司的管理层整合为一体（Hodgkins，2001）。他的伟大计划是通过海底隧道在曼彻斯特和巴黎之间修建一条直通线。他成功地从股东和政府那里获得了资金和政治支持，但施工难题及其带来的天价成本最终使他功亏一篑。

铁路工程师，如乔治·斯蒂芬森和罗伯特·斯蒂芬森（两人是父子关系）、约瑟夫·洛克（Joseph Locke）及伊萨姆巴德·金德姆·布鲁内尔，是公认的铁路系统建设的企业家。塞缪尔·斯迈尔斯（1862）的《圣徒传》（hagiography）把维多利亚时代的工程师描绘成专家治国论者，和新兴产业背后的战略思想家，因为正是他们帮助创建了这些产业。关于公司施工情况的详细证据，如布鲁内尔（1836）的书信集，表明这种评价是合理的。和早些年相比，铁路业主现在较少像其顾问工程师那样亲自制定施工规划了。原因一目了然：铁路是基础设施成本极高的新型网络产业，铁路战略的原则因具体铁道线而异，但其选址要求却具有普遍性。尽管股东往往具备较好的地方性知识，但总体上他们在铁路系统方面的经验仍十分有限。顾问工程师则不同，他们有许多项目实施经验，从中可识别出特定的操作模式。

顾问工程师相互之间的社交关系也很密切。作为同行，他们经常在英国土木工程师协会和其他专业协会的会议上碰面；作为顾问，他们也经常在议会的铁路议案委员会上相聚一堂。虽然布鲁内尔和罗伯特·斯蒂芬森甚至不能就铁路线的最佳轨距达成一致意见，布鲁内尔偏向于宽轨，斯蒂芬森则支持现代标准轨距，但他们仍是一对好朋友。在中西部铁路线的规划上，他们在议会争论得非常激烈，最终布鲁内尔成了赢家，但两人仍一起共进晚餐，巧的是他们居然在同一年逝世！这两人都极力支持各自所在公司——大西部铁路公司及伦敦和西北铁路公司——的项目方案，打算凭自己的线路规划来阻断竞争对手的线路规划，并试图建造能使有利可图的分支线路运输潜能最大化的主干线，推动本公司对重要港口的垄断。

到 19 世纪中叶，谁将成为公司在铁道部的主要战略思想家、谁又将成为公司主席等问题已属公司机密。19 世纪下半叶，最成功的铁路企业家似乎是那些将铁路工业的实践经验同广泛的大众利益较好地结为一体的人，如伦敦布莱顿和南海岸铁路公司（London Brighton and South Coast Railway）的主席塞缪尔·拉宁（Samuel Laing），他曾是英国商务部铁道署的官员，后来成为一名哲学领域的通俗作家。

七、基于项目的采矿业

当然，并非所有项目都需要议会授权。许多项目，只要客户有需求，且当事方觉得存在商机，便能迅速开展。对采矿业来说尤其如此。

不列颠群岛的矿产资源非常丰富。罗马人在占领不列颠时采掘了大量的金矿和铅矿。在中世纪，煤炭作为一种木炭的替代品得到开采，尽管规模不大（Hatcher，1993）。工业革命早期的铁器制造商催生了对煤炭和焦炭的巨大需求，这刺激了工业化采矿业的发展。许多早期的矿山不得不向山腰横向推进，以便更容易地采掘出矿产。事实上，铁路技术的一些关键方面起源于采矿业，如人们曾使用木质电车轨道将矿产运出矿山，并运到某个河港或海港。

即使工业革命前，在英国东北部地区，运自纽卡斯尔的煤炭已被广泛应用于啤酒酿造和屋内取暖，特别是富裕的伦敦人（Nef，1932）。邻近地区铁矿石的发现极大地促进了采矿业的发展。作为伯明翰市的一个中部小镇，斯塔福德郡随着特色金属贸易的扩大，开始大力开发当地煤田。

一旦地表浅层的矿床开采完后，人们便不得不进入地表深层采掘。竖井必须下钻，并配备提升机。若矿层低于地下水位线，还需配备水泵。定置蒸汽机是理想的矿井开发动力设备，特别适用于煤矿，因为此时采掘出的煤炭可直接用作蒸汽机的动力燃料。在燃煤马车上安装一台定置蒸汽机，最初是受到了铁路机车的启发。

大地产的贵族所有者坚称他们拥有其地产下埋藏着的矿产资源的所有权。18 世纪和 19 世纪早期，贵族开始以一种高度组织化的方式开发其地产上的矿产储备（Ashton 和 Sykes，1929）。渐渐地，煤矿矿井的探测成了一个重大项目。为了能更容易地进入矿井，供应废石堆，以及给采掘作业提供清洗和处理设施，需要一大片拥有矿产权和地产权的土地，还需要配备大量成本昂贵的机械设备。在偏远的施工场地，还必须同时提供工人的住房和生活必备设施。

矿井开采并不一定能获得成功。19 世纪早期，地质科学正处于萌芽状态，取决于矿层厚度的矿物储存量，尚不能被提前知晓。总会出现一些意想不到的地质断层，导致矿井被水淹没或开采通道塌陷。

因此，采矿工业需要较高层次的以项目为中心的企业家精神。投资规模方面的要求意味着煤矿开采不属于小规模运作的“靠自己的力量就能成功的”产业（Mitchell，1984）。只有富有的贵族才有财力“单打独斗”，甚至他们也会发现自己的个人资源捉襟见肘。出于该原因，有钱人往往也会成立合伙企业（有时和家族成员一起），创建一种“王朝式的”所有权结构。有时他们也会和其他家族组成联盟。

由于单个人不可能掌握经营一家大型煤矿所需的专业技术，业主雇用专业管理者（煤矿勘探专家）便成了一种惯常做法。勘探专家通常是自学成才的，有着丰富的实践经验和必备的创业素质。一名成功的勘探专家能提高公司对意外问题的有效解决能力。煤炭勘探专家身负绝技，往往不断地穿梭于全国各地，帮助其他新的地区启动采矿业务。他们还把自己的技能带到其他行业，一些来自英国东北铁路公司（North East）的勘探专家将其技能带到了铁路工业。最突出的例子是乔治·斯蒂芬森。他不仅精通蒸汽技术，而且能够在他所工作的地区发现潜在矿藏。作为铁路开发商，斯蒂芬森颇受人们赞赏的一项技能是，他能够评估规划中的铁路线所经地区的矿产潜力。

随着蒸汽船在主要海运航线上取代了帆船，在世界各地设立燃料储运站的需求应运而生。蒸汽船像铁路机车一样，需要优质的动力煤，而这只能通过有限途径才能获得。威尔士南部是动力煤的主要来源地。威尔士开采的煤矿一开始被用于钢铁工业（以梅瑟蒂德菲尔为中心），但随着铁矿石储量日渐衰竭，煤炭越来越多地出口到各地的燃料储运站。这种情形使加的夫（及稍后的巴里）作为一个港口城市得到了迅猛扩张（Church，1986）。

19 世纪后半叶，毗邻铁路枢纽小镇唐克斯特的约克郡南部发现了一片重要的煤矿床（Buxton，1978）。大量投资开始流向这里的煤田，包括一些新铁路线的建造。当时英国制造业正在失去其全球市场份额，于是越来越专注于煤炭出口贸易。从某种程度上说，这暗示着维多利亚时代晚期英国制造业的相对衰落，因为新开采煤炭中供国内消费的如此之少，而向国外出口的则如此之多。由于世界各地所发现的煤炭具有不同成色，不出口某一种煤炭而进口另一种煤炭的国家不会遭遇经济抵制。在 19 世纪末期，英国煤炭伴随该国资本一道，流向了其他国家和地区。煤炭并未被输往英国本土制造业，而是为帝国的海外殖民地建设提供了重要支撑。

八、企业家精神和改良文化：对维多利亚时代经历的一些反思

从基础设施投资角度分析维多利亚时代的创业活动，为前文讨论的部分历史争议提供了一个新视角。铁路投资只是根源于19世纪英国社会普遍关注"改良"（improvement）的当代表现。思维模式的变化，即人们越来越多地将自然现象视为受普遍物理法则所驱动的隐性过程的结果，强化了对改良的关注。人们相信，由自然法则创造的秩序从根本上说是合理的，因此能够为理性的人类所理解。理性的培养离不开教育，教育又取决于读写和算术能力的普及。在维多利亚时代的英国，迅速发展的学校教育和地方报纸满足了人们对教育和读写能力的需求。学校教育起初由妇孺学校（dame schools）、私人语法学校和所谓的公立学校提供，1870年后，则越来越多地由教会和国家提供。

若自然法则创造的整套秩序是合理的，我们就会看到，社会也必然建立在理性原则的基础上。对许多知识分子而言，这具有激进的政策含义。贵族世袭土地所有制和君主特权应被视为现代理性社会的残渣而遭废除。法国大革命的领导者把这种理念当作革命逻辑，但走过了头。

维多利亚时代的英国人对法国大革命的流血教训并非无动于衷。受某种思潮左右的平民主义政治领袖无疑要比传统的君主危险得多。专制主义国家会给它们的邻国构成军事威胁，因此任何类型的专制主义政治势力都应该避免。

英国已经建立了一套（至少部分地）应对该问题的议会制度。议会制并不是完全民主的，1832年前只有拥有财产的男性公民才有选举权。严格地说，君主不对人民负责，而是对地方精英的代表即下院议员负责。英国政府的本质在于它是地方性的而非全国性的，这也反映在上文所述的议会在铁路问题上的所作所为。

改良不仅仅是提高物质生活水平，尽管减轻贫困无疑是一个主要问题［如1834年的《济贫法报告》（Poor Law Report）所表明的］。改良也是一种

道德现象（Searle，1998）。物质改善可以减少个人和社会追求道德进步所面临的约束，但这只不过是其中的一种手段而已。

威廉·格莱斯顿（Willam Gladstone）政治生涯的例子可以说明道德的重要性，格莱斯顿在维多利亚时代曾不下四次出任英国首相（Matthew，2004）。尽管格莱斯顿的职责同经济管制和国家预算有关，他却几乎把全部时间用来研究神学（他曾筹建了一所至今仍有重要参考价值的大型神学图书馆）。他的政治演说主要关注如何将道德原则应用于争议的问题，避而不谈今天人们耳熟能详的财富创造之类的问题。

格莱斯顿和他的许多支持者认为，道德行为和理性行为之间并不冲突。正统宗教许诺道德行为在来世将获得巨大回报。任何理性的个人都不会为了短期利益而去冒受永恒诅咒之险。因此，促进道德和促进理性本质上是同一回事。

激情是理性行为的主要威胁。《摩西十诫》强调必须抵制最危险的激情，它们被醒目地镌刻在维多利亚时代新建或重建教堂的祭坛正面或背面。

因此，自律和自控是一个理性人的品质证明。一个人的财富越多或权力越大，他越是需要表现出自制。所以，责任重大的职务必须由具备强大自制力的人担当。团队比赛被认为能有效训练人们的自制力。团队成员把整个团队的表现排在个人利益之前，团队比赛中重要的是承诺和努力，而不仅仅是能力。

财富带来了道德危险，因为存在自私自利地使用财富的诱惑。人们必须负责任地将财富用于给穷人提供基本生存所需或支持慈善事业。仅凭财富无法获得个人声誉，还需要对财富的正确使用。能力出众者除非能找到和其能力相当的合乎道德之事，否则很可能变成破坏性极大的道德败类。并非每个人都有能力接受重大挑战，但所有人均能承担适度的责任。

虽然维多利亚时代的英国经济取得了辉煌成就，企业家在其中也扮演了卓越角色，但维多利亚时代的英国社会并未形成现在常说的“企业文化”。维多利亚时代的人们对自己的改良能力极为自信，他们并未觉得政府有必要促进企业文化以推动社会变迁。在现代西方国家，正是20世纪70年代的经济失败，伴随着大型官僚制“国家冠军”企业及其应对亚洲竞争的无能，导致了八九十年代企业文化的大行其道。这使西方国家把重点从扶持大企业转向扶持小企业。维多利亚时代的人们并未碰到这种失败，因此认为没必要帮助小企业的发展。在维多利亚时代的英国经济中，工业变迁的方向恰恰与现代西方国家的相反：当时的人们致力于创建大型纺织厂、工程公司以及（尤为显著的）铁路公司等大型企业。若能从维多利亚时代的英国经济中得出对企业家精神有益的教训，这个教训并不是人们通常认为的自由放任促进了繁荣，而是社会所有群体对道德和社会进步的真切关注必定会带来物质进步。约翰·斯图亚特·穆勒（John Stuart Mill）在其自传中说，幸福不能通过追求幸福本身来获得。维多利亚时代的经历表明，对经济成功而言，道理也一样，并非有目的地追求成功便能获得成功，追求超越于经济成功的更根本的社会目标，才有望实现经济上的成功。

九、结论

铁路（以及更一般意义上的基础设施）对维多利亚时代英国经济的重要性，表明在评价维多利亚时代英国企业家精神时过分强调制造业工业的危险性。铁路建设是一项需要高度创业精神的活动。基于创新、风险管理和判断性决策来研究企业家精神的一般性方法，以一种其他方法所不具有的方式把握了熊彼特式铁路革命的重大意义。

铁路公司创立之初就很庞大。营业额的增长主要通过经济逐渐扩张带来的长期运载量的增长，而非竞标抢夺其他公司的运载量来实现。资本存量的增加大多通过兼并和收购完成。权力的进一步集中通过联合主席制和联席董事制实现。股东承担绝大部分风险，业界企业家，起初是顾问工程师，后来是公司秘书和主席，负责制定和实施战略决策。

在施工期，绝大多数铁路线都采取了地方企业的项目形式，代表着某个城镇或铁路沿线各城镇联盟的利益。地方企业在一些诸如切斯特、林肯、约克和什鲁斯伯里等老郡尤为引人注目，这些老郡试图重新使自己成为铁路枢纽中心。创建了新铁路干线的最引人注目的城镇联盟的例子当属大北方铁路公司（Great Northern Railway），铁路狂热中最成功的项目之一。这个项目兼并了其竞争对手的项目，立足于为贝德福德郡、亨廷登郡和林肯郡各乡镇的共同利益服务。其长度使它能通过一个邻近唐卡斯特的小枢纽，直接连通伦敦、约克郡和爱丁堡市；通过一条环线增加的宽度又使它能服务于林肯郡的几大农业区。这些兼并由唐卡斯特的国会议员埃德蒙·丹尼森（Edmund Dennison）组织实施。他利用自己的政治影响力积极为选民谋取利益，坚持要让铁路枢纽设在唐卡斯特附近，从而使一个日渐衰落的传统绅士化赛马小镇转变成了一个欣欣向荣的铁路中心。

铁路系统只是“新帝国主义时代”从英国移植到海外殖民地的诸多创新之一。诺曼征服时代以来得到稳步发展的专业化治理，通过殖民管理制度被带到了世界各地。这也为各类大型项目得以向外推广提供了一套法律和秩序框架。尽管许多这类项目起源于英国，其他的项目，如内河航运、排水系统和供水系统，则涉及更新和完善创始于其他地区的技术。

海外项目不仅涉及英国技术和管理的“出口”，还涉及英国资本和劳动力的出口。许多劳动力都是高度技能型的。许多于19世纪下半叶离开本国前往殖民地的英国工程师后来就没有再回英国。海外殖民地给这些工程师提供了如此多的机遇，以至他们再无动机返回故土。待在英国本土的主要是那些为伦敦项目提供顾问服务的高级专业人才。当外国君主和大臣来英国洽谈铁路项目时，很多顾问就开始参与极端复杂的交易和政治谈判。如约翰·福勒爵士（Sir John Fowler），作为一名工程师，他并非因自己的工程技术而获得了爵位，而是因苏丹战争期间给英国政府提供了政治援助。

企业家精神的一个重要方面是其促进了社会结构的变迁。仅仅根据英国未能保持其相对于德国和美国的工业领导权就断言维多利亚时代晚期英国企业家精神的衰落，是错误的。英国企业家确实没能迅速认识到重工业中规模经济的巨大潜力，也不重视在设备精良的实验室里组织工业研究的商业利益。但是，对一个越来越拥挤的小国（即英国）而言，这并非国家比较优势之所在。

维多利亚时代晚期的英国经济是现在人们所谓的知识经济的一个例子。其比较优势越来越集中在知识密集型服务业的出口上，如公共行政、贸易、航运、金融和工程顾问等。这些服务主要被大规模地输送到与殖民地或海外重大开发项目相关的各种一揽子计划上。任何一个项目要想成功完成，都需投入这类知识型服务。整个过程则严重依赖于伦敦证券交易所、科研和职业机构的聚集以及海外“独立”公司等专门机构。

20世纪见证了巨大的地缘政治变化，它们大多不利于英国企业家精神。伴随国际贸易和全球需求崩溃而来的是两次世界大战及随后大英帝国的衰落，所有这些都缩小了通过伦敦证券交易所等英国传统制度来协调的庞杂的项目导向型企业家精神的范围。大英帝国须立足于农产品和知识密集型服务的观念，被帝国必须立足于大规模高科技制造工业的观念所取代。经济逻辑现在更偏向于等级制的跨国公司而非独立企业。但认为大英帝国的衰落及其20世纪的经济失败可归咎于维多利亚时代英国企业家的缺乏也是一个错误。本章已表明，只要我们采用一个合理的企业家精神概念作为分析模板，就能清晰地发现，英国企业家精神一直延续到了20世纪末。

参考文献

Addyman, John, and Victoria Haworth. 2005. *Robert Stephenson: Railway Engineer*. Stretford, Manchester: North Eastern Railway Association.

Aldcroft, Derek H. 1964. "The Entrepreneur and the British Economy, 1870–1914." *Economic History Review* 17:113–34.

Arnold, A. J., and Sean McCartney. 2004. *George Hudson: The Rise and Fall of the Railway King. A Study in Victorian Entrepreneurship*. London: Hambledon and London.

Ashton, Thomas S., and Joseph Sykes. 1929. *The Coal Industry of the Eighteenth Century*. Manchester: Manchester University Press.

Bailey, Michael R., ed. 2003. *Robert Stephenson: The Eminent Engineer*. Aldershot: Ashgate.

Bassett, Herbert H., ed. 1913. *Bradshaw's Railway Manual, Shareholders' Guide, and Official Directory*. London: Henry Blacklock.

Baumol, William J. 1994. *Entrepreneurship, Management, and the Structure of Pay-offs*. Cambridge: MIT Press.

———. 2002. *The Free-Market Innovation Machine*. Princeton: Princeton University Press.

Broadberry, Stephen. 1997. *The Productivity Race: British Manufacturing in International Perspective, 1850–1990*. Cambridge: Cambridge University Press.

———. 2006. *Market Services and the Productivity Race, 1850–2000*. Cambridge: Cambridge University Press.

Brunel, Isambard K. 1836. Letterbooks. University of Bristol Library, Special Collections, DM1306.

Cain, P. J., and A. G. Hopkins. 2002. *British Imperialism, 1688–2000*. 2nd ed. London: Longman.

Casson, Mark. 1982. *The Entrepreneur: An Economic Theory*. Oxford: Martin Robertson.

———. 2000. *Enterprise and Leadership*. Cheltenham: Edward Elgar.

———. 2009. *The World's First Railway System: Enterprise, Competition, and Regulation on the Railway Network in Victorian Britain*. Oxford: Oxford University Press.

Casson, Mark, Bernard Yeung, Anuradha Basu, and Bernard Yeung, eds. 2006. *Oxford Handbook of Entrepreneurship*. Oxford: Oxford University Press.

Chalklin, Christopher W. 1998. *English Counties and Public Building, 1650–1830*. London: Hambledon Press.

Chandler, Alfred D., Jr., ed. 1965. *Railroads: The Nation's First Big Business*. New York: Harcourt, Brace and World.

Chandler, Alfred D., Jr., with Takashi Hikino. 1990. *Scale and Scope: The Dynamics of Industrial Capitalism*. Cambridge: Harvard University Press.

Church, Roy A. 1975. *The Great Victorian Boom, 1850–1873*. London: Macmillan.

———. 1986. *History of the British Coal Industry*. Vol. 3, *1830–1913, Victorian Preeminence*. Oxford: Clarendon Press.

Corley, Tony A. B. 1994. "Britain's Overseas Investments in 1914 Revisited." *Business History* 36:71–88.

Crafts, Nicholas F. R. 1985. *British Industrial Growth during the Industrial Revolution*. Oxford: Oxford University Press.

Deane, Phyllis. 1979. *The First Industrial Nation*. Cambridge: Cambridge University Press.

Godley, Andrew. 2001. *Jewish Immigrant Entrepreneurship in New York and London, 1880–1914*. London: Palgrave.

Gourvish, Terence R. 1980. *Railways and the British Economy, 1830–1914*. London: Macmillan.

Hatcher, John. 1993. *The History of the British Coal Industry*. Vol. 1, *Before 1700: Towards the Age of Coal*. Oxford: Clarendon Press.

Hodgkins, David. 2001. *The Second Railway King: The Life and Times of Sir Edward Watkin, 1819–1901*. Whitchurch, Cardiff: Merton Priory Press.

Jones, Geoffrey G., ed. 1998. *The Multinational Traders*. London: Routledge.

———. 2000. *From Merchants to Multinationals*. Oxford: Oxford University Press.

Kihlstrom, R. E., and J. J. Laffont. 1979. "A General Equilibrium Entrepreneurial Theory of Firm Formation Based on Risk Aversion." *Journal of Political Economy* 87:719–48.

Kirzner, Israel M. 1973. *Competition and Entrepreneurship*. Chicago: University of Chicago Press.

———. 1979. *Perception, Opportunity, and Profit*. Chicago: University of Chicago Press.

Knight, Frank H. 1921. *Risk, Uncertainty, and Profit*. Boston: Houghton Mifflin.

Kostal, Rande W. 1994. *Law and English Railway Capitalism, 1825–1875*. Oxford: Clarendon Press.

Leunig, Tim. 2001. "New Answers to Old Questions: Explaining the Slow Adoption of Ring Spinning in Lancashire, 1880–1913." *Journal of Economic History* 61:439–66.

Lewis, M.J.T. 1970. *Early Wooden Railways*. London: Routledge.

Matthew, H.C.G. 2004. "Gladstone, William Ewart (1809–1898)." *Oxford Dictionary of National Biography*. Oxford: Oxford University Press.

McCloskey, Donald N., ed. 1971. *Essays on a Mature Economy: Britain after 1840*. Princeton: Princeton University Press.

Milward, Robert. 1991. "Emergence of Gas and Water Monopolies in Nineteenth-Century Britain: Contested Markets and Public Control." In *New Perspectives on the Late Victorian Economy*, ed. James Foreman-Peck, 96–124. Cambridge: Cambridge University Press.

Mitchell, Brian R. 1984. *Economic Development of the British Coal Industry*. Cambridge: Cambridge University Press.

Mokyr, Joel. 2004. *The Gifts of Athena: Historical Origins of the Knowledge Economy*. Princeton: Princeton University Press.

Nef, John U. 1932. *The Rise of the British Coal Industry*. 2 vols. London: Routledge.

Nicholson, J. Shield. 1909. *A Project of Empire: A Critical Study of the Economics of Imperialism, with Special Reference to the Ideas of Adam Smith*. London: Macmillan.

Officer, Lawrence H. 2005. "The Annual Real and Nominal GDP for the United Kingdom, 1086–2005." Economic History Services, http://eh.net/hmit/ukgdp.

Olson, Mancur. 1982. *The Rise and Decline of Nations*. New Haven: Yale University Press.

Payne, Peter L. 1988. *British Entrepreneurship in the Nineteenth Century*. 2nd ed. London: Macmillan.

Pollard, Sidney. 1997. *Marginal Europe: The Contribution of Marginal Lands since the Middle Ages*. Oxford: Clarendon Press.

Prest, John. 2004. "Peel, Sir Robert, Second Baronet, (1788–1850)." *Oxford Dictionary of National Biography*. Oxford: Oxford University Press.

Reed, M. C., ed. *Railways and the Victorian Economy*. Newton Abbot: David & Charles.

Rolt, L.T.C. 1957. *Isambard Kingdom Brunel: A Biography*. London: Longman.

Rose, Mary B. 1993. "Beyond Buddenbrooks: The Management of Family Business Succession." In *Entrepreneurship, Networks, and Modern Business*, ed. Jonathan Brown and Mary B. Rose, 127–43. Manchester: Manchester University Press.

Saul, S. B. 1969. *The Myth of the Great Depression, 1873–1896*. London: Macmillan.

Schumpeter, Joseph A. 1939. *Business Cycles*. New York: McGraw-Hill.

Searle, Geoffrey R. 1998. *Morality and the Market in Victorian Britain*. Oxford: Clarendon Press.

Smiles, Samuel. 1862. *Lives of the Engineers*. London: John Murray.

Turnock, David. 1998. *An Historical Geography of Railways in Great Britain and Ireland*. Aldershot: Ashgate.

UK Law Commission and Scottish Law Commission. 1996. *Chronological Table of Local Legislation: Local and Personal Acts, 1797–1994*. 4 vols. London: HMSO.

Wiener, Martin. 1981. *English Culture and the Decline of the Industrial Spirit*. Cambridge: Cambridge University Press.

Wilkins, Mira. 1986. "The Free-Standing Company, 1870–1914: An Important Type of British Foreign Direct Investment." *Economic History Review*, 2nd ser., 41:259–82.

———. 1989. *The History of Foreign Investment in the United States to 1914*. Cambridge: Harvard University Press.

Wilkins, Mira, and Harm Schroter, eds. 1998. *The Free-Standing Company in the World Economy, 1830–1996*. Oxford: Oxford University Press.

第九章　英国的企业家精神史：1900—2000

安德鲁·戈德利　马克·卡森

一、20世纪英国经济发展的特征

1900年，作为世界领导者的英国对自己充当正义和强权的角色自信满满。经过维多利亚时代的发展，英国逐渐掌握了世界统治权，这直接建立在其经济成就的基础上。英国的经济成就源于它在世界纺织品——棉织品和毛织品——市场上的早期支配权，这种支配权随后扩展至钢铁、煤炭和造船工业以及其他各种规模化生产之前的机械工程部门，即所谓的主要产业（staple industries）。1900年，英国企业在世界工业制成品贸易中占35%，尽管英国人口还不足世界总人口的2%（Matthews等，1982，第435页）。经济成就是全球政治实力的基础，而且人们很容易忘记，大英帝国正是“曾充当过世界政府这一角色的最近的例子”（Ferguson，2003，第xxvi页）。这种成功恰由英国企业家所创造。

强权无疑给20世纪早期的英国人带来了丰厚回报，最明显的是在创业阶层和资本家阶级中。1913年，最富有的0.1%的英国人占有的国民收入超过了12%（Atkinson，2002）。这纵容了一种奢靡的生活方式，如经济学家约翰·梅纳德·凯恩斯在1919年不无怀旧地回忆的那样：

> 对……中上层社会而言……生活以低成本和最少的难题提供了其他时代最富有和最有权势的统治者所难以比拟的便利、安逸和舒适。伦敦人能通过电话下单，躺在床上品味早茶，而且只要认为合适，即可享受全世界各种各样的优质商品，送货上门服务也不会落空；同时，他们还能以相同方式把自己的财富投资于世界各地的自然资源和新型企业，享

受投资带来的预期成果和巨大收益（转引自 Ferguson，2003，第324 页）。

但这些好处也惠及了英国的普通工薪家庭，尽管其程度已大打折扣。只有资源丰富且劳动力稀缺的美国、加拿大、澳大利亚和新西兰，非技能型工人的工资才比英国高（Williamson，1995）。

根据凯恩斯的论述，1900 年前后的英国经济还有一个重要的第二梯度。到“一战”时期，英国海外投资达到了史无前例的水平。以往和后来都没有出现任何一个大国，将如此高比例的经济资源投资于海外活动（Edelstein，1982）。在凯恩斯看来，国内消费和海外投资之间的关联再清楚不过，正是英国在境外经济体如此惊人的投资，才推动了交通运输网和基础设施的建设，这些对于把偏远地区纳入世界贸易体系并使全球资源得到有效开发必不可少。正是英国在世界各地（不管是否属于大英帝国疆域）的铁路、港口和海港，电车和电力设施，茶叶、咖啡豆、棉花、橡胶和可可豆种植园，矿山和油井等投资，创造了供给来源、市场交易的制度框架以及那些使全球经济一体化水平达到只有最近才有望实现的主要经济活动（Jones，2005，第 2 章）。

传统观点认为，英国经济在 20 世纪已步履蹒跚，而且这相当大程度上是企业家的过错，因为如第八章所表明的，据称企业家们一直不愿接受和充分利用第二次工业革命的新技术，包括使用燃油内燃机的运输技术、新兴电气工程技术和现代化工技术，以及诸如大规模生产等新型商业技术。一旦我们更好地了解 20 世纪的英国企业家所面临的不断变化的经济环境，更充分地认识到主要工业部门的专业化程度和已经发生的海外投资，就应该对上述传统观点持保留意见。

英国海外投资总额约等于 1913 年国民净财富的 1/3（Edelstein，2004），相当于英国 GDP 的 57%（Houston 和 Dunning，1976，第 12 页）。这一海外投资水平招致了争议，批评家们指责如此高水平的海外投资导致了英国本土工业投资的相对匮乏。1913 年，英国工业仍集中在传统的主要产业领域，这是工业革命时代的遗产（参见本书乔尔·莫克写的第七章）。60% 的英国出口仍来自棉纺织品和毛纺织品、煤炭、钢铁和机械行业（Magee，2004，表 4 -9）。但所有这些部门都是劳动密集型的，因此极易受廉价劳动力或机械化替代的不利影响。

此外，生产中更多依赖技术投入和更复杂管理实践的部门，在世界经济中变得越来越重要，最明显的是电子工程、化学工业和先进机械工程部门。发电设备、合成染料和汽车制造业的世界主要生产商，极其依赖生产和工艺设计中质量上乘的工程技术知识。较之英国主要产业的领军企业，柏林西门子公司的巨大厂房，化工领域的杜邦公司、拜耳公司和巴斯夫公司（BASF）的系统研发能力，以及福特公司在海兰帕克（Highland Park）制造厂密集的生产流水线，无疑衬托出了足以使当时英国评论家们深感震惊的自愧不如。英国汽车和电子产品的出口份额在1913年仅占世界的1%。虽然英国化工品产量和出口份额相对较高，但英国的化工企业却大多把精力投注在越来越过时的产品和生产工艺上（Lindert 和 Trace，1971）。在这些技术先进部门，先行企业会采取纵向一体化策略，并形成强大的管理能力，以弥补新产品市场缺乏专业做市商的不利影响。随着它们在过时的、劳动密集程度更高的行业日渐专业化，从整体上看到1913年英国的劳动生产率被新技术领军者美国和德国超越也就不足为奇了（Broadberry，1998）。但这也说明，随着中介机构在这些领域的建立，英国企业家没有动力和压力去建设美国和德国技术先进企业所具备的那种管理能力。因此，根据传统观点，20世纪英国经济史的流行主题便被设定了。当其他国家专业化从事第二次工业革命中技术密集度越来越高的部门时，英国的企业和企业家似乎难以从生产率较低部门转向生产率较高的新兴领域。在英国企业家略有涉足的新兴领域，通常也只有受到保护而免遭充分竞争时，才有望取得成功。随着20世纪七八十年代国家保护开始撤销，英国在这方面的劣势瞬间暴露无遗，这些新兴领域的企业大多遭到失败。

到2000年，在世界工业制成品贸易中，英国所占份额只有6%，仅为20世纪初的1/6（Economist，2005）。随着主要产业的衰落，作为世界上最早完成第一次工业革命和1900年全球唯一超级大国的英国，在国民经济竞争中已沦为二流国家。尤其被英国人视为奇耻大辱的是，意大利人在1990年举行盛典庆祝其“超速”（Il Sorpasso）发展成就，因为意大利的GDP自美第奇统治时代以来首次超过英国。英国在1992年被排除在欧洲汇率机制体系之外，这似乎是近一个世纪以来经济疲弱的顶点。当然，英国家庭的富裕程度仍是世纪初的好几倍，但英国的世界排名却在下降，英国在20世纪颇令人匪夷所思的衰败也成了压倒性的基本共识。

有影响的评论家写下了题如《英国病》（*The British Disease*）（Allen，

1976)、“不列颠如何患上英国病”（Brittan，1978）和“英国的滑落”（Porter，1990，第482页及以后）等作品。但在20世纪最后几年，随着英国经济增长速度加快，似乎出现了一场经济复苏。关于20世纪英国经济走势的整个解释框架瞬间发生了逆转。若不能用衰落来概述，那么实际情况如何？尽管英国经济的决定因素仍面临不少争论，但英国经济命运的新近改观却使经济史学家不得不开始反思关于20世纪英国相对糟糕的经济表现及所谓的企业家失败的传统解释。

这种反思不一定能对现已无法更改的相对经济失败及由此推断的创业家精神缺失做出解释，它很可能会偏离关于该主题的传统处理方法。相反，我们先从一个获得广泛认可的企业家精神理论开始，然后或多或少地按时间顺序概述有重要创业活动的领域。我们发现，英国的企业家精神并不缺失，企业家本身也不应承受以往研究所表明的那么大的罪责。

二、企业家精神、社会地位与文化

对于那些想弄清楚英国工业为何发展迟缓的评论家们，企业家无疑是一个（尽管并非唯一）显而易见的靶子。

> 过去40年间对英国未能赶上其竞争对手发展步伐的各种解释汗牛充栋。原因不外乎一套相互分化的社会等级制度、文化上先天对工业化抱有敌意、盘踞伦敦金融城的金融利益集团支配了政府和产业、风险资本缺乏、过度的税收和政府支出、过少的规划、教育和培训投资的不足、对抗性的两党选举制、限制性的劳工条例和人员配备，以及能力低下的经理人和有意找茬的工会组织（Feinstein，1994，第116页）。

这种现象的净效应使英国企业家成了20世纪社会学研究最多的领域之一，但似乎矛盾的是，它也是人们理解最不到位的一个领域：学术界总是视之为“失败”，但最近的经济史表明，这个被普遍接受的说法至少是有失偏颇的。

整个20世纪，责备的焦点已从泛泛关注英国在第二次工业革命的新兴产业中差强人意的领导力（Clapham，1938；Orsagh，1961），转向具体批评企业家在投资新技术（Aldcroft，1964）或采用先进管理技术（Chandler，1990；Hannah，1983）上的明显失败。关于英国企业家未能投资于新设备、新技术或新型组织（到了自甘放弃利润的地步）的解释，经常围绕所谓英国文化的反企业家精神特征展开。众所周知，戴维·兰德斯曾调侃说，英国的企业反映了一种：

> 业余主义和自满的组合……众所周知，英国制造商漠视潮流、在新技术面前因循守旧、不愿意放弃传统的个性化去接受大规模生产的大众化（Landes，1969，第337页）。

尽管学院历史学家提出了激烈批评，但马丁·维纳关于英国具有一种“反工业精神”（Martin Wiener，1981）的论断，却引起了政治家和公众的普遍共鸣，不仅对公共政策产生了重大影响，也为长达25年的改进“企业文化”提供了道德基础。事实上，虽然不乏来自文化衰落论者的批评，但也有大量证据支持文化论者的某些假说。对维纳来说，令人遗憾的是，虽然他精妙地论证了有权有势但胸无大志的精英是英国衰落的罪魁祸首，但他的这个论断是经不起推敲的（Collins和Robbins，1990）。

不过分强调英国企业家和其他国家的企业家之间的差异很重要。最近的比较研究大多突出了他们的相似性，或者仅仅强调与传统主题的差异。例如，卡西斯（Cassis，1997）和沃德里（Wardley，1999）提醒人们要注意有关英国大型企业落后于人的判断。贝高福发现，英国省会城镇的企业家在许多方面和德国企业家相差无几（Berghoff和Möller，1994；Berghoff，1995）。尼古拉斯（Nicholas，1999）、罗斯（Rose，1986）和其他人则认为，家族控制的持续存在有其相对优势，只有在美国，家族控制才不是一种常态，即使这样，也只是最近才有一些人认同这一观点（Anderson和Reeb，2003）。当然，在英国相对成熟的经济环境中，企业家所面临的机会集合，截然不同于其他那些增长更快的欠发达经济体中的企业家。英国企业家仍是他们面临的约束条件的“囚徒”（McCloskey和Sandberg，1971）。

但也有某种意义上的区别，特别是同美国进行比较时。英国社会到1900年已发育成熟并趋于稳定，各社会阶层都有强大的社会刚性。在能带来“创造性破坏”的企业家的供给上，存在许多基本障碍。如金德尔伯格（Kindleberger，1964）所指出的，到1900年境外企业家的供给已大幅减少。19世纪早期和中期的欧洲移民潮为工业革命贡献了许多重要人物。随后是1880—1914年更大规模的移民人口，但这次移民潮以东欧人为主，东欧人缺乏能直接影响英国经济的技能和资本，尽管如下文将解释的，到20世纪中叶，他们的作用将变得重要。从1914年到20世纪50年代，各国边境依然基本上是封闭的。

此外，在20世纪前几十年，英国白手起家的企业家相对较少。确实，这类企业家在其他地方也不多。即使在美国，白手起家的理想也被视为一个神话（Sarachek，1978）。企业高管和领军企业主大部分来自精英群体（Temin，1999）。在有关英国社会流动性的持续研究中，主要社会阶层间的绝对刚性程度已成为主要内容（Miles，1999；Goldthorpe，1980）。这种非流动性不仅阻碍底层社会通过竞争向上跻身，由于缺乏社会地位上升的可靠前景，所以还严重打击了弱势群体的期望和价值观。这持续影响了工薪阶层中的受教育程度较低者，他们是解释劳动生产率低水平增长的一个重要因素。但戈德利（Godley，2001）对美国和英国东欧犹太人的比较分析表明，随着犹太裔移民逐渐被所在国的文化价值观同化，他们的创业活动偏好也发生了改变。对于任何给定的工资和利润水平，英国犹太裔移民开始越来越多地选择在手工业部门就业而非创业经商。由于几乎没有自我发展的选择空间，英国工人阶级文化强化了其强大保守的手工业价值观，给追求创业精神造成了额外的障碍。因此，来自移民和底层社会上进者的竞争性挑战相对较少，对社会既得利益者不构成威胁，因而他们安之若素。自1932年实施《进口税法案》（Import Duties Act）后，逐渐转向保护主义的政策为创业阶层中的这种不思进取提供了支持。文化和监管保护又使作为既得利益者的企业主家庭能按照自己的意愿供应英国的多数市场，且在20世纪中叶几乎不必受任何惩罚。

近40多年来，关于文化和企业家精神之间的关系，学术界充满争议。但是，只要说明企业家精神的经济功能，便能更好地理解企业家精神和文化价值观之间的作用机制。企业家精神所面对的环境就是交易在不确定的条件下发生。企业家精神就是运用判断力（Casson，1982）。在公开有效的行动信息无法提供普遍认可的规律时，就必须依靠判断力来进行决策（Casson和Godley，2007）。

不妨考虑信息可廉价获得的情形。此时，企业能够制定一个可靠的算法，该算法对如何管理一系列功能做出了说明，商业活动代表着完全竞争市场上的传统小企业。但是，当一些外部事件扰乱了经济时，信息可能不再廉价，也不易于获取。这时，任何交易都将变得充满风险，而企业家则可通过建立一个框架来解释这种扰动的影响，或致力于获取额外的相关信息，以使风险最小化。对任何给定的投资，更优的解释框架无疑会导致更好的结果。但是，构建这样一个判断力密集型的框架，既有赖于信息的有效获取，也需要检验企业家对复杂多变的商业环境的自我感知能力。获取专家信息和完善解释框架的必要性，促使企业家寻求信息收集专家的意见，从而为创业行为最重要的特征之一，即创业网络的强度和持续性提供了激励。随着投资者不断步企业家们的后尘，专注于特定领域、能获得特许信息来源，且和所有社会群体一样有独特文化价值观的专门群体，更有可能发现他们能控制专有的筹资渠道。如本书前几章所强调的，创业网络的重要性使分配决策成了自工业革命迄今的英国经济活动的一个持久特征。

因此，在更大的历史背景下，企业家精神远不止创立公司和风险资本融资（当今的管理学者对这两个方面青睐有加），它通常存在于那些需要高度密集的判断力的环境中。判断力显然不是一个可观察的变量。但考虑到某个企业家需要其他企业家来获得专有的信息、测试和验证他们的解释框架以及专门的风险融资来源，创业网络的存在很可能与企业家的判断力成正相关。我们可以从历史时空中观察到创业网络。

这些概念上的澄清在总结20世纪英国企业家精神，尤其是在重新诠释英国长期的非周期性衰落和20世纪末的突然复苏时，具有重要意义。把创业的功能视为对信息获取的一系列投资，寻求一套解释复杂商业环境的专门知识，这些都表明企业家和创业网络具有相当高的沉没成本。形成于某一部门的专门知识被转移到另一部门时很少同样有效。这种有效性的缺乏可能会被解释为创业“失败”，但只有在这一意义上，杰出的物理学家才可能会因他们不是优秀的小提琴家而受到苛责。英国创业网络能在多大程度上将其专门知识分散于更有价值的领域，也取决于外部环境。如我们将看到的，英国企业家发现在整个20世纪的前3/4时间里面临着如下环境：他们在创业方面的专门知识的存量价值因一系列外部事件而突然贬值。本章接下来将追溯整个20世纪英国企业家精神的发展情况。1900—1929年是英国企业家全球影响力的鼎盛时期，但是国内问题在维多利亚时代晚期就已经开始逐渐增多。1930—1975

年的20世纪中叶，则见证了企业家精神饱受日益严峻的国际环境和国内市场销售萎缩之困。最后，在1975—2000年间的后期，英国企业家精神出现了某种程度的复苏。

三、1900—1929年间的创业活动：创造财富的不同途径

1919年荷兰皇家壳牌集团收购了韦特曼·皮尔森（Weetman Pearson）的石油巨头墨西哥鹰（Mexican Eagle），壳牌集团早就策划好要控制英国最有价值的公司（Bud-Frierman、Godley和Wale，2010；以及本章表9－1）。1914年，丘吉尔促成英国政府注资英波石油公司（Anglo-Persian），成为20世纪最轰动的公司事件。这也充分说明石油行业是当时英国创业活动的集聚地。

由于英国本土经济相对糟糕的表现，特别是在20世纪六七十年代当其他经济体开始稳步赶超英国时，英国企业家精神饱受诟病。但在该时期的开始阶段，创业活动最大的集中地可能并不在英国国内，而是在海外。尽管英国企业无疑积极投身于大英帝国的海外市场，但这并不完全是对帝国特权的滥用（Hannah，1980，第61—63页），而是聚焦于在全球范围内从事更复杂的商业活动。不像德国同行和美国同行，英国企业家有一条和帝国海外项目紧密相连的不同的财富创造路径（Baumol，1990）。

当然，英国企业家像他们的美国和德国同行一样，在国内经济中同样表现得很活跃，并获得了成功。布劳德伯利（Broadberry，1998）的生产率比较研究显示，英国企业在一些主要产业具有比较优势，特别是1913年时的棉纺织业。如我们已表明的，这些部门较之新兴产业，其劳动密集程度往往更高。但由于英国劳动密集度相对较高，且机械化减少了技能优势，英国的比较优势逐渐丧失。到1911年，英国在煤矿开采上的比较优势已转向德国。其他国家则能够更有效地使用自己的自然资源禀赋，如钢铁部门，到1900年，英国矿藏显然位于成本相对较高的地区。在一个创业才能稀缺的世界，英国本土企业家多集中于当时的“夕阳”产业，这些产业提高盈利能力的途径并不总是显而易见或可持续的。

以往，经济史学家批评英国企业家对新兴行业的投资相对不足，这些行业包括电子和汽车等诞生于第二次工业革命的行业（Alford，1988）。但从企业家自身的角度看，他们为何不愿从事这些部门的全新项目是更容易理解的：

在这些部门，企业家既有的专门知识存量价值不高，收集信息的传统网络也不那么有效。

相反，如上一章已强调的，到19世纪最后几十年，英国的大多数创业活动都集中在高度复杂的基础设施建设上，尤其是铁路部门，随后逐渐转向电车和公用事业。鉴于企业家获取信息的沉没成本如此之高，从事电子和汽车等新兴产业所产生的成本高得令人不敢问津。当本国利润空间不断下降时，投资于更有利可图的海外项目便成了英国企业家不言而喻的选择，英国创业网络在建造高度复杂的基础设施项目方面具备特定的专门知识，这些知识可直接应用于海外投资项目。

英国在经济领域大举投资海外项目，已是经济史研究的老生常谈。事实上这种做法大多被批评为英国新兴资本密集型产业增长相对缓慢的另一个原因（Kennedy，1987）。但直到最近很大程度上仍被忽视的是，这种海外投资流的很大一部分（将近一半）都是企业和企业家在获取海外生产性资产和业务时的直接投资，企业家不仅掌握着这些项目的直接管控权，而且能获得一笔投资收益。

1905 年，英国所拥有的海外资产总值几乎是本国净国民财富的 1/3（Edelstein，2004，第 193 页）。到 1913 年，海外投资已显著超过了本国经济（Matthews 等，1982）。此前和此后从未有任何一个主要经济体如此有组织地将如此高比例的资源转移到海外。尽管这类海外资产的所有权中许多是证券组合投资的结果，但另外许多并非如此。

约翰·杜宁（John Dunning）认为，在 1913 年，英国海外投资总额中有40%属于直接投资。托尼·科利（Tony Corley，1994）最近的估计表明，该比例更是高达45%。这些估计不可避免会有偏差，但托尼·科利对全部可得数据的“彻底颠覆”表明，英国企业家在全世界范围内都很活跃，英国对外直接投资中差不多有一半流向了帝国的殖民地（20 世纪早些年份，南非是英国资本的最大输出地），但也有约一半流向了其他地区。约 10% 流向美国，可能有1/3流向拉丁美洲（Corley，1994，表 3）。

表 9 - 1 所示的英国大公司都表现出这种对海外直接投资的热衷。该表给出了 1919 年英国规模最大的 12 家公司，其中尤以韦特曼·皮尔森的墨西哥石油业务规模最大，石油是英国企业的主要资产。若能获得其他一些规模巨大且完全私营的英国海外企业——如维尔纳·拜特（Werner Beit）、戴比尔

斯、力拓集团等——的相关资料，则英国企业对全球贸易和投资链的依赖程度将更加明显（Cassis，1997，第23页）。

但事实上只关注大企业完全不能充分说明英国的对外直接投资，因为这些英国创业活动绝大部分隐没在长期以来未得到史学家很好地理解的特定制度形式下。米拉·威尔金斯（Mira Wilkins，1986）将这些跨国创业企业总称为“独立公司”。英国独立公司多达成千上万家，它们通常是为投资和展开某项特定活动而创建的，如马来半岛的锡矿开采、缅甸的硬木栽培或拉美地区的发电站。由于它们集中于具体的项目或机会，项目结束后，比如一旦发电厂建成，或红木种植或锡矿投入运营，公司通常出售项目或关闭企业。

表9-1　1919年英国规模最大的12家企业

公司名称	市值（百万英镑）	行业	主要业务地区
培生集团	79.1	石油和工程承建	墨西哥
缅甸石油	62.8	石油	缅甸，印度
J&P 高士	45.0	棉线制造	美国，全世界
盎格鲁—波斯石油	29.1	石油	中东
利华兄弟	24.3	肥皂和油脂	非洲，全世界
帝国烟草	22.8	香烟	亚洲，全世界
威格士（Vickers）	19.5	运输设备	英国
吉尼斯公司	19.0	啤酒	英国，英属殖民地
卜内门公司	18.7	化工	英国
荷兰皇家壳牌集团	18.2	石油	东南亚，全世界
诺贝尔炸药公司	16.3	化工	英国，俄国
考陶尔兹（Courtaulds）	16.0	纺织品	英国，美国

资料来源：Bud-Frierman、Godley和Wale（2010）；Hannah（1980）

到1914年，英国企业家全球投资所涉足的行业显著增加。19世纪晚期，对外直接投资大多集中于铁路、地产和矿产采掘行业。尽管这三个行业到1914年时仍颇为繁荣，但其他行业的对外直接投资占比也大幅增加。科利关于英国海外企业的部门分解研究表明：到1914年，石油公司构成了英国对外直接投资总额的5%以上；海外银行和保险公司占4%；包括电车、发电站建筑商及供气和供水生产商在内的各种公用事业公司，总共约占10%。到那时，这些新兴行业加起来的重要性不亚于更传统的创业企业。

整体上说，这些海外创业企业所扮演的角色极其重要。1913年，英国对外直接投资总额占全球对外直接投资总额的45%。换言之，以独立公司为形式的海外投资，是将资源整合进全球经济而非世界新兴的汽车制造、化工和电子工业巨头的重要创业路径。

如上一章所述，独立公司往往围绕一小群关键人物松散地组织而成。这给特定的创业企业带来了不可或缺的必备技能和知识，从而使创业功能集中于一个由发起方、融资方、律师、会计师、贸易公司、商业银行和测量员组成的团队，以及具体项目所必需的大量相关专业人员，如矿业项目的采矿工程师、电力企业的电机工程师、油井架构的石油勘探员、种植园的农业专家等（Jones 和 Wale，1999；Jones，2005，第23—24页）。因此，这种创业团队将从某一项目转到另一项目，对自身进行适当重组，引进新的专家队伍，并砍去那些其专业技能已不太重要的成员。在20世纪前几十年，他们变得更具全球视野，不仅关注已开辟的业务领域，还关注那些新引进的团队成员，如迫于业务需要而招募的美国和欧洲专家。因此，这些海外活动大多是以财产为基础的创业，并且大多需要在特定地区和不可分割的资产上投入高昂的沉没成本。它们通常是一些复杂的大型项目，不仅需要专家的专门知识和技能，还必须能获得各种各样的风险资本来源。

当新机会出现时，一个创业团队便迅速形成，随后通过在伦敦证券交易所出售股权寻求二级融资。尽管为新创企业配售新股存在明显的高风险，投资者却很乐意提供资本。之后，公司会回到市场，寻求下一轮后续融资。对英国企业家精神的传统理解，往往强调伦敦金融城同英国中部和北部制造业中心之间的地理和制度差异，这种差异被认为是造成英国工厂和设备方面新投资不足的根源。但是，只要了解了伦敦证券交易所提供给独立公司的绝对融资规模的证据，这种批评似乎就很难成立。事实上，较之今天人们所理解的私人风险资本市场，20世纪前几十年伦敦金融城为这些独立公司提供的风险资本，似乎不仅更复杂和透明，而且在筹集数额庞大的资金量上表现得同样成功（Corley，1994）。

表 9－2　1907—1938 年间英国海外公司的行业分布比例（%）

行业	1907	1914	1938
基于资源分类			
矿业	25.1	24.9	19
石油	1.4	5.2	12
种植园（茶叶、咖啡和橡胶）	2.6	23.3	11
汇总	29.1	53.5	42
基于市场分类			
食品（特别是酿酒）	1.7	3.3	1
金属和制造业		4.1	1
其他	7.6	4.5	15
汇总	9.3	11.9	17
基础设施、公用事业和服务			
电力、供气和供水	3.0	4.2	8
电车	3.5	1.4	4
电报	3.4	1.3	3
航运、码头等	0.6	1.6	1
土地和其他	18.4	12.4	12
铁路	27.4	10.3	8
银行和保险	5.3	3.5	6
汇总	61.6	34.7	42
全体	100.0	100.0	100

资料来源：摘自 Corley（1994，表 2）和 Corley（1997，表 4）

自“一战”期间和“一战”结束后到 20 世纪 70 年代，这类英国商人的（绝大多数）创业网络仍相当活跃（Jones，2000）。随着世界经济的发展，英国对外投资不断从旧的创业项目（如海外铁路建设和运营）转向新的投资项目（Corley，1997）。投资者利用在几十年前便已获得了正当性的“绅士资本主义”文化传统。事实证明，面对世界范围内对复杂项目管理技能的需求，它们是一种最优的组织回应（organizational response），因为当时相对落后的通信意味着公司总部很难有效监督这类远距离投资项目。

但独立公司的灵活性及其松散的高效组织结构，依赖于一套同其生存能力相适应的相对稳定的制度结构。它们属于知识传输型、市场创造型组织。一旦项目开始投入运行，专门的运营商和专业中介机构便控制了其产生的收益流。分散在各地的资源很容易就汇聚到现行的世界经济及其为国际贸易提供支撑的制度中。因此和“传统的”大型跨国公司不同，其独立公司很少需要设立庞大的总公司支撑结构。它们仍需依靠一套给契约性权利（contractual rights）提供支撑的复杂制度结构。但是当20世纪30年代全球经济危机带来的动荡紧随“一战”所造成的灾难到来时，独立公司也未能将市场内部化。由于交易成本变得极其高昂，它们不得不实施收缩战略。

事实上，当市场活动障碍重重时，英国企业家的最初反应是采取迁移策略。1917—1922年间，俄国、奥匈帝国和墨西哥等国相继卷入战争，国际贸易条件恶化。英国企业家的回应是，将创业活动转向全球新兴区域和出现新机会的国家。例如，20世纪二三十年代中国东部沿海地区的发展，以及20年代中东的短暂繁荣，很大程度上都可归功于英国企业家的创业活动（Plüss，2004；Jones，2000）。但20世纪30年代，企业利润急剧下滑。尽管1907—1927年间，英国对外直接投资收入按实际计算大体上仍较平稳，但从1938年起便开始下滑（Corley，1997，表3）。“二战”结束后，全球许多地区再次对国际贸易和投资施加限制。战后，东南亚、中国、非洲和中东许多国家的政府，都开始抗击以往无处不在的英国企业家。

换言之，聚焦于海外投资和独立公司表明，20世纪英国企业家精神并不算失败。相反，创业活动出现了分叉。在主要产业等以往大获成功的领域，人们发现竞争环境日趋严峻，且越来越多地寻求政府保护（Bamberg，1988）。但企业家创造财富的竞争性机会在海外却不断增加。具有悠久历史且积累了大量专业经验（当然，尤其是通过开发主要产业的全球市场）的英国企业家，基于独立公司和伦敦证券交易所，创立了一套针对海外创业企业的关键制度结构。他们对世界经济的巨大贡献不在新技术领域，而在将各种技能和金融资源加以整合、发起和完成远离金融权力中心的复杂项目上。在遥远的地区开展交易，代理人的机会主义行为可能会给这类交易带来风险，而英国企业家则为此提供了新的解决之道。20世纪对英国企业家的长期批评是：他们未能给汽车、化工和电子工业等新兴行业提供投资，是对实际情况的一种简单误解。毕竟，当英国创业网络在开发和利用海外创业项目上获得如此巨大的成功时，他们为何要冒险涉足那些相对美国和德国等技术领先者而言明显处于劣势的领域呢？

四、1930—1975年间的创业活动：创新的制度障碍与从市场向保护主义的倒退

（一）20世纪20年代的序幕

传统的英国经济史往往把两次世界大战期间看作英国工业发展的一段简单插曲，一个见证了主要产业持续停滞、最终出现专门从事国内汽车、化工和电子工业等新兴行业的时代（Aldcroft，1964）。从某种意义上说，对英国企业家精神做类似的时期划分非常有意义。

在1919—1920年间的短暂繁荣时期，"不列颠治下的和平"（Pax Britannica）似乎有望得到恢复。当然并非所有地区都是如此，只有盲目的乐观主义者才相信，布尔什维克的俄国会"重回正轨"。但20世纪20年代的世界经济会继续像1914年前那样发展并非完全不可想象。然而，不管从管理缺位还是工会对机械化越来越强烈的抵制来看，英国在许多主要产业均已丧失了比较优势，对于英国生产商，唯一现实的指望是英镑贬值到足以使其重获竞争力的水平。但为了保持全球经济的稳定，英国政府继续推行相反的政策。由此造成了利率上升，英镑升值到战前的水平，并导致外贸销售趋于崩溃。20世纪20年代更多的货币扭曲阻碍了英国经济结构的必要调整。

兼并往往伴随着出口竞争力的丧失而至，棉纺织品和毛纺织品、钢铁、煤炭和化学工业都经历了重大重组（Bamberg，1988；Hannah，1983）。但根本动力绝大多数是防御性的，如退出竞争性的市场。通过政府的官方控制或工业卡特尔实施保护成了人们的关注焦点。1926年的全国性大罢工只是强化了需保护社会免遭世界经济变迁伤害的观念。此后政府推行了横向一体化，英国本土工业的卡特尔化在20世纪20年代得到加速。这样一来，创新型企业家精神的激励下降，非竞争性行为变得有利可图，扩大规模的潜在生产率优势遭到极大浪费（Westall，1994）。显然，人们从两次世界大战期间的国内危机中得出了如下认识：必须保护就业和货币工资。由此导致的最终结果就是，政府和商界领袖联起手来，将非竞争性行为制度化，既损害了消费者福

利，又削弱了长期的产业竞争力，致使英国本土经济深受其害。

（二）20世纪30—50年代创新的制度障碍：保护主义和公共部门侵蚀

一旦更全面地考虑英国企业家精神，具有重大意义的事件便随处可见。20世纪30年代的全球经济危机以及随后的战争和去殖民化，意味着英国对外直接投资受到了威胁。海外资产（往往在亏损状态下）遭到抛售，资金被汇回英国，以支持停滞不前的本土经济。如培生集团（Pearson Group）将其重点从成为世界最大的油企巨头之一，转向成为一家立足于伦敦的投资信托公司。尽管培生集团董事的午餐得到了改善，但其创业活力不复存在（Bud-Frierman、Godley和Wale，2010）。其他现金套现机会较少的海外集团公司也发生了退变。一些贸易公司开始在本土寻求投资机会。例如，在向零售企业转型的过程中，因绩效较差，原本是贸易公司的布克（Booker）损失了大量市值。相反，其他公司则将其重心迁往离英国本土更远的地方，如将公司总部移到亚洲市场（Jones，2000）。

在失去竞争力的货币和全球经济危机的双重打击下，英国企业家在其具有比较优势的两大核心领域（即传统的主要产业和海外独立公司）的创业能力严重受损。关键企业家及其创业网络费心经营多年才掌握的专门知识，瞬间失去了价值。英国急需新型企业家和新式创业网络，在国际环境空前困难的20世纪30年代，此类新式创业网络在英国本土应运而生，并开始蓬勃发展。因为自1932年《进口关税法案》通过后，英国已成为一个市场保护程度极高的国家。

经济史教科书对20世纪30年代的常规处理是，强调英国经济中重要的新兴企业和部门的出现。在20世纪30年代早期最糟糕的时候，失业率几乎达到了30%。但因为有汽车工业的莫里斯（Morris）和奥斯汀（Austin）这类企业家，以及诺贝尔炸药公司和卜内门化工企业（于1926年）成功合并重组为帝国化学工业集团（ICI），英国经济似乎比其他任何地方都更好地经受住了30年代经济危机的考验。这虽然反映出了经济活动的重要转变，但是，在全盘接受这一解释时，还是要保持足够的谨慎。到1939年，主要产业仍占据英国产出和出口的主导地位，备受吹捧的英国新兴汽车和电气工程产业的合并产出不到制造业总产出的5%。新兴幼稚产业仍然受到保护，尽管它们相对无足轻重。可以说，不断上涨的实际工资创造了新的消费需求，许多英国企业家在满足这些需求方面行动迅速。

生活标准的提高是一种长期趋势。品牌消费品的早期创新见证了英国强大的烟草工业的崛起，特别是威尔斯的帝国烟草公司（Wills' Imperial Tobacco）（Alford，1973；Hannah，2006）。20世纪上半叶，食品和糖果、饮料和品牌医药行业的其他许多公司创立了强大的品牌。食品行业的朗克（Rank）、亨特利（Huntley）、帕尔默（Palmers）、霍力克（Horlicks）、科尔曼（Colman）、吉百利（Cadburys）及朗特里（Rowntree），饮料行业的吉尼斯（Guinness），日用品行业的比切姆（Beecham），都积极致力于新型市场营销活动，逐步确立了强大的品牌影响力。但颇有意思的也许是，几乎一直到20世纪前几十年，所有这些家族企业都由第二代、第三代甚至第 n 代家族成员所掌控。

生活水平提高也意味着对新服务的需求日益增加。这种趋势在餐饮和零售、交通运输和娱乐等真正意义上的新服务行业中，表现得特别明显。但是，这些部门的纯粹意义上的创新型新进入者，也和汽车、电子工业和化工行业的同行一样，并不能建立起较德国和美国竞争对手而言具有显著生产率优势的企业和行业（Broadberry，1998，2006）。在保护主义盛行的20世纪30—50年代，这样的生产率优势很大程度上显得无关紧要。英国市场已成为国内的主要关注点，英国企业家能通过满足本国需求来获得商业成功。但是，随着20世纪60年代以后关税开始下降和国际竞争重新出现，英国在贸易部门的弱点瞬间暴露无遗。

20世纪30—50年代，任何具有真正重要意义的新进入者大致可归为两类：它们要么是美国跨国公司的英国子公司，带来了技术密集型的制造工艺；要么是聚集在新服务或相关产品周围的移民企业家。现在看来他们具有极其重要的意义。因为若英国是一个不太开放的社会，或美国跨国公司被拒绝进入英国，或犹太裔移民遭到迫害，而这两种情况中的任何一种在当时的欧洲都是切实存在的，那么在这些深陷困境的年代里，英国的创业活动势必会降到一个非常低的水平。

当然，美国跨国公司作为新进入者，如吉利—胡佛（Gillette and Hoover）[基于早期的辛格公司（Singer）案例]，并不能算作英国企业家精神的例子，但它们的示范效应对一些英国企业来说却颇为重要（Jones and Bostock，1996；

Godley，1999，2006）。事实上，许多美国子公司很快便被英国企业家收购。如弗兰克·伍尔沃思（Frank Woolworth 是美国零售业大师，廉价商店的创始人。他还开创了现在非常普遍的直接从制造商购买商品并按类确定销售价格而不与顾客讨价还价的做法。他最早推行自助式商品货架，顾客可以在没有售货员帮助的情况下自行选择想要的商品。——译者注）于1909年进入英国零售市场，并在20世纪20年代迅速扩大其业务覆盖面，随后到20世纪50年代已发展成全英国最大的零售商。但该公司极富创业精神的常务董事威廉·斯蒂芬森（William Lawrence Stephenson），确实是一名受雇于伍尔沃思以掌管英国子公司的地地道道的约克郡人（Godley，2008；Shaw，2004）。当该公司于1931年退出伦敦股票市场后，斯蒂芬森获得了其主要的股权，并由此成为英国最富有的人之一（Rubinstein，2006）。其他企业，如辛格和福特的英国子公司，这一时期也获得了自主权。

但是，真正的外来创业者都是一些移民。有的在移居英国前就已经创建了企业，特别是来自英联邦国家的移民，但多数是在东欧犹太移民浪潮中随父母一同迁居英国的人。20世纪30—70年代，这些主要由第二代波兰和立陶宛犹太裔移民构成的企业家，共同改变了英国经济在全球竞争中的颓势表现（Godley，2001）。

东欧犹太裔企业家的创业成功建立在前几代德国犹太裔移民的基础上。乔·莱昂斯（Joe Lyons）于20世纪初创立了闻名遐迩的餐饮连锁企业，奥斯卡·多伊奇（Oscar Deutsch）在20世纪20年代改变了电影行业，他们早些时候就为德国犹太裔企业家在伦敦金融城的成功打下了基础。但在20世纪中叶，英国真正重要的企业家是东欧犹太裔移民，且大多集中在零售业。蒙塔古·伯顿（Montague Burton，主营男士服装）和西蒙·马克斯（Simon Marks，主营玛莎百货连锁店及女士服装），在20世纪二三十年代非常小的规模上实现了极其迅猛的增长。它们催生出了一些成功的模仿者，后者同样主要来自犹太裔移民群体，他们共同改变了服装行业的市场格局，并通过对供给链的影响，改变了服装行业的制造格局。类似的，家具行业的德拉格（Drage）及其重要的竞争对手艾萨克·沃尔夫森（Isaac Wolfson）的大全零售集团（GUS），也实现了迅猛增长并改变了行业格局。在食品零售业，杰克·柯恩（Jack Cohen）的特斯科（Tesco）在20世纪30年代可能已崛起为最大的区域性百货店。

尽管英国零售业的生产率总体上仍显著低于美国（而非德国）水平，但这些创新型新进入者很快获得了市场份额。这样的创业型增长在当时的英国纯粹是例外现象。有限的消费者流动性、极其温和适中的城市变迁程度，使在位企业手握更大的市场势力，以阻止新进入者“占领”宝贵的繁华商业区。犹太裔零售商能克服这样的障碍，一开始是通过利用两大创新工具，随后是通过使业务极其靠近新兴商业地产市场。

金融工具的两项重大创新包括：由伯顿发明的（后来由杰克·柯恩加以应用）为百货店迅速增长提供资金的售后租回融资；由家具零售商德拉格和大全集团发明的消费者债务资本化，这使他们能利用成千上万份每周分期付款承诺的优势借入资金（Scott，1994，2009）。[①] 例如，大批量分期付款销售的创始人辛格公司，从未将消费者债务视为一种可杠杆化的资产（Godley，2006）。

20 世纪 20 年代，随着郊区化（特别是伦敦）的出现推动了新商业街的发展，现代商业地产部门应运而生。许多第二代犹太移民开始热衷于房地产行业，他们对商业街道及其布局自信满满。例如，查尔斯·克罗尔（Charles Clore）在离开父亲的服装厂后，当了非常短暂的电影院老板和导演，随后便涉足房地产业。杰克·罗斯（Jack Rose）则从离开伦敦东区并给某伦敦西区的测量员当勤杂工开始步入了职业上升通道。20 世纪 30 年代处于不断变化中的房地产市场，使新进入者能够推动原本举步不前的零售业获得新发展，并以此来打开自己的局面。但也正是这些第二代犹太移民房地产企业家，最充分地展现了自第二次世界大战后到 20 世纪 70 年代初的英国企业家精神。

（三）1950—1975 年：公共部门的增长与复制型企业家精神时代

1939 年 9 月第二次世界大战的爆发，预示着英国经济中政府管控将侵入越来越多的领域。企业家精神和整个私营部门都受到严重挤压。在战后，英国迅速步入了一段与自由市场活动相背离的时期。持续不断的钢铁和煤炭问题致使工党政府对钢铁和煤炭工业实施了国有化，人们认为只有这样才能保

① 事实上，籍籍无名的约瑟夫·利特曼是售后租回的发明者。利特曼于 20 世纪二三十年代同伯顿一起合作研究和工作。他死于 1953 年（当时仅 55 岁），但积累了一大笔财富，鲁宾斯坦（Rubinstein，2006，第 286—289 页）将利特曼的财产排在所有 1950—1954 年间去世者中的第 4 位。要是能活到老年，他的成就无疑会获得更大承认。

护剩余工作岗位并改善管理。同样的，持续表现不佳的铁路公司也不得不被收归政府所有。随着福利国家的创建、极高的边际税率、特别强大的工会势力以及朝令夕改的需求管理政策对计划的负面效应[②]，战后企业家面临的环境大不同于从前。资源越来越多地流出私营部门的创业活动，要么转向公共部门，要么转向私营部门势力庞大的寻租群体，如工会巨头和强大的在位企业（Bacon和Eltis，1976）。产业政策集中于对国家冠军企业的投资上，如汽车工业的英国利兰汽车公司（Leyland），但结果却几乎无一例外地令人备感沮丧。英国经济中创业型新创公司的生存空间受到严重挤压也就不足为奇了。20世纪六七十年代，英国新注册成立的公司增长率位居世界最低（Bolton，1971；Wilson，1979）。

其他欧洲国家也推行国家广泛干预经济的模式，但相比之下，它们大多取得了颇为成功的增长绩效。由于国家主导的战后重建带来了管理优势和获国家支持部门的额外投资，法国从20世纪50年代末起取得了尤为引人注目的“30年辉煌”（trente glorieuse）。尽管英国经济在20世纪50年代末和60年代初以史无前例的速度增长，但英国的中央计划试验却远不能说获得了成功。以大政府、大企业和大工会为特征的黄金时代，自20世纪六七十年代开始使英国经济尝到了苦果。

即使在应对步履维艰的战后经济发展、创业惰性和生活水平相对下滑的标准疗法内部，仍然有一个充满创业活力的腹地。事实上，3%—4%的年度经济增长率足以产生大量的创业机会。身为20世纪60年代以来英国房地产行业领军企业家之一的杰拉尔德·隆森（Gerald Ronson）认为，这是一段很容易就可成为企业家的时期，因为竞争是如此之少：“只要你不是赖在床上一动不动，便有机会赚到大钱。”[③]

当一名叫隆森的年轻人意识到房地产业务的巨大潜力后，他便说服父亲将其在伦敦东区的家族家具厂转售出去，并投资于崛起中的房地产市场。根据奥利弗·马里奥特（Oliver Marriott，1967）的统计，该年轻人是70—80名犹太裔房地产百万富豪中的一个，20世纪50—70年代，这些犹太裔房地厂商共同改变了英国商业地产行业的格局。在房地产业这个原本萧条疲软的私营部门中，他

② 固定汇率体系下，如英国这样持续出现国际收支赤字的经济体，必须限制国内需求以削减进口。只有当对外账户重获平衡时，政府才能刺激国内需求。

③ 2002年9月3日Andrew Godley在伦敦对Gerald Ronson的采访。

们是最具创业活力的群体。当中获得最大成功的是查尔斯·克罗尔，他在开拓新型房地产业务的过程中意识到，管理保守的传统连锁零售企业坐守被严重低估的房地产投资组合，不愿意将庞大的资产基础（asset base）变现。克罗尔决定迫使零售企业将其资产基础变现，因此他在英国首开竞争性接管的先例，以恶意收购的方式接管了大型一体化鞋业公司西尔斯（J. Sears）。

1953年的西尔斯公司堪称管理保守的第三代或第四代英国家族企业的典型，其创业阶段早在几十年前便已结束（Jefferys，1954）。西尔斯是英国最大的公司之一，支配着鞋类制造业，在英国有最大的制鞋厂。西尔斯在全英国各主要商业大街有920家连锁鞋店，这些鞋店都是被低估的房地产投资组合。对克罗尔公司来说，这是西尔斯公司最吸引人的地方（Clutterbuck和Devine，1987，第64页）。1948年的《公司法案》为股权转让提供了法律框架，但在克罗尔之前并未有任何人尝试去验证竞争性收购的合法性。伦敦金融城的文化和传统是，只要目标公司的董事会不同意接管，小股东便不会接受报价。克罗尔直接向股东提出接管要约，并给他们提供一个有吸引力的报价，从而将公司控制权市场引入英国。他继续多次借助这种“伎俩”，间接成为20世纪60年代英国的主导零售商。但更重要的是，这种示范效应促使其他人搜寻公开上市的公司，这些公司的管理层长期以来不能给资产带来合理的利润。尽管克罗尔欣慰地获得了巨额个人财富，但声名狼藉。到20世纪70年代初，除明星和足球运动员外，房地产企业家似乎成了社会上唯一能“点石成金”的人群。但是，不同于林格·斯塔（Ringo Starr）或乔吉·贝斯特（Georgie Best），企业家精神的声誉降到了新的低点。

地产界和零售业之间的关联早在20世纪二三十年代就已形成，并一直持续至20世纪五六十年代。例如，杰克·柯恩在特斯科的扩展战略，便是基于对房地产投资利润可以补贴零售扩张的预测。柯恩是食品零售行业积极引进自助服务技术的三四位企业家之一。但艾伦·塞恩斯伯里（Alan Sainsbury）才是关键人物，因为他很快就从排名前十左右的大型区域杂货商崛起为英国最大的食品零售商。

塞恩斯伯里的例子很值得注意，因为从英国企业的规则来看，该公司似乎是一个创业例外，其第三代（艾伦·塞恩斯伯里）和第四代（约翰·塞恩斯伯里）掌门人比创始人更富创新精神。自助服务技术的成功引进是该公司20世纪50年代末以来成就辉煌的关键，但其模式却是全新的。

自助服务诞生于20世纪30年代的美国，其目的是在一个价格竞争非常激烈的市场中降低成本。商品被堆放在架子上供消费者自主选择，因此减少了劳动力投入。销售网店被选定在远离拥挤的城镇中心，以此降低租金。在20世纪30年代的美国，购物者展现出了较高的价格弹性行为，这加速了创新模式的普及步伐。20世纪50年代，少数开拓者，特别是一些合作社（co-operatives），如特斯科和加菲尔德·韦斯顿（Garfield Weston）的加拿大进口品连锁超市Fine Fare，开始尝试着把该模式引入英国，但移植美国实践的结果令人沮丧。英国消费者明显偏好传统的柜台服务模式，而且在不得低价转售制度（resale price maintenance）下，制造商控制着所有商品的价格，消费者几乎没有激励选择那些初具雏形的超市中的便利服务。

但是，相较于竞争对手，塞恩斯伯里家族企业具备两大优势。首先，他们制定了销售自有品牌产品的长期战略，因此可以通过不得低价转售制度削弱竞争对手而不降低产品质量。他们同优惠供应商之间的长期关系使这样做成为可能，这意味着一旦做出转向美国模式的决策，在寻求一种成功的自助服务模式中，他们便能利用其广泛的支撑性供应链网络的经验和知识。其次，他们向来重视保持较竞争对手更大的生产范围，这推动他们大量投资于冷冻技术。这意味着和彼此间存在竞争的超市供应链不同，塞恩斯伯里家族企业能够提供各种各样肉制品和冷冻食品，特别是满足迅猛增长的对家禽肉的需求（Godley and Williams，2009a，2009b）。最终，塞恩斯伯里家族企业形成了一种自助服务模式，该模式既强调竞争对手不能望其项背的资本投资规模，又不削减劳动力，同时还能保持优质服务。这是一种代价不菲的扩展战略，但正是这种塞恩斯伯里模式在市场中胜出，并成为整个行业的标准（在特斯科加以推广后，开始风靡于全世界）。到1975年，塞恩斯伯里家族企业已是英国食品零售商中无可争议的王者，是少数几家进入英国最大零售商行列的少数创业型企业之一。

表9-3 1960—1975年间英国百货店的市场份额

	1960年的百货店总数		市场份额		
	全部	自助服务	1971	1975	数据出处
塞恩斯伯里	254	24	6.7%	9.0%	
特斯科	278	60	6.4%	8.0%	

（续表）

1960 年的百货店总数			市场份额		
联合供应商（Allied Suppliers）	3800	548	5.3%	5.5%	加云坎食品公司（Cavenham Foods，1972）
Fine Fare	43	43	5.5%	4.8%	
阿斯达（Asda）	0	0	1.9%	4.3%	
跨国集团公司（International Group）	550	63	2.8%	3.8%	BAT，1972
西夫韦	0	0	1.0%	2.0%	
薇柔	17	0	1.0%	2.0%	

资料来源：Godley 和 Williams（2009a，2009b）

表 9－4 显示了 1930—1975 年间呈现出重大创业努力的少数行业中某一行业的转变。东欧犹太裔移民（第一代和第二代）的突出表现在表中非常明显，尽管他们仍被低估了。例如，除西尔斯公司外，克罗尔还拥有刘易斯百货连锁商店。蒙塔古·伯顿于 1952 年的猝死，意味着他的长期竞争对手亨利·普莱斯（Henry Price）的五十先令裁缝（Fifty Shilling Tailors，后来成了联合布料店 United Drapery Stores）在 20 世纪五六十年代已超过了早期的领导者。但是，伯纳德·莱昂斯也是第二代东欧犹太移民。在该行业，外来企业家的作用已改变了英国企业界。除了克罗尔、伯顿、莱昂斯，沃尔夫森、柯恩、马克斯和西夫（Sieff）也都是第二代东欧犹太移民。此外，每人都网罗了一大群盟友和支持者，一些犹太裔零售商彼此间充满嫉妒地争夺族裔内部的影响力。相比之下，斯蒂芬森并无移民背景，而是一名外来者，他获得了迅速跻身高层管理人员的良机，要是弗兰克·伍尔沃思的这位门徒待在一家英国企业，他显然不可能获得如此好的机会。

表 9－4　1975 年英国十大零售商（根据雇员规模）及 1930—1975 年间的关键创业人物

公司	行业	雇员	企业家
弗兰克·伍尔沃思	杂货品（玩具和糖果）	81 669	威廉·斯蒂芬森（1923—1948）

（续表）

公司	行业	雇员	企业家
伯特	化学制药	68 846	约翰·坎贝尔伯特，第二代特伦特勋爵（1920—1956）
西尔斯控股	鞋业	65 000	查尔斯·克罗尔（1953—）
大全零售集团	家具	47 615	艾萨克·沃尔夫森（1930—）
加云坎食品公司	食品	40 300	前联合供应商巨头，由企业收购者詹姆士·戈德史密斯于1972年收购
特斯科连锁店	食品	40 245	杰克·柯恩（1919—）
玛莎百货	杂货品（女装和食品）	39 480	西蒙·马克斯（1916—1964）
联合布料店	男装	37 000	约瑟夫·科利尔（1944—）和伯纳德·莱昂斯（1957—）。前身是蒙塔古·伯顿
德本汉姆	百货商店	33 000	大型旧式百货店，部分由约翰·贝德福德（John Bedford）（1949—1971）进行了重组
塞恩斯伯里	食品	31 000	艾伦·塞恩斯伯里（1933—1967）和约翰·塞恩斯伯里（1958—1992）

资料来源：根据 Jeremy（1998，表 9 - 12）、Aris（1970，第 102—110 页）、Chapman（1974）、Shaw（2004a，2004b）和 Godley（2008）调整后得到

事实上，使其父亲著名的连锁药店发展壮大的约翰·坎贝尔·布特（John Campbell Boot）和塞恩斯伯里家族，是仅有的在零售业大获成功的第二代（或第 n 代）创业领军者（Chapman，1974）。两者都成功地把美国零售模式移植到原本传统的英国零售组织中［布特于 20 世纪 20 年代将企业的家族控制权让渡给了美国制药大王路易斯·利吉特（Louis Liggett），后者很快在企

业中引入了美国式管理方法]。

如表9-3所示，联合供应商（Allied Suppliers）长期来一直是英国最大的零售商，但数十年的保守管理意味着其霸主地位必定会被其他零售商取代。像德本汉姆（Debenhams）[④]一样，尽管联合供应商变得越来越脆弱，但它仍因以往的巨大成功而位居同行业前列，最终于1972年被"企业掠夺者"詹姆斯·戈德史密斯（James Goldsmith）的加云坎食品公司（Cavenham Foods）所收购。

除了犹太裔移民创业网络的若干集群外，该时期外来者对英国企业家精神的另一个突出影响来自美国跨国公司。如前所述，自1950年后美国企业纷纷在英国建立子公司，这对整个英国经济的生产率增长产生了重要影响（Jones and Bostock，1996）。它们的影响必然会被处于劣势的英国竞争对手直接感受到，但同时在一些部门，美国的对外直接投资事实上也刺激了英国的企业家精神和创新，并且至少在一个非常突出的例子中，完全未预料到的溢出效应创造出了一个全新的行业。

由于直接出口的关税壁垒太高，美国企业继续开设分支机构以服务于英国和欧洲市场。这些内向性投资集中在机械工程部门（包括美国汽车企业分支机构的早期投资）、制药行业和电气工程部门（Bostock 和 Jones，1994；Jones 和 Bostock，1996；Godley，1999）。

其结果是，在英国的汽车、机械工程和电气设备部门，英国企业必须直面优越的美国技术，英国企业的市场地位急剧恶化，首先是在欧洲，随后很快波及英国本土市场。在这些行业，"美国入侵"的后果非常残酷（Servan-Schreiber，1967）。相比之下，制药行业的美国化似乎产生了截然不同的结果。英国企业并不具备技术优势。在制药行业，像其他地方一样，美国企业更可能获得专利并投资于研发（Slinn，2006）。原子式的美国医疗保健市场，其中医师拥有开处方的权力，为制药公司提供了实施直接营销策略的巨大激励（Greene，2005）。由于国民医疗保健体制（NHS）的垄断，英国的市场环境极其不利，但医学研究专家和英国生理学派（British School of Physiology）的

④　Debenhams是英国知名的百货公司，在英国本土以及爱尔兰、丹麦开设了大量的直营店，并且在许多其他国家设立特许经营店。该公司历史悠久，自18世纪在伦敦的第一家店开张以来，截止到2011年10月，公司拥有153家商店。此外，它还拥有超过40家特许经营店遍布全球。——译者注

国际声誉如此之高，以至对任何制药公司而言，与专家们的成功合作意味着获得了重要的商业认可（Quirke，2005）。

20世纪30年代以来，特别是在战争期间，英国制药公司已同顶级医学研究专家建立了强有力的联系。尽管它们不太擅长将一些研究成果商业化［辉瑞公司（Pfizer）赢得了批量化生产青霉素的竞争，默克公司（Merck）通过国际许可策略获得了世界制药市场的最大份额］，但其研究网络却非常稳固（Athreye and Godley，2009）。美国新进入企业试图闯入的正是这些网络和公私合营企业。因此，在20世纪五六十年代，默克、辉瑞、美国氰胺及其他制药公司，均开设了重要的新研究中心，以便同英国科学家和英国制药公司开展合作。

英国企业所获得的溢出收益是，它们能近距离地观察一个有效的市场营销策略对制药这一研究密集度最高的行业有多重要。特别是，葛兰素公司(Glaxo)因和默克公司的强有力联系而受益匪浅（Quirke，2005）。惠康（Wellcome）同其美国子公司宝来惠康（Burroughs Wellcome）也在美国建立了非常强大的联系，当英国企业做出回应时，比切姆（Beecham）、葛兰素、帝国化工和惠康的竞争地位都获得了提高。20世纪80年代有段时期，这4家英国企业曾跻身于世界制药企业的前10名。1938年以来，世界药品出口中英国所占份额一直稳定在12%，这是20世纪90年代难以企及的，在发达经济体中独树一帜。相比之下，德国药品出口占世界的份额从39%降至9%，美国则从1955年的34%降至1995年的9%（Broadberry，2004，表3-8）。

其他方面，英国企业家精神也通过一种完全意料之外的方式受益于美国的入侵。欧洲债券市场的创立成了伦敦重新夺回其世界性国际金融中心地位的催化剂，其中美国跨国子公司的作用至关重要。西格蒙德·沃伯格（Siegmund Warburg）开创了发行美元计价债券的先河，创造性地使用离岸美元资金池。但肯尼迪政府推行的利息平衡税（1963）和对外直接投资项目（FDIP，1968），要求美国公司通过海外借款为海外投资融资。结果，从1963年到1972年，欧洲债券发行量自3.48亿美元迅速增加到55.08亿英镑（Roberts，2001，表1）。

伦敦金融城从1930年开始已停滞不前。投资银行的重要性下降，英国在国际贸易中的地位恶化，能采取的措施却相对有限。银行业开始受到严厉监管。在创新发生的领域，以及在伯顿和克罗尔的房地产相关活动、沃伯格创立的欧洲债券市场中，市场参与者仅限于一小群内部人士，即所谓的创业网络。伦敦证券交易所曾经是大量活跃的风险资本为海外投资项目融资的要地，但它变得不思进取，丧失了竞争力。海外创业项目也溃败不堪。米基（Michie，The London Stock Exchange：A history，1999）在其著作中甚至把论述20世纪50年代的章节命名为“飘向湮没”（Drifting towards Oblivion）！欧洲美元和欧洲债券市场不知不觉地架空了伦敦金融城。

在20世纪五六十年代的美国证券市场上，英国企业家精神都来不及受益于任何技术泡沫。由于缺乏类似于美国活跃的场外证券交易市场的制度基础，20世纪50年代末和60年代初的英国电气行业几乎未出现首次公开募股（IPO）。美国新创电气公司的新股发行分别于1959年和1960年达到了1.35亿美元和1.40亿美元的历史高峰（O'Sullivan，2006）。在英国，占支配地位和历史悠久的电气公司在消费类电器领域具备成功的多元化发展优势［如英国联合电气公司（AEI）开发出了大获成功的Hotpoint品牌］，但创业型新创公司只取得了短暂的成功。A·佛莱利（A. J. Flatley）在新型衣物干洗机上获得了一定优势，约翰·布鲁姆（John Bloom）因其电动洗衣机而声名远扬。但两人均未能同大型在位企业相抗衡，因此先后于1962年和1964年退出了市场（Corley，1966，第55—61页）。投融资市场中僵化的反企业家精神的管制之手阻碍了竞争性进入，最终使催生了现代计算机产业的美国电子革命在英国根本就不存在。

20世纪60年代，英国唯一的首次公开募股且使一家创业型新创公司发展成一家成功的企业的，是斯坦利·卡尔姆斯（Stanley Kalms）的迪克森（Dixons）。这家小型相机零售商只有6家分支机构和繁忙的邮购订单业务，它于1963年美国正深陷摄影业泡沫时上市，那时宝丽来公司的股票在纽约证券市场的成交市盈率超过了100倍![5] 即便如此，卡尔姆斯后来表示，伦敦证券交易市场的需求如此旺盛，以致他希望公司仍然是私有的。[6] 英国整个风险投资领域的唯一亮点是一家政府机构，即3i集团的前身ICFC，但较之1930年英国海外投资项目通过伦敦证券交易获得的绝对风险融资的规模而言，其影响可谓微乎其微（Michie，1999，第258—529页、第281—282页；Coopey和Clarke，1995，附录）。

---

⑤ *Statist*，November 6，1964，371。

⑥ 2003年8月12日Andrew Godley在伦敦对Stanley Kalms的采访。

虽然政府控制抑制了企业家精神，但在“二战”后的“黄金时代”，企业家仍表现得颇为活跃，最引人注目的是房地产行业，转型中的英国零售业和制药行业同样如此。英国传统海外市场的企业家疲于同去殖民化和民族主义经济政策相抗争。泰尼·罗兰（Tiny Rowland）是这一趋势的反对者之一，他创立了罗荷集团（Lonrho），但他在撒哈拉以南非洲的做法如此激进，以至英国时任首相爱德华·希思（Edward Heath）在1973年把他描述为“资本主义不可接受的一面”，并因此遭到普遍非议。罗兰受到非议不足为奇，但企业家精神的声誉也跌落至低谷。由于绝大多数人的经济财富开始停滞不前，妒忌的政治学（politics of envy）宣称，少数人的成功是不道德的。人们并不支持企业家的事业。该时期少数第二代或第三代犹太移民获得成功的比例如此之高，促使他们采取相对低调的态度。在英国媒体的讣闻版，往往花重笔叙述犹太裔富豪的慈善事业！即使如此，反企业主义（antientrepreneurialism）也使英国深受其害。这些犹太裔富豪在以色列捐助设立的大学远多于在英国。另外，在人才流失的过程中，富有活力和创新精神的人很少留下来，尤其是以前的大英帝国领地、美国和越来越多的欧洲大陆国家，形成了“人才外流”。人才外流的一个结果是前所未有的移民流入率，特别是来自亚洲印度次大陆地区的移民，他们中许多人将在20世纪末成为举足轻重的英国企业家。

五、从悲观主义到复兴？1975—2000年间创新型企业家精神的“复苏”（Redevivus）

20世纪最后25年的英国经济转型和保护主义政策的废除，很大程度上得益于撒切尔政府（1979—1990），尽管1979年前的一些事件为此铺平了道路。最值得一提的可能是工党领袖丹尼斯·希利（Denis Healey）在1975年废除了收入政策。20世纪八九十年代，随着低效的工作惯例、不力的管理控制、落后的营销技术和不合理的融资结构等缺陷不断暴露，整个英国产业界掀起了一股竞争性破坏的风暴。各种批评和哀叹之声此起彼伏，悲观主义达到了顶点。各种“衰落论”不断涌现，连学术巨著也充斥着诸如“英国制造业为何如此糟糕”等耸人听闻的标题（Williams、Williams和Thomas，1983）。

灾难事件接二连三地发生。备受吹捧的英国汽车行业幸存者利兰和捷豹公司（Jaguar）陷入破产，并不得不于1974年接受政府救助。在一场会计风波之后，劳斯莱斯公司（Roll Royce）在同一年也步其后尘。失业率开始上升，1978—1979 年和 1984—1985 年，强大的工会势力组织了两场大罢工，挑衅政府。此后欧洲各国政府致力推动的庞大的欧共体计划，也未能缓解英国国内的经济问题。20 世纪 80 年代中期的英国，自谋职业大多被视为新失业者躲避劳动力市场困境的一种策略（Storey，1994）。系列调查显示，英国民众文化中企业家精神的地位在 20 世纪 70 年代末和 80 年代达到了最低点（Farnie，1998）。甚至作为当时英国工业部门唯一亮点的制药行业，葛兰素和（新合并的）史克必成公司（SmithKline-Beecham）的富于创新精神的执行总裁都是美国公民。当英国于 1992 年匆忙退出欧洲汇率机制时，未来该国的整个工业似将沦为世界旅游业中的“遗产公园”。

尽管世人并不看好英国的创业精神，但基础性的变化正在发生。20 世纪 80 年代的《就业法案》催生出更灵活的员工招聘方法，失业率出现了下降。1984 年金融服务业的放松管制，使股票市场和伦敦金融城的竞争性质发生了转变。私有化计划则体现了“自修道院解散以来最大的资源转移”（Middleton，2006）。这主要给英国纳税人和消费者带来了好处，对英国企业家的影响是则好坏参半，因为绝大多数公用事业公司的控制权都转到了欧洲企业手中（Kitson，2004）。但是，英国企业家精神复兴中最令人印象深刻的例子出现在私有化的电信行业，有 4 家世界龙头电信企业把总部设在英国，它们分别是沃达丰（Vodafone，前身是英国国防部下属的一家无线电军备厂）、奥兰奇（Orange，现为法国所有）、英国电信（原国家电信垄断的遗留产物）和 O2（英国电信剥离出去的移动事业部，现为西班牙所有）。

对英国经济而言，更重要的可能是 20 世纪八九十年代全球化复苏的影响。随着东南亚“四小虎”经济体及随后中国越来越充分地融入世界经济，许多英国企业发现自己的竞争能力已大大削弱。例如，由于世界非技能型劳动力工资的普遍下降，英国的服装制造业几乎完全被迫中断。但英国企业家很快发现了同这些低工资国家的低成本生产商建立长途交易关系的商机。事实上，随着中国日渐成为世界工厂，增值活动正转向市场创造而非制造。英国在国际谈判和管理跨文化关系上长期处于休眠状态的商业技能，猛然间焕发出勃勃生机，恰如即使消退许多但从未灭绝的专门知识网络一样。英国对香港的长期占有，为它同中国间建立商业联系提供了一座重要的桥梁，和印度间历史悠久的关系也促进了英国在那里的“离岸”商业活动。

20世纪90年代，企业的创建继续保持上升态势。但不同于20世纪80年代，创业越来越被视为一种合理选择。和以往多数情形一样，外来者仍是主要驱动力，许多亚洲移民（特别是1972年后来自东亚的移民）创办了成功的企业。但只有到20世纪末，即互联网泡沫的高峰时期，许多人才将创业视为颇有吸引力的职业发展路径。女强人玛莎·福克斯（Martha Lane Fox），几乎一下子就改变了英国人对企业家精神的矛盾心态，1998年她创建了在线零售商城“最后一分钟”（Lastminute. com），并于2000年3月成功上市，其资产迅速增至7.33亿英镑，但她一眼看上去仍是一个优雅得体的普通中产阶级妇女。2001年的一项国际民意调查显示，有45%的英国人希望成为企业家，较之上一代人的传统观念，这无疑是一个相当巨大的转变（Blanchflower等，2001）。

六、结论

关于20世纪英国经济表现的传统研究得出了大量颇令人沮丧的结论，人们不断寻求各种原因和解释。企业家成了人们所偏好的目标。传统结论似乎表明，由于英国文化的某一特性，或国家对经济领域越来越多的入侵，或企业竞争力的削弱，在整个20世纪的英国，企业家变得严重缺乏创新精神和影响力。当然，这类批评声称，企业家在棉纺织、钢铁和煤炭采掘等工业革命时期的传统主要产业，仍表现得相当成功（如前两章所述）。然而，他们未能成功地转向第二次工业革命中兴起的制造业、化学工业、电气工业，以及最重要的汽车工业，他们没能进行创新并利用这些新技术。

然而，20世纪末创业技能的显著复兴，需要我们重新研究关于英国长期创业失败的上述解释。因此，本章首先适当强调了英国在20世纪上半叶作为世界创业服务提供者的角色，然后着重论述20世纪英国企业家精神展现出了较多数传统研究所表明的更多连续性。诚然，20世纪的英国企业家并未处在新技术发明的前沿阵地。恰恰相反，他们的显著贡献在于，以专业化的方式将知识密集型项目的管理技术转移到全世界复杂的基础设施投资或资源集中型投资。历史学家们长期以来忽视英国企业家的这一贡献。我们需要认识到，正是这种专业化的知识转移而非第二次工业革命中的新兴企业，极大地推动了19世纪80年代至20世纪20年代的全球经济一体化进程。

虽然韦特曼·皮尔森（Weetman Pearson，英国石油和建筑大亨）最为著名和成功，实际上却有大量极富创新精神的英国企业家。他们一起创造出了专业化的技能、特定的制度架构和复杂的创业网络（特别是围绕金融领域），以参与世界经济中的创业活动。需要强调的是，这些面向海外的英国企业家并不局限于大英帝国版图，事实上拉丁美洲和美国是英国对外直接投资的主要地区。他们不只依靠那些享有政治保护和特权的市场，相反，这些资金密集型或知识密集型创业网络有真正意义上的全球视野。随着本国主要产业的盈利能力开始放缓，英国企业家很自然地越来越被这些海外机会而非电气和汽车工业所吸引。

但是，幸运女神并未站在他们一边。20 世纪 30 年代的国际经济危机、第二次世界大战、战后缓慢的重建以及随后的去殖民化冲击，减少了辛辛苦苦获得的创业型专门知识的存量价值，破坏了支撑企业家以往活动的大多数制度结构。由于世界各地的政治和制度条件发生了变化，英国海外企业家的传统角色也逐渐淡化。新成立的各国政府实行了歧视英国企业的经济政策。由于用处不大，这些创业网络慢慢遭到废弃，或者进入了那些其知识和专门知识多少有点用处的部门。它们的收益也出现了相应减少。只有当 20 世纪 80 年代，特别是 90 年代，随着全球经济一体化进入迅速复兴时期，英国才重新找回了经营复杂的长途国际业务的比较优势。对外直接投资骤然飙升，英国企业家再次成为全球新兴产业发展的推动者。

从 1930 年开始，英国国内的竞争环境日趋恶化，这部分是政府促进保护主义、鼓励英国企业卡特尔化和提高工会势力的政策带来的直接结果，但也源于以往的移民限制和长期默许英国文化中严峻的社会分裂。在位的企业主家族越来越远离竞争，无须应对不可预测的环境，因而满足于不思进取的生活方式。英国汽车产业在引进大规模生产技术中的无能表明，产品和工艺技术上的新发明在 20 世纪 50—70 年代扩散得非常缓慢。英国的相对生产率出现了惊人的下降。创新型和创业型企业家陆陆续续迁往他处，尤其是澳大利亚和加拿大等英联邦国家，当然还有美国和欧洲。确实，20 世纪五六十年代存在大量的创业机会，但当时通行的制度结构极不利于企业家精神。企业家的社会地位在 20 世纪七八十年代跌入了历史最低点，创新型企业家群体萎缩。

事实上，20 世纪中叶出现的最重要的新型企业家群体是外来者群体。通过开拓房地产市场，东欧犹太裔移民和他们的子孙后代获得了职业生涯的巨大成功。这和零售业密切相关，许多人被证明也是非常卓越的零售商。他们的崛起也源自一些创新性金融工具的发明和利用，而且他们的私人经济回报非常大。但是，他们对英国生产率增长的影响总体上显得非常小。该时期新技术的扩散主要通过大型公司而非这些外来企业家实现。此外，少数犹太裔企业家异乎寻常的成功未能促成普遍支持创业型社会的风气，事实上，大多数犹太裔企业家和英国社会对企业家精神的反感情绪之间的对立，通常促使许多这类商界巨贾掩饰他们的经济成功，以免因整个欧洲的偏见而受伤害。

随着20世纪80年代以来废除保护主义的持续深入，企业家精神开始在英国复兴：首先在海外贸易和跨国投资领域，随后在接受和认可新技术上。从长达一个世纪的角度来看，20世纪末的一连串事件表明一场真正重要变革的开端。就此而言，身为牛津大学历史学家之女的玛莎·福克斯，已成为互联网泡沫时代鼎盛时期的一个文化偶像，因为她代表了20世纪的历史背景下，英国主流社会观念在20世纪90年代的惊人转变。她的例子成了一个转折点，使无数其他人的创业愿景获得了正当性。

在近两三代人前，企业家丧失了在英国文化中的社会地位，20世纪末，则重新获得了其应有的社会地位。20世纪八九十年代的技术革命，以及伴随中国和印度迅速融入世界经济一体化而来的各种经济活动重新调整所产生的巨大经济回报的前景，能很好地为许多潜在企业家带来强大的示范效应。由于20世纪80年代政治改革使英国经济更有利于创业活动，企业家精神变成了一种“大众消遣物”，而非像20世纪初那样只是金融精英的特权。

企业家精神在英国社会复兴着实令人惊讶，这促使历史学家反思有关20世纪英国企业家精神的传统研究。也许研究者们过分强调了企业家在经济中的影响力的相对衰退，也许企业家精神的连续性较之前研究所表明的要更强。但整体轮廓仍然是清楚的。英国有着大量极其活跃的面向海外的企业家群体，他们极大地推动了核心专门知识在一系列重大开发项目中的全球扩散。随着全球贸易经济体系的收缩及随后分裂成更小的集团，许多国家积极排斥英国的利益，英国企业家精神会不可避免地深受其害。尽管犹太裔移民企业家在20世纪中叶扮演了重要角色，但只有到该世纪的最后20年，全球经济一体化才使英国企业家精神的复兴成为可能。

参考文献

Aldcroft, Derek. 1964. "The Entrepreneur and the British Economy, 1870–1914." *Economic History Review* 17:113–34.

Alford, B.W.E. 1973. *W.D. & H.O. Wills and the Development of the U.K. Tobacco Industry, 1786–1965*. London: Methuen.

———. 1988. *British Economic Performance, 1945–1975*. Basingstoke: Macmillan.

Allen, G. C. 1976. *The British Disease: A Short Essay on the Nature and Causes of the Nation's Lagging Wealth*. [London]: Institute of Economic Affairs.

Anderson, Ronald C., and David M. Reeb. 2003. "Founding-Family Ownership and Firm Performance." *Journal of Finance* 58:1301–28.

Aris, Stephen. 1970. *The Jews in Business*. London: Jonathan Cape.

Athreye, Suma, and Andrew Godley. 2009. "Internationalisation to Create Firm Specific Advantages: U.S. Pharmaceutical Firms in the 1930s and 1940s and Indian Pharmaceutical Firms in the 1990s and 2000s." *Industrial and Corporate Change* 18:295–323.

Atkinson, A. B. 2002. "Top Incomes in the United Kingdom over the Twentieth Century." University of Oxford Discussion Papers in Economic and Social History No. 43.

Bacon, Robert, and Walter Eltis. 1976. *Britain's Economic Problem: Too Few Producers*. Basingstoke: Macmillan.

Bamberg, James. 1988. "The Rationalization of the British Cotton Industry in the Inter-war Years." *Textile History* 19:83–102.

Baumol, William J. 1990. "Entrepreneurship: Productive, Unproductive and Destructive." *Journal of Political Economy* 98:893–921.

Berghoff, Hartmut. 1995. "Regional Variations in Provincial Business Biography: The Case of Birmingham, Bristol and Manchester, 1870–1914." *Business History* 37:64–85.

Berghoff, Hartmut, and R. Möller. 1994. "Tired Pioneers and Dynamic Newcomers? A Comparative Essay on English and German Entrepreneurial History, 1870–1914." *Economic History Review* 47:262–87.

Blanchflower, David G., Andrew J. Oswald, and Alois Stutzer. 2001. "Latent Entrepreneurship across Nations." *European Economic Review* 45:680–91.

Bolton, J. E. 1971. *Report of the Committee of Inquiry on Small Firms*. London: HMSO.

Bostock, Frances, and Geoffrey Jones. 1994. "Foreign Multinationals in British Manufacturing, 1850–1962." *Business History* 36:89–126.

Brittan, Samuel. 1978. "How British Is the British Sickness?" *Journal of Law and Economics* 21:245–68.

Broadberry, S. 1998. *The Productivity Race: British Manufacturing in International Perspective, 1850–1990*. Cambridge: Cambridge University Press.

———. 2006. *Market Services and the Productivity Race, 1850–2000: Britain in International Perspective*. Cambridge: Cambridge University Press.

Bud-Frierman, Lisa, Andrew Godley, and Judith Wale. 2010. "Weetman Pearson in Mexico and the Emergence of a British Oil Major, 1901–1919." *Business History Review* 84, no. 2, forthcoming.

Cassis, Youssef. 1997. *Big Business: The European Experience in the Twentieth Century*. Oxford: Oxford University Press.

Casson, Mark. 1982. *The Entrepreneur: An Economic Theory*. Oxford: Martin Robertson.

———. 1992. *The Economics of Business Culture*. Oxford: Clarendon Press.

Casson, Mark, and Andrew Godley. 2007. "Revisiting the Emergence of the Modern Business Enterprise: Entrepreneurship and the Singer Global Distribution System." *Journal of Management Studies* 44:1064–77.

Chandler, Alfred D., Jr., with Takashi Hikino. 1990. *Scale and Scope: The Dynamics of Industrial Capitalism*. Cambridge: Harvard University Press.

Chapman, Stanley D. 1974. *Jesse Boot of Boots the Chemists*. London: Hodder & Stoughton.

Clapham, John H. 1938. *An Economic History of Modern Britain*. Vol. 3. Cambridge: Cambridge University Press.

Clutterbuck, David, and Marion Devine. 1987. *Clore: The Man and His Millions*. London: Weidenfeld and Nicolson.

Collins, Bruce, and Keith Robbins, eds. 1990. *British Culture and Economic Decline*. London: Palgrave Macmillan.

Coopey, Richard, and Donald Clarke. 1995. *3i: Fifty Years of Investing in Industry*. Oxford: Oxford University Press.

Corley, T.A.B. 1966. *Domestic Electrical Appliances*. London: Cape.

———. 1994. "Britain's Overseas Investments in 1914 Revisited." *Business History* 36:71–88.

———. 1997. "Competitive Advantage and Foreign Direct Investment: Britain, 1913–1938." *Business and Economic History* 26:599–608.

Economist. 2005. *The World in 2005*.

Edelstein, Michael. 1982. *Overseas Investment in the Age of High Imperialism: The United Kingdom, 1850–1914*. London: Methuen.

———. 2004. "Foreign Investment, Accumulation and Empire, 1860–1914." In *The Cambridge Economic History of Modern Britain*, ed. Roderick Floud and Paul Johnson, 2:190–226. Cambridge: Cambridge University Press.

Farnie, David A. 1998. "The Wiener Thesis Vindicated: The Onslaught of 1994 upon the Reputation of John Rylands of Manchester." In *Religion, Business, and Wealth in Modern Britain*, ed. David Jeremy, 86–107. London: Routledge.

Feinstein, C. 1994. "Success and Failure: British Economic Growth since 1948." In *The Economic History of Britain since 1700*, ed. Roderick Floud and Donald N. McCloskey, 3:95–122. Cambridge: Cambridge University Press.

Ferguson, Niall. 2003. *Empire: How Britain Made the Modern World*. London: Penguin.

Godley, Andrew. 1999. "Pioneering Foreign Direct Investment in British Manufacturing." *Business History Review* 73:394–429.

———. 2001. *Jewish Immigrant Entrepreneurship in New York and London, 1880–1914: Enterprise and Culture*. Basingstoke: Palgrave.

———. 2003. "Foreign Multinationals and Innovation in British Retailing: 1850–1962." *Business History* 45:80–100.

———. 2006. "Selling the Sewing Machine around the World: Singer's International Marketing Strategies, 1850–1920." *Enterprise and Society* 7:266–314.

———. 2008. "American Multinationals in British Retailing." In *American Firms in Europe: Strategy, Identity, Performance, and Reception*, ed. Hubert Bonin and Ferry de Goey, 261–82. Geneva: Droz.

Godley, Andrew, and Bridget Williams. 2009a. "The Invention of the 'Technological Chicken' and the Emergence of the Modern Poultry Industry in Britain." *Business History Review* 83, no. 2, forthcoming.

Godley, Andrew, and Bridget Williams. 2009b. "The Chicken, the Factory Farm, and the Supermarket: The Emergence of the Modern Poultry Industry in Britain." In *Food Chains:*

From Farmyard to Shopping Cart, ed. Roger Horowitz and Warren Belasco, 47–61. Philadelphia: University of Pennsylvania Press.

Goldthorpe, John H. 1980. *Social Mobility and Class Structure in Modern Britain*. Oxford: Oxford University Press.

Greene, Jeremy. 2005. "Releasing the Flood Waters: Diuril and the Reshaping of Hypertension." *Bulletin of the History of Medicine* 79:749–94.

Hannah, Leslie. 1980. "Visible and Invisible Hands in Great Britain." In *Managerial Hierarchies: Comparative Perspectives on the Rise of the Modern Industrial Enterprise*, ed. Alfred D. Chandler Jr. and Herman Daems, 41–76. Cambridge: Harvard University Press.

———. 1983. *The Rise of the Corporate Economy*. 2nd ed. London: Methuen.

———. 2006. "The Whig Fable of American Tobacco." *Journal of Economic History* 66: 42–73.

Houston, Tom, and John H. Dunning. 1976. *UK Industry Abroad*. London: Financial Times.

Jefferys, James B. 1954. *Retail Trading in Britain, 1850–1950: A Study of Trends in Retailing with Special Reference to the Development of Cooperative, Multiple Shop, and Department Store Methods of Trading*. Cambridge: Cambridge University Press.

Jeremy, David J. 1998. *Business History of Britain, 1900–1990s*. Oxford: Oxford University Press.

Jones, Geoffrey. 1994. "British Multinationals and British Business since 1850." In *Business Enterprise in Modern Britain: From the Eighteenth to the Twentieth Century*, ed. M. W. Kirby and Mary B. Rose, 172–206. London: Routledge.

———. 2000. *Merchants to Multinationals: British Trading Companies in the Nineteenth and Twentieth Centuries*. Oxford: Oxford University Press.

———. 2005. *Multinationals and Global Capitalism from the Nineteenth to the Twenty-first Century*. Oxford: Oxford University Press.

Jones, Geoffrey, and Frances Bostock. 1996. "US Multinationals in British Manufacturing before 1962." *Business History Review* 70:207–56.

Jones, Geoffrey, and Judith Wale. 1999. "Diversification Strategies of British Trading Companies: Harrisons & Crosfield, c.1900–c.1980." *Business History* 41:69–101.

Kennedy, William P. 1987. *Industrial Structure: Capital Markets, and the Origins of British Economic Decline*. Cambridge: Cambridge University Press.

Kindleberger, Charles P. 1964. *Economic Growth in France and Britain, 1851–1950*. Oxford: Oxford University Press.

Kitson, Michael. 2004. "Failure Followed by Success or Success Followed by Failure? A Re-examination of British Economic Growth since 1949." In *The Cambridge Economic History of Modern Britain*, ed. Roderick Floud and Paul Johnson, 3:27–56. Cambridge: Cambridge University Press.

Landes, David S. 1969. *Unbound Prometheus: Technological Change and Industrial Development in Western Europe from 1750 to the Present*. Cambridge: Cambridge University Press.

Lindert, Peter H. and Keith Trace. 1971. "Yardsticks for Victorian Entrepreneurs." In *Essays on a Mature Economy: Britain after 1840*, ed. Donald N. McCloskey, 239–74. London: Methuen; Princeton: Princeton University Press.

McCloskey, Donald N. and L. Sandberg. 1971. "From Damnation to Redemption: Judgements on the Late Victorian Entrepreneur." *Explorations in Economic History* 9:89–108.

Magee, Gary B. 2004. "Manufacturing and Technological Change." In *The Cambridge Economic History of Modern Britain*, ed. Roderick Floud and Paul Johnson, 2:74–98. Cambridge: Cambridge University Press.

Marriott, Oliver. 1967. *The Property Boom*. London: Hamish Hamilton.
Matthews, R.C.O., C. H. Feinstein, and J. C. Odling-Smee. 1982. *British Economic Growth, 1856–1973*. Oxford: Oxford University Press.
Michie, Ranald. 1999. *The London Stock Exchange: A History*. Oxford: Oxford University Press.
Middleton, Roger. 2006. "The Mother of New Labour. Review of Ewen Green, *Thatcher*." *Times Higher Education Supplement*, September 1.
Miles, Andrew. 1999. *Social Mobility in Britain, 1837–1914*. Basingstoke: Palgrave-Macmillan.
Nicholas, Tom. 1999. "Clogs to Clogs in Three Generations? Explaining Entrepreneurial Performance in Britain since 1850." *Journal of Economic History* 59:688–713.
———. 2004. "Enterprise and Management." In *The Cambridge Economic History of Modern Britain*, ed. Roderick Floud and Paul Johnson, 2:227–52. Cambridge: Cambridge University Press.
Orsagh, T. 1961. "Progress in Iron and Steel, 1870–1913." *Comparative Studies in Society and History* 3:216–30.
O'Sullivan, Mary A. 2006. "Riding the Wave: The US Financial Markets and the Postwar Electronics Boom." Paper presented to the Business History Conference, Toronto, June 8–10.
Porter, Michael E. 1990. *The Competitive Advantage of Nations*. Basingstoke: Macmillan.
Plüss, Caroline. 2004. "Globalizing Ethnicity with Multi-local Identifications: The Parsee, Indian Muslim and Sephardic Trade Diasporas in Hong Kong." In *Diaspora Entrepreneurial Networks*, ed. Ina Baghdiantz McCabe, Gelena Harlaftis, and Ioanna Pepelasis Minoglou, 245–68. Oxford: Berg.
Quirke, Viviane. 2005. "Making British Cortisone: Glaxo and the Development of Corticosteroids in Britain in the 1950–1960s." *Studies in History and Philosophy of Biological and Biomedical Sciences* 36:645–74.
Roberts, Richard. 2001. *Take Your Partners: Orion, the Consortium Banks, and the Transformation of the Euromarkets*. London: Palgrave Macmillan.
Rose, Mary B. 1986. *The Gregs of Quarry Bank Mill: The Rise and Decline of a Family Firm*. Cambridge: Cambridge University Press.
Rubinstein, William D. 1993. *Capitalism, Culture, and Decline in Britain, 1750–1990*. London: Routledge.
———. 2006. *Men of Property: The Very Wealthy in Britain since the Industrial Revolution*. 2nd ed. London: Social Affairs Unit.
Sarachek, Berenard. 1978. "American Entrepreneurs and the Horatio Alger Myth." *Journal of Economic History* 38:439–56.
Scott, Peter. 1994. "Learning to Multiply: The Property Market and the Growth of Multiple Retailing in Britain, 1919–39," *Business History* 36:1–28.
———. 2009. "Mr Drage, Mr Everyman, and the Creation of a Mass Market for Domestic Furniture in Interwar Britain." *Economic History Review*, forthcoming.
Servan-Schreiber, Jean-Jacques. 1967. *Le défi américain*. Paris: Denoel.
Shaw, Gareth. 2004a. "Stephenson, William Lawrence. 1880–1963." *Oxford Dictionary of National Biography*. Oxford: Oxford University Press. http://www.oxforddnb.com/view/article/42154, accessed October 6, 2006.
———. 2004b. "Bedford, John. 1903–1980." *Oxford Dictionary of National Biography*. Oxford: Oxford University Press. http://www.oxforddnb.com/view/article/46613, accessed October 10, 2006.
Slinn, Judy. 2006. "'A Cascade of Medicines': The Marketing and Consumption of Prescription Drugs in the UK, 1948–2000." In *From Physick to Pharmacology: Five Hundred Years of British Drug Retailing*, ed. Louise Hill Curth, 143–69. London: Ashgate.

Storey, David. 1994. *Understanding the Small Business Sector*. London: Routledge.
Temin, Peter. 1999. "The American Business Elite in Historical Perspective." In *Elites, Minorities, and Economic Growth*, ed. Elise S. Brezis and Peter Temin, 19–39. Amsterdam: Elsevier.
Wardley, Peter. 1999. "The Emergence of Big Business: The Largest Corporate Employers of Labour in the United Kingdom, Germany and the United States c. 1907." *Business History* 41:88–116.
Westall, Oliver M. 1994. "The Competitive Environment of British Business, 1850–1914." In *Business Enterprise in Modern Britain: From the Eighteenth to the Twentieth Century*, ed. M. W. Kirby and Mary B. Rose, 207–35. London: Routledge.
Wiener, Martin. 1981. *English Culture and the Decline of the Industrial Spirit*. Cambridge: Cambridge University Press
Wilkins, Mira. 1988. "The Free-Standing Company, 1870–1914: An Important Type of British Foreign Direct Investment." *Economic History Review* 41:259–85.
Williams, Karel, John Williams, and Dennis Thomas. 1983. *Why Are the British Bad at Manufacturing?* London: Routledge and Kegan Paul.
Williamson, Jeffrey G. 1995. "The Evolution of Global Labor Markets since 1830: Background Evidence and Hypotheses." *Explorations in Economic History* 32:141–96.
Wilson Committee. 1979. *The Financing of Small Firms*. London: HMSO.

第十章　德国的企业家精神史：1815 年以后

乌尔里奇·文根罗特

德国的企业家精神史正如该国给邻国及其自身所造成的历史那样多灾多难。在 19 世纪、20 世纪的大多数时期，德国企业家不得不面对政治动乱、国界变更、国体转型初期重大制度安排以及伴随“游戏规则”频繁修改而来的限制和诱惑等不利影响。由于 6 次政治体系的变化，其中有两次发生在 20 世纪下半叶，两次有争议的政治统一，两次对外侵略战争，以及政治版图的频繁变动，1815 年后的德国确实不具备良好的创业环境。于是，在 1871 年初次统一到“一战”爆发和“二战”后的西德这两段持续较久的政治稳定时期，德国出现了一些规模最大的企业，且企业形式各异的创新意识如火如荼，也就不足为奇了。

熊彼特式的企业家非常擅长利用他们周围环境中隐含的激励和机会，突破各种限制。他们对整个经济做出巨大贡献，这是因为他们有能力把内在的潜能投入到更有利可图的用途上。如果说创新型企业家是创造性破坏和变革的动力，那么他们本身只有在具备良好的资源禀赋以及制度可预测的环境下才能茁壮成长。为了更好地评估德国经济史上创新型企业家精神的先决条件，我将简要列出其本质特征、人力资源与制度框架。

一、德国经济：1815—2006 年

（一）地理、边界与自然资源

德意志同盟成立于 1815 年，是一个拥有 39 个主权邦国的松散型组织，其中日耳曼语是主要语言，尽管不是唯一语言。两个主要邦国，普鲁士王国和哈布斯堡帝国在德意志同盟内部和外部都有领土。和不愿加入同盟的奥地

利相反，普鲁士首先采取了促进同盟内部贸易的行动，最终于 1834 年成功创建了德意志关税同盟，尤为重要的是，该同盟将奥地利排除在外。19 世纪中叶，德意志同盟在经济上分化成两部分：其一是奥地利，其二是以普鲁士为主的地区，后者大部分在 1871 年成立的德意志帝国版图之内。到 1834 年，德意志关税同盟各成员国的企业家已经在一个新生的共同市场中从事经营活动，尽管当时远未实现政治上的统一。从经济上看，相比于哈布斯堡帝国，以普鲁士为主导的德意志关税同盟发展得更快，但政治形势动荡不安，且充满不确定性。1848—1849 年间，爆发了一场声势浩大的欧洲革命，它和“三次统一战争”（一方面把奥地利从德国排挤出去，另一方面将其他主权邦国并入普鲁士主导的德意志关税同盟）一起，使政治和制度环境极不利于鼓励企业创新。但普鲁士内部政局稳定，它构成了后来德意志帝国 2/3 的版图。我们能在普鲁士看到最有活力的经济发展，从该国一直扩展到德意志关税同盟的其他成员国。

普鲁士不仅在拿破仑战败和教会领地分解后吞并了许多西部领土，而且拥有得天独厚的自然资源条件。德国主要的硬煤、褐煤和铁矿石分布均位于普鲁士境内。临近莱茵河的鲁尔区有大量的硬煤分布，这无疑成了普鲁士最有价值的矿藏资源。甚至在进入 20 世纪后，鲁尔区都是德国经济增长的重要引擎。但促成德国开始工业化的并不是煤矿开采，而是铁路建设（Fremdling，1985；Holtfrerich，1973）。由于缺少合理的水道——德国境内河流多为自南向北走势，潜在市场却自西向东分布——铁路便成了工业经济发展的最重要基础。铁路建设绝大多数由私人参与，但在普鲁士得到了一些政府担保的支持，它成了金融部门、钢铁工业和机械制造业发展的一个巨大机遇。一旦铁路铺设好，势必有助于劳动力在各经济部门间的优化配置，并帮助煤炭等能源资源以较低成本从原产区运往需求地。除了传统上城市化水平更高的德国南部地区外，通常只有严重依赖煤炭的消费品制造商，如化学工业（Hoechst，BASF），才会把工厂建在莱茵河通航河段附近。普鲁士和后来德意志帝国的首都柏林，成了现代机械工业和电子产业中心，它们在起步之初也不得不依赖国家支持（Von Weiher，1987）。柏林以南半主权性质的王国萨克森（Saxony），是一个历史更悠久的机械工业中心。另一个煤田位于德国东南部普鲁士的上西里西亚（Upper Silesia），它到柏林的距离和鲁尔区到柏林的距离大致相同。德国经济东西分布的特征和燃煤工业的主导地位一直延续到了“二战”结束后。

但是，随着“二战”后东德和西德的分立，以及东部煤田和农业富庶区被割让给波兰，东德和西德的经济地理发生了根本性转变。不管从地理版图还是从经济上看，“二战”后的德国都是一个完全不同于之前“第三帝国”的国家。伴随这种地理上的分裂，硬煤于20世纪50年代晚期丧失了其竞争优势；除了严重的能源资源短缺和最新勘探的自然资源能被有利可图地开采以外，只剩下褐煤在东德和西德内部作为一种国产能源（Abelshauser, 1984）。尽管德国一开始在19世纪拥有比较有利的自然资源禀赋，但如今只剩下了给生态造成严重破坏的一些电子产业。从战后德国经常表现出来的自我认知中可以看到，德国仅有的自然资源就是德国人的聪明才智。

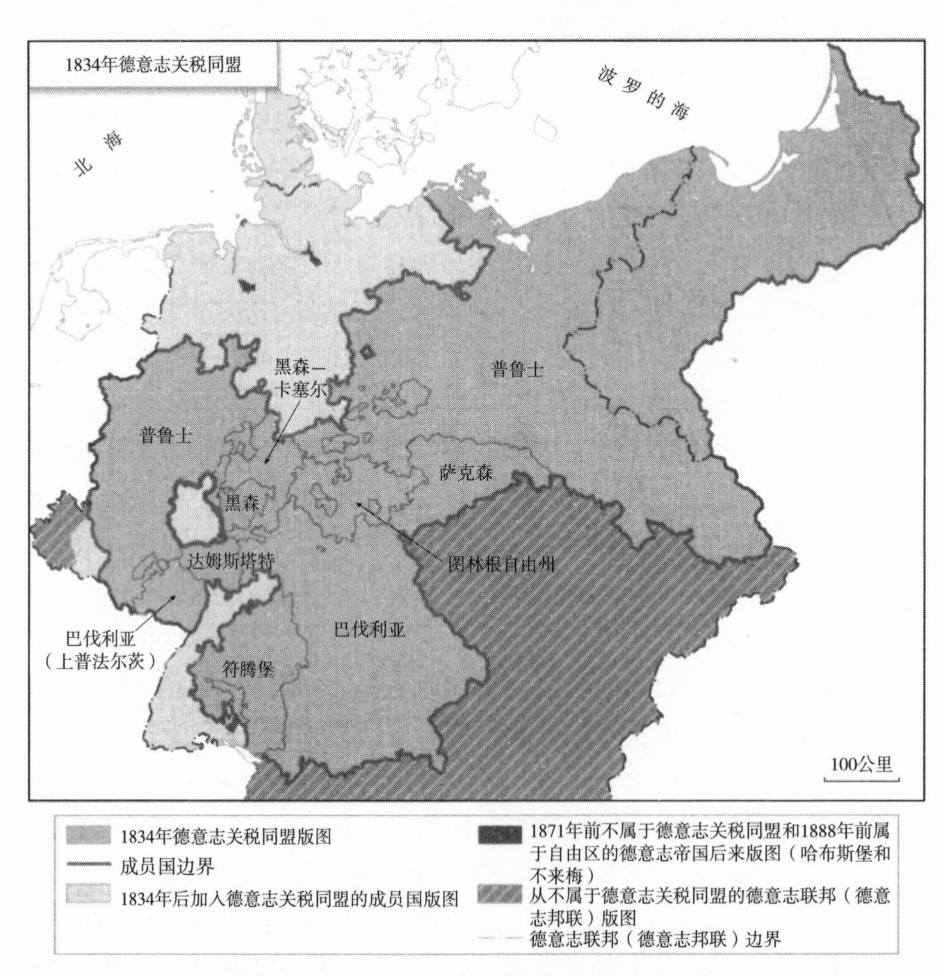

图10－1　1834年的德意志同盟和德意志关税同盟

资料来源：http://www.ieg-maps.uni-mainz.de/mapsp/mapz834d.htm，2007年10月10日访问

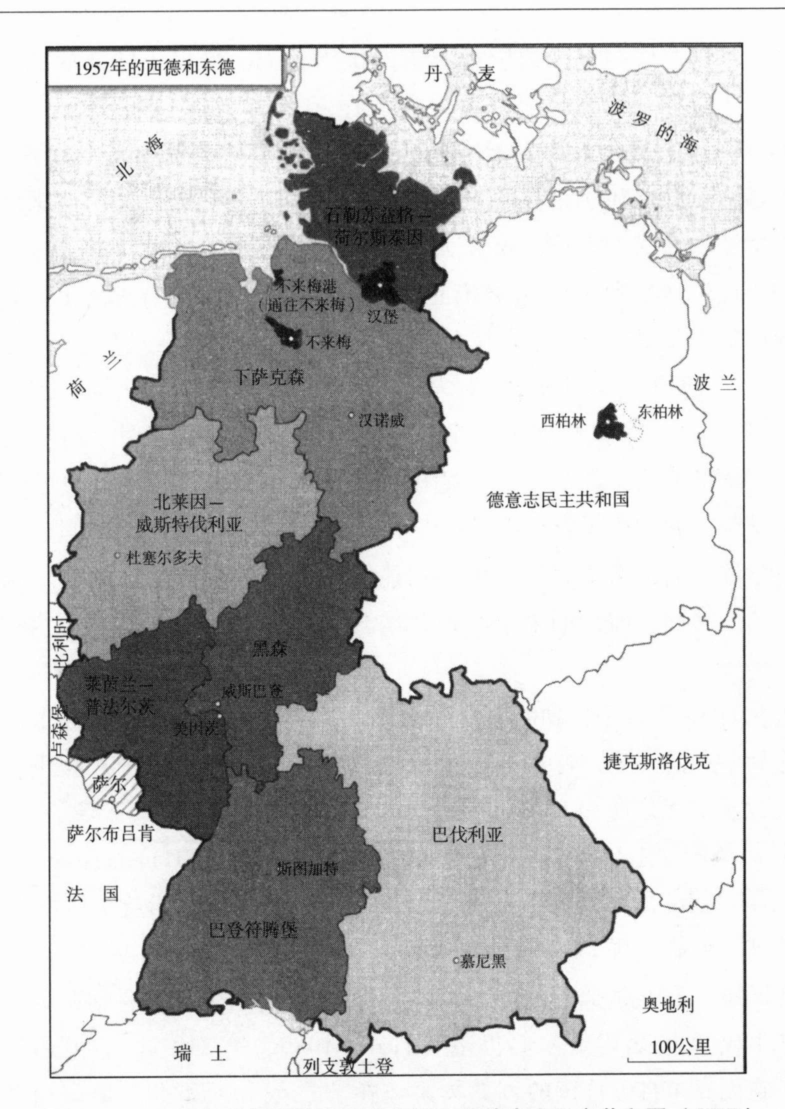

图 10－2　1957 年的德意志联邦共和国和原德意志民主共和国（GDR）

资料来源：http：//www. ieg-maps. uni-mainz. de/mapsp/mapp957d. htm，HYPERLINK " http：//www. Ieg-maps. uni-mainz. de/mapsp/mapz834d. htm，" 2007 年 10 月 10 日访问

（二）人力资本形成

人力资本形成是德国历史早期所经历的一个成功故事。普鲁士的基础教育非常先进。职业培训在传统上得到了行会和贸易组织的高度重视。高等教育很大程度上受益于19 世纪德国的政治分裂和20 世纪的联邦制度。由于每位公国亲王都认为他必须具备一所属于自己的大学和理工学院以及职

业学校，在这些机构方面德国相对来说供给过剩。普鲁士同样如此，因为普鲁士为了能和奥地利平起平坐，合并了一些不积极响应的地区，这些地区不得不创建全方位的高等教育机构，以便不会被当作二等省份来对待。这种幸运的多样化和多元化以类似于19世纪中叶德国统一前的法国巴黎综合理工学院的模式，为德国培养大量理工人才提供了巨大帮助。这些理工学院的毕业生（直到1899年才有正式学位）大多数都没有进入工业界而是成为政府官员，即使这对熊彼特式企业家的成功有帮助，也助益不大（Lundgren，1990，第44页）。对大学的科学专业毕业生而言同样如此。当19世纪末第一批科学工业（science-based industries）兴起时，高素质科学家和工程师的充沛供给就变成了德国的优势。德国大学不断开设各种技术与科学学院，它们成了全世界最具吸引力的地方。19世纪末20世纪初，德语是科学领域的首选语言。德国公司能够引进最具生产能力的科学家和工程师群体，并同最前沿的大学院系开展合作（Wengenroth，2003，第246—252页）。

随着1933年初希特勒的上台，纳粹政治对德国大学的双重冲击彻底破坏了这种幸运的环境。首先，在“二战”爆发前纳粹掌权的六年里，由于害怕成为学术无产阶级（academic proletariat），学生入学率下降了一半多。1939年的德国学生数量甚至不比1900年时多（Berg和Hammerstein，1989，第210页）。其次，自1934年春开始，所有被纳粹认定为犹太人的国家雇员都遭到了免职。自1938年的奥地利起，这一做法被推行到“第三帝国”的所有属地（吞并领地）。这和其他更大的悲剧一起，导致科学精英大量流失，其中包括20名诺贝尔奖得主（Titze，1989，第219页）。上述两项政策的实施无异于自毁德国的创新体系。在“二战”后不久，德国相继出现了科学和工程人才的第二波和第三波对外移民高潮。由于害怕以虐待集中营囚犯等战争罪罪名被起诉，或者已经得到了获胜同盟国的邀请和雇用（苏联则采取胁迫手段），通常是两者兼有，大量顶级科学家在战争一结束便离开了德国，这导致了第二波移民高潮。第三波移民高潮发生在战后头10年内，根据战后协议，这段时期的德国被禁止发展各种前沿技术。那些想从事或已致力于前沿技术研究的年轻科学家，不得不离开德国去环境更好的美国。概而言之，由于这三次精英人才流失的浪潮，导致德国创新体系在20世纪中叶由高科技领域的引领者迅速退变成不同层次产品生产的追随者（Wengenroth，2002）。诺贝尔物理学奖和化学奖原本多为德国人包揽，但此时情况已发生极大的变化，这不过是上述变化的表现之一，而美国无疑成了最大的受益者。

如今，同其他 OECD（经济合作与发展组织，简称经合组织）的发达成员国相比，德国人拥有大学学历或同等学力的人口比例只在平均值附近。能为企业家队伍源源不断地提供受过良好教育的优秀年轻人的时代已一去不返。

如图 10－4 关于 22 个 OECD 国家的统计所示，德国 2002 年 55—64 岁人群中智力职位（brilliant position）的排名即使不算非常靠前，也仍居前列，但 25—34 岁人群的排名则远远落后于多数国家。这似乎是德国教育体系持续丧失动力的一个显著特征。OECD 国际学生评估项目（PISA）的报告得出了与此相同的结论。2007 年 OECD 一篇题为“高等教育与地区”（Higher Education and Regions）的报告确认了德国这种不利的发展趋势。在诸如工程学、生物技术、科学和农学等重要领域的高等教育方面，德国同其他 OECD 国家相比，处在落后位置。

对德国企业家而言，这意味着他们的国家在招聘优秀学术人才方面已经不再有以前那样的优势，这些人才被公认为是商业创新的重要支柱。因此，近几年来，大公司的研发部门已增加了外籍雇员的比例。但德国政府在外国劳工上的排外政策，使德国成了对绝大多数胸怀大志且受过最好教育的专家最不具吸引力的地方，他们越来越不把德国视为一个比其他西欧国家更适于职业发展的国家。这种有点令人担忧的趋势从德国在理查德·佛罗里达的欧元区创新指数（Richard Florida’s Euro-Creativity-Index）中的排名可见一斑。在同 14 个欧洲国家和美国的比较中，尽管德国总体创新指数稳居第 3 位，但高科技创新指数排在差强人意的第 6 位，其创意阶层指数仅排在第 11 位（Florida 和 Tinagli，2004，第 32 页）。这里我们再次看到了德国从遥遥领先者下滑至勉为其难的二流者。相当多的政界人士仍然很难接受一个事实：德国已经很难重回 20 世纪初位列世界最前沿、创造精神高涨和科学研究硕果累累的辉煌岁月，当时，大量天资聪颖的学生积极学习德语，为步入当时极富创造性的领域打好基础。如今，对某位来自欧盟新成员国的优秀东欧科学家而言，英国或荷兰是更有发展前途的国家。

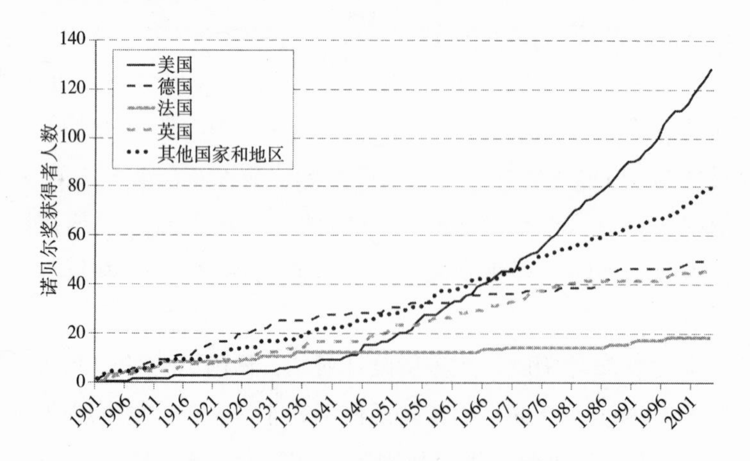

图 10－3 诺贝尔物理学和化学奖获得者人数统计

资料来源：nobelprize. org

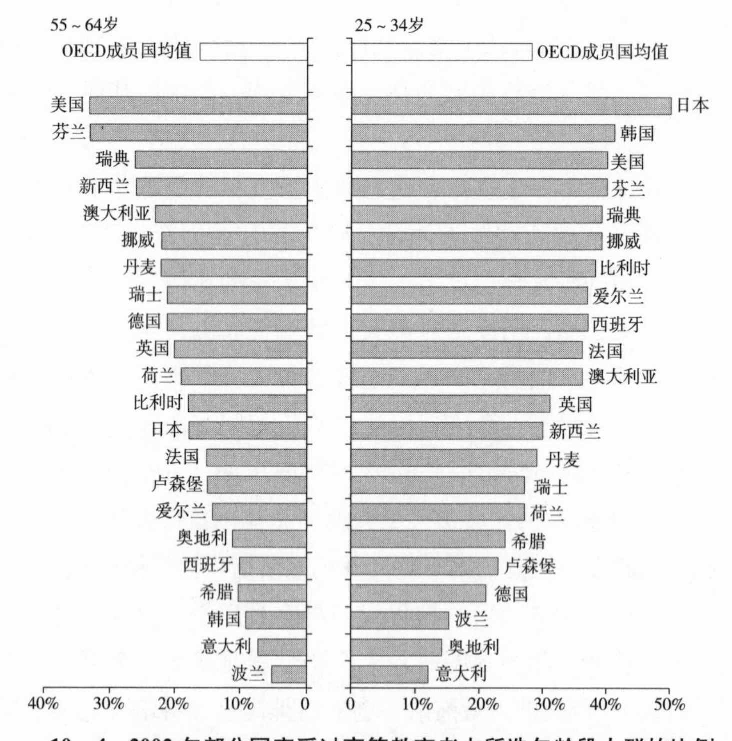

10－4 2002 年部分国家受过高等教育者占所选年龄段人群的比例

资料来源：德国联邦教育与研究部，《2005 年关于德国技术表现的报告——基于联邦政府观点的主要论断》（2005 Report on Germany's Technological Performance—Main Statements from the Federal Government's Point of View，第 4 页）

（三）制度框架

19 世纪德意志关税同盟的贸易政策建立在“教育关税”这一原则的基础上，也就是说，关税被用来保护幼稚产业，直到它们能在国际竞争中自力更生。一直到德意志帝国成立后的最初几年，关税同盟的关税都在逐渐下降，这使德国市场能向更多的工业品开放，其中尤为重要的是来自汉堡和柏林等水道运输便利地区从英国进口的煤炭。随后，这种自由贸易趋势开始停滞不前，最终在 19 世纪 70 年代随着一场由美国铁路大繁荣的崩溃而导致的重大国际金融和贸易危机而发生了逆转。到 1878 年情况发生了转变，德国颁布了保护主义政策，该政策以这样或那样的方式一直持续到了“二战”后。

依靠关税保护，第二波更为重要的反竞争安排是卡特尔的大量盛行，最终演变成了强制性举措。随着 19 世纪 70 年代保护主义政策的实施，卡特尔组织如雨后春笋般涌现出来。它们作为契约自由受到保护。1897 年德意志帝国最高法院裁定卡特尔安排不仅合法，而且对所有合伙方具有约束力，且可以被强制实施（Wengenroth，1985）。对小阿尔弗雷德·钱德勒（Alfred Chandler，Jr.）而言，这是德国坚定地走向合作资本主义而非竞争资本主义道路的分水岭。但到 1897 年，德国庞大的工业部门已实行了 20 年的密集型卡特尔化。随着 1933 年纳粹政府上台及其推行的“新计划”（*Zwangskatellgesetz*），卡特尔化达到顶峰，“新计划”强制实施卡特尔化，使之服务于纳粹的经济计划。“二战”后，在美国的施压下，德国工业的卡特尔化即便没有被全盘否定，很大程度上也被认为是非法的。1957 年出现了第二道分水岭，在将近 10 年的争论和准备后，反卡特尔立法终于扭转了游戏规则，此时合作资本主义已经在德国占据了近 60 年的正式统治地位和一个世纪的非正式统治地位。随着欧洲经济联盟（EEU）的一体化和在关贸总协定的若干协议下不断下调关税，卡特尔化的主要支撑——国内市场的保护最终被打破。然而，这并非意味着合谋行为的终结，特别是因为欧洲经济联盟建立了非常类似于卡特尔的市场管制结构，但是这一结构极大地削弱了它自身的适应范围，且使其演变成了令人尴尬而又隐秘的庇护伞，而非受法律保护的合理政策。

1877 年德国颁布专利法前，知识产权几乎不受任何保护。1877 年以前，德意志联邦的各州政府，尤其是普鲁士政府，不太愿意为专利提供保护，这主要是为了更易于从外国引进各类知识。许多专利被驳回，如贝塞麦钢

（Bessemer）和大规模钢铁生产的平炉工艺（两者在英国均受到专利保护）等。当普鲁士认为德国工业已成功赶上其他国家并已从模仿者转变成真正意义上的创新者时，所有这一切随即发生了变化。德国专利法为工艺流程而非工业产品提供保护，因此刺激了人们研究以不同方式生产同种产品。事实证明，这极大地刺激了公司的研发活动（Seckelmann，2006）。

（四）过度工业化的经济

德国经济以其强大的工业实力著称。服务业则要相形见绌得多。不管是和实力较接近的国家相比，还是和美国相比，德国经济在整个20世纪都是过度工业化的（overindustrialized）。在德国向无形产品和服务主导型市场转型的过程中，这会带来机会成本。由于德国每小时劳动的生产率通常低于邻国，注重工业生产而非服务业生产并不能说是一种优势。但工业部门就业人数的高比例，确实极大地影响了德国人的自我认知，并最终影响了所谓的创新文化。德国人对本国工业实力相当自信，对德国工业生产的比较优势颇有信心，许多外国观察者也肯定了这一点。但是，无论是公众还是研究德国经济史的学者都不愿意承认，这种优势可能并不是生产率改善的结果，而是在工业上投入大量努力的结果。

不妨将德国的情况和美国作一比较，后者的经济实力从各方面来说都是20世纪最强大的，美国在20年代和50年代中期生产了全世界45%的工业产品，证明了生产率计算中劳动力是分母这一事实的重要性。威廉·鲍莫尔等人的国际生产率比较表明，德国经济的生产率仅居中位水平（Baumol 等，1989，第92页；Maddison，2001，第353页）。

德国对工业部门的严重依赖也反映在其科技政策上。德国联邦教育与研究部在大力支持工业技术发展的同时，几乎忽视了服务业，包括知识密集型服务业的发展。2007—2011年间，只有7000万英镑的政府财政资金流向服务业研究，却有数亿英镑资金流向技术领域。[①] 德国经济朝一个知识和信息社会转型的滞后性，已经导致整个创新体系的文化滞后性。要使政治体制和工商业界克服19世纪末到20世纪中叶保护主义猖獗年代获得的工业技术优势，似乎极其困难。翻阅德国官方统计资料，我们偶尔会想起马克思主义者的阐述，其他

---

① 参见 http：//www. bmbf. de/prees/1761. php，2008年10月14日。

国家称为“工业”或“制造业”的部门，德国却称作*produzierendes Gewerbe*，字面上可翻译为“生产贸易”，由于经济中其他部门都不符合“生产”，意味着它们全是“非生产性的”。这种观点在许多工程师中无疑仍非常普遍，他们很难认可服务业的重要性也就不足为奇，更不要说更现代的消费品的符号学特征了。

尽管存在这种忽视，德国尖端服务业中的劳动生产率仍高于尖端技术领域（Götzfried，2005，第 4 页）。另一方面，同其他 15 个欧盟国家相比，德国劳动者在知识密集型服务业的平均就业比例确实更低。与德国西部相邻的国家中，知识密集型服务业的生产率水平极高（Felix，2006，第 3 页）。这里，我们又一次看到，固守传统工业生产优势的机会成本是非常大的。由于德国过度工业化的经济结构和社会中过度工业化的心态，我们发现工业部门的企业家创新意识要高于服务业。此外，在 1913 年规模最大的 100 家工业企业中，87% 的企业均生产原材料、中间产品和投资设备，只有 13% 的企业属于消费品部门；同时，在美国和英国，这两个部门的所占比例则比较接近（Dornseifer，1995，注 7；Chandler，1990，附录）。1815 年后德国经济的均衡发展本来至少应该使德国同时注重服务部门和工业部门，但创新型企业家精神事实上却不可避免地更偏向于后者。

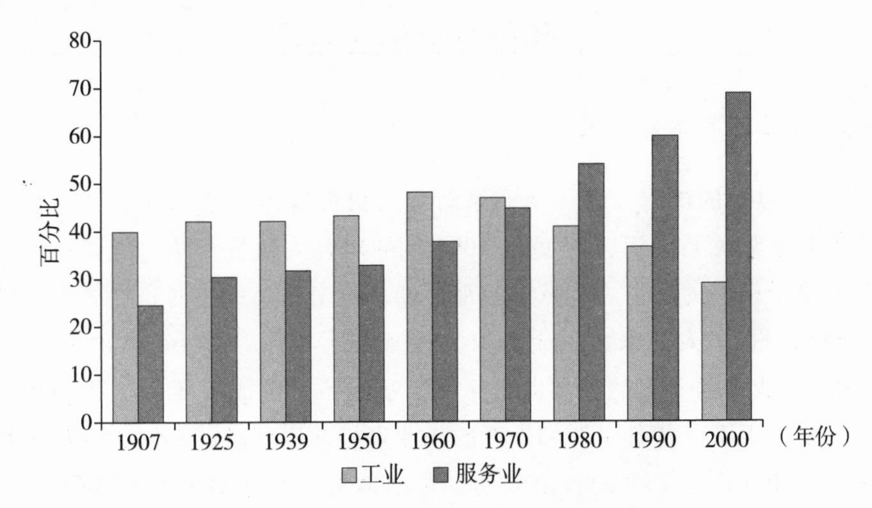

图 10－5　德国服务业和工业部门就业情况

数据来源：1950—2000，http：//www. destatis. de/jetspeed/portal/cms/Sites/destatis/Internet/DE/Comtent/Statistiken/Zei treihen/LangeReihen/Arbeitsmarkt/Content75/lrerw13a，templareId = renderPrint. psml，2007 年 10 月 14 日访问；1907—1939：Geibler and Meyer，1996，第 29 页

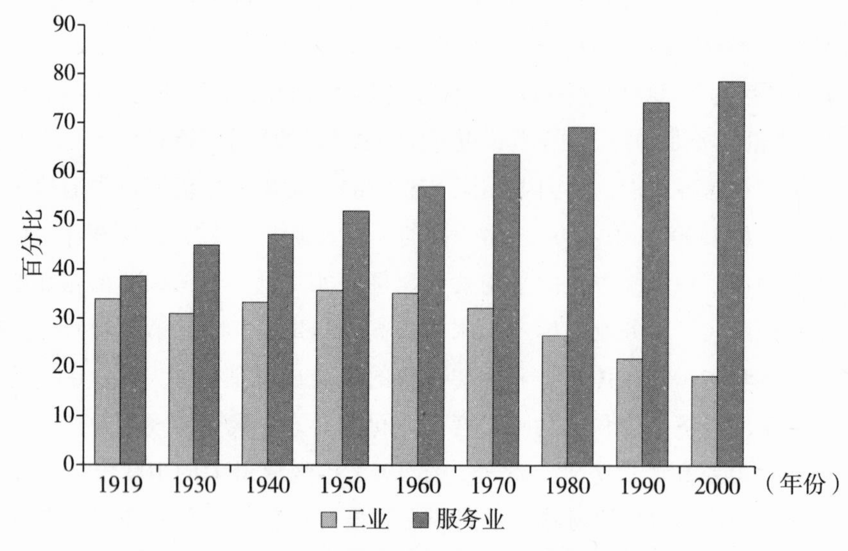

图 10－6　美国服务业和工业部门就业情况

数据来源：美国人口普查局（CB），美国的历史统计，从殖民时期到1970年，系列D 1－25，美国统计摘要，2003，HS 29－30

二、德国社会的企业家

（一）工业化早期的企业家

在19世纪的德国社会，企业家新晋为精英群体。他们同欧洲的自由主义改革运动关系密切。19世纪40年代的年轻人通常对法兰克福市的革命议会给予极大的同情。当欧洲革命席卷普鲁士和奥地利时，许多青年学生（他们中很多人后来成了企业家）便离开了祖国。更为自由的瑞士及其1856年成立的著名的苏黎世联邦理工学院，很快成了年轻工程师和科学家的临时天堂。普鲁士西部地区的企业家能在比利时、法国、卢森堡和莱茵兰（Rhineland）之间自由流动，对柏林的新统治者只感到有限的认同。他们之间的猜疑很大程度上是相互的，需要几十年时间才能消散。工业化早期的铁路企业家通常被认为展现出了“深厚的亲资产阶级感情”（Then，1997，第258页）。关于1848—1849年革命失败后，德国企业家多大程度上转向了政治上的右翼，或者他们是否仍坚守共和理念，到目前人们仍争论不休。考虑到左翼倾向更为严重的民主派既有社团主义的一面也有贸易保护主义的一面，而更保守的“大企业”和地主阶级却支持放松管制的事实时，这一问题甚至更为复杂。有着贸易利益和从事制造工业的企业家，似乎仍倾向于（欧洲意义上的）自由主义，那些业务根植于国内原材料的企业家则转向了崇尚保守主义和贸易保护主义的右翼（Wehler，1995；Biggeleben，2006）。

（二）反犹主义

犹太企业家被传统精英排除在这种公共认可和尊重之外。在德意志帝国时期，反犹主义相当普遍（Mosse 和 Pohl，1992）。尽管在走向民族解放上出现了持续进步，但犹太人仍被边缘化。在魏玛共和国时期，这种情况似乎略有好转。虽然经过 1871 年成立的德意志帝国数十年的统治，企业家们更喜欢能使其生活有所保障的威权统治，因而并不欣赏新生的民主政权，但反犹主义现象并未增加。甚至许多犹太企业家也没有严肃对待伴随纳粹党掌权而来的反犹主义的侵害，认为这不过是政治宣传而已（Feldman，1998）。

甚至到 20 世纪 30 年代初，几乎所有的犹太商业精英仍然对即将到来的大灾难毫无防备。事后看来，这种对纳粹计划不以为然的态度无疑是极为幼稚的。美国政治学家卡尔·多伊奇（Karl W. Deutsch）将 20 世纪 30 年代的德国描述为“认知大灾难”时代，当时许多的德国民众和企业家均未认识到政府反犹主义的残暴后果（Broszat，1983，第 324 页）。商业精英，包括许多犹太企业家，盼望某种形式的威权政府来遏制社会主义，并恢复德意志帝国晚期令人无限向往的稳定局势。对许多人而言，宁要分裂的民主，也不要可恶的纳粹统治。但是，随着对犹太民众的迫害之风开始盛行，人道主义价值观不再是绝大多数德国企业家的首选。只有极少数人对“雅利安化”（Aryanization）的致富手段有所顾虑。

大多数企业家并非纳粹的忠实信众，德国工商业界也并未完全“倒向希特勒”。包括犹太企业家在内的各界人士都支持魏玛共和国的其他极权主义政党，他们错误地认为希特勒只不过是个傀儡，这最终为希特勒上台铺平了道路（Turner，1985；Neebe，1981；Weisbrod，1978）。结果，正是这种道德和同情心的泯灭令受害者和绝大多数国外观察家惊骇不已。德国企业家将公司利益视为首要考虑因素，他们在战后犯下的一个共同错误，就是认为自己不得不带领公司“渡过难关”（Erker 和 Pierenkemper，1999）。战后不久，他们对一个残暴政权所表现出来的道德冷漠就其本身而言并未给他们带来灾难性失败。保罗·埃凯尔（Paul Erker）在总结学者们对德国商界精英的连续性及其从纳粹年代到西德成立早期的心态所做的研究时，发现“没有任何反省，也极少深入思考”（Erker 和 Pierenkemper，1999，第 16 页）。

（三）企业家的非货币报酬

利润是衡量创业成功与否的最终标准，但它显然不是赢得尊重的唯一标准。像其他人一样，企业家也渴望获得非货币报酬，以提升社会地位。但熊彼特式的企业家是个例外，尽管他们可能间接获得了非货币报酬。在 19 世纪和“一战”结束前的时期，大多数人追求的非货币报酬是由君主赐予的头衔。这些头衔上至贵族封号，下及商务顾问（Kommerzienrat）的称号。商务顾问，或者地位更高且可以出入宫廷的商务部枢密大臣（Geheimer Kommerzienrat），大多能获得可观的慈善捐赠。商务顾问这个称号在企业家中变得极为普遍，它失去了原有的尊贵含义，而更多代表着对某个人的尊称而已，证明他能做到举止大方，宽厚待人。同样重要的是，它也不是对君主的一种政治承诺。

这有别于贵族阶层。尽管官僚和军官热衷于追逐贵族荣誉，且在“一战”中愈演愈烈，但这并不等于说成功的企业家会不惜一切手段让自己进入贵族的行列。事实上，德国企业家比他们的英国同行更少接受封官加爵。德意志帝国时期（1871—1919），一些最著名和最成功的企业家，同封建价值观之间保持着适当的距离。克虏伯（Krupp）、阿尔弗雷德和他的儿子弗里德里希（Friedrich Alfred），以及奥古斯特·蒂森（August Thyssen）等人都是第一帝国时期最成功的钢铁大亨，他们均主动辞去政府职务，而普鲁士军戎出身的维尔纳·西门子（Werner Siemens）则欣然接受了这种荣誉。钢铁大亨的赫赫成就使他对自己的姓氏志得意满，因此即使他们的子嗣同贵族家庭结为姻亲，他们仍坚持把自己的姓氏写在贵族姓氏前面。[②] 在他们看来，一个工业企业帝

② 新姓氏为 Krupp von Bohlen und Halbach 和 Thyssen-Bornemisza de Kászon。

国显然比贵族出身更为体面。创业成就带来的自豪及其所赢得的社会尊重，在 19 世纪末 20 世纪初开始使贵族的世袭地位黯然失色（Berghoff，1994）。

与此同时，赢得社会尊重和社会地位的新途径开始出现。德国皇帝威廉二世（Kaiser Wilhelm）极其崇尚科学和工程学，他不顾传统大学的反对，在理工类学院设立了“工程学博士”学位。踌躇满志的工程师因此有机会赢得传统大学人文学科精英们所独享的那种尊重和认可（König，1999）。这是一道分水岭，工程学和科学上的学术头衔不久便被商人和商务部枢密所取代，而名誉教授（日常生活中通常会去掉某种程度上不断“贬值”的“名誉”这一前缀，以便听起来像真正意义上的教授）则承袭了贵族身份。不管一些荣誉学位是否货真价实，社会地位和虚荣心的货币报酬却已经发生了变化。颇孚名望的大学更重视授予学术资格的理由是否有效。名誉教授，即便是一名 CEO，不但必须给学生上课，还得热衷于扶持和促进其所在公司和大学之间的联合研究项目。贯穿于 20 世纪的企业家声誉的学术化无疑表明，基于知识来管理产品开发的方法正在蔚然成风。此外，经验研究表明，到 20 世纪末，名誉头衔倾向于更多地授予某一领域的杰出人士，而非相关领域的工业家（Fraunholz 和 Schramm，即将发表）。

（四）德国企业家的国际化

虽然人们很容易想到德国民族主义，但在绝大多数历史时期，德国企业家其实都有一种显著的国际化特征。我们发现，在工业化早期，比利时的企业家为了把握市场和原材料行情，已越过普鲁士西部边境从事商业活动。他们无疑是最有创新精神的钢铁制造商，不仅给德国带来了英国的现代钢铁技术，将德国公司作为直接投资于沙俄帝国的“基地”，而且培育了大批极有天赋的德国管理者（Troitzsch，1972；Wengenroth，1988）。德意志帝国早期，来自爱尔兰都柏林的威廉·莫汶尼（William Thomas Mulvany），一直控制着西德钢铁和煤炭产业中影响力最大的游说组织。随着 1871 年德国吞并阿尔萨斯和洛林，大量法国企业家惊慌失措地发现，他们已身处德国统治之下。同时，德国所有的公司也能在英国聘任一些顶级经理人。比如克虏伯从南威尔士的道莱斯钢铁公司（Dowlais Iron company）中聘来了阿尔弗雷德·兰格斯登（Alfred Longsdon），使他成为公司的董事（Wengenroth，1994a，第 74—91 页）。兰格斯登体现出了他的技术转移和管理魄力，他将克虏伯公司改造成了欧洲第一批大型钢铁制造企业。克虏伯同道莱斯（Dowlais）和另一家英国钢铁生产商一起，于19世纪70年代获得了全欧洲最丰富的铁矿储备，为西班牙北部地区优质钢材冶炼厂提供原材料，并在伦敦注册成立了一家西班牙公司，该公司直到“一战”前都是克虏伯的重要盈利支柱。由于要涉足西班牙富矿带已经太晚，蒂森便在法国和瑞典等地创办了多家原材料供应公司，且小心翼翼地不挑起民族情绪（Wengenroth，1987）。进入20世纪不久，荷兰变成了德国钢铁工业国际运作最重要的贸易市场和颇受青睐的“浑水区”。德国电子产业偏向于在比利时和瑞士开展世界性的金融运作（Liefmann，1913）。“一战”爆发前的几十年间，许多德国大企业把国籍作为一种商业策略。在战前通用电力公司（AEG）召开的最后一次股东大会上，埃米尔·拉特瑙（Emil Rathenau）自信满满地表示，由于“公司主要客户遍及全球各地”，“欧洲的政治动乱和战争”只会给公司业务带来较小的破坏（AEG，1956，第189页）。

但20世纪上半叶由德国挑起的同邻国和美国之间的两次世界大战，加上密集的保护主义一起，使德国公司之前的国际一体化趋势陷入孤立境地。随着外国子公司和国际商誉的日渐丧失，德国公司变得越来越本土化，德国企业家也越来越多地被局限在本国。即使仍存在较大的出口，它们也不再伴随着外商直接投资的广泛网络，这个网络曾一度使德国企业家在外国创业有宾至如归之感。对各国企业家而言，整个世界变成了一个陌生的外部世界。“二战”后，德国企业家花了几十年的时间进行重建并重新融入世界贸易，逐渐找回1914年在国际场合游刃有余的感觉。德国口音事实上已不再令人赞许，德语在欧洲商界也不再是通用语言，尤其是在“铁幕政策”粉碎了德国在东欧和中欧的传统市场优势地位之后。恰如整个德意志联邦共和国一样，德国企业家不得不完全转向西方。于是，我们在讨论德国20世纪下半叶的商业文化时，美国化成了流行语（Berghahn，1986）。虽然美国化的程度具体如何仍有争议，但毋庸置疑的是，美国对德国的大量投资，以及德国一开始在西欧、随后在海外的投资，推动英语成为绝大多数公司的第二工作语言。从20世纪90年代后期起，即使德意志银行或戴姆勒-克莱斯勒（DaimlerChrysler）等大公司的董事会备忘录，都必须有专门的英语版本。[③] 此外，无论是在中小企业

③ 根据作者同这两家公司的档案负责人之间的个人通信整理所得。

还是空中客车等大公司，英语都迅速成为欧洲合作机构的工作语言。

（五）学习民主

从帝国时期到纳粹时期，商业精英中普遍盛行的反民主态度一直存在，甚至延续到了整个“二战”期间，德国企业家仍然希望同盟国，特别是美国政府能像过去一样为商业活动提供另一个稳定的威权框架。这无疑是一个“痛苦的学习过程”，因为德国商界精英简单地把民主视为一种权宜之计的治理形式，旨在消除两次世界大战失败后的国际压力（Henke，1995，第 511 页）。得益于时代的变化，德国企业家慢慢地真心接纳民主文化，而不是灵活地顺应美国的控制。从 20 世纪 50 年代后期开始，民主化和美国化的理念相伴而来（Berghahn，1986）。60 年代之前，不受质疑的民主文化在德国大企业中并不占主导地位。有研究资料表明，人们普遍认为是 60 年代而非战争的结束是德国商界心态发生变化的分水岭。美国化最终让位给了更多元化的态度，德国开始引进日本管理模式，加强同邻国之间的商业合作，并建立了一个以全欧洲而不单是德国为本垒的发展战略（Kleinschmidt，2002，第 395—403 页；Wengenroth，2007）。

三、德国创新体系下的企业家和企业家精神：1815—2006 年

创新精神总是同其所处的社会环境息息相关。“国家创新体系理论强调人与人之间的技术和信息流，而企业和制度是创新过程的关键”，其中的关键行为人包括“企业、大学和政府研究机构”（OECD，1997，第 4 页）。德国的创新型企业家如何营造他们自身的创业环境呢？他们如何利用可获得的制度和知识资源，应对不断变化的游戏规则？游戏规则确实发生了变化。首先，我们可以把 1815 年以后的历史分成三个阶段。第一阶段持续时间较长，是德国经济的扩张时期，其创新潜力一直持续到了“一战”，该时期德国企业家生活在较为稳定的环境中。第二阶段相对较短，充满动荡且不连续，主要包括离得很近的两次侵略战争和战后时期，之前看似稳定的发展轨迹完全中断了。在第三阶段，规模小得多的西德重建了市场和一个受到严密监管的市场经济，并不得不在一个美国已成为毫无争议的标杆和技术领导者的世界经济中寻找自己的位置。

（一）扩张阶段：1815—1914 年

1. 工业化早期

拿破仑军队溃败后，普鲁士开始实施了一系列改革措施，以增强国家经济实力，并释放国家贸易和幼稚产业的生产潜力。为了促进工业发展，普鲁士在 1821 年制定了一项新制度，即贸易和手工业促进制度（PreuBische Gewerbeförderung）。这项制度主要针对进口机器，尤其是从英国进口的机床，它们中有许多通过秘密渠道进口，或采取走私和工业间谍的方式进口。颇有前途的技工能迅速掌握英国机器的使用方法，甚至能获得国家赞助的机床，以用来模仿和借鉴。这类投资一个非常成功的例子是年轻的奥古斯特·博尔西希（August Borsig），在他开始工作的近 30 年后，也即铁路建设出现大繁荣的 15 年后，已制造出了第 500 个火车头。普鲁士及（在国家支持早期无甚差别的）萨克森州的机器制造业肇始于为满足德国市场需求的仿制和改进。机床是这波英国技术转移中最关键的部分，因为不像任何其他的机器，机床是复制工艺的基础。归根到底，这就是一直到 19 世纪 40 年代早期，都禁止机床从英国出口的原因，这一点与蒸汽机和纺织机的出口不同。像奥古斯特·博尔西希一样，当地技工（特别是制造重型塔钟的匠人）很擅长通过新的工业机械组合，将他们的专门技术用到金属铸造和金属切割工艺上（Paulinyi，1982）。改进设计带来的创新精神，为德国的渐进主义树立了榜样。到德国第一条重要的铁路线通行 10 年后的 1850 年，德国的机械工业已有能力为当时最有活力的经济部门制造各类轨道车辆。

如许多定量研究所推断的，在 1840 年后的几十年中，铁路和铁路建设是德国工业化的主导部门。铁路简直拉动了其他所有工业部门的发展。首先，它创造了一个能将短期存款转变成长期投资的金融部门。国家给铁路股票的最低利率担保对克服投资者犹豫不决的情绪而言是一项很重要的措施，不久后铁路股票收益就远远高于其他行业的股票。国家投资本身微不足道。其次，铁路建设和运营创造了足够大的国内需求，使机器制造、煤矿开采、钢铁工业等业务量急剧扩张。再次，对于一个因地理原因而不能依靠水路运输的国家，铁路使运输成本出现了迅速而显著的下降。到 1900 年，铁路运输成本仅约为半个世纪前的 1/4（Fremdling，1985；Aubin 和 Zorn，1976，第 563 页）。

银行已经把目光转向法国动产信贷公司（French Credit Mobilier）。如我们从普鲁士贸易和手工业促进制度的例子中所看到的，作为模范的机器制造商也已经把目光投向英国。煤矿开采的发展借用了绝大多数比利时公司的经营模式，后者已经深入德国西部开发那里的煤矿；而钢铁工业也同样借鉴了比利时和英格兰的同行。铁路业务中所有合伙人的创新精神，并未拘泥于创造一些完全新颖的商业模式，而是致力于在一个新的环境中从事经营。由于当时的普鲁士政府没有实施知识产权保护，或者也不愿意这样做，所以主要通过积极致力于走私和非法进口当时的高端技术，来竭尽全力地促进技术向其国内幼稚产业转移。当然，这并不意味着德国公司只能依赖于模仿。如在钢铁工业中，钢铁制造商必须创新方法以将德国煤炭转换成无烟煤，因为德国煤炭的化学元素构成不同于英国或比利时的煤炭，他们还必须探索如何充分利用通常具有不同伴生矿物的德国煤田等。由此产生了大量的新知识和新技术。

2. **重工业：议价市场的创新**

随着国内铁路建设于 19 世纪 70 年代达到高潮，钢铁工业必须为其产量寻找新的销路，当时钢铁工业因采用前文提到的两种不受保护的轧钢工艺已步入批量化生产阶段。当时，“生产过剩”是一种恐慌，导致了新的卡特尔复合体、关税保护和创新精神，直到两次世界大战期间，这些都是德国重工业的典型特征。生产过剩很大程度上源于迅速形成的批量化生产钢材的规模经济效应。国内卡特尔开始形成，且得到了债权银行的大力支持，以保护大部分公司免遭破产（Wengenroth，1994a，第 124—126 页）。但是这并未导致银行对钢铁工业的控制（Wellhöhner，1989）。正是危机时期卡特尔和关税保护带来的共同利益，而非某一项政策推动了希法亭（Hilferding）所说的容克资本主义。作为一名马克思主义经济学家，希法亭后来成了魏玛共和国的财政部长。原本旨在保护国内市场的关税，演变成了为国内和出口市场差异化定价提供保护的工具。出口倾销是换取国内和平的手段，但同时也为绝大多数充满活力的企业家创造了机会。他们让自己的工厂开足马力，堪比美国的“硬传动”，并通过这种方式来有效降低成本。超出国内卡特尔份额的过剩商品以低于平均生产成本的极低价格倾销，迫使英国公司退出了市场（Wengenroth，1994a，第 4 章）。

这种情形下的创新精神几乎完全关注于降低成本。由于国内市场的价格和产量是固定的，成本就变成了企业家创新设计的一个主要变量。缺乏价格竞争，公司不得不求助于成本竞争。通过以倾销价格（由于卡特尔条款，围绕该价格存在着大量的人为操作空间）把商品出口到国外，产量必须满足最有效的规模经济水平。降低成本的主要策略有两种：一种如上文所述，即开足产能；另一种是进入纵向一体化，以避开国内原材料尤其是煤炭的较高的卡特尔价格。最终，那些最成功的德国钢铁大亨，如克虏伯和蒂森，创建了完全一体化的工厂，从最底端的煤炭和矿石开采到最顶端的成品钢的所有生产线。这些钢铁大亨，特别是德意志帝国最有活力的钢铁制造商蒂森的工厂，成了能源效率和副产品回收的典范。从内部来看，它们是连续分权化的例子，许多“模块”（Fear，2005，第40页）之间彼此相当独立地自主运行。这些工厂不仅在能源上自给自足，而且还能向市场出售煤气和电力，而这两者都是高炉和焦炉炼钢作业的副产品。它们就像是一个规模庞大且由私人计划的工业经济体中的一座座岛屿。

通过尽可能实现生产过程的一体化，市场的边界被最小化，同时内部技术和组织复杂性日益增加。这些纵向一体化公司的热能和煤气交换系统覆盖了很多小“县”，在基本上不受干扰的环境下，实现了工程控制的梦想。这些公司在关税保护下经营得不错，关税保护虽然不是那么可靠的政策，但有利于较小的竞争者生存。不过，关税保护未能抵挡住随后发生的萧条风暴。20世纪20年代中期，在稳定马克币值和法郎通货膨胀同时发生后，市场需求极度低迷，许多出口市场因此关闭，倾销机制受阻，大多数德国的大钢铁制造商（它们加在一起约占一半的产能）寄希望于一次置之死地而后生的兼并，即成立联合钢铁公司（VSt - United Steelworks）。联合钢铁公司的首要策略是闲置尽可能多的产能，然后让其余产能以最优速度生产。但是，由于错综复杂的煤气和热能交换系统出了故障，导致成本上涨，这一方案很快受到了重重限制（Reckendrees，2000）。

当各方不能就产量达成一致时，“全盘一体化”的工程奇迹遭到了惨败。它失去了灵活性，不再能适应现实市场的瞬息万变。最后，德国政府草草收购了联合钢铁公司的绝大部分股票，事实上（而不是有意地）使该公司及绝大多数德国钢铁制造商实现了国有化。德国企业家从联合钢铁公司的灾难中吸取的教训，远非接受美国式的竞争和自由市场“再教育”所能比拟。早在“二战”结束的很久之前，他们就已开始为各个竞争性公司制定了计划。德国企业家们致力于通过创新来创造一个非市场化（market-avoidance）的技术世界，在这个过程中的确产生了将许多不同生产线在物理上连接起来的伟大技术和独特技能，但是创新只能在一个有着平稳适度增长的、稳定的经济环境中才能良好运行，恰如1914年“一战”之前的情形（Wengenroth，1994b）。

3. 机械工业

对机械工业而言，生产通用部件的美国制造商约于同一时期形成了一种模式，德国主要钢铁制造商将美国的“硬传动”引进自己的工厂中。特别是 1867 年在巴黎世博会上展出的美国机床，以及美国内战时期批量化生产枪支和步枪的新闻，在越来越多富于进取精神的制造商中引发了极大的兴趣。在 1871 年普法战争爆发后不久，便出现了一次具有决定性意义的飞跃。普鲁士军队毫不迟疑地决定用更好的枪支装备其步兵团，并霸占法国的现代美式枪械工厂以作为未来军备的支柱。普惠公司（Pratt & Whittney）收购并准备投入生产的这些枪械工厂，成了该公司历史上最大的单笔合约，并成为打开德国制造业新时代的技术种子。自动化和半自动化的机床，外加成本和机器本身大抵相当的夹具和仪表，成了许多军队承包商实现现代化的模式和蓝图，这非常类似于 19 世纪早期普鲁士贸易和手工业促进制度下的进口品。军方的如意算盘是建立一个军民两用的工业，需要时能将缝纫机迅速转变成枪支。情况也确如所愿。最成功的军队承包商是位于柏林的洛伊公司（Loewe），它在短暂地间接涉足批量化制造缝纫机后，便开始制造美式自动化和半自动化的机床，且对它们的设计作了改进以适应欧洲市场和欧洲钢铁的质地。与此同时，洛伊公司继续完善自己的枪支制造厂。不妨举个例子，在 19 世纪 80 年代，洛伊开始为俄国军队生产史密斯—威森转轮手枪（Smith & Wesson revolvers）。此时，洛伊公司在全欧洲的地位就相当于普惠公司当年在普鲁士王国中的地位，即提供批量化生产微小型钢铁组件的成套车间，这些组件被广泛应用于自行车、缝纫机和打字机等（Wengenroth，1996）。

4. 科学工业的兴起

（1）化学工业

德国科学工业在历史上的首次登台亮相无疑是有机化学工业。从 19 世纪 80 年代一直到“二战”结束后，德国公司在绝大多数以碳水化合物为基础的产品，特别是药物等高价值的产品中保持着绝对主导的地位。这段成功的故事始于 19 世纪 80 年代的合成染料行业。尽管第一批合成染料企业产生于法国和英国，在英国它们还处于德国化学家李比希（Liebig）某个学生的实验室研究阶段，但将合成染料提升为一个严谨科学的工业行业的却是德国企业，它们得到了大学学院派化学家和理工学院工程师的支持。其中涉及的主要策略并无不同：先分析一种天然物，然后发明一些成本低廉的方法，将其从重工业和煤气厂能充沛供应的焦油衍生品中加以萃取。工业研究方面优质人力资本的过剩供给，加上缺乏获取自然资源的殖民地等不利因素，创造了一种被证明非常幸运的社会环境（Reinhardt，1997）。只有瑞士的化学工业能和德国有机化学工业的进展情况相媲美，和德国一样，瑞士既有大量受过良好学术教育的科学家又没有海外殖民地。这两个国家都是在工业革命开始后没有丰富自然资源却被证明“因祸得福”的早期例子。除了高素质的人力资本外，偶然触及一座潜在产品的宝藏，以及足够聪明地预测和充分利用这些产品潜能的最具创新精神的企业家也让德国染料工业获益匪浅。

染料、合成材料和药物这三大产品系列的发明和研制，意外地成了促进碳氢化合物发展的源泉。在研制某种物质时，化学家必然会发现其他物质。因此，他们只需找出偶然碰到的各种材料之间所隐含的共同特性即可。数以百计的专家在德国三大化工企业（赫斯特、拜耳和巴斯夫）的实验室中开展了规模空前的试验，最终实现了目标。用拜耳公司总裁卡尔·杜伊斯贝格（Carl Duisberg）的话说，正如科学上的所有严谨实验一样，除了实验室试验外，“任何地方都不能产生如此可观的灵感火花”（Van den Belt 和 Rip，1987，第 154 页）。最终，他的公司在“一战”爆发前发明出了一万多种合成染料，其中有两千多种实现了市场化。同时，他们还在无意中发现了一些不能被染色却能治愈顽疾的“染料”。20 世纪的许多药物原先都是“失败染料”，其中又以安定（Valium）最为有利可图。紧跟药物后面的是许多合成材料，它们以同样的方式得到发现和研制，当实验室测试新的合成化工品时，它们产生了更多的检验步骤（more scrutiny）。

关于焦油衍生品的图表显示出更宽泛的产品谱系：从炸药到麻醉剂，再到人造塑胶和大量合成染料及其中间产品。德国专利法注重保护生产工艺而非产品本身，这刺激了相关研究向其他更多领域的渗透。几十年后，德国化学工业的竞争者才达到德国在 19 世纪和 20 世纪之交的发展程度，这还没有考虑两次大战爆发前夕陷于瘫痪的知识产权保护对德国原有地位的侵蚀。只有随着工业中的两次范式转移，即从煤炭工业转向石油工业和从化学工业转向生物技术工业，外国（绝大多数是美国）公司才得以赶上并最终超过德国的“三巨头”。“三巨头”中只有两家企业仍为德国所有：一家是巴斯夫，它成了首家全球性的化工康采恩；另一家是赫斯特（Hoechst），它成了法国安万特公司（Aventis）的一部分（Wengenroth，2007）

（2）电子工业

在许多理工科院校培育最大规模的人才库方面几乎同样成功的一个工业领

域是电子工程。德国企业界的两个大人物支配着电子工程行业：其一是将电报引入德国的维尔纳·西门子，其二是通用电力公司的创始人埃米尔·拉特瑙。在职业生涯早期，拉特瑙一直不停地从事创新活动。他起初是一家专门生产标准化、低成本、小微型蒸汽机公司的一名设计师和董事。后来他碰到了西门子，后者正在寻找可用来装备所有军事电报的移动蒸汽机。19 世纪 70 年代爆发了一场经济大危机，幸运的是，拉特瑙在蒸汽机公司破产前便售出了自己持有的公司股票。为了寻找新的创业机会，且又有足够的理由避开前公司股东的视线，拉特瑙像他熟知的洛伊一样，多次远渡美国收集新产品信息。第一次，他从美国带回了自动化机床，它们成了洛伊公司的主营业务。第二次，他带回了贝尔电话机，再次和西门子公司合作，一起生产它们。令拉特瑙颇为沮丧的是，邮政总局局长认定电话系统将会像电报系统一样，由于某些皇家特权而受到打压，或由国有公司来经营管理。最终的事实表明，拉特瑙足够幸运。在第三次出访美国时，他决定把爱迪生电灯引入德国，并将其推向市场，这种商业理念完全有可能实现。这一次，他仍然选择西门子公司作为合作伙伴，成立了制造爱迪生电灯的股份制公司，即“德国爱迪生公司”。但同西门子的合作似乎不太愉快，拉特瑙很快将绝大部分业务从德国爱迪生公司中剥离出来，创立了通用电力公司（Wengenroth，1990）。

进入 20 世纪后不久，爆发了一场经济大萧条，投资成本和来自市政的收入之间的缺口越来越大，绝大多数电气制造商均走向了破产。结果，德国市场完全由通用电力公司和西门子两大寡头公司垄断，这种情况一直持续到 20 世纪 80 年代通用电力公司步入衰落。同以往一样，这一时期的德国也没有产生基础性的创新成果，但德国企业家却能发明各种方法，将新技术充分加以利用，并将它们推向德国市场和其他国家的同类市场。如早期对机床的引进一样，通过对爱迪生电灯系统的引进和完善，这些由美国发明的技术使德国公司在出口市场上获取了最大收益。德国拥有大量富有国际竞争力的理工学院，这为德国企业实施积极的出口政策提供了必要的人力资本和研究投入。尽管德国人对电子制造业是一门科学工业还是一门工业科学仍存在争议，但以下事实毋庸置疑：制造商和理工学院之间的密切联系和广泛合作对解决创新过程中遇到的大量问题极有帮助，并最终为“德国制造”的设备赢得了很高的国际声誉（König，1996）。

5. 创业企业

有了通用电力公司，拉特瑙可以自由地实施一些更富创新精神的计划，创业企业则是其早期支柱。通用电力公司可以通过创业企业，为架设自己的电力能源系统进行融资，并最终将厂房和设备出售给市政当局。事实证明，这种模式非常成功，因为许多欧洲国家的市政当局都不愿意或没有能力为一座规模较大的发电站融资。但它们可以授权通用电力公司或其他制造商来建造发电厂，并在几年内负责其运营，之后再归市政当局所有。电动有轨电车沿用了相同的做法。对私人所有的基础设施企业十分警惕的欧洲国家市政局，更容易接受以这种方式发展电力事业。在创业企业的融资方面，拉特瑙和电气制造业的许多追随企业一起，在瑞士和比利时成立了多家银行和控股公司，而这两个国家对上述制度创新均采取极为自由的态度（Liefmann，1913）。创业企业很快便在其他国家成立了分支机构，特别是在南美形成了一个根据地（Jacob-Wendler，1982）。由此，电气制造商创造出了他们自己的市场，但并非所有的人都能像拉特瑙和西门子一样运筹帷幄，掌控其巨额借贷资金的投资。

6. 国家规范

路德维希·洛伊（Ludwig Loewe），像其他德国企业家和工程师一样，把频繁出访美国视为惯例，以此为新创意物色工厂和展示机会，并聘请美国工程师到他位于柏林的公司来工作，他的公司被著名的《美国机械师》（*American Machinist*）杂志誉为欧洲的“最佳美国工厂”。19世纪、20世纪之交，美国制造商对笨重的诺顿砂轮机不屑一顾，而正是洛伊预见到了诺顿砂轮机巨大的商业潜力。洛伊充分利用所处社会环境的有利条件，让他的某个董事会成员，时年25岁的沃尔特·施勒辛格（Walter Schlesinger），到柏林理工学院去研究如何将重型砂轮机用于金属切割。对这个禀赋颇高的年轻犹太工程师而言，取得学术资格是帝制社会等级观念盛行背景下为数不多的能获得人们尊敬的上升阶梯（Ebert和Hausen，1979）。结果，德国高等教育界授予了沃尔特·施勒辛格第一个机械工程学博士学位，沃尔特·施勒辛格在获得洛伊同意的情况下建立了一个“规范工厂”（norm factory），这一创举成为德国机械工业有史以来最为成功的“出口产品”，即“德意志工业规范”（DIN），德国工业规范得到了世界各国的采用，中国是一个较近的例子。为了建立与之配套的规范，施勒辛格和他的战友（照字面理解，由于绝大多数技术突破出现在“一战”期间）一起，确立了一系列国家规范而非专有的工厂规范。有了这种国家规范，所有的德国公司便能参与分散化的大规模生产。按照这些规范设计的产品和配件，均能很好地相互匹配。“一战”中的武器生产为这一规范首开先例，因为在武器生产中，高度分散化的德国工业必须生产各种各样能组合成统一标准的批量化产品的配件（Santz，1919；Garbotz，1920）。当时的一名美国观察者，迅速指出了德国学术教育的优点和“规范化”系统方法之间的协同效应，“由于德国人严谨的性格特征，喜欢把所有计算化约束成数学上的确定无疑，人们可以看到他们对美国设计的某些明确改进”（Tupper，1911，第 1481—1482 页）。

对规模较小的经济体（如欧洲各国）而言，上述国家规范较之专有规范更为有用。由于德国在创立规范体系上遥遥领先，其他国家就不必费心再去搞出一套新的规范，而只需采用“德意志工业规范”以及后来德国电气工程师协会（VDE）制定的电气行业规范。即使有创新，也只有极少数创新能帮助德国工业更好地抢占机械设备和电气产品的国际出口市场。施勒辛格和洛伊共同开辟了这一道路，且很快得到了其他人的追随和效仿，因为他们发现达成一个共同规范比专有规范更有助于德国企业的发展壮大。这一策略进一步强化了注重集体行动和合作的德国工业传统，也就不足为奇了。

7. **中档技术**

如美国制造业体系一样，德国机械工程的一个相关战略是将通用机床的多功能性和专门用于某一目的的机械加以整合。尽管早在普法战争后引进并仿造的美国原件是专门为大批量生产量身定做的，但是德国人已在一台通用机械上加入了大量的专用附件。这种做法导致德国企业无法像批量化生产成百上千相同部件的美国工厂那样获得低的单位产品成本。但是，这可以帮助中小企业从美国的批量化生产原理中获得某些好处，因为这样一来，它们就不需要投资于毫无盈利前景的专用机械，而在那些发展中的工业部门和高度差异化的欧洲市场，中小企业相当普遍（Dornseifer，1995；1993b，第 73—74 页）。这种创新战略不太关注基础性的突破，更注重将已知原理应用于特定市场，并取得了一举两得的效果。首先，它使中小企业能以颇具竞争力的成本应用尖端技术（Magnus，1936）。其次，同德国各行业规范所提供的投资保护一起，这种高度灵活和适应性强的机械组合使德国工业在许多市场获得了强大的地位，在这些市场企业家只需进口而不需制造它们的生产技术。20 世纪 20 年代，这类中小型企业的供应已占世界机械出口的 1/5，其雇员规模也已大大超过了钢铁工业（Nolan，1994，第149—150页）。德国机械工业将德国和许多其他国家在制造业上相对于美国的落后转变了成机遇。

8. **公营企业**

德国企业家群体的一个重要组成部分是国家公务员。尽管德意志帝国时期及其绝大多数州在工业化中都支持私营企业，但也有一些明显的例外。如在邮政服务系统中，一纸皇家特许状被很随意地授予了驿马当先王子邮政公司（Princely Mail of Thurn and Taxis），这是一家在德国及其周边邻国开展业务的法兰克福私营邮政服务公司。驿马当先原先属于奥地利帝国，1866—1867 年普奥战争将近结束时，法兰克福被普鲁士军队占领，该公司不得不放弃在普鲁士和普鲁士同盟国的业务。从那时一直到 1995 年实施私有化改革，邮政服务（包括电报和电话）都由德国政府掌管和负责运营。随着 1871 年德意志帝国的建立，帝国邮政局（Imperial Post）也得到了创建。海因里希·冯·斯蒂芬（Heinrich von Stephan），在 1897 年去世前一直担任帝国邮政局局长，他本质上是一名企业家而不仅仅是管理者。作为一位裁缝的儿子和 9 个兄弟姐妹中的一员，斯蒂芬在跻身社会上层和追求非货币报酬方面都是一个很好的例子。当供职于普鲁士邮政部门时，他一步一步往上爬，由于 1873 年的一些科学出版物，他获得了颇有声望的哈雷大学的荣誉博士学位，并在 1885 年获封爵士头衔，成了普鲁士贵族院的成员，且成了梅泽堡市的一名修道院外的教士。④ 在提交给普鲁士法院的备忘录中，他表示，可以动用武力强制接管驿马当先王子邮政公司。

斯蒂芬的帝国邮政局后来还开展了简单的银行和储蓄服务，该邮政局的增长率几乎是整体经济增长率的 10 倍。19 世纪 90 年代，公司的年度预算约为 1 亿美元，并且还在不断增长中。但是，帝国邮政局从不注重赚取巨额利润。很大程度上由于议会的不满和帝国政府强有力的支持，作为邮政体系出类拔萃的建造者，斯蒂芬把利润用于再投资，并通过标准的资费制度来补贴帝国的边缘地区。在斯蒂芬的诸多制度创新中，包括 1874 年在瑞士创建的邮政总局联盟（General Postal Union，即万国邮联前身。——译者注），它尽可能地简化了国际邮局服务。虽然普法战争结束才 3 年，但斯蒂芬毫不迟疑地将法语作为万国邮联的工作语言（Wengenroth，2000，第 104—105 页）。

私营企业另一次重要的国有化发生在 1879—1885 年，当时，巴伐利亚州和萨克森州已通过接管辖区内的剩余私营公司巩固它们的州营铁路，在此之后，普鲁

---

④ 《通俗德国史》（*Allgemeine Deutsche Biographie*），第 54 卷，第 477—501 页。

士政府将绝大多数本国私营铁路实施了国有化。19 世纪 70 年代，针对腐败盛行、卡特尔垄断铁路关税和私营铁路的管理不善等现象，贸易和工业部门抱怨不断，这似乎成了工业增长的障碍。到 19 世纪末，约有 90% 的德国铁路由国家掌管，且非常有利可图。不同于帝国邮政局，普鲁士铁路像其他国有铁路一样，成了国家收入的主要来源。1913 年，邮政局长上缴给国家的收入不足 2000 万美元，铁路却贡献了 1.6 亿多美元的国家税收。许多年内，普鲁士铁路上缴的国家税收均大于其他所有来源的税收总和。没人质疑国有铁路比它们的私有化前辈更有效率，它们在安全性和可靠性上无疑也是一大进步。“一战”爆发前夕，它成了世界上最大的单体企业，冷酷无情地挥霍着它的垄断势力（Wengenroth，2000，第 106—107 页）。和帝国邮政局不同，普鲁士铁路有着分散化的组织结构：处在最顶层的是普鲁士贸易部长，具体经营活动则大多由区域铁路董事会负责。

“一战”爆发后，邮局和铁路仍是运营得非常成功的企业，尽管一开始同盟国缴获了 5000 辆火车头和 15 万节车厢，这是德国铁路运输的灾难性损失，但这场灾难最终也变成了一个机遇。那时，帝国铁道（Reichsbahn）已成为一家国有企业而不是许多州营铁路公司，它的全部车辆已彻底实现了现代化和标准化，且充分利用了刚建立不久的国家规范体系的各种优势。1924—1932 年间，帝国铁道贡献了约 10 亿美元的赔款。帝国邮政局和帝国铁道的总营业额在 1929 年达到了 18 亿美元的历史最高值，其中包括 2.6 亿美元的顺差，这几乎相当于同年德国所有股份制公司年度分红的总和（Wengenroth，2000，第 111 页）。

（二）暴力和停滞阶段：1914—1955 年

1. 战争与闭关自守

19 世纪晚期形成的投资策略，即尽可能避免通过市场而是通过高度的卡特尔化和受保护的重工业部门来建立紧密耦合的纵向一体化工厂，由于战争和独裁而愈演愈烈。在冲突和备战期间，德国没有能力保卫其原材料供给免遭装备更精良的英国海军的袭击，于是开始转向加工自己领土内的劣质原材料，并生产代用品以克服次等原材料的供应短缺问题。大量发明天赋和创造性被消耗在闭关自守的技术中，它们不仅成了自由市场的死路，而且使许多努力距离未来竞争能力越来越远（Wengenroth，2002）。

“一战”期间，对德国化学工业合成化合物优势的需求有增无减，合成化合物可以在自然物或与自然物相似的化合物中找到。“一战”爆发前不久，弗里茨·哈伯（Fritz Haber）已发明出一种合成氨的工艺，通过该方法能生产出氮气，而“一战”前（尤其是在英国海军封锁之前）德国绝大多数氮气都需从南非进口。氮气对制作弹药和肥料均不可或缺。如果不是哈伯发明了氨，“一战”很有可能在1915年夏天就已结束，因为当时德国的所有弹药均已用完。哈伯的合成氨技术是校企合作的一个经典案例。哈伯是一名非常有天赋的创业型科学家，他在大学里发明了合成氨技术，并将该技术带到了巴斯夫公司。此外，哈伯还发明了一种可用作武器的气体。他亲自指挥了“一战”中的第一次毒气袭击。由于哈伯是犹太人，他最高只能被擢升为副警员。普鲁士军官团是反犹主义的大本营之一。尽管在军阶和军令上复杂混乱，但最终恰是哈伯副警指挥了第一次毒气袭击，而不是由正职上校负责。只有在哈伯成功完成这次毒气袭击行动后，他才被提拔为上尉（SzöllösiJanze，1998，第327—330页）。

像合成氨那样，也是在闭关自守的情况下发明的技术，是始于“一战”期间且随“二战”的到来日趋成熟的煤氢化技术，该技术被用于从民用煤中提取汽油和合成橡胶。化学合成方面的研发策略与战前年代并无不同，但它远离了国际市场，而且不考虑新生产线的竞争力。由于德国缺乏自然资源且未能打破英国的海上封锁，这一原本相当理智的举措逐渐转变成德国力图实现自给自足的新范式，使德国不必以讨价还价的方式参与国际市场，而是退回到自行设计的状态。“一战”之前，化学合成只是一种手段，旨在压低基于自然资源的产品的价格和质量，但在战后，尤其是在纳粹统治时期，它却成了战争状态下保持经济独立的一大福音（Petzina，1968）。这样一来，大部分创新能力都转向了长期的经济死胡同。

但是，出乎所有人的意料，德国化学工业，某种程度上还包括不得不依赖于贫瘠的国内铁矿石的钢铁工业，却成了产品和制造工艺的全球领军者。德国的科技优势主要集中在缺乏市场和前景不明的工业产品上。科学发明天赋遭到浪费，甚至完全消磨在不可实现的政治野心中。考虑到纳粹政策下德国创新体系的自我废弃（self-decapitation），加上如前文所述的后续影响，我们很容易看到一幅德国工业大规模自我毁灭的图景。这意味着德国不可能继续在科技方面保持世界领导者的地位。从美德两国的经济规模和各自的生产率来看，美国迟早会取代德国的这一地位。但是，德国在两次世界大战时期的政治形势，特别是反犹主义，从根本上加快了这种转型。战争期间未曾削弱的创新精神经常遭遇一些毁灭性的打击，使德国工业逐渐丧失国际竞争力。由于缺乏一个可持续的政治远景，来充分考虑德国在和平环境下的规模和地缘政治状况，受军方短期目标驱动的创新，在长期内势必会削弱整个国家的大量经济和技术潜力。

2. 被窒息的营销创新

当工业创新饱受闭关自守和代用品之困时，特别是在纳粹时期，营销创新和零售创新从一开始便受到了抑制。20 世纪早期，由于德国企业主要关注和投资中间产品，它们的营销能力相对较弱。1907 年，德国最大的 100 家工业企业中，只有 21 家具有真正意义上的营销组织，49 家公司只通过卡特尔集团销售它们的产品（Dornseifer，1993b，第 75 页）。纳粹政府把这一做法转变成一项侵略性的政策和意识形态，纳粹在掌权前曾许诺没收大型百货商店，因为这些商店被斥为犹太人对德国工人和小店主的巧取豪夺。尽管没有实施没收，不包括对犹太人财产实施了“雅利安化”，但希特勒上台几周后，纳粹确实禁止开设更多批发商店，并控制了零售特许权。纳粹不仅在工业中引进强制性的卡特尔，还强行引进了“维持再售价格”（resale price maintenance），实际上废除了价格竞争。这一规则直到 1974 年 1 月还在生效，从而导致零售业的生产率非常低下（Wengenroth，1999，第 122 页）。20 世纪五六十年代，正是能更好地获得进口商品的大型家族邮购公司，成功克服了这种令人窒息的社会环境，最终使受保护的零售业面临废除价格管制的压力。颇具讽刺意味的是，当产品和服务的性价比符合百货商店和专业经销商的标准时，大型邮购公司却成了受放松价格管制影响的首批公司之一。只有少数全国性的邮购公司幸存了下来，该领域的领军者奥托集团（Otto-Group）目前已成为世界上最大的邮购公司，它还少量涉足旅游业和面向周转资金大于 150 亿英镑的大客户的金融服务业（Geschäftsbericht Otto-Group，2006，2007）。随着零售店的数量不再受到限制，零售连锁店终于开始使德国经济呈现出欣欣向荣的景象。在论及德国零售业摆脱反竞争管制后的创新潜力时，必须注意到德国是唯一一个让沃尔玛公司惨遭失败的主要经济体。在将近 10 年超过 30 亿英镑的巨额亏损后，2006 年沃尔玛终于关闭了在德国的业务，并将德国 85 家购物中心的绝大多数出售给了德国的同行竞争者。但是，德国领军零售商阿尔迪（Aldi）的所有者，在美国开设的乔氏连锁店（Trader Joe's）却获得了巨大的成功。[5]

---

⑤ 《德国商报》（*Handelsblatt*）电子版，2006 年 7 月 28 日。

（三）寻找自己的位置：1955—2007 年

1. 重建传统：主导的渐进主义者

在经历两次世界大战之间的独裁统治后，西德的企业不得不适应另一套规则、机会和限制，而东德的企业迅速被国有化。闭关自守已经过时。进口石油取代民用煤，成为化学工业的主要能源和原材料来源。不管进口还是出口，世界市场都同样开放。卡特尔在 1957 年被禁止。欧洲一体化进程早在 20 世纪 50 年代初成立欧洲煤钢共同体（ECSC）时就已起步。由于战争时期的破坏，资本存量相对稀缺。重建需求非常大的同盟国在许多尖端技术上对德国的出口限制持续至 1955 年，随后逐渐减少，这些限制使德国在知识密集型产品上的研究进一步落后于其他国家，尽管它们对正处于如火如荼重建中的工业生产本身影响不大（Neebe，1989，第 51—52 页；Abelshauser，2004，第 229 页）。

在这种情况下，为了国内重建并为出口市场供应汽车、多功能机床和标准化工产品及其他各种各样技术含量不太高的产品，德国公司很明智地把精力集中在了完善现有技术上。韦纳·阿布尔肖瑟（Werner Abelshauser）已令人信服地指出，重建是 20 世纪德国经济的主导模式：包括“一战”结束后的重建，“二战”结束后的全面重建，以及 1990 年两德统一后原民主德国的重建（Abelshauser，2001）。重建并不需要技术胆量，因为所有技术均已到位并广为熟悉。但这种重建模式的巨大机会是成为新技术的高超践行者，即成为相关领域最优秀的渐进式创新者。只需看一下德国的出口组合，这一点就显而易见。德国非常擅长制造那些算不上最尖端的技术密集型产品，其汽车工业目前仍位居世界前列，但信息技术却表现得非常一般（Abelshauser，2003，第 185 页；BMBF，2005，第 48—54 页）。生物技术是另一个例子。乍一看，德国公司的表现非常抢眼，但它们的优势主要在所谓的平台技术，即生物技术的工具箱或工具机方面。当涉及临床试验等实质内容时，德国远远落后于瑞士。

通过为科技精英创造大量机会及更重要的职业教育模式，重建以德国工业的发展为条件。源于重建的巨大出口成就使德国经济仍以工业为主，且延长了工业就业人口相对于其他欧洲国家（更不要说美国）的主导地位。政界和商界领袖极为担心德国会落于人后，且不能在新技术领域有所建树。但正如最近的德国竞争力数据所示，从整体上看，人们不必过于担忧这点。同主要竞争者相比，德国在研发密集型产品上的贸易余额相当不错。

德国的优势地位几乎完全在先进技术上，同前沿技术没有太多关联。图 10－7的比较证实了以重建和渐进式创新为特征的德国创新体系的文化印记，日本也具备这种特征。但即使在前沿技术领域，德国的贸易差额也为正，这说明快速跟随战略非常奏效，显然这并非指信息和通信技术等领域，而是指通常意义上的所有工业分支领域。德国在熊彼特式产品上的巨大出口成就背后的支柱，并不是给世界带来了某种崭新的基础性创新的英雄型企业家，而是那些精明的管理者，他们在保持企业正常运营的同时也不乏持续不断的创新。不断的渐进式创新和密切的市场观察，是德国制造商在世界市场上保持强势地位的根本。

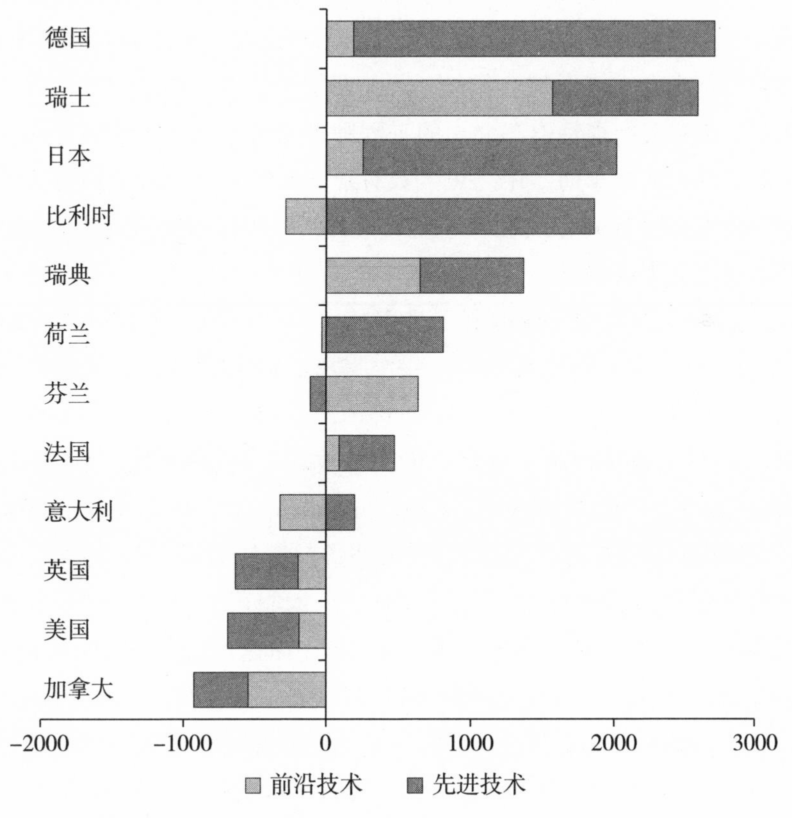

图 10－7　2004 年研发密集型商品的人均贸易余额（美元）

资料来源：德国联邦教育和研究部，2007 Report on the Technologyical Performance of Germany, Summary，第 9 页

2. “购买”创新

要从其他地方的创新中获益，“购买”它们无疑是一条捷径。这对19世纪和20世纪早期德国这样一个处于工业化中的国家是一种不言而喻的标准做法。普法战争后，通过进口美国机械引进通用部件批量化生产方法，只是前面提到的一个例子。更值得注意的是，德国这个20世纪已日趋成熟的经济体采取的是“购买”而非自主开发的政策。德国采取这项政策的原因可能是多方面的。纳粹时期，纳粹党和工业大亨在产业战略上的尖锐冲突导致了一些不可思议的事件。当德国钢铁产业不愿意通过冶炼劣质国内矿石实现自给自足时，纳粹党便雇用了美国布拉瑟特公司（Brassert）来创建“赫尔曼—戈林—韦尔克”公司（Hermann-Göring-Werke），并试图使之成为世界最大的钢铁厂（Riedel，1973；Meyer，1986）。布拉瑟特开发了一套专门适用于纳粹时期闭关自守生产钢材的高炉冶炼技术。“二战”爆发时，他尚未完成这项工程。由于该技术从未令人满意地工作过，不久便遭到废弃。继赫尔曼—戈林—韦尔克之后，来自美国福特汽车公司的工程师创建了大众汽车公司，在德国汽车工业拒绝保时捷汽车的“甲壳虫”设计后，几乎完全照搬了福特式的统一大批量生产原理（Mommsen和Grieger，1996，第250—252页）。这一冒险举措后来获得了巨大成功。

在战后时期，德国工业购买了许多技术，其中绝大多数来自美国，以追赶和弥补糟糕的早期发明政策。一个突出的例子是石化工业很快取代了以闭关自守为基础的煤化学工程（Stokes，1994）。生物技术是另一个例子。德国化学工业对化学合成物上的大量成功如此意得志满，以致丧失了在发酵技术和其他生物技术工艺上已确立的强势地位（Marschall，2000）。生产青霉素的工厂不得不从国外进口青霉素。当生物技术工艺被证明远胜于传统的德国化学合成方法时，德国制药工业并没有参与德国联邦教育和研究部旨在建立和发展本国研究能力的努力中来，而是前往美国购买新技术。德国化学工业和制药业三大巨头公司之一的赫斯特，在1981年的一笔巨额交易中，承包了马萨诸塞州综合医院（Massachusters General Hospital，MGH）的研究成果，这为其他德国制药企业购买外国技术（绝大多数为美国）而非在本国白手起家开发创新潜力首开了先河（Wengenroth，2007）。

在计算机信息处理技术领域也能发现类似现象。在这个领域，同样是联邦政府负责筹集研发资金，其目的是为了创建能与主导型美国公司相匹敌的德国公司。IBM 公司率先在德国创建了一个非常成功的子公司，但这一努力并没有带来多大的示范效应。最终，研制了世界上第一台全晶体管计算机且从联邦政府获得了大量财政资助的西门子公司，放弃了自主研发或者和其他德国伙伴共同研发的努力，并在 20 世纪 70 年代后期和日本富士通公司接洽，后者的 IBM 兼容电脑更为先进。西门子公司在 1981 年后开始销售富士通电脑（Janisch，1988，第 134—137 页、第 152 页）。同当年赫斯特和马萨诸塞州综合医院的交易类似，这对德国产业政策无疑是一个打击。上述两个例子均表明，即使装备最先进的德国企业，仍无法在各自的领域跟上国际发展步伐。这些公司通常能很快意识到它们在世界市场上所处的现实位置，但政府和公众却需经过一段时间才能接受德国已不能重返纳粹大灾难之前的世界科技领导地位这一事实。创业理性（entrepreneurial rationality）不再是梦想着引领技术发展潮流，而是设计快速跟随策略，充分发挥德国在渐进式创新和技术完善而非最先创造前沿技术产品上的强大优势。

3. 小型冠军企业

在中小企业中，可以发现德国工业有一个特定的创新优势。许多改进和相当多的技术突破（绝大多数在工程产品领域），可追溯到小型独立供应商。它们的根据地在德国西南部，但业务遍及全国各地。加里·赫里格尔（Gary Herrigel）的研究在理解小企业对许多德国工程产品的高质量和复杂性的重要意义中至关重要，他将大企业和小企业之间的关系网络称为“一种新的混合型批量化生产战略”，其中小企业充当着“制造能力的外部来源”（Gary Herrigel，1996，第 155 页）。起初，小企业被认为是 19 世纪工业化的受害者，当时它们的命运是一个颇受关注的热门话题，后来小企业又被提升为德国竞争力的一个重要支柱。

赞赏小企业的成功会遇到一个理论问题，那就是，它们没有增长，因为一旦增长以后它们就不再是小企业了。但是，在那些本质上规模有限的市场中，我们在大企业中看到的那种增长不可能出现。鉴于德国小企业有着惊人的恢复力，获得了持续的成功，因此在 20 世纪 90 年代当德国经济仍落后于其欧洲邻国时，对它们的兴趣重又燃起。事实证明，一些小型企业冠军（对中小企业的一种昵称）在高度专业化的利基市场上是极富创新精神的世界市场领军者。例如，占有世界鱼切片机械90%市场份额的巴德公司（Baader），以及只有20名员工却在超声刀市场占有世界36%份额的Söring公司（Simon，1996，第26页、第55页）。这些中小型高科技公司是连续创新或制造“连续新奇”（continuous novelty）的源泉，也是管理才能和创业天赋的完美结合体，“连续新奇”被菲尔·斯克兰顿（Phil Scranton，1997）用来描述较大的美国高科技公司。

4. “服务沙漠德国”

正当德国联邦政府的科技政策集中支持前沿技术的时候，市场早已转向知识密集型服务业。德国最重要的市场是原欧盟15国（EU－15），在这些国家中，前沿知识密集型服务业的就业人数，是前沿技术领域就业人数的3倍。在德国和瑞士，其第二梯队的熊彼特工业产品保持着非常强势的地位，前沿服务业的就业人数也仍然是尖端技术领域的两倍之多（Felix，2006）。在原欧盟所有15个国家中，前沿服务业的生产率均高于前沿技术领域，尽管在德国这种差距表现得不如其邻国那么明显。原因不是德国技术部门的生产率高于这些国家的平均水平，而是德国服务业的生产率低于平均水平（Götzfried，2005，第4页）。德国创新型企业家集中在被视为德国经济据点的技术领域，这种状况已经开始变成了一种劣势。20世纪90年代中期，人们通过创造“服务沙漠德国”（service desert Germany）这个短语，来提醒决策者和管理者严肃对待这一问题。许多年来，更有利于物质生产而不是非物质生产的机会成本已大幅提高。德国创新型企业家是否已觉知到这种变化，并开始管理小型文化革命（cultural revolution）进而将创新活动的重点从工业转向服务业，仍有待观察。

四、德国的熊彼特式企业家

1815年以来的近两个世纪中，德国的熊彼特式企业家必须应对各种迥然不同的环境。在19世纪的绝大多时期，复制策略，即从其他地方引进适合德国自然和制度条件的发明成果，是他们顺利实现工业化的全部需要。但保护主义的复苏和法律支持的卡特尔化，为进一步的无效率埋下了种子。19世纪末20世纪初，从德国高等教育体系的独创性中获益匪浅的德国企业家已经有能力涉足全新的技术领域，如有机化学和电子工程等科学工业在德国欣欣向荣，使帝国晚期的工业在许多产品生产领域成了世界领导者。化学工业和电子工业的企业家足够敏锐，以至能从德国这种非同寻常的人力资本禀赋中获利，并充分发挥自身优势，从事工业研究、市场营销和外商直接投资。

这种势头在“一战”后便消失殆尽。20 世纪 20 年代后半期对商业发展比较有利的短短几年，不足以重新恢复德国工业的创新潜力。纳粹党人上台后，闭关自守和备战主导了政策议程，两者均不利于长期的工业竞争力。此外，惨绝人寰的反犹主义和在校学生数量的不断下降，将德国推向了一条史无前例的知识上的自毁之路。与此同时，大众营销和大规模零售业均备受排斥和阻挠，既抑制了潜在创新，又只允许经济中更重要的服务部门实施复制和引进策略。这种灾难性的发展一直持续至“二战”结束后。重要的制度改革，如禁止成立卡特尔组织、取消零售价格管制和废除贸易保护主义等，逐渐把德国企业文化重新引向一些更注重竞争能力和开放市场的目标。

由于战后几十年间经济重建成了时代主题，且商业环境较为有利，德国企业家在渐进式创新中表现抢眼。20 世纪下半叶，当“一战”之前似乎触手可及的前沿技术领域的优势地位已不再是一个现实选择时，一种非常成功的改进和完善现有技术的文化得以形成。颇具讽刺性的是，德国灾难重重的历史反而成了一种比较优势。当生物技术和计算机信息处理技术尚未发展成为成熟产业，甚至还在挣扎着成为快速跟随者时，高度精致的汽车工业表现极佳。即使在零售业等备受政治和流行观念歧视的商业领域，在利用对自己有利的熟知策略中也获得了一些显著的成功。德国企业家不太可能是能抓住全新机遇的先行者，他们似乎更擅长成为第一批成就斐然的追随者和实践者。

参考文献

Abelshauser, Werner. 2001. “Umbruch und Persistenz: Das deutsche Produktionsregime in historischer Perspektive.” *Geschichte und Gesellschaft* 27:503–23.

Abelshauser, Werner, ed. 2004. *German Industry and Global Enterprise: BASF. The History of a Company*. Cambridge: Cambridge University Press.

Arundel, Anthony, Gert van de Paal, and Maastricht Economic Research Institute on Innovation and Technology. 1995. *Innovation Strategies of Europe’s Largest Industrial Firms: Results of the Survey for Information Sources, Public Research, Protection of Innovations and Government Programmes; Final Report, PACE Report*. Maastricht: MERIT.

Berg, Christa, and Notker Hammerstein, eds. 1989. *Handbuch der deutschen Bildungsgeschichte*. Vol. 5. Munich: C. H. Beck.

Berghahn, Volker R. 1986. *The Americanisation of West German Industry, 1945–1973*. Leamington Spa: Berg.

Biggeleben, Christof. 2006. *Das “Bollwerk des Bürgertums”: Die Berliner Kaufmannschaft (1870–1920)*. Munich: C. H. Beck.

Broszat, Martin, and Internationale Konferenz zur nationalsozialistischen Machtübernahme. 1983. *Deutschlands Weg in die Diktatur: Internationale Konferenz zur nationalsozialistischen Machtübernahme im Reichstagsgebäude zu Berlin; Referate und Diskussionen; ein Protokoll*. Berlin: Siedler.

Bundesministerium für Bildung und Forschung (BMBF). 2004. *Bundesbericht Forschung 2004*. Berlin: BMBF.

———. 2005. *2005 Report on Germany's Technological Performance*. Berlin: BMBF.

Chandler, Alfred D., Jr., and Takashi Hikino. 1990. *Scale and Scope: The Dynamics of Industrial Capitalism*. Cambridge: Belknap Press of Harvard University Press.

Erker, Paul, and Toni Pierenkemper, eds. 1999. *Deutsche Unternehmer zwischen Kriegswirtschaft und Wiederaufbau Studien zur Erfahrungsbildung von Industrie-Eliten*. Munich: Oldenbourg.

Fear, Jeffrey Robert. 2005. *Organizing Control: August Thyssen and the Construction of German Corporate Management*. Cambridge: Harvard University Press.

Feldman, Gerald Donald. 1984. *Vom Weltkrieg zur Weltwirtschaftskrise: Studien zur dt. Wirtschafts- und Sozialgeschichte 1914–1932*. Göttingen: Vandenhoeck & Ruprecht.

Feldman, Gerald D. 1998. "Politische Kultur und Wirtschaft in der Weimarer Zeit: Unternehmer auf dem Weg in die Katastrophe." *Zeitschrift für Unternehmensgeschichte* 43, no. 1: 3–18.

Felix, Bernard. 2006. "Beschäftigung im Spitzentechnologiebereich." *Eurostat: Statistik kurz gefasst. Wissenschaft und Technologie* 1:1–7.

Fremdling, Rainer. 1985. *Eisenbahnen und deutsches Wirtschaftswachstum 1840–1879: Ein Beitr. zur Entwicklungstheorie u. zur Theorie d. Infrastruktur*. 2nd ed. Dortmund: Gesellschaft für Westfälische Wirtschaftsgeschichte.

Geißler, Rainer, and Thomas Meyer. 1996. *Die Sozialstruktur Deutschlands zur gesellschaftlichen Entwicklung mit einer Zwischenbilanz zur Vereinigung*. Opladen: Westdeutscher Verlag.

Götzfried, August. 2005. "Spitzentechnologie: Unternehmen und Handel." *Statistik kurz gefasst: Wissenschaft und Technologie* 9:1–6.

Hayes, Peter. 1987. *Industry and Ideology: IG Farben in the Nazi Era*. Cambridge: Cambridge University Press.

———. 2005. *From Cooperation to Complicity: Degussa in the Third Reich*. Cambridge: Cambridge University Press.

Henke, Klaus-Dietmar. 1995. *Die amerikanische Besetzung Deutschlands*. Munich: Oldenbourg.

Kleinschmidt, Christian. 2002. *Der produktive Blick: Wahrnehmung amerikanischer und japanischer Management- und Produktionsmethoden durch deutsche Unternehmer 1950–1985*. Berlin: Akademie Verlag.

König, Wolfgang. 1996. "Science-Based Industry or Industry-Based Science: Electrical Engineering in Germany before World War I." *Technology and Culture* 37, no. 1: 70–101.

Lindner, Stephan H. 2005. *Hoechst. Ein I.G. Farben Werk im Dritten Reich*. Munich: Beck.

Lundgreen, Peter. 1990. "Engineerig Education in Europe and the U.S.A., 1750–1930: The Rise to Dominance of School Culture and the Engineering Professions." *Annales of Science* 47, no. 1: 33–75.

Marschall, Luitgard. 2000. *Im Schatten der chemischen Synthese: Industrielle Biotechnologie in Deutschland (1900–1970)*. Frankfurt am Main: Campus-Verlag.

Mosse, Werner Eugen, and Hans Pohl. 1992. *Jüdische Unternehmer in Deutschland im 19. und 20*. Stuttgart: Steiner.

Neebe, Reinhard, Paul Silverberg, and Reichsverband der Deutschen Industrie in der Krise der Weimarer Republik. 1981. *Großindustrie, Staat und NSDAP, 1930–1933: Paul Silverberg und der Reichsverband der Deutschen Industrie in der Krise der Weimarer Republik*. Göttingen: Vandenhoeck & Ruprecht.

Paulinyi, Akos. 1982. "Der Technologietransfer für die Metallbearbeitung und die preußische Gewerbeförderung (1820–1850)." *Schriften des Vereins für Socialpolitik, Gesellschaft für Wirtschafts- und Sozialwissenschaften*, n.s., 125:99–141.

Porter, Michael Eugene. 1990. *The Competitive Advantage of Nations*. London: Macmillan.

Reckendrees, Alfred. 2000. *Das Stahltrust-Projekt. Die Gründung der Vereinigte Stahlwerke A.G. und ihre Unternehmensentwicklung 1926–1933/34*. Munich: Beck.

Reinhardt, Carsten. 1997. *Forschung in der chemischen Industrie: Die Entwicklung synthetischer Farbstoffe bei BASF und Hoechst, 1863 bis 1914*. Freiberg: Technische Universität Bergakad.

Troitzsch, Ulrich, and Wolfhard Weber. 1982. *Die Technik: Von den Anfängen bis zur Gegenwart*. Braunschweig: Westermann.

Turner, Henry Ashby. 1985. *German Big Business and the Rise of Hitler*. New York: Oxford University Press.

Weisbrod, Bernd. 1978. *Schwerindustrie in der Weimarer Republik: Interessenpolitik zwischen Stabilisierung und Krise*. Wuppertal: Hammer.

Wellhöner, Volker. 1989. *Großbanken und Großindustrie im Kaiserreich*. Göttingen: Vandenhoeck & Ruprecht.

Wengenroth, Ulrich. 1985. "Die Entwicklung der Kartellbewegung bis 1914." In *Kartelle und Kartellgesetzgebung in Praxis und Rechtsprechung vom 19. Jahrhundert bis zur Gegenwart*, ed. H. Pohl, 14–27. Wiesbaden: Franz Steiner.

———. 1988. "Hoffnungen auf Mitteleuropa. Absatzstrategien und Interessenpolitik der deutschen Schwerindustrie im Reichsgründungsjahrzehnt." In *Deutschland und Europa in der Neuzeit*, edited by Ulrich Wengenroth, Ralph Melville, and C. Scharf, 2:537–53. Stuttgart: Franz Steiner.

———. 1990. "Emil Rathenau." In *Berlinische Lebensbilder-Techniker*, ed. W. Treue and W. König, 193–209. Berlin: Colloquium-Verlag.

———. 1991. "Iron and Steel." In *International Banking, 1870–1914*, ed Rondo Cameron and V. I. Bovykin, 485–98. Oxford: Oxford University Press.

———, ed. 1993. *Technische Universität München. Annäherungen an ihre Geschichte*. Munich: TUM.

———. 1994a. *Enterprise and Technology: The German and British Steel Industries, 1865–1895*. Cambridge: Cambridge University Press.

———. 1994b. "The Steel Industries of Western Europe Compared, 1870–1914." In *Economics of Technology*, ed. Ove Granstrand, 375–96. Amsterdam: Elsevier.

———. 1996. "Industry and Warfare in Prussia." In *On the Road to Total War: The American Civil War and the German Wars of Unification, 1861–1871*, ed. Stig Förster and Jörg Nagler, 249–62. New York: Cambridge University Press.

———. 1997a. "Deutsche Wirtschafts- und Technikgeschichte seit dem 16. Jahrhundert." In *Deutsche Geschichte. Von den Anfängen bis zur Gegenwart*, ed. M. Vogt, 297–396. Stuttgart: J. B. Metzlersche Verlagsbuchhandlung.

———. 1997b. "Germany: Competition Abroad—Cooperation at Home, 1870–1990." In *Big Business and the Wealth of Nations*, ed. Alfred D. Chandler Jr., Franco Amatori, and Takashi Hikino, 139–75. New York: Cambridge University Press.

———. 1998. "Innovations in Mature Industries: Steel and Beyond." In *The Steel Industry in the New Millennium*, vol. 1, *Technology and the Market*, ed. Ruggero Ranieri and Jonathan Aylen, 187–194. London: Institute of Metals.

———. 2002. "Die Flucht in den Käfig: Wissenschafts- und Innovationskultur in Deutschland 1900–1960." In *Wissenschaften und Wissenschaftspolitik. Bestandsaufnahme zu Formationen, Brüchen und Kontinuitäten im Deutschland des 20. Jahrhunderts*, ed. Brigitte Kaderas and Rüdiger vom Bruch, 52–59. Stuttgart: Franz Steiner.

———. 2006. “Innovationskultur in Deutschland. Rahmenbedingungen der Wissenschafts- und Technologiepolitik.” Research report for the Federal Ministry for Education and Research.

———. 2007. “The German Chemical Industry after World War II.” In *The Global Chemical Industry in the Age of the Petrochemical Revolution*, ed. Louis Galambos, Takashi Hikino and Vera Zamagni, 141–67. New York: Cambridge University Press.

Zorn, Wolfgang, Knut Borchardt, and Hermann Aubin, eds. 1976. *Das 19. und 20. Jahrhundert, Handbuch der deutschen Wirtschafts- und Sozialgeschichte*. Vol. 2. Stuttgart: Klett.

第十一章 法国的企业家精神

米歇尔·豪

近几十年来，关于19世纪、20世纪法国商业发展，有两种不同思潮，即悲观派论调和乐观派论调。悲观派强调英国19世纪的GNP增速快于法国，且在20世纪初超出了法国50%。乐观派主要关注法国第二产业的小规模产出，认为尽管法国的经济现代性之路同英国大相径庭，但它并非效率低下。这两种观点可能都没错，因为法国国家层面的数据掩盖了大量的地区差异。部分地区的工业革命进展较快，由充满活力的雇主领导，其他地区则进展缓慢且不够充分。地方雇主的行为独立于原材料成本和劳动力的可得性，这构成了法国某些地区工业发展的比较优势。在国家层面上，从路易十四时代和时任财政大臣让-巴普蒂斯特·柯尔贝尔（Jean-Baptiste Colbert）开始，政府便努力刺激工业化发展。但自由企业传统也存在于法国的各个时期，并且一直蓬勃发展到现在的国际化竞争时期。

一、法国工业的起步：1815—1870年

法国工业革命开始得要比英国晚，它被法国大革命和拿破仑战争期间的社会动乱给推迟了。但革命废除了所有的行会限制，且拿破仑于1807年颁布的《法国商法典》（Code of Commerce）为企业家精神创造了有利条件。国家机构，如工程学院、科学院和全国工艺美术学院，促进了技术创新的扩散。1815年，随着法国重新恢复和平，工业化进程得以加快，到1860年《英法自由贸易条约》（Anglo-French free trade treaty）终止时，法国的工业产量已经达到英国的40%。1865年，发动机制造商尤金·施耐德（Eugene Schneider）很自豪地向法国议会宣布，他已经成功地向英国出售了15台火车头，并说这是他一生中“最高兴的事”。与此同时，到19世纪60年代末，法国工业产量虽

被德国和美国超过，但直到1930年前后仍居世界第四位。

（一）大公司的缺乏

法国工业革命发生在煤炭成本高昂且保护主义盛行的时代背景下。除了中央高原和北部小盆地外，法国的煤炭非常稀缺。1816年通过的一部法案，通过实施禁令或非常高的关税为纺织工业和钢铁工业提供保护。路易十四对新教徒的迫害（Lüthy，1955—1961）及随后大革命的混乱局势（Perrot，1982；Bonin，1985；Crouzet，1989；Aerts和Crouzet，1990）在许多方面或多或少持续削弱了法国的企业家精神。

木炭炼铁、手工编织、水力磨坊等旧技术对能源和资本投入要求相对较低，直到1860年前后，还和最现代的生产方式同时存在。大工厂，如玻璃生产商圣戈班（Saint-Gobain），非常罕见。只有采矿、航道、大型钢铁企业和铁路采取有限责任公司的形式融资，1867年以前，成立这类公司还须获得授权。工业企业的资本一般由其创始人家族提供，后来主要通过自筹资金实现（Lévy-Leboyer，1974，1985；Marseille，2000）。从耗能较低和基于手工技术的小作坊转向使用蒸汽机和最新技术的大公司不仅进展缓慢，而且在不同地区的进展速度也千差万别。法国生产商靠产品的审美质量弥补他们在机械化上的劣势。他们擅长印花布、丝织品和奢侈手工艺品的生产。艺术绘画成了工程学院的一项重要授课内容。

法国充满活力的工业中心的地理分布颇具启发意义。19世纪，法国西南部的工业发展很不活跃，仍停留在农业和手工业经济上（Armengaud，1960；Crouzet，1959；Poussou，2000）。大西洋和地中海海岸，特别是大西洋沿岸的南特港和波尔多港，深受英国海上封锁之累。即使在1815年拿破仑战争结束后，这些地区限制工业化的倾向也并未停止（Poussou，1989；Butel，1991；Armengaud，1960）。工业雇主倾向于持有现金或将其投资于利润低却较有保障的不动产。相反，在巴黎、里昂及19世纪后的法国北部和东部外围地区，工业发展却相当活跃。机械化棉纺工业在北部（里尔、鲁贝和图尔宽）和阿尔萨斯地区发展迅猛[①]。在拿破仑战争结束后，尼古拉斯·凯什兰（Nicolas

① Toulemonde（1966），Bar（1989），Pouchain（1998），Daumas（2004b）；Hau（1987），Stoskopf（1994），Hau和Stoskopf（2005）。

Koechlin）和丹尼尔·多富士－米琪（Daniel Dollfus-Mieg）两人创办的工厂雇用了几千名工人，从米卢斯向世界各地出口印花布。1817年，尼古拉斯·斯伦贝谢（Nicholas Schlumberger）将英国的五纱织造和混合织布机制造技术引进到法国盖布维莱尔。1826年，马克·塞甘（Marc Seguin）领导修建了从里昂到圣艾蒂安的铁路线，三年后，他又在里昂率先研制成功了一种携带水管式锅炉的新型火车头。

（二）19世纪初法国企业家精神扩散的障碍

19世纪初，一些因素给企业家精神的发展造成了负面影响，包括地主的政治势力、绅士地位或高级官职对精英的吸引力、天主教会和大革命之间的冲突，以及来自知识界和艺术界精英日益激进的抗议。

1. 地主的政治重要性

尽管法国大革命将农民从封建领主制的束缚中解放了出来，但并未动摇城市资产阶级的耕地所有权。在巴黎和法国南部城市的周边地区，许多资产阶级人士将他们的财富投在了地产上。至少到19世纪最后的25年中，社会等级、安全和土地所有权，仍是工业投资的主要竞争领域。大多数议会议员和政府高官都是土地所有者，较之工业化可能带来的美好前景，他们更重视农业问题，对农业问题的反应也更敏感。议会争论反映了和铁路建设有关的障碍——土地使用的长期授权和贷款担保遭到了地主阶级代表的拒绝。成立有限公司的自由须等到1867年才有可能实现。行政和政治精英对大企业带来的投机风险和金融支配地位充满忧虑。因此，政界并不乐见大规模的工业和日益密集的大量工人。对于他们中的许多人来说，英国的情况是一种应该避免而非效仿的模式。但1852年后，拿破仑三世政权采取了更大胆的举措，推动迟疑不定的政界走向了现代化（Landes，1967；Gille，1959，1968）。

2. 绅士与高级公职的声望

部分创业精英把企业视为获取财富、购置地产和跻身绅士阶层的途径。最著名的例子是奥古斯都－托马斯·旁耶尔－圭迪亚（Auguste-Thomas Pouyer-Quertier）。他在诺曼底创建了一家大型棉纺织工厂。1857年当选为法国议会副主席，1871年担任法国财政大臣。从此以后，他便疏于经营自己的公司，公司也很快走向衰落，他还把自己的两个女儿嫁给了贵族子弟。他的这种行为在诺曼底非常普遍，那里的工业世家很少能持续两代人以上（Barjot，

1991)。

资产阶级家庭则有强大的动力进入行政部门。法国君主创立了一套通行的集权型科层制行政体系。大革命结束后,高级公务员均通过选择性竞争招聘,这种制度导致了中学最优秀毕业生之间的相互竞争。巴黎和外省的资产阶级家庭把跻身于高级公职视为一件关乎荣誉之事,而高级公职在大革命前已能获得贵族地位。国家公职部门对人才的这种吸引,使一些精英人士偏离了企业界。由18世纪末的法国君主及后来的法兰西共和国创建的工程学院,最初发挥了为行政部门和军队输送科技人才的功能。此后,情况开始发生变化,随着商业企业领域工程师队伍的不断壮大,各工程学院,尤其是巴黎综合理工学院,越来越多地培养这方面的人才以满足工业界的需求。

3. 天主教会和现代性之间的冲突

法国是一个以信仰罗马天主教为主的国家。但理性主义运动和稍后的大革命暴露了天主教会在适应现代性中所面临的困境。从18世纪末开始,许多天主教徒与宗教传统之间的关系严重破裂,他们必须在传统信仰和启蒙理想之间做出抉择。一些天主教资产阶级觉得不得不放弃祖传信仰,打破方方面面的传统观念,对科学和工业持开放态度(Groethuysen,1927,第xi页、第xii页)。相反,新教徒和犹太教徒在整个19世纪都保持着其宗教信仰的纯洁性和完整性。对新教徒或犹太教徒而言,使一家公司欣欣向荣似乎是一种道德义务,但对于不可知论者,这只不过是一种和所有权有关的权利。在这点上,天主教、犹太教或新教之间的分歧要小于无信仰和有信仰之间的分歧。

4. 来自知识界和艺术界精英的抵抗

在法国大革命废除贵族特权后,企业家的财富和社会地位使他们成了法国社会的第一等级。最成功的企业家很快就能积累起超过最大地主的财富。1830年后,诸如路易腓力执政时期的雅克·拉菲特(Jacques Laffitte)和卡西米尔·佩里埃(Casimir périer),或拿破仑三世执政时期的让·多富士(Jean Dollfus)等人,均在政府中扮演了重要角色。但在推翻贵族统治的过程中,法国大革命也产生了两种新的敌对精英:一方面是艺术家和知识分子,如作家、画家、音乐家等;另一方面是企业家。前者对后者颇为鄙视,并谴责他们对激情和艺术闭目塞听、对工人的劳苦麻木不仁(Heinrich,2006)。

渐渐的,到19世纪末,随着工业发展一路向前,一些作家的立场变得非常激进，如埃米尔·左拉（Emile Zola）就给我们留下了对大规模工业和煤矿的悲情描述。在法国，作家对公众舆论产生了极其重要的影响，在某种程度上它可能会束缚企业家的职业发展。

（三）有利于企业家精神的地方背景

1. 法国北部和东部工业的迅猛发展

法国北部的阿尔萨斯、洛林、弗朗什－孔泰和里昂等地见证了19世纪工业产出的蓬勃增长，以及随之而生的实力强大的创业世家薪火相传。这两种现象息息相关：工业受益于一个对技术和商业冒险孜孜以求的资产阶级的存在，因此有能力抵御连续不断的危机。地区雇主能够成功地将他们的公司从一代人手上转到下一代人手上，这是法国经济表现背后鲜为人知的一面。

企业家精神不仅体现在创建新的企业上，还体现在发展壮大家族企业以及有效维持和使用家族财富上。持续时间达到或超过四代人的家族企业王朝在法国的地理分布并非没有规律可循。人们发现它们仅集中在一些特定地区。因此，法国北部和东部的主要家族企业王朝是许多世界著名公司的起源地。诸如莫特（Motte）、丹尼尔（Danel）、斯伦贝谢、多富士－米琪、德地氏（Dietrich）、标致或文德尔（Wendel）等家族企业，均起源于极少数地区：弗朗什－孔泰的蒙贝利亚尔或里昂。不同于诺曼底地区，法兰西第二帝国统治下的大多数这类企业是那些工业活动至少持续了四代人以上的家族企业（Stoskopf，1994，第32页）。历史悠久的阿尔萨斯工业家族王朝德地氏自1685年创建以来便一直存续至今，如今已是该家族第十代企业家掌权。凯什兰家族在六七代人间培育出了13名企业家，斯伦贝谢家族有10名企业家，多富士家族则只有2名企业家（Hau和Stoskopf，2005，第525—545页）。

在宗教问题上，人们将注意到，企业家精神产生自缓慢地融入法国社会的少数群体，即新教徒和犹太教徒。霍廷格（Hottinguer）、玛莱特（Mallet）、韦讷（Vernes）和欧吉尔（Odier）等家族都是来自瑞士的新教徒，且通常具有胡格诺派背景。来自莱茵河地区的犹太教徒，如沃尔姆斯和罗斯柴尔德家族，都是巴黎最重要的家族企业。从18世纪末起，他们组成了“高特银行家圈子”（haute banque），在铁路建设和大规模工业发展中扮演了至关重要的角色。这些“外来者”的贡献印证了地理层面已观察到的官方权力和政治集权的抑制作用。

2. 新合并省份的城市自治传统

最有活力的法国工业中心的地理分布特征表明，企业家精神在北部和东部省份，以及新并入法国版图的地区更为活跃。这些地区以前不归属于高度中央集权的法国，中世纪的城市自治传统保持得比其他任何地方都久。

中世纪末属勃艮第公国领地的法国北部，此时成了莱茵河地区的一个组成部分，也是欧洲技术创新的主要发源地。工业雇主主要来自这些城市的贵族阶级。路易十四将这些领土（阿尔图瓦在 1659 年，里尔在 1668 年）并入了法国版图。当时，法国国王颁布的“让步协定”（capitulations）使该地的城市得以保留了一些自治权。18 世纪末，这里的冶金和棉纺织已步入大规模制造业时代。

法国东部地区也一样。阿尔萨斯和弗朗什 - 孔泰（Franche-Comté）的家族企业王朝一开始都有市政要员家族的背景，约在两个世纪前他们便已创立了工业公司。神圣罗马帝国的自由城市斯特拉斯堡，以保护其各种宗教、制度和语言上的自由为名，于 1681 年就被并入法兰西王国一事进行了谈判。洛林直到 1766 年才被并入法国领土。米卢斯曾是一个小共和国，与瑞士的各行政区结盟，直到 1798 年才被并入法兰西共和国。蒙贝利亚尔原来是符腾堡王国的一个公国，根据 1801 年的《吕内维尔条约》（LunéVille），被并入法国版图。像所有莱茵河地区的居民一样，这些地方的资产阶级从未受益于高度中央集权的法国的保护，最重要的是，他们已经习惯于独立自主、自力更生。

3. 主干家庭模式影响下的家庭结构

如前所述，诺曼底商人的行为截然不同于法国北部和东部商人的行为。19 世纪初，诺曼底是法国的主导工业区。但诺曼底的企业主并不想一辈子待在工业界。他们的公司会几经易手，从工业中创造的财富随后被投资于土地和房屋。诺曼底工业家族王朝的匮乏可能和该地区盛行的较核心家庭而言更松散的家庭结构有关。对于大多数这类家庭，孩子们觉得他们较少受缚于对父母和家族遗产的义务。

相反，法国北部和东部企业主的基本势力，则维系在家庭纽带的凝聚力和作用范围上。伊曼努尔·托德将法国北部和东部归为“主干家庭”（stem family）地区（Emmanuel Todd，1990，第 62 页）。这类家庭强调父母的权威，即使在孩子们长大成人后也是如此。其结果使家族公司，通常被称为“家产”（houses），得以成功地延续至好几代人。家族和公司之间存在着清楚的界线。

公司几乎总是采取由名额有限的股东组成的合伙公司形式，股东之间以最亲近的家庭关系，如父子、兄弟、父婿等来维系。只有到1870年以后这类企业才转型为有限公司，并且须以能获得资金为前提；而在阿尔萨斯，不想保持德国国籍的继承人可以将他们的股份转售给仍想持有家族公司股票的亲戚。但是，向有限公司的转变长期以来仍然是形式上的，它掩盖了几十年内公司仍受家族控制的事实。主干家庭通常规模庞大，在法国北部，大概有30%的这类企业家家族育有6个或以上的孩子（Barbier，1989，第14页）。这些大家庭内部有着错综复杂的姻亲关系，使其能够限制家族财富的浪费和家庭商业教育的荒废。依赖于较小家庭规模的公司则不得不寻找外部合作者，但这也需要满足诸多条件，特别是在合作者的忠诚度和报酬方面。

4. **宗教对经济绩效的影响**

到18世纪末时，诺曼底的许多企业家经历了天主教信仰的弱化。这种变化通常伴随着人们从如今被视为多余约束的行为准则中解放出来。只有1/10的诺曼底企业家参与宗教活动（Barjot，1991，第234页）。比较而言，法国北部仍处在严格的天主教教义的影响下（Barbier，1989，第6页；Darnton，1983，第195页），东部地区则普遍宗奉新教或犹太教。

在政治上，北部商人属于保守派，甚至可算作改革的反对派，他们很少涉足科学研究，这正好体现了他们深受反对启蒙运动的天主教教义的影响。重要人物乐意出面为天主教慈善机构提供资金，有些还把自己的部分孩子送去担当神职人员。银行家奥古斯特·斯卡尔贝（Auguste Scalbert）的例子颇为典型，他的两个孩子成了神职人员，另外三个则步入银行业（Barbier，1989，第30页；Hirsch，1991）。此外，北部地区的天主教教义和法国其他大多数地区有着很大差异。小镇鲁贝和图尔宽深受18世纪詹森主义（Jansenism）的影响，詹森主义强调个人伦理和行为甚于践行圣典（Delsalle，1987，第149—156页）。里昂信奉天主教的丝绸商家族也是如此，贝路家族（family Berlit）归属于“小教堂”（Petite Eglise），不承认1801年教皇和拿破仑一世签订的宗教协定（Angleraud和Pellissier，2003，第161页）。这些企业主的优点在于他们的工作伦理和节俭美德。

在阿尔萨斯和弗朗什－孔泰，最庞大且持续时间最久的家族企业王朝是新教徒（如斯伦贝谢、凯什兰、多富士、标致等家族）或犹太教徒［如德雷福斯、布洛赫、布林（Blin）等家族］。这些为数不多的企业家在棉纺织或毛纺织工业创建了欣欣向荣的企业，并且精通各类纺织品的印花技术。他们还催生了一门建筑机械工业。在阿尔萨斯，新教教义和犹太教教义同理性主义思潮都没有任何冲突。由于宗教改革给传统权威造成极大冲击，它鼓励了更有利于科学进步的观念，进而促进了米卢斯资产阶级的科学兴趣。凯什兰家族和多富士家族都是著名数学家约翰·伯努利（Johann Bernouilli）的后代，他们的科学家族可通过与居里家族和弗里德尔家族（the Friedels）等学术家族之间的联姻得到维系。一些这样的企业家也被视作一流的科学家，如丹尼尔·多富士－奥斯特（Daniel Dollfus-Ausset）和他的表兄弟丹尼尔·凯什兰（Daniel koechlin）（Mieg，1948，第32页；Hau，1987，第476—480页；Hau和Stoskopf，2005，第479—492）页。米卢斯的制造商于1826年成立了米卢斯工业协会，通过召开会议和发行出版物等途径促进阿尔萨斯地区的技术进步。科学也受益于一些新教徒冶金家的实践活动。如菲利普－弗雷德里克·德地氏在19世纪末曾以在矿物学和冶金术上的研究和贡献闻名于世。

对犹太籍企业家而言，同样如此。犹太教义一向要求其信众履行研习宗教经典和宗教律法的义务，这意味着一种阅读和识记的义务，也使信众群体对科学产生了兴趣和尊重。犹太教和新教之间这种教义上的类似，很大程度上归因于两种宗教之间的相互尊重，尤其是在米卢斯地区。

如人们所预料的，马克斯·韦伯所描述的有利于资本主义发展的价值观，即勤劳和节俭，也深受法国东部企业主的尊重（Weber，1905）。在阿尔萨斯的企业家看来，勤劳是一种绝对的美德，财富并不能免除人们须勤劳工作的义务。许多阿尔萨斯的企业家直到去世前都在任劳任怨地领导着自家企业，或者即使退休也没闲着，全力为公司出谋划策。在俭朴的生活方式上也是如此。因此，诺曼底受巴黎价值观的腐蚀远甚于阿尔萨斯地区（Chaline，1988，第200页）。米卢斯人一直对并入法国之前支配该城市的各种节约法令记忆犹新。节俭反过来也促进了巨额金融资源的积聚（Hau，1987，第348—354页）。

5. 圣西门信徒及其对科技进步的信念

从国家层面上看，一个颇有影响的群体，即德·圣西门伯爵（de Saint-Simon，卒于1825年）的信徒，推动了企业家精神的发展和工业化进程。圣西门对科学有着强烈的信念。他认为经济发展将消除贫困，未来的世界应该由科学家和工程师统治。实现这点的最佳途径是让财富从非生产性的贵族阶级转向生产性的企业主阶级。他的这些理念在法国各工程学院和巴黎银行家中间非常流行。圣西门的信徒，如工程师波林·塔拉波特（Paulin Talabot）及商人埃米尔·佩雷尔和艾萨克·佩雷尔兄弟（brothers Emile and Isaac Pereire），不知疲倦地在杂志上撰文鼓吹这些理念。尽管一些经济学家强调保存手工艺制度以维持法国在奢侈品贸易上的竞争优势，但圣西门主义者却认为，法国的长期繁荣取决于其能否很好地效仿英国以建立机械化的工厂生产制度。

（四）1850 年以后铁路、银行和贸易部门的大公司

1850—1875 年间，法国受运输和银行部门双重革命的推动，不仅商人和金融资本主义走向完全成熟，而且实现了工业资本主义的繁荣发展。

铁路建设由私营公司负责，因为法国政府不会像担负起公路建设或运河开凿的责任那样，肩负起建造铁路的责任。阿尔萨斯的工业家尼古拉斯·凯什兰（Nicolas Koechlin），于 1844 年倾其所有积蓄，建造了一条自斯特拉斯堡通往瑞士巴塞尔的铁路线。由詹姆斯·德·罗斯柴尔德掌控的一家公司，在 1846 年建造了一条自巴黎通往里尔的铁路线。巴黎一些银行家（“高特银行家圈子”）和年轻的发起人一起合作创办其他铁路公司。19 世纪 40 年代，只有 12% 拟发行的铁路股票最终被成功认购，因为政府拒绝保证它们的债券能获得最低收益。1848 年 1 月，相比于英国总通行里程达 5900 公里的铁路线，法国只有区区 1860 公里。但在路易·拿破仑·波拿巴当选为法兰西第二共和国总统之后，政府修改了铁路建设方面的法律依据。将土地授权期限延长至 99 年，使收回投资成本有了更充裕的时间，而且法国政府也开始给铁路债券的利息收益提供担保。不到 20 年的时间里，法国便建立了一个世界级的铁路网。拥有 4 亿法郎资产且运营着通行里程达 4010 公里铁路线的巴黎—里昂—马赛公司（Paris-Lyon-Marseille，简称 PLM），在波林·塔拉波特的领导下，成了全法国最庞大的公司。

1850 年后，信奉圣西门主义的一群银行家成立了一种新型股份制投资银行，由此改变了法国的金融格局（Stoskopf，2002，第 44—48 页）。圣西门主义者断言，使资本流动最有效的途径是设立有限责任的股份制公司，它们能通过发行面额足够低的股票和债券来吸收资产阶级的储蓄。根据 1808 年开始生效的《法国商法典》，这样一家公司需获得国家行政法院（Conseil d'Etat）的批准。但路易·拿破仑非常支持这类公司，所以在 1867 年它们的设立已完全不受限制。

在改造银行系统的过程中，具有决定性意义的一步是1852年动产信贷银行（也译动产信贷公司）的创建。该银行在埃米尔·佩雷尔和艾萨克·佩雷尔两兄弟（来自波尔多的犹太社区）的领导下，调动了前所未有的大量资本，以便在法国各地创设一系列分公司：包括铁路公司（如巴黎—里昂—马赛公司）、蒸汽船公司、保险公司、施工建筑公司和工业企业等。它还推动了一批全新股份制银行的创建。所有这些不仅促进了法国的工业化进程，而且加速了整个欧洲大陆的工业化进程。在1866—1867年间的金融低迷时期，佩雷尔兄弟损失惨重，不得不大幅缩减公司的业务范围。

但与此同时，其他股份制银行也已赢得了政府的支持：第一家是巴黎国民贴现银行（Comptoir d'Escompte de Paris），于1848年创立时属半公有性质，在1854年转变成了一家专事海外贸易的传统股份制银行（Bonin，1991）。第二家是法国工商信贷银行（CIC），成立于1859年，旨在通过汇票和仓库货单贴现为商品货物的日常周转提供融资。该银行后来转向了为海外贸易，特别是为亚洲贸易提供资金，这使它在1875年同巴黎国民贴现银行和印度支那银行（Banque d'Indochine）进行了合并重组（Meuleau，1990）。第三家，也是注定比其他银行更重要的是里昂信贷银行，这是唯一不在巴黎创立的重要银行，而是由里昂和日内瓦的丝绸商和当地银行家创立。该银行在巴黎的分支机构很快便使总行相形见绌，因此在1882年巴黎支行成了该银行的总部。第四家是成立于1864年的法国兴业银行。一经成立，该行便超出投行业务，涉足存款银行业务，建立了一个通过巴黎各支行进而覆盖整个法国的庞大分支网络。最后一家是于1872年由两家巴黎公司合并而成的巴黎—荷兰国家银行（Banque de Paris et des Pays-Bas）。该行并不针对更广大的公众，而是有选择性地投资银行家客户群，促使他们从家族资本主义时代步入公司时代。事实上，它是法国第一家投资银行。

1860年，法国政府听从阿尔萨斯工业家让·多富士的建议，感到法国极有必要和英国签订自由贸易条约。这是一次重大转变，意味着法国放弃了实行了几代人的高度保护主义政策。英法两国的贸易自由条约得到了许多彼此相邻的欧洲国家的效仿。法国成了世界上仅次于英国的第二大制成品出口国。在法国出口的商品中，绝大多数是丝绸和毛纺织品，以及诸如珠宝、香水、时装、家具和其他奢侈品等所谓的“巴黎货”。

二、第二波工业化中的企业主：1870—1940 年

（一）经济减速：1870—1880 年

法国工业在 19 世纪末的经济大萧条中饱受重创，大量使用传统技术的小公司纷纷倒闭。这些公司当时仍在使用可追溯至工业化雏形时期的生产方法。诺曼底和庇卡底见证了衰退的加速②。此外，直到 19 世纪 90 年代，法国政府都是通过贷款支付重大军费开支并弥补其预算赤字，这些贷款使法国居民的储蓄从商业领域转到了政府部门。巴黎的股份制银行越来越多地将业务转到国外（如东欧国家、地中海国家和南美洲国家等），似乎正在失去对本国企业的兴趣。但正如有学者（Maurice Lévy-Leboyer，1977a）指出的，投资国外的资源从长期来看低于它们所能获得的收益。该时期最重要的是农业部门的劳动力储备（第一次世界大战前法国农村劳动力约占 40%，第二次世界大战前约占 1/3 以上）。外国移民仅占其中的一部分。即便如此，法国资本主义的现代化进程仍在持续。

（二）法国资本主义的现代化

1890 年后，法国政府发行了较少的债券，这为商业投资留下了更广阔的空间。除了战争年代外，1890—1930 年间是法国资本主义迅猛发展的时期。银行越来越多地为工业企业提供融资（Bussière，1995）。巴黎的股份制银行未能支持本国工业发展，但新一代投资银行和区域性银行弥补了这个不足。③不过，工业增长遇到了新的障碍：越来越棘手、越来越有争议的劳工运动和知识界的批评声浪日益高涨。

1. 大型工业企业的增长

企业家精神在少数地区颇为活跃。在洛林和法国北部，钢铁工业发展迅

② 参见 Cailly（1993）、Barjot（1991）、Chaline（1982）、Leménorel（1998）、Armengaud（1960）、Terrier（1996）、Johnson（1995）。

③ 巴黎联合银行（Banque de i'Union Parisienne）、瑞士—法国银行（后来更名为法国商业信贷银行）、巴黎国际银行（后来更名为法国工商银行，即 Banque française pour le Commerce et d'Industrie）等。

速。在弗朗什－孔泰，主要工业部门转向了钟表和汽车制造（Daumas，2004a；Olivier，2004；Lamard，1988，1996）。在巴黎周边，我们发现分布着许多制造业企业（汽车、化工品和电子工程制造商）。里昂地区也同样分布着各类汽车企业、化工企业和摄影公司。马赛（Raveux，1998；Chastagnaret 和 Mioche，1998）、勒阿弗尔和南特（Pétré-Grenouilleau，2003）等港口则以原材料加工企业为主。

因此在19世纪末，法国已创建了许多大型法人企业，它们不仅在国内占据主导地位，而且提高了法国经济的世界影响力。许多企业，特别是在汽车制造、电子工程和化学工业等新兴领域，均创立于1890年以后。在汽车制造工业，有里昂的贝利埃、蒙贝利亚尔附近的标致，以及巴黎的雪铁龙和雷诺等著名公司。④ 这些企业有着自己的资金链和良好的银行信用。它们还找到了需求旺盛的客户群。法国有把汽车这项发明加以推广利用的巨大激励，因为其国内高质量的主干道使汽车能畅通无阻地快速驰骋。1899年2月，马塞尔·雷诺和费尔南德·雷诺兄弟（brothers Marcel and Fernand Renault）创建了他们自己的汽车公司。1905年，公司接到了一笔供应250辆出租车的订单，这成了公司推行批量化生产的开端。1919年，公司重组了美国模式，并将外包生产控制在最低程度。1937年，雷诺兄弟在巴黎近郊小镇布洛涅－比扬古开设了一家大型汽车制造厂（Fridenson，1998；Loubet，1990，1991，2001；Gueslin，1993）。事实证明，法国汽车在国外和在国内同样受欢迎，到1929年，法国成了世界上最大的汽车出口国。法国还是其他许多工业领域的领军者。在里昂，奥古斯特·卢米埃尔和路易·卢米埃尔兄弟（brothers Auguste and Louis）在1895年发明了电影放映机。为了完善这项发明并开发其商业价值，他们帮助创立了百代电影公司（Pathé cinematograph company），为普通大众制作影片。1904年，两兄弟开办了他们的第一家分公司，即北美卢米埃电影公司（Lumiere North America）。其他大型企业有法国液化空气公司（Jemain，2002）、弗格罗勒—埃菲尔公司（Fougerolle & Eiffel，土木工程领域）（Barjot，1989，1992，1993，2003）、吉莱公司（人造丝绸领域）以及好商佳百货和其他大型零售公司。为庆祝法国大革命胜利100周年，古斯塔夫·埃菲尔（Gustave Eiffel）和

④ 参见 Fridenson（1998）、Schweitzer（1993）、Fridenson（2001）、Moine（1989）、Baudant（1980）。

莫里斯·凯什兰（Maurice Koechlin）共同设计和建造了著名的巴黎埃菲尔铁塔。法国相对高昂的煤炭价格，反而刺激了水力发电技术的发展。佩希内公司（Péchiney）成了一家电气冶金领域的重要企业（Barjot、Morsel 和 Coeuré，2001；Vuillermot，2001；Joly 等，2002；Le Roux，1998；Torres，1992；Smith，2001）。

尽管法国资本主义正在东欧、非洲和亚洲开疆辟土（Bonin，1987），但法国公司仍然小于美国、英国或德国公司。法国最大的公司圣戈班（玻璃和化工品行业），规模只有美国钢铁公司的 1/20。专门制造武器和兵器的施耐德公司（Schneider），规模是德国克虏伯公司的 1/5，汤姆森—休斯敦公司（Thomson-Houston）的规模则相当于西门子的 1/6（Verley，1994，第 194 页）。

法国大公司越来越需要外来工程师和经理人来领导企业（Meuleau，1995）。“一战”以后，有一半以上的大型企业管理者是工程学院的毕业生（Lévy-Leboyer，1979，第 152 页；Thépot，1985；Belhoste，1995）。高水平的新技术及战时政府和私营部门之间的合作，加速了 20 世纪 20 年代的这种趋势。

2. 银行业的增长和专业化

银行部门为它们不断增加的客户提供更多样化的服务。在“一战”以前，里昂信贷银行已成为欧洲最大的银行（Cassis，1997，第 240—247 页）。巴黎的股份制银行越来越多地把业务扩张到国外。它们给外国政府提供借贷，为国外的法国公司提供金融服务。它们是东欧、地中海和南美洲等地区实力最强大的银行。但它们在最大且最有利可图的美国市场上，却处于弱势地位。长期以来它们遭到的批评之一就是，在 1873 年以后，它们通过把资金投入非生产性的国外贷款，削弱了本国经济对金融资源的利用效率。但历史学家现倾向于将这种做法视为对法国国内不断下滑的铁路和其他公共设施建设投资需求的一种回应，他们指出，在 1873—1914 年间，外部投资收益普遍超过了国外投资总额（Lévy-Leboyer，1977b）。此外，1870 年以后巴黎的银行未能支持本国工业的发展，瑞士—法国银行（即后来的法国商业信贷银行）等新一代投资银行和区域性银行弥补了这一不足（Lescure 和 Plessis，2004）。

3. 商业部门的现代化

随着主要产品和工业原料领域出现了专业化的大宗商品交易员，以及制成品领域兴起了中介商交易，批发贸易发生了重大转变。巴黎和其他大省会城市冒出了许多百货商店和连锁商场。其中以阿里斯蒂德·布锡考特（Aristide Boucicaut）于1872年创办的乐蓬马歇百货公司（Le Bon Marché）最为著名，该公司建立了当时世界上最庞大的商业组织。通过连接采购商和生产商，成本大幅下降。在某些情况下（如成衣），百货公司甚至成了自己的生产商和供应商。

（三）1870年以后法国企业家精神的新障碍

1. 新共和的政治领导

在法兰西第二帝国时期，上层资产阶级在政治上非常活跃，一些企业家经常列席法国议会。在法兰西第三共和国时期，自由职业者和政府公职人员的代表取代了他们在议会中的位置。由于不了解国际竞争带来的需求以及害怕迅速工业化，这些代表使法国普通选民产生了害怕大企业的心理。在20世纪初成为主要政党的法国激进党，把对小生产商的保护和扶持作为其经济目标之一。该政党成了一股支持经济保护主义的势力，但它也促进了许多小企业的创建。“一战”之前，法国是一个小农经济国家，以成千上万家微型工业企业而著称，它们绝大多数由个体企业家掌管。在1906年，手工业和工业部门71%的工厂属于个体企业，它们雇用着21%的工业劳动力。家庭手工业继续支配着服装制造等工业部门。1935年，法国政府通过限制开设超市为小商店提供保护。这样一来，法国仍是一个以小型独立生产商为主的国家，在经济上可能缺乏效率，但有利于实现社会平等。

2. 右翼的反资本主义：反犹太主义

势力庞大的工业家族深受法国社会保守分子的仇视。大企业主往往是新教和犹太教等少数派宗教的信众。他们试图跻身于社会精英阶层（如兵团军官）的努力，遭到了抵制和敌意。这正是臭名昭著的德雷福斯事件（Dreyfus affair）的成因，在该事件中，一名出身于犹太裔创业家庭的法国军官被不公正地指控和判定为替德国从事间谍活动。法国人很难理解新教家庭和犹太教家庭为何能迅速致富，正如他们很难理解德国或盎格鲁—撒克逊国家为何能迅猛崛起一样。法国各界的保守分子很快就把法国丧失强权和地位，归咎于他们认为的共和政府的缺陷。反犹太主义将种种失败归罪于犹太人，进而助长了这种寻找替罪羊的情绪。

3. **无政府主义与马克思主义**

法国工会制度由革命分子在19世纪80年代创立，通常受无政府主义思想的影响。他们认为劳资纠纷与其以有限度的改善为目标，还不如转向同资产阶级的重大对抗。这种观念极大地恶化了劳资关系。在港口、矿业盆地和城市郊区等工人生活密集区，劳资关系变得越来越严峻。罢工和暴力事件在1906年达到了一个高潮。但1936年的罢工给雇主造成了更大的损失，因为工人占领了各处工厂和作坊，而政府（人民阵线）却未采取任何干预措施。

左翼的反资本主义也扩散到了知识界。从19世纪90年代起，引领法国知识精英的巴黎高等师范学院的教师们越来越敌视商人，特别是商人中的最富有者，左翼称之为“200个家族”，并指责他们削弱了法国货币，以此诋毁左翼政府。

（四）撤出本土市场

法国的第二波工业化浪潮发生在困难重重的社会和经济环境下。由于出生率下降、本土市场萎缩和非生产性农业部门的膨胀，1860年以后增长开始放缓。“一战”之后，批量化生产又遇到了需求不足的制约。国民生活水平只相当于美国的50%，70%的人口生活在不足2万人的小城镇和小乡村（Lévy-Leboyer，1996，第18页）。

1871年后，工业也受困于阿尔萨斯的割让和该地区富有创业精神的商人的外迁。一些阿尔萨斯商人在孚日省或诺曼底重新创建工业企业，但绝大多数则流失到了德国；也有的迁往了其他国家，如凯什兰移居到了瑞士，斯伦贝谢移居到了美国。但1871年法国在普法战争中失利，使许多出身于这些商人家庭的勇敢子弟选择踊跃参军。随着阿尔萨斯人的相继离去，法国雇主中最保守的元素重新恢复了它们的影响力。19世纪60年代的自由贸易条约遭到了各大雇主协会的质疑（Lambert-Dansette，2000，第136页）。保护主义思潮死灰复燃。但大公司依然对更大的外部世界持开放态度。工业出口商面临的最大障碍来自农业保护主义。对葡萄种植者的担忧阻碍了法国同东欧和南欧国家签署工业协议，将该市场留给了德国出口商（Poidevin，1995）。

三、国家干预的黄金时代：1940—1983年

（一）新柯尔贝尔主义的根基

自20世纪30年代起，法国工业投资开始大幅萎缩。推进现代化的能力大大减弱。与此同时，纳粹德国、法西斯意大利和苏维埃俄国的新独裁统治，大肆标榜其或虚或实的成就。法国“现代化促进派”公开谴责或真或假的家族资本主义路线，呼吁成立国家和大企业之间的联盟，甚至诉诸对经济资源的计划管制。1940年的战争失利给这些“现代化促进派”提供了上台掌权的机会。他们中许多人开始在维希政府担任公职，直到后来才加入了抵抗派阵营（且不论是否名副其实），以至解放政权在许多方面仍延续着维希政府任内的措施和政策。

法国人民解放政权是两大抵抗派力量——戴高乐主义者和共产主义者相互妥协的产物。为了换取一项普遍性的商业国有化政策和对主要公共部门工会的控制权，共产主义者放弃武装。而这些公共部门控制着诸多重要经济领域，如科学研究、教育、煤矿开采、新闻出版、电力输出、铁路运输、海港及邮政和电话服务等。

煤矿、电力、天然气、核能、石油、铁路和航空设备，以及巴黎的绝大多数银行和雷诺汽车公司，都被国有化。这使“现代化促进派”深感满意，他们认为只有国家才能推动现代化［Andrieu和Van-Lemesle（1987），Kuisel（1984），Picard、Beltran和Bungener（1985），Jeanneney（1959），Desjardins等（2002）］。在国有公司的领导层，政府委派了许多工程学院毕业生、新涌现出的年轻精英和社会进步的追求者。

一项四年计划（1966年后改为“五年计划”）使法国商人得以追求他们的发展目标。在第一个五年计划（1966—1970）完成以后，由于国际贸易的重要性不断增加，法国企业开始逐渐摆脱主要关注国内需求的计划。

（二）私营企业面临的约束

1945年起，私营企业的税收负担急剧加重，税收收入主要被用于支付新

型社会保障体系的成本，包括家庭津贴、事故保险、健康和养老保险、交通和住房成本补助，以及1958年后实行的失业保险和1971年后实施的员工培训补助。

现在，政府握有一系列干预经济的金融工具。价格控制始于1939年，它给商人和管理部门进行对话预留了空间。伴随着法兰西银行、其他四家法国最大存款银行和各大保险公司的国有化，信贷控制被引入。国家同时还控制着其他金融机构，包括：法国信托局（CDC），它管理着公证员和储蓄银行的存款（Aglan、Margairaz 和 Verheyde，2003）；1919年改组后重建的国家信贷银行（Crédit National）；以及法国地产信贷银行和法国农业信贷银行。最终，法国在1948年设立了"现代化与设备基金"（Fonds de Modernisation et d'Equipement），用于配置"马歇尔计划"的援助资金。该基金在1955年后获得了国家出资的"经济和社会发展基金"（Fonds de Développement Economique et Social）的注资。如此一来，作为法国行政精英核心基地的财政部，便能直接决定大量国家投资的流向（Quennouëlle-Corre，2000）。铁路、电力和煤矿获得了技术最先进的大型设备。法国的火车成了世界上最快的火车之一，法国电力公司的发电站也成了世界上产能最高的发电站之一。

相比之下，私人融资要势单力薄得多。价格控制危害重重，且不同于20世纪20年代，股票交易萎靡不振。由于货币贬值和来自政府贷款的竞争，法国公司很少能求助于增发新股或债券。因此只剩下了银行融资这条唯一的通道。1945年后，中期（5年）信贷成了颇受欢迎的选择。法国公司在财务方面非常脆弱。

1981年的社会主义国有化将更多的资本转到了政府手上。国有部门雇用的劳动力占全部工业劳动力的份额从6%上升至19%，国家还控制了90%的银行存款。至此，法国最大20家公司中的13家已经变成国有企业。国家增加了这些公司的资本，给那些陷入困境的公司，如布尔公司（Bull）、罗纳—普朗克公司、汤姆逊公司和佩希内公司等提供补贴。1985年，国家股份在法国公司的资本中占10%，达到了其最高水平。

（三）法国的企业家精神：1940—1983年

法国的雇主们并不担心非殖民化（Marseille，2004；Eck，2003；Fridenson，1994）。但他们担心更低的关税和进口配额的解除，这会使他们陷入同德国工业企业赤裸裸的竞争中，后者只需负担相对较低的社保缴费和税收。正如在1860年，相当大部分的法国雇主，尤其是小企业主，反对降低保护。1959年，戴高乐将军在履行条约义务时，创设了货币自由兑换制度，取消了进口配额制度，并第一次降低了海关规费（customs dues），这令很多人大为恼怒。

大企业依旧受到国家政府的束缚，其高管人员（总共约有成千上万名，参见Bauer和Bertin-Mourot，1997）大多是从顶级工程院校招聘的。[5] 他们是法国的统治阶级。众所周知，1940年法国被德国战败，旋即接受了历史学家马克·布洛赫（Marc Bloch）的观点："被击败的是我们亲爱的小镇"（Bloch，1995，第182页；Daumard，1987，第380页）。法国并未充分实现工业化，以成功应对新式德国军队。而现在正是追赶其他先进国家，补回失去的发展时间的良机。1962—1968年间的法国总理和1969—1974年间在任的法国总统乔治·蓬皮杜（Georges Pompidou），以及此后于1974—1981年间在任的法国总统吉斯卡尔·德斯坦（Giscard d'Estaing）等人物，是这个由精英和野心家统治的世界中的一员，他们接受过同样的精英教育，乔治·蓬皮杜和吉斯卡尔·德斯坦的母校分别是巴黎高等师范学院和巴黎综合理工学院（Fridenson，1997，第219页）。人人都认为经济增长没有理由放缓。在一场圣西门主义复兴运动中，规划专员（即计划委员会主席）皮埃尔·麦斯（Pierre Massé）很乐观地预言道："平均生活水平在20年内将翻一番，如果我们越来越多地掌握技术和经济学，提高的幅度可能会更大，速度会更快"（Massé，1965，第89页）。

"二战"期间，法国工业技术的发展严重滞后于其他国家。从1948年起，法国工程师和企业家每隔五周便会组织一次去美国学习新的生产和管理技术（Barjot，2002）。在20世纪50年代，267个这样的生产力代表团共吸纳了约2600名参与者。1960年以后，美国投资的持续流动也带动了美国经济和技术方法向法国的转移。

事实上，在蓬皮杜出任总理和总统时期（1962—1974），法国出现了前所未有的经济繁荣。从1962年法国刚摆脱阿尔及利亚战争的包袱到1974年法

---

⑤ Jean Meynaud估计他们的数目在5000—6000之间（1964，第165页）。

国陷入国内第一次石油危机，年均 GDP 增长率为 5.2%。许多人从农业转向工业：20 世纪 70 年代，农业部门劳动力比例下降到 10% 以下。工程师踌躇满志地制定了一系列计划，并充满信心地期待国家帮助落实这些计划。国家和精英们决定一展宏图。在“二战”前或德国占领时期成长起来的几代人，再也不满足于前辈们的小打小闹。因此，在 1969 年，法国不仅创建了空客公司，实现了英法两国之间协和式超音速喷射客机的第一次飞行，而且成功研制了两辆试验性的高速列车（TGV）（Lachaume，1986）。在 1971 年，第一台完全数字化的电话交换机开始在佩罗斯－吉雷克的布雷顿镇（Breton town）投入使用。1973 年，成功研制了欧洲航空发射火箭——亚利安（Ariane）系列运载火箭。

也是在 1973 年，一纸欧洲协议导致法国创建了一家民用铀浓缩反应堆工厂。随后法国迎来了一场核电站建设高潮，以至法国当时 3/4 的电力供应都来自于核能，这一比例高于其他任何国家。法国企业法玛通（后来更名为阿海珐集团）成了美国西屋电气公司在国际市场上的竞争对手。这些便是法国面对石油危机时的应对之道（Beltran，1985）。

（四）创建“国家冠军企业”政策

与此同时，法国政府鼓励公司兼并，以建立欧洲（洲际）层面的大型“国家冠军企业”（national champions）。其目的是让法国企业能抵抗外国企业的渗透，结果却催生了大量多样化企业集团。在石油行业，几家国有企业兼并后成立了法国埃尔夫石油化工集团。在银行业，国民工商银行（Banque Natioanale pour le Commerce et l'Industrie）和巴黎国民贴现银行的合并，产生了巴黎国民银行（BNP）；与此同时，巴黎的大银行接管了绝大多数区域性银行。在化工领域，国家氮办事处（Office National de l'Azote）同阿尔萨斯钾肥（Potasses d'Alsace）合并成了矿物与化工企业（Entreprise Miniere et Chimique）。1968 年初，20 来家小保险公司以同样的方式组合成了欧洲层面的三大企业集群。钢铁工业也很快聚集成两大集团，即东部的萨西洛尔钢铁集团（Sacilor）和北部的优基诺钢铁集团（Usinor）。人们不难想到电气工程领域的法国通用电气有限公司（Cie Générale d'Electricité），通信领域的阿尔卡特公司，电子工业领域的汤姆逊公司和航空工程领域的法国宇航公司（Fridenson，2006b）。但这些“国家冠军企业”主要建立在规模的基础上，它们较少关注竞争性的投资选项。

同时，组织和管理创新（租赁业务的引进、抵押贷款市场的发明和外汇管制的削弱）帮助法国金融体系补回了失去的发展时间。这些领域的创新者是1966—1968年担任法国财长的米歇尔·德勃雷（Michel Debré）。在取消存款银行和投资银行的分野后，法国金融部门有了一个比英国以外的其他邻国都要好的基础。但是，货币市场仍然微不足道，表现为过多依赖债券发行，1970年债券发行达到了70%。整个这段时期，货币市场只提供了10%的公司融资。

这种国家控制的发展模式直到1974年前都运行良好。1974年，法国的每工时产出高于联邦德国或英国。法国精英坚持推行这些制度安排也就不足为奇了（Maddison，2006，第353页），此外他们也满足于国家控制为他们创造的精英权力和社会地位。

（五）一种独立于国家的资本主义的兴起

这是否等于说法国这一时期不存在自发的资本主义？答案是否定的。制造业和消费品销售领域都出现了私营部门。因此，在银行的帮助下，我们看到农业和食品部门中产生了一种新型的农业综合企业（Bonin，2005）。达能集团一开始生产法软干酪，后来依靠布苏瓦—苏雄—弗塞尔（Boussois-Souchon-Neuvesel）玻璃集团发展壮大。在建筑和公共工程、化工和美容产品领域，也可发现类似的新式企业集团。一个例子是巴黎欧莱雅集团，该公司以生产香皂起家。万能集团（Moulinex）和赛博集团（SEB）成功地在小型家用电器设备领域实现了专业化生产（Seb，2003；Gaston-Breton和Defever-Kapferer，1999；Pernod-Ricard，1999）。在汽车制造领域，标致公司回购了雪铁龙汽车，重组为标致雪铁龙集团。这些公司都有着广泛的市场营销资源。这些现象质疑了关于法国中小型公司的负面评价。

在零售贸易领域，保护小型商铺的限制性法规在1959年之后逐渐被废除。大型超市，如勒克莱尔和家乐福等，不断涌现。不久后，家乐福便建立了最庞大的商业组织形式，即超级大卖场。

随着这些新式零售巨无霸在普通合伙领域日趋衰落，它们越来越把资源转向有限责任公司。这种资本主义的活力体现在1945—1954年间小企业的繁荣发展以及1955年之后有限公司的蓬勃增长上（参见表11－1）。

表 11－1 公司创建的累年平均数量

	普通合伙企业	有限责任公司	有限公司
1929—1938	1 314	6 223	1 917
1945—1954	1 551	17 576	923
1955—1964	1 087	8 231	3 726

资料来源：Caron（1981，第 215 页）

四、回到自由主义：1983 年至今

（一）国家的退出

1981 年以后，弗朗索瓦·密特朗（François Mitterrand）总统任内的社会主义政府对经济的干预程度更甚于以往，政府对新近独立的私人银行和绝大多数大型工业企业实施了国有化。但是，国有化的企业并不盈利，因此越来越需要国家的支持（Cohen，1989）。尽管有公共补贴，但法国国有铁路公司（SNCF）和供电系统（即法国电力公司）的债务仍在不断攀升。这些国有化企业只创造了较少的工作岗位，而且它们的管理经常会犯重大错误。最严重的要数里昂信贷银行，由于未能遵守美国的监管法规，该行损失了一大笔钱，不得不支付创纪录的高达数十亿美元的罚款。所有这些均在敲响着法国社会主义工业政策的丧钟。

转折点出现在 1983 年，尽管此时法国仍由社会主义者掌权。面对不断攀升的赤字和法郎汇率灾难性的下挫，政府放弃了积极的经济干预主义政策。尽管其效应是逐渐显现的，但法国经济现在已朝西欧自由经济体靠拢。到 1984 年，资金流动的自由度大大提高，工资也不再同价格挂钩。增加值中进入工资的比例在 1983 年达到 68% 的峰值水平，随后迅速降至 60% 以下。1984 年，克勒索—卢瓦尔工业公司（Creusot-Loire）遭受了巨大损失。克勒索—卢瓦尔是当时法国优质钢冶炼和机械制造领域最大的集团公司，员工人数多达 23000 名。经过一番犹豫后，政府决定不插手支持，该公司被迫于 1984 年陷入财务破产状态。

1968 年的大选使右翼重新掌握了政权。右翼政府决定完全放开价格，让国家退出 13 家大型金融和工业企业，其中包括 1945 年被国有化的所有银行。汽车制造商雷诺在 1994 年实行了私有化。公共金融部门现在仅限于势力仍然

庞大的法国信托局和邮政部门。随着欧元在1999年1月启用，法国融入了欧洲金融大家庭。

即便如此，国家仍试图创建两大企业集团：一大企业集团由巴黎国民银行、埃尔夫集团、圣戈班、佩希内、苏伊士集团和巴黎保险联盟（Union des Assurances de Paris）组成；另一大企业集团由法国一般保险公司（Assurances Générales de France）、阿尔卡特、汉威士集团、巴黎银行（Paribas）、罗纳—普朗克、法国兴业银行和托特尔（Total）组成。但该体系建立在交叉参与的基础上，沉淀了大量资金，并导致这些企业的资本化程度不足，阻碍了它们的进一步合并和增长。20世纪90年代中期，问题开始不断显现。股东再次撤走了他们的投资。

外国投资者现在开始大举涌入。到1999年末，在那些规模最大的法国企业中，有略高于一半的法定股本由外国人所有（Morin和Rigamonti，2002）。有选择性地私有化原本旨在保护法国企业免遭外部收购，却产生了相反的效应：它削弱了企业的资本化程度，使企业陷入了困境。现如今，法国是对境外资本最开放的国家之一。2005年，巴黎国民银行、法国兴业银行、阿尔卡特、阿克斯（Axa）或维旺迪集团（Vivendi）等企业，有30%—50%的股权掌控在境外投资者手中。到2006年，法国政府根本没有任何办法阻止英裔印度商人米塔尔（Mittal）控制阿塞洛公司（Arcelor），该公司是当时欧洲最大的钢铁制造商，由来自法国、卢森堡和西班牙的多家企业合并而成。

（二）金融市场的凯旋

受益于国际经济环境，法国股票交易指数从1981—1987年涨了4倍。随之而来的是20世纪90年代指数的另一次上升。20世纪80年代，股票交易在法国经济的全部融资中只占27%，到1997年已上升至80%。对这一革命性变化，法国并未做好准备。虽然储蓄仅为GDP的15%，但国家却鼓励它们用于债务融资。这给境外机构投资者留下了自由发展的空间。同时，法国的机构投资者，如保险公司，却偏向于政府贷款。

由于更大的金融自由，法国企业得以削减债务，充实资本，并实现自我融资。大企业做出了较好的调整，开始在世界市场上发挥一定作用。法国企业主能自由流动，实施全球化战略，在世界各地设立子公司。2005年，有40家法国跨国企业进入世界500强。最著名的有：路易威登集团（LVMH，奢侈品行业）、欧莱雅集团（L'Oréal，化妆品行业）、达能集团（Danone，乳制品行业）、芬奇（Vinci，土木工程行业）、维旺迪集团（电影、音乐和出版等行业）、威立雅环境集团（Veolia，水处理行业）、法国航空公司（Air France）、阿海珐集团（Areva，核能行业）、液化空气集团（Air Liquide，工业煤气行业）和依视路集团（Essilor，眼镜行业）。法国在出版、数字处理（Marseille 和 Eveno，2002；Gaston-Breton，1997）、酒店旅游（Luc，1998）、奢侈品（Bergeron，1998；Marseille，1999；Ferrière，1995；Dalle，2001；Dubois，1988）、能源工程、交通运输（Barjot，1992，1993，2003）和大规模物流（Villermet，1991；Chadeau，1995；Petit、Grislain 和 Le Blan，1985）领域也表现不俗。美国和英国的投资基金一开先例，法国企业便迅速对金融领域的市场信号做出回应。人们可看到一个来自世界各地的新型企业家群体，正积极地参与全球市场的竞争。一个例子是雷诺集团主席卡洛斯·戈恩（Carlos Ghosn）。戈恩是黎巴嫩后裔，1954 年出生于巴西，曾是巴黎综合理工学院的学生，他在 1999 年成功合并了尼桑（Nissan）和雷诺，2005 年正式成为兼并后的联合企业集团的主席。

企业集团主席手握大量权力，这是法国模式的特点之一，如今虽已不受政府约束，却不得不对日益增长的股东影响做出回应。短期内的金融逻辑取代了长期内的工业逻辑（Trumbull，2004；Fridenson，2006a）。

（三）家族资本主义的持久性

罢工风险和行政约束（如每周工作时间不得超过 35 小时、《公平劳动标准法》的复杂性、企业税收和社会保险）依然抑制着法国公司的创立。法国似乎是欧洲设立公司最不易的国家。这正是如今这么多法国人生活和工作在国外的原因。比如，今天仅生活在伦敦的法国人就多达 20 万或以上。

近几年来，行政障碍已大大减少，行政手续被重组和精简，社会保险税也有所降低。法国公司已在向英美模式转变，私人股权越来越多。2003 年，720 万法国人（1/4 的家庭）持有公司股票，比工会成员人数还多。法国西部地区（布列塔尼、旺代省、马耶讷省）正经历着经济复苏，大量中小型企业不断涌现。

五、结　论

法国继承了两种传统：一种是由君主国及后来的社会主义意识形态所主导的

管制经济传统；另一种是市场资本主义传统，这一传统在缓慢融入更广阔社会的地区（北部和东部）和宗教群体（新教徒和犹太教徒）中表现得尤为强烈。

法国强大的中央集权政府的行政和政治权力，从未完全阻止相当大一批新型企业家推动法国实现工业化和技术进步的努力。18 世纪末君主制或法国大革命时期创立的国家制度，有助于各种发明在法国制造业企业中的扩散。但是，首创性几乎全都来自企业家。法国北部、东部和巴黎是企业家最具创新精神的区域或地方。城市自治传统和摆脱中央集权国家，似乎刺激了企业家精神的发展。

富于创新精神的企业家在工业化进程中的角色至关重要。许多发明家同时也是工业家，他们开发出某项创新，并使之能供终端用户使用。例如，法国火车头的设计者使发动机耗煤量远低于英国，从而能适应法国煤炭价格高昂这一现实条件。另一个例子是卢米埃尔兄弟：他们不仅发明了电影放映机，还帮助成立了一家公司，为普通大众制作电影。

大革命结束后的 19 世纪初，企业家已跻身于法国社会第一等级。最富有的企业家的财富很快超过了最大的地主，且在 1830 年后，他们在国家最顶层中的影响力颇大。但是，他们结交权贵向上爬的做法遭到了其他精英，如旧贵族、新兴知识界和艺术界精英的批评。工业化过程本身也不受一些公众舆论的欢迎。直到“二战”前，许多法国议会议员都对大规模工业的发展和大量劳动者聚集的增长持保留态度。在法国，不利于企业家精神扩散的障碍大多来自右翼或左翼极端分子。19 世纪，一些精英人士更倾向于谋求公职或军职，而非步入私营工业领域。但是，情况逐渐发生了变化。在 20 世纪，政府高官和企业家均接受相同的精英教育，毕业于相同的工程院校，汇集成一个独特的统治阶级。这种趋势在“二战”后得到了加速，表现为，法国政府在推动新技术发展、给能源和运输部门的巨额投资提供资金方面，发挥了重要作用。

1940 年至 20 世纪 80 年代中期，政治和行政精英选择了国家管制经济的模式，试图发展大型国有企业。这一趋势在弗兰西斯·密特朗总统的社会主义政府掌权的早年（1981—1983）得到了强化。但 1983 年后，法国政府决定放弃干预主义政策，逐渐回归自由竞争规则。

如今，法国的企业家精神似乎进入了一个新时代，企业家掌握着大量权力。短短 20 年间，法国已从国家资本主义转型为市场资本主义。战后“国家冠军企业”的政策遗产见证了法国跨国公司像外国跨国公司那样高效运转。它们的最大任务是足够快速地增长，而非继续保持小规模。

参考文献

Aerts, Erik, and François Crouzet, eds. 1990. *Economic Effects of the French Revolutionary and Napoleonic Wars: Proceedings of the Tenth International Economic History Congress*. Leuven: Leuven University Press.
Aglan Alya, Michel Margairaz, and Philippe Verheyde, eds. 2003. *La Caisse des Dépôts et Consignations: La Seconde Guerre mondiale et le XXe siècle*. Paris: Albin Michel.
Albert, Michel. 1991. *Capitalisme contre capitalisme*. Paris: Le Seuil.
Amable, Bruno. 2005. *Les Cinq capitalismes: Diversité des systèmes économiques et sociaux dans la mondialisation*. Paris: Le Seuil.
Andrieu, Claire, and Le Van-Lemesle Lucette, eds. 1987. *Les nationalisations de la Libération: De l'utopie au compromis*. Paris: Presses de la Fondation nationale des Sciences politiques.
Angleraud, Bernadette, and Catherine Pélissier. 2003. *Les dynasties lyonnaises*. Paris: Perrin.
Armengaud, André. 1960. "A propos des origines du sous-développement industriel dans le Sud-Ouest." *Annales du Midi* 1:75–81.
Asselain, Jean-Charles. 1984. *Histoire économique de la France du XVIIIe siècle à nos jours*. 2 vols. Paris: Le Seuil.
Barbier, Frédéric, ed. 1989. *Le patronat du Nord sous le Second Empire. Une approche prosopographique*. Geneva: Droz-Champion.
Barjot, Dominique. 1989. *La grande entreprise française de travaux publics, 1883–1974*. Lille: A.N.R.T, Université de Lille III.
———, ed. 1991. *Les patrons du Second Empire. Anjou, Normandie, Maine*. Paris: Picard.
———. 1992. *Fougerolle. Deux siècles de savoir-faire*. Caen: Editions du Lys.
———. 1993. *Travaux publics de France. Un siècle d'entrepreneurs et d'entreprises*. Paris: Presses de l'Ecole des Ponts-et-Chaussées.
———, ed. 2002. *L'americanisation de l'Europe occidentale au XXe siècle: Mythe et réalité*. Paris: Presses de l'Université de Paris–Sorbonne.
———. 2003. *La trace des bâtisseurs. Histoire du groupe Vinci*. Vinci: Rueil-Malmaison.
Barjot, Dominique, Eric Anceau, Isabelle Lescent-Gilles, and Bruno Marnot, eds. 2003. *Les entrepreneurs du Second Empire*. Paris: Presses de l'Université de Paris–Sorbonne.
Barjot, Dominique, Henri Morsel, and Sophie Coeuré. 2001. *Les compagnies électriques et leurs patrons. Stratégies, gestion, management, 1895–1945*. Paris: Fondation Electricité de France.
Baudant, Alain. 1980. *Pont-à-Mousson (1918–1939): Stratégies industrielles d'une dynastie lorraine*. Paris: Publications de la Sorbonne.
Bauer, Michel, and Bénédicte Bertin-Mourot. 1987. *Les 200. Comment devient-on un grand patron?* Paris: Seuil.
———. 1997. *L'ENA est-elle une business school?* Paris: L'Harmattan.
Belhoste, Bruno, ed. 1995. *La France des X, deux siècles d'histoire*. Paris: Economica.
Beltran, Alain. 1985. *Histoire de l'EDF. Comment se sont prises les décisions de 1946 à nos jours*. Paris: Dunod.
Beltran, Alain, Jean-Pierre Daviet, and Michèle Ruffat. 1995. *L'histoire d'entreprise en France. Essai bibliographique*. Paris: Institut d'histoire du temps présent.
Bergeron, Louis. 1998. *Les industries du luxe en France*. Paris: Odile Jacob.
Bloch, Marc. 1995. *L'étrange défaite*. Paris: Folio Histoire.

Bonin, Hubert. 1985. “La Révolution a-t-elle brisé l’esprit d’entreprise?” *L’Information historique* 5:193–204.
———. 1987a. *CFAO (Compagnie française de l’Afrique occidentale). Cent ans de compétition (1887–1987)*. Paris: Economica.
———. 1987b. *Suez. Du canal à la finance (1858–1987)*. Paris: Economica.
———. 1991. “Le Comptoir d’Escompte de Paris: Une banque impériale, 1848–1940.” *Revue Française d’Histoire d’Outre-Mer* 78:477–97.
———. 1992. *Une grande entreprise bancaire: Le Comptoir national d’escompte de Paris dans l’entre-deux-guerres*. Paris: Comité pour l’Histoire économique et financière.
———. 1995. *Les groupes financiers français*. Paris: Presses universitaires de France.
———. 1999. *Les patrons du Second Empire. Bordeaux et la Gironde*. Paris: Picard.
———. 2001. *La Banque de l’Union Parisienne. Histoire de la deuxième banque d’affaires française (1874/1904–1974)*. Paris: P.L.A.G.E.
———. 2005. *Les coopératives laitières du grand Sud-Ouest (1893–2005)*. Paris: P.L.A.G.E.
Breton, Yves, Albert Broder, and Michel Lutfalla, eds. 1997. *La longue stagnation en France. L’autre grande dépression, 1873–1897*. Paris: Economica.
Bussière, Eric. 1992. *Paribas, l’Europe et le monde, 1872–1992*. Anvers: Fonds Mercator.
———. 1995. “Paribas and the Rationalization of the French Electricity Industy, 1900–1930.” In *Management and Business in Britain and France: The Age of the Corporate Economy*, ed. Youssef Cassis, François Crouzet, and Terry Gourvish, 204–13. Oxford: Clarendon Press.
Butel, Paul. 1991. *Les dynasties bordelaises, de Colbert à Chaban*. Paris: Perrin.
Cailly, Claude. 1993. *Mutations d’un espace proto-industriel: Le Perche aux XVIIIe–XIXe siècles*. Lille: A.N.R.T, Université de Lille III.
Cameron, Rondo. 1971. “L’esprit d’entreprise.” In *La France et le développement économique de l’Europe, 1800–1914*. Paris: Le Seuil.
Carlier, Claude. 1992. *Marcel Dassault: La légende du siècle*. Paris: Perrin.
———. 2003. *Matra, la volonté d’entreprendre. De Matra à EADS*. Paris: Editions du Chêne-Hachette.
Caron, François. 1981. *Histoire économique de la France XIXe–XXe siecles*. Paris: Armand Colin.
———, ed. 1983. *Entreprises et entrepreneurs XIXe–XXe siècles*. Paris: Presses de l’Université Paris–Sorbonne.
———. 1995. *Histoire économique de la France, XIXe–XXe siècles*. 2nd ed. Paris: Armand Colin.
Carter, Edward C., ed. 1976. *Enterprise and Entrepreneurs in Nineteenth- and Twentieth-Century France*. Baltimore: John Hopkins University Press.
Cassis, Youssef. 1997. *Big Business: The European Experience in the Twentieth Century*. Oxford: Oxford University Press.
Cassis, Youssef, François Crouzet, and Terry Gourvish, eds. 1995. *Management and Business in Britain and France: The Age of the Corporate Economy*. Oxford: Clarendon Press.
Caty, Roland, Eliane Richard, and Pierre Echinard. 1999. *Les patrons du Second Empire. Marseille*. Paris: Picard.
Cayez, Pierre. 1988. *Rhône-Poulenc, 1895–1975. Contribution à l’étude d’un groupe industriel*. Paris: Armand Colin-Masson.
Cazes, Bernard, and Philippe Mioche. 1990. *Modernisation ou décadence. Contribution à l’histoire du Plan Monnet et de la planification en France*. Aix-Marseille: Publications de l’Université de Provence.
Chadeau, Emmanuel. 1987. *L’industrie aéronautique en France, 1900–1950*. Paris: Fayard.
———. *L’économie du risque*. 1988. *Les entrepreneurs de 1850 à 1980*. Paris: Olivier Orban.
———. 1995. “Mass Retailing: A Last Chance for the Family Firm in France, 1945–1990?” In *Management and Business in Britain and France: The Age of the Corporate Economy*, ed. Youssef Cassis, François Crouzet, and Terry Gourvish, 52–71. Oxford: Clarendon Press.

Chaline, Jean-Pierre. 1982. *Les bourgeois de Rouen: Une élite urbaine au XIXe siècle*. Paris: Presses de la FNSP.
———. 1988. "Idéologie et mode de vie du monde patronal haut-normand sous le Second Empire." *Annales de Normandie*, May–July.
Chassagne, Serge. 1991. *Le coton et ses patrons en France, 1760–1840*. Paris: EHESS.
Chastagnaret, Gérard, and Philippe Mioche, eds. 1998. *Histoire industrielle de la Provence*. Aix-Marseille: Publications de l'Université de Provence.
Cohen, Elie.1989. *L'Etat brancardier. Politiques du déclin industriel (1974–1984)*. Paris: Calmann-Lévy.
Cohen, Elie, and Michel Bauer. 1985. *Les grandes manoeuvres industrielles*. Paris: Belfond.
Crouzet, François. 1959. "Les origines du sous-développement economique du Sud-Ouest." *Annales du Midi* 1:1–79.
———. 1989. "Les conséquences économiques de la Révolution française. Réflexions sur un débat." In "Révolution de 1789, guerres et croissance économique," ed. Jean-Charles Asselain. *Revue économique* 40:1189–1203.
Dalle, Francois. 2001. *L'aventure L'Oréal*. Paris: Odile Jacob.
Darnton, Robert. 1983. *Boheme littéraire et Revolution: Le monde des livres au XVIIIe siecle*. Paris: Gallimard.
Daumard, Adeline. 1987. *Les bourgeois et la bourgeoisie en France depuis 1815*. Paris: Aubier.
Daumas, Jean-Claude, ed. 2004a. *Les systèmes productifs dans l'Arc jurassien. Acteurs, pratiques et territoires (XIXe–XXe siècles)*. Besançon: Presses Universitaires de Franche-Comté.
———. 2004b. *Les Territoires de la laine. Histoire de l'industrie lainière en France au XIXe siècle*. Villeneuve d'Ascq: Presses Universitaires du Septentrion.
Daviet, Jean-Pierre. 1989. *Une multinationale à la française. Histoire de Saint-Gobain, 1665–1989*. Paris: Fayard.
Delsalle, Paul. 1987. *Tourcoing sous l'Ancien Régime*. Lille: Impr. du Siècle.
Desjardins, Bernard, Michel Lescure, Roger Nougaret, Alain Plessis, and André Straus. 2002. *Le Crédit lyonnais, 1863–1986. Etudes historiques*. Geneva: Droz.
Dubois, Paul. 1988. *L'industrie de l'habillement. L'innovation face à la crise*. Paris: La Documentation française.
Eck, Jean-François. 2003. *Les entreprises françaises face à l'Allemagne de 1945 à la fin des années 1960*. Paris: Comité pour l'Histoire économique et financière de la France.
Ferrière, Marc de. 1995. *Christofle: Deux siècles d'aventure industrielle, 1793–1993*. Paris: Le Monde Editions.
Fridenson, Patrick. 1994. "Les patronats allemands et français au XXe siècle. Essai de comparaison." In *Eliten in Deutschland und Frankreich im 19. und 20. Jahrhundert. Strukturen und Beziehungen*, ed. Rainer Hudemann and Georges-Henri Soutou, 153–67. Munich: Oldenburg Verlag.
———. 1997. "France: The Relatively Slow Development of Big Business in the Twentieth Century." In *Big Business and the Wealth of Nations*, ed. Alfred D. Chandler Jr., Franco Amatori, and Takashi Hikino, 207–45. Cambridge: Cambridge University Press.
———. 1998. *Histoire des usines Renault. Naissance de la grande entreprise 1898–1939*. 2nd ed. Paris: Le Seuil.
———, ed. 2001. *Mémoires industrielles II. Berliet, le camion français est né à Lyon*. Paris: Editions de la Maison des Sciences de l'Homme-Syrinx.
———. 2006a. "The Main Changes in the Behavior of French Companies in the Past 25 Years." *Bulletin de la Société franco-japonaise de gestion*, May, 15–25.
———. 2006b. "La multinationalisation des entreprises françaises publiques et privées de 1945 à 1981." In *L'économie française dans la compétition internationale au 20e siècle*, ed. Maurice Lévy-Leboyer, 311–35. Paris: Comité pour l'histoire économique et financière de la France.

Fridenson, Patrick, and André Straus, eds. 1987. *Le capitalisme français XIXe et XXe siècles. Blocages et dynamismes d'une croissance*. Paris: Fayard.

Gaston-Breton, Tristan. 1997. *De Sogeti à Cap Gemini, 1967–1997. 30 ans d'histoire*. Paris: CGS.

———. 1998. *Lesieur. Une marque dans l'histoire, 1908–1998*. Paris: Perrin.

Gaston-Breton, Tristan, and Patricia Defever-Kapferer. 1999. *La magie Moulinex*. Paris: Le Cherche-Midi.

Gille, Bertrand. 1959. *Recherches sur la formation de la grande entreprise capitaliste, 1815–1848*. Paris: SEVPEN.

———. 1968. *La banque et le crédit en France de 1815 à 1848*. Geneva: Droz.

Goyer, Michel. 2003. "Corporate Governance, Employees, and the Focus on Core Competencies in France and Germany." In *Global Markets, Domestic Institutions: Corporate Law and Governance in a New Era of Cross-Border Deals*, ed. Curtis J. Milhaupt, 183–213. New York: Columbia University Press.

———. 2006. "La transformation du gouvernement d'entreprise." In *La France en mutation 1980–2005*, ed. Pepper D. Culpepper, Peter A. Hall, and Bruno Palier, 71–108. Paris: Presses de Sciences Po.

Groethuysen, Bernard. 1927. *Les origines de l'esprit bourgeois en France*. Vol. 1, *L'Eglise et la bourgeoisie*. Paris.

Gueslin, André, ed. 1993. *Michelin, les hommes du pneu, 1889–1940*. Paris: Les Editions de l'Atelier.

Hall, Peter A. 1986. *Governing the Economy: The Politics of State Intervention in Britain and France*. Oxford: Oxford University Press.

Hall, Peter A., and David Soskice. 2001. "An Introduction to Varieties of Capitalism." In *Varieties of Capitalism: The Institutional Foundations of Comparative Advantage*, ed. Peter A. Hall and David Soskice. Oxford: Oxford University Press.

Hancké, Bob. 2002. *Large Firms and Institutional Change: Industrial Renewal and Economic Restructuring in France*. Oxford: Oxford University Press.

Hau, Michel. 1987. *L'industrialisation de l'Alsace (1803–1939)*. Strasbourg: Presses Universitaires de Strasbourg.

Hau, Michel, and Nicolas Stoskopf. 2005. *Les dynasties alsaciennes*. Paris: Perrin.

Heinrich, Nathalie. 2006. *L'élite artiste. Excellence et singularité en régime démocratique*. Paris: Gallimard.

Hirsch, Jean-Pierre. 1991. *Les deux rêves du commerce. Entreprise et institution dans la région lilloise (1780–1860)*. Paris: Editions de l'Ecole des Hautes Etudes en Sciences Sociales.

Holworth, Jolyon, and Philip Cerny, eds. 1981. *Elites in France: Origins, Reproduction, and Power*. London: Frances Pinter, for the Association for the Study of Modern and Contemporary France.

Hudemann, Rainer, and Georges-Henri Soutou, eds. 1994. *Eliten in Deutschland und Frankreich im 19. Und 20. Jahrhundert. Strukturen und Beziehungen*. Munich: Oldenburg Verlag.

Jeanneney, Jean-Marcel. 1959. *Forces et faiblesses de l'économie française*. Paris: Fondation nationale des Sciences politiques.

Jemain, Alain. 2002. *Les conquérants de l'invisible. Air liquide, 100 ans d'histoire*. Paris: Fayard.

Johnson, Christopher. 1995. *The Life and Death of Industrial Languedoc, 1700–1920*. Oxford: Oxford University Press.

Joly, Hervé Alexandre Giandou, Muriel Le Roux, Anne Dalmasso, and Ludovic Cailluet, eds. 2002. *Des barrages, des usines et des hommes. L'industrialisation des Alpes du Nord entre ressources locales et apports extérieurs*. Grenoble: Presses Universitaires de Grenoble.

Kuisel, Richard. 1984. *Le capitalisme et l'Etat en France. Modernisation et dirigisme au XXe siècle*. Paris: Gallimard.

Lachaume, P. 1986. "De l'hélice à l'aviation à réaction (moteurs civils)." In *Colloque de l'aéronautique et de l'espace, quarante années de développement aérospatial français, 1945–1985*, 195–202. Paris: Institut d'histoire des conflits contemporains, Centre d'histoire de l'aéronautique et de l'espace.

Lambert-Dansette, Jean. 1992. *La Vie des chefs d'entreprise en France (1830–1880)*. Paris: Hachette.

Lamard, Pierre. 1988. *Histoire d'un capital familial au XIXe siècle: Le capital Japy (1777–1910)*. Belfort: Société Belfortaine d'Emulation.

———. 1996. *De la forge à la société holding, Viellard-Migeon et Cie, 1796–1996*. Paris: Polytechnica.

Lambert-Dansette, Jean. 2000. *Histoire de l'entreprise et des chefs d'entreprise en France*. Vol. 1. Paris: L'Harmattan.

Landes, David S. 1951. "French Business and the Businessman: A Social and Cultural Analysis." In *Modern France: Problems of the Third and Fourth Republics*, ed. M. Earle, 334–53. Princeton: Princeton University Press.

———. 1967. *The Unbound Prometheus: Technological Change and Industrial Development in Western Europe from 1750 to the Present*. London: Cambridge University Press.

———.1999. *The Wealth and Poverty of Nations: Why Some Are So Rich and Some Are So Poor*. New York: Norton.

———. 2006. *Dynasties, Fortunes, and Misfortunes of the World's Great Family Businesses*. New York: Viking.

Lanthier, Pierre. 1988. "Les constructions électriques en France. Financement et stratégies de six groupes industriels internationaux." Thesis, Université de Paris X–Nanterre.

Le Roux. Muriel. 1998. *L'entreprise et la recherche: Un siècle de recherche industrielle à Péchiney*. Paris: Editions Rive droite.

Leménorel, Alain. 1988. *L'impossible révolution industrielle? Économie et sociologie minière en Basse-Normandie*. Caen: Annales de Normandie.

Lescure, Michel. 1996. *PME et croissance économique. L'expérience française des années 1920*. Paris: Economica.

———. 2002. "Entre ville et campagne: L'organisation bancaire des districts industriels. L'exemple du Choletais (1900–1950)." In *Villes et districts industriels en Europe occidentale, XVIIe–XXe siècles*, ed. Jean-François Eck and Michel Lescure, 81–102. Tours: Presses de l'Université de Tours.

Lescure, Michel, and Alain Plessis, eds. 2004. *Banques locales et banques régionales en Europe au XXe siècle*. Paris: Albin Michel.

Levy, Jonah D. 1999. *Tocqueville's Revenge: State, Society, and Economy in Contemporary France*. Cambridge: Harvard University Press.

Lévy-Leboyer, Maurice. 1974. "Le patronat français a-t-il été malthusien?" *Le Mouvement social* 88 (July–September): 3–49.

———. 1977a. "La balance des paiements et l'exportation des capitaux français." In *La position internationale de la France. Aspects économiques et financiers, 19e–20e siècles*, ed. Maurice Lévy-Leboyer, 71–92. Paris: Editions de l'Ecole des Hautes Etudes en Sciences Sociales.

———, ed. 1977b. *La position internationale de la France. Aspects économiques et financiers, 19e–20e siècles*. Paris: Editions de l'Ecole des Hautes etudes en sciences sociales.

———. 1979. "Le patronat francais 1912–1973." In *Le patronat de la seconde industrialisation*, ed. Maurice Lévy-Leboyer, 137–88. Paris: Cahiers du Mouvement Social.

———. 1980. "The Large Corporation in Modern France." In *Managerial Hierarchies: Comparative Perspectives on the Modern Industrial Enterprise*, ed. Alfred D. Chandler Jr. and Herman Daems, 117–60. Cambridge: Harvard University Press.

———. 1985. "Le patronat français a-t-il échappé à la loi des trois générations?" *Le Mouvement social* 132 (July–September): 3–7.

———. 1996, "La continuité française." In *Histoire de la France industrielle*, ed. Maurice Lévy-Leboyer, 15-19. Paris: Larousse.

Lévy-Leboyer, Maurice, and François Bourguignon. 1985 *L'économie française au XIXe siècle. Analyse macro-économique*. Paris: Economica.
Lévy-Leboyer, Maurice, and Jean-Claude Casanova. 1991. *Entre l'Etat et le marché, l'économie française des années 1880 à nos jours*. Paris: Gallimard.
Loubet, Jean-Louis. 1990. *Automobiles Peugeot. Une réussite industrielle, 1945–1974*. Paris: Economica.
———. 1999 *Citroën, Peugeot, Renault. Histoire de stratégies d'entreprises*. Boulogne: ETAI.
———. 2001. *Histoire de l'automobile française*. Paris: Le Seuil.
Luc, Virginie. 1998. *Impossible n'est pas français. L'histoire inconnue d'Accor, leader mondial de l'hôtellerie*. Paris: Albin Michel.
Lüthy, Herbert.1955–61. *La banque protestante en France de la révocation de l'Édit de Nantes à la Révolution*. 2 vols. Paris: SEVPEN.
Maddison, Angus. 2006. *The World Economy: A Millennial Perspective*. Paris: OECD.
Marseille, Jacques. 2000. *Créateurs et création d'entreprises de la révolution industrielle à nos jours*. Paris: Association pour le Développement de l'Histoire économique.
———. 2004. *Empire colonial et capitalisme français, Histoire d'un divorce*. 1984; Paris: Albin Michel.
———, ed. 1992. *Alcatel-Alsthom. Histoire de la Compagnie générale d'électricité*. Paris: Larousse.
———, ed. 1999. *Le luxe en France du siècle des Lumières à nos jours*. Paris: Association pour le Développement de l'Histoire économique.
———. 2000 *Créateurs et création d'entreprises de la révolution industrielle à nos jours*. Paris: Association pour le Développement de l'Histoire économique.
Marseille, Jacques, and Patrick Eveno, eds. 2002. *Histoire des industries culturelles en France, XIXe–XXe siècles*. Paris: Association pour le Développement de l'Histoire économique.
Massé, Pierre. 1965. "Allocution inaugurale des Journées d'Études de Lyon, 4 juin 1959." In *Le plan ou l'anti-hasard*. Paris: Gallimard.
Mayaud, Jean-Luc. 1991. *Les patrons du Second Empire. La Franche-Comté*. Paris: Picard.
Meuleau, Marc. 1990. *Des pionniers en Extrême-Orient: Histoire de la Banque de l'Indochine 1875–1975*. Paris: Fayard.
———. 1995. "From Inheritors to Managers: The Ecole des Hautes Etudes commerciales and Business Firms." In *Management and Business in Britain and France: The Age of the Corporate Economy*, ed. Youssef Cassis, François Crouzet, and Terry Gourvish, 128–46. Oxford: Clarendon Press.
Meynaud, Jean. 1964. *La technocratie, mythe ou réalité?* Paris: Payot.
Mieg, Philippe. 1948. "L'apport des Mulhousiens dans les domaines de la Science et de la Technique." *Bulletin de la Société Industrielle de Mulhouse* 24–26.
Moine, Jean-Marie. 1989. *Les barons du fer. Les maîtres de forges en Lorraine*. Nancy: Editions Serpenoise–Presses Universitaires de Nancy.
Morin, Francois, and Eric Rigamonti. 2002. "Evolution et structure de l'actionnariat en France." *Revue française de gestion* 141:155–81.
Olivier, Jean-Marc. 2004. *Des clous, des horloges et des lunettes. Les campagnards moréziens en industrie (1780–1914)*. Paris: Editions du CTHS.
Pernod-Ricard. D'un siècle à l'autre en 25 marques. 1999. Paris: Textuel.
Perrot, Jean-Claude, ed. 1982. *Voies nouvelles pour l'histoire économique de la Révolution. Annales historiques de la Révolution française*, special issue. Paris.
Petit, Francis Jacqueline Grislain, and Martine Le Blan. 1985. *Aux fils du temps. La Redoute*. Paris: Robert Laffont.
Pétré-Grenouilleau, Olivier 2003 "Un port pour horizon. L'économie nantaise à l'heure de l'ère industrielle." In *Nantes. Histoire et géographie contemporaine*. Nantes: Editions Palantines.
Picard, Jean-François, Alain Beltran, and Martine Bungener. 1985. *Histoire de l'EDF. Comment se sont prises les décisions de 1946 à nos jours*. Paris: Bordas.

Poidevin, Raymond. 1995. *Péripéties franco-allemandes du milieu du XIXe siècle aux années 1950*. Berne: Peter Lang.
Pouchain, Pierre. 1998. *Les maîtres du Nord du XIXe siècle à nos jours*. Paris: Perrin.
Poussou, Jean-Pierre. 1989. "Les activités urbaines en France pendant la Révolution." *Revue Economique* 40:1061–78.
———. 2000. "Le Sud-Ouest de la France est-il au XIXe siècle une région sous-industrialisée et sous-développée?" In *L'économie française du XVIIIe siecle au XIXe siecle. Perspectives nationales et internationales*, ed. Jean-Pierre Poussou, 643–70. Paris: Presses de l'Université de Paris–Sorbonne.
Quennouëlle-Corre, Laure. 2000. *La direction du Trésor, 1947–1967. L'État-banquier et la croissance*. Paris: Comité pour l'Histoire économique et financière de la France.
Raveux, Olivier. 1998. *Marseille, ville des métaux et de la vapeur au XIXe siècle*. Paris: CNRS Editions.
Schmidt, Vivien. 1996. *From State to Market? The Transformation of French Business and Government*. Cambridge: Cambridge University Press.
Schweitzer, Sylvie. 1992. *André Citroën, 1878–1936: Le risque et le défi*. Paris: Fayard.
Seb. 2003. *1953–2003. La cocotte traverse le temps*. Paris: Textuel.
Smith, Michael Stephen. 2005. *The Emergence of Modern Business Enterprise in France, 1800–1930*: Cambridge: Harvard University Press.
Smith, Robert. 2001. *The Boucayers of Grenoble and French Industrial Enterprise, 1850–1970*. Baltimore: John Hopkins University Press.
Stoskopf, Nicolas. 1994. *Les patrons du Second Empire. Alsace*. Paris: Picard.
———. 2002. *Les patrons du Second Empire. Banquiers et financiers parisiens*. Paris: Picard.
Terrier, Didier. 1996. *Les deux âges de la proto-industrie. Les tisserands du Cambrésis et du Saint-Quentinois, 1730–1880*. Paris: EHESS.
Thépot, André, ed. 1985. *L'ingénieur dans la société française*. Paris: Les éditions ouvrières.
Todd, Emmanuel. 1990. *L'invention de l'Europe*. Paris: Le Seuil.
Torres, Félix. 1992. *Une histoire pour l'avenir, Merlin-Gérin, 1920–1992*. Paris: Albin-Michel.
Toulemonde, Jacques. 1966. *Naissance d'une métropole. Histoire économique et sociale de Roubaix-Tourcoing au XIXème siècle*. Tourcoing: Georges Frère.
Trumbull, J. Gunnar. 2004. *Silicon and the State: French Innovation Policy in the Internet Age*. Washington DC: Brookings Institution Press.
Verley, Patrick. 1994. *Entreprises et entrepreneurs du 18e siècle au début du 20e siècle*. Paris: Hachette.
Villermet, Jean-Marc. 1991. *Naissance de l'hypermarché*. Paris: Armand Colin.
Vuillermot, Catherine. 2001. *Pierre-Marie Durand et l'Energie industrielle. Histoire d'un groupe électrique, 1906–1945*. Paris: CNRS Editions.
Weber, Max. 1905. *Die protestantische Ethik und der Geist des Kapitalismus*. Berlin.
Woronoff, Denis. 1994. *Histoire de l'industrie en France du XVIe siècle à nos jours*. Paris: Le Seuil.

第十二章　美国内战前的企业家精神*

路易斯·凯恩

一、一般性描述

成就美国的是企业家精神。获得独立后，美国可支配收入迅速位居世界最高国家之列，但在殖民时代早期，创业失败却和创业成功一样普遍（Hughes 和 Cain，2007，第 51 页）。事实上，第一个永久性殖民地詹姆斯敦，原本是伦敦弗吉尼亚公司（VCL）的一次商业冒险，当它变成大英帝国的直辖殖民地时，便成了某家北美私营企业的第一个政府救助对象。通过独立，美国建立了较好的农业和贸易，但制造业仍处在起步阶段。

若如熊彼特（1934）所认为的，企业家试图颠覆均衡，则殖民地经济能否算是均衡便成了一个问题。这种阐释似乎和柯兹纳（Kirzner，1973）的观点更为一致，柯兹纳认为，企业家识别现存非均衡中的获利机会，进而推动经济走向新的均衡。同时，它还需要一个关于企业家精神的宽泛定义，如兰德斯所言：

> 企业家是经济中的决策者，不仅包括传统的企业主经营者和新近出现的纯管理者阶层，还包括队伍不断庞大的政府官僚和技术专家（1969，第 325—326 页）。

本章对美国企业家精神的研究始于美国独立时期，当时，这些前殖民地（former colonies）组建成世界最发达的国家之一。美国效仿英国的规则而跃居

---

* 本章绝大部分内容完稿于作者在芝加哥大学人口经济学中心（CPE）做访问学者时。作者感谢 Robert Fogel，感谢考夫曼基金会的资助，并感谢 Marianne Hinds Wanamaker 的优秀研究助理。同时，作者感谢 William Baumol、Alyse Freilich、Meg Graham、Naomi Lamoreaux 和 Joel Mokyr 的有益评论。

强国之列，但作为一个新独立的国家，它无疑写下了自己的辉煌篇章。[①]

作为一个新创国家，美国必须营造一个创造性活动能蓬勃开展的制度环境。创业活动需要创新人才和平庸之辈的相互交融，它往往是团队努力的结果。本章前三部分分别讨论法律、金融及运输和通信领域出现的创新。它们均涉及某种程度上的政府参与。第一部分论述规则问题。由于这个新国家的领袖们共同认识到“在《邦联条例》（Articles of Confederation）下，全国性政府并不能有效运行”，所以相对较快地确立了宪政联邦体制。这一体制自建立以来便运行稳定，并被誉为美国增长和发展的根本原因之一。第二部分涉及金融规则问题，这些规则也可追溯至美国建国之初，尽管它们随时间推移不断变化。第三部分讨论运输和通信领域的改进，它们催生出了一个广阔的市场，这个市场在美国内战前已从大西洋港口延伸至密西西比河流域，最终于1869年抵达太平洋沿岸。律师、银行家和卡车驾驶员的角色和企业家们相得益彰。商品和信息传输成本的下降使企业家得以扩大企业规模，并实现规模经济。

本章最后部分考察内战前占市场支配地位的商品以及导致这种支配性的原因。即使在政府仍有所涉足的那些领域，政府也已退居幕后。农产品是最重要的出口商品，三大农用工具（轧棉机、犁具和收割机）和日益完善的交通运输网，大大提高了得克萨斯州棉花种植园主和艾奥瓦州谷物种植农将其产品售往欧洲市场的能力。工业制成品的发展比较缓慢，但南方的棉花种植为北方棉纺织业的发展做出了重大贡献。随着时间的推移，工业生产获得蓬勃发展，在内战前的几十年间即使还算不上成熟的话，至少也已达到“青少年期”。欧洲人所谓的“美国体制”（American system）在内战前已酝酿成熟，且在不久后创造出一个占世界支配地位的工业大国。这种支配地位的根基可追溯至美国建国初期。它不像欧洲那样四分五裂，美国是一个“共同市场”。内战之前的美国企业家必须在一个不断扩张的舞台上参与竞争。

二、法律：确立规则的合适制度

企业家对激励做出回应，法律是寻求这些激励的首要场所之一。如詹姆

---

① Baumol（1990，2002）强调了规则的重要性。Murphy、Schleifer 和 Vishny（1991）同样突出了规则问题，他们研究了颇有天赋的个人如何在企业家精神和寻租之间权衡取舍。

士·赫斯特（James Willard Hurst）所观察到的，“19世纪已准备好把法律当作一种得力工具，不管在哪里，只要它看上去有用”。此外，“企业想要法律提供有关正常使用某种组织的条款，据此企业家能更好地调动和释放经济能量”（1978，第111—114页）。最初的“国内法”包括《邦联和永久联盟条例》，它们使13个殖民地松散地连为一体。但是，对一个有效运转的全国性政府而言，邦联制被证明是一个过于薄弱的基础。特别是，征税权力仍掌握在各州手上；全国性政府不得不从各州那里征用资金。结果，由于这种制度安排下各州可以搭便车，“以召集国会形式组建的美利坚合众国”在独立战争后已负债累累。

大陆会议宣称“英国普通法”对全体美国人都适用。一些州宪法明确宣称完全传承了英国普通法规则。普通法被证明在州和地区层面运行良好，但在顶层需要一些制度创新。肯尼思·达姆（Kenneth Dam，2006）认为，美国的公法和宪政的形成在促进经济发展和营造一个有利于企业家精神欣欣向荣的环境上同私法一样重要。②

1. 宪　法

1786年，《邦联条例》通过后5年，来自6个州的代表团在马里兰州的安纳波利斯召集会议，发表了一项召开制宪会议的声明。1787年春召开的费城会议，讨论了一个强大的中央政府是应该建立在国家拥有大量主权的联邦体制之上，还是建立在包含有限国家主权或不包含国家主权的国家体制之上。同年9月，代表团提议各州通过一项以联邦体制为基础的文件，1788年6月，该文件得以公布。一年后也就是1789年3月，国会宣布1787年《宪法》正式生效。比尔德学派（The Beard tradition，1913）将这项举措的动机描述为寻租，但一个以企业家为主的民主共和国创造了有利的规则并不令人感到意外（也可参见McGuire，2003）。

美国《宪法》带来了全面的变化，这些变化要求对各州主权加以限制。各州代表在坚持本州的权力上表现得尽职尽责，《宪法》第一条第八款只把那些认为实有必要的权力授给联邦政府。第一条第十款对各州处理外交事务的

---

② Dam（2006，第86—87页）认为，能适当控制官僚机构的独立司法制度对经济增长和经济发展至关重要。特别是，“事实证明，更好地执法的法院可以催生更发达的信贷市场。更强有力的司法制度同经济中大企业和小企业更迅速的增长息息相关”（第93页）。

权力施加了限制，并禁止各州自主发行纸币。1787 年《宪法》还包含了合约神圣不可侵犯的著名条款，对产权的明确保护，以及同样著名的禁止限制州际通商的商业条款。通过这一《宪法》，美国确保了一个国内共同市场，地方性的创业企业能在障碍较少的环境下发展壮大，以服务于一个全国性市场。

2. 专利法

尽管《邦联条例》仍然有效，一些州颁布了版权法，而且至少有一个州通过了结合版权和专利的法律，但联邦立法被认为是必要的。《宪法》授权国会“通过保障作者和发明者对各自作品和发明的排他性权利的有限期限，来推动科学和实用技术的进步”。第一部专利法于 1790 年颁布。专利申请由司法部长、国务卿和战争部长进行审核，根据普通法，是否授予专利权取决于对新颖性和有用性的谨慎审核。到 1793 年，大量专利申请及其给内阁官员带来的时间压力，使这一过程本质上变成了注册制。[③] 到 19 世纪 30 年代，关于专利权的诉讼导致了改革。[④] 1836 年的《专利法》试图调和那些持有专利或获得专利权授权的发明家同专利产品使用者之间的利益。该法律确立了今天美国专利体系的主要特征，即由某领域的技术专家负责审核拟申请专利发明的新颖性和实用性。如史蒂文 · 卢瓦尔（Steven Lubar）认为的：“19 世纪的专利法既微妙地平衡了垄断，以鼓励发明；又传播了新创意，以促进知识增长；还放宽了专利的适用，以推动创新”（Steven Lubar，1991，第 934 页）。许多援用过专利资料的学者认为这一改革加快了变革的步伐。起初，许多有天赋的“业余”发明家，包括神职人员和妇女，均可获得专利。但随着时间的推移，发明变得越来越专业化。

3. 土地法

新成立的美国很大程度上是一个以农民为主的国家，随着人口西迁，这

③　1793 年后，由于递交了一份附有费用的申请，一项专利获得了通过。Khan 和 Sokoloff（2006）披露，根据 1790 年的专利法，专利申请费等于 3. 7 美元加上制作专利副本的成本。该成本在 1793 年和 1861 年分别上升到 30 美元和 35 美元。Kenneth Sokoloff（1988）认为，在实行 35 美元专利申请费期间，该笔费用从未低于人均收入的 30%。

④　Kahn（1995），也可参见 Horwitz（1977）。Machlup 和 Penrose（1950）讨论了 19 世纪中叶美国和其他国家有关支持专利和反对专利的争论。Michele Boldrin 和 David K. Levine 的论文《版权：反知识垄断》（*Copy Rights: Against Intellectual Monopoly*，参见 http：//www. micheleboldrin. com/research/aim/anew. all. pdf）提供了反对专利的一个当代观点。

种情况很可能会继续。但是，那些殖民者于1783年从英国获得的西部土地，则出现了交叉所有权（overlaping claims）。《邦联条例》中有一项条款，规定联邦政府不能从州政府手中没收这类土地。土地投机客支持相反的政策，一些动机更单纯的国会议员也希望新政府被赋予公有土地。其部分土地所有权混乱不堪的纽约州，于1781年提出放弃这些地权以归全国性政府所有，同年晚些时候，弗吉尼亚州也将其大量地权交给联邦政府，从而创造出了公有土地（参见Treat，1962）。

接下来的任务是把这些土地出售给私营业主，正是他们将西部土地分割成了数百万区块。1785年和1787年的《土地法令》（Land Ordinances）确立了公有土地的出售规则，以及这些土地购买者所拥有的权利和新成立的各州如何才能加入联邦大家庭。后来的美国企业家精神及私人所有权和生产性资源控制权（即使这些资源附属在公有土地上），早在美国建国初期就已奠定了根基（Gates，1968；Hughes，1987；Cain，1991）。

4. **商　法**

美国所奉行的古典经济学理论，建立在“国家允许企业家自由发挥才能即是对经济增长和发展的最大鼓励”这一原则之上（Hovenkamp，1988，1991）。国家的主要责任是确保投资渠道的畅通无阻，以使资本流向有利可图的投资领域。该政策在19世纪前几十年的引进，极大地改变了有关公司的概念。以往，公司是政府为某个特殊目的而创设的独特实体。因此，公司同国家之间有一种特权关系。公司注册法案预先假定了国家干预。若一项业务完全依赖于市场，就没有理由注册成立一家公司。尽管传统意义上的公司不断发生变化，两个命题却仍然根深蒂固：其一，公司形式并非一种具体特权，只是组成一家企业的诸多选择方式之一；其二，公司形式的具体特征，即法律应予以鼓励的地方，在于它比其他替代形式能更有效地筹集资本。⑤

起初，最高法院将专门的特许经营公司视为垄断授权，但随着古典经济学理论的流行，法院颠覆了专门的特许状即意味着垄断授权的古代公司概念。在查尔斯河桥诉沃伦桥一案（*Charles River Bridge v. Warren Bridge*）中，首席

⑤　其他组织结构（如有限合伙制）也能实现同样的目标，但在19世纪早期，公司最为人熟知。

大法官塔尼（*Taney*）写道："在公众授权中，所有一切均陈述得非常明确。"⑥

到1790年，已出现了40家美国公司。此后每十年其数量都有增加。一般而言，每张特许状都是州立法机构制定的专门性法案。从1811年起，纽约州通过了不需专门的合法特许状就可注册成立制造业相关领域公司的通用规则，但一直到19世纪70年代一般性公司（generalized incorporation）都没有盛行开来。⑦ 通常，公司特许状会阐明创业企业的性质，以及它的目的、选址和需投入的资本量，这些在当时似乎是颇为合理的限定。

因为公司是由联合进行资本投资的人组成的团体，法律便把一家公司当作一个法人对待。⑧ 法人资格是指最高法院确保共同持有财产的所有者可获得和个人财产所有者同等的宪法保护。这是一种极其重要的进步。公司逐渐演变成了一种既享有人的权利又承担有限责任和具有永恒生命的实体。如阿瑟·米勒（Arthur Selwyn Miller）对公司的描述，它们是"国家内部的封建实体"（1972，第14页）。

总之，在美国内战之前的时期，法律推动了正在发展中的美国资本主义在主要理念和制度上的演进——经济增长主要基于和私人所有的生产性资源开发相关的私人决策。这些发展趋势背后的假设是，绝大多数经济生活是私人的事，政府只需给企业家精神提供辅助和支撑，经济增长主要依赖于企业家。

三、金融：促进体系有效运行的相关制度

由于大陆会议不具备征税权力，也没有从各州筹集资金的系统性方法，因此为美国独立战争提供资金是"侥幸脱险之事"。结果，1776—1780年间，

⑥ *Charles River Bridge v. Warren Bridge*，36 U. S. （11 pet. ）420，546（1837）。

⑦ Lamoreaux（2004，第34页）讨论了一般公司的复杂结果。她认为，为确保诸如有限责任等优点，"商人不得不越来越接受特定的组织规则集"。Wallis（2005）指出，这一时期美国11个州推行了一套新宪法，不仅涉及一般公司的规定，还涉及发行国债应遵循的程序。

⑧ 公司的法人地位意味着其董事或经理能代表企业行使合法权利。有限责任制的盛行，实际上使股东失去了对公司的绝大多数索取权（claims）。这导致所有权开始从控制权中逐渐分离，比Berle和Means（1932）使之引起国人注意前早了近一个世纪。参见Lamoreaux（2004）。

国会只得通过印发纸币偿还债务。由于纸币印发量过多，发生了严重贬值。1776—1782 年间，国会大约借了 770 万美元内债（以硬币换算）；1780—1783 年间，国会还借了 780 万美元的外债，其中大多来自法国。从 1783 年开始，联邦政府的财政状况严重恶化，由于无权征税，国会不得不向荷兰银行家借入大量资金以解燃眉之急。

1. 汉密尔顿的政策

随着 1789 年《宪法》的通过，所有这些均发生了变化。财政部长亚历山大·汉密尔顿（Alexander Hamilton）创立了一套财政金融体系，该体系为新成立的美国和美国企业家提供了管理风险的手段。[9]《宪法》将联邦财政体系建立在截然不同的基础上，授予国会征税的权力，以及借入、发行货币和“管理”货币价值的权力，而且国会可通过各种有力政策实施这些《宪法》规定的权力。[10]

理查德·西拉（Richard Sylla，1998）认为，汉密尔顿的政策从当时的标准来看，给了美国一套“世界级的”的财政制度，它们开启了一场“财政革命”。不管人们是否同意，建立良好的财政金融体系确实是一项重要的创业成就。尤其是，财政金融体系是企业家承担风险能力的一个重要组成部分。[11] 如西拉所指出的，“良好的财政金融有助于使企业家精神制度化”（1998，第 456 页）。他认为一套成功的财政金融体系有六个重要的组成部分，包括稳定的公共财政和债务管理、稳定的货币、运行良好的银行体系、高效的中央银行、活跃的证券市场和不断增加的企业数量。[12] 在汉密尔顿担任财政部长前，美国并不具备这样一套财政金融体系；到 1795 年，美国便拥有了所有六大要

---

⑨ 汉密尔顿是私生子，出生于英属西印度群岛，11 岁时成了一名孤儿，他做过许多国际商人的学徒。汉密尔顿曾就读于国王学院（现在的哥伦比亚大学），在独立战争期间成了乔治·华盛顿的副官，后来被选为大陆会议的纽约州代表。当时，汉密尔顿同罗伯特·莫里斯及其他人一起，试图为全国性政府寻找一条有保障的收入来源，但遭到失败。

⑩ Rolnick、Smith 和 Weber（1993）认为，各州之所以放弃货币发行权，是因为它们在经历汇率波动后开始更偏爱货币联盟。

⑪ 美国的经济增长是否属于“金融推动型的”，关于这点尚无定论；但可以确定的是，这些政策确实促进了经济增长。也可参见 Rousseau 和 Sylla（2005）及 Wright（2003）。

⑫ 只有前面 5 个因素得到考虑，第 6 个因素既可能是稳定的金融体系的结果，也可能是其组成部分，必须注意到 18 世纪 90 年代各州颁发的公司注册特许状数量比 18 世纪 80 年代的 10 倍还多（Rousseau 和 Sylla，2005，第 12 页）。

素。尽管一些州的表现极好，但恰如约翰·戈登（John Steele Gordon）指出的，“18 世纪 80 年代，美国已然成了财政金融怪物（basket case）。到 1794 年，美国在欧洲有着最高的信用评级，它的部分债券以 10% 的溢价发行”（John Steele Gordon，1997，第38—39页）。

2. 稳定的公共财政和债务管理

在汉密尔顿于 1790 年 1 月发给国会的首份《关于公共信贷的报告》中，他提出了有助于财政金融稳定发展的三项政策主张：确立关税和其他税收为联邦收入来源，足额偿还大陆会议的战时债务（附加相关的赎回协议），各州的战时债务由联邦政府承担。[13] 从 1789 年的《关税法》开始，汉密尔顿的直接设计得到了部分实现。征收上来的关税几乎构成了联邦政府的所有收入。

汉密尔顿估计 1790 年的国债约为 5400 万美元，未偿还的国家战争债务总额约为 2500 万美元。[14] 在 1790 年和 1795 年，财政部出台了相关规定，以发行各种新债券来偿还所有战争债务，最终通过建立偿债基金来清偿全部债务。尽管债务从未被全部偿还，但汉密尔顿确立的财政金融体系使联邦政府和各州预算平衡有了一个稳固的财政基础。

3. 稳定的货币

根据 1792 年的《铸币法》，美国成立了一家费城铸币局，指定了黄金和白银两种货币金属。这种复本位制通常是有问题的，因为两种金属的相对价格会持续发生波动。[15] 汉密尔顿设计的货币制度，最初于 1791 年提交给国会，由 10 美元金币（鹰币）、1 元硬币和辅币等基本货币单位构成。直到 19 世纪 30 年代中期，流通中的美国金属货币仍较少。[16] 但这并未带来多大不同，因

---

⑬ 汉密尔顿 1791 年著名的《关于制造业的报告》也包括了后来获得采纳的增加政府收入的提案（Irwin，2004）。

⑭ 和其他人不同，托马斯·杰弗逊极其怀疑各州在独立战争时期的支出究竟有多少是真正的战争支出（Hofstadter，1958，第 3 部分，文件 3，第 155 页）。

⑮ 财务总长罗伯特·莫里斯起草的 1782 年《货币制度报告》获得了国会的采纳。莫里斯提议建立一套基于西班牙银圆的十进位制，但杰弗逊反对这种繁杂的基本货币单位（Ford，1894，第 446—447 页）。

⑯ 格雷欣法则表明，只有一种金属持续用于流通。直到 19 世纪 30 年代中期，白银都是人们的首选；内战前不久，黄金变成首选（Studenbski 和 Krooss，1952，第 62—63 页；Martin，1977）。

为下文将讨论的新成立的州立银行提供了一种人们惯常使用的交易媒介，即纸币。虽然新《宪法》禁止各州发行自己的纸币，但获国家特许的银行已足可提供交易所需的纸币数量。⑰

4. **运行良好的银行体系**

1781 年，为了帮助美国独立战争筹集资金，罗伯特·莫里斯和他的同事创立了宾夕法尼亚银行，很好地发挥了预定的职责。结果，莫里斯说服国会于 1784 年特许成立了北美银行，一家专门负责政府财政的有限责任公司。从绝大多数方面看，该行承担了中央银行的职责，人们普遍认为，该行是美国第一家实际意义上的央行，不过该称谓通常留给了美国第一银行（Studenski 和 Krooss，1952，第 31 页）。1784 年，两家其他银行获特许成立，它们是纽约汉密尔顿银行和马萨诸塞银行。1787 年，北美银行从宾夕法尼亚州政府处获得特许，成为一家国有银行。

这些早期银行是建立并完善能满足美国独特需求且符合法律的金融中介制度的组成部分。1838 年以前，国家特许银行是专门的特许经营企业，银行的所有者忙于从事明显的寻租行为，虽然他们也确实促进了资本流动。新英格兰许多早期的银行都是信贷银行，其主要业务是对商业票据进行贴现。内奥米·拉穆鲁（Naomi Lamoreaux，1994）认为，这些银行是家族资本主义体系的扩展，是银行业和创业企业的混合。这些银行通过向外部人出售股份筹集资金，以贷款给内部人，即拉穆鲁所谓的“投资俱乐部”。罗伯特·赖特（Robert Wright，1999）对纽约和宾夕法尼亚等地银行的研究发现，这些州的银行股权较拉穆鲁所研究的新英格兰地区的银行更为分散。它们具备较高的资本化程度，这迫使它们不过于集中地发放贷款；相反，它们放贷给大量不同的借款人，其中包括小企业和农户。⑱

5. **一家高效的中央银行**

在 20 世纪 20 年代，人们已对国会分别于 1791 年和 1816 年特许成立的两

---

⑰ 各州利用银行特许状以绕开自主发行票据的禁令这一观点已获得相关研究的支持，这些研究表明，各州不仅对银行的资本征税，有时还直接投资于银行业务。研究者估计，在内战前时期，各州从银行特许状经营中筹集的资金可能构成了 20% 的财政来源（Sylla、Legeler 和 Wallis，1987）。

⑱ Wright（2001）提供了一个扩充版本；Bodenhorn（2000，第 2—3 章）得出了相似的结论。

家“中央”银行做了大量研究（Holdsworth 和 Dewey，1910；Catterall，1903；Schlesinger，1945；以及 Hammond，1947，1957）。英格兰银行无疑给这两家银行树立了榜样。在《关于国家银行的报告》中，汉密尔顿要求成立一家公私合伙企业，即一家创业企业，美国财政部持有其中1/5 的股份，其余为私人持有。像英格兰银行那样，美国第一银行和美国第二银行直接同私人商业银行竞争，并以获取利润为目的。[19] 这种竞争导致了银行界其他参与者的普遍反对。体现在美国第一银行和美国第二银行特许状中的公私联合所有制理念，完全符合政企合营的民主理念。但在这两个案例中，向外国人出售银行股份均强化了对这两个银行的敌意。

美国第一银行运行得非常好，但杰弗逊主义者（Jeffersonians）只允许该银行在特许期满前经营。美国第二银行也表现得极好，特别是在兰登·切夫斯（Langdon Cheves）和尼古拉斯·比德尔（Nicholas Biddle）任职美国众议院议长期间。但给美国第二银行延长特许权状的努力于 1832 年失败，当时安德鲁·杰克逊（Andrew Jackson）总统否决了延长特许权状的法案，且在不久后撤出了联邦资金。杰克逊的否决辞强调美国第二银行是一家特权垄断银行，其股票大多数由外国人和“富人”持有（Taylor，1949；也可参见Schlesinger，1945）。相较于州立银行，这两家银行都过于庞大。通过其分支机构把汇票用作货币，它们事实上创造了一种统一货币，这种做法引起了私人银行的极大担忧。[20] 今天，我们认为央行应该具备货币垄断权，但 19 世纪 30 年代的情况并非如此。

到 1860 年，美国已有近 30 年没有央行。关于“滥发纸币”时代的货币制度，人们已论述得颇多，而缺乏央行监管很可能使企业家获益匪浅。

6. 活跃的证券市场

州立银行属于商业银行，以企业界的中介机构和商业工具的角色开展业务。彼得·鲁索和西拉（Peter Rousseau 和 Sylla，2005）将证券市场的发展很大程度上归功于美国第一银行。为了借入长期资金和发行股票（所有权股份），企业和政府需要组织良好的资本市场。新兴运输公司和不断增长的制造

---

[19] Knodell（2003）认为，通过提供区际和国际汇兑服务，银行实现了私人业务和公共业务之间的“正协同效应”。

[20] 根据 Martin（1974），杰克逊的追随者错误地认为美国第二银行并未使国家废弃小面额纸币。

业企业背后的企业家需要一个融资的平台。

非正式地存在了近20年后，纽约证券交易所委员会（NYSEB）于1817年正式挂牌成立（Banner，1998；也可参见Davis和Gallman，2000）。它逐渐超过了其他城市建立的证券市场，并成为全国资本市场的中心，正如纽约市自身也在商业和经济增长中迅速占据领导者地位一样。到19世纪50年代，主要金融中心之间已通过电报相连接，特别是同纽约证券交易所相连接。证券市场除了发行市政债券、国债和联邦政府机构发行的其他债券外，从一开始，就发行普通股（发行者通常是交通运输公司）。19世纪30年代，出现了优先股（享有红利优先分配权），工业家继政府之后开始在公共资本市场上发行长期债券。

其他中介机构也相继涌现。互助储蓄银行在美国本土出现得较早，它们小心谨慎地管理着穷人的储蓄存款。最早的一家互助储蓄银行于1816年在费城参照英国式的理念成立，虽然收益非常低，但该行仍极其强调贷款的安全性。19世纪早期，寿险公司和火险公司开始设立，随之而来的是丧葬费保险协会和建房互助协会。所有这些创新都是为了使某一群体的资金可以自由流动，以抵御那些给单个家庭造成严重打击的灾难。随着新需求的出现，实验（experimentation）变得不可或缺，这些实验使1860年以前的美国经济充满活力。[21]

1860年之前，美国金融体系的某一特定要素在内战前的南方经济扩张中扮演了重要角色。一套错综复杂的棉花金融体系逐渐成形，由英国银行的代理商、贴现公司、遍及南方棉花种植和配送区的棉花进口商组成。来自棉花金融的历史插曲最终成了美国投资银行业务的一个主要起源。一位美国金融家乔治·皮博迪（George Peabody），在伦敦大展拳脚，成就了一番长期而成功的职业生涯。他成立的皮博迪公司（Peabody & Company）是一家主要从事棉花金融相关业务的“美式企业”。1854年，皮博迪邀请作为新合伙人的朱尼厄斯·斯宾塞·摩根（Junius Spencer Morgen）前往伦敦；由于后者之子JP摩根（John Pierpoint Morgan）适时觉察到1857年经济恐慌时期英格兰银行可能采取的重大举措，他很快就到伦敦投奔其父亲。经过在伦敦的一段实习期

㉑ 参见Clay（1997）对早期加利福尼亚商人活动的研究。

后，JP 摩根于 1859 年秋回到新奥尔良，以了解美国棉花金融的实际情况。内战期间，摩根移居纽约市，并在那里成为现代美国投资银行业的主要创始人（Hughes，1986，第 9 章）。

将内战前美国金融体系的各个部分整合在一起后，我们能得出什么结论呢？关税长期以来都是联邦财政的中流砥柱，但汉密尔顿的国内税并非如此成功。不过联邦政府独立战争债的设想倒是确立了联邦信誉。尽管内战爆发前的几年里缺乏一家强大的中央银行，但证券市场仍变得“更加深化和活跃”（Snowden，1998，第 102 页）。最重要的是，如西拉（2003，第 457 页）所言：“它们（金融体系成功运行的 6 大要素）构成了企业家精神和经济发展的核心”。

四、运输和通信：扩大和深化市场的创业基础设施

整个内战前时期，运输和通信成本持续下降，不仅使市场得以扩大，而且提高了生产率。起初，水道提供了最有效的运输方式，但随着美国积极谋求交通改善，这势必会发生变化。在英国，运河和铁路由私人部门提供，几乎不需要任何政府参与。在美国，经营运河和铁路的企业采取混合所有制形式，即部分私有部分政府所有。卡特·古德里奇（Carter Goodrich，1960）认为，考虑到美国幅员广袤，如运河和铁路等交通改善工程所需的投资规模，非单纯的私营企业家所能胜任。[22] 政府以提供补贴的方式进行干涉的可能性，意味着寻租问题往往是创业规划的题中之意。

准企业家和那些受益于低运输成本的群体，希望新成立的联邦政府能在促进经济发展中扮演一个重要角色。1806 年，美国正在有条不紊地建造一条从马里兰州坎伯兰向西延伸至伊利诺伊州的国道。同年，一些国会议员提议给运河开凿提供联邦援助，他们认为出售公有土地所得的收入可用来为这些项目提供资金。1807 年，参议院要求财政部长阿尔伯特·加勒廷（Albert Gallatin）准备一份“在国会权限内，为了建造道路和开凿运河而实

[22] 早期的研究，参见 Callender（1902）。Hurst（1970）认为，首创之举是政府主导型的，通过纳入运输公司，政治领袖能授予特权及土地所有权、合约贷款收益权和征收通行费权来支持运输企业的发展。

施此类措施的方案”（Goodrich，1960，第27页）。1808年4月加勒廷提交了他的方案，该方案强调了“美国国土面积同人口之比”及开发和利用潜在机会的私人资本的匮乏。除东西走向的国道线外，他提议开辟从马萨诸塞州到佐治亚州的南北走向的“潮水内河航运”；其他东西主干线，比如连接哈得孙河和张伯伦湖的主干线；打通公路连接线，如莫农加希拉河和波托马克河之间的公路连接线。加勒廷预计他的计划需花费联邦政府2000万美元（分10年期限，每年200万）的预算。当这些项目产生足够收益后，它们便可被转售给私营公司，由此获得的收益可用于进一步改善国内基础设施。

麦迪逊总统和门罗总统支持联邦政府参与收费高速公路建造等国内基础设施改善工程，但他们认为联邦政府在州层面的行为是违宪的。[23] 杰克逊总统于1830年否决了《梅斯维尔道路法案》（Maysville Road Bill）后，联邦资助陷入了低谷。但1824—1828年间，约合200万美元的联邦资金被用于运河工程，另有700万美元被用于国道建设项目（Hughes，1991，第68—76页）。如古德里奇（1960，第34—35页）所指出的，尽管缺少联邦政府的实质性支持，但州政府和私营企业家最终将加勒廷方案的大部分计划付诸实施。

1. 公　路

最初的重大改进是收费公路，即城际收费公路。市内公路非常充足，因此，相对于具体城市的居民，城际收费公路似乎使其他人受益更多。通过提供能实现更快运输的更可靠的路面，私营企业家和州政府希望能吸引足够的长距离或中等距离运载量，以实现收费高速公路的自负盈亏。19世纪前几十年，数百家收费公路企业在这一领域共投资了2500多万美元的私人资本。[24] 这些企业多为专门的特许经营公司，其创业者和州政府之间关系密切。由于通行费受到管制，且特许状限制了公司的道路运营业务和相关活动，其利润颇令人沮丧。[25] 到19世纪30年代，绝大多数收费公路已相继被运河和铁路赶

㉓ 考虑到《宪法》禁止征收受益税（benefit taxation），Wallis和Weingast（2005）认为，国会不能推行全国性税收，以便为只能使少数地区受益的项目融资。

㉔ 绝大多数收费公路公司规模较小，且只建设非常短的通行道路；一条长途公路可能由几家公司共同承建，各公司按照自己的路段索取通行费。投资于收费公路的资金绝大多数都是私人的，即使州政府对收费公路的直接投资最大的宾夕法尼亚州也不例外（Fishlow，1972，第472—475页）。

㉕ Fishlow（1972，第472页）估计利润率只有3%—4%。

超，并很快被废弃。

2. 汽　船

罗伯特·富尔顿发明的蒸汽动力桨轮解决了逆流运输的瓶颈问题；平底船和运货船为农民沿河运送农作物提供了一条可行途径。但汽船的引进靠的是富尔顿和他的合伙人罗伯特·利文斯顿（Robert Livingston）。富尔顿于1787年前往英国学习肖像画，但在1797年中去巴黎前也学习了运河建造。作为杰弗逊总统的驻法公使，利文斯顿在1802年抵达法国，他拥有在纽约经营蒸汽船业务的排他性权利，但他缺少一条汽船。两人的合伙关系形成于1802年10月。富尔顿凭借其工程天赋改进前人的发明。[26] 1804年，正值拿破仑战争时期，富尔顿离开巴黎前往英国，希冀能获得一条博尔顿船和一台瓦特蒸汽机，当时这些东西的出口都是被禁止的，尤其是对法国的出口。

1806年12月，富尔顿带着这样一台蒸汽机回到美国，1807年8月，他的"北河蒸汽船"（后来被称为"克莱蒙特"）在纽约市和奥尔巴尼市之间成功完成了一次试航。[27] 1809年，船数增加到两艘，不久，富尔顿—利文斯顿合伙公司（Fulton-Livingston partnership）便从那些在哈得孙河、特拉华河、波托马克河、詹姆斯河、俄亥俄河和密西西比河，以及切萨皮克湾和纽约港等地之间从事汽船运输业务的公司中脱颖而出，成为核心。合伙公司的大获成功，致使他们从纽约州和路易斯安那州获得的垄断权受到挑战。[28] 由于挑战者之一是利文斯顿的妹夫，富尔顿在申请专利时略有迟疑，但最终为了维护其垄断地位和阻止竞争，他还是提交了专利申请。在1809年和1811年的专利申请中，富尔顿声称，其汽船的"科学原理"和"数学比例"是原创性的，正如使用侧面水轮具有原创性一样。在获得专利后，包括专利局监督人在内的对合伙公司的反对之声不断涌现。在1824年的吉本斯诉奥格登案（*Gibbons v.*

---

[26] 以往最成功的尝试是约翰·菲奇的试验，该试验于1790年在费城特拉华河展开。富尔顿的第一艘工作艇以低于3公里每小时的速度穿过了塞纳河。

[27] "北河蒸汽船"是一种船体非常狭小的船舶，长约146英尺，宽约12英尺，配有一个侧水轮。这种船经过改造后船体被加宽，且于次年开始在纽约和奥尔巴尼两市之间每周定期通航。

[28] Hunter（1949，第7—11页）认为，富尔顿在哈得孙河初次试航时就认识到了西部河流的经济潜力。合伙方在整个西部地区申请垄断授权，但只有"奥尔良地区"的立法机关准许授予垄断权。

Ogden）中，法院认定州政府授予富尔顿—利文斯顿合伙公司及其他企业的垄断权力实属违宪。因此，富尔顿既因其在历史上首创蒸汽航行之举，又因促进创业竞争障碍的废除（尽管是无意的），而被人们所铭记。尽管利文斯顿同样重要的作用已被人们淡忘，但在该例子中，像其他例子一样，企业家是由一个团队组成的。谋取和利用垄断地位的意愿在蒸汽船的发展史上起着重要作用。

汽船对贯穿大半个美国的西部河道网（如俄亥俄河、密苏里河和密西西比河）影响最大。马克和沃尔顿（Mak 和 Walton，1972，第620页）认为，在1815—1860年间，汽船使这些地区变成了农业腹地。汽船造价不菲，最廉价的船舶所需的资本都相当于投资一个农场的平均成本，相当于制造业企业投资成本的85%以上（Atack，1999，第5页）。1860年前，一艘河用汽船的平均使用寿命仅为5.5年左右。事故隐患众多，包括蒸汽发动机爆炸的风险较高（Haites 和 Mak，1973，第28页）。财务风险还不是该领域企业家所承担的唯一风险。

到19世纪50年代末，大致有800艘汽船在美国内河流域服役。运输和货物周转时间大大缩短。1815—1860年间，逆流运输的运费率扣除物价因素后下降了90%，顺流运输则下降了约40%。汽船及其关联技术极大地缩短了运输和货物周转时间。[29]

3. 运　河

美国的运河建造时代伴随1812年战争的结束而至，紧随1837年恐慌的爆发而结束。尽管在恐慌结束后，在西部地区，已开工但尚未完工的运河项目仍在进行，不过，注意力已转到铁路上。如前所述，同之前的收费公路和之后的铁路一样，运河也由混合所有制企业负责。[30] 尽管存在一些私营运河（如南卡罗来纳州的桑堤运河和马萨诸塞州的米德尔塞克斯运河），但引领了光明未来的却是纽约的伊利运河（采取公共筹资形式，于

---

[29] Mak 和 Walton（1972，第625页）。由于设计的改进、发动机的完善和对接设备的更新，每艘船的生产率提高通常快于装载吨位的增加（Hughes 和 Reiter，1958）。从1815年到1860年，单位生产率提高了将近9倍（Mak 和 Walton，1972，第637页；也可参见 Hunter，1949）。

[30] 1815—1844年间的运河投资为3100万美元，其中73%来自政府。1844—1860年间，运河投资增加了6600万美元，其中约66%为政府资金（Goodrich 等，1961，第215页）。

1825年完工)。其创业活力最配得上见证伊利运河从开工到完工整个过程的人非纽约州州长迪威特·克林顿(Dewitt Clinton)莫属。在麦迪逊总统否决了需花费联邦政府150万美元的1817年法案后,正是克林顿说服纽约州立法机关通过了建造363英里长的伊利运河所需的一系列法律。如兰德斯所示,有些企业家热衷于公共部门,迪威特·克林顿则与众不同。伊利运河建成通航后,从布法罗运送1吨小麦到纽约市的成本由100美元降至10美元,运送时间也较以往缩短了1/3。伊利运河将西北地区的定居点从俄亥俄河和密西西比河流域迁到五大湖区。纽约一举成为美国的最大城市。

1802年,克林顿当选为参议员,他是美国独立后哥伦比亚大学的首届毕业生。但一年后他便辞去了该职务,并成了纽约市市长,他在这个工作岗位上待了12年,倾注了大把心血。和许多国会共和党议员不同,克林顿支持运河建造工程。1810年他成了一名运河专员,主要运河法案于他第一届市长任期的1817年获得立法机关通过。1825年,在纽约市举行的官方通航仪式上,克林顿将来自伊利湖的水引入大西洋,"两水由此交融",这也象征着两大水体从此连为一体。运河总共花了700万美元,这笔费用部分来自专项税收、部分来自以州政府信誉为担保的信贷,部分来自运河分段开通的通航费收入。纽约市民购买了最早发行的伊利运河债券,随着运河的成功显而易见,大型投资者和国外购买方就迫不及待地参与该市场。[31]

运河产生了两种足以证明联邦政府干预合理性的显著外部性。其一,如克林顿"灌水之举"所象征的,运河使那些被阿巴拉契亚山脉隔绝的国家疆域连在了一起。早在1775年,乔治·华盛顿总统便对阿巴拉契亚山脉西部领土可能被法国或加拿大霸占心怀忧虑,除非山脉障碍能被克服。[32] 其二,伊利运河训练了一大批工程师,他们最终将在国家的运河、铁路和卫生系统建设中发挥重要作用。

---

[31] 到1829年,外国人已购买了该运河一半的债券(Goodrich,1960,第53—56页;Rubin,1961)。

[32] 出于该目的,他组建了波托马克公司(Patowmack Company),使波托马克河像一条运河那样适当延伸,以深入到山脉地区(Bernstein,2005,第22—23页)。

受命负责建造伊利运河的3名工程师都是测量员。[33] 本杰明·赖特（Benjamin Wright）受雇于1816年。他在二十五六岁时跟随其叔父学习测量学（和法律）。1808年任职于纽约立法机关后，他和约书亚·福尔曼（Joshua Forman）共同起草了一份倡导对哈得孙河和伊利湖之间开凿一条运河进行勘测的法案。[34] 詹姆斯·格迪斯（James Geddes）的测量学和工程学技能是他边干边学所掌握的。在当选纽约立法机关公职人员后，纽约市测绘局长西米恩·威特（Simeon De Witt）要求格迪斯负责将1808年《福尔曼—赖特法案》中提及的勘测付诸行动。格迪斯不需技术培训就成功地完成了这项任务。他的报告首次认定在伊利湖和哈得孙河之间开凿一条连贯运河是可行的（Bernstein，2005，第136页）。

格迪斯的助理测量员凯维斯·怀特（Canvass White）的贡献被证明至关重要。怀特同迪威特·克林顿交往甚密，正是后者敦促他前往英国学习现代运河建造技术。怀特精湛的专业知识和绘图能力，使他被提拔为赖特的首席助理。正是怀特负责设计和建造了运河水闸和第一艘运河船。也是怀特发明了改进版的液压水泥（他于1820年获得专利），使伊利运河的开凿成本节省了约10%。[35]

约翰·杰维斯（John Jervis）是伊利工程兵团中最后一块重要拼图。他一开始是赖特的学徒，但在几年内很快成了一名驻地工程师。[36] 作为特拉华—哈得孙运河公司（Delaware & Hudson Canal Company）1827年的首席工程师，杰维斯设计了将煤矿运到该运河的铁路线。1829年，他把铁路机车，即“斯陶尔布里奇雄师号”（Stourbridge Lion），从英国引进到美国。[37] 由于该机车被证明对美国轨道过重，杰维斯设计了他自己的机车（4-2-0型，世称杰

㉝ 除了赖特和格迪斯外，还有较不为人熟知的 Charles Broadhead（Whitford，1906）。William Weston 的第一选择是拒绝离开英国（Bernstein，2005，第58—59页；也可参见 Stuart，1871，第48—52页）。美国人表现得“非常棒，以至欧洲的专家们赞不绝口”（Taylor，1951，第34页）。

㉞ 参见 Goodrich 等（1961，第30—32页）。这里的讨论包括了“伊利线”和“安大略线”之间的异同，其中安大略湖构成了通往纽约的线路的一部分。

㉟ 参见 Bernstein（2005，第215—216页）。运河专员承诺给怀特一定补偿，因为不仅他的专利获得采用，且英国之行代价不菲；但州立法机关拒绝履行该协议。

㊱ 19世纪前几十年，小伙子们通过学徒制计划来掌握各行各业的技能。到内战时，接受学徒制培训的小伙子们已大幅下降。这通常被归咎于正式的行会制度或类似制度的缺乏。

㊲ 次年，Peter Cooper 引进了“大拇指汤姆”（Tom Thumb），即运行于美国一条普通铁路线——巴尔的摩至俄亥俄铁路线——上的第一辆蒸汽动力火车。

维斯型），结果获得了巨大成功。1836 年，他被任命为克罗顿大坝和引水渠项目（Croton Dam and Aqueduct project）的首席工程师，该项目旨在解决纽约市供水问题。杰维斯充分体现了伊利运河时期才华横溢的工程设计业余爱好者向 19 世纪中叶美国公共工程领域举足轻重的专业工程师转型（Larkin，1990）。

伊利运河的成功带来了扩张和效仿，导致了港口城市创业型商人之间的相互竞争。1826 年，宾夕法尼亚州立法机关表决通过了运用州政府资金建造一条长 359 英里的干线运河的提议。[38] 由于雄伟绵亘的阿巴拉契亚山脉，这条运河被证明是一项极复杂的工程，涉及好几个节点之间的货物水陆运输（后来是铁路运输）的转换。在花了约 1200 万美元后，该工程于 1835 年完工。尽管它是一个技术奇迹，但也不啻一场金融灾难；伊利运河依然保持着竞争优势。[39] 在大西洋中部和美国中西部地区，那里的天然水道提供了开凿运河的良好机会，州政府积极参与运河建造。尽管这些运河促进了服务于农业的制造业部门的发展，但制造业中的主要部分是农产品的加工，它们大多出口到新开凿运河所服务的其他地区（Ransom，1964；Niemi，1970，1972；Ransom，1971）。这些运河并没有影响伊利运河。

4. 铁　路

在大众眼中，铁路象征着内战前时期的美国精神。这些铁路进一步降低了运输成本，使国家更加开放。如阿尔弗雷德·钱德勒所强调的，铁路造就了美国的第一批巨型企业。这些铁路的管理问题和方法被证明对所有美国工业企业家都有启发意义。它们所发行的有价证券主导了美国的资本市场。[40]

罗伯特·福格尔（Robert Fogel，1964）和阿尔伯特·菲什洛（Albert

---

[38] 一条西部线路，即匹兹堡收费公路，于 1817 年建成通车。尽管宾夕法尼亚州政府投入了税收基金（到 1825 年达到了 180 万美元），但伊利线仍给联邦政府尤其是宾夕法尼亚州政府带来了新的挑战。

[39] 总的来说，干线运河仅实现了相当于其初始投资 3% 的收益，且在 1857 年以 750 万美元的价格被转售给宾夕法尼亚铁路公司（Rubin，1961）。关于同国内基础设施改进相伴而来的经济和政治难题的深入概述，参见 Wallis（2003）。

[40] 参见 Fishlow（1965）。关于铁路建设决定商业周期波动的争议性观点的简要评述，参见 Fogel（1964，第 1—10 页）。

Fishlow，1965）试图通过提出以下反事实问题来评估铁路的贡献，即美国若没有建造铁路将发展成怎样？[41] 他们认为，铁路的贡献可通过所谓的“社会节余”（social savings）来确定，所谓社会节余是指用其他最廉价的运输线路和使用铁路运送同等货运量的成本差额。关于运费，尽管水运的运费率低于铁路，但是，纳入所有成本（如额外装卸搬运、转船装运、途中货物损失、通航季节缩短，以及因运输周期延缓而必备的额外存货成本）后，这种优势便不复存在。关于旅客，他们的计算强调了铁路所节约的时间。菲什洛和福格尔均发现，铁路带来的“社会节余”约占国民生产总值的4%—5%。这对单个行业而言是一个相当高的比例，现如今美国任何一个行业占国民生产总值的比例都达不到这么高。但一个至关重要的结论是，铁路是不可或缺的，没有任何单项创新能独立创造美国的经济增长。

铁路是技术转移的一个重要例子。美国第一条铁路，巴尔的摩至俄亥俄线，于1830年开始投入运行，比英国斯托克顿至达灵顿线的通行晚了5年。美国企业家对英国技术加以改造，以适应本土条件，且最早按照城市轴线来建造铁路线。[42] 到内战时期，美国的铁路通行里程已超出了英国、法国和德国的总和。当时，铁路领域的总投资超过了1亿美元。[43] 但1859年铁路设备的产值只占全部运输设备所产生的市场价值的1/4；铁路部门仅构成机械产出的6%。

铁路对河流和运河运输的入侵建立在货主运输成本节约的基础上。铁路提供了全年服务，主要运河却面临严冬季节水面封冻问题。此外，铁路为生产商提供了更多的联络点，削减了货车运输、卸载和重新装载成本。铁路倾向于沿那些地形平坦的水运线路建造，因此在很大程度上，它们平行于水上运输线（水路）。到内战时期，水上运输线（包括沿海航运）仍承载着比新建铁路更多的货运量，但它的优势已有不保之虞。

1850年，联邦政府在伊利诺伊州参议员斯蒂芬·道格拉斯（Stephen Douglas）的游说下，给伊利诺伊州、亚拉巴马州和密西西比州划拨了一块多达375万英亩的土地，以便为伊利诺伊中央铁路的建造筹集资金。[44] 该线路最

---

[41] Fogel（1964）发现，在1890年时，只有4%的农业用地在无铁路系统的地方耕种。

[42] Von Gerstner（1997）提供了一本以区域为基础的关于1842—1843年间运河和铁路情况的德语著作。

[43] 这比运河投资总额的5倍还要多（Fishlow，1972，第496页）。

[44] Gates（1934）整理了同混合型企业有关的所有问题。

初计划沿流经伊利诺伊州境内的密西西比河东岸铺设。道格拉斯倡议将线路往南延长到新奥尔良市，并建造一条通往芝加哥市的支干线。这并非联邦政府用于改善国内基础设施的第一块赠地，却是那时为止最大的一块地皮，它预示着未来一连串的事件。政府赠地为交通设施改善工程提供了补贴，而交通基础设施的改善又提高了被赠土地及政府留存土地的价值。它们也为寻租行为创造了一种激励，好几条公路的建设都备受寻租行为的困扰。当选参议员后不久，道格拉斯就移居芝加哥，并积极涉足房地产业。

联合太平洋铁路公司（UPR）的首任总裁威廉·奥格登（William Ogden），是许多同铁路和运河密切相关的企业家的典型代表，这些企业家的商业利益和政治利益交织在一起，不过，奥格登往往会力避利益冲突。奥格登的创业才能在1821年初露锋芒，当时他才16岁，却不得不中断学业接手他父亲的生意。[45] 1834年，他还只是一个二十几岁的年轻人，却已当选为纽约立法机构的公职人员。在一场面向立法委员会的提议建造纽约—伊利铁路线的演讲中，奥格登展望了“从纽约到伊利湖……途径俄亥俄州、印第安纳州和伊利诺伊州，抵达密西西比河流域的连绵不断的铁路线（它们均同通往肯塔基州的辛辛那提和路易斯维尔、田纳西州的纳什维尔以及新奥尔良市的铁路紧密相连）”。他认为，这将成为“人们史无前例的最壮观的国内交通系统”（转引自Downard，1982，第50页）。奥格登认为纽约若不积极引进更新的技术，伊利运河给纽约带来的优势将受到威胁。尽管这可能会被看作老调重弹，并无什么新意，但奥格登的创业眼光却远远超出了铁路领域。

1835年，奥格登的妹夫和合伙人代表美国土地公司（American Land Company）为芝加哥北部一块182英亩的土地支付了10万美元，这块土地在前一年曾以2万美元的价格被出售。奥格登被委派去管理这块地产。这片土地长满了橡木和杂草，由于近期一场大雨而变得泥泞不堪，奥格登对它为何值这么高的售价颇为困惑。但是，正当政府出售土地使东部地区居民迁往中西部地区时，奥格登创办了一家贷款和信托机构。奥格登举行了一场拍卖会，转手售出了约1/3地产，获得10万多美元收益。在东部过完冬季后，奥格登于1836年移居芝加哥。他成了伊利诺伊—密歇根运河的倡导者，帮助促成了该运河的

[45] 奥格登一家居住在纽约，费城的上游，主营纽约木材供应生意。许多年后，Ogden的兴趣扩展到了威斯康星州的佩什蒂戈木材镇，该镇也在1871年的芝加哥大火中化为灰烬。

建造；与此同时，他也在推动芝加哥第一条铁路线——加利纳至芝加哥联合铁路线的建设。运河在1848年建成，同年铁路也完成了第一次全程通行。

奥格登的创业眼光远远超出了交通运输领域，他有一个让自己孜孜不倦以追求实现的城市发展模式。他意识到了其他企业家对芝加哥市商业发展的必要性。因此在奥格登的说服下，赛勒斯·麦考密克（Cyrus Hall McCormick）于1847年将其收割机厂迁到芝加哥，以利用芝加哥的地理位置和毗邻新兴小麦种植区的交通优势。还有一个原因是，芝加哥有很多人士和奥格登一样预见到麦考密克企业对该市的重要意义，他们乐意为工厂搬迁提供资助（Cain，1998）。尽管当时的形势并非十分有利，奥格登却成了芝加哥的第一个“风险资本家”。

奥格登还意识到需要建立和完善其他城市基础设施。他曾任芝加哥市第一任市长，后来供职于州立法机关。他成了拉什医学院的首任院长，伊利诺伊州立银行芝加哥分行的行长，芝加哥污水治理委员会的主席，芝加哥大学（首届）董事会的主席。但这只是他涉足领域的一小部分（Andreas，1884，第617页）。诸如奥格登多家企业的财务经理杨格·斯凯蒙（J. Young Scammon）等同事，也积极参与到芝加哥市的发展中。斯凯蒙后来成了芝加哥海难和火灾保险公司（Chicago Marine & Fire Insurance Company）及海事银行（Marine Bank）的董事长，《国际海洋》（Inter-Ocean）报纸的创办人，以及加利纳—芝加哥联合铁路公司（Galena & Chicago Union Railroad）的董事会主席。奥格登及其同事一开始就预见到芝加哥市的制度和交通基础设施是企业家精神的一个必要补充。

在极其有利的环境的推动下，铁路贯穿整个美国大陆，威廉·奥格登几乎参与了该进程的每一个步骤。他在纽约立法机关的演讲主要涉及建造一条连接纽约和西部的道路。他领导建造的加利纳至芝加哥联合铁路线向西到达了芝加哥市，同时，作为联合太平洋铁路公司的主席，他帮助连通了大西洋沿岸和太平洋沿岸。他定居的城市芝加哥，作为东部许多重要铁路干道的西部枢纽和西部许多重要铁路干道的东部枢纽，实现了飞速发展。铁路使旅客和货物抵达美国本土各地市场成为可能，推动了城市化进程，且使各个企业有能力服务于一个全国性的市场，以实现规模经济。

5. 通　信

内战前，书信仍是商务沟通的普遍形式。1792年的《邮局法》（Post Office Act）规定了相对较高的收费率，试图实现邮政服务的自给。到1840年，这种情况发生了变化，收费率得到降低，邮局数量大幅增加，从1790年的75所迅速增至1840年的13500所左右，同时，每所邮局的平均服务人口从43000多人降至1000人多一点。[46] 而且，由于新的交通方式缩短了行程时间，投递时间也相应下降。此外，如理查德·约翰（Richard John）指出的，低收费率鼓励了报刊的增长。部分由于邮局分布的郊区化，报纸的发行数量从1790年的100份增加到1840年的1400多份。专业性的商业媒体开始出现，它提供了更及时的信息，促进了交易，进而推动了贸易增长。

通信时间最具实质意义的下降源于塞缪尔·摩尔斯（Samuel Morse）发明的电报（参见Hindle，1981）。摩尔斯毕业于耶鲁大学，他一开始想走一条艺术道路，在遭到一连串的挫折后，转向了其他方面的追求。1834年，摩尔斯在后来成为纽约大学的一所学校担任无薪水的艺术学教授，同时他开始认真研究电报问题。他的第一份电报只能在几尺之遥发送信息，但到1837年，在化学教授伦纳德·盖尔（Leonard Gale）的帮助下，摩尔斯将发送距离延长到10英里。他认为这已颇具实践意义，因为以10英里为间隔，继电器开关能传递任何所需距离内长短不一的脉冲序列。1838年1月初，摩尔斯编写出了一个试验性的摩尔斯符号词汇表，1月下旬，摩尔斯符号已可转译成单个字母。1844年，摩尔斯又对字母序列作了修改，最终使之成为人们耳熟能详的摩尔斯电码（Morse code）。

1844年5月，一条“上帝创造了何等奇迹”（What hath God wrought）的消息从华盛顿穿越40英里传到巴尔的摩，又从巴尔的摩传回华盛顿。阿莫斯·肯德尔（Amos Kendall）和埃兹拉·康乃尔（Ezra Cornell）等企业家帮助摩尔斯建立了一条连接纽约和华盛顿的电报线路，该线路的成功牢固地确立了电报的影响。摩尔斯退出了日常业务运营，只收取一定比例的专利许可使用费。到1860年，电报网络已延长到60000英里，并于下一年（即1861年）到达了美国西海岸。绝大多数电文都是商务消息。只要接线员拨动一下相关按钮，那些往往靠近铁路线架设的电报线路就会将利率变动、货物已发送等消息传送出去（Bodenhorn和Rockoff，1992）。

因此，到内战前夕，交通和通信设施的进步已创造出了一个全国性的市

---

[46] 参见John（1995，第25页及以后各页），第51页的相关统计。

场。通抵各地市场的成本已经大幅下降，并将继续下降。以往曾服务于地方市场的企业家现在能服务于整个国家市场。

五、制成品：工业化的酝酿期

1790年开展第一次人口普查时，95%的人口同农业生产有关。农民占有土地，并将其投入生产。到1850年，农民人数仍接近劳动力的60%，并负责大量非农产品的生产。在《关于制造业的报告》中，亚历山大·汉密尔顿估计，2/3—4/5的居民服饰是自制的。城镇里有大量以手工制造工具、鞋子、帽子和坛坛罐罐的匠人。梅里马克河等河流沿岸的伐木场就像一家家小工厂，恰如布兰迪万河附近的杜邦公司。

在内战前的岁月里，尽管土地充足，农民仍将科学原理用于农业生产，尤其是为了追求作物改进和牲畜改良。他们普遍采用轮作制度、改进施肥和技术以使水土流失最小化。农业协会通过定期集市和越来越多的农产品刊物传播关于这些变化的信息。到20世纪50年代，一些州已开设了农业学校和农学院。国会于1862年通过了《莫里尔法案》（即《赠地学院法案》或《赠地法案》），给那些仍属于联邦内部的各州提供赠地以用于创办农学院。但最令人印象深刻的改进发生在农业机械和工具上。这些改进使北方家庭农场能不依赖于雇用劳动力的大量供给而实现繁荣。平均而言，每个农场预计有一半的男性雇用劳动力。南方种植农也很快发明并采用了能提高生产率的机械。到内战爆发前，工业化已扩展至那些生产这些机械需从某一独立机器工具行业购买投入要素的行业。

该时期的早些年，美国制造商发现很难同英国同行相竞争。尽管国内的大规模生产仅在1812年战争前就已开始，但绝大多数美国企业规模均相对较小（雇员少于10人，相对大点的企业也只有25—40名左右雇员），且使用传统生产工艺。纺织工业是一个明显的例外。一旦同英国的贸易被中断，这些企业很快就会被取而代之。许多这类企业可追溯至那些随时间推移在职能、产品和地理区域方面越来越专业化的商人。迟至1820年，绝大多数制造业企业仍集中在东北部地区。利用现存的专利记录，肯尼思·索科洛夫（Kenneth Sokoloff，1984，第357页）发现，在“匠人”作坊扩张成一家雇用10—15名工人的工厂制出现之前的专业化生产车间的过程中，存在某种程度的规模经济："以细致的劳动分工降低普通熟练工的比例，加大监督和看管力度以维护高强度的工作制度，关注产品的标准化，往往是这些企业的典型特征。"

索科洛夫认为，在内战前，制造业的技术变迁经历了两个阶段：第一阶段占据了该时期的绝大部分时间，以从纺织业到其他行业的工厂扩张为特征；第二阶段大致始于1850年，以非机械动力源的引进和采用为特征。索科洛夫和卡恩（Sokoloff and Zorina Khan，1990）强调了投资在"发明引致型资本"（invention-generating capital）中不断增加的重要性。最初的市场扩张拓宽了参与这一进程的人数和人群种类，如那些获有专利的家庭主妇和牧师。但随着时间推移，像其他经济活动一样，发明也出现了专业化。发明活动的专业化趋势在其数量上表现得非常明显。同样明显的是，发明活动逐渐转向可获得更多资源的城市地区。

工业革命诞生在英国，美国则极大地获益于英国人的向外迁移。斯科菲尔德兄弟于18世纪90年代初从约克郡来到美国，他们发明了水力驱动的羊毛梳理机；保罗·摩迪（Paul Moody）是他们的美国学徒之一，后者即将在美国的纺织工业发展中扮演重要角色。苏格兰工程师亨利·伯登（Henry Burden），积极响应使大量移民机械师迁往该地工作的政策号召，为"美国技术的发源地"马萨诸塞州的斯普林菲尔德兵工厂带来了至关重要的创新。威尔士移民戴维·托马斯（David Thormas），于1840年最早把无烟煤炼铁技术引进宾夕法尼亚州的钢铁工业。

技术转移的主要载体是美国本土商人。他们从不会让金钱处于闲置状态，而是把利润投资于各种各样的活动领域。费城商人内森·特罗特（Nathan Trotter），是兰开斯特收费公路背后的推动者。史蒂芬·吉拉德（Stephen Girard）运用得自于同中国和西印度的贸易收益创办了一家银行。许多美国人积极参与来自英国的工业品进口贸易，正是他们创造了美国的纺织工业。另一方面，大量改进农业机具的工作都在美国本土完成。下文将把重点投向活跃在内战前美国经济中的诸多企业家的少数代表性人物。

（一）农机具

为了满足农业耕作需要，农民和种植园主必须学会创办并经营锯木厂、制革厂、铁匠店、面粉厂及牛奶场。进一步分析以下三大至关重要的农机具有助于我们把握该时期的创业活力。

1. **轧棉机**

独立战争结束后，旧英格兰的棉纺织生产开始扩张，随后新英格兰也出现了扩张，这导致对棉花需求的增加。美国棉花生产增长及其地理扩张的关键是1793年伊莱·惠特尼（Eli Whitney）“发明”的轧棉机。[47] 将棉籽从棉花纤维中分离出来的装置在惠特尼之前的几个世纪就已存在，它们的演变历程也未停留在惠特尼的发明上。

从耶鲁大学毕业后，惠特尼移居佐治亚州，在这里他接受了由菲尼亚斯·米勒（Phineas Miller）提供的家庭教师职位。前往佐治亚途中，惠特尼在萨凡纳稍事逗留拜访米勒，米勒当时正替纳萨尼尔·葛林（Nathanael Greene）将军的遗孀凯瑟琳·葛林（Catnerine Greene）照管她的棉花种植园。恰如休斯（Hughes，1986，第129页）所评论的，尽管惠特尼的家庭教师工作并不稳定，但“惠特尼却以一种更睿智的豁达态度对待它。他遵照邀请函，同凯瑟琳·葛林和她的同性恋伴侣消磨了一年左右的时光”。

正是葛林女士激发了惠特尼设计一台机器来去除短绒棉紧裹着的绿色棉籽的灵感。几天工夫，惠特尼的轧棉机便诞生了。它使用嵌入一根木制滚轴的钢丝牙和一张阻止棉籽通过的足够牢固紧凑的格子网来去除棉花纤维。这个想法简单得令人难以置信，惠特尼的轧棉机很容易制造和操作。任何看过它的人都能很快复制一台，休斯（Hughes，1986，第130页）指出，葛林女士“几乎给所有她的仰慕者”都展示了一遍。

惠特尼回到纽黑文创设了制造轧棉机的工厂，然后递交了专利申请，并于1794年3月获得了专利。最初的商业计划是种植户将自己的棉花运到惠特尼和米勒的轧棉机厂，每加工5磅，他们就返还给种植户1磅棉花成品，这样一来，1磅棉花成品中大致有2/3将被他们留作加工费。然而，纽黑文的工厂显然不能足够快地生产出足够多的轧棉机，因此这一商业策略无法有效运行，于是惠特尼采取了一个新计划——授权他人生产轧棉机，这是一种技术扩散的通常途径。随后在1795年，纽黑文的工厂被一场大火夷为平地。休斯（1986，第132页）估计，纽黑文的工厂被烧毁两年后，有多达300台惠特尼

---

[47] Lakwete（2003）解释了轧棉机的漫长历史。惠特尼轧棉机大幅提高了轧棉速度，却牺牲了纯棉的品质。

轧棉机的复制品和“改进版”投入运营。惠特尼向法院求助以索取赔偿，但根据专利法的规定，这些诉讼在法律上并不成立。1800 年，情况发生了变化，惠特尼终于获得了视各州情况而定的法律救济。[48]

轧棉机旨在解决棉花生产的瓶颈问题，即棉花收割问题。通过解决该瓶颈，劳动生产率得以提高。如麦克莱兰（McClelland，1997）所指出的，内战时期北方和南方之间的生产率差异可归因于以下事实，即北方农业生产中没有出现类似于南方的轧棉机等机械。轧棉机本身是巨大的成功，棉花则成了“农产品之王”。

2. 犁　具

建设一个新的家庭农场需要平整土地及建造栅栏和房屋。[49] 在建造一个中等规模的边境农场所需的 5—10 年时间里，投资占所有活动的比例异常之高。一旦出现改进后的农场机械，这些家庭农场的数量和规模就会开始增长，尽管仍较缓慢。犁具便是这类农用工具中的一种，西进运动开垦出的大量土地给美国东部使用的犁具带来了难题。

霍兰德·汤普森（Holland Thompson，1921，第 111 页）认为，“罗马犁可能都比 18 世纪晚期美国广泛使用的犁具更先进”。独立战争时期（在伊利诺伊州，要到 1812 年战争时期），美国较普遍使用的犁具本质上只是一根头部弯曲的小树枝，曲头上面用生牛皮绑着一块铁。这种犁具除了划破地面外用处不大。乡村铁匠开始定做重犁，他们将一根绑着铁头的小树枝改造成了配上熟铁犁头的犁具。要是土地松软，一名男性劳动力和两头牛就能操作该犁具，但坚硬的土地却需要更多劳动力和牛。

最早的可操作型犁具要归功于新泽西州的铁匠查尔斯·纽伯德（Charles Newbold），他于 1797 年 6 月获得了铁犁的发明专利。他大致花了 3 万美元制造该犁具，这在当时是一笔巨资。[50] 起初农户并不情愿使用铁犁，他们认为铁“给土壤带来了毒素”，但因竞争迫使农户采用更先进的技术，这种担忧得以

---

[48] 1812 年，国会拒绝更新惠特尼的专利权，但它确实表达了一个懂得感恩的国家对发明家的尊重（Lakwete，2003，第 133—134 页）。

[49] Primack（1962，第 492 页）估计，19 世纪 50 年代，1/6 的中西部劳动力一直从事土地开垦作业。

[50] 该数据来自“先驱者的伟大创造力”（Inventive Were the Pioneers），一个由纽伯德出生地新泽西州伯林顿郡维护的网页：http：//www. burlo. lib. ny. us/county/history/inventive. html。

消除。一个更大的问题是，当某一部分不可避免地生锈时，整个铁犁就必须重新更换。在诸多铁犁发明专利中，1807 年授予新泽西州人戴维·皮科克（David Peacock）的专利，是一种有独立部件的犁具，毁坏部分可更换。[51] 但和配备可更换部件的标准三件套犁具最相关的人却是纽约的杰思罗·伍德（Jethro Wood），他分别于 1814 年和 1819 年获得相关专利。伍德的设计改进了其他人的发明，他使最频繁暴露因而更容易报废的部分可在操作过程中更换。该犁具颇受欢迎，这部分得益于伍德的市场营销能力。当伍德的犁具配上了一把钢尖后，在东部土地上的犁田效率显著提高，且锐化要求（将不锋利的犁头重新磨尖——译者注）较其他替代性的犁具大大下降。[52]

在中西部地区，草原土壤使配备熟铁的木制犁具失去了用处。起初，中西部拓荒者选择远离草原地区，偏好位于或靠近木材资源丰富的地区，因为这样他们能在土地拓荒过程中顺便获得建筑木材和木炭燃料。定居在草原上的农民往往使用一种开荒犁（草原犁），这种金属犁配有一块重达 125 磅的犁板。[53] 钢材的引进似乎解决了这一难题，约在 1833 年，伊利诺伊州的铁匠约翰·雷恩（John Lane）给金属犁配上了一块带有钢条的木制犁板，这些钢条是雷恩从一把旧锯子上取下来的。雷恩犁在草原土壤中比其他土壤中表现得更好，但在贝塞麦转炉炼钢法诞生前，钢材的成本非常高。尽管如此，其他人仍不断追随雷恩的成功足迹，最重要的当属伊利诺伊州的约翰·迪尔（John Deere），他在 1837 年率先制作出全钢犁。

在家乡佛蒙特州，迪尔作为铁匠有口皆碑。[54] 后来他定居伊利诺伊州的大迪图尔，大迪图尔是一个由其他佛蒙特人组成的社区，那里迫切需要一个铁匠。在大迪图尔，迪尔设计出了一种配备钢质抛光犁板的犁具，它在翻松土壤时能成功地去除附在上面的泥质。这种犁具即将成为“最适用于平原土壤的犁具”。道格拉斯·赫特（R. Douglas Hurt，1994，第 138 页）指出，“尽管从设计的角度看，迪尔犁可谓一夜成名，但作为商人他仍任重

---

[51] 皮科克的犁具导致纽伯德发起了一场成功的专利侵权诉讼（Hurt，1994，第 101 页）。

[52] 不难预料，其他人也会侵犯伍德的专利，据称伍德花了很大一部分利润来保护他的专利权。

[53] 参见 Hurt（1994，第 134 页）。由于铸铁的表面会留下小小的凹痕，且未经过高度抛光，故犁板很容易粘满草原土壤，从而降低犁耕作业的效率。

[54] 关于迪尔和他的公司的最详尽的历史记述，参见 Broehl（1984）。其他的还有 Arnold（1995）、Clark（1937）和 Dahlstrom（2005）。

道远”。考虑到钢材的价格，批量生产全钢犁在19世纪50年代中期前并不划算。一开始，只有犁头才使用钢材打造。1848年，迪尔迁到伊利诺伊州的莫林，利用那里毗邻密西西比河的地理优势，他在那里制造出了各种各样的犁具，用到的技术大多获得了其他专利人的许可——纽伯德、伍德、皮科克和其他人也曾采用这种做法来提高他们所发明的犁具的产量（Danhof，1972，第88页）。

迪尔从一开始就是一个比竞争对手更积极进取的市场营销者，这对他的企业的成功至关重要。鉴于当地银行系统还很原始及货币的稀缺性，绝大多数销售都采取赊账形式，因此推销犁具并不容易。通过他的“旅行者朋友”，迪尔建立了一个覆盖北美地区的批发商和零售商网络。为了有助于宣传他的产品，迪尔不仅投递印刷广告，参加犁具翻耕效率竞赛，还在全国各地展览会上展示他的犁具。迪尔公司取得并保持的良好声誉更多得益于产品推销而非生产。

3. **收割机**

1833年，马里兰州的奥贝德·赫西（Obed Hussey）获得了一种收割机的发明专利并很快将它投入市场，尽管这种收割机并未得到改进，也从未如设想的那样良好运作。一年后，弗吉尼亚州的赛勒斯·麦考密克也获得了他的收割机发明专利，但在随后几年他没有采取任何大的动作。[55] 直到1840年，麦考密克才认为他的收割机已完善得足以投入市场。赫西设计的收割机被证明更适合割草而非收割谷物，麦考密克的收割机却恰恰相反。

由于意识到西部地区对他的收割机的需求比弗吉尼亚地区大，麦考密克于1845年把生产设施从弗吉尼亚州迁到了辛辛那提。两年后，麦考密克对威廉·奥格登提供的奖励措施做出了回应，将其业务搬到了芝加哥。[56] 这次搬迁不仅对芝加哥市有利，而且使麦考密克的企业和奥格登的铁路公司均受益匪浅。赫西则仍待在东部地区。

---

[55] Cgras的父亲此前曾尝试制造一台收割机。Cgras将注意力转向制造收割机，以此偿还1836年他和父亲收购一家铸铁厂（“科托帕希”）时所欠下的债务（Hower，1936，第70—71页）。

[56] 如前所述，奥格登为这次搬迁提供了资助。1848年，麦考密克和奥格登成了合伙人，共同划分伊利诺伊州、印第安纳州、密歇根州、肯塔基州和田纳西州的收割机制造和销售业务市场。

麦考密克的企业引进了大量商业惯例，这使它看上去比其他许多19世纪的企业更像一家现代公司。例如，企业和当地商人之间建立了代理关系，由后者负责推广收割机的使用。该企业成了最早提供产品质量担保的制造业企业之一，它还提供一段免费试用期，在试用期内不满意的客户可获得等于实际购买价格的退款。与买卖双方进行讨价还价的常规销售过程不同，麦考密克在农业期刊、新闻和其他印刷媒体上大量投放价格广告。一则典型的销售广告，往往带有“教育”的性质，它主要包括一张产品图像、合格证明书、销售方式（包括赊销）说明和订货单（参见 Cronon，1991，第 313—318 页；Miller，1996，第 103—106 页）。显然，像迪尔的例子一样，正是大规模生产和销售机器的能力，而非作为一个发明家的天赋，为麦考密克的巨大成功奠定了基础。

到 1860 年，可能已有 100 家销售收割机的公司，但麦考密克的企业仍是当时最大的一家。这种迅猛增长的解释似乎在于，机械化收割在地形平坦地区更有效率，而且随着中西部地区的农业开垦，收割机获得了大量使用（David，1975，第 89 页）。收割机解决了生产中的一个重大瓶颈问题。受限于谷物的易腐性，一个家庭农场只能种植其收获能力范围内的谷物量。收割机使以往需一整个收割季节才能干完的农活有可能在几天内干完。

许多农机具，尤其是收割机，通常是共用的、租赁的或共有的，而非独自拥有，特别是随着农机具的现金支出不断增加以后，更是如此。农机具数量的迅速增加使农户能够种植更多的土地，从而扩大了农业产量。机器的采用节约了劳动力，大量土地投入的额外增加提高了资本和劳动的生产率。农机具在北方地区的普及更广泛，对北方农民的意义类似于奴隶对南方农场主的意义。

（二）棉纺织

除了州政府和地方政府的补贴外，18 世纪末创办纺织厂的一些尝试都遭遇了失败，绝大多数是由于缺乏有效率的机械。摩西·布朗（Moses Brown）和他的三个兄弟，罗得岛州首府普罗维登斯的商人，打破了这一模式（Hedges，1952，1968；Perkins，1975；Ware，1931）。1789 年，摩西·布朗给威廉·阿尔米（William Almy，他的女婿）和史密斯·布朗（他的侄子）提供了资助。阿尔米和布朗的公司购置了一台珍妮纺织机和一台梳理机，但英国的这类阿克赖特纺织机的复制品很快被证明无甚效果。英国人塞缪尔·斯莱特的加入使情况发生了改变，前者曾是阿克赖特某前合伙人的学徒。斯莱特相信他在美国拥有一家工厂的可能性会更高。因此，在熟记阿克赖特纺织机的制造技术后，他乘船来到纽约，并很快发现纽约市缺少纺织品生产的合适水源。后来，斯莱特意识到摩西·布朗正在寻找一名熟悉阿克赖特纺织机的机械师。1790 年初，他成了阿尔米和布朗公司的一名合伙人。斯莱特利用偷偷获得的技术制造纺织机，阿尔米和布朗则负责提供资金和产品销售。直到 1812 年战争结束后，随着美国纺织工业出现过度扩张，该公司才开始盈利。[57] 当阿尔米和布朗认为公司的财务稳健要求他们适当限制业务活动时，斯莱特便开始寻找更有前景的市场。新英格兰纺织工业的领导地位被马萨诸塞州所取代。终其一生的职业生涯，斯莱特虽同 4 个不同州 8 家合伙企业的 17 名合伙人有过合伙关系，但他一直保持着同阿尔米和布朗之间的合伙关系。他们的工厂只生产棉纱丝，织造工艺则仍旧留给家庭自理。

第一家综合型纺织公司的荣耀归属于波士顿制造公司（BMC），该公司由毕业于哈佛大学的商人弗朗西斯·洛厄尔（Francis Cabot Lowell）掌管。1810 年，洛厄尔前往英国，某种程度上是为了学习和考察曼彻斯特和其他地区的动力织布机。他认定新英格兰的发展需要其制造业贸易有相应增长。[58] 洛厄尔于 1812 年回到美国，由于担心 1812 年战争给他的贸易业务造成不利影响，他说服包括其朋友内森·阿普尔顿和妹夫帕特里克·杰克逊在内的其他波士顿商人，共同投资了 10 万美元。1813 年年末，洛厄尔和前面提及的保罗·摩迪一道，成功地对一台以他记忆中的英国纺织机和私下掌握的模型（偷学草图）为基础而制造的水力驱动织布机进行了测试。第二年秋，他们向其他投资者展示了该织布机，尽管尚未获得发明专利。不久后，他们在马萨诸塞州的沃尔瑟姆创办了美国第一家将原棉加工成成品棉布的企业。到 1820 年，公司股利分红总额已超过了初始实收资本，洛厄尔在获得国会的关税保护中也扮演了关键角色（参见 Rosenbloom，2004）。

---

[57] 在寻找劳动力的过程中，斯莱特一般被看作家庭劳动制度（其中孩童替他们的父亲照看机器）的始作俑者。

[58] David Jeremy（1981，第 95 页）认为，洛厄尔是技术转移的最佳例子之一。

波士顿联合公司（Boston Associates）很快主导了新英格兰地区的经济。[59] 1822年洛厄尔去世5年后，公司业务开始迁到一个以他名字命名的新兴制造业中心小镇——洛厄尔。到1836年，波士顿联合公司已在洛厄尔设立了8家重点企业，雇用着6000多名工人。它们皆以一种后来广为人知的“沃尔瑟姆体制”（Waltham System）进行组织，其中所有生产阶段都集中在一个专门生产单一标准化产品的大型工厂里。这种大容量策略需要很高的资本化程度，但它能使波士顿联合公司实现生产和销售的规模经济。机械化生产意味着企业能充分利用非技能型劳动力，因此靠近工厂处建立了大量职工宿舍，年轻的新英格兰农家女孩得到了就业机会（Gibbs，1950；Zevin，1971，1975；Dublin，1979；Jeremy，1981；Dalzell，1987）。新英格兰各地的临河地区也很快建起了数百家纺织工业企业。1832年，财政部长对美国制造业进行了一次调查。[60] 结果显示，在106家资产超过10万美元的公司中，有88家属纺织企业。克劳迪亚·格尔丁（Claudia Goldin）和肯尼斯·索科洛夫（1982）表明，在1850年，女工和童工至少构成了30%的劳动力。[61]

（三）缝纫机

随着棉纺织工业的发展和机械师培训的进步，企业家理所当然会想到寻找一种使缝纫工作机械化的方法。法国裁缝巴特勒米·蒂莫尼埃被看作是将机械化缝纫设备用于实践的先驱者。他发明的绣花机先后于1830年、1848年和1850年在法国、英国和美国获得专利。尽管缝纫机诞生于欧洲，关键创新却来自美国。通常认为，最重要的创新就是伊莱亚斯·豪（Elias Howe）于1846年获得的专利发明。

豪在替阿里·戴维斯（Ari Davis）从事机械师工作时对缝纫机产生了浓

---

[59] Kross和Gilbert（1972，第76页）认为，“到1850年，他们控制了20%的全棉纺锤锭、30%的马萨诸塞州铁路、40%的马萨诸塞州保险业务和40%的波士顿银行业务”。

[60] 《麦克连报告》（McLane Report）有许多缺陷，但如Rosenberg（1973）所指出的，这是1830年前后唯一的“制造商普查”史料。

[61] 尽管众所周知的是，很难计算从事家务劳动的妇女的劳动参与率，但据估计，1800年前后妇女和儿童约构成了10%的劳动力，到1830年前后则大致上升为40%。随后该比例出现了下降，但直到1850年仍高于30%。

厚兴趣，后者的职业是给海员和哈佛大学的科学家制造及修理机械装置。一次戴维斯和某来访者谈话时提到谁要是能完善缝纫机，定会获得丰厚回报，豪恰好无意中听到这话，于是便萌生了完善缝纫机的念头。豪对之前的研究进展一无所知，但他看过妻子做缝纫活儿，他认为这样的缝纫机必须能模仿人手。豪在尝试过许多模型后，于 1844 年制成了一台具备眼子针、两个螺纹和一把梭子的模型，该模型的运转效率足以使其在 1846 年获得专利授权。由于发现美国人对他的缝纫机兴趣不大，豪便去了英国。尽管在英国他的机器获得广泛采用，但利润却流向了一名叫威廉·托马斯的英国胸衣制造商手上，因为后者购买了豪发明的缝纫机的英国使用权。1849 年 4 月，为了筹钱回国，豪抵押了他的第一台缝纫机和专利证书。回国之后，豪发现在他待在英国的两年内，美国人对他的缝纫机的兴趣已经增加，且市场上正出售各种各样的缝纫机，其中绝大多数利用了他拥有发明专利的设备。于是，豪一边制造和销售他自己的缝纫机，一边展开了一系列的法律诉讼。

最重要的诉讼同艾萨克·辛格（Isaac Singer）展开，后者在 1850 年 9 月制造了他的第一台缝纫机，且不到一年就获得了发明专利。在众多仿造者中，辛格是一名演员，他积极推销自己的缝纫机，从而促进了该机器的普及（Jack，1956）。人们普遍承认，辛格的缝纫机修正了以往所有缝纫机，甚至包括豪的缝纫机的缺陷。鉴于豪的法律诉讼和辛格缝纫机的优越性，相对较少的公司进入该行业。1815 年爱德华·克拉克（Edward Clark）的到来，给辛格应付当时美国持续时间最长的专利侵权诉讼提供了支持和帮助。豪于 1854 年赢得了这场诉讼，辛格被迫单方面赔付 15000 美元的贵重机器特许权使用费，且一直到 1867 年豪的专利权到期前必须为每制造一台缝纫机支付 25 美元专利费。在格蕾丝·库珀（Grace Cooper，1968，第 141 页）看来，这场诉讼“抑制了缝纫机行业的发展”。克拉克提出的解决之道，本质上只是重要专利持有人的利益共享。[62]

在早些年的时候，辛格的主要竞争来自于惠勒—威尔逊公司，该公司生产一种家用轻型缝纫机。19 世纪 70 年代，辛格追赶上了该公司，并于

---

[62] 辛格不能给克拉克支付现金报酬，因此他把自己专利收益的 1/3 分给后者。Davies（1976）讨论了克拉克在辛格那里的长期职业生涯。

1905 年将其并入旗下。另一家值得引起注意的制造商是威尔科克斯—吉布斯公司（Willcox and Gibbs）。在试图根据插图制造一台豪式缝纫机的粗糙模型时，詹姆斯·吉布斯误打误撞地造出了第一台单线程缝纫机，因为他不知道豪式缝纫机事实上使用了双线程。最重要的是，威尔科克斯（作为公司投资方）和吉布斯将布朗—夏普公司（Brown & Sharpe）改造成了一家生产吉布斯单线程缝纫机的企业。吉布斯式缝纫机被证明如此成功，以至布朗—夏普公司引进了一种新的制造流程，通过可互换部件来批量化生产该缝纫机。如伍德伯里（Woodbury，1972）所指出的，在生产实践中，他们设计出了新式机床，这不仅对缝纫机生产而且对所有的机械工厂作业都至关重要。

（四）机械师

纺织工业和后来轻武器行业对机械学的重要意义，恰如上文所述伊利运河和其他运输创新对工程专业的重要意义。它们催生了一支本土出生的美国“机械师”队伍，他们带来了美国的技术领导优势。[63]

尽管美国企业家引进了所有他们能借鉴的技术，但早期发明者和创新者仍创造了一个独特的美国工业，其以劳动节约型资本和大量的原材料使用为特征。劳动力短缺和原材料丰富是美国经济的劣势和优势，因此企业家选择了扬长避短策略。如乔纳森·休斯（Jonathan Hughes，1986，第 146 页）所评论的：“人们很难拒绝以下推断，即从一开始美国人发明的试验型机械的特点、他们对效率的追求和技能型劳动力的高昂成本一起，导致了美国批量化生产技术的创造和发明。”

批量化生产，如它在美国的演进所表明的，推动了两项重要创新：连续工艺（continuous processing）和可互换部件（通用部件）。前者和奥利弗·埃文斯最相关。1784—1785 年间，埃文斯在费城近郊创办了一家由重力、摩擦力和水利共同驱动的面粉厂。谷物可通过面粉厂由水桶和皮带组成的不同梯度在装载器中来回传输，因此除了控制和调整外，不需任何人工干预。这是

---

[63] Wallace（1980，第 212 页）指出，“机械师”这一术语当时被用来指那些设计和制造生产机器的技术工人，他们同时也是机床的发明者和操作者。随着专业化的深入，这种职业“不知不觉地被并入了铁匠、铸铁大师、机器制造专家、工程师、绘图员、艺术家、发明家和自然科学家”。

一条比亨利·福特早了一个多世纪的生产流水线。埃文斯申请了一份专利，但像其他许多专利权人那样，花费了大量时间和金钱来保护自己的专利。[64] 在内战爆发约10年前，辛辛那提的猪肉包装工也引进了连续工艺，即一条拆卸流水线。

（五）轻武器生产

可互换部件最早出现在轻武器生产部门，在该部门，技术取代了技能型工人和兵器制造者，他们在美国都不可得。1798年，伊莱·惠特尼接到了一份供应10000把滑膛枪的合约。很显然他不能及时供应这批军火，于是便提议用可互换部件来生产这些步枪。授予惠特尼该合约的财政部长奥利弗·沃尔科特（Oliver Wolcott）写道，“我应该把武器制造设备的切实改进看作是美国的一项巨大成就”（转引自 Hughes，1986，第141页）。首要的任务是制造能生产滑膛枪零件的机器。此前，法国枪支制造商奥诺雷·布兰克（Honoré Blanc）已尝试使用可互换部件，但遭遇了失败。托马斯·杰弗逊（当时在法国）曾和他有过谈话，希望能说服他移居美国。[65]

另一名康涅狄格州军火制造商西米恩·诺思（Simeon North）持有的理念比惠特尼更加彻底。事实上，1813年诺思同政府签署的合约中，就规定了可互换性要求。[66] 此外，罗斯威尔·李（Roswell Lee）领导的一处联邦军火库斯普林菲尔德兵工厂，也在这方面做了大量工作，李引进了一条流水线和计件工资制。他还在武器制造中引入了标准规格的使用和主要零部件的精确对照。豪恩谢尔（Hounshell，1984，第35页）指出，这使武器制造“从纯手工活转变为一项工艺流程”。1826年，约翰·霍尔在哈泊斯费里制造出了第一批被认为是完全可互换的武器。

19世纪40年代，联邦政府不再从惠特尼和诺思等合约制造商那里采购武器，转而向塞缪尔·柯尔特等持有专利的生产商采购，政府可以像其他消费

---

[64] 1800年后，埃文斯专注于研究高压蒸汽机，后来它被应用于磨铣作业和蒸汽船。参见 Pursell（1969）和 Ferguson（1980）。

[65] Hounshell（1984，第25—26页）把法国将军让－巴蒂斯特·德·格里博瓦尔视作向杰弗逊总统介绍该理念的人。

[66] “手枪的不同组成部件之间必须能完美接合，以至一把手枪的任何组件或部件都能适用于其他任何一把手枪”（Hounshell，1984，第28页）。

者一样向那些生产商采购枪支。合约军火制造商和政府兵工厂自行研制的技术已经不需政府补助了。

塞缪尔·柯尔特对枪械的兴趣产生于他父亲商业失败和他母亲过早去世后不久。在尚无法制造枪支前，年轻的柯尔特就表现出了这方面的天赋。1835 年，在柯尔特年仅 21 岁游历欧洲期间，他设计的枪支就获得了法国和英国授予的专利。一年后，他又获得了美国授予的专利。1841 年，通过扎卡里·泰勒（Zachary Taylor）总统的提议，美国陆军部向柯尔特询问购买其枪支的相关事宜。由于缺乏资金制造所需数量的枪支，柯尔特将部分订单分包给了小伊莱·惠特尼。柯尔特式左轮手枪在墨西哥战争中的卓越性能、西进运动以及对骑术的日益依赖，均有助于增加对柯式手枪的需求。

1848 年，柯尔特在哈特福德（康涅狄格州首府）创办了一家工厂，聘任了机械专家利沙·鲁特（Elisha Root），让他担任厂长。鲁特此前已在其他地方推行过机械化生产，他为柯尔特设计了新的机器，其中有许多也被其他一些行业所采用。豪恩谢尔强调，柯尔特和鲁特根据“一致性是机械化的结果而非绝对目标”的主张开展实践工作。“追求精确度”从属于机械化、批量生产以及鲁特机器对技能型劳动力的替代。因此，豪恩谢尔（1984，第 49 页）认为，“柯尔特式左轮手枪并非用可互换部件制造”。真正意义上的可互换性可能需要另一步骤，这只是其中的一小步，机械师和机床行业的演进最终使之成为可能。

（六）钟　表

1816 年，西米恩·诺思和政府签署合约 3 年后，伊莱·特里（Eli Terry）开始在他位于康涅狄格州普利茅斯的车间批量化生产一种廉价木制时钟。由于他的时钟需要重新设计钟摆摆动，需要做得更小，最重要的是，需要配置可更换件的器械，所以给生产工艺带来了革命性的变化。特里是企业家对机会做出反应的一个特例。只要有可能，他就会用黄铜替换木料来做时钟，这种创新反过来促进了黄铜钟、手表和各类硬件行业包括机床的生产。他的车间培养出了许多未来的钟表行业领军者，如塞思·托马斯（Seth Thomas）、赛拉斯·霍德利（Silas Hoadley）和昌西·杰罗姆（Chuancey Jerome），后者于 1837 年将特里的理念应用于批量化生产黄铜钟（Church，1975；Landes，1983；Hoke，1990）。

约在同一时期，人们开始试图把这些理念应用于制表业，但由于小部件的可容忍误差更严格，因此这项工作难度更大。亚伦·丹尼森（Aaron Dennison）最终成功地做到了这点。1850 年，丹尼森和其他人一起创立了沃尔萨姆公司（Waltham Company），以批量化生产手表。[67] 1853 年，制造一只手表需花 21 个工日，兰德斯称之为该公司的“早期试验阶段”。在沃尔萨姆公司大幅改进丹尼森的最初设计后，到 1859 年制造一只手表所需的工日已降至 4 个。随着不久后内战的爆发，对手表的需求也显著增加。[68]

（七）美国体制

19 世纪 30 年代，即将以“美国体制”（可互换性、标准化及在冗长的生产流程中实行劳动分工）闻名于世的一系列要素已开始渗入工业界。这种进展的共同表现是专用机器的使用。内森·罗森伯格（Nathan Rosenberg，1972a）认为，其结果导致柯尔特和鲁特等人的努力转变成一个包括布朗—夏普等公司在内的独立行业。机床行业同时带来了“对推动经济中所有使用机器部门的技术变迁至关重要的技能和技术知识”（1972a，第 257 页）。机床行业主要解决许多行业中普遍存在的难题和工艺流程，因此成了传播新技术信息的重要载体。罗森伯格（1969）将 19 世纪初斯普林菲尔德兵工厂发明的“美国体制”，19 世纪中叶机床行业的发展，以及 19 世纪末自行车、飞机制造业和汽车工业的出现直接联系在一起。美国企业家一直在有效地推动美国的经济发展。

（九）美国南方

同美国北方发生的情形相反，内战前南方工业可用“悲惨的萧条”来描述（Bateman 和 Weiss，1981）。1860 年，尽管南方人口数量占全国的 1/3，但其工业制成品产出只占全国工业制成品产出的 1/10 多一点。南方并不缺乏企业家才能，但那里的激励结构受制于种植园和家庭生产，更有利于农业，而

---

[67] 参见 Carosso（1949）。1844 年，丹尼森成立了后来的丹尼森制造公司（Dennison Manufacturing Company），但他把纸盒制作业务转售给了自己的兄弟，自己则涉足手表制造业务。

[68] Landes（1983，第 317 页）指出，第 14000 块手表于 1858 年制成，第 118000 块手表于 1865 年制成。Church（1975，第 621 页）披露，军方需求使生产率提高了 25%。

不利于发展工业。正常的制造业生产所需的技能型劳动力（如铁匠和铜匠）大多是为了抵债的劳动力。即使那些工厂已成为生产中心的地区也是如此。1860年，美国第四大炼铁厂弗吉尼亚特雷德加炼铁厂（Tredegar Iron Work），在需要技能型劳动力的岗位上使用了奴隶劳动力。家庭生产传统在南方和西部地区继续盛行，尽管在北方已逐渐消失。同北方一样，1812年战争给南方商业发展提供了推动力。事实上，少数罗得岛的纺织品制造商在战争结束后便移居南方，但他们只是特例。人口普查记录显示，纺织品生产同整个工业一样贫乏，尽管有来自政客、民权支持者和新闻界的广泛支持。传统观点认为，南方企业家将他们的资本投向了收益率最高的领域，但贝特曼和韦斯（Bateman 和 Weiss，1981，第16页、第18页）的计算却表明，南方的工业投资收益率高于棉花种植。这一计算支持了他们的结论："南方工业的落后可能不完全是理性调整的结果"。考虑到南方的资源，其工业部门的规模必定小于东北部地区，但很可能已大于以往的情形。南方未能对这些可能的利润激励做出有效回应的原因，通常被归结为在面对工业化可能带来的危险时持极端风险厌恶的态度。如尤金·吉诺维斯（Eugene Genovese，1965，第221页）所解释的，种植园主很担心邻居们的反应，并且害怕产生"一个城市工厂奴隶阶级或白人无产者阶级"。若情况属实，则"悲惨的萧条"确实是一种创业失败。

六、企业家精神的有效性

这里关于企业家精神的鸟瞰不可避免地只强调成功案例。前面讨论的创新为内战前美国经济的增长奠定了基础。但并非所有企业家精神都是鲍莫尔（1990）所定义的"生产性的"，即使成功的企业家有时也会通过其他途径谋求财富。

"非生产性"企业家也包括那些侵犯专利权的企业家。我们不妨再次考虑犁具的发展历程。纽伯德犁具和迪尔犁具的发明之间相隔了40年。历史上充满了许多做出过至关重要改进（这些改进被证明可授予专利权）的人们，但其中少数人的尝试只是昙花一现。他们中的许多人可通过核查法院记录发现，在这些判决中，专利持有人试图从侵犯其专利权的人那里获得赔偿。我们知道，一些犁具生产商（及许多其他商品的生产者）会通过扩张重要的资源来保护自己的专利。没有简单方法可推算出失败企业家的人数或其活动所消耗的资源情况。但总的来说，发明收益必定超过了发明损失，因为从19世纪初的伊莱·惠特尼到19世纪末的伊莱亚斯·豪等企业家，都深受非法使用其专利之害，他们把发起专利侵权诉讼当成维护权利的重要举措。

第二类非生产性企业家是私掠者。尽管海盗和走私者的"黄金时代"是在一个世纪以前，但让·拉菲特（Jean Lafitte）是内战前时期的一个显著例外。让·拉菲特出生于法国，1809年他和兄长皮埃尔在新奥尔良开设了一家铁匠店，除了正常业务外，该店还买卖走私货和奴隶。一年后，拉菲特意识到掠取走私货比出售它们更有利可图，于是他成了巴拉塔里亚海盗团伙实际上的头目，该海盗团伙因盘踞在路易斯安那州巴拉塔里亚湾而得名。1814年9月，当英国人似乎要袭击新奥尔良港时，拉菲特帮助美国人获得了新奥尔良战役的胜利。战争结束后，拉菲特在今天的得克萨斯州加尔维斯敦地区重操海盗旧业。当美国人在船上对他的袭击进行报复时，拉菲特向南撤到了西属美洲大陆（Spanish Main）。一些人把拉菲特看作一名成功的商人，但他的创业方式显然应归为非生产性的。约30年后，华尔街的"强盗大亨"（下一章讨论）开始了他们同样不乏道德争议却颇为成功的金融事业。

尽管不确定有多少人热衷于追逐创业成功，但很明显的一点是，甚至成功的企业家偶尔也会通过第三种非生产性的企业家精神——寻租——来谋求财富。伊莱·惠特尼提供了一个合适的讨论起点。虽然惠特尼对可互换性的贡献不如其他人大，但成功的自我推销——对许多企业家十分有用的才能——使他同可互换性的理念息息相关。1797年，在轧棉机业务上面临经济困境时，惠特尼写信给联邦政府，表示希望能为政府生产15000把滑膛枪。如前所述，他于1798年获得了一份订单量为10000把滑膛枪的合约，这可是比以往任何制造商都丰厚得多的"肥约"。惠特尼从头起步，最终在几年后兑现了该合约。

塞缪尔·摩尔斯是寻租者的另一个例子。艺术生涯中遇到的一系列挫折激起了他发奋研究电报的志趣。特别是，他试图描摹美国国会大厦建筑天花板上的一些著名人物画像，结果却遭到了挫败。1840年，在获得一项电报专利后，摩尔斯请求政府给他的发明提供帮助。三年后，国会以微弱多数通过了一项3万美元的经费。1844年，华盛顿和巴尔的摩之间的电文发送成功后，摩尔斯提出以10万美元把他的发明转售给政府；然而，政府却为另一年的试验给他提供了这笔巨款。因此，摩尔斯颇满足于靠转让其发明的特许权使用费为生。

不能忘记的一点是，对潜在的生产性企业家来说，万无一失地获得成功并不是激励他们从事创业和创新活动的唯一因素。不那么成功的企业家也能获得一定利润，相反，成功的企业家也可能一无所获。不妨以奥贝德·赫西和赛勒斯·麦考密克之间的相互竞争为例，这场竞争被称作“收割机大战”。两人都在相互（以及对许多其他人）毫不知情的情况下成功研制出了收割机。麦考密克的名字之所以同收割机密切相关，部分是因为他的收割机在收割谷物中效率更高，他迁居到了谷物已成为美国大草原主要农作物的西部地区。赫西的收割机更适合用来割草，因此他留在了东部地区。这场“大战”涉及对一些问题的大量争斗。赫西试图证明他的收割机获得专利要早于麦考密克的收割机。赫西在1847年申请专利更新，但为时已晚，于是他被迫向国会请愿，麦考密克则积极游说国会拒绝赫西的请愿。次年，麦考密克又提出专利更新申请，赫西同样游说国会反对麦考密克。奇怪的是，这场“大战”竟持续到两人去世后的很长一段时期内。1897年，美国铸币局提议在拟新发行的面值为10美元的银圆券上印刻伊莱·惠特尼和赛勒斯·麦考密克头像，来纪念“轧棉机的发明者”和“收割机的发明者”。但赫西的朋友竭力反对这么做，因此该法案未获通过。[69]

不管麦考密克获得了多大的成功，赫西创新的激励依然强大如故，因为直到1860年逝世前他还在研究一种蒸汽犁。赫西的资源足以让他在此后1/4世纪里在收割机行业保持竞争力，并为其他新发明提供开发成本，但他并未积累起能和麦考密克相匹敌的财富。吉斯（Gies，1990，第27页）表明，当1858年赫西出售他的收割机业务时，他在给某朋友的信中写道：“我在收割机的专利期限内并未赚到多少钱”，而他雇用的公司领班却赚了一大笔钱。但和其他许多在某领域竞争中屈居“亚军”者不同，赫西的名字没有被人们遗忘。我们或许永远不能确定究竟有多少对有效的创业做出

---

[69] 参见Greeno（2006）。摩尔斯和富尔顿一同被印在了1896年发行的面值两美元的银圆券上（Friedberg，1981）。

过贡献的“无名英雄”，但很明显的一点是，有他们参与其中的竞争对经济增长贡献不菲。

七、结　论

美国企业家精神的“成熟期”始于1851年著名的伦敦世博会。内战前的美国充满了创新型企业家。当英国邀请世界各国将其制成品拿到著名的伦敦水晶宫世博会参展时，美国发明者和创新者表现得近乎完美无缺。如罗森伯格（Rosenberg，1972b）所指出的，美国产品虽非以精致的外观取胜，却被视作既不乏实用性，又物美价廉。共有5名美国人荣获该届世博会的最高奖章——理事会奖章（Council Medals）。[70] 他们分别是发明了天文领域广泛使用的电流测量工具和测量仪的威廉·邦德（William Granch Bond），发明了肉饼干的盖尔·波登（Gail Borden），发明了滚动新闻的戴维·迪克（David Dick），发明了橡胶纤维的查尔斯·古德伊尔（Charles Goodyear），以及发明了收割机的麦考密克。[71] 几乎所有参展的美国人都在确保其产品能获得有效使用中发挥了重要作用。显然，“美国体制”已完全风靡于轻工业产品领域。不久后，它便开始大举“入侵”重工业和机器制造业，且一直持续将近整个19世纪。

这5名企业家和上文论及的一样，出身于不同的背景。在内战前的美国，成功的企业家能跻身于社会最高阶层，不成功的非生产性企业家则会沦为社会贱民。他们既可能是成功商人的子嗣，也可能是农民的后代。他们既可以是最好大学的毕业生，也可以是小学辍学者。即使在受过更好教育和更富有家庭出身的人群中，企业家精神也涉及边干边学（或聘用其他具备互补性技能的人）。美国的早期工程师一般未受过西点军校（West Point）的教育，大多是运输行业的“产儿”；早期的机械师大多（但并非唯

---

[70] 所有13937名参与者中只有1%被授予该奖章［皇家委员会，1851，也可参见Ffrench（1950）和Moser（2006）］。

[71] 迪克的印刷机在他的一则广告中被描述为，“一台机械动力装置，通过它任何给定的功力都能被转换成其他任何需要的功力……因此在转换过程中不会有任何物理损失……此时单杠杆将变得多此一举”（Reynolds，1938；也可参见Feantz，1951；Stephen，1989；Korman，2002）。

一地）来自纺织行业和轻武器行业。一套运行高效的学徒制使这些关键技艺能代代相传。

许多企业家积累了大量财富，其他的企业家则将他们的收益投资于新企业，或不得不用于保护与现存企业相关的权利。他们的创新理念一次又一次地被证明如此简单，以致专利体系为专利所有人提供保护的能力面临巨大挑战。大量潜在利润被消耗在保护专利权上。但是，仿制惠特尼轧棉机的故事与斯莱特和洛厄尔等人从英国偷学纺织技术的例子略有不同。尽管存在是否合法的问题，但1825年惠特尼去世时仅留下一笔约合今天不足300万美元的资产。晚于惠特尼40年去世的艾萨克·辛格，留下的遗产相当于前者的100倍。据说，内战前最富有的人是约翰·雅各布·阿斯特（John Jacob Astor）。阿斯特生于德国，在《美英巴黎条约》（Treaty of Paris）结束北美独立战争后不久来到美国。他涉足毛皮贸易行业，且从一开始就将利润投资于纽约房地产业。到18世纪90年代初，阿斯特已成为蒙特利尔和伦敦市场上占主导地位的美国皮货商，随着时间推移，他还帮助开辟了五大湖区市场、西北太平洋沿岸市场，以及同中国之间的贸易。1848年去世前，阿斯特的资产价值约合今天的2.5亿多美元。

在内战前时期，美国拥有得天独厚的人才优势，他们帮助建立了诸多使经济得以实现快速增长的制度基础。美国社会的开放性，它同普通法之间的联系，以及健全有效的金融体系的确立，均有助于创新者实现货物的市场化销售。在整个内战前时期，运输和通信的不断改善拓宽了市场规模。美国制造业拥有提供源源不断的“异想天开者”的优势，他们极大地促进了经济增长。大量创业机会和合适的基础设施有效结合，使作为一个农业国的美国在内战前已步入工业化的边缘。

参考文献

Andreas, Alfred T. 1884. *History of Chicago from the Earliest Time to the Present*. Vol. 1. Chicago: A. T. Andreas.

Arnold, Dave. 1995. *Vintage John Deere*. Stillwater, OK: Voyageur Press.

Atack, Jeremy. 1999. “Quantitative and Qualitative Evidence in the Weaving of Business and Economic History: Western River Steamboats and the Transportation Revolution Revisited.” *Business and Economic History* 28, no. 1: 1–11.

Banner, Stuart. 1998. "The Origin of the New York Stock Exchange, 1791–1860." *Journal of Legal Studies* 27, no. 1: 113–40.

Bateman, Fred, and Thomas Weiss. 1981. *A Deplorable Scarcity: The Failure of Industrialization in the Slave Economy.* Chapel Hill: The University of North Carolina Press.

Baumol, William J. 1990. "Entrepreneurship: Productive, Unproductive, and Destructive." *Journal of Political Economy* 98, no. 5: 893–921.

———. 2002. *The Free-Market Innovation Machine.* Princeton: Princeton University Press.

Beard, Charles. 1913. *An Economic Interpretation of the Constitution.* New York: Macmillan.

Berle, Adolf, and Gardiner Means. 1932. *Modern Corporation and Private Property.* New York: Macmillan.

Bernstein, Peter L. 2005. *Wedding of the Waters.* New York: W.W. Norton.

Bodenhorn, Howard. 2000. *A History of Banking in Antebellum America.* New York: Cambridge University Press.

Bodenhorn, Howard, and Hugh Rockoff. 1992. "Regional Interest Rates in Antebellum America." In *Strategic Factors in Nineteenth Century American Economic History*, edited by Claudia Goldin and Hugh Rockoff, 159–87. Chicago: University of Chicago Press.

Broehl, Wayne, Jr. 1984. *John Deere's Company, A History of Deere and Company and Its Times.* New York: Doubleday.

Cain, Louis. 1991. "Carving the Northwest Territory into States." In *The Vital One: Essays in Honor of Jonathan Hughes*, edited by Joel Mokyr, 1–14. Greenwich, CT: JAI Press.

———. 1998. "A Canal and Its City: A Selective Business History of Chicago." *DePaul Business Law Review* 11, no. 1: 125–84.

Callender, Guy Stevens. 1902. "The Early Transportation and Banking Enterprises of the States." *Quarterly Journal of Economics* 17, no. 1: 111–62.

Carosso, Vincent P. 1949. "The Waltham Watch Company: A Case History." *Bulletin of the Business Historical Society* 23, no. 4: 165–87.

Catterall, Ralph. 1903. *The Second Bank of the United States.* Chicago: University of Chicago Press.

Chandler, Alfred J., Jr. 1965. *The Railroads: The Nation's First Big Business.* New York: Harcourt, Brace & World.

Church, R. A. 1975. "Nineteenth-Century Clock Technology in Britain, the United States, and Switzerland." *Economic History Review* 28, no. 4: 616–30.

Clark, Neil M. 1937. *John Deere, He Gave the World the Steel Plow.* Moline: Deere and Co.

Clay, Karen. 1997. "Trade, Institutions, and Credit." *Explorations in Economic History* 34, no. 4: 495–521.

Cooper, Grace Rogers. 1968. *The Invention of the Sewing Machine.* Washington: Smithsonian Institution Press.

Cronon, William. 1991. *Nature's Metropolis: Chicago and the Great West.* New York: W.W. Norton.

Dahlstrom, Neil, and Jeremy Dahlstrom. 2005. *The John Deere Story: A Biography of Plowmakers John and Charles Deere.* DeKalb: Northern Illinois University Press.

Dalzell, Robert F., Jr. 1987. *Enterprising Elite: The Boston Associates and the World They Made.* Cambridge: Harvard University Press.

Dam, Kenneth W. 2006. *The Law-Growth Nexus: The Rule of Law and Economic Development.* Washington, DC: Brookings Institution Press.

Danhof, Clarence H. 1972. "The Tools and Implements of Agriculture." In *Farming in the New Nation: Interpreting American Agriculture: 1790–1840*, edited by Darwin P. Kelsey, 81–90. Washington: The Agricultural History Society.

David, Paul. 1975. *Technical Choice: Innovation and Economic Growth: Essays on American and British Experience in the Nineteenth Century.* New York: Cambridge University Press.

Davies, Robert B. 1976. *Peacefully Working to Conquer the World: Singer Sewing Machines in Foreign Markets, 1854–1920.* New York: Arno Press.

Davis, Lance, and Robert Gallman. 2000. *Evolving Financial Markets and International Capital Flows*. New York: Cambridge University Press.

Downard, William L. 1982. "William Butler Ogden and the Growth of Chicago." *Journal of the Illinois State Historical Society* 75, no. 1: 47–60.

Dublin, Thomas. 1979. *Women at Work: The Transformation of Work and Community in Lowell Massachusetts, 1826–1860*. New York: Columbia University Press.

Ferguson, Eugene S. 1980. *Oliver Evans: Inventive Genius of the American Industrial Revolution*. Greenville, DE: Eleutherian Mills-Hagley Foundation, Inc.

Ffrench, Yvonne. 1950. *The Great Exhibition: 1851*. London: Harvill Press.

Fishlow, Albert. 1965. *American Railroads and the Transformation of the Ante-Bellum Economy*. Cambridge: Harvard University Press.

———. 1972. "Internal Transportation." In Lance Davis, et al., *American Economic Growth: An Economist's History of the United States*, 468–547. New York: Harper & Row.

Fogel, Robert. 1964. *Railroads and American Economic Growth: Essays in Econometric History*. Baltimore: Johns Hopkins University Press.

Ford, Paul Leicester, ed. 1894. *The Writings of Thomas Jefferson*. New York: Putnam's.

Frantz, Joe B. 1951. *Gail Borden: Dairyman to a Nation*. Norman: University of Oklahoma Press.

Friedberg, Robert, Ira S. Friedberg, and Arthur Friedberg. 1981. *Paper Money of the United States: A Complete Illustrated Guide with Valuations*, 10th edition. Fort Lee, N.J.: Coin and Currency Institute.

Gates, Paul. 1934. *The Illinois Central Railroad and its Colonization Work*. Cambridge: Harvard University Press.

———. 1968. *History of Public Land Law Development*. Washington, DC: Public Land Law Review Commission.

Genovese, Eugene. 1965. *The Political Economy of Slavery*. New York: Pantheon.

Gibb, George S. 1950. *The Saco-Lowell Shops*. Cambridge: Harvard University Press.

Gies, Joseph. 1990. "The Great Reaper War." *American Heritage of Invention & Technology* 5, no. 3: 20–28.

Goldin, Claudia, and Kenneth Sokoloff. 1982. "Women, Children, and Industrialization in the Early Republic: Evidence from the Manufacturing Census." *Journal of Economic History* 42, no. 4: 741–74.

Goodrich, Carter. 1960. *Government Promotion of American Canals and Railroads, 1800–1890*. New York: Columbia University Press.

Goodrich, Carter, Jerome Cranmer, Julius Rubin, and Harvey Segal. 1961. *Canals and American Economic Development*. New York: Columbia University Press.

Gordon, John Steele. 1997. *Hamilton's Blessing: The Extraordinary Life and Times of Our National Debt*. New York: Penguin.

Greeno, Follett L., ed. 2006. *Obed Hussey: Who, of All Inventors, Made Bread Cheap*. A Project Gutenberg Ebook available at http://www.gutenberg.org/files/19547/19547-8.txt. (Accessed October 15, 2006.)

Haites, Erik, and James Mak. 1973. "The Decline of Steamboating on the Ante-Bellum Western Rivers: Some New Evidence and an Alternative Hypothesis." *Explorations in Economic History* 11, no. 1: 25–36.

Hammond, Bray. 1947. "Jackson, Biddle, and the Bank of the United States." *Journal of Economic History* 7, no. 2: 1–23.

———. 1957. *Banks and Politics in America from the Revolution to the Civil War*. Princeton: Princeton University Press.

Hedges, James. 1952. *The Browns of Providence Plantations*. Cambridge: Harvard University Press. Providence: Brown University Press.

———. 1968. *The Browns of Providence Plantations*. Providence: Brown University Press.

Hindle, Brooke. 1981. *Emulation and Invention*. New York: New York University Press.

Hofstadter, Richard, ed. 1958. *Great Issues in American History from the Revolution to the Civil War 1765–1865*. New York: Vintage Books.

Hoke, Donald. 1990. *Ingenious Yankees: The Rise of the American System of Manufactures in the Private Sector*. New York: Columbia University Press.

Holdsworth, John, and Davis Dewey. 1910. *The First and Second Banks of the United States*. Washington: Government Printing Office.

Horwitz, Morton. 1977. *The Transformation of American Law, 1780–1860*. Cambridge, MA: Harvard University Press.

Hounshell, David. 1984. *From the American System to Mass Production 1800–1932*. Baltimore: Johns Hopkins University Press.

Hovenkamp, Herbert. 1988. "The Classical Corporation in American Legal Thought." *The Georgetown Law Review* 76(June):1593–1689.

———. 1991. *Enterprise and American Law, 1836–1937*. Cambridge: Harvard University Press.

Hower, Ralph M. 1936. "Cyrus Hall McCormick: American Business Leader." *Bulletin of the Business Historical Society* 10, no. 5: 69–76.

Hughes, Jonathan. 1986. *The Vital Few*. New York: Oxford University Press.

———. 1987. "The Great Land Ordinances: America's Thumbprint on History." In *Essays on the Economy of the Old Northwest*, edited by David C. Klingaman and Richard K. Vedder, 1–18. Athens: Ohio University Press.

———. 1991. *The Governmental Habit Redux*. Princeton: Princeton University Press.

Hughes, Jonathan, and Louis Cain. 2007. *American Economic History*, 7th ed. Boston: Addison-Wesley.

Hughes, Jonathan, and Stanley Reiter. 1958. "The First 1945 British Steamships." *Journal of the American Statistical Association* 3, no. 282: 360–81.

Hunter, Louis. 1949. *Steamboats on the Western Rivers*. Cambridge: Harvard University Press.

Hurst, James Willard. 1970. *The Legitimacy of the Business Corporation in the United States*. Charlottesville: University Press of Virginia.

———. 1978. "Release of Energy." In *American Law and the Constitutional Order: Historical Perspectives*, edited by Lawrence M. Friedman and Harry N. Scheiber, 109–20. Cambridge, MA: Harvard University Press.

Hurt, R Douglas. 1994. *American Agriculture: A Brief History*. Ames: Iowa State University Press.

Irwin, Douglas. 2004. "The Aftermath of Hamilton's 'Report on Manufactures.'" *Journal of Economic History* 64, no. 3: 800–821.

Jack, Andrew B. 1956. "The Channels of Distribution for an Innovation: The Sewing Machine in America, 1860–1865." *Explorations in Entrepreneurial History* 9, no. 3: 113–41.

Jeremy, David. 1981. *Transatlantic Industrial Revolution: The Diffusion of Textile Technologies between Britain and America, 1790–1830s*. Cambridge: MIT Press.

John, Richard. 1995. *Spreading the News: The American Postal System from Franklin to Morse*. Cambridge: Harvard University Press.

Khan, B. Zorina. 1995. "Property Rights and Patent Litigation in Early Nineteenth-Century America." *Journal of Economic History* 55, no. 1: 58–97.

Khan, B. Zorina, and Kenneth Sokoloff. 2006. "Institutions and Technological Innovation during Early Economic Growth." In *Institutions, Development, and Economic Growth*, edited by Theo S. Eicher and Cecilia García-Peñalosa, 123–58. Cambridge: MIT Press.

Kirzner, Israel. 1973. *Competition and Entrepreneurship*. Chicago: University of Chicago Press.

Knodell, Jane. 2003. "Profit and Duty in the Second Bank of the United States' Exchange Operations." *Financial History Review* 10, no. 1: 5–30.

Korman, Richard. 2002. *The Goodyear Story: An Inventor's Obsession and the Struggle for a Rubber Monopoly.* San Francisco: Encounter Books.

Krooss, Herman, and Charles Gilbert. 1972. *American Business History*. Englewood Cliffs, NJ: Prentice-Hall.

Lakwete, Angela. 2003. *Inventing the Cotton Gin: Machine and Myth in Antebellum America*. Baltimore: Johns Hopkins University Press.

Lamoreaux, Naomi. 1994. *Insider Lending: Banks, Personal Connections, and Economic Development in Industrial New England*. New York: Cambridge University Press.

———. 2004. "Partnerships, Corporations, and the Limits on Contractual Freedom in U.S. History: An Essay in Economics, Law, and Culture." In *Constructing Corporate America: History, Politics, and Culture*, edited by Kenneth Lipartito and David Sicilia, 29–65. New York: Oxford University Press.

Landes, David S. 1969. *The Unbound Prometheus*. Cambridge: Cambridge University Press.

———. 1983. *Revolution in Time: Clocks and the Making of the Modern World*. Cambridge, MA: Harvard University Press.

Larkin, F. Daniel. 1990. *John B. Jervis, an American Engineering Pioneer*. Ames: Iowa State University Press.

Lubar, Steven. 1991. "The Transformation of American Patent Law." *Technology and Culture* 32, no. 4: 932–59.

Machlup, Fritz, and Edith Penrose. 1950. "The Patent Controversy in the Nineteenth Century." *Journal of Economic History* 10, no. 1: 1–29.

Mak, James, and Gary Walton. 1972. "Steamboats and the Great Productivity Surge in River Transportation." *Journal of Economic History* 32, no. 3: 619–40.

Martin, David. 1974. "Metallism, Small Notes, and Jackson's War with the B.U.S." *Explorations in Economic History* 11, no. 3: 227–47.

———. 1977. "The Changing Role of Foreign Money in the United States, 1782–1857." *Journal of Economic History* 37, no. 4: 1009–27.

McClelland, Peter. 1997. *Sowing Modernity: America's First Agricultural Revolution*. Ithaca: Cornell University Press.

McGuire, Robert. 2003. *To Form A More Perfect Union*. New York: Oxford University Press.

Miller, Arthur Selwyn. 1972. *The Supreme Court and American Capitalism*. New York: Free Press.

Miller, Donald L. 1996. *City of the Century: The Epic of Chicago and the Making of America*. New York: Simon and Schuster.

Moser, Petra. 2007. "What Do Inventors Patent?" NBER Working Paper No. 13294, August. Cambridge, MA: National Bureau of Economic Research.

Murphy, Kevin M., Andrei Schleifer, and Robert W. Vishny. 1991. "The Allocation of Talent: Implications for Growth." *Quarterly Journal of Economics* 106, no. 2: 503–30.

Niemi, Albert. 1970. "A Further Look at Interregional Lands and Economic Specialization: 1820–1840." *Explorations in Economic History* 7, no. 4: 499–520.

———. 1972. "A Closer Look at Canals and Western Manufacturing in the Canal Era: Reply to Ransom." *Explorations in Economic History* 9, no. 4: 423–24.

Perkins, Edwin J. 1975. *Financing Anglo-American Trade: The House of Brown, 1800–1880*. Cambridge: Harvard University Press.

Primack, Martin. 1962. "Land Clearing Under 19th Century Techniques." *Journal of Economic History* 22, no. 4: 516–19.

Pursell, Carroll W., Jr. 1969. *Early Stationary Steam Engines in America*. Washington: Smithsonian Institution Press.

Ransom, Roger. 1964. "Canals and Development: A Discussion of the Issues." *American Economic Review* 54, no. 2: 365–76.

———. 1971. "A Closer Look at Canals and Western Manufacturing." *Explorations in Economic History* 8, no. 4: 501–08.

Reynolds, John Earle. 1938. *In French Creek Valley*. Meadville, PA: The Crawford County Historical Society.

Rolnick, Arthur, Bruce Smith, and Warren Weber. 1993. "In Order to Form a More Perfect Monetary Union." *Federal Reserve Bank of Minneapolis Quarterly Review* 17, no. 4: 2–13.

Rosenberg, Nathan, ed. 1969. *The American System of Manufacturers: The Report of the Committee on the Machinery of the United States 1855 and the Special Reports of George Wallis and Joseph Whitworth 1854*. Edinburgh: Edinburgh University Press.

———. 1972a. "Technological Change." In Lance Davis, et al., *American Economic Growth*, 233–79. New York: Harper & Row.

———. 1972b. *Technology and American Economic Growth*. New York: Harper & Row.

———. 1973. "Documents Relative to the Manufactures in the United States," review of the 1969 reprint of the McLane report. *Business History Review* 47, no. 1: 106–08.

Rosenbloom, Joshua. 2004. "Path Dependence and the Origins of the American Cotton Textile Industry." In *The Fibre that Changed the World: Cotton Industry in International Perspective*, edited by David Jeremy and Douglas A. Farnie, 365–91. Oxford: Oxford University Press.

Rousseau, Peter, and Richard Sylla. 2005. "Emerging Financial Markets and Early US Growth." *Explorations in Economic History* 42, no. 1: 1–16.

Royal Commission. 1851. *Reports by the Juries on the subjects in the thirty classes into which the exhibition was divided*. London: W. Clowes & Sons.

Rubin, Julius. 1961. "An Innovating Public Improvement: The Erie Canal." In Carter Goodrich, Jerome Cranmer, Julius Rubin, and Harvey Segal, *Canals and American Economic Development*, 15–66. New York: Columbia University Press.

Schlesinger, Arthur H., Jr. 1945. *The Age of Jackson*. New York: Mentor Books.

Schumpeter, Joseph. 1934. *The Theory of Economic Development*. Cambridge: Harvard University Press.

Snowden, Kenneth. 1998. "U.S. Securities Markets and the Banking System, 1790–1840: Commentary." *Federal Reserve Bank of St. Louis Review* 80, no. 3: 99–103.

Sokoloff, Kenneth. 1984. "Was the Transition from the Artisanal Shop to the Nonmechanized Factory Associated with Gains in Efficiency? Evidence from the U.S. Manufacturing Censuses of 1820 and 1850." *Explorations in Economic History* 21, no. 4: 351–82.

———. 1988. "Inventive Activity in Early Industrial America: Evidence From Patent Records, 1790–1846." *Journal of Economic History* 48, no. 4: 813–850.

Sokoloff, Kenneth, and B. Zorina Khan. 1990. "The Democratization of Invention during Early Industrialization: Evidence from the United States, 1790–1846." *Journal of Economic History* 50, no. 2: 363–78.

Stephens, Carlene E. 1989. "'The Most Reliable Time': William Bond, The New England Railroads, and Time Awareness in 19th-Century America." *Technology and Culture* 30, no. 1: 1–24.

Stuart, Charles. 1871. *Lives and Works of Civil and Military Engineers of America*. New York: D. Van Nostrand.

Studenski, Paul and Herman Krooss. 1952. *Financial History of the United States*. New York: McGraw-Hill.

Sylla, Richard. 1998. "U.S. Securities Markets and the Banking System, 1790–1840." *Federal Reserve Bank of St. Louis Review* 80, no. 3: 83–98.

———. 2003. "Financial Systems, Risk Management, and Entrepreneurship: Historical Perspectives." *Japan and the World Economy* 15, no. 4: 447–58.

Sylla, Richard, John Legler, and John Wallis. 1987. "Banks and State Public Finance in the New Republic: The United States, 1790–1860." *Journal of Economic History* 57, no. 2:91–403.

Taylor, George Rogers, ed. 1949. *Jackson and Biddle: The Struggle over the Second Bank of the United States*. Boston: D. C. Heath.

———. 1951. *The Transportation Revolution*. New York: Holt, Rinehart & Winston.

Thompson, Holland. 1921. *The Age of Invention, A Chronicle of Mechanical Conquest*. New Haven, Yale University Press.

Treat, Payson Jackson. 1962. "Origin of the National Land System Under the Confederation." In *The Public Lands: Studies in the History of the Public Domain*, edited by Vernon Carstensen, 7–14. Madison: University of Wisconsin Press.

von Gerstner, Franz Anton Ritter. 1997. *Early American Railroads*. Stanford: Stanford University Press.

Wallace, Anthony F. C. 1980. *Rockdale: the growth of an American village in the early industrial revolution*. New York: Knopf.

Wallis, John Joseph. 2003. "The Property Tax as a Coordinating Device: Financing Indiana's Mammoth Internal Improvement System, 1835–1842." *Explorations in Economic History* 40, no. 3: 223–50.

———. 2005. "Constitutions, Corporations, and Corruption: American States and Constitutional Change, 1842 to 1852." *Journal of Economic History*, 65, no. 1: 211–56.

Wallis, John Joseph, and Barry Weingast. 2005. "Equilibrium Impotence: Why the States and not the American National Government Financed Economic Development in the Antebellum Era." NBER Working Paper No. 11397, June. Cambridge, MA: National Bureau of Economic Research.

Ware, Caroline F. 1931. *The Early New England Cotton Manufacture: A Study in Industrial Beginnings*. Boston: Houghton Mifflin.

Whitford, Noble E. 1906. *History of the Canal System of the State of New York*. Available at http://www.history.rochester.edu/canal/bib/whitford/1906/Contents.html.

Woodbury, Robert S. 1972. *Studies in the History of Machine Tools*. Cambridge: MIT Press.

Wright, Robert. 1999. "Bank Ownership and Lending Patterns in New York and Pennsylvania, 1781–1831." *Business History Review* 73, no. 1: 40–60.

———. 2001. *Origins of Commercial Banking in America, 1750–1800*. Lanham, MD: Rowman & Littlefield Publishers.

———. 2003. *The Wealth of Nations Rediscovered: Integration and Expansion in American Financial Markets, 1780–1850*. New York: Cambridge University Press.

Zevin, Robert Brooke. 1971. "The Growth of Cotton Textile Production After 1815." In *The Reinterpretation of American Economic History*, edited by Robert Fogel and Stanley Engerman, 122–47. New York: Harper & Row.

———. 1975. *Growth of Manufacturing in Early-Nineteenth-Century New England*. New York: Arno Press.

第十三章　美国的企业家精神：1865—1920年*

内奥米·拉穆鲁

一、迅速扩张时期

内战后的半个世纪左右，是美国经济急速增长时期。1865—1920年，美国实际GDP增长了7倍多，实际人均产量翻了1倍多。正如GDP总量的增长率快于人均GDP的增长率所表明的，经济扩张更多地依赖于新投入的增加，而非生产率的提高。但该时期人均产量的增长率高于美国以往任何历史时期（1870—1920年间，年均增长率约为1.7%），全要素生产率的指数值从1889年有历史统计以来的51.0，上升到了1920年的81.2（取1929年为100）。此外，这些生产率数据极大地低估了技术进步的程度。因为它们被当作残值计算，从而未包括体现在资本或其他生产要素投入中的进步（Carter等，2006，第3卷，第3页、第5页、第23—25页、第463页）。

尽管包括高移民率和储蓄率大幅增长在内的许多因素促成了该时期的广泛增长，但最重要的可能是国家运输及通信网络的扩张和改善。这种改进使美国西部地区丰富的农业和矿产资源能被用于有利可图的生产活动。它也导致了人均收入的增加，尤其是通过利用规模经济以及将生产集中在由于某种原因而具备比较优势的地区。该时期，工业生产不仅在区域上越来越专业化，而且大企业日益占据主导地位（Kim，1995；Chandler，1977）。

---

* 本章从Wiuian J. Baumol、Louis P. Cain、Margaret B. W. Graham和Joel Mokyr等人的有用评论中受益匪浅，作者一并致谢。

运输改善使人均收入提高的另一条重要途径是刺激技术创新和企业家精神。① 随着企业家对市场迅速增长带来的新获利机会做出回应，人均专利持有率迅速攀升（见图 13 – 1），各领域的技术进步创造力无限，以至形成了一波第二次工业革命。企业家大力兴办初创企业，以利用钢铁、电力、化学和汽车等新兴产业的尖端发明，推动技术知识不断向前沿领域发展，并显著地改变了美国社会的进程。实际上，这一时期，如此众多的人提出了如此众多的新技术理念，并创办了如此众多的新企业，以至这段时期常常被看成是独立发明家和企业家的黄金时代（Hughes，1989；Schumpeter，1942）。

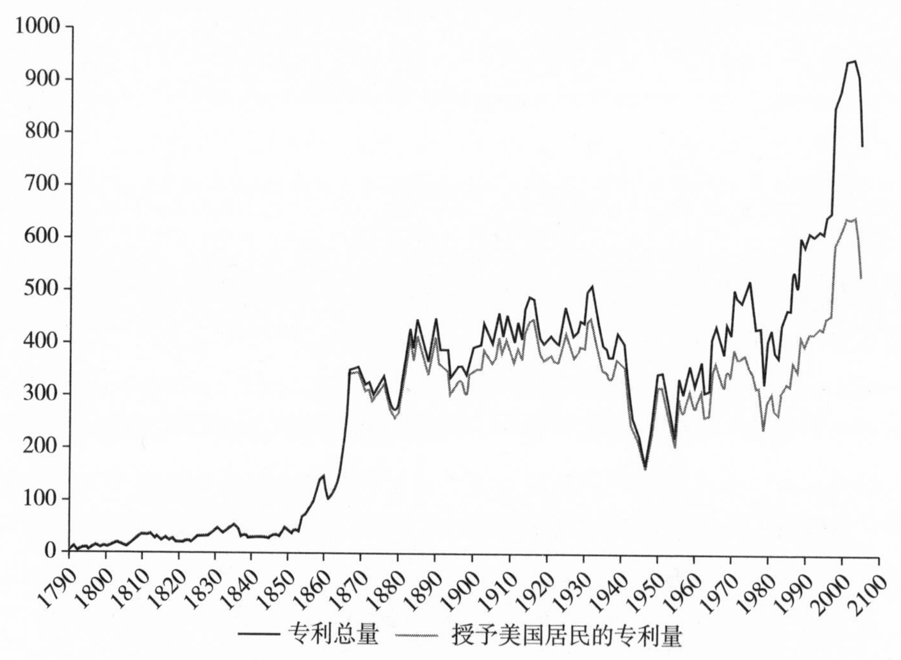

图 13 – 1　美国专利局授予的每 100 万美国居民所持有的专利量

资料来源：Susan B. Carter et al（2006），*Historical Statistics of the United States*，第 1 卷，第 28—29 页，第 3 卷，第 426—428 页。U. S. Patent Office，“U. S. Patent Activity：Calendar Years 1790 to the Present”，http：//www. uspto. gov/web/offices/ac/ido/oeip/taf/tafp. html；U. S. Census Bureau，“Population Estimates，2002—2006”. http：//factfinder. census. gov/servlet/GCTTable? _ bm = y&-geo _ id = 01000us&- _ box _ head _ nbr = GCT-T1&-ds _ name = PEP _ 2006 _ EST&- _ lang = en&-format = US-9&- _ sse _ on

① 关于利用早期数据的证明，参见 Sokoloff（1988）。

二、企业家在美国社会中的地位

若要说某个地区曾有一段时期出现过企业家是社会中最受尊敬的群体，则无疑当属19世纪晚期的美国。这一时期，美国民众不仅对“工业领军者”的名字耳熟能详，而且热衷于不顾一切地追随他们的壮举。他们痴迷于霍雷肖·阿尔杰创作的讲述白手起家故事的小说，沉醉于P. T. 巴纳姆的《挣钱的艺术》（*The Art of Money-Getting*）和其他类似的畅销读物；而当令人尊敬的牧师鲁塞·康威尔公开发表他关于如何脱贫致富的《钻石宝地》（Acres of Diamonds）的著名演讲时，成千上万的民众涌去听讲，一时间可谓万人空巷。该时期，对所有美国男青年来说，成为“靠自己力量成功的人”，即通过自身的艰辛劳作和“毅力”赚取大量财富，是最高的人生追求（Wyllie，1954；Kirkland，1956；Garraty，1968，第16页；Cochran，1972，第170—176页；Hilkey，1997）。

当然，能如常所愿地实现脱贫致富的人实际上少之又少。关于美国商界领袖出身的诸多研究表明，他们中的绝大多数有着中产阶级甚至上层阶级的家庭背景。[②] 然而，该时期存在明显的向上流动性，这种流动性似乎大到足以给白手起家的“神话”注入一些实质性的内容。在对19世纪新泽西州帕特森市的钢铁、火车机车和设备制造商做了一番研究后，赫伯特·古特曼（Herbert Gutman）推断：“起步之初以工人角色在该市大街小巷谋生的成功制造商如此之多”，以至“‘努力工作’将创造可观财富和实现社会地位改善”的观念是完全可信的。[③] 这些例子为企业家精神提供了强大的激励，因为它们表明，跻身于社会上层的途径是开创自己的事业。事实上，19世纪晚期，当一名雇员（即便是有教养的白人雇员）放弃努力奋斗的生活而选择“依赖他人而生”，这本身就象征着道德堕落。[④]

---

② 特别是参见Miller（1962）以及Gregory和Neu（1962）的论文。对其他研究的一个总结，参见Cutman（1966，第211—214页）。如Pamela Walker Laird（2006）已表明的，该时期绝大多数成功的商人并非真正的白手起家，那些对他们的事业感兴趣的知名商界领袖提供了许多帮助。不过，他们回顾自己的向上跻身之路时，往往会忽略这些帮助。

③ Gutman（1966，第232页）。关于更一般的社会流动速度，参见Ferrie（2005）。

④ 关于这一点，特别是参见Aron（1987）和Wills（2003）。

这是一个社会达尔文主义者的理念大行其道的时代，而且他们在美国的影响力比在其他地方更甚。根据这一观念，商人时刻处于一场竞争惨烈的斗争中，只有最适者才能获得成功。此外，由于当时的美国人认为最适者的决定性品质是“努力工作、节俭和正直”的新教美德，因此成功被看作一个人道德价值的象征（Hofstadter，1955；Wyllie，1954；Hilkey，1997）。在这一时期，信誉是评判个人品质的主要标准。经商失败者不仅证明他们自己不符合达尔文主义的理念，而且表明他们有严重的道德缺陷（Sandage，2005；Olegario，2006，第80—118页）。认为失败反映了某人有内在缺陷的观念是如此强有力，以至平民党运动不得不重塑饱受非自身力量打击的农民们的自尊，以便调动他们的政治积极性和进取心。平民党人成立了合作企业的网络，不仅为了缓解农民的经济窘境，而且旨在以互助自助的伦理取代靠自身力量成功的理想（Goodwyn，1978）。

三、制度与内战结束后的政府角色

如第十二章已强调的，通过创造全球最大的自由贸易区、禁止州政府废除合约或篡改货币价值及授权联邦政府创立一套知识产权体系，美国《宪法》促进了企业家精神的发展。尽管联邦政府一开始承诺在国家经济发展中扮演锐意进取的角色，但宪法上的顾虑和部门政治很快限制了其活动范畴。然而州政府并非如此障碍重重，18世纪晚期后，它们开始积极投身于经济。19世纪二三十年代，它们表现得尤为活跃，热衷于投资由私营公路、运河和铁路公司所发行的债券，或为它们提供担保。一些州甚至把交通运输系统当作公共工程来建设和经营。

在这些工程项目中，有些草率上马，在伴随1837年恐慌而来的经济大萧条时期，一些州政府不得不拖欠其公债，因此对政府直接干预经济的政治反对不断增强。尽管基础设施工程最好交由私营企业负责是主流观点，但在随后几十年间许多州和地方政府仍不断为铁路和其他运输公司提供资金支持（Taylor，1951；Harz，1948）。此外，内战期间，南方议员（他们强烈反对联邦运输项目）退出国会也为国家政府（national government）恢复促进者的角色提供了便利。1862年，国会特许联合太平洋铁路公司和中央太平洋铁路公司建造第一条贯穿全国的铁路线，并以赠地和贷款担保等形式给它们提供财政补助。随后大量特许状和赠地被授予其他许多全国性的铁路工程，直到一连串的贪污丑闻再次打击了对这类政府举措的热情（参见 Summers，1993）。

最臭名昭著的贪污丑闻同动产信贷公司（Crédit Mobilier Company）有关，这是联合太平洋铁路公司的董事为建造该铁路而成立的一家建筑公司。动产信贷公司向其母公司索要过高的每公里铁路建造费，并帮助其所有者实现了暴富。被激怒的股东在法庭上对这种安排提出了挑战，但他们的诉讼并未引起多少注意，直到 1872 年的总统竞选预选阶段，一份报纸披露了“铁路圈”通过给有影响力的国会议员赠送动产信贷公司股票的形式贿赂他们。单纯的欺诈一般并不构成头版新闻，但贪污贿赂则另当别论（Bain，1999；也可参见 Summers，1993）。中央太平洋铁路公司的董事也成立了一家类似的建筑公司，委托后者承建铁路项目，并通过分发铁路通行证和其他好处来谋求政治支持。此外，他们和其他铁路公司的“强盗大亨”虚假陈述公司的财务状况，以便支撑他们为了在国内和国际市场上融资而发行的证券的价格，从而破坏了正在形成的金融体系稳定。例如，杰伊·库克为支撑北太平洋铁路公司的债券价格而不计后果地透支自己的费城银行（Philadelphia bank），这通常被视为 1873 年经济恐慌的重要原因之一（White，2003）。

对于这些活动，历史学家们持截然不同的立场。一些历史学家把它们视为破坏性企业家精神的象征，广泛出现在政府慷慨之举鼓励了寻租行为的领域。[5] 但另一些历史学家坚称，缺乏这些诈骗行为，铁路公司将无法筹集到建筑铁路所需的足够资金（参见 Summers，1993）。不管怎样，毫无疑问的是，铁路丑闻唤醒了人们内心深处对经济腐败正在破坏美国民主制度的恐惧。美国人传统上对政治家评价不高，且在正常情况下，会严格限制他们所能掌控的资源情况（尤其是在联邦层面）。内战使联邦政府的活动范围出现了不可避免的迅猛扩张。但 19 世纪 70 年代中期，动产信贷公司丑闻连同对内战后南方新组建的各州政府耸人听闻的腐败报道一起，使联邦运输项目和政府的绝大多数新举措，包括其自身的重建工作，草草收场（Wallis，2006）。

---

⑤　特别是参见 Josephson（1934），但也可参见 White（2003）。对鼓励坏企业家精神的环境所做的一般性理论分析，参见 Baumol（1990，1993）。

（一）联邦政府持续不断的促进措施

尽管联邦政府对经济的干预在19世纪晚期有所减弱，但一些有助于企业家精神的工程项目仍延续到了“后重建时代”（post-Reconstruction）的紧缩期。土地政策是一个很好的例子。国会于1862年通过的《宅地法》规定，任何居住者只要至少居住满5年，就可以几乎免费获得160英亩美国西部地区的公地。后来，该法案的条款进一步放宽，以使居住者在某些情况下，只需满足一个较短的居住期限，便可获得数量更大的土地或土地所有权。为了鼓励农民植树造林或积极投资于灌溉，政府通过了一系列特别法案，给他们赠予土地。1870—1920年间，农民利用这些有利鼓励措施的创业优势，平均每年获得了超过1000万英亩的公地（Atack和Passell，1994，第256—260页）。

这些西部土地的成功开垦和耕作，急需开发出新的农业生产与种子储备技术。联邦政府再次扮演了重要角色。19世纪上半叶，州政府为农业生产技术的开发提供了一些资金扶助，联邦政府也不甘落后，在美国专利局的赞助下，联邦政府发起了新作物品种及栽培技术的大量研究和试验。内战时期这些举措进一步增加。事实上，1862年新成立的农业部的主要目的之一，就是接手并扩大专利局的这些扶持项目。类似的，同年颁布的《莫里尔法案》（Morrill Act）创造了一套赠地学院制度，其主要职责是开展改进农业生产实践的研究，并把这些知识教导给学生。旨在为农业试点站项目提供财政支持的《哈奇法案》（Hatch Act）和旨在为农业推广服务提供资助的《史密斯—利弗尔法案》（Smith-Lever Act）在1887年和1914年相继通过，进一步增加了政府对新农业知识创造和传播的资助（Huffman，1998；Olmstead和Rhode，2002）。

如艾伦·奥姆斯特德和保罗·罗德（Alan Olmstead和Paul Rhode，2002）已表明的，这些农业研究制度的组合，为19世纪下半叶成千上万的农民甘冒一切风险移居到西部大草原和辽阔的平原地区，提供了至关重要的支撑。在政府资助新作物品种研究的引导下，农民面对西部地区严峻的环境，试种了大量新谷物品种。不到1919年小麦种植面积10%的耕地，被种上了内战前美国农民已种植的各种农作物。30%以上的耕地被用于种植19世纪70年代新引进的农作物，将近20%的耕地则用来栽种19世纪八九十年代初次培育的新作物品种。艾伦·奥姆斯特德和保罗·罗德估计，若农民不种植这些新作物，

1909 年西部地区的农业收成至少会比实际产量低 1/3，而由虫害和植物病害造成的损失很可能会使该年度的农业收成降至实际值的一半。总的来说，根据他们的测算，农作物创新大致贡献了 1839—1909 年单位劳动产出提高的一半。剩下一半的大部分归功于机械化，尤其是收割机和刈草机的推广使用。

19 世纪晚期，采矿业是另一类获得政府大力支持的重要经济活动。通过将矿产权授予初次对矿床提出所有权要求且确实存在着采掘行为的人，联邦政策鼓励了西部公地矿产资源的开发。这项政策截然不同于国际上将矿产资源视作国家财产的通行惯例，它催生出了一类看似美国特有的企业家——探矿者（Libecap，1979；David 和 Wright，1997，第 217 页）。政府还开展有助于探矿者找到有价值资源的地质调查，以此提供支持。和农业研究的情况相似，尽管国家政府为军队测绘工程兵团（Corps of Topographical Engineers）实施的考察探险提供经费，但最初的财政援助仍然来自于 19 世纪上半叶的州政府。内战后，该兵团的“第 40 次全国性地质勘测”（Geological Exploration of the Fortieth Parallel）除了测绘出矿产资源的分布位置外，还制定了一套采掘方法和设备的评估标准。此后，国会于 1879 年成立了美国地质调查局，以加大这方面的扶持力度。地质调查局的许多工程师都在赠地学院受过教育和培训，赠地学院还为私营矿业公司提供大量专家。联邦政策为矿产开发所提供的这些刺激措施，帮助美国一跃成为世界主要矿物生产商，其矿物产量占全球矿物产量的份额远远高于美国矿藏资源储备占全球矿藏资源储备的份额（David 和 Wright，1997）。

（二）金融制度

在 1836 年美国第二银行解体后的 1/4 世纪里，联邦政府既未颁发任何银行特许状，也未对它们实行任何管制。但内战期间的财政紧急状态迫使联邦政府改变这一政策。从 1862 年起，国会通过了一系列《国民银行法》（National Banking Acts），劝导绝大多数现行银行拿它们的州特许状交换全国性的特许状。该法案规定对现行州立银行发行的银行券征税，但全国性银行却能以全国性银行券的形式发行货币，尽管后者需以银行持有的美国政府债券为依托。因此，联邦政府试图同时实现两大政策目标：其一是为战争债券创造市场；其二是为国家提供统一的货币，它必须有别于构成内战前大部分货币供给的杂乱无章的州银行券，且能在任何地方以平价形式流通。

尽管创设统一的国家货币无疑会降低交易成本，并促进全国性市场的发展，但国民银行体系（National Banking System）却饱受严重的结构性缺陷之苦，这些缺陷加剧了经济的金融不稳定。这些缺陷是《国民银行法》起草过程中各利益集团施加政治影响的直接后果。例如，在东北各州（特别是纽约州）大银行的施压下，《国民银行法》规定普通银行可以在某些指定的储备城市的银行中开设计息账户，将准备金存入这些账户，而这些储备城市的银行又可将它们的准备金存放在纽约市各银行的计息账户中（Gische，1979）。在这种金字塔式的准备金结构下，一旦纽约的银行倒闭就会危及整个国民银行体系。同样的，小银行则想方设法避免自己同大银行竞争，这导致了反对设立分支机构的禁令，使银行丧失了其本可用来使自身投资组合多样化以抵抗地区冲击的重要手段（例如，参见 Calomiris，1990）。毫不奇怪的是，屡屡发生的危机使这一金融体系在接下来的半个世纪里（19 世纪下半叶）渐趋瓦解，直至国会终于在 1913 年以更稳定的联邦储备体系取代了国民银行体系（参见 West，1974；White，1983；Livingston，1986）。

此后，全国性银行开始接受美国财政部金融局这一监管当局的监督，后者对这些银行进行定期检查以确保遵守法定准备金要求。金融局还强制推行了一系列法规，目的是通过限制银行的短期商业借贷业务以强化金融体系的稳健性（Lamoreaux，1994，第 107—132 页）。创业视野开阔的金融家发现这些联邦法规限制太多，他们通过说服州政府为设立种类翻新的金融机构颁发特许状来绕过它们。其中最重要的是所谓的信托公司。它们起初被用来管理富裕家庭的财产，但很快就演变成在证券发行承销和第二次工业革命新兴行业公司融资中扮演重要角色的中介机构（Neal，1971）。州特许金融机构不断增加的一个更一般的结果是，削弱当地信贷市场的垄断势力，降低了以往被银行忽略地区的借贷成本，且缩小了各州之间的利率差异（James，1976）。尽管州政府和联邦政府之间的这种竞争可能对企业家精神有利，但它也促使州政府降低了准备金和资本金要求，且容忍风险更高的借贷业务（White，1982）。

19 世纪末 20 世纪初，银行业必须遵守最低程度的政府管制。证券市场则不然，信息不对称问题严重限制了对股票的需求。发行证券的公司一般并不公布财务报表，更不必说经审计后的财务报表，因此，没办法获得关于它们经营绩效的可靠信息。此外，一些臭名昭著的诈骗，甚至使最精明的投资者在受损之前也不能免于上当。在最著名的一个例子中，科尼利厄斯·范德比尔特（Cornelius Vanderbilt）试图买断伊利铁路的控制权，但一个狡诈的花招，即允许伊利铁路的财务主管丹尼尔·德鲁（Daniel Drew）近乎无限量地发行新股，使之未能得逞。⑥

困扰证券市场的信息问题使投机取巧的企业家能以损害粗心大意者的利益为代价牟取钱财，但它们也为那些能赢得投资者信任的企业家创造了机会。如在19世纪90年代的经济萧条时期，纽约证券交易所的会员通过改变重要的制度规则，最明显的是要求其股票在证券交易所上市交易的公司公布年度报告，来应对营利性不断下降的经纪业务。新规则使纽交所会员资格成了一种品质保证，因此纽交所会员席位价格迅猛上涨也就不足为奇了（Neal和Davis，2007）。私人银行家JP摩根是另一个著名的例子。长期来，JP摩根辛辛苦苦地积累了财务廉洁和公平交易的盛誉，这帮助他在19世纪90年代成功重组了许多濒临破产的铁路公司。在重组的早期阶段，摩根的做法是为那些由他控制的投资者的股票制定了表决权信托制度（voting trust），使他有权力监督并影响铁路公司的业务活动。当表决权信托因商定期限结束而到期时，摩根继续通过保留某合伙人在铁路公司董事会的席位来保护投资者的利益。在大合并运动（great merger Movement）时期，摩根在推动成立美国钢铁公司（USS）等重大合并中扮演了类似的角色。“被合并”企业的股东通常都能获得高于市场的投资回报（Carosso，1987；De Long，1991）。

类似摩根和纽交所经纪人这样的声誉投资，似乎消除了那些继续把积蓄越来越多地投入证券市场的投资者的疑虑。纽约证券交易所发行的新股市值出现了迅猛上涨。甚至在20世纪30年代的投机泡沫前，其占GDP的比例已远高于20世纪下半叶投资者利益受证券交易委员会保护时期的水平（O'Sullivan，2004）。在19世纪晚期乱作一团的美国经济中，证券市场风险极高，即使最精明的投资者也可能损失惨重。但收益同样丰厚，能赢得投资者信任的中介机构便可赚取超高的利润。

四、创新激励：技术信息的扩散

若人们认为能从自己的发明中获益，则他们将更乐于投入时间和资源到新技术的发明中（Schmookler，1966；Sokoloff，1988）。但只有能防止竞争者

⑥ Adams（1869）；更一般地，参见Baskin和Miranti（1997）。

的窃取，他们才能获益于自己的发明。一种明显的做法是对他们的创意保密。尽管这对投资者而言是一种有利可图的策略，但它可能会抑制技术信息的扩散，损害整个社会的利益。此外，从单个发明者的角度看，这样做也可能是次优的。首先，它可能会阻止发明者获取有助于他们更有效地克服技术障碍或想出问题解决方案的知识，缺少这些知识，情况似乎会非常棘手。其次，它可能会以其他方式，如将发明出售给那些能更好地开发其商业价值的个人或企业，阻止发明者从他们的发明中获益。一旦发明者可通过出售创意获取回报，便能从专注于自己最擅长的创造性工作的劳动分工中获益。⑦

专利为发明者保护其创意免遭他人窃取提供了一种替代选择。美国的专利体系，如第十二章所讨论的，以较合理的成本保护了发明者的知识产权。这样一来，专利权人相互之间或专利权人同其发明的潜在购买方之间便能交换技术信息，而不必过于担心他们的创意遭到窃取。当然，通过为买断专利并索取高额许可费的“钓鱼者”创造激励，专利体系也刺激了非生产性的企业家精神。19 世纪末 20 世纪初，有许多这样的例子。在一个重要的例子中，某商人买断了一套制动专利，并试图利用他对这项关键技术的控制来敲诈铁路公司（Usselman，1991）。但一个普遍共识是，在这段历史时期，美国专利体系对生产性企业家精神的鼓励作用，远远超过了类似的负面影响。⑧

此外，美国专利局通过一系列措施积极鼓励技术信息的扩散，如给研究人员提供经费支持、开放保存在华盛顿总部的专利规格和型号、公布已获得专利的发明名单，以及从私人期刊上购买版面刊登相关专利信息。这类期刊中最著名的是《科学美国人》（*Scientific American*），它每周都会刊登大量已获得专利的发明名单，用较长篇幅专门介绍最重要的新技术，并以较低费用向读者提供完整版的专利说明书复本。久而久之，涌现出了更多面向特定行业生产商介绍相关专利信息的专业性行业刊物。例如，《玻璃工艺学界杂志》（*Journal of the Society of Glass Technology*）便是一份详细介绍美国和英国玻璃

---

⑦ Lamoreaux 和 Sokoloff（2003，2007）。在特殊情形下，信息也能在缺乏专利保护时被共享，如参见 Allen（1983）。

⑧ 如参见 Jaffe 和 Lerner（2004）。对有利于生产性或非生产性企业家精神的环境所做的更一般性讨论，参见 Baumol（2002，1993），也可参见 Baumol（1990）。

制造领域相关专利的专业性刊物（Borut，1997；Lamoreaux 和 Sokoloff，1999，2007）。

当然，为了利用这些海量信息，发明者必须掌握较高的阅读和计算能力及足够的基础技术和科学知识，以便能将期刊上的文字和插图转化成工作装置。19 世纪上半叶，绝大多数前沿技术都是以文字形式阐述，必备知识相对较容易掌握。基础教育成本低、普及面广，因此绝大多数成年人均掌握了了解新技术进展所需的阅读和数学技能（Cubberley，1920；Cremin，1980；Kaestle，1983）。同时，传统的学徒制和获取在职培训的其他途径，给实际工作者提供了应用前沿知识的足够技能。[⑨] 但到 19 世纪下半叶，科学技术变得更加重要，建立知识传递和扩散的新机制迫在眉睫。根据《莫里尔法案》创办的赠地学院成了获取必要培训的重要途径。但 19 世纪晚期高等教育的发展大多归功于私人资本，包括一些试图建立地方性专门技术储备池以满足自身需求的企业。结果产生了一套覆盖面广却较分散的高等院校体系，其研究往往以当地重点产业（如亚克朗市的轮胎业和明尼阿波利斯市的采矿业）为中心，这使当时的美国能获得高级培训的人口比例较世界其他任何国家都高（Nelson 和 Wright，1992；Noble，1997；Geiger，1986；Mowery 和 Rosenberg，1989，第 92—95 页）。

（一）分析海量信息

和新技术有关的海量信息，给试图投资于有前景的发明的商人带来了颇令人生畏的难题：如何评估每年被授予专利的成千上万项发明的优缺点？如何区分有可能获得大量利润的发明和不太可行或完全没有经济意义的发明？除非有某种方法能从大量已获得专利的发明中辨别出重要的发明，否则它们很可能不会被用于生产性实践。

一种简单的解决方法是鼓励投资者加入发明者对新技术的相关讨论中。19 世纪晚期，某些类型的公司尤为可能充当这种谈话的焦点。例如，五金店作为生产和买卖各式各样小玩意的人们的聚集地，成了获取相关新产品和新工艺流程信息的好去处（Lamoreaux、Levenstein 和 Sokoloff，2006）。电报公司

---

⑨　一个很好的例子，参见 Cox（1951）。更一般地，参见 Stevens（1995）。

也是技术创新人才的聚集地。由于接线员既要负责维护相关设备，又要负责发送和接收电报讯息，早期的电报局备有大量电气技术方面的书籍和刊物。许多在工作中掌握了电报技术的接线员自行设计了各种改进方法。托马斯·爱迪生只是以这种方式起步并最终成为一名伟大发明家的最著名例子。西联公司的高管们很关心雇员的工作研究情况，且常常会给他们提供将其发明商业化所需的资助。同时，金融家亦颇善于利用自己与电报公司的人脉关系来获取前景可期的新技术信息。例如，JP 摩根投资于爱迪生的白炽灯照明项目，就源于他的两名合伙人同西联公司的专利代理人之间有着良好关系（Israel，1992，1998；Adams 和 Butler，1999）。

这一时期新兴行业的重要公司也能充当联结发明者和金融家交互网络的枢纽。弧光照明技术的先驱，1880 年创立于克利夫兰的布拉什电气公司（Brush Electric Company）是一个很好的例子（Lamoreaux、Levenstein 和 Sokoloff，2006，2007）。围绕布拉什公司形成的发明家圈子就包括在其工作过程中掌握了有价值技术训练的雇员，他们熟悉企业拆分的时机，并利用其职位所能接触的人脉关系创办了自己的公司。该圈子还包括不属于布拉什公司雇员的创新人才，他们加入这一圈子是为了开发同该公司主要发电机和照明业务相互补的技术。例如，西德尼·舒特（Sidney Short）之所以来到克利夫兰，是为了监督其电动有轨电车发明所需的定制发动机的生产情况。后来，他便待在克利夫兰，在布拉什工厂附近独立创办和经营自己的舒特电气铁路公司（Short Electric Railway Company）。

对舒特及其同人而言，聚集在布拉什工厂附近的发明者提供了有用的审查功能。他们彼此间关于各自发明的谈话——哪些发明可能被付诸实践，哪些发明将被证明有着巨大的经济价值——给参与这些圈子的金融家提供了决定投资领域的必要信息。因此，舒特能在布拉什圈子的帮助下，为他的企业找到金融支持。同样地，阿尔弗雷德·考尔斯和尤金·考尔斯也极大受益于将他们的试验性电铝冶炼炉建在布拉什工厂附近。布拉什起初对两兄弟的创意冷嘲热讽，将他们的冶炼工序蔑称为不过是消耗煤炭的昂贵方式，但在他们的冶炼炉开始运行后，布拉什很快成了两人的信奉者，并且用他们的铝合金来制造自己的发电机。布拉什发明家圈子和工厂里的其他观察者的交往，帮助考尔斯兄弟筹集到了所需资本，因为他们有能力动员其他潜在资助人来观摩冶炼炉的实际运作过程（Lamoreaux、Levenstein 和 Sokoloff，2006，2007）。

中心企业（hub enterprise）的另一个例子是底特律的奥尔兹汽车制造厂（Olds Motor Works）。奥尔兹创建于 1901 年，是第一家坐落在底特律的汽车制造商。它也是汽车工业中最早的批量化生产商之一，通过向独立供应商采购大量零部件，奥尔兹为其他企业选择底特律建厂创造了巨大激励。尽管奥尔兹汽车制造厂作为一家独立企业的存在时间不到十年，却在底特律汽车工业的发展壮大中扮演了关键角色，充当了各种技术理念和分拆企业（包括凯迪拉克、福特和别克）的重要来源（Klepper，2007）。斯蒂文·克莱珀（Steven Klepper，2007）认为，当员工有了雇主不能或不愿开发的创意时，他们便倾向于选择离职，并创建新企业。也正是因为这种创新品格，子公司难以从财力雄厚但缺乏专业技术知识的投资者那里募集资金；除非能通过行业经验丰富的人士向潜在出资人传达其项目价值方面的信息，否则很难成功融到资金。除了具有新创意的员工外，类似奥尔兹这样的企业还催生出了专家圈子，他们能在金融家和创新者之间进行斡旋。

（二）技术市场的中介人

针对势不可挡的信息洪流，一种更普遍的解决之道是依靠业界专家来评估市场上各种各样发明的优缺点。美国专利局于 1836 年设立的审核体系催生了一大批专利代理人和律师，他们通常受过专门的法律培训。这些专业人士能为购买方提供专利鉴定服务，并代表潜在投资方评估企业的知识产权（Lamoreaux 和 Sokoloff，2003）。当然，他们的主营业务是为投资者申请专利提供帮助，因而事先就了解哪些技术将快得到应用。他们以这种方式为市场双方提供服务，在匹配有专利可供出售的发明者和可能对购买专利权有兴趣的商人中具有独特的优势。同时，他们也有独特的优势为正在创建的高新技术企业物色投资方。[⑩]

---

⑩ 第一批专利代理人在华盛顿设立了办公室，在那里，他们能和专利局的审查人员频繁联系。但是，很快他们就出现在美国各地，特别是在已经有大量投资者利用专利代理服务的新英格兰西南部等地区。诸多偏远地区的代理人同位于华盛顿和其他大城市的专利律师建立通信联系。同华盛顿代理人之间的联系使那些地处偏远地区的专利代理人有了现场代理人，后者能够在专利局核查相关已有技术的专利申请记录，并从核查人那里获得关于这些专利权有效时限的一手信息。同其他城市代理人之间的联系则使偏远地区的专利代理人能获得关于该发明在国家不同地区供需情况的信息（Lamoreaux 和 Sokoloff，2003）。

此外，通过培养市场双方个人之间的信任关系，专利代理人和律师能够降低困扰技术转让的交易成本。发明者通常会反复和同一批专利代理人打交道，在早期就足以轻松自如地运营他们的创意。购买方也信任他们多次雇用的专利代理人的判断，因此只要求代理人对相关技术披露较少的信息。当然，由于专利代理人只能从专利权的转售或许可证交易中获利，因此也存在一个他们以损害专利买卖双方的利益为代价谋取自身利益的风险。出于该原因，最成功的践行者会对建立公平交易的声誉进行投资。20 世纪早期纽约市的一名专利律师爱德华·凡·温克尔（Edward Van Winkle），将每天的大部分时间用于接待访客、拜访他人及午餐或晚餐时同发明者和商人的会晤。通过这种方式，他建立了一个广泛的人际网络，这使他能撮合发明者和购买方达成大量协议，甚至通过组建公司来开发前景可期的发明项目（Lamoreaux 和 Sokoloff，2003）。

五、创新激励：公司治理问题

从法律上看，组建新公司相对较容易。如第十二章所述，到 19 世纪中叶，美国绝大多数州已颁布了注册一般性公司的法律。商人只需将他们的企业进行注册并支付一笔费用，便能确保享受公司形式的诸多优点：集中管理、所有者庇护（有限责任）、法人保护（公司破产管理委员会成员不会夺取公司资产），以及锁定资本的能力。[11] 整个 19 世纪末 20 世纪初，各州不断简化组建公司所需的申报条件，并对公司的合法行为施加越来越少的限制。新泽西州于 1888 年通过了一部更宽松的普通公司注册法，该法律允许某公司持有其他公司的股票。在其他州，大型企业不得不采取信托等手段来合并企业，因此它们越来越多地转向新泽西州的特许状。其中一些特许状收入费出现减少的州通过颁布类似的法规，甚至更宽松的法律来做出回应。特拉华州最终成了这场“贩卖”特许状竞争的赢家（Kuhn，1912；Dodd，1936；Cadman，1949；Grandy，1987；Roy，1997）。

---

⑪ Freund（1896）、Hansmann 和 Kraakman（2000）、Blair（2003）。这里的有限责任是指公司破产时股东潜在损失的上限。特殊类型企业（如银行和铁路公司）的股东在一些州只需承担公司股票面值 2—3 倍的损失。参见 Horwitz（1992，第 94 页）。

棘手之处不在于如何像公司那样组建一家高新技术企业，而是如何说服富商购买公司股权。这一时期中小投资者保护机制的缺乏，也增加了技术不确定性问题。控股股东可通过各种方式获得超出其股权比例应得的企业利润，如选举自己担任公司高管、同自己持有所有权的企业签订优惠条款，以及以低于市场利率的成本借入公司资金等。处于弱势地位的小股东对改变这种状态无能为力。根据规定，他们没有足够的投票权推动公司改变政策，或做出解散公司的决策。除非发生一些糟糕透顶的情况，否则他们也无权要求法院进行干预（Lamoreaux 和 Rosenthal，2006）。

但从内战到 20 世纪 20 年代期间，新注册成立的公司数量出现了显著增加。事实上，其增长的速度是如此迅猛，以至一项公司指标（取 1925 年为 100）的取值在 1870 年仅为 5（Evans，1948，第 34 页）。只要投资者认为能获得明显高于政府债券和其他类似金融资产的收益，他们似乎就不太担心控股股东是否攫取了超过其应得部分的企业利润（Lamoreaux 和 Rosenthal，2006；Lamoreaux，2006）。此外，大股东所能掌控的控制权私人收益，实际上似乎增加了企业家创办新企业的激励。尽管小股东利益保护机制的缺乏可能导致一些企业家从事非生产性的攫取活动，但也可能使生产性企业家获得同他们所承担的额外风险相匹配的收益。[12]

该时期对债权人的保护也很不充分。除了 1800—1803 年间、1841—1843 年间及 1867—1878 年间这三段短暂时期外，直到 1898 年都不存在任何联邦破产法律。绝大多数州的破产法律规定，债务人遭遇失败后的清算资产将在其债权人中按照“先来先到”原则分配，这种解决方法既有利于那些具备内幕信息的投资者，又鼓励了债务人同其私下关系较好的债权人相互勾结。许多州还歧视其他州的债权人，规定他们只有比本州债权人更低的优先偿还权（Hansen，1998）。此外，当这些问题最终随着 1898 年新的联邦破产法案的通过而得到解决时，同一时期的英国和其他先进工业国给债务人的优惠待遇仍高于美国，它们甚至允许破产债务人继续掌控其资产（Skeel，2001）。

尽管如此，信贷供给还是出现了稳步扩张。到 1920 年，美国经济中私人债务总净额达到了 1058 亿美元，相当于 GDP 的 121.5%。虽然很难获得早期

---

⑫　关于生产性和非生产性企业家精神，参见 Baumol（1990）。

数据，但1920年之前时期商业银行贷款规模的变化情况显示出迅猛上升的迹象。商业银行贷款总额从1865年的5.18亿美元（占GDP的5.5%），急剧增加到1920年的285.62亿美元，占GDP的32.8%（Carter等，2006，第3卷，第24—25页、第650—651页、第774页）。这里，获利机会似乎再次超过了对投资者保护不力的抑制效应。针对债务人的宽松环境也有可能鼓励了冒险行为，进而推动了企业家精神的发展（Balleisen，2001）。

六、歧视对创新激励的影响效应

美国制度为参与创业提供的激励对某些群体而言要大于其他群体。只有随着19世纪的不断深入，由保护制度（institution of coverture）造成的对已婚劳动妇女的法律障碍才逐渐减少。由于妇女的经济身份被归入他们丈夫名下，丈夫便能合法掌控其妻子的财产和她们获得的任何收入，妇女则不能独立从事交易活动，或在没有获得丈夫批准的情况下签订合约关系。不难想象，这种限制必然会抑制已婚妇女寻求创业机会，专利数据表明事实上也的确如此。利用不同州在废除保护制度时的相关样本数据，卡恩发现，妇女的专利申请行为在那些保护法规仍然发挥效力的州明显更低，并且随着授予已婚妇女财产权的法律被颁布而相应增加（Khan，1996）。但即使摆脱了保护法规带来的障碍，女性企业家仍面临诸多困难，使她们处于较男性企业家更不利的地位（如在获取信贷方面）。毫不奇怪的是，她们最可能在化妆品等行业获得成功，因为对该类市场和消费者特殊要求的理解为她们提供了巨大的性别优势。[13]

美国黑人面临的处境在某些方面与此很相似。尽管奴隶制的废除和《宪法第十四修正案》的通过授予了美国黑人和其他公民一样的完整财产权，但他们面临的歧视使所有经济风险——更不用说创业风险——更加不确定。美国黑人不太可能像美国白人那样，根据其可比收入水平获得商业贸易或银行信贷，他们的劳动成果更有可能遭到损害或被非法掠夺。美国黑人的前途在该时期的某些时候略好于其他时候，人们通常认为，他们的创业活动在好的时期会增加，在坏的时期则会减少。丽萨·库克认为，美国黑人的专利申请

[13] 如参见Peiss（1998）。更一般地，参见Kwolek-Folland（1998）和Mary Yeager（1999）的三卷本著作。

行为事实上确实反映了他们的政治地位，但很难获得美国黑人在本身不受歧视影响的发明活动方面的相关信息（Cook，2003）。在对黑人创业情况里程碑式的研究中，朱丽叶·沃克（Juliet E. K. Walker）将 20 世纪前 30 年称作黑人企业家精神发展的“黄金时期”。黑人企业家在理发和美容行业，以及其他领域——如金融、交通运输和娱乐，白人企业家在这些方面的服务不尽如人意——为他们的社区成员提供相应服务中表现得尤为成功（Walker，1998）。

七、创新与复制

根据约瑟夫·熊彼特经典的企业家精神模型，创新使企业家能赚取纯经济利润，这些利润反过来又吸引模仿者加入竞争，直至竞争使经济利润完全消失（Schumpeter，1934）。毫无疑问，只要某项创新被证明有利可图，19 世纪的美国商人便会竞相复制。但在这种动态环境下，复制品往往很难从创新中被辨别出来。首先，可能会有不止一名企业家约在同一时间想到了同样的创意。其次，仿效者就其本身而言通常也是创新者。他们不单纯是复制某项发明，一般也会对发明做明显的改进。事实上，有远见的企业家试图通过各种方法，从这种未来的创新之流及其最初构想中获益。

上述情况一个很好的例子是贝塞麦联盟（Bessemer Association）。英国发明家亨利·贝塞麦（Henry Bessemer）只是同一时期诸多天才人物之一，他想出了如何通过向铁水吹制热风或蒸汽来制造钢铁的方法。1863 年，钢铁制造商和银行家亚历山大·莱曼·霍利（Alexander Lyman Holley）代表一家他自己参与其中的合伙企业，购买了贝塞麦炼钢法在美国的使用专利。当时，贝塞麦几乎已掌控了绝大多数相互竞争的炼铁工艺，霍利通过同另一群掌控一套独立专利的美国人商定解决方案，完成了这一进程。其结果是催生了所谓的贝塞麦联盟，这一联盟将两组美国专利融为一体（Misa，1995，第 19—20 页）。

霍利自己也是一位发明家。他改进了贝塞麦的生产流程，明智地用它来满足美国铁路市场的需求，然后又将由此产生的专利特许转让给贝塞麦联盟，并通过该联盟有偿出售给少数生产商。几乎所有创立于 19 世纪六七十年代的钢铁厂都是由霍利设计的，或都在采用获贝塞麦联盟授权转让的技术。反过来，获授权方（许可证持有人）可能会将他们的改进措施传染给贝塞麦联盟。霍利和他的合作伙伴曾一度把许可证发放给所有支付了 5000 美元成员费的生产商。但1877年后，他们开始限制贝塞麦联盟成员的钢铁厂数量，并借助技术控制来防止竞争损害联盟成员的收益（Misa，1995，第20—21页；Temin，1964，第133—138页；Meyer，2003）。尽管像贝塞麦联盟这样成功的技术共享协议并不多见，但将有价值的专利授权转让给其他企业的公司通常会在合约中写入一些类似于规定后者有权进行后续改进的条款。

在其他情况下，专利制度本身也鼓励了所谓的创造性复制。除非能购买或通过许可转让获得专利权，否则通过阅读专利说明书或逆向制造产品而掌握了某项创新的细节知识的企业家，只有在他们能进行“临近发明”，即发明能实现同一目的的替代方法时，才能充分利用自己所获取的信息。这些努力往往能获得更好的结果。如在电力工业中，弧光照明技术的先行者、发明家查尔斯·布拉什（Charles F. Brush）便是借助专利来保障其技术系统各方面的正当利益。伊莱休·汤姆森（Elihu Thomson）对布拉什的技术系统了如指掌。事实上，汤姆森曾在富兰克林学会（Franklin Institute）的一场发明竞赛中做裁判，布拉什在这场竞赛中获得最佳发电机奖。但经过几年的相互竞争，汤姆森已开发出了弧光照明技术系统，并获得了专利，该系统在许多重要方面改进和完善了前人的发明。不到10年，他的公司就收购了布拉什的公司（Carlson，1991）。

尽管企业间的竞争导致了创造性复制，但是在一家企业内部，有一个重大风险，即创造性复制可能不会与更多的创新共存。虽然企业家通常也会强迫自己精益求精，但往往沉迷于自己的创意，因此随着时间的推移，求变的倾向往往是增量性的和适应性的，而非基础性和破坏性的（参见Schumpeter，1934，1942）。虽然总会有企业家在想到一个更好的创意时愿意“破除一切”，安德鲁·卡内基是一个很好的例子，创办里佛鲁日工厂前的亨利·福特同样如此，但这样的企业家还是比较少。甚至像托马斯·爱迪生那样极其多产的发明天才也难逃这样的厄运。爱迪生的电子照明系统采用了直流电，他顽固地敌视乔治·威斯汀豪斯发明的交流电系统（AC）。在19世纪晚期充满竞争的经济中，固守过时理念的企业家很快就会输给更敏锐、开明的企业家。最终，爱迪生的公司被汤姆森—休斯敦电气公司收购，两者兼并改组为通用电气公司（GE），而汤姆森—休斯敦电气公司的首席发明家积极应对交流电的发明所带来的挑战（Passer，1953，第164—175页）。一旦行业开始由少数极其庞大的企业（如GE）所主导，企业内部的保守主义阻碍整体经济创新步伐的风险就会大大增加。[14]

八、大企业的兴起

随着大企业开始主导大部分工业领域，1865—1920 年这段时期见证了美国经济中企业规模分布的剧烈变动。这种变化不仅对创新激励，而且对创新的组织形式都有着重要影响。但这些影响大多到 20 世纪才被社会所感知，因此留到第十四章讨论。这里我们主要关注一些大型组织的形成问题，因为它们本身也是对该时期经济条件和商业机会的创业回应。

（一）铁路公司

如小阿尔弗雷德·钱德勒所言，铁路公司是美国最早出现的大型企业。它们成了从纽约和国外资本市场筹集大量资金的第一批私营企业，通过似乎永不知足的资金需求，它们刺激了对经济后续增长颇为重要的各种新型金融中介机构和金融工具的开发利用。它们也是最早碰到协调问题的企业，这些问题的复杂程度足以推动它们开展组织创新。到 19 世纪 50 年代，纽约—伊利铁路公司的丹尼尔·麦卡勒姆（Danielc C. McCallum）、巴尔的摩—俄亥俄铁路公司的本杰明·拉特罗布（Benjamin Latrobe）以及宾夕法尼亚铁路公司的埃德加·汤姆森（J. Edgar Thomson）等公司高管们，已经意识到更好地管理迅猛增长的铁路交通量对利润和安全而言势在必行。在随后的几十年里，他们创制了统计图表和工作手册，根据责任层级安排员工的职责，明确指定各自的义务和职权范围。他们还发明了新的会计技术，使自己能计算所有业务单元领域的绩效情况（Chandler，1977，第 81—121 页）。

供职于这些组织的管理者越来越把自己视作专业人士。在内战结束后的一段时期，他们大举涌入美国铁路管理者协会（ASRS）等全国性协会，订阅《铁路工程杂志》（*Railroad and Engineering Journal*）等商业出版物，在涉及铁

---

[14] 本书第十四章将会讨论这种保护主义。关于竞争作为一种驱动因素对创新的重要性，参见 Baumol（2002）。Schumpeter 的观点更含糊不清。一方面，他认为大企业的研发分工将使创新惯例化，并使企业家越来越落后；另一方面，他又担心在位企业将规避破坏性创新。参见 Schumpeter（1942，1934）。

路管理技术细节的专业会议上提交论文，并会见同行以讨论和解决常见问题。他们共同努力使测量仪表和铁路设备标准化，以便促进各条线路之间的有序运行。他们开发了全路段跟踪法，以确保每家公司都能恰当地胜任各自所提供的相应服务。他们还商定了一个基本的运费结构，将成百上千种不同类型的商品分成四大基本类别（Chandler，1977，第122—144页）。

这种合作理念扩散到了技术领域。在铁路工业发展初期，铁路公司的管理者积极培养公司员工的技术创造力，并鼓励发明者发明新设备。该时期，铁路公司彼此之间很少展开直接竞争，管理者免费共享新技术进展的相关信息。当铁路系统建设使他们陷入相互竞争时，这种信息交流也没有中断。相反，它们推动了整个行业的标准化实践，降低了运营成本。此外，随着19世纪70年代铁路公司面临越来越多来自外部知识产权所有者的侵权诉讼，其管理者通过组建能同时代表全部铁路公司的专利联营（patent pools）来使这些交流正式化。专利联营不仅降低了诉讼成本，而且削弱了发明者利用某家铁路公司对抗另一家铁路公司的能力（Usselman，1991，2002）。

这种向更加正式的专利联营的转变，和铁路公司管理者对员工创新的态度的内在改变是相一致的。他们之前的鼓励姿态已被一种更保守的试图控制技术变迁速度和方向的做法所取代。由于能否使某家铁路公司所有的车厢同该公司机车车辆或其他有重叠轨道公司的机车车辆相配套至关重要，因此系统某一部分的微小变动都会严重破坏整个系统的运行。因此，在铁路公司高管们已更充分地合作开发现有技术的同时，他们越来越努力地引导甚至控制其下属的创新。虽然生产率得到迅速提高，但创新却日益显现出增量和适应性的特征（Usselman，2002；Fishlow，1966）。

（二）生产和分销一体化带来的新机遇

铁路网的扩展将美国偏远地区纳入了一个全国性的市场，使那些处在规模经济行业中的企业能通过集中生产大型设施降低它们的单位成本。在这些行业，生产单元的平均规模会随时间的推移不断扩大，而企业数量则相应减少。同时，美国经济的区域专业化程度也不断提升（Chandler，1977；Lamoreaux，1985；Kim，1995）。

铁路相对较快的运营速度也为企业家寻求新型业务创造了机会。例如，19世纪80年代前，牲畜通常活载在火车车厢里运往东部城市，并在那里宰杀以满足当地消费需求。移居西部并在芝加哥做了一名牲口贩子的东海岸屠夫古斯塔夫斯·斯威夫特（Gustavus Swift）意识到，自己若能在中西部地区先将牲牛屠宰好，然后通过冷藏车把牛肉运往东部市场销售，便能节约大量成本。在芝加哥就把牛肉包装好将使他获得规模经济，并省去不得不在运输中给牲牛喂食喂水的费用。如此一来，他既可避免为动物身上不可食用部分（其重量超过了动物净重的一半）支付运费，又能免去运往市场途中动物体重减轻甚至死亡的损失。[15]

斯威夫特的计划遭到了众多反对，这些反对不仅来自其利益将直接受到威胁的屠夫和批发商，而且来自那些已在牲畜运输车厢和喂养站投入了大笔资金的铁路公司。结果，斯威夫特不得不从零开始建立自己的整套配送系统。他投入能筹集到的全部资金组建了一支小车队，成功说服了一家铁路公司运送它们，并全身心地投入这项业务中。斯威夫特掘到的第一桶金为他提供了进军销售端的必要资金。他很快建立了一个由冷冻贮存室和着力于开辟当地肉铺市场的销售队伍所组成的批发设施网络。此外，通过购买从五大湖区收集冰块并沿其运输线路建造冰库的权利，斯威夫特避免了原本可能会损害其产品和业务的代价不菲的瓶颈问题。凭借搭建体系的突出才能，斯威夫特的企业迅猛增长。1877 年斯威夫特售出了他的第一批加工牛肉。到 1881 年，他已拥有了将近 200 辆冷藏车，每周发送将近 3000 头屠宰好的牲畜。

斯威夫特建立的纵向一体化企业帝国改变了该行业的竞争性质。在斯威夫特建立他的产销一体化体系之前，肉类加工行业由数以百计的地方性小屠宰场组成。后来，唯一能同斯威夫特的低价策略相竞争的企业，是少数能运用金融资源复制斯威夫特的策略并建立自己的冷藏车、冰库和分销渠道网络的企业。该行业很快形成了一种寡头垄断结构。到 1888 年，斯威夫特同其他三家建立了类似产销一体化体系的企业——阿尔默（Armour）、莫里斯（Morris）和哈蒙德（Hammond）——一起，已占据了美国加工牛肉供给市场约 2/3 的份额。

在 19 世纪的最后 1/3 时间里，绝大多数制造业的批发商都自己解决分销问题，但有时他们并不能（或像斯威夫特发现的那样不愿意）做得令人满意。

---

[15] 关于斯威夫特的创新和肉类加工业的发展，参见 Yeager（1981）和 Chandler（1977）。

该问题最有可能出现在技术上较复杂的产品上，如缝纫机和机械收割机。除非消费者被教会如何使用它们或确保损坏的机器能得到及时廉价的修复，否则他们在购买这些产品时会表现得犹豫不决。独立批发商缺乏提供这类培训和维修服务的专业知识与激励，因此制造商不得不自己提供它们。率先提供这类服务的创业企业，如缝纫机行业的辛格和收割机行业的麦考密克，很快获得了国内市场的主要份额。复制他们的分销体系需要大量资本，这使竞争对手保持在较少数量上，而且恰如肉类加工业的情形那样，这些行业很快形成了寡头垄断结构（Chandler，1977；Hounshell，1984）。

（三）标准石油托拉斯

铁路工业本身具有寡头垄断市场结构。由于铁路存在巨大的沉没成本，只要多家铁路公司同时服务于某个特定地区，它们便会就运费展开激烈竞争。铁路公司试图通过成立它们自己的卡特尔来限制这种竞争，但这些努力很少获得成功，特别是在19世纪80年代之前。[16] 但一名极富创业精神的生产商却能利用各铁路公司对设定价格的迫切需求来巩固其自身所处的行业，他便是约翰·洛克菲勒。

19世纪60年代晚期，洛克菲勒的标准炼油厂（Standard Oil refinery）是石油工业最大的企业，但它仍只占该行业产能总量的4%左右，且不具备任何特定的成本优势。价格竞争正侵蚀着该行业的利润，各炼油厂也多次尝试通过组成卡特尔来终止价格竞争，却屡遭失败。19世纪70年代初，服务于全国主要炼油地区的铁路公司共同为标准石油公司和石油工业的其他重要企业提供了一个解决方案。铁路公司通过谈判达成一项协议，以阻止它们各自业务领域的削价行为，而且它们需要主导炼油厂负责监督该协议。它们建议共同成立一个名为南方开发公司（South Improvement Company）的联盟，由其负责监督石油输送，以确保没有任何一家铁路公司将价格降至协议价格以下。作为回报，炼油厂将获得它们及其竞争对手出货量的一个回扣或退税（Granitz和Klein，1996）。

---

[16] 一些学者已表明，在铁路公司于1879年设立联合经济委员会（JEC）后，它们在防止毁灭性的降价中表现得更为成功。参见Ulen（1980）、Porter（1983）和Blinder（1988）。

尽管上述协议从未被执行[17]，但确有几个月的时间（该南方开发公司成立到解散期间）未加入该协议的炼油厂前景似乎一片黯淡。洛克菲勒趁机收购其他公司。如伊丽莎白·格兰尼茨和本杰明·克莱茵（Elizabeth Granitz 和 Benjamin Klein，1996）已表明的，只有对该协议可能影响自身竞争地位的担忧，才能解释为何如此多的非成员炼油厂会在这几个月内把自己出售（许多甚至以处理价被出售）给洛克菲勒。[18] 该时期的标准石油公司有效控制了克利夫兰地区的石油工业，迅速崛起为一家大公司，随后又私下合并了其他产油中心的起步较早的炼油商。经过这些收购和兼并，标准石油本身已强大到足以为铁路公司的卡特尔协议提供监督。铁路公司很乐意给标准石油公司的出货量提供适当回扣，以此作为对后者提供监督服务的回报。因此，这种有利地位使标准石油公司能凭其实力“抬高竞争对手的成本”，以此确保对石油工业的垄断控制。

（四）大合并运动

19 世纪晚期的绝大多数资本密集型行业都更像石油工业，而非肉类加工业或缝纫机行业。也就是说，绝大多数制造商仍通过独立批发商来分销它们的产品，而且创新和复制交错重叠的过程意味着，任一行业中的绝大多数企业基本上使用相同或相似的技术。尽管存在企业家成功获得了某种显著优势（受安德鲁·卡内基支配的粗钢行业即是一个重要例子）的例外，但绝大多数资本密集型行业都存在少数旗鼓相当的企业，它们对市场份额的激烈竞争往往会使价格跌到无利可图的水平。类似于石油工业的情形，许多企业试图通过谈判签订合谋协议来限制削价，但很少能获得成功。因此，像标准石油公司那样，它们转向合并以缓解压力，将绝大多数或所有相互竞争的企业合并成一家大型企业（Lamoreaux，1985）。

石油并购在 19 世纪 80 年代得到了少数其他行业的效仿，最明显的是糖、铅、威士忌酒、亚麻籽油、棉籽油和纤维绳等制造行业。并购在 19 世纪 90

---

⑰　那些威胁使用暴力对南方开发公司的货物实施禁运的油田开发商使该计划流产。参见 Cranitz 和 Klein（1996）。

⑱　在正常条件下，考虑到石油工业的成本结构，炼油厂不必担心卡特尔的形成，因为作为外部人，它们能搭乘标准石油公司高价格的“便车”（Cranitz 和 Klein，1996）。

年代仍在缓慢进行，此后随着经济从该时期的大萧条中反弹而迅猛发展。1895—1897年间的萧条时期，出现了13家由多企业合并而成的联合体，但到1898年和1899年分别增加到16家和63家。此后又迅速回落至1900年、1901年、1902年、1903年和1904年的21家、19家、17家、5家和3家。总的来看，1895—1904年间，有1800多家制造业企业因合并而不复存在，当中有许多曾（至少在起步之初）占有其业务市场的大量份额。在93家可计算其市场份额的合并企业中，72家至少控制了行业40%的市场份额，42家至少控制了行业70%的市场份额（Lamoreaux，1985，第1—5页）。

尽管一开始获得了令人印象深刻的市场份额，但从长远来看许多新合并的企业并未比它们在采取合谋协议策略时更加成功。它们成立合并企业后索要的高价格刺激了大量竞争，致使几乎所有的成员企业丧失了原有领地甚至惨遭失败。利弗莫尔（Livermore，1935）研究了它们在20世纪前1/3时间里的收益情况，他将37%的合并企业归入失败类型，7%归入一开始失败但后来重获成功的类型，12%归入处于挣扎或“勉强维持”状态的类型，只有44%归入其利润率至少达到制造业平均水平这一意义上的成功类型。

但幸存企业在一些重要方面改变了商业环境。合并企业往往通过发行证券筹集资金，最成功的合并企业的盈利能力以及合并推动者（最主要是JP摩根）为创造股票发行市场而开发出的新技术，为其他行业的公司在全国性交易所发行证券铺平了道路。因此，随着企业合并运动的发展，大型制造业企业同早期铁路公司一样，可以进军全国性资本市场（Navin和Sears，1955；Baskin和Miranti，1997；De Long，1991）。

此外，在合并企业被证明较成功的行业，它们给竞争行为带来了重大影响。几乎所有同行业企业的合并，都产生了一家能为其他边缘小型竞争企业制定价格的“支配企业”。但只有该行业存在进入壁垒，或具备了能有效抬高竞争对手成本的强大优势（如标准石油公司），合并企业才能长期保持这种地位。否则，它们推行的高价策略将刺激大量更高效的新竞争者涌入该行业，从而使其市场份额遭到侵蚀，直至完全丧失制定行业价格的能力（Lamoreaux，1985，第118—158页）。

钱德勒认为，最成功的合并企业往往是能通过前向整合分销来创造进入壁垒的企业。毫无疑问，通过控制分销网络，这类企业的绝大多数创业资源便可用于开发新的营销机会。独立批发商通常把这些企业的货物当作同质产品出售，或在有必要给出质量差异信号的时候，以自主品牌的名义销售。例如，饼干通常会被整批整批地配送到零售商处，由零售商将它们装进没有商标的盒子并放在店里销售。但在国民饼干公司（National Biscuit）合并成立后，它便开始以“纳贝斯克”（Uneeda Biscuit）的品牌对自产饼干进独立包装分销，并建立了自有营销组织以买卖和推销自产饼干（Chandler，1977，第331—339 页）。

一旦合并企业开始销售自有品牌产品，它们就会形成一种保护产品免遭竞争商家侵犯的崭新意识。尽管不知从何时起品牌和商标在商业活动中已习以为常，但直到 19 世纪、20 世纪之交随着大规模组织的出现，对这些产品符号的保护才引起大多数商人的重视。直到 1905 年，国会才通过了一项保护国内商业活动中的商标权的法律。如米拉·威尔金斯（Mira Wilkins）所言，立法时机反映了在寡头垄断市场上相互竞争的大企业利用产品差异来保持和扩大其市场份额的新努力（Wilkins，1992）。

（五）技术发明的重组

在 19 世纪晚期激烈的竞争环境下，企业为了生存不得不努力跻身于技术前沿。它们不能承受被排除在竞争对手掌控关键专利的前景可期的新技术之外，因此必须紧跟企业外部形势的发展步伐，并通过购买或专利权许可来获得任何可能对其业务至关重要的专利发明。[19] 虽然许多企业都有专门从事发明活动的员工（或管理者），但在当时，即使规模最大的企业也不愿把过多资金和精力投在内部研发上。例如，西联公司有时会资助内部技术开发，但其管理层并不确信在一个技术变革日新月异的时代，这是保持技术前沿的最优策略，他们频繁地将这些企业拆分成独立公司。[20] 当时，美国电话电报公司（AT&T）的立场甚至更加极端。如该公司的专利部门主管 T. D. 洛克伍德（T·D·Lockwood）所解释的：“我百分百地确信，保持一支职业发明家队

---

[19] 关于这一点，参见 Baumol（202）。

[20] 例如，西联公司用它自己的机械工厂给格雷和巴顿（Barton）的创新性合伙企业的兼并提供了资助，但是兼并后的企业西电公司却作为一家独立企业运营。当 Elisha Gray 开始投身于研究他的谐波电报（基本上类似于电话）时，他辞去了西电公司负责人的职务，但仍继续作为一名独立发明家在公司研究部门工作（Adams 和 Butler，1999，第 29—38 页）。

伍，或成立一个专事发明的部门，无论过去、现在还是将来都不会带来任何经济回报。”[21] 相反，美国电话电报公司在跟踪和评估外部世界发明的能力建设上投入了大量资金。在1907年西奥多·韦尔成为公司主席之前，这项政策从未改变（Galambos，1992）。更一般地，如戴维·莫里（David Mowery，1995）所言，企业早期研发机构的一项重要功能是评估外部技术，以供可能的专利采购参考。

最早设立内部研发实验室的企业往往在小范围内开展研发实验，一般均出于特殊原因，直到它们发现实验室确能带来竞争优势。如在19世纪90年代，由于基本的照明用品专利（爱迪生专利）已到期，其他发明者也在开发更高效的新型灯丝，通用电气面临着越来越多的竞争。通用电气斯克内克塔迪工厂的一名顾问工程师是曾在德国受过相关培训的查尔斯·施泰因梅茨（Charles Steinmetz），他认为，美国企业应认真效仿德国企业率先开创的研发实验室模式。他说服公司资助开展一个中等的研发项目（预算为15830美元），以开发一种改进版的白炽灯。尽管施泰因梅茨未能成功完成任务（通用电气最终不得不向德国发明者购买该项技术），但这次试验还是证明了拥有内部研发机构的价值所在。通过材料测试和解决技术难题，该实验室为公司其他部门提供了重要的服务支撑。更重要的是，在对各种灯丝进行试验的过程中，公司研发人员申请并获得了许多后来被证明极其有用的小专利。这些小专利不仅具有防御性，可帮助公司保护其产品系列免遭竞争企业侵犯；而且具有进攻性，可作为和竞争对手谈判中的重要筹码（Carlson，1997；Reich，1985，1992；Wise，1985）。

美国电话电报公司有着类似的经历。新的无线技术（无线电）给美国电话电报公司带来了竞争压力，使它在固话市场的控制地位受到威胁。于是，美国电话电报公司集中全部精力提升长期服务能力，并设立了一个内部实验室以开发一种合适的扩音器。同通用电气一样，该实验室惨遭失败，不得不购买了李·德弗雷斯特（Lee de Forest）的专利。但研究团队再次证明了自己的有用性。通过解决德弗雷斯特的发明技术在进入商业化应用阶段必须克服的大量技术难题，它使1915年全国性电话服务的成功试运行成为可能。此外，该实验室累积的“许许多多小专利”（借用公司主席的话）使竞争对手陷入了不利境地。美国电话电报公司和通用电气等公司很快意识到，它们的

---

[21] 洛克伍德确实在不断地雇用发明者，但成功地抵制了任何对内部研发的可持续投资。转引自Lamoreaux和Sokoloff（1999，第41—42页）。

实验室产生了对竞争企业及其自身竞争地位至关重要的专利，而且通过相互之间的交叉技术授权，这些专利使它们能巩固自己的行业并树立起进入壁垒（Carlson，1997；Reich，1977，1980，1985；Lipartito，2009）。

20 世纪 20 年代之前，较少有大公司会投资于完全成熟的研发实验室（Mowery 和 Rosenberg，1989，第 61—65 页）。它们不得不确信处于技术前沿领域的最优策略是开发内部技术。此外，天才发明家不愿在大型企业里供职，尽管他们可能会接受临时工作，但公司并不容易有效控制他们。乔治·威斯汀豪斯在同威廉·斯坦利（William Stanley）签订开发一种变压器的协议时领教了这一点。令他颇为恼火的是，斯坦利坚称在为西屋电器工作时的一项发明是他自己的财产（Wise，1985，第 70—71 页）。不太出名的发明者同样不可靠，当他们碰到有价值的创意时往往会选择退出。例如，当美国薄板和镀锡板公司（American Sheet and Tin Plate Company）的两名员工在工作时间利用公司资源发明了一种镀锡机捕集器并用公司的某个车间进行测试后，选择了辞职并同一家竞争对手的公司签订合约，以开发和商业化该发明（Lamoreaux 和 Sokoloff，1999）。

在企业能获取发明过程内部化带来的回报之前，它们不得不学会处理一些重要的人事问题。特别是，它们必须减少员工流失，设法让发明者愿意把自己的创意签售给企业。换言之，它们必须学会如何说服一直把独立创业视作跻身上层之关键的发明者，使他们相信稳定的就业既能提供报酬又能提供发展机会。为有效发明提供更多的资本，培养更多的既有必要接受科学训练，又愿意在某个组织中追求事业成功的大学毕业生和工程学院毕业生，都能助力企业解决上述问题（Lamoreaux 和 Sokoloff，1999，2009）。

大企业内部的发明活动浪潮，使企业有可能调动大量资源解决技术难题，让掌握不同类型专门知识的研究团队充分发挥潜力。但是，它也会带来如铁路公司曾经历过的“阴霾”，即关注点被转向增量和适应性创新，而更基础和更具破坏性的创意将受到抑制。如第十四章将表明的，只有少数大公司能罕见地避免这种困境。此外，大公司内部实验室的研发重心转移从来不是一筹而就的。在整个 20 世纪，独立发明者和小公司仍是激进的新技术创意的沃土。[22]

---

[22] 参见 Baumol（2007，第 167—168 页）；以及 Clarke、Lamoreaux 和 Usselman（2009）。

九、经济中的政府管制

内战结束后的几十年间，联邦政府在经济中的管制角色相对温和。《国家银行法案》授予美国货币监理署监管持有国家特许状的银行（占银行总数的比例随着时间推移不断下降），但重要经济部门中并不存在其他具有类似权力的机构。所有这些在19世纪和20世纪之交发生了变化。首先是铁路行业，此后随着19世纪晚期的合并浪潮，制造业部门某些重要领域的企业相对于当时的绝大多数企业而言，显得极为强大，以至于人们担心经济实力和政治权力过于集中在这些企业手中。该时期的“掘财大亨们”在实现自己的野心时冷酷无情，这加剧了人们的担忧。此外，记者们的“扒粪运动”削弱了“成功即美德”的观念，而此前这一观念使监管者可以袖手旁观。例如，艾达·塔贝尔（Ida Tarbell）在当时的杂志上发表了对约翰·洛克菲勒的性格研究，他将这位超级石油大亨描述成一名商界马基雅维利，“对金钱的狂热”驱使他为达目的不择手段。[23] 尽管后来洛克菲勒捐赠了巨额钱财，但这并不能完全改善他这种负面的公众形象，联邦最高法院后来强制拆分了他的标准石油公司。

19世纪晚期，州政府努力应对公众对大企业兴起的担忧，但碰到了各种经济和法律障碍，因此要求联邦政府在经济中扮演更多角色的政治压力在国会中不断积聚，由此导致监管权从州政府转移到联邦政府，这一变化似乎对企业家精神产生了相互矛盾的效应：在某些方面起了鼓励作用，在另一些方面则带来了更多问题。但是，它的确至少为某些受管制行业的企业创造了新的寻租机会。

（一）州和地方政府的管制

如威廉·诺瓦克（William Novak，1996）已表明的，地方政府长期以来以各种方式对经济进行日常干预，如强制推行标准度量衡、设定贸易规则、要求具备许可证才能从事某些业务，以及审查出售给消费者的产品的纯度和质量等。州政府发挥着一系列（甚至更多）类似的功能。此外，州有权发放

㉓ Tarbell的论文转引自Chalmers（1996，第xv页），也可参见Trachtenberg（1982，第78—86页）。

公司执照，使它们能以极其特殊的方式管制已注册企业的业务活动。尽管1819 年联邦最高法院在著名的“达特茅斯学院案”（*Dartmouth College* case）中规定，公司执照受到《宪法》合同条款的保护且一经颁发就不能改动，但通过在执照中写入保留条款，授权公司在未来可以变更合同条款，州政府仍保留着和公司相关的所有权力。州政府利用公司执照来限制公司所能筹集的资本数量、它们所能从事的业务类型，以及它们和其他企业兼并的资格。特殊类型的公司要受到更多管制。例如，在开设分支机构方面颇受限制的金融机构，不但必须持有一定数量的存款保证金，通常还不得不定期提交关于其经营状况的常规报告（Novak，1996；McCurdy，1979；White，1983）。

19 世纪末 20 世纪初，州政府将监管活动扩展到了许多方面，这一过程中，其权力受到了美国联邦政府体系的限制。例如，当最高法院在 1886 年的“沃巴什、圣路易斯和太平洋铁路诉伊利诺伊州案”（*Wabash*，*St. Louis*，*and Pacific Railway v. Illinois*）中裁定“单个州不能管制属于州际商业的货运费”时，州政府管制铁路行业的努力便碰了壁（Hovenkamp，1988）。同样的，对《宪法第十四修正案》的解释授权联邦法院可以废止不在保护公共卫生或维持秩序之列的监管立法，因此，在 1905 年的“洛克纳诉纽约案”（*Lochner v. New York*）中，法官们援引这一解释，认定纽约州关于面包店最长工作时间的法律限制了工人的就业权利，违反了宪法，于是推翻了这部法律。此后，最高法院多次裁定其他若干类似的法律法规属于违宪（Kens，1998）。

对于大企业，州政府的监管努力更多地受阻于经济因素而非政治因素。颁发公司执照的权力使州政府对企业并购有充分的监管权，这得到了联邦法院的认可。但是，如果拥有多家工厂的大企业能从一个更友善的司法辖区获得执照，甚至通过关停他们在相应州的企业来应对时，这种监管权就不十分奏效了。因此，经过 19 世纪 80 年代到 90 年代初一段短暂的反托拉斯运动风潮后，州政府大多做出了让步。如果即将出现反托拉斯行动，这一行动无疑也是来自联邦政府。（McCurdy，1979；Lamoreaux，1985，第 162—169 页）。

（二）联邦监管的兴起

19 世纪 80 年代晚期，公众对铁路公司和其他大企业的强烈抗议使联邦政府不得不采取行动。1887 年，国会通过了《州际商业法案》（Interstate Commerce Act），设立了州际商业委员会（ICC），并授权该委员会确保铁路运价是“合理公平的”。尽管该法案措辞含糊且州际商业委员会很快受到法院的束缚，但这些问题随后通过其他立法得到了修复，特别是1906年的《赫伯恩法》(Hepburn Act) 和1910年的《曼恩—埃尔金斯法》(Mann-Elkins Act)。同样的，1890年国会通过了禁止联合限制贸易或垄断整个行业的《谢尔曼反托拉斯法》(Sherman Antitrust Act)。尽管法院已经适用了《谢尔曼法》(Sherman Act) 的具体条款，国会仍然在1914年颁布《克莱顿反托拉斯法》(Clayton Antitrust Act) 和《联邦贸易委员会法》(Federal Trade Commission Act)，予以重要补充。该时期颁布的其他监管立法包括1906年的《纯净食品和药品法》和1906年的《肉类检验法》，前一部法律禁止生产、销售和运输掺假或虚假贴标的食品和药品；后一部法律设立了一支联邦检查队伍，由其负责执行肉类加工业的新卫生标准。㉔

所有这些立法对企业家精神的影响已成为许多争论的主题。一些学者认为，监管机构拒绝合理的运价上涨严重破坏了国家铁路网，因为这使铁路公司很难筹集到改善轨道和机车所需的资金。由此导致的投资不足使政府不得不在“一战”期间对铁路实行国有化，且从长期来看，造成铁路运输业被卡车运输业所赶超（特别是参见 Martin，1971）。但在斯蒂文·乌塞尔曼看来，铁路行业的问题很大程度上是它本身所造成的。铁路公司越来越拘泥于标准化经济，这使它们对运输行业正在发生的变化视而不见。尽管19世纪晚期大批量的长途运输业务有着丰厚报酬，但到20世纪托运人却需要更灵活的短途运输服务。乌赛尔曼认为，卡车胜出是因为它们满足了铁路运输不能或不愿提供的需求（Usselman，2002，第327—380页）。

反托拉斯法对企业家精神的影响甚至更加含糊不清。《谢尔曼法》通过后不久，检察官很快采取行动并成功摧毁了卡特尔及其他各种类型的企业间合谋安排。但他们发现很难对几家竞争性企业合并成一家公司的并购企业定罪。因此颇具讽刺性的是，反托拉斯法必须被视作19世纪、20世纪之交大合并运动的一个重要原因（Chandler，1977，第375—376页；Freyer，1995）。同样的，尽管法院表面上明确裁定某些类型的反竞争行为属于非法，如限制供应商或客户不能以同样条件和竞争对手开展业务的捆绑合同（tying contract），

㉔ 关于第一波联邦监管浪潮的概述，参见 Vogel（1981）。

但法院很少会起诉几乎具有同样影响的企业兼并行为。因此，美国钢铁公司能通过买断矿石储量来限制其他公司进入该行业，尽管它不一定要同各供应商谈判以签订排他性的交易合同。另一个问题是，反垄断起诉能否成功取决于来自弱势竞争对手企业的投诉。较之主导厂商强势推行稳定价格的行业，大企业之间激烈竞争的行业更有可能递交这类投诉。例如，通过确保竞争企业可在其定价伞下维持盈利运营，美国钢铁公司能保证这些竞争企业不会在反垄断诉讼中做出对自己不利的指证。但这种保证也可能会消磨掉这些竞争企业的大量创新激励（Lamoreaux，1985，第 159—186 页）。反托拉斯法的实施似乎还使独立发明者的生存更加艰难。由于向市场采购技术的大公司比在内部开发技术的大公司更易于受到起诉，因此它们发现更明智地做法就是更专注地依赖于自身的实验室（Mowery，1997）。

（三）新的寻租机会

正如内战时期联邦政府的扩张为腐败提供了机会一样，州和地方政府持续不断的经济干预也鼓励了寻租者利用公费来中饱私囊。19 世纪末 20 世纪初是城市“机器”政治（“machine”politics，城市机器政治是指 19 世纪 60 年代在美国城市中兴起的政党政治。——译者注）的全盛时期。但考虑到城市兴建铁路、公用事业设施、下水道、净水设施和公共交通，以及改善居民卫生状况和增加居民的财富，也有一些年份城市生活质量出现了显著提高。如丽贝卡·梅内斯（Rebecca Menes）已解释的，人口流动同投票箱和债券市场施加的竞争压力一起，迫使政府官员（不管腐败与否）提供高质量的服务。因此，并无统计证据表明该时期的腐败对增长有害。假设其他条件不变，由腐败官员或廉正官员管理的城市之间几乎没有显著差别。㉕

但这一时期，贪污腐败确实是一条令人鄙夷的谋财之道。美国中产阶级将“机器”政治的出现和大量贫困移民的涌入联系在一起。尽管在政府尚不能满足新定居者所有需求的时期，市政官员确实为他们提供了各种有价值的社会服务，但“机器”（政党）和移民之间的共生关系增加了双方的腐败丑闻（Merton，1972）。其结果导致了同时限制移民和改革市政结构的运动。当

㉕ Menes（2006）；也可参见 Stave（1972）收集的文献。

然，腐败从未被根除，但它已不再是跻身上层和获得社会尊重的正道。美国社会的英雄是企业家而非政客。

由联邦监管兴起导致的寻租机会更具长期重要性。从财富积累角度看，这里的主要受益者是那些能够“俘获”监管机构的企业。正如纽约的大银行能影响国家银行体系的结构以使其符合自身利益那样，大企业有时也能左右监管立法的内容及执法机构的活动。但这种“俘获”最重要的例子出现在随后的20世纪。尽管一些早期的监管措施得到了大公司的支持（和推动），但一般情况下它们的影响很难被归类。学者们已围绕政府机构在多大程度上应对其执法活动中的被“俘获”现象负责展开了激烈讨论。㉖

十、结　论

美国人向来对企业家持敬重态度，但1865—1920年间，这种态度几乎较美国历史上任何时期都更强烈。在这段时期，铁路网的扩张及西部领土和资源被纳入全国经济，创造了巨大的获利机会，美国人如饥似渴地抓住这些机遇。大量农民迁往那些敞开双臂热情欢迎定居者的西部新垦土地，探矿者到处寻找金矿或其他贵重矿物，发明者申请并获得了成千上万项新技术创意的专利，商人在新创企业将这些创意转变成具体商品（或设备），并不断扩大现存企业的规模，金融家则创造各种新途径来满足企业日益增长的资金需求。尽管一些企业家积累了巨额财富，但绝大多数情况下收益相对适中。毋庸置疑，该时期许多人都能实现显著的向上跻身无疑是企业家精神的一种持久激励。

该时期的绝大多数时候，政府（特别是联邦层面）在经济中的角色本质上主要是促进型的。国家政府使愿意投入开发的人能获得西部土地和资源，给交通运输提供补贴，绘制原材料资源的分布位置，并资助教育和其他机构为社会提供专业技术和知识。美国专利体系以较适度的成本为知识产权持有人提供强有力的保护，并促进新技术信息的扩散。国民银行体系的创建尽管加大了经济的不稳定性，产生了一些不幸后果，但颇为成功地确立了能降低

㉖　例如，可以对照Kolko（1965）和Martin（1971）的研究。关于不同力量影响该时期管制的一个综合观点，参见Law和Libecap（2004）。

区际贸易交易成本的国家统一货币。而且，1913 年《联邦储备法案》的颁布很大程度上缓解了经济不稳定的问题。州和地方政府在经济中扮演着更加积极的监管角色，即使在这些层面，政府干预也主要是为了提高经济交易的安全性和透明度，如强制推行标准度量衡、为交易行为制定规则。随着大企业的出现，政府才开始承担起更重要的监管职能，起初在州层面，后来在联邦层面。

虽然美国从建国时期传承下来的制度提供了基本的产权保障，但商业企业对外来投资者的保护程度并未达到如今政策制定者所认为的对经济成功发展必不可少的标准。公司小股东对来自控股股东的剥夺没有追偿权，清偿法和破产法使债权人处于相对弱势的地位。尽管这些缺陷可能使企业更难获得股权投资或贷款，但公司数量依然出现大幅增长，股权和债务融资水平也出现了相对于经济规模的显著上升。获利机会似乎足够大，以至那些有储蓄以供投资的人愿意承担低保护水平下必然导致的风险。此外，像 JP 摩根这样的企业家投资于能带来投资者信任的声誉。事实上，在整个经济中，当信息问题使原本有利可图的交易困难重重时，私人代理商会发现，寻求解决交易壁垒的方法是值得的。因此，专利代理人孜孜不倦地与技术市场中的交易双方培育关系，以此来匹配转让方和采购方之间的发明，并降低交易双方必须向对方披露的信息。同样的，投资建立旨在提供培训和维修服务的当地分销网点，诸如辛格等企业以引导消费者购买复杂和昂贵的耐用消费品。

对机会的这种创业追逐产生的一个副产品就是具备显著市场势力的大企业的兴起。有时，这种市场势力是出于其他原因做出的商业决策的一种副效应，如辛格所投资的分销渠道建设帮助他成为美国的主导生产商；但有时，如标准石油公司，是有意为之的结果。不管怎样，由此导致的企业规模分布的变化产生了巨大影响。首先，它促使州政府和联邦政府在经济中扮演更广泛的监管角色。其次，随着大公司建立自己的内部研发实验室，并越来越依靠内部技术创新而非从市场上购买发明，使得创新的轨迹发生了变化。这些变化产生的影响，不管有利于企业家精神还是抑制经济的创新特征，都要到 20 世纪后期才彰显出来。作为第一批大企业的铁路公司在“一战”时期所经历的困难，恰好说明企业规模分布的变化并不一定会带来完全积极的结果。即使如此，卡车运输业的兴起表明，在一个像美国这样充满活力的经济中，某一行业出现的问题恰恰有可能为其他行业的企业家创造大量的机会。

参考文献

Adams, Charles F. 1869. "A Chapter of Erie." *North American Review* 109 (July): 30–106.

Adams, Stephen B., and Orville B. Butler. 1999. *Manufacturing the Future: A History of Western Electric*. New York: Cambridge University Press.

Allen, Robert. 1983. "Collective Invention." *Journal of Economic Behavior and Organization* 4:1–24.

Aron, Cindy Sondik. 1987. *Ladies and Gentlemen of the Civil Service: Middle Class Workers in Victorian America*. New York: Oxford University Press.

Atack, Jeremy, and Peter Passell. 1994. *A New Economic View of American History*. 2nd ed. New York: Norton.

Bain, David Haward. 1999. *Empire Express: Building the First Transcontinental Railroad*. New York: Viking.

Baskin, Jonathan Barron, and Paul J. Miranti Jr. 1997. *A History of Corporate Finance*. New York: Cambridge University Press.

Balleisen, Edward J. 2001. *Navigating Failure: Bankruptcy and Commercial Society in Antebellum America*. Chapel Hill: University of North Carolina Press.

Baumol, William J. 1990. "Entrepreneurship: Productive, Unproductive, and Destructive." *Journal of Political Economy* 98:893–921.

———. 1993. *Entrepreneurship, Management, and the Structure of Payoffs*. Cambridge: MIT Press.

———. 2002. *The Free-Market Innovation Machine: Analyzing the Growth Miracle of Capitalism*. Princeton: Princeton University Press.

———. 2007. "Toward Analysis of Capitalism's Unparalleled Growth: Sources and Mechanism." In *Entrepreneurship, Innovation, and the Growth Mechanism of the Free-Enterprise Economies*, ed. Eytan Sheshinski, Robert J. Strom, and William J. Baumol, 158–78. Princeton: Princeton University Press.

Binder, John J. 1988. "The Sherman Antitrust Act and the Railroad Cartels." *Journal of Law and Economics* 31:443–68.

Blair, Margaret M. 2003. "Locking in Capital: What Corporate Law Achieved for Business Organizers in the 19th Century." *UCLA Law Review* 51:87–455.

Borut, Michael. 1977. "The *Scientific American* in Nineteenth Century America." Ph.D. diss., New York University.

Cadman, John W. 1949. *The Corporation in New Jersey: Business and Politics, 1791–1875*. Cambridge: Harvard University Press.

Calomiris, Charles W. 1990. "Is Deposit Insurance Necessary? A Historical Perspective." *Journal of Economic History* 50:283–95.

Carlson, W. Bernard. 1991. *Innovation as a Social Process: Elihu Thomson and the Rise of General Electric, 1870–1900*. New York: Cambridge University Press.

———. 1997. "Innovation and the Modern Corporation: From Heroic Invention to Industrial Science." In *Science in the Twentieth Century*, ed. John Krige and Dominique Pestre, 203–26. Australia: Harwood Academic Publishers.

Carosso, Vincent P. 1987. *The Morgans: Private International Bankers, 1854–1913*. Cambridge: Harvard University Press.

Carter, Susan B., et al. 2006. *Historical Statistics of the United States: Earliest Times to the Present, Millennial Edition*. 5 vols. Cambridge: Cambridge University Press.

Chalmers, David M. 1966. "Introduction to the Torchbook Edition." In Ida M. Tarbell, *The History of the Standard Oil Company*, ed. David M. Chalmers, xiii–xx. New York: Harper and Row.

Chandler, Alfred D., Jr. 1977. *The Visible Hand: The Managerial Revolution in American Business*. Cambridge: Belknap Press of Harvard University Press.

Clarke, Sally, Naomi R. Lamoreaux, and Stephen W. Usselman, eds. 2009. *The Challenge of Remaining Innovative: Lessons from Twentieth Century American Business*. Stanford: Stanford University Press.

Cochran, Thomas C. 1972. *Business in American Life: A History*. New York: McGraw-Hill.

Cook, Linda. 2003. "Responses in Technical Change to Property-Rights Uncertainty: Evidence from Patenting Activity among African Americans, 1821–1919." Unpublished paper.

Cox, Jacob Dolson, Sr. 1951. *Building an American Industry: The Story of the Cleveland Twist Drill Company and Its Founder*. Cleveland: Cleveland Twist Drill Co.

Cremin, Lawrence A. 1980. *American Education: The National Experience, 1783–1876*. New York: Harper and Row.

Cubberley, Ellwood P. 1920. *The History of Education: Educational Practice and Progress Considered as a Phase of the Development and Spread of Western Civilization*. New York: Houghton Mifflin.

David, Paul A., and Gavin Wright. 1997. "Increasing Returns and the Genesis of American Resource Abundance." *Industrial and Corporate Change* 6:203–45.

De Long, J. Bradford. 1991. "Did J. P. Morgan's Men Add Value? An Economist's Perspective on Financial Capitalism." In *Inside the Business Enterprise: Historical Perspectives on the Use of Information*, ed. Peter Temin, 205–36. Chicago: University of Chicago Press.

Dodd, E. Merrick, Jr. 1936. "Statutory Developments in Business Corporation Law, 1886–1936." *Harvard Law Review* 50:27–59.

Evans, George Heberton, Jr. 1948. *Business Incorporations in the United States, 1800–1943*. New York: National Bureau of Economic Research.

Ferrie, Joseph P. 2005. "The End of American Exceptionalism? Mobility in the U.S. since 1850." NBER Working Paper No. 11324, May. Cambridge, MA: National Bureau of Economic Research.

Fishlow, Albert. 1966. "Productivity and Technological Change in the Railroad Sector, 1840–1910." In Conference on Research in Income and Wealth, *Output, Employment and Productivity in the United States after 1800*. New York: National Bureau of Economic Research.

Freund, Ernst. 1896. "The Legal Nature of the Corporation." Ph.D. diss., Columbia University.

Freyer, Tony. 1995. "Legal Restraints on Economic Coordination: Antitrust in Great Britain and America, 1880–1920." In *Coordination and Information: Historical Perspectives on the Organization of Enterprise*, ed. Naomi R. Lamoreaux and Daniel M. G. Raff, 183–203. Chicago: University of Chicago Press.

Galambos, Louis. 1992. "Theodore N. Vail and the Role of Innovation in the Modern Bell System." *Business History Review* 66:95–126.

Garraty, John A. 1968. *The New Commonwealth, 1877–1890*. New York: Harper and Row.

Geiger, Roger L. 1986. *To Advance Knowledge: The Growth of American Research Universities, 1900–1940*. New York: Oxford University Press.

Gische, David M. 1979. "The New York City Banks and the Development of the National Banking System, 1860–1870." *American Journal of Legal History* 23:21–67.

Goodwyn, Lawrence. 1978. *The Populist Moment: A Short History of the Agrarian Revolt in America*. New York: Oxford University Press.

Grandy, Christopher. 1987. "The Economics of Multiple Governments: New Jersey Corporate Chartermongering, 1875–1929." Ph.D. diss., University of California, Berkeley.

Granitz, Elizabeth, and Benjamin Klein. 1996. "Monopolization by 'Raising Rivals' Costs': The Standard Oil Case." *Journal of Law and Economics* 39:1–47.

Gregory, Frances W., and Irene D. Neu. 1962. "The American Industrial Elite in the 1870's: Their Social Origins." In *Men in Business: Essays on the Historical Role of the Entrepreneur*, ed. William Miller, 193–211. New York: Harper and Row.

Gutman, Herbert G. 1966. *Work, Culture, and Society in Industrializing America*. New York: Random House.

Hansen, Bradley. 1998. "Commercial Associations and the Creation of a National Economy: The Demand for Federal Bankruptcy Law." *Business History Review* 72:86–113.

Hansmann, Henry, and Reinier Kraakman. 2000. "The Essential Role of Organizational Law." *Yale Law Journal* 110:387–440.

Harz, Louis. 1948. *Economic Policy and Democratic Thought: Pennsylvania, 1776–1860*. Cambridge: Harvard University Press.

Hilkey, Judy. 1997. *Character Is Capital: Success Manuals and Manhood in Gilded Ages America*. Chapel Hill: University of North Carolina Press.

Hofstadter, Richard. 1955. *Social Darwinism in American Thought*. Rev. ed. Boston: Beacon Press.

Horwitz, Morton J. 1992. *The Transformation of American Law, 1870–1960: The Crisis of Legal Orthodoxy*. New York: Oxford University Press.

Hounshell, David A. 1984. *From the American System to Mass Production, 1800–1932: The Development of Manufacturing Technology in the United States*. Baltimore: Johns Hopkins University Press.

Hovenkamp, Herbert. 1988. "Regulatory Conflict in the Gilded Age: Federalism and the Railroad Problem." *Yale Law Journal* 97:1017–72.

Huffman, Wallace E. 1998. "Modernizing Agriculture: A Continuing Process." *Daedalus* 127 (Fall): 159–86.

Hughes, Thomas P. 1989. *American Genesis: A Century of Invention and Technological Enthusiasm, 1870–1970*. New York: Viking.

Israel, Paul. 1992. *Machine Shop to Industrial Laboratory: Telegraphy and the Changing Context of American Invention, 1830–1920*. Baltimore: Johns Hopkins University Press.

———. 1998. *Edison: A Life of Invention*. New York: John Wiley and Sons.

Jaffe, Adam B., and Josh Lerner. 2004. *Innovation and Its Discontents: How Our Broken Patent System Is Endangering Innovation and Progress, and What to Do about It*. Princeton: Princeton University Press.

James, John A. 1976. "The Development of the National Money Market, 1893–1911." *Journal of Economic History* 36:878–97.

Josephson, Matthew. 1934. *The Robber Barons: The Great American Capitalists, 1861–1901*. New York: Harcourt, Brace and World.

Kaestle, Carl F. 1983. *Pillars of the Republic: Common Schools and American Society, 1780–1860*. New York: Hill and Wang.

Kens, Paul. 1998. *Lochner v. New York: Economic Regulation on Trial*. Lawrence: University of Kansas Press.

Khan, B. Zorina. 1996. "Married Women's Property Laws and Female Commercial Activity: Evidence from United States Patent Records, 1790–1895." *Journal of Economic History* 56:356–88.

Kim, Sukkoo. 1995. "Expansion of Markets and the Geographic Distribution of Economic Activities: The Trends in U.S. Regional Manufacturing Structure, 1860–1987." *Quarterly Journal of Economics* 110:881–908.

Kirkland, Edward Chase. 1956. *Dream and Thought in the Business Community, 1860–1900*. Ithaca, NY: Cornell University Press.

Klepper, Steven. 2007. "The Organizing and Financing of Innovative Companies in the Evolution of the U.S. Automobile Industry." In *Financing Innovation in the United States, 1870 to the Present*, ed. Naomi R. Lamoreaux and Kenneth L. Sokoloff, 85–128. Cambridge: MIT Press.

Kolko, Gabriel. 1965. *Railroads and Regulation, 1877–1916*. Princeton: Princeton University Press.

Kuhn, Arthur K. 1912. *A Comparative Study of the Law of Corporations with Particular Reference to the Protection of Creditors and Shareholders*. New York: Columbia University.

Kwolek-Folland, Angel. 1998. *Incorporating Women: A History of Women and Business in the United States*. New York: Twayne.

Laird, Pamela Walker. 2006. *Pull: Networking and Success since Benjamin Franklin*. Cambridge: Harvard University Press.

Lamoreaux, Naomi R. 2006. "Did Insecure Property Rights Slow Economic Development? Some Lessons from U.S. History." *Journal of Policy History* 18:146–64.

———. *The Great Merger Movement in American Business, 1895–1904*. New York: Cambridge University Press, 1985.

———. 1994. *Insider Lending: Banks, Personal Connections, and Economic Development in Industrial New England*. New York: Cambridge University Press.

Lamoreaux, Naomi R. Margaret Levenstein, and Kenneth L. Sokoloff. 2006. "Mobilizing Venture Capital during the Second Industrial Revolution: Cleveland, Ohio, 1870–1920." *Capitalism and Society* 1, no. 3, article 5, http://www.bepress.com/cas/vol1/iss3/art5/.

———. 2007. "Financing Invention during the Second Industrial Revolution: Cleveland, Ohio, 1870–1920." In *Financing Innovation in the United States, 1870 to the Present*, ed. Lamoreaux and Sokoloff. Cambridge: MIT Press. Pp. 39–84.

Lamoreaux, Naomi R., and Jean-Laurent Rosenthal. 2006. "Corporate Governance and the Plight of Minority Shareholders in the United States before the Great Depression." In *Corruption and Reform: Lessons from America's Economic History*, ed. Edward L. Glaeser and Claudia Goldin, 125–52. Chicago: University of Chicago Press.

Lamoreaux, Naomi R., and Kenneth L. Sokoloff. 1999. "Inventors, Firms, and the Market for Technology in the Late Nineteenth and Early Twentieth Centuries." In *Learning by Doing in Firms, Markets, and Countries*, ed. Naomi R. Lamoreaux, Daniel M. G. Raff, and Peter Temin, 19–57. Chicago: University of Chicago Press.

———. 2003. "Intermediaries in the U.S. Market for Technology, 1870–1920." In *Finance, Intermediaries, and Economic Development*, ed. Stanley L. Engerman, Philip T. Hoffman, Jean-Laurent Rosenthal, and Kenneth L. Sokoloff, 209–46. New York: Cambridge University Press.

———. 2007. "The Market for Technology and the Organization of Invention in U.S. History." In *Entrepreneurship, Innovation, and the Growth Mechanism*, ed. Eytan Sheshinski, Robert J. Strom, and William J. Baumol, 213–43. Princeton: Princeton University Press.

———. 2009. "The Rise and Decline of the Independent Inventor: A Schumpeterian Story?" In *Challenge of Remaining Innovative: Lessons from Twentieth Century American Business*, ed. Sally Clarke, Naomi R. Lamoreaux, and Steven W. Usselman, 43-73. Stanford: Stanford University Press.

Law, Marc T., and Gary D. Libecap. 2004. "The Determinants of Progressive Era Reform: The Pure Food and Drugs Act of 1906." In *Corruption and Reform: Lessons from America's Economic History*, ed. Edward L. Glaeser and Claudia Goldin, 319–42. Chicago: University of Chicago Press.

Libecap, Gary D. 1979. "Government Support of Private Claims to Public Minerals: Western Mineral Rights." *Business History Review* 53:364–85.

Lipartito, Kenneth. 2009. "Rethinking the Invention Factory: Bell Laboratories in Perspective." In *The Challenge of Remaining Innovative: Lessons from Twentieth Century American Business*, ed. Sally Clarke, Naomi R. Lamoreaux, and Steven W. Usselman, 132-60. Stanford: Stanford University Press.

Livermore, Shaw. 1935. "The Success of Industrial Mergers." *Quarterly Journal of Economics* 50:68–96.

Livingston, James. 1986. *Origins of the Federal Reserve System: Money, Class, and Corporate Capitalism, 1890–1913*. Ithaca, NY: Cornell University Press.

Livesay, Harold C. 1975. *Andrew Carnegie and the Rise of Big Business*. Boston: Little, Brown.

Martin, Albro. 1971. *Enterprise Denied: Origins of the Decline of American Railroads, 1897–1917*. New York: Columbia University Press.

McCurdy, Charles W. 1979. "The *Knight* Sugar Decision of 1895 and the Modernization of American Corporate Law, 1869–1903." *Business History Review* 53:304–42.

Merton, Robert K. 1971. "The Latent Functions of the Machine." In *Urban Bosses, Machines, and Progressive Reformers*, ed. Bruce M. Stave, 27–37. Lexington, MA: Heath.

Meyer, Peter B. 2003. "Episodes of Collective Invention." BLS Working Paper No. 368.

Menes, Rebecca. 2006. "Limiting the Reach of the Grabbing Hand: Graft and Growth in American Cities, 1880 to 1930." In *Corruption and Reform: Lessons from America's Economic History*, ed. Edward L. Glaeser and Claudia Goldin, 63–93. Chicago: University of Chicago Press.

Miller, William. 1962. *Men in Business: Essays on the Historical Role of the Entrepreneur*. New York: Harper and Row.

Misa, Thomas J. 1995. *A Nation of Steel: The Making of Modern America, 1865–1925*. Baltimore: Johns Hopkins University Press.

Mowery, David. 1995. "The Boundaries of the U.S. Firm in R&D." In *Coordination and Information: Historical Perspectives on the Organization of Enterprise*, ed. Naomi R. Lamoreaux and Daniel M. G. Raff, 147–76. Chicago: University of Chicago Presss.

Mowery, David C., and Nathan Rosenberg. 1989. *Technology and the Pursuit of Economic Growth*. New York: Cambridge University Press.

Navin, Thomas R., and Marian V. Sears. 1955. "The Rise of a Market for Industrial Securities, 1887–1902." *Business History Review* 29:105–38.

Neal, Larry. 1971. "Trust Companies and Financial Innovation, 1897–1914." *Business History Review* 45:35–51.

Neal, Larry, and Lance E. Davis. 2007. "Why Did Finance Capitalism and the Second Industrial Revolution Arise in the 1890s?" In *Financing Innovation in the United States, 1870 to the Present*, ed. Naomi R. Lamoreaux and Kenneth L. Sokoloff, 129–61. Cambridge: MIT Press.

Nelson, Richard R., and Gavin Wright. 1992. "The Rise and Fall of American Technological Leadership: The Postwar Era in Historical Perspective." *Journal of Economic Literature* 30:1931–64.

Noble, David F. 1977. *America by Design: Science, Technology, and the Rise of Corporate Capitalism*. New York: Oxford University Press.

Novak, William J. 1996. *The People's Welfare: Law and Regulation in Nineteenth-Century America*. Chapel Hill: University of North Carolina Press.

Olegario, Rowena. 2006. *A Culture of Credit: Embedding Trust and Transparency in American Business*. Cambridge: Harvard University Press.

Olmstead, Alan L., and Paul W. Rhode. 2002. "The Red Queen and the Hard Reds: Productivity Growth in American Wheat, 1800–1940." *Journal of Economic History* 62:929–66.

O'Sullivan, Mary. 2004. "What Drove the US Stock Market in the Last Century?" Unpublished paper.
Passer, Harold C. 1953. *The Electrical Manufacturers, 1875–1900*. Cambridge: Harvard University Press.
Peiss, Kathy. 1998. *Hope in a Jar: The Making of America's Beauty Culture*. New York: Metropolitan Books.
Porter, Robert H. 1983. "A Study of Cartel Stability: The Joint Executive Committee, 1880–1886." *Bell Journal of Economics* 14:301–14.
Reich, Leonard S. 1977. "Research, Patents, and the Struggle to Control Radio: A Study of Big Business and the Uses of Industrial Research." *Business History Review* 51:208–35.
———. 1980. "Industrial Research and the Pursuit of Corporate Security: The Early Years of Bell Labs." *Business History Review* 54:504–29.
———. 1985. *The Making of American Industrial Research: Science and Business at GE and Bell, 1876–1926*. New York: Cambridge University Press.
———. 1992. "Lighting the Path to Profit: GE's Control of the Electric Lamp Industry, 1892–1941." *Business History Review* 66:305–34.
Roy, William G. 1997. *Socializing Capital: The Rise of the Large Industrial Corporation in America*. Princeton: Princeton University Press.
Sandage, Scott A. 2005. *Born Losers: A History of Failure in America*. Cambridge: Harvard University Press.
Schmookler, Jacob. 1966. *Invention and Economic Growth*. Cambridge: Harvard University.
Schumpeter, Joseph A. 1934. *The Theory of Economic Development: An Inquiry into Profits, Capital, Credit, Interest, and the Business Cycle*. Trans. Redvers Opie. Cambridge: Harvard University Press.
———. 1942. *Capitalism, Socialism, and Democracy*. New York: Harper.
Skeel, David A., Jr. 2001. *Debt's Dominion: A History of Bankruptcy Law in America*. Princeton: Princeton University Press.
Sokoloff, Kenneth L. 1988. "Inventive Activity in Early Industrial America: Evidence from Patent Records, 1790–1846." *Journal of Economic History* 48:813–30.
Stave, Bruce M., ed. 1972 *Urban Bosses, Machines, and Progressive Reformers*. Lexington, MA: Heath.
Stevens, Edward W., Jr. 1995. *The Grammar of the Machine: Technical Literacy and Early Industrial Expansion in the United States*. New Haven: Yale University Press.
Summers, Mark Wahlgren. 1993. *The Era of Good Stealings*. New York: Oxford University Press.
Taylor, George Rogers. 1951. *The Transportation Revolution, 1815–1860*. White Plains, NY: M. E. Sharpe.
Temin, Peter. 1964. *Iron and Steel in Nineteenth-Century America: An Economic Inquiry*. Cambridge: MIT Press.
Trachtenberg, Alan. 1982. *The Incorporation of America: Culture and Society in the Gilded Age*. New York: Hill and Wang.
Ulen, Thomas S. 1980. "The Market for Regulation: The ICC from 1887 to 1920." *American Economic Review* 70:306–10.
Usselman, Steven W. 1991. "Patents Purloined: Railroads, Inventors, and the Diffusion of Innovation in 19th-Century America." *Technology and Culture* 32:1047–75.
———. 2002. *Regulating Railroad Innovation: Business, Technology, and Politics in America, 1840–1920*. New York: Cambridge University Press.
Vogel, David. 1981. "The 'New' Social Regulation in Historical and Comparative Perspective." In *Regulation in Perspective: Historical Essays*, ed. Thomas K. McCraw, 155–85. Cambridge: Harvard University Press.

Walker, Juliet E. K. 1998. *The History of Black Business in America: Capitalism, Race, Entrepreneurship*. New York: Twayne.
Wallis, John Joseph. 2006. "The Concept of Systematic Corruption in American History." In *Corruption and Reform: Lessons from America's Economic History*, ed. Edward L. Glaeser and Claudia Goldin, 23–62. Chicago: University of Chicago Press.
West, Robert Craig. 1974. *Banking Reform and the Federal Reserve, 1863–1923*. Ithaca, NY: Cornell University Press.
White, Eugene Nelson. 1982. "The Political Economy of Banking Regulation, 1864–1933." *Journal of Economic History* 42:33–40.
———. 1983. *The Regulation and Reform of the American Banking System, 1900–1929*. Princeton: Princeton University Press.
White, Richard. 2003. "Information, Markets, and Corruption: Transcontinental Railroads in the Gilded Age." *Journal of American History* 90:19–43.
Wilkins, Mira. 1992. "The Neglected Intangible Asset: The Influence of the Trade Mark on the Rise of the Modern Corporation." *Business History* 34:66–95.
Wills, Jocelyn. 2003. "Respectable Mediocrity: The Everyday Life of an Ordinary American Striver, 1876–1890." *Journal of Social History* 37:323–49.
Wise, George. 1985. *Willis R. Whitney, General Electric, and the Origins of U.S. Industrial Research*. New York: Columbia University Press.
Wyllie, Irvin G., 1954. *The Self-Made Man in America: The Myth of Rags to Riches*. New Brunswick, NJ: Rutgers University Press.
Yeager, Mary. 1981. *Competition and Regulation: The Development of Oligopoly in the Meat Packing Industry*. Greenwich, CT: Jai Press.
———. 1999. *Women in Business*. Cheltenham, UK: Elgar.

第十四章 美国的企业家精神：1920—2000年

玛格丽特·格雷厄姆

20世纪美国经济的“卓尔不群”，就在于大型一体化公司中的企业家对技术的充分利用。起初，这完全是私营部门的现象，随后伴随着联邦政府越来越多的干预。[①] 到20世纪70年代，美国经济中的所有部门，不管是公共部门还是私营部门、营利部门还是非营利部门，无不受这一体制的影响。甚至娱乐和通信等非制造业部门，也被打上了科技进步和受管制的工业化的烙印，正是后者巩固了第二次工业革命的成果。[②]

但是，对20世纪美国历史更仔细的研究得出了一幅比单纯的巨头公司统治复杂得多的画面。[③] 甚至明显的创新制度化，如同一台安装在大型企业网络中的依靠互补机构提供支撑的永动机，也只是这个复杂故事的一部分。[④] 较不明显但仍重要的是小型创业企业和个体发明家兼企业家的活动，不过他们常常和大公司携手合作。尽管被路易斯·高隆博什（Louis Galambos）称为“组织合成”（organizational synthesis），并依赖相关专业人才、管理人员、科学家和政府官僚的连锁官僚机构可能已成为20世纪绝大多数时期美国经济的主导模式，但美国体制推陈出新的推动力建立在企业家和企业（可称

---

① Servan-Schreiner（1968）、Galbraith（1967）、Thurow（1999）、Chandler和Cortada（2000）。奇怪的是，除了作为研发资助者外，Chandler和Cortada并未重视政府的角色。

② Gerben Bakker（2003）指出了娱乐产业作为不受管制但仍部分受以往经济情况影响的例子。

③ Alfred D. Chandler（1977）在《看得见的手》（*The Visible Hand*）中将大企业统治描述为美国工业中唯一重要的方面，这在最近受到了多方挑战：一方面是Philip Scranton（1997），另一方面是Naomi Lamoreaux、Daniel M. G. Raff和Peter Temin（2003）。

④ Lance Davis和Larry Neal（2007）坚持认为，大企业和小企业的混合体系解释了第二次和第三次工业革命的时机问题。

之为法人企业家）之间的互补关系上，前者富于创新精神，后者积极进取。[⑤]

到20世纪初，大企业已纷纷涌现（如我们在第十三章所了解到的），不过，其中有许多并未实现“公司化”。如历史学家奥利弗·聪茨等人（Olivier Zunz、David Hounshell 和 JoAnne Yates）已详细描述的，美国的公司化采取了官僚化不断加深的形式，主要表现为标准化生产、信息流控制、非人格化资本投资和文化同质化。[⑥] 第一次世界大战的结束使生产力获得了极大解放，导致了科学管理（特别是）在大企业、大企业的供应商以及工会等机构合作者中的系统性应用。[⑦] 大型工业化企业的制度化本身也带来了一些新的经济协作形式，如研发一体化、公司间联盟以及政府管制程度的不断提高（Galambos 和 Pratt，1988）。这些变化共同导致了美国创新体系的部分失效，由此带来的短期结果就是技术创新的流水线化，并将之上升为国家优先事项。这个高度一体化和片段化的创新体系，并未完全激发出个体企业家的潜能，但它形成的创业环境不同于我们在前面章节所看到的开放的创新体系。该创新体系的重新开放伴随着信息技术的传播和20世纪末达到顶峰的第三次工业革命，而这并非巧合。

一、创新是20世纪版的企业家精神

《牛津英语词典》显然认为奥地利经济学家约瑟夫·熊彼特于1939年最早把“创新”一词当作基本创业行为使用，因为20世纪上半叶，“企业家”

---

⑤ Eric S. Hintz（2007）注意到，整个20世纪50年代，将近50%的专利仍被授予公司外部的独立发明者。

⑥ Zunz（1990）、Hounshell（1984）和 Yates（1989）。Olivier Zunz 认为，Thorstein Veblen 在《工程师与价格体系》（*Engineers and the Price System*，1921）中指责公司金融将公司管理引向了一种受限于工程师的官僚主义做法。Veblen 把工程师和企业家（他认为他们同利润动机息息相关）看成内在相对立的，并把泰勒主义（Taylorism）看作是将“技术人员”从金融首脑中解放出来的一种手段。Zunz 注意到 Veblen 并未考虑诸如 Henry Ford 等我们称作发明型企业家的“多面手”。

⑦ Aitken（1960，第237页）。尽管在一些早期试验后，政府兵工厂的工会组织抵制科学管理，但“一战”后，它们开始接受科学管理，并将之视为能使劳资合作大幅提高生产率的途径。参见 Robert Kanigel（1997）的研究，作者表明“一战”期间泰勒主义已开始体现在美国的制造业中，且在此后以燎原之火的速度扩散。

这一术语已和科学创新密切相关。熊彼特式企业家的角色是，提供协调和努力，以使新工艺或新产品能达到应用和商业化，但他们不一定提供资本。对熊彼特这样一位 20 世纪美国经济的睿智观察家而言，企业家所做的，不管是独立行动还是从属于公司内部，远不止是在变化面前制定决策。他们创造性地对变化做出反应，试图掌控和利用变化服务于自己的目的。尽管熊彼特式企业家不一定拿自己的金钱冒险，但企业家精神天生就是一种冒险活动。从其他方面看，它是如此苦涩和残酷，充满不确定性，只有通过成功带来的金钱收益才能得到证实，有时这种收益甚至极高。

熊彼特起初在描述企业家的时候，将之限制在创造性个体上，但他后来的研究承认一体化大公司的出现改变了美国的创业环境。如果考虑科学研究，最大的不确定性所在就是技术发明。将发明和研究作为公司职能加以整合的企业，有潜力启动破坏性创新，使禀赋稍差的竞争对手处于劣势。它们也有潜力控制其所处行业的技术进步率，且常常设法防止个体企业家打断有序和有利可图的技术发展路径。⑧

二、成功和地位

在美国历史上，没有任何时期对企业家的满腔赞美和崇拜，能比得上 19 世纪八九十年代第二次工业革命或电气化时代。但到“一战”时，电气化革命已进入巩固阶段。它带来的财富与权力在许多地方也和各种各样的反社会活动交织在一起。当政府和公司治理各层面的腐败问题引起公众关注时，进步时代（Progressive Era）的联邦政府制定了一系列社会和监管政策，以图抑制贪婪所带来的更多反社会后果。监管政策也有利于培育稳固的工人阶级和中产阶级，它们既能抵制社会主义又能抗衡团结一致的工会。

在这种背景下，公司采取了更注重现实的风格，更多地同公众情绪和基于科学的效率精神保持一致，并用职业经理人，即“组织人”（organization

⑧　参见 McGraw（2007）。最近 William Lazonick（2007）对创新型企业的理论作了扩展，以用于区分追求最优化的企业和为创新而配置资源的企业，但 Nathan Rosenberg（2000）在其著作的最后一章中强调了以下关键论点，即最激进的破坏性创新是由各方的深入开发来实现的，他们均应被合理地视作创新过程的组成部分，尽管他们可能算不上企业家。也可参见 Reich（1980）。

men）来取代魅力型领导人。集中化的大企业往往由工业政治家掌舵，如通用电气的董事长欧文·扬（Owen D. Young），这类企业在20世纪的商业环境中仍然相当常见，对维系上述社会阶级起着重要作用（McQuaid，1987）。工业政治家是德高望重者，往往具有大学学历，拥有广泛的社会和政治人脉，这一角色很少对企业家开放。崛起为工业政治家的一些人，如英国移民、电学先驱及20世纪20年代电气工业的领军者塞缪尔·英萨尔（Samuel Insull），因傲慢自大而身败名裂。[9] 在20世纪剩下的绝大多数时间里，“企业家”一词被赋予了负面意义，指代那些极有可能破坏高度一体化组织的怪人。[10]

新的社会景象由其他因素共同塑造，包括财政政策使社会财富分配差距不断缩小，以及更多普通人掌握了合理的技能。众所周知的“大压缩”（great compression）缩小了美国最高收入和最低收入群体之间的差距，降低了私人投资资本的集中度，同时也增强了联邦政府的财政实力。联邦所得税，最早于1913年向最高收入群体征收，帮助巩固了中产阶级群体。如所得税记录所反映的，最高收入百分比人群的收入从“一战”前占总申报收入的18%下降到“二战”初期的8%。在最富裕群体的边际税率被提高到80%，以便为战争行动提供资金支持后，收入不平等降到了20世纪的最低水平，并一直稳定地持续到了20世纪60年代（Piketty和Saez，2003）。收入政策的变化，如累进所得税、遗产税和公司所得税，可以部分解释“20世纪中叶的收入差距下降”，不过，公司所得税也降低了应付股息总额。大工会、大公司和政府项目支持了工薪阶层和中产阶级群体的工资水平（Fischer，1996，第202—203页）。

20世纪70年代收入差距扩大标志着新技术革命，即信息革命的出现。[11] 对某些人而言，收入差距再次扩大可以用工薪阶层和代表他们利益的工会未能很好地掌握技术变革所需的新技能来解释；对其他人而言，则反映了个体企业家精神及其报酬的增加（Reich，1991）。收入差距的再次扩大也反映了

---

⑨ 塞缪尔·英萨尔以作为托马斯·爱迪生的秘书开始其职业生涯，后来逐渐成为一名重要的电力创新者和芝加哥创业圈子的组织者，以及其所在行业的领军者；他在大萧条时期成了替罪羊，在受到证券欺诈的指控并被判无罪释放后，于穷困潦倒中死去。

⑩ Yergin和Stanislaw（1998）。有效合理地管理持异见者成了创新型企业的标志，参见Graham和Shuldiner（2001）。

⑪ B. M. Friedman（2007）对这一观点及其社会影响作了总结。

一波波金融创新浪潮的影响，这些金融创新通过各层次投资的非人格化和自主化将信贷扩展至越来越少的受限群体。

对企业家的社会态度和收入不平等曲线的走势相一致。从维多利亚时代晚期到“喧嚣的二十年代”（Roaring Twenties），通过企业家精神获得的财富或诸如娱乐等其他形式的成就，为社会名流的地位提供了支撑，但如薇拉·凯瑟（Willa Cather）和菲茨杰拉德（F. Scott Fitzgerald）的小说所描述的，随之而来的物质主义和道德沦丧既受到了社会的赞美也遭到了非议。[12] 在经历“二战”的共同牺牲后，个人权力和财富开始受到质疑，大型组织——不管私营的还是公共的、民用的还是军用的——的领导者获得了更高的社会地位，因为他们知道如何使这些组织更具生产力（Farber，2002）。到 20 世纪 90 年代，情况发生了逆转，企业家频频出现在《时代》杂志封面上。最富裕群体再次掌控了超出 11% 的国家年收入。但这一次，最高纳税群体中只有相对较少的财富归功于食利者。由于包括股票期权在内的高管薪酬的惊人增加，从金融创新活动中获得报酬的人，如风险资本家、对冲基金经理和私募股本合伙人的收入大幅上升，这一次的财富增加更多地归于工作的富裕阶层，而他们通常又把自己的钱投资于创业企业。

三、企业家精神发展的环境和条件

1920—2000 年的企业家精神由三段截然不同的发展时期组成。第一段是 1920—1941 年两次世界大战之间的金融混乱时期，以生产率的下降及其对失业的影响为特征，以美国被正式卷入“二战”为结束。[13] 对企业家精神而言，该时期非常动荡，随着许多新创公司在大萧条之前和大萧条时期的迅速崩溃，20 世纪 20 年代发展迅猛的行业出现了大量机会。从“二战”到始于越南战争的长期通货膨胀（1941—1974）是第二段时期，该时期虽经历了持续不断

---

[12] F. S. Fitzgerald 于 1925 年出版的小说《了不起的盖茨比》（*The Great Gatsby*）中，男主角既崇拜财富和爵士时代的魅力，又对其中的物质主义和道德深感不安。类似的态度也可在同一年 Willa Cather 出版的小说《教授的房子》（*The Professor's House*）中的主角身上找到。

[13] Szostak（1995）。关于生产率提高是大萧条的成因之一，今天的经济学家不乏争议，但他们很少否认生产率进步使传统行业出现了工作净损失，当代观察家认为对效率的痴迷已导致了过度供给的状况。参见 Rhodes（1999）。

的国家动员，却也实现了相对稳定的强调最优化的经济均衡。该时期创新并不是大公司的重要优先事项，或者在许多行业受到高度欢迎，但军方所需的特定“高科技”企业及能将军事技术转化为民用产品的“交叉行业”除外。1975—2000年间为第三段，以伴随全球化而来的信息革命的蓬勃发展为特征，两者共同组成了第三次工业革命。该阶段见证了许多不同经济部门创业机会的复苏，特别是信息技术和新消费品领域。该阶段始于以“滞涨”为特征的经济衰退，继之于一场金融制度革命，而这场革命又以一系列金融泡沫告终：如电信行业崩溃、互联网狂热以及21世纪之交发展而成的次贷危机。上述企业家精神的各个发展阶段都以其自身的独特制度发展为特征，且三段时期的企业家精神都是当时环境的一个重要而又独特的组成部分。

四、1920—1941年的第一段时期：寻求经济的自我调节

20世纪20年代，经济产出不断上升，直至1929年达到了1940年为“二战”提高产能之前未再达到过的水平。这一成就是有意识地致力于合理化和提升效率的结果。除了生产率外，重要的贡献因素还包括产生了新型消费的各种社会因素，如社会流动和郊区化、越来越多的人口拥有了更多的可支配收入以及休闲时间（Bakker，2003；Melosi，2000，第206—207页）。尤其受益于这些因素的是一些大型高增长行业，这些行业在世纪之交以技术开发起家，利用战时需求和金融进步，在战后实现了规模扩张。这些行业包括：交通领域的两大新兴行业——飞机和汽车制造，以及参与这两大新兴行业的基础设施建造商、原材料和零部件供应商；电气化行业，主要由电动设备、电影业及改变了娱乐和广告业的电子消费产品等构成。推动这些行业发展（不管技术还是资金上）的企业家，如电气先驱者和大城市电力公司的公认领军者塞缪尔·英萨尔，已将他们战前活动的大量收益用于投资。在20世纪20年代的高增长行业中，标志性的增长行业是无线电，它为企业家特别是富于发明精神的企业家带来了各种各样的机会。若19世纪发明者能得到资助的行业是电报和铁路，则20世纪发明者能得到资助的行业则是汽车、飞机制造、家用和工业电气设备及娱乐，特别是电影和无线电。它们当中，无线电及其衍生出来的电子设备是创业机会的最大来源。

（一）无线电：发明与创新

无线电技术基础被认为既有军事战略性又对日常民用颇为重要，从这个意义上说，它是以科学为基础的产业和“交叉”产业的结合体。出于该原因，美国政府在“一战”时期进行了干预，以确保无线电技术不被知识产权争端所“绑架”，因为在此前的时期，知识产权争端曾困扰着无线电技术和其他新兴技术。这类干预的特征是对美国马可尼（American Marconi）的接管并将之重组成通用电气的子公司——美国无线电公司（RCA），该公司的设立旨在管理通用电气、西屋电气、美国电报电话公司和联合水果公司（United Fruit）的专利池（Aitken，1976；Chandler，2001，第 2 章；Reich，1977）。该行业的发展得到了这一时期重大社会运动的推动。例如，前几十年的移民汇聚是一个关键增长因素，因为非英语移民群体通过无线电这种新媒介来了解新移居地的社区、娱乐及其他信息（Graham，2000，第 149—150 页）。

“一战”前，无线电主要作为一种点对点（即船到岸）的通信媒介，但其发展得到了成千上万业余无线电运营商的推动，后者帮助开发出了无线电艺术并在“一战”前和“一战”时贡献了许多方面的专业知识（Douglas，1987）。从 1920 年匹兹堡设立的 KDKA 无线电台开始，无线电演变成了广播。到 1930 年，有近 1400 万美国家庭安装了广播，其采用率远高于电气化和电话。广播和电影这两种技术上可行的娱乐形式，均满足了对其使用的迅速增长，尽管收音机的销售量先后在 1926 年和大萧条时期出现大幅下降。对企业家而言，同无线电相关联的机会包括收音机以及专供经销商和维修店、广告商、公关公司和娱乐提供商的电子元件设计与生产。尽管活跃于无线电行业的公司数量在 20 世纪 20 年代中期和 30 年代初的行业洗牌中急剧减少，但少数新创企业幸存了下来，并成为辅助设备的大型供应商。给无线电行业的企业家精神发展造成阻碍的一个因素是前文提到的美国无线电公司对无线电相关专利的控制，它要求所有无线电生产商都必须获得“专利包”许可证，而不管这些生产商能否利用这些“专利包”。这对规模较小的企业是重大负担，对通用电气和西屋电气等电气公司对元件制造和供应的控制而言亦然（McLaurin，1949）。

（二）混乱与创新

“喧嚣的二十年代”不仅同突然增长的行业有关，疯狂的繁荣也掩盖了其他形式的经济混乱，后者反过来又促使老牌公司往往通过同创业企业建立关系来采取应对性的创新举措。虽然总产出有所增加，但是在采矿业、钢铁、制鞋、家用品和服装生产等以往较稳定的部门，就业人数出现了下降。[⑭] 受战争年代机械化进展迅猛的刺激，公司利用电力来取代人力，并探索出了内燃机在交通运输和农业中的新用途。当家庭雇工和农场工人到制造业企业和政府机关就职时，家庭和农场引进了新的劳动节约型设备。由于公司试图隔离外部变化，在公司层面出现了一场新的合并运动。许多获得必要融资的企业收购了其他企业，特别是竞争对手企业和供应商。然而，即使在各类产业联合中脱颖而出的公司，也不能只凭规模获得进一步发展，它们中的绝大多数不再能依靠以往供给市场的商品维持生存。为了引进新鲜血液，许多公司积极“拥抱”社会需求，如伴随1918年流感疫情而来的清洁家庭运动，或者利用家政学等新的科学基础来更新观念。

像20世纪20年代末广为人知的那样，跟上“美国新节奏”（The New American Tempo）并非轻而易举。有学者表明，为了吸引更广泛的客户群体，为了同新房和汽车购买抢夺居民消费支出，即使最老字号的公司也不得不改变它们的产品线，并且通常以创新为手段。公司加入了新的专业知识，如设计，并同客户建立新型反馈机制。科勒公司（Kohler，现为美国第三大卫浴公司）这样的创业企业，废弃了由传统水管工和管道供应承包商主导的老式分销渠道，通过整合样品间、设计师和色彩专家来直接吸引客户（Blaszczyk，2000）。特种玻璃公司康宁玻璃公司（Corning Glass Works）原来只向实验室出售耐热玻璃器皿，现在开始推行多样化，与不同市场建立联系，以此来销售可视烤箱器皿和餐具。连不愿以创新面目示人的福特汽车公司，也开始改造其一成不变的T型车，以适应不断变化的消费者需求。[⑮]

人们通常认为，此时的企业家精神有其不同的形态，在许多行业，大企

⑭ Galambos和Pratt（1988）引用了John Kendrick的生产率数据的传统来源。

⑮ Graham和Shuldiner（2001）；Hounshell（1984，第263—277页）。Hounshell指出许多T型车的车主很看重其稳定性，因而要进行较明显的修改颇为棘手。

业和小企业之间都是新型的共生关系。被迫创新的大公司随时都有可能退回到老路上去，但科勒和康宁这样的创业企业吸取了它们在 20 世纪二三十年代的经验教训，通过引进新的产品线或新业务来积极利用经济冲击和剧变。百货商场和连锁店等大型经销商采取了融资、全国性广告、消费者教育计划，以及用分销管理来应对供应全国经济带来的挑战等措施，而较小的设计和生产家庭则采取了更好地联系当地消费时尚需求的策略，同时以较低的价格更有效率地生产更高质量的商品。

尽管（或者也可能是因为）所有企业均狂热地致力于提高效率或在创新和控制之间谋求平衡，但 1929 年的股市大崩盘及随之而来的经济崩溃仍使许多人担心只靠私人部门已不能实现经济秩序。虽然新兴行业，如汽车、飞机制造、电气设备和消费电子产品等创造了新机会，但 20 世纪 30 年代工作岗位仍在大量流失。公众将这点归咎于两件事：金融体系，尤其是股市上发生的滥用公众信任；以及伴随研发制度化而来的为追求效率而无节制地利用新技术。[16]

（三）制度转变：股市与创业基金

股市的发展既促进了高增长行业的快速崛起，又推动了购买力的后续变化。20 世纪 20 年代各种各样的金融创新既为谨慎者也为胆大妄为者创造了大量机会。已发生的重大变化使美国证券市场能为新公司提供可靠的融资。根据玛丽·奥沙利文（Mary O'sullivan）的研究，20 世纪 20 年代的新股发行量远高于美国以往任何历史时期（O'Sullivan，2007）。例如，飞机制造和无线电行业的企业不需企业家自己提供资金就能获得融资。不得不改进自身业务或同其他公司合并的企业，也能获得它们所需的资金支持，而已经合并的企业则可找到融资以收购业内其他公司。若 19 世纪 90 年代的大合并运动旨在组建市场，20 世纪 20 年代的并购运动则旨在改变公司金融结构、发行股票或赎

⑯　参见 Archibald MacLeish 在 1933 年《国家报》（*The Nation*）上的文章，转引自 Rhodes（1999，第 116 页）。MacLeish 描述了大萧条的深层内涵，以试图在生产率论中找到新的解释。也可参见 Pursell（1981）。关于最近对某金融创新者（他的东窗事发极大地刺激了深度萧条时期的银行业监管）的描述，参见《经济学人》杂志的文章“火柴大王”（The Match King），2007 年 12 月 19 日，第 115—117 页。

回股票以提高剩余股份的价值。在“一战”后的合并时期，许多行业中的大公司比小公司更易于获得资本。

除了新形式的股权融资外，债务融资也很重要，因为两次世界大战期间的绝大多数时期美国都维持着较低的利率，这刺激了投资者寻求收益更高的投资。瑞士“火柴大王”伊瓦·克鲁格（Ivar Kreuger）以欧洲政府的名义向试图谋求高收益的不知情的美国投资者出售战后赔款债券大发横财，且被视作慈善家，直到其自杀才披露了他不只是金融企业家，更是个大骗子。[17] 美国小企业往往诉诸借贷来满足资金需求。只有极少数20世纪的企业家像亨利·福特那样，既不想和股市有任何关联又极其讨厌信贷市场（Zunz，1990）。尽管福特在“一战”后的经济衰退时期遭遇了严峻困境，但他并没有陷入负债，因为他的供应商和经销商都乐于帮助他。但是，豪恩谢尔（1984）认为，福特坚信，赊销（信用销售）对消费者有害，并“坚决拒绝将消费信贷看作合理的消费工具”。

成本低廉的消费信贷为购买郊区新房产和相关耐用商品提供了资金。城镇反过来发行自己的债券，以筹集资金投资于所有新社区和业主所需要的基础设施建设。中产阶级消费者借债购置汽车和房产的行为，将其储蓄转换成投资的行为都是受到鼓励的。许多人花光了他们的低息银行存款，将储蓄投入股市。尽管20世纪初，此类消费和投资可广泛获得信贷，但到20世纪20年代末，所有形式的投资都变得成本高昂。

银行业被认为是一个不适宜合并（至少是跨州银行合并）的行业。但像其他企业一样，银行也意识到了全国性市场的发展机遇，试图采取措施获得利用规模优势所必备的规模。银行业企业家马里纳·埃克尔斯（Marriner Eccles）后来成了富兰克林·罗斯福执政时的美联储主席，他最早创立了一家银行控股公司，该行在特拉华州获得特许状，收购并拥有不止一个州的多家银行，并使它们紧密地整合在一起，以获得东部地区的银行业务、规模经济和巨额资本（Hughes，1986）。

但随着高增长行业的合并不断发生，市场上能找到的绩优股（蓝筹股）数量大幅下降，已发行股票的价格因此节节攀升。当普通投资者不再买得起

---

[17] “The Match King.”

许多高价股时，一些创业投资公司从英国引进了投资信托，以给小投资者提供多样化持有股票的机会。绝大多数提供这种信托的资产管理公司很快就遭到了失败，但 JP 摩根、高盛、波士顿独立万通（Boston-based independents Mass Mutual）和先锋（Pioneer）等少数公司幸存了下来。于是，新型共同基金行业、创业管理公司和独立的金融企业家由此诞生。

（四）萧条阻碍了创业活动

如前文所示，伴随 1929 年股市大崩盘而来的大萧条，暴露并加剧了各种经济缺陷，如过度扩张和杠杆化企业的溃败倒闭、银行业机构的相互关联和股市信贷的唾手可得。学术界对大萧条的起因仍争论不休，但大萧条的结果之一便是需求发生了变化，以及普通民众的购买力显著下降。在 1929 年 11 月 21 日胡佛总统召集的一场工业巨头会议上，亨利·福特观察到，“美国产出已相当于并超过的不是美国人民的消费力，而是他们的购买力”（McElvaine，2003）。自相矛盾的是，中上阶层却获得了较他们以往相对更大的购买力（Szostak，1995）。1929 年至“二战”爆发前的 10 年里，并非一贫如洗的普通消费者虽然继续购买商品和服务，但许多人的消费是由另一项金融创新推动的，该创新就是金融和工业巨头通用汽车公司引进的分期付款计划。经历前 10 年的混乱和财富毁灭后，分期付款计划提供了一种颇具吸引力且安全可靠的财政约束。

持续的战时萧条对美国经济随后的走势产生了持久影响。倡导新政的民主党承诺联邦政府将解决失业和经济动荡问题，由此入主白宫。联邦政府着手调整经济中的重要领域并提供资金，先是《国家复兴法案》时期的公共工程，随后主要是国防支出。在所谓的“第二次新政”中，罗斯福政府还转向了严厉执行反垄断立法（此前它们大多是一纸空文，并未得到很好的实施），以及改变其他监管措施。

20 世纪 20 年代的无序增长伴随着新行业迅猛增长以及大量新技术和管理方法的引进，为个体企业家精神提供了一个极好的环境，20 世纪 30 年代的条件不仅相当不利于创办新企业，且使新创企业的存活率大大下降。除了不易获得资金外，日益增加的监管负担使一家自力更生的企业更难实现最小有效规模。许多由投资企业家掌控的企业要么被大企业收购，要么被它们逐出竞争市场。企业（特别是中小规模的）破产越来越频繁，并于 1933 年达到顶峰，直到“二战”前仍维持在高位。大多数情况下，罗斯福新政中实施的一些试图调整经济复苏的零散努力止步不前，一开始就带来了担忧和悲观情绪（Raff，1991；Hughes，1986）。

未过度举债的大企业能更好地抵抗长期低迷，许多这样的企业开始抓住机会寻求创业机会或扶持创业企业。[18] 对管理得当的公司而言，大萧条为它们的新型创业提供了机会，使其可以利用研究型发明而非依赖直接需求，来预测并多元化地利用长期商机。[19] 例如，百路驰（BF Goodrich）开始试验人工橡胶，美国无线电公司力图完成可行的电视系统，美铝公司（Alcoa）研制可用于住房和大型建筑物的结构铝，康宁玻璃生产出了新的高纯度玻璃和大型望远镜镜片，杜邦公司则在尼龙和其他人造纤维领域遥遥领先。[20] 对于这些公司和其他许多公司来说，20 年代残酷的需求压力暂时得到缓解，这为它们致力于长期研发新产品和服务提供了机会。虽然有一些企业在设立研究部门不久之后，就因经济原因关停了它们，但那些在大萧条时期保留并经营研发实验室的企业，不仅积累了知识，还获得了技能，这些技能为随后几十年的新业务增长奠定了基础。[21]

20 世纪 30 年代初，许多观察家把大萧条归咎于利用工业研究追求效率的提高。甚至像内政部长哈罗德·伊克斯（Harold Ickes）这样一名罗斯福新政时期的重要人物也认为，技术性失业是发明的一个必然结果（National Resources Science Committee，1937；转引自 Rhodes，1999）。麻省理工学院（MIT）院长卡尔·康普顿（Karl Compton）和贝尔电话公司总裁弗兰克·朱厄特（Frank Jewett）等科学家兼政治家积极反对这种技术悲观主义，并试图说服公众不要简单地把科学、就业和繁荣混为一谈。他们认为，与公众的观点相反，资金充足和组织合理的科学创新是增长的持续推动力，远比托马斯·爱迪生等独立发明家的试错性“想象”要可靠。他们发起运动，宣称工

---

[18] O'Sullivan（2006）。通用电气赎回了自己的部分股份并剥离了其债务负担，西屋电气公司则屡屡过度扩张其自身。

[19] Field（2003）给出了反映这些进展成果的数据。

[20] Blackford 和 Kerr（1996）、Graham（1986）、Graham 和 Pruitt（1990）、Dyer 和 Gross（2001）、Hounshell 和 Smith（1988）。正是观察此类公司，促使熊彼特注意到创新现在主要是大公司的活动。

[21] Mowery 和 Rosenberg（1989）。这与 Alexander J. Field（2003）的以下观点相一致，即尽管失业严峻，1929—1941 年间仍是 20 世纪美国经济进步最快的时期。

业研究在未来经济增长中将起关键作用，试图以此来挽回科学在公众心目中的形象，他们的运动也为大幅提高公司和研究型大学的科研公共经费铺平了道路。[22]

（五）工业研究对企业家的影响

“一战”后，工业研究已实现制度化。这里有两层含义：首先，大公司使内部研究在公司层级制中占有一席之地；其次，企业实验室与其他超越本公司边界的组织形成了一整套关系和实践网络，即所谓的美国国家创新体系。[23]由此导致的密切和互动关系从未完全拒斥以往时代的发明型企业家，但确实将他们放在较不重要的位置，处在大企业和研究型大学形成的更正式的知识网络扩展边界之外。

如第十三章已讨论的，“一战”前的美国，只建立了少数特殊的开拓型公司研发实验室。[24] 根据美国国家研究委员会（NRC）的调查，有 500 多家企业在“一战”结束后的 10 年内成立了企业实验室。[25] 绝大多数人认为，工业研究中的领导地位为“一战”期间的德国带来了巨大优势，特别是在先进的军事物资、武器装备和毒气上。由于内部研发需要大量投资，且在任何行业只有最大的公司才有实力支持它们，已投入研发并愿意分享或许可转让其成果的企业正为整个行业创造着知识资源。联邦政府积极鼓励私人投资于研发活动。特别是在柯立芝执政时期，公司对工业研究提供资金使美国无线电公司这样的技术型企业成为被认可的技术垄断企业（Sturchio，1985）。

若作为一种机构的大公司到 20 世纪 20 年代已变得同质化和单一化，最新流行的公司研发部则不然（Zunz，1990）。工业研究实验室会根据个人魅力及公认的科学成就从国内外招募领导者和一大批杰出的科学家。公司实

---

[22] Edwin F. Mansfield（1968）概述了确保科学家实现充分就业的运动。他引用 Dupree（1957）作为这些事件的原始资料来源。

[23] David C. Mowery 和 Nathan Rosenberg（1993）将研究执行者和制度之间的关系描述为在不同工业化国家以不同的系统性方式得以发展。

[24] Reich（1985）、Wise（1985）、Hounshell 和 Smith（1988）。对美国工业研究演变情况最好且最客观的总结当属 Hounshell（1996）。

[25] 美国国家研究委员会（NRC），1919 年第 16 期、1927 年第 60 期研究简报；Herbert Hoover（1926），转引自 Rhodes（1999）。

验室已不是公司拥有的第一批实验室，也不同于已投入使用的其他实验室。在公司实验室出现前，已经出现了工程实验室、销售实验室、实验工厂、授权实验室、设计工作室和测试实验室。像一代人之前的公司形成时期一样，它们的技术员工包括了来自许多学科和职业的各色人等。早期的实验室对普通员工而言并非遥不可及，也没有神秘到成为客户、授权商和供应商（他们许多都是企业家）的禁区。但是，当公司实验室不断激增且与政府资助的研究越来越相关时，其研发功能便呈现出不同的特征，即越来越远离普通员工和学院化，且不会因为与生产基地的密切关系而受到日常干扰。

20世纪20年代，公司研究实验室同其他工业实验室、大学院系、科学协会以及国家标准局（NBS）和专利局等政府部门建立了联系。[26] 到“二战”时这些网络已得到进一步发展，但仍局限于同政府资助部门和部分研究型大学之间有重要往来，形成了一套自给自足且越来越封闭的一体化创新体系。[27] 经验丰富的发明者和某些大中型公司之间的良好关系延续到了20世纪30年代，但是，随着业余发明者和民间匠人的产品创意颇受高增长行业公司的欢迎，这段“蜜月期”也就随之结束（Hintz，2007；Douglas，1987；Israel，1992，结论部分）。

“一战”后，公司实验室有望为大公司发挥新作用，为大公司战略目的服务，创造长期机会，并充当公司不同部门之间的仲裁者和标准制定者。许多公司实验室掌控了其所在公司的整个研发议程，它们有时会关闭或整合其他实验室，且常常改变他们的做法（Graham和Pruitt，1990）。在某些情况下，一个实验室会变成公司领导者的组织代理人，推动创新的制度化。1951年，美国无线电公司总裁大卫·萨尔诺夫（David Sarnoff）通过兼任公司研究实验室的主管，明确推进创新的制度化。

五、第二段时期：战争与创新体系

对美国的政策制定者而言，“二战”提供了一个有力的例子，说明联邦政府若采取干预和最优化措施则经济可以取得何等成就。通过大型公司实体可

---

[26] David Noble（1977）讨论了这一进展中的关系组合。也可参见Graham（2008）。

[27] David C. Mowery和David J. Teece（1996）对战后工业研究越来越内向的特性作了总结。

以最高效地实现政府指导和最优化，后者反过来可能又依赖甚至起源于较小的创业公司。在始于“二战”的第二段时期，成功的企业家和创业公司必须善于同政客和采购专员打交道，其老道程度令经济史学家乔纳森·休斯（Jonathan Hughes）把他们称为采购企业家。[28] 主要充当政府供应商的大公司被称为“主承包商”，他们主要靠政府研究合约支撑自己的研究，并将较小的项目转包给其他分包商。在军方业务上，主承包商经常充当中介人和保护者，服务于不能处理政府需求的小型创业企业和那些因担心不得不在知识产权上做出妥协而不愿直接和政府打交道的大公司。

将经济导向战时模式的努力，强化了 20 世纪 30 年代末技术依赖型大企业所体现的模式。通用和福特等公司刚刚扭亏为盈，就因准备“二战”和《租借法案》（Lend Lease）而被迫改变工作重点，把产能转到军工生产上。西屋、通用电气和美国无线电公司等拥有研发实验室的大公司，为一些服务于“二战”需求的大型秘密科学项目，如麻省理工学院的雷达项目、哈佛大学的无线电项目、芝加哥大学和洛斯阿拉莫斯市的曼哈顿计划，贡献了它们的工程和研究人员及项目管理的专业知识。这些跨学科项目涉及公司研究员、大学研究员和从其他机构招募的研究员之间的合作研究。他们采用的跨学科方法及其产生的发明成了大学创业的早期形式，且为战后经济发展创造了大量机会。

“一战”时期，战时动员的主要挑战给了制服生产商、食物供应商及军需品和车辆制造商，但“二战”给许多美国制造商带来了更困难的选择。当动员时限较短时，老牌大企业较之小企业具有更明显的优势，且初创企业没有多少反应时间。新的军方采购计划需要技术含量高的产品：从海外或交战国进口的关键原材料的人工替代品，包括制鞋和轮胎用的橡胶及医疗设备和用品的关键材料。面对不可预测的需求，老牌企业可继续生产其常规产品，或者也可选择增加那些有明确军事需求的产品产量，对于后者，政府承诺了新的创新性补偿安排，即“成本加价”补偿。如在橡胶工业，百路驰选择了继续生产橡胶，固特异（Goodyear）则选择成为一家飞机制造商，以回应政府

---

[28] Hughes（1986）。必须意识到这一新的现实，即“二战”后康宁公司最重要的董事之一 Walter Bedell Smith 将军，曾是战时艾森豪威尔将军的首席采购官，并在后来成了盟军机动部队公司（AMF）的董事长。

的国防计划（Blackford 和 Kerr，1996）。公司高管代表他们的公司频繁往返于华盛顿，部分是出于他们的爱国责任，部分是因为他们发现战时生产委员会（WPB）和其他协调机构的服务有助于获得有关当期需求和战后时期可能出现的竞争的有价值信息。但是，正如一些创业企业试图避开政府的知识产权要求一样，由私人承担转向新的军事项目产生的成本，可能意味着持续遭受项目任意中断所造成的严重损失。

备战为知名的新进入企业创造了大量机会，但很少针对小微公司。由于美国军方长期以来偏爱能以大规模和低成本提供物资的大型集中供应商，所以它很自然地会寻找已展示出必要管理和组织技能的新进入企业。钢铁巨头和富兰克林·罗斯福总统的朋友亨利·凯泽（Henry Kaiser）便是一个这样的例子，当政府怀疑美国铝业公司有无能力和意愿满足其各方面的需求时，凯泽被说服去执掌该公司的业务。政府已对美铝公司作为一家垄断企业提出过反垄断诉讼，在这种情况下，该公司似乎不太愿意继续扩大产能。传记作家史蒂文·亚当斯（Steven Adams），将凯泽称为一名新型政府企业家（Adams，1997）。战后和冷战时期涌现的其他类型的企业家都是乔纳森·休斯所谓的采购企业家的变体，如具备国防相关领域专业知识和技能的技术型企业家，以及根据自己的研究项目创建新企业但往往仍保留大学教职的学院型企业家。对于这些新型企业家，政府赞助不仅提供了必备资金和专门知识，而且还提供了稳定、可预测且通常无关乎成本的需求。[29] 当然，其缺点就是由于政府机构中的官僚化以及同他们打交道的公司，逐渐形成了一种锁定效应。

（一）政府角色、均衡与民主化

相比于“二战”前或“二战”时期，“二战”后时期的企业家精神有明显不同。若20世纪30年代的逻辑主要集中于科学创新，即发明能重启经济发展的新产品；战后时期的逻辑是最大化现有工厂的产出。许多战后时期被推向市场的产品，均基于战前时期的发明和开发。为满足意料之外的需求水平和降低成本，必须完善生产工序，特别是消费品领域，产品发明已屈居工

---

[29] Mowery 和 Rosenberg（1989，第123—168页）表明了依托于美国国家科学基金会（NSF）的大学研究经费的大幅增加；1958年通过的《国防教育法案》（NDEA）；以及一些针对供给方面的其他重要立法措施和针对需求方面的集中采购。

艺开发之后（Hayes 和 Abernathy，1980）。

民用经济中的例外是获政府项目资助的旨在提高生活水平和复员军人生产率的产品。例如联邦住房贷款，它使许多人第一次买得起房子，为住房建筑行业创造了大量创业机会，其中尤以大西洋中部地区的莱维顿镇和旧金山的戴利城最为突出，且在全国各地郊区随处可见。对于战后以全职家庭主妇为特征的核心家庭，另一个重要的增长领域是大众娱乐行业，主要是电视和流行音乐唱片。围绕电视广告、电视机制造和唱片制作及代理权和维修服务，涌现出了大量创业机会。

20 年间（1950—1970），70% 的美国劳动力受雇于大公司，为大众消费者提供相对可预测的服务需求。不管这些企业供应钢铁、铝、建筑设备、电视、计算机、化学制品还是电子产品，它们似乎都能维持稳定的均衡并掌控自己的命运。当现有产品面临如此大的需求时，企业为何要冒险去发明新产品呢？毕竟，这是一种被视为自我淘汰的非理性现象。但有一个经济部门的创新市场是无穷无尽的，它便是联邦政府，尤其是军方。

政府的角色：资助“大科学”

“二战”期间形成的“三方架构”（three-way establishment）——政府部门、大学和私营企业的共同演进——在和平时期被果断地纳入了军方的命令控制模式（Balogh，1991；Roland，2001）。最终服务于军方、政府机构和消费品市场的指定技术（designated technologies），通过一套后来被称为“大科学”（Big Science）的新型中介组织体系获得融资。如前文所述，公司研究实验室是该新型创新体系中的一个重要环节。

对政府资源应如何配置、由谁配置持不同意见者展开了激烈的政治辩论，此后的 20 世纪 50 年代基本上实现了众所希望的经济稳定。普通民众认为科学在赢得“二战”方面发挥了关键作用，科学界应继续优先服务于军事方面的优先事项。战前的工业实验室主要集中在工业和消费品行业，包括人造纤维、电话系统、照明设备及摄影和玻璃器皿。在战后时期，国家工业科研能力的一小部分面向民用目的，相当大一部分则被配置到国防应用领域，美国国防部（DOD）和军方各下属机构控制着研究议程。由于国会议员普遍认为最有望保障其选民就业的途径是军方资助，且民众普遍担忧新的国际冲突将持续带来威胁，但在决定哪些科学学科和问题领域将获得、并通过哪些渠道获得资金时，美国国防部仍有最大发言权。他们同样深信美国必须在科学上实现独立自主，并认为集中投资于基础科学知识将在各种新应用领域获得丰厚回报；政府资助被分配到严格规定且相对较狭隘的科学学科和技术领域，它们中许多同大型战时项目有关。经费从三个不同方面转到研究项目执行者手上，即研究型大学、政府实验室及那些围绕新军工产品开展研究的拥有研发实验室的大公司（Graham，1985；Mowery 和 Rosenberg，1989，第 143 页）。冷战时期的许多高科技企业家都起步于某个主导实验室。在东海岸，有林肯实验室、贝尔实验室，它们都和麻省理工学院携手；还有美国无线电公司培养的企业家，他们形成了波士顿 128 号公路的创新集群。在西海岸，联邦政府有一个特殊的发展目标，使许多高科技企业家从生产电子元件的无线电业余爱好者开始起家。众多公司脱颖而出，如瓦里安兄弟（Varian brothers）创立了具有开创性意义的生产微波管的硅谷公司，比尔·休利特和戴维·帕卡德以制造科学仪器起家，后来的罗伯特·诺伊斯和戈登·摩尔离开肖克利西海岸实验室，创设了仙童半导体公司（作为仙童相机公司在东海岸的一个分部），且不久后两人又离开了仙童公司，和安迪·格鲁夫一同创立了英特尔公司（Lécuyer，2006）。

通过主承包商加以协调的国防动员反过来为各式民用企业创造了环境。许多战后时期的设计技术都出现在交叉领域，如飞机和航空电子设备、计算机和控制器、电子和通信以及核能和固体材料。尽管美国的政治经济辩论认为不应由政府决定赢家和输家，但国防预算和未披露的分配到知识界的数百元万美元资金，事实上有选择性地创造了吸引和聚集绝大多数国家动态资源的技术型产业。消费电子产品利用了相同的知识库，并和军事电子产品共享了许多相同的生产工艺。甚至重大基础设施投资都要有国防理由的支持，如国家高速公路系统、包括外语在内的各层级教育投资，所有这些都以某种方式同联邦国防优先事项相挂钩。

当 1957 年苏联发射了世界第一颗人造卫星“斯普特尼克号”（Sputnik），从而使美国政府对国防动员的资助迅猛增加时，政府的科研资助热情开始逐渐消减。艾森豪威尔总统最明确地表达了由此导致的担忧，作为美国“二战”期间最卓越的军事领袖之一，他于 1961 年向全国作告别演说时，提醒人们警惕“军工复合体”（military-industrial complex）在政府议会中不受限制的影响（Kevles，1978，第 393 页）。

驾驭“二战”后日益庞大的政府官僚机构，需要类似于政府企业家精神的组织技能，以具备充当政府承包商的资格。乔纳森·休斯将成功捍卫了联邦心理健康计划的玛丽·斯威策（Mary Switzer）和重塑了美联储的马里纳·埃克尔斯等人物视作政府企业家，他们像瑟曼·阿诺德（Thurman Arnold）改变了联邦反垄断政策那样，有效改变了美国政府的发展进程。尽管他们三人都成功创立了新计划，并找到了使之有效运行的组织手段，但没有一人完全诉诸官僚机构的扩大。三人都力求推动立法，或引入行政实践程序，各个击破华盛顿之外既有的经济和社会力量，以实现他们认为的必要改革。

但是，在 20 世纪剩下的大多数时间里，联邦政府的非军事机构呈扩张之势，它们获得了和平时期采购企业家迫切需要的巨额投资：社会保障、国内税收及后来的美国宇航局（NASA）、医疗补助计划和联邦医疗保险等大型机构的数据处理系统。高科技公司可能不会完全集中在供应政府需求上，但对它们中的绝大多数而言，政府是其全部业务中相当重要和有利可图的一部分。一旦获得政府项目后，业务关系很容易保持，且在成本加价资助模式下风险相当低。在这种情况下，高科技企业成为 20 世纪五六十年代华尔街充满活力的源泉，也就不足为奇了。

在连续不断的防御准备和冷战时期迅猛扩张的联邦政府支出这一背景下，这种性质的政府采购使个人和公司创业比 20 世纪 20 年代更狭隘地进一步聚焦于技术。但在所有设计技术领域，即通信、电子产品、新材料和计算机技术，采购企业家都有着诱人的机会（Mowery 和 Rosenberg，1989；也可参见 Galison 和 Hevly，1992；Galambos 和 Pratt，1988；Dyer，1998；Dyer 和 Dennis，1998）。特别是计算机和基于计算机的技术，后来被统称为信息技术，渗透到了各行各业（Coopey，2004）。虽然计算机的早期使用主要面向导弹开发，但不到 10 年时间，计算机技术便获得了更广泛和更普遍的应用，如政府部门和大型企业的数据处理中心，以及为制造工艺提供的自动化控制系统。

（二）计算机：信息技术革命的基础

尽管所有的大型科学项目都为老牌公司创造了大量创业机会，但它们绝大多数和在美国传统上受管制且被管制理论家归类为“自然垄断”的行业（如电力和通信）有关。在研究设备上，这些大型科学项目也是相当资本密集型的，在开发上，尤其需要巨额投资，如核粒子加速器、核燃料加工设备和核电站，及雷达和收音机专用的电子元件制造。对新进入企业和小型企业来说，创业机会最多的领域主要聚集在一开始以计算器而为人熟知的信息设备周围。

如坎贝尔和阿斯普雷（Aspray）所指出的，最终产生了处于信息革命核心的多层面信息技术产业的技术，建立在20世纪上半叶已形成的统称为系统化管理的技术、系统和实践的庞大网络基础上。但现代计算机本身是一种关键设备，少了它，系统的其余部分将不复存在。计算机的研发最初出于军事目的，战争期间，不同大学的若干组发明家几乎同时“发明”计算机——哈佛的艾肯实验室、麻省理工学院、宾夕法尼亚大学和普林斯顿大学均开发出了所谓电动式计算器的类似版本，这些计算器旨在处理“二战”武器装备所需的复杂计算任务（Yates，2000；Campbell-Kelly 和 Aspray，1996）。

尽管都是学院型企业家，但最早参与计算机研发的发明家很少意识到除了给为此提供资金的武器系统外，这种新型高速计算器可能还有商业应用价值，有许多在计算机面世前就被淘汰。宾夕法尼亚大学摩尔学院的埃克特和莫克利（Eckert and Mauchly）团队是个例外，他们意识到这些设备不仅是数学计算机器，还将使自动化处理大量信息任务成为可能，庞大的信息处理对大公司及迅速扩张的政府部门和机构（它们对信息的要求越来越高）保持正常运行必不可少。在可预见的未来，这种花费了数百万美元研发成本的设备的市场仅限于已雇用了数千名专业人士处理巨量信息的大型组织，或者有性能要求的先进武器系统，其中速度和信息容量至关重要（Yates，2005）。美国曾出现一段5年（1948—1953）的窗口机遇期，当时将计算机设备投入商业运作所需的资金数量足够小，以至于在那些能获得资金且已建立起分销网络的大型老牌企业抢得机遇和建立新产能之前，新进入企业就能站稳脚跟。另一方面，鉴于大企业的技术惯性，若不存在积极行动的新进入企业，大企业是否会如此迅速地进行投资颇值得怀疑。

三类企业很可能涉足新兴计算机产业，即电子公司、商用机器公司和创业型初创企业。第一类企业包括了8家公司（IBM 和其他7家小公司）。它们当中，除了埃克特—莫克利电脑公司外，另两家初创企业是 CRC 和 DEC（数字设备公司）。IBM 是当时旨在帮助其他初创公司实现成功转型的商用机器公司，4家电子公司——美国无线电公司、通用电气、宝来（Burroughs）和收购了埃克特—莫克利的兰德公司——在该行业待得足够长，它们通过创建新企业帮助重塑了计算机行业（Cortada，2000；Fabrizio 和 Mowery，2007；Usselman，2007）。尽管三类企业的规模、经验和禀赋差别极大，但它们都是各自行业的创新者，且配得上创业企业的称谓。

埃克特和莫克利的经历表明各类企业的小企业家，特别是高科技企业家，在战后环境下所面临的困难有多么棘手。其中最主要的困难是确保他们的新创企业能获得融资。由于既需要大量不可预测的资金，又缺乏相信他们产品且愿意掏钱购买的买家，规模不等的早期开发者采取了一种军方合约和商业订购相结合的方式，来为他们机器的初始开发筹措资金。他们均严重低估了该项目成功所需花费的时间和投入的努力以及最大的那些挑战。埃克特和莫克利甚至在战争结束前就曾试图寻求资金赞助，但只能筹集到小额资金，这对研发所需的投入而言远远不够。他们尝试过的筹资对象（绝大多数是老牌企业）中，没有一个愿意资助他们最保守的筹款数目，更不用说他们在实际开发计算机埃尼阿克（ENIAC）中将花费的更巨额的资金。最终，埃尼阿克计算机的商业版获得了一些民用合约的融资支持，但相比于军用合约所能给予的资金，仍然只是很小的一部分。

最终，在 20 世纪五六十年代成功主导了计算机产业的是 IBM 公司，但 IBM 的胜出并非源于它是技术领导者，而是因为它为用户设计出了一套管理和技术支持系统，该系统使用户的计算机投资变得有利可图。几十年间，这套系统像垄断者一样运行，竞争对手不易模仿，且不对外部供应商开放。因此，在 20 世纪 70 年代，当 IBM 同意向外部企业开放其研发部和 IBM 个人电脑等利润较低的产品时，法院判定（针对 IBM 的）反垄断诉讼告一段路。

IBM 孵化了自己的分拆企业家，如曾多年担任 IBM 公司销售主管的罗斯·佩罗（H. Ross Perot），他于 1962 年离开 IBM 并创建了自己的公司——电子数据系统公司（EDS），该公司主要为政府机构提供数据处理服务。20 世纪 80 年代佩罗将电子数据系统公司和通用汽车合并时，他成了亿万富翁。通用汽车公司的高管认为，在通用汽车公司内部工作的电子数据系统公司员工的创业行为和态度带来无法容忍的破坏性影响，佩罗便完全出售了电子数据系统公司。

IBM 公司出于自身需求，无意中帮助创立了创业企业，这些创业企业于 20 世纪 80 年代开始追赶苹果公司的个人电脑业务，当时，IBM 已经在小型计算机的竞争中不敌数字电子公司等创业企业。由于既不能做到将所有必要的内部组件和软件生产出来，又不确定这样做是否能成功地组合出小型计算机，IBM 便将个人电脑操作系统外包给了一家由哈佛大学辍学生比尔·盖茨及其合伙人保罗·艾伦所经营的新创软件企业，同时将微芯片设计转让给了从仙童公司中分立出来的英特尔。当“蓝色巨人”IBM像其他许多更早期的高科技公司一样陷入收缩和重组时，这两家企业却很快实现了远高于IBM公司本身的账面价值。

（三）封闭创新体系中的制度

早在20世纪20年代，美国专利体系的批评家们就尖锐地指出，为确保给发明者公平补偿而创立的制度已被大公司所绑架（Noble，1977）。莱昂纳德·赖克（Leonard Reich）指出，以专利律师和雄厚财力为支撑，美国电报电话公司和通用电气等公司采取了全部买下（buy up）的防御策略，并压制任何威胁其控制自身行业技术变革的专利。它们要么拒绝转让自身持有的专利，要么索要高额专利费或对专利使用附加极其苛刻的条件，以至该技术变得不再有利可图。同时，它们还会对侵犯或试图围绕其专利从事发明的人及时提出起诉。

一个类似的讽刺性现象出现在反垄断制度中，该制度试图最大化公司之间的竞争，并为消费者保持低价格；当严格执行这一制度时，导致了意想不到的后果。20世纪中叶，努力抵消这些相互作用的制度带来的负面影响，对创新和企业家精神非常重要，这事实上推动了美国创新体系的终结，因为在该体系下，获取创意和研究变得更加严格，且保密和排他性在20世纪剩下的大部分时间里颇为盛行。

专利与反垄断

如前面两章所表明的，美国早已建立起了较好的专利许可和反垄断体系（Khan，2005）。美国在建国之初就创建了专利体系以鼓励发明活动，同时，专利的有效期旨在防止它们被滥用于对贸易的技术限制或阻碍连续创新。申请专利需支付的较低费用只是为了补偿管理成本和鼓励创业活动，这种安排一直持续至20世纪90年代。反垄断立法，特别是1890年的《谢尔曼法》，适用于专利垄断和其他形式的贸易限制。美国专利体系已在没有任何规则制衡垄断的情况下，运行了一个世纪，但是，当公司而非个人成为专利持有实体后，该体系开始遭到广泛滥用（Markham，1966）。

无线电领域颇有争议的相关专利案例是这一更广泛问题的一个例证，且一直到20世纪50年代都是一个问题（Aitken，1976，1985；McLaurin，1949；

Lécuyer, 2006）。一方面，美国无线电公司对“无线电相关”专利池的统一控制，使这项重要通信技术迅速应用于军事目的和完全未预见到的无线电广播领域。但美国无线电公司控制所有无线电相关专利的能力，在两次世界大战之间的时期遭到了雷神公司等大量小型电子公司的强烈抵制。像飞鸽（Philco）等电子公司利用战争期间专利许可费暂缓实行的机会，扩张自身的研究，在战后不得不给美国无线电公司支付巨额的“一揽子许可费”，因此陷入了困境。㉚

反垄断政策及其实施的一大转变始于20世纪30年代，并一直持续到20世纪70年代，只有在“二战”期间暂缓实行，当时，耶鲁大学法学教授瑟曼·阿诺德被任命为罗斯福政府司法部反托拉斯局的负责人。阿诺德很快就重组并扩张了他掌管的反托拉斯局，使之走上了不同的发展道路，从这个意义上说，他是一名杰出的政府企业家。尽管阿诺德公开质疑美国的反垄断法，但他很快便以推行反垄断法震撼了整个工商业界。阿诺德认为，虽然美国人不信任大公司，但恰恰不是大公司的庞大规模，而是其蓄意的行为导致消费者未能获得效率带来的好处，这是一种更大的罪恶。为了证明自己的观点，阿诺德采取了将民事诉讼和刑事诉讼同时归档的做法，给公司高管提供服罪判决书以作为逃避个人牢狱之灾的一种手段。从1938年起，司法部发起了数百次调查，覆盖几乎所有行业，如住房和建筑、轮胎、化肥、玻璃制品、电影、电气公司及石油和运输等。由该法律维持的新活力被证明在创造不确定性和改变行业竞争格局上颇为有效，但部分由于这一时期更宏大的商业环境，其对创新的影响尚无定论。㉛

尽管反垄断起诉在“二战”期间被延缓实行，但战后政府继续推行执法诉讼并逐渐拓宽它们的适用范围。虽然具有重要战备意义，但美国无线电公司、美铝公司、美国电话电报公司、通用电气和许多科技公司在20世纪50年代均遭遇了反垄断行动，从而导致成千上万专利或免许可费或以极低成本被转让。美铝公司被迫将其最新技术转让给竞争对手，即两次世界大战期间

㉚ Kevles（1978）。雷神公司［万尼瓦尔·布什（Vannevar Bush）在职业生涯早期曾供职于此］是近乎因美国无线电公司的歧视性电子管分配和高许可费而被迫退出行业的诸多小企业中的一家。

㉛ 当诸如收购等其他途径被迫中断时，严厉的反垄断执法事实上是否迫使越来越多的寻租活动转向狭隘的创新通道仍无定论。也可参见 Miscamble（1982）、Markham（1966）和 Waller（2004）。

由政府创立的凯泽公司（Kaiser）和雷诺兹公司（Reynolds）。美国电话电报公司也被迫将其核心晶体管和半导体专利无偿转让给所有新进入企业。

进入20世纪60年代，人们普遍认为反垄断政策可以有效刺激研发投资，因此自然也是创新的催化剂。当专利政策和反垄断政策之间存在冲突时，后者通常更占优势，但这并非因为法院禁止在专利许可协议中订立价格固定条款，并设置了更高的可专利性（patentability）标准。然而，史蒂夫·于塞尔曼（Steve Usselman）在考察IBM的案例时坚持认为，美国专利体系的优势在于它虽同监管体系的其他部分不相协调，但大型企业仍能找到适应该监管体系的方式，往往是通过损害小公司的利益和限制它们获得技术的能力（Usselman，2004）。被要求强制授权的公司，通常会选择依靠保密而非获取专利来保护其知识产权。就这点而言，它们也得益于逐渐超越了军方承包商范畴的冷战安保体系（Markham，1966）。

即使瑟曼·阿诺德以公司可分享技术的方式，强制促成了一场大变革，但对专利垄断的抑制仍给专利体系带来了意外后果。虽然美国电话电报公司被迫许可其持有的专利，但仍可以交叉许可，这相当于是一个以货易货体系，使美国电话电报公司能够在许多关键领域占据支配地位。当施乐（Xerox）在静电印刷技术上的专利垄断被提前剥夺时，它转而采取了一种同日本主要竞争对手佳能大规模交换专利的做法。美国无线电公司在国内的一揽子专利许可方案被责令中断时，它只是将自己的许可制度转向日本的专利被许可方，因而帮助加速了日本消费电子产品行业的发展（Graham，1986）。

20世纪70年代，专利领域的发明数量大幅下滑，这部分是由于前文所述的变化，部分是由于专利局经费的削减。20世纪80年代初，美国专利体系的改革，包括延长专利有效期、指定专门法院处理专利案件，以及允许向软件发明授予专利保护，依然有利于专利持有人而非对他们发起反垄断诉讼的人。20世纪90年代，当专利申请费提高后，专利局实现了自给自足，这样做主要是考虑到在美国专利体系下，大部分专利申请人已不再是美国公民或纳税人。该时期，信息技术的发展使搜寻专利和获取专利权更加容易，且这种能力很快变得有利于专利持有人，而不管他们是否“使用”该专利。那些“专利流氓”（patent trolls）公司购买了多套专利，但并不打算使用这些专利，而是一直持有，然后起诉某家拥有相关技术的大公司有专利侵权之嫌。不论大公司实际上有没有侵权，它们通常宁愿达成和解，也不愿意走法院审理的路，这将使它们的产品上市延迟数年。这类案例中，颇有名的一起发生在 20 世纪末，主要同一家电子邮件设备和服务提供商，即行动研究公司（以下简称 RIM，黑莓手机的加拿大制造商）有关，该公司因自己的某项专利侵犯了检索电子邮件而被专利持有公司 NTP 起诉。许多其他公司，如美国电话电报公司和威瑞森通信（Verizon）等，均勉强接受了以巨额赔偿了事的做法，但 RIM 却忽视了 NTP 的要求，且在几年后才以近 5 亿美元的代价解决了该诉讼，这还不包括为应付侵权指控而层层上诉所花费的时间和法律成本。

（四）作为公司型企业家的实验室

事实上，制度化的公司研究很少能培育出大卫·萨尔诺夫等业界领袖所希望的代位创新者（surrogate innovators）。作为公司诸多部门之一，它们很少能克服同僚之间彼此相互冲突的利益。在两败俱伤的争吵中，作为一种自卫手段，或作为增加其工作可测量价值的一种方法，它们往往诉诸通过申请专利和许可专利来提高自身研究的货币价值。

对许多技术型大公司，如得州仪器和美国无线电公司，专利技术的许可收益变得同专利发明有望产生或支撑的创新一样重要，有时甚至比后者更重要（Graham，1986；Jelinek，1979）。最终，这种做法使之前的创新型公司易受更小、更具创新性和更灵活的创业企业的侵害，后者不把知识产权视作收益来源或控制手段。例如，在 20 世纪七八十年代，当美国电话电报公司面临迅速增加其系统带宽的挑战时，无法同更灵活和更具创造性的康宁公司相抗衡。康宁通过 20 世纪 70 年代的光纤创新，并在 1984 年最先将光纤供应给美国电话电报公司的死敌微波通讯公司（MCI），迫使美国电话电报公司提前 20 年就默许了这场光纤通信革命（Graham，2007）。

施乐公司的帕洛阿尔托研究中心（PARC）创立于 1970 年，原本是 20 世纪 30 年代许多公司成功追求封闭的公司实验室创新模式的反周期例子，但它反而成了重启美国创新体系的意外典范。帕洛阿尔托研究中心坐落于硅谷中心，是一个肩负长期特殊任务的公司实验室，在发明型企业家普遍感到步履维艰的时期，它是一个卓有成效的“孵化器”。施乐董事长彼得·麦卡洛（Peter McCullough）将设立帕洛阿尔托研究中心作为 10 年战略投资，计划通过它发明“未来办公室”，以替代受专利保护的施乐复印机。当时，高利率甚至高通货膨胀率导致许多公司质疑研究的价值，施乐从主要的物理学和计算机科学院系及智库，招募了一批极有天赋的研究人员，他们当中有许多是国防部国防高等研究计划（DARPA）的成员，彼此颇为熟悉。通过有意识地雇用既聪明又有实践经验的研究人员，即想把发明用于实践的人，帕洛阿尔托研究中心很快就成功获得了足够多的发明和充满创意的创业型人才，为硅谷的发展壮大做出了重大贡献。Adobe、Small Talk、苹果电脑、微软甚至谷歌的兴起或至少是它们的创新成功，都可部分归功于施乐小小的西海岸实验室的技术繁殖力。帕洛阿尔托研究中心并不指望甚至没想过要从这些投资中获得早期回报，它的母公司施乐从这些创造性活动中也只获得了微乎其微的报酬。只有在帕洛阿尔托研究中心成立几年以后，发明家才离开这个中心，在旧金山湾区寻找更灵活的机会。那时，如下文将讨论的，情况已发生变化，支持个人开发和销售新兴“未来办公室”的制度正在形成。施乐公司后来承认，如果它打算从该实验室的许多副产品（spin-offs）中获益，它本可以从投资帕洛阿尔托研究中心中获取大得多的回报。

六、第三段时期：第三次工业革命

20世纪美国企业家精神发展的第三段时期刚开始获得历史学家们的认可，尽管其他社会科学家已提供了一些既意义深远又有启发性且常常相互矛盾的命题，但这些命题不仅需要利用总量数据来验证，还需要用分类证据（disaggregated evidence）和更多定性证据来检验。[32]

在这段始于20世纪70年代的时期，企业家精神发展的条件受信息革命和全球化这两股力量的影响，它们组成了所谓的第三次工业革命。继撒切尔夫人在英国推行的自由化改革后，全球金融市场也日益自由化，美国受管制的产业开始放松管制。[33] 历史学家认为，这使国际贸易和竞争达到了并非前所未有、但自“一战”前以来从未出现过的水平（Osterhammel 和 Petersson，

---

[32] 坚持认为信息革命第一次使全球网络化成为可能的Manuel Castells同许多国际商业史学家相抵触，后者认为这一改变的质变意义远不及始于中世纪、终于20世纪早期的行为模式回归。试图对该时期进行解释和反思的历史学家包括Galambos（2005），Lamoreaux、Raff和Temin（2003）及Lazonick（2007）。

[33] 关于传统的经济解释，参见Yergin和Stanislaw（1988）。

2005)。对美国企业家尤其是个体企业家而言，这些进展，连同反垄断政策实施的放松和一些以往受管制产业的放松管制，为个人创造了自“喧嚣的二十年代”以来未曾有过的大量机会。

长期的经济冲击终结了 20 世纪 40 年代以来美国商业的运行路径。尽管该时期由一系列几乎严酷至极的挫折组成，但最严重的还是史无前例的高通货膨胀和缓慢增长，即所谓的“滞涨”。由于对这些冲击的应对远不如一些国际竞争对手，因此在那些自 20 世纪 20 年代以来就一直是美国经济中流砥柱的行业中，如汽车、电子设备和消费电子产品，美国企业正面临着国际竞争。[34] 以前对国防动员相当重要因而受到保护且颇值得尊敬的美国工业，如机床等，在 20 世纪 80 年代初期完全消失不见。新国际竞争的基础不仅仅是价格，还包括质量和性能。“二战”后，欧洲和亚洲采用最新制造业技术和现代管理实践，重建了它们的制造工厂，特别是在钢铁等基础行业。美国制造商被迫陷入了一段长达 10 多年的“生产率困境”（productivity dilemma）时期（Abernathy，1978；Abernathy，Clark 和 Kantrow，1983）。

20 世纪 70 年代至 90 年代中期，美国经历了生产率增长率的普遍下降。流行解释认为，这种下降是由一系列源于电气化革命的基础技术转向一系列信息技术所致，后者虽然获得了广泛使用，但却未带来生产率的提高，而且还降低了研发支出的回报。数据也反映了美国经济基础从制造业向服务业的根本性转变。回头看，尽管这些进展被解释为从工业经济转向知识经济的题中之意，但它们也可能体现了几十年来对独立创业活动的抑制。如我们已看到的，若这些转变预示了许多大公司及其员工、公司以外的企业家乃至美国以外的企业家即将面临的困境，那么它们同时也开创了大量诱人且可以获得的机会。

（一）公司创业的衰退

随着冷战体系在内部离心力和外部压力的共同作用下开始瓦解，大企业中的公司创业也成了一种例外而非一种规则，即使对于 20 世纪 70 年代的

---

[34] 颇具讽刺性的是，日本公司在消费电子产品领域竞争中的崛起是由美国的主要创新企业美国无线电公司所致，美国无线电公司通过将一揽子许可的实践转移到日本消费电子产品公司，成功地代替了原本来自国内一揽子许可的收益（Chandler 和 Cortada，2000，引言）。

科技公司来说，也是如此。如斯珀吉翁（Spurgeon）和莱斯莉（Leslie）已表明的，创业发展的硅谷模式，往往被视为美国私人企业家精神的象征，深深根植于联邦政府发展西海岸国防工业的战时计划，且直到20世纪80年代仍旧与斯坦福大学一起同军方业务关系紧密（Spurgeon，2000；Leslie，2000）。

随着冷战步入常态化以及军事部门基于成本加价法的有保障收益，掌控着基础专利的公司坐享专利保护之果实，受管制公司积极钻监管环境的空子，投资者则开始迷恋“高科技”企业。在一个缺少激烈竞争的充满寡头垄断和成本加价合约的世界里，高科技公司似乎证明了公司创业的回报是无风险的。

但是，由于高利率环境导致维持成本过高和收益过低，大公司和政府机构开始出售或剥离它们的技术，重建、再设计、精简甚至销毁其库存，完全私人的创业机会出现得越来越频繁（Sullivan，1997）。

同时，在主承包商内部，政府资助的研究及其纷繁复杂的披露要求，导致那些将创新者和创新推到边缘的公司出现了官僚化。在冷战的顶峰时期，极少有公司实验室能容忍真正的怪才，因为这样做有可能发展出反主流文化，破坏实验室和公司其他部门之间的关系（Graham，1985）。低效、迟缓的官僚程序像蜗牛一样延缓了许多工业项目。官僚程序的负担如此之重，以至加利福尼亚州的大型航空航天承包企业洛克西德（Lockheed）创设了“臭鼬工厂”，以使计划顺利进行。这一最具活力与专业精神的员工亲密组合，致力于在规定时间和预算内启动并完成一项新的开发项目。若臭鼬工厂象征着大公司内部的创造力和高效性，那么它依托政府承包商的迅速扩张则说明了在越来越紧密相连的官僚制这一背景下追求创新有多难（Arthur，1989）。

颇具讽刺性的是，公司实验室作为首要创新者的角色最终损害了许多大企业的创业能力，但使这些大企业对外部企业家的作用重新产生了需求。影响商业创新能力的一个关键因素是依附于冷战时期军事研发的新安全规定，以及它们施加于科学知识传播的诸多限制。[35] 另一个重要因素是公司结构的创

---

[35] Mowery 和 Teece（1996，第113页）陈述了一个经常被忽略的观点，即许多获得政府研究经费支持的企业实验室将在分类基础上和严格的安全措施下运行，就此而言，朝偏远“大学校园”转移的趋势首先是一次事关安全的转移。

新，即多部门结构或“M 型”结构，它帮助确立了公司实验室作为重大创新原动力的模式。在一次以组织变革实现公司创业的著名行动中，杜邦率先把“M 型”结构从武器制造推广到民用产品以促进多元化，后来又将这种组织结构用于创办新企业。“二战”后，其他许多公司竞相效仿杜邦的例子，但这种新型组织形式不仅能且往往也的确导致了不同企业部门之间在争夺资源上展开破坏性的内部竞争。

随着时间的推移，要求每个部门不断超越自己的公司战略规划和资源配置的做法会偏离统一的行动计划，并破坏有效的公司创业精神。这种转变的结果在塑造 20 世纪六七十年代企业集团运动的风险规避中尤为明显。金融界要求公司更多地披露信息，并严厉对待意外事件，这使风险规避和短期技术收益最大化的趋势不断增强，最终导致许多原来的创新型大公司走向衰败。对一开始供职于公司研究部门的人而言，公司研究和多部门结构带来的组织问题并未消失。英特尔是下一代最成功的创业公司之一，事实上，它的创始人就以极不寻常的方式来组织研发活动，英特尔聘用了许多博士，却把他们分派到生产一线，并在公司的所有业务部门都设置了研究机构。

尽管“二战”后公司实验室非常有吸引力——稳定且收入高的岗位、吸引人的研究设备、优越的位置及旅游和设施资源——但许多最聪明的发明家和科学家（特别是那些有创业倾向的）仍选择了在较少安逸的环境下追求自己的理想和抱负。早期技术型企业家从那些试图拓展政府业务的大公司（绝大多数位于东部地区），如兰德公司和仙童公司处获得资金。许多主导工业的研究人员——计算机科学家和材料学家——在看到母公司高管获取了绝大部分研究回报后，萌生出了自己创业的倾向，并创办了自己的公司。起初，他们从朋友、家庭和其他人脉圈子里获得必要资源，后来则主要是大企业的采购合同。他们一开始就获得风险资本这种新融资渠道支持的情形微乎其微。特别是在硅谷，那里的创业气候允许一年中大部分时间在户外工作，许多车间现场成了一些知名高科技公司的起家之地。威廉·休利特（William Hewlett）和戴维·帕卡德（Dave Packard）、史蒂夫·乔布斯（Steven Jobs）和史蒂夫·沃兹尼亚克（Steve Wozniak）、保罗·艾伦和比尔·盖茨，最后是迈克尔·戴尔，以及其他许多如阿泰尔（Altair）计算机成套元件（computer kit）的设计者爱德华·罗伯茨（Ed Roberts）等较不为人知的装备制造商和试验者，为车道、车库和宿舍等领域的新兴“高科技”企业打下了坚实的基础。

20世纪60年代的企业集团运动标志着公司行为的一个转折点，终结了20世纪中叶的大型企业创业模式。在企业集团的模式下，科技公司找到了防范风险的有利方式，金融投机和资产操纵取代辛苦创业的企业家精神，成为获取厚利的途径。因创新不确定性而饱受股价波动之苦的科技公司，（通常会在董事会上）禁不住投资银行家的循循劝诱，涉足包含不同风险特征的无关业务。规模较小的成长型公司开始包装自己，以便成为大公司的备选收购对象。收购方企业很快发现，收购有不同管理特征和资本条件的无关企业，会削弱它们稳定开展产品创新的能力，而这一能力正是更新核心业务所需要的。20世纪60年代康宁对仙童子公司西格尼蒂克（Signetics）的收购就是一桩令收购方核心业务发生重大转移的交易（Lécuyer，2006；Graham和Schuldiner，2001）。即使像北方电信公司（Northern Telecom）这样的大公司在20世纪70年代收购了他们认为技术相关和具有重要战略意义的小公司，在使被收购公司实现盈利上仍碰到了不少困难。其他许多受迅速获取资金和收购股份等狭隘目的所驱使的收购，则遇到了更棘手的难题。当美国无线电公司于20世纪60年代收购了几家服务业和消费品行业的公司后，股东发起了强烈抗议，他们质疑这些无关业务将削弱这家大型科技公司继续主导消费电子产品部门的能力。为证明其批评者是错的，美国无线电公司引进了作为第二代消费电子产品的视频唱片，却导致了近10年代价惨重的决策失误，且最终不得不于1984年宣告破产（Greham，1986）。

美国无线电公司并非特例。其他许多原本算得上可靠的大型创业型科技公司在20世纪80年代试图引进大众市场创新产品时也遭到了失败，如伊士曼柯达公司的转盘式照相机、美国电报电话公司的电视电话，以及宝丽来对电子相机创新的屡次尝试。即使在更可预测的政府业务领域，传统的领导企业也丧失了掌控力。杜邦等待了许多年才为“凯夫拉”（Kevlar）这个品牌名找到了用场。IBM虽主导了大型计算机，却没能在小型计算机上同数字设备公司（DEC）或数据通用公司（Data General）等新进入企业成功展开竞争，它甚至放走了巨型计算机设计师西摩·克雷（Seymour Cray），后者自己创建了一家独立的巨型机公司。甚至连安培公司（Ampex）——一家包袱远不如大企业沉重且获得其创新型机构客户（美国广播公司，简称ABC）稳定承诺的小公司——在专业版便携式摄像机上也输给了索尼公司（Florida和Kenney，1990；Graham，1982；Rosenbloom和Freeze，1985）。

确实，整个苦涩的20世纪七八十年代，一些老牌公司在非军方技术领域仍扮演着创业公司的角色。明尼苏达矿业与制造业公司（即3M公司）以通过鼓励研究人员成为本公司体系内的企业家而给市场带来大量新产品著称于世。以“惠普之道”（HP Way）著称的惠普公司，通过保持较小的业务单元并将大量权力下放给上进心强的年轻经理人，来鼓励创造力和新形式的公司创业。康宁公司引进了各种各样基于玻璃配方和专利工艺相结合的颇具技术挑战性的新产品。但在大量涉及巨额研发投入和新创企业的失败经历后，创新开始变得不再风靡，且金融市场不再能给“高科技”公司提供相同程度的回报（Lazonick，即将发表）。几乎在所有的科学工业领域，当创新颇受重视时，新进入企业、分拆公司或新创企业往往能把握和保持着对较大公司而言更大的优势。

在几十年间加速为特定技术的研究提供资金后，由于其收益仍难以衡量，美国社会开始普遍偏离将大量公共支出倾注于科学和武器技术的做法。当公众和许多科学界的观点转向反对科学的军事使用后，成长于国防部（DOD）研究体系下的年轻一代研究人员，便积极寻求其研究成果的民用领域。联邦政府每年有40%—50%的研究经费未用于工业，这些研究经费本可产生的潜在商机，却主要受到了九个州少数研究型大学和一些政府实验室的压抑（Nowery等，2004；Mowery 和 Rosenberg，1989）。

（二）消费者运动：企业家的规模

美国消费者的反叛也给始于20世纪60年代末的转型打下了烙印。“二战”后出生的“婴儿潮”一代，恰逢一段反对越南战争的时代，伴随着大企业对化学战剂等技术的破坏性使用和一套胡作非为的军事采购系统（Roland，2001）。在反抗日益根深蒂固的经济体系和已开始显露出缺陷的官僚形式中，“婴儿潮”一代不断抵制大公司的科层制和越来越疲弱的安全保障及其产品的千篇一律化。如丹尼尔·耶金（Daniel Yergin）所表明的，作为应对，他们欢迎小生产商的多样化及进口产品和放松管制产业的低价格，同时还要求更大程度的社会监管：清洁饮用水和清新空气、消费者保护、产品安全和各种各样的环境监管。为了适应市场中的这些新进展，联邦政府削减军方研发经费、将政府管制重点转向能源和生活方式等问题，以及把监管体系的重点转向卫生、安全和公平就业机会。航空、通信和公用事业等领域随后的放松管制吸引了大量创业企业，在某些情况下（如微波通信公司和西南航空），它们很快便对以往的行业领导者发起了挑战，并凭自身活力把握机遇跻身于主导地位。[36] 电信放松管制不仅催生了微波通信公司等创业企业，而且当电信设备不再由西电公司支配时产生了一大批新供应商。

早在20世纪50年代，当大众甲壳虫车和索尼便携式晶体管收音机的进口在美国找到数量可观的意愿购买者时，“二战”后看似稳定的受管制经济已出现轻微的裂痕。但是，直到第一批日本进口收音机和电视机及随后的进口汽车在美国市场获得大批追随者，才标志着“二战”后长期稳定的结束。1971年消费电子产品一场突如其来的衰退，揭示了美国正在逐渐失去最强大的制造业部门之一。很快，像通用电气和美国无线电公司等财力雄厚的大公司也在高增长的电子商务部门惨遭失败，不再能跟上迅猛发展的计算机行业的管理或融资需求（Coopey，2004，“引言”）。

20世纪30年代以来的一代人首次质疑美国经济所立足的核心前提，即对增长和规模的双重追求。看上去不成气候的社会反叛，很快蔚为壮观，成为经济“支柱”。“垮掉的一代”和“嬉皮士”对美国的批评似乎更具乌托邦色彩，但他们在大学宿舍、车库甚至集体农场创建的企业确实“占领”了大有前途的新领域。尽管这些新生事物一开始似乎不可能成为可靠的商业实体，但是随着时间的推移，对小型商品的追求，如天然食品、中草药、天然纤维及生物质（biomass）、风能和太阳能等新能源甚至个人电脑，产生了能同大公司相竞争的大量业务。一些现存公司意识到了这些新生事物有成为未来潮流的潜力，另一些公司则适当缩小规模或转向了其他业务领域。[37]

当计算机从机构专用品发展到消费产品时，信息革命步入了第二阶段。尽管IBM、美国电报电话公司和施乐等大公司仍控制着办公设备和计算机硬件行业的主机和全程服务环节，但它们很快失去了对相继而来的小型设备浪

---

[36] Yergin和Stanishaw（1998）。航空公司的放松管制为Peoples Express和西南航空等新贵公司创造了合适条件。在电信行业，微波通讯公司（MCI）对美国电报电话公司（AT&T）发起了挑战，并吸纳了与老牌西部电气公司成功展开积极竞争的供应商，如在光纤行业占据支配地位的康宁公司。

[37] 史蒂夫·乔布斯认为，这一运动的“圣经”是Stuart Brand的《整个地球的目录》（*The Whole Earth Catalogue*）一书。

潮的掌控。独立软件和外围设备、家用电脑和电脑游戏在如此不同的方向上占据了整个计算机行业，以至到 20 世纪末只有少数原来的公司仍在该行业中幸存下来。随着同硬件的分离，软件在几年间成了信息技术产业最容易的切入点，同时也是美国市场为发展中国家创造创业机会的最早行业之一（Campbell-Kelly 和 Aspray，1996，第 181—205 页；Coopey，2004，第 300 页）。20 世纪 80 年代后期，信息技术已开始向其他行业的产品和生产工艺而不仅是它们的生产系统渗透。机器人技术产生了人工智能，新兴机器人技术公司开始孵化，并给机床制造企业带来了挑战。

信息技术的组合趋势表现得最明显的一个领域是制药业，其中于 1990 年启动的获联邦政府 30 亿美元资助的人类基因组计划（HGP），需要只有计算机运算能力大幅提高才有可能实现的数据处理和信息储存技术。基因组学，似乎是微生物学的一个扩展，成为即将迎来创业活动的又一领域。

（三）创新体系的开放

随着国会要求政府实验室和私营企业一同分享它们的发明，基于新兴生物科技技术、新材料及高级软件和信息学等信息技术应用形式的创业机会越来越开放。1980 年通过的《拜杜法案》（Bayh-Dole Act）规定，大学获准为政府经费资助的发明申请专利。少数研究型大学，从哥伦比亚大学和斯坦福大学开始，很快积累了大量专利许可使用费，且当年轻一代由研究人员组成的创业者获得他们的研究专利并寻求投资者合伙创办初创公司时，研究型大学的金融股权变得更高（Mowery 等，2004）。类似的，许多工业实验室采用了出售其专利技术的做法，而不是持有它们以备开发之用。

长期被隔绝在政府实验室里的技术，连同许多相关领域富有进取心的研究人员的专业知识一起，开始对私人投资者开放。当 20 世纪 80 年代冷战突然结束时，解密后的非常规武器技术，如数据库技术、动画和游戏的计算机成像、超级计算机、卫星技术和航天器，已随时可依托创业企业实现商业化运作，经验丰富的企业家由此创办了一系列初创公司，如曾被苹果公司解雇的史蒂夫·乔布斯创立新公司内克斯特（Next）和皮克斯（Pixar）。

一些行业受益于对非军方相关研究不断增加的联邦资助。这些受资助领域中最主要的是农业及依托于美国国立卫生研究院（NIH）的药物和疾病研究，农业部门通过赠地学院和学院研究站，已长期获得州政府层面的支持。

在这些领域，即使冷战时期，美国创新体系也从未像特殊技术中那般严密封闭。早期最重要的一种公共资助形式是农业研究资助，在数额上远不及特殊技术，但依旧使全国各界及服务于它们的公司获益颇丰。同时，如高隆博什等人（Galambos 和 Sturchio，1996）所叙述的，某种程度上总是有些国际化的制药工业，依赖于一个创意与投资来源网络，这个网络不仅包括公共研究资助，还包括政府、大学院校及工业实验室的私人和公共研究人员。

网络在整个20世纪都是创新体系的一个主要部分，直到各种新的发展趋势推动美国创新体系更全面地开放之前，创业活动仍以封闭和合作为主。只有到20世纪80年代，如基因泰克公司（Genentech）和安进公司（Amgen）等生物科技初创企业成长为制药业的主要参与者，创业活动才比较常见。基因泰克和康宁集团共同成立了以股权代替投资资金的杰能科公司（Genecor），由此获得了迅猛发展（Dyer 和 Gross，2001）。杰能科这样的联合公司，因对技术分享的反垄断关注已过时几十年，现在又成了具备高科技专长的小型初创企业同大企业展开合作且仍保持独立的一种常见方式。对于以埃尔默公司（PEC）提供的3亿美元投资开创了赛雷拉基因公司（Celera Genomics），并同政府扶持的人类基因组计划（HGP）相竞争的克雷格·文特尔（Graig Venter）这类学院型企业家来说，支持初创企业致力于研发的条件在20世纪90年代已很到位。

特别是，受益于各种研究经费及食品和药品管理局（FDA）严厉管制的国际制药行业成为少数先进行业之一，在这些行业，即使欧洲龙头企业也选择将其总部和研发实验室设在美国主要研究型大学的附近，而非设在本国或外包给远东开发商和生产商。这意味着可以获得美国国立卫生研究院（NIH）资助的发明，接近学院型企业家领导的初创企业，为药物与医疗设备投资创造了尤为吸引人的条件。同样，日本、中国台湾和韩国的公司擅长信息技术，特别是微处理器生产商，因此选择将先进的工业研究实验室建在斯坦福和麻省理工学院等美国知名研究型大学附近。

随着20世纪末发达国家的人力资本和社会资本越来越比固定资本重要，其他行业盛行的成功组织形式也从科层制转变为网络制，从而使科层制程度较低和开放度更高的公司受益匪浅。开放标准是大势所趋的早期信号，包括施乐公司20世纪80年代可无偿授权的以太网标准，以及 IBM 生成其个人电脑软件的开放代码方法，它有助于 IBM 获得比已被普遍认可的苹果公司个人电脑更先进的技术优势。即使在互联网为它们提供更充分的运用手段前，开放软件运动和美国在线（AOL）、苹果、亚马逊、易趣、思科及谷歌等公司的成功，都成为美国创新体系至少同 19 世纪以来一样开放（甚至可能更开放）的信号。

到 20 世纪 90 年代早期，人们普遍认为，相比于仍依靠其自身内部研发能力的公司，同小型技术公司形成战略联盟并和大学研究人员建立正式研究关系的公司，已开发出更快和更有效地获取新技能和新商机的方法。那些需要迅速转向基因组学和丰富它们药物产品线的制药公司、需要新设备和新软件的通信公司，以及许多需要能跟上新技术步伐的劳动力的公司，通过收购或共同合作（但主要是作为专利续期代理商），都寄希望于创业公司。

（四）创业欺诈

随着文化重点从国防转向扶贫和替代性生活消费方式，以及创新体系越来越少受控制和更加开放，新领域不仅对合法创业敞开大门，而且也对花样百出的欺诈行为打开了方便之门，自 20 世纪 20 年代的金融投机客和 20 世纪中叶的军方“倒爷”以后未曾出现过此类欺诈行为。紧随卫生保健方面的新政府立法——联邦医疗保险和医疗补助而来的，是提供实验室测试等各色外包服务途径的私营企业。事实证明，许多这类企业都以各种复杂手法欺诈联邦政府。其他同生活方式有关的机会把大众娱乐引向了新领域，预示着计算机自动化的不断普及有望释放出更多的休闲时间。这些进展不仅提高了磁带录像机（VCR）等新型消费电子设备的国内外销量，而且随着 20 世纪 90 年代初互联网的商业化，为兜售色情照片和毒品、网络赌博等大量新兴的非法交易创造了条件。许多这类业务都遭人唾弃，大型中立组织大多不愿意触碰，从而留出一个巨大市场，更灵活且较少受社会影响的企业可通过法外经营，包括地下广播电台、集团犯罪和原住民保留区，谋取利益。

类似情况在金融界也时有发生。例如，一旦放松管制，储贷机构（S&Ls）便利用联邦存款保险公司存款额达 10 万美元的账户进行鲁莽投资，以追逐更高收益。到 1988 年，500 多家储贷机构已濒临破产的边缘。20 世纪 80 年代末政府对储贷机构的紧急救助，加剧了本已规模庞大的联邦赤字，不但没有带来更多的财务廉洁（financial probity），反而造成了 20 世纪末对公众信任的更大伤害。除空前薄弱的政府银行监管所界定的受保护领域外，金融企业家开发出了新的金融工具和大量新的统称为“对冲基金”的投资媒介，试图继续以最低的实际风险敞口谋求可观收益。

（五）金融创业活动

两次世界大战期间，在那些力图适应重大变化并应对该时期新的不确定性的公司看来，当时变幻不定的环境推动了大量创新活动，与此类似，20 世纪美国企业家精神发展的第三段时期困难重重的金融市场也推动了金融创新的新浪潮。

如前文在讨论高科技企业和企业集团运动时已提到的，20 世纪 60 年代以股票和账面利润所做的投资，往往导致收购方公司在近十年后丧失其自身价值。小投资者从股市大量撤出。伴随布雷顿森林体系的崩溃和金本位制的缺位，自越南战争以来出现的通胀势头演变成两位数的通胀。资本短缺伴随着极高利率，迫使人们迫不及待地尝试各种创新方法来为新企业融资。受数百万普通投资者损失惨重的打击，股市开始关注低风险类投资。

正是在这一背景下，至今仍备受争议的金融企业家迈克尔·米尔肯（Michael Milken）开始在华尔街登台亮相。意识到正常公司很难为它们的内部发展筹集资金，米尔肯发明了一种高收益债券的新发行市场。米尔肯的雇主德崇证券（Drexel Burnham Lambert），虽只是华尔街众多公司融资巨鳄中的一名“小玩家”，却颇乐意尝试一些新事物。有了米尔肯这一发明的帮助，信用评级较低且不太有希望在企业债券市场筹措资金的公司，便能发行所谓的“垃圾债券”。新的垃圾债券市场之所以能产生，部分受益于“415 规则”（Rule 415）的实施，该新规则使承销商可以快速地销售垃圾债券。垃圾债券对承销商而言既有高风险，也有可观收益。

储贷机构被允许购买垃圾债券，它们迫不及待地抓住机会谋求更高的利率，却忽视了垃圾债券的高风险特征。在狂热追逐垃圾债券几年之后，米尔肯成了华尔街有史以来薪酬最高的雇员，谣传他积累的个人财富超过了 30 亿美元。不幸的是，垃圾债券的最初购买者在将这些债券转手给投资者并把一部分现金汇回德崇证券之前，已进一步推高了原本就较高的债券价格。1987 年股市崩盘导致垃圾债券市场暂时关闭，米尔肯被判入狱，德崇证券也被迫关门，但不久后垃圾债券市场又继续运行。

杠杆收购是一项依赖于垃圾债券可得性的金融创新，它利用债务来收购公司，剥离它们的资产，实行裁员，然后将被收购公司出售给其他投资者，并由此兑现巨额收益。[38] 20 世纪 80 年代和 90 年代初，私人手上积累的巨额财富反过来提供了新的资本池，在合理的制度安排下，它们可被用来为新创企业提供融资。在科尔伯格（Kolberg）、克拉维特（Kravits）和罗伯茨（Roberts）等著名企业收购公司的引领下，许多收购专家兼并和分拆了那些因管理不善而死气沉沉或濒于破产或一些只是不够幸运的公司，由此导致了一波杠杆收购热潮，投资银行和私募股权公司也在其中发挥了重要作用。许多历史悠久、身经百战的大型官僚化公司，要么消失不见要么精简规模或进行重组，这给市场释放出了大量专业知识和其他资源，使更多从事风险投资的创业领袖能够加以利用。

将自由市场解决之道扩展至以往通过政府管制处理的社会和环境问题，成为创业活动的另一领域，且往往以试图把其理念应用于市场的学院型企业家为主导。在某些情况下，他们的努力被证明非常成功。当 1990 年旨在提高排放成本来降低酸雨的《清洁空气法案》获得通过时，前加州大学伯克利分校经济学教授理查德·桑德尔（Richard Sandor）创立了芝加哥气候交易所（CCE），以推行“总量控制和排放交易”制度，使电力公司的污染成本远高于安装洗涤器来控制二氧化硫排放的成本。美国环保署（EPA）高度评价了这一新体系在减少每年数百万吨二氧化硫排放量及肺病和其他相关疾病中的作用（Specter，2008）。酸雨问题也得到了公认的改善。事实上，在努力解决清洁空气和气候变化等问题方面，桑德尔这样的金融企业家已取代了政府企业家，他们为金融市场创造了大量新的投资机会。

（六）风险资本的制度化

私人银行和富有的个人，是 20 世纪 40 年代以前的最高收入百分比人群，在 20 世纪之前较好地为初创企业提供了投资资金，但“二战”后风险资本逐渐开始大行其道。在美国东部和西部海岸，对风险资本短缺的相关担忧催生了新的融资形式。波士顿和旧金山湾区一马当先。1946 年，一群由哈佛商学院教授乔治·多里奥特将军（General George Doroit，他被誉为美国“风险投资之父”。——译者注）率领的波士顿民间领袖，创立了美国研究与发展公司

---

[38] 《华尔街日报》（*Wall Street Journal*）关于 Wolfson（公司收购的创新者）的专栏文章，2008 年 1 月 16 日。

（AR&D），这是一个将投资重点放在电气和医学电子学领域并按封闭式基金组织的非家族式风险资本（Kenney 和 Florida，2000；Ante，2008）。在 25 年的时间里，美国研究与发展公司既贷款又投资于波士顿周边的初创公司，它帮助麻省理工学院孵化的一些高科技公司发展壮大，颇有一些相当成功的案例，但到那时为止，它最赚钱的一笔投资是数字设备公司。

加利福尼亚州是冷战时期获得联邦国防资助最多的地区。在斯坦福附近的旧金山湾区，许多小公司不断涌现，但因缺乏筹资扩张的必要能力，它们不得不被出售给东海岸的大企业（O'Sullivan，2007）。为了找到其他融资渠道，真正意义上的金融突破最早出现在 20 世纪 50 年代中期，当时的瓦里安公司（Varian）和惠普公司先后在纽约证券交易所成功发行了股票。20 世纪 60 年代，由于在核心业务增长上深受反垄断措施的约束，仙童公司和杜邦等大型高科技企业开始投资于以新技术为基础的公司新项目，作为实现多元化经营的途径。

1958 年，国会通过了《小企业法案》，随后是小企业投资公司（SBIC）的建立。该公司不仅使小企业能获得更多资金，而且允许企业家削减他们的个人负债。到 20 世纪 60 年代早期，包括多里奥特将军的一些学生在内的私人投资者，开始创建家族小企业投资公司，因此该时期东部大型老牌企业体系之外的高科技初创企业已能获得大量资金。随着小企业投资公司有了全职员工做专业投资者，这为兴起于 20 世纪七八十年代的成熟风投公司奠定了组织基础。

尽管西海岸出现了各种各样的投资基金，但使风险资本达到可实际应用规模的却是“有限合伙企业”。这种组织形式比小企业投资公司有着更大的发展潜力，且从那时起有限合伙企业便开始风靡于世。1968—1975 年间，仅在硅谷就有多达 30 家风险投资公司创立和重组。当时恰逢半导体革命及晶体管向集成电路的过渡时期，这波投资活动浪潮为早期风险资本家提供了高额回报，导致加利福尼亚州北部地区一片繁荣，而美国其他老工业区却在这场产业转型中深陷困境。少数重大交易的成功——如施乐为科学数据系统（SDS）、仙童和英特尔、苹果二代计算机等支付的 10 亿美元——对 20 世纪 70 年代晚期和 80 年代早期风险资本的形成与巩固助益颇多。

尽管到 20 世纪 80 年代总共只有少量资金参与风险投资，但其投资收益率往往非常高（20%—30%）。风投行业的重要转折点出现在 20 世纪 70 年代晚期发生的两次重大事件：1978 年资本利得税的显著下降，以及 1979 年管理养老金投资的《雇员退休收入保障法》（ERISA）被重新解释为，只要高风险投资的比例不过分高，将此类投资纳入投资组合是一种“审慎”行为。这为养老基金投资于风险资本并促使风险资本融资的重点从富裕家庭转向机构投资者铺平了道路。此后，某些风险投资公司可定期融资，尽管任何给定年份它们所能筹融到的资金数额严重依赖于其近期业绩和资本利得税率，但后两者反过来又会影响风险投资可获得的机会（Gompers 等，1998）。

在将近 10 年的不同经历之后，专业的风险投资家成了创业融资的重要来源，这不仅因为他们提供了不易获得的早期资本，还因为他们成了发明型企业家获取业务专长的重要来源之一。风险资本家在他们投资的任何一家公司的董事会均占有一席之地，并且掌控着被投资公司，一直到其能公开上市（Hambrecht，1984）。这种控制形式的结果之一是知识产权的重要性日益增加。风险资本家需要实实在在的投资业绩，也即当一项投资不尽人意时可转手的某些物证，或者能向投资者表明他们的投资安全可靠的证据，他们坚持保留专利组合的早期申请权利，因此专利和风险资本变得越来越紧密相关。

当风险资本家凭借自身实力成为专业人才后，风险资本便实现了制度化。在有些地区这一过程颇为顺利，如波士顿和西海岸地区，但在纽约、新泽西和得克萨斯等其他“高科技地区”，律师事务所和会计师事务所及其他各类专业服务公司开发了各种各样的相关专业知识。这显然不可能发生在风险资本投资量多到足以支撑这类基础设施的领域，正是这个原因，风险资本到 20 世纪末仍集中在少数地区。

根据科图姆等人（Kortum 和 Lerner，2000）的研究，尽管风险资本融资只占 1983—1992 年间全部研发支出的 3%，但它作为一种创新资本来源的效率却是纯粹研发的 3 倍。考虑到风险资本家越来越依赖作为投资过程一部分的专利，风险资本融资的增长对专利产生了杠杆效应。到 20 世纪末，老牌风投企业需审核的投资建议书远远超出了其所能提供的融资额度，不过握有专利是新创公司的投资申请要获得认真考虑所必须满足的条件之一。

随着时间的推移，风险资本开始涵盖从主要阶段资金到种子基金的整个融资领域，但颇具讽刺性的是，随着风险资本发展为一个行业后，它也采取了一种低风险的模式。在某些情况下，这意味着它们不太愿意提供早期融资；更通常地，这意味着风险资本公司试图通过企业联合组织来降低风险。随着第一代专业风险资本公司退役后，只有极少数实力雄厚的风险资本公司继续凭借自身力量承担全部投资，这个变化使初创企业可获得的有经验的建议出现了质量下降。到2000年时，只有少数早期风险资本公司，如红杉资本、汉布雷克特（Hambrecht）和奎斯特（Quist）等仍在运作。

随着20世纪末缺乏经验的年轻一代涌入该行业，被认为“热门”的技术领域吸引了不成比例的资金量，而更传统稳健的实体投资则被当作“旧经济”（old economy）遭到抛弃。不足为奇的是，每家终获成功的初创企业都经历过多次失败。但似乎矛盾的是，在前美联储主席艾伦·格林斯潘所谓的“非理性繁荣”后期，未接受风险资本融资的互联网公司较接受风险资本融资的公司更有望存活下来（Goldfarb、Kirsch 和 Miller，2007）。尽管许多公司倒闭了，但少数几家庞大的互联网公司（如亚马逊和易趣）却获得了成功，它们追求一种能为成千上万小企业家开拓以往遥不可及的市场提供支撑的商业模式。再一次地，老牌企业不得不投入它们自己的资金，以应对这一新的商业模式，一如各行各业的零售巨头增加新的分销形式以跟上互联网企业的发展步伐那样。

到20世纪末，在历经互联网投资大起大落一段时期后，风险投资已从一种制度发展成熟为一个行业。在风险投资最密集的领域，它为新创企业提供了高达1/3的资本。从这个角度看，这种基于人际网络的公司（networked firm），起初为了追求更高收益的投资和更明智的建议，替代了大型官僚化公司，成为创业企业的重要支持者，至少在某些行业如此。另一方面，生物科学领域的准企业家发现越来越难以从风险资本家那里获得早期资金，且最近的初创公司也经历了一段再融资以扩大业务规模的困难时期。风险资本家为了寻求有保障的回报和更高的收益，而不愿承担过度风险。

颇具讽刺性的是，正当风投行业蒸蒸日上时，一场反对它的运动也随之出现。对所有最终满腔热情地投身于市场的研究人员、业余爱好者和非专业人士来说，有许多其他人会认为自己最初的企业目标被破坏，因而起来反对。到20世纪末，受互联网的刺激，开放软件运动展现出了新的活力，这反过来催生了维基百科等影响更大的志愿者运动（voluntarist movements）。这些运动可被视为不同形式的集体创业，即引进一种可免费广泛使用的技术，为诸如广告或服务等辅助活动筹集资金。尽管这些运动备受争议，但开放软件运动将对21世纪所有行业带来深刻的革命性影响，由此挑战了许多软件公司的基本经营模式（Lazonick，即将发表）。

七、结　论

本章对20世纪美国企业家精神的概述表明了美国经济中一些重要的延续性，主要在法律、金融和通信等相关领域，这些延续性曾对鼓励创业活动至关重要，且仍将重要。《宪法》的保护，即契约的神圣不可侵犯性和私有财产保护，继续存在，同时公司法也在普通法传统下得到了发展完善。整个20世纪，专利体系和社会普及率更高的可靠的公共教育体制仍在发挥效力，尽管两者都经历了兴衰起伏。新金融工具虽不断演变，但基本原则并未改变。新的运输和通信形式得到发展，降低了成本，并最终“解放”了绝大多数行业，尽管地点依然很重要。

技术开发的公共和私人融资渠道，如州政府、私人基金及农业、铁路和电报等受追捧行业，虽然很不协调，但依然在持续发挥作用，尽管发明重点在20世纪转向了其他受追捧的行业，如电子、汽车和飞机制造。“二战”后联邦政府进行了干预，选择并将资源配置到国防和公共福利领域最有潜力的技术上。

尽管重要制度和模式依然存在，但20世纪美国经济的一些特征却明显有别于以往时代，且这些变化对创业环境产生了深刻影响。随着大量创新的技术含量越来越高，企业家需要受教育程度更高或至少受过更好教育的员工，并能获得更多资源。由于受管制公司的制度化和作为企业核心功能的研发的一体化，企业家精神变得更加同技术创新相关，且更多服务于公司影响力。随着反垄断法获得较好贯彻（像20世纪30年代至80年代期间那样）且禁止公司通过收购竞争对手或将竞争对手挤出相关行业来实现增长，公司对许多以往在企业外部实现的创业功能进行了整合。

在创新、研发和国防是国家强制性的统一目标、稳定的大组织提供的职业保障最具吸引力的时代，公司充当了创业天才的主要招募者和新业务的首要开发者。尽管这些进展并未抑制独立研究和发明，但它们确实对创业活动转向一些核心技术产生了影响。军事技术，甚至应用于民用目的的交叉技术，导致了一套封闭的创新体系，其应用和融资渠道不仅受限制、分类别，并且只适用于有限领域。

如我们已看到的，对于一些农业和医学研究等方面的关键技术，公众更容易获得，且更易受创业活动，甚至全球创业活动的影响。但在20世纪中叶，创业活动更多地和“高科技”企业相关，大多数资金来自公共研发支持和公共采购合约。大学里开展的基础研究并不受限制，但是，由于它主要受纯粹的科学价值引导而与商业开发相隔离，所以并不易于进入创业通道。

由于知识的集中、私人投资资本的缺乏以及许多有巨大机会的核心技术需要大量资本，20世纪中叶独立的发明型企业家大幅减少，尽管他们从未完全消失。即使在农业等创新渠道分布广泛且更容易进入的领域，诸如先锋杂交（Pioneer Hybrid）等高增长公司也开始整合研发活动，同一些重点大学建立更严格的合作网络，以此来巩固自己的地位。

关于20世纪70年代个人、私营部门企业家精神的复苏如何使创新体系重新开放，仍有大量问题有待研究。事实上，不管是推动了企业家精神的创新体系的开放，还是使创新体系重获开放的创业能量的爆发，都不易确定。企业家的机会随信息技术成本的持续下降及其向更小民用领域的普及而不断涌现。在基于计算机的新信息技术组合方面，也产生了许多有待企业家开发的崭新应用领域。

清洁的空气和水、生活方式改善以及消费者和产品安全保护等需求上的重要社会变化，改变了政府支出的重点，并开创了一种新型企业家精神，一开始在政府内部起作用，随后试图通过外部作用使之发生改变。政府企业家很大程度上被那些想利用自由市场机制带来改变的私营部门企业家所取代。

20世纪80年代，推动了第三次工业革命的核心技术，已从信息技术扩展至微生物学、微型化及许多新兴杂化材料（hybrid materials）和工艺。全球化也开辟了新市场，并使开拓了贸易创业机会的移民模式重焕生机。软件等技术和许多新的反主流文化创新对资本的需求远低于20世纪中叶的“前辈们”，从而使高科技投资成了“非理性繁荣”的渊薮。到20世纪末，对于基因组学等有无限发展前景和创业参与热情的一些新兴技术，资本密集程度已变得更高，以至私人投资者和资本市场似乎均不能为他们提供支撑。

总之，从本章概述中得出的最重要发现与20世纪企业家和大型企业之间建立的多层面互补关系有关。[39] 到20世纪60年代，大型企业本身往往锁定在官僚主义中，以至很难完全自我维续和自我更新。尽管大型企业在大萧条时期展示出了暂时性的自发创业能力，但战后时期朝着日益官僚化和风险规避发展的倾向，逐渐使真正的创业品质除了最富于创业精神的企业外不再受到

㊴ 参见Jones（2007），作者指出了在大历史背景下理解企业家精神的重要意义，他还指出，有必要进一步深入理解不同背景所需的技能、行为和个性的不断变化这一特性。

欢迎。当创业型员工离开公司时，他们同时也带走了自己的专业知识和创新激情。意识到自己对新创意越来越大的需求，且很少会受到反垄断阻碍后，一些企业和富于创业精神的公司建立了联盟，其他的则试图收购富于创业精神的公司，但出于财务动机的零星收购之举很少能产生有成效的结果。

随着私人手上可以利用的资本越来越多和投资者寻求更高的收益，到 20 世纪末，新的创业企业获得了迅速发展，它们通过各种网络获取知识和专门技术，且对老牌企业构成了直接挑战，有时甚至将它们挤出了该行业。但是，对那些意识到需要转型的公司来说，创业企业不仅是外包的备选对象和创新产品的来源，而且提供了可效仿的经营模式。最后，全球化改变了美国创业活动的地理分布，正如它曾改变了整个商业的地域特征一样。尽管把 20 世纪美国的企业家精神当作一种独特现象论述不乏合理性，但 21 世纪的历史学家似乎极不可能找到任何与此类似的经历。

参考文献

Abernathy, William J. 1978. *The Productivity Dilemma: Roadblock to Innovation in the Automobile Industry*. Baltimore: Johns Hopkins Press.

Abernathy, William J., Kim B. Clark, and Alan M. Kantrow. 1983. *Industrial Renaissance: Producing a Competitive Future for America*. New York: Basic Books.

Adams, Stephen B. 1997. *Mr. Kaiser Goes to Washington: The Rise of a Government Entrepreneur*. Chapel Hill: University of North Carolina Press.

Aitken, Hugh G. J. 1960. *Taylorism at the Watertown Arsenal: Scientific Management in Action, 1908–1915*. Cambridge: Harvard University Press.

———. 1976. *Syntony and Spark: The Origins of Radio*. New York: Wiley.

———. 1985. *The Continuous Wave: Technology and American Radio, 1900–1932*. Princeton: Princeton University Press.

Ante, Spencer E. 2008. Creative Capital: Georges Doriot and the Birth of Venture Capital. Boston: Harvard Business Press.

Arthur, W. Brian. 1989. "Competing Technologies, Increasing Returns, and Lock-in by Historical Events." *Economic Journal* 99:116–31.

Bakker, Gerben. 2003. "Entertainment Industrialized: The Emergence of the International Film Industry." *Enterprise and Society* 4:579–85.

Balogh, Brian. 1991. *Chain Reaction: Expert Debate and Public Participation in American Commercial Nuclear Power, 1945–1975*. Cambridge: Cambridge University Press.

Blackford, Mansel G., and K. Austin Kerr. 1996. *BF Goodrich: Tradition and Transformation, 1870–1995*. Columbus: Ohio State University Press.

Blaszczyk, Regina Lee. 2000. *Imagining Consumers: Design and Innovation from Wedgwood to Corning*. Baltimore: Johns Hopkins University Press.

Campbell-Kelly, Martin, and William Aspray. 1996. *Computer: A History of the Information Machine*. New York: Basic Books.

Cather, Willa. 1925. *The Professor's House*. New York: Knopf.

Chandler, Alfred D., Jr. 1977. *The Visible Hand: The Managerial Revolution in American Business*. Cambridge: Belknap Press of Harvard University Press.

———. 2001. "Consumer Electronics: The United States." In *Inventing the Electronic Century: The Epic Story of the Consumer Electronics and Computer Science Industries*, 13–49. New York: Free Press.

Chandler, Alfred D., Jr., and James W. Cortada, eds. 2000. *A Nation Transformed by Information: How Information Has Shaped the United States from Colonial Times to the Present*. Oxford: Oxford University Press.

Compton, Karl T. 1949. "Foreword." In W. Rupert McLaurin, *Invention and Innovation in the Radio Industry*. New York: Macmillan.

Coopey, Richard, ed. 2004. *Information Technology Policy: An International History*. Oxford: Oxford University Press.

Cortada, James W. 2000. "Progenitors of the Information Age: The Development of Chips and Computers." In *A Nation Transformed by Information: How Information Has Shaped the U.S. from Colonial Times to the Present*, ed. Alfred D. Chandler Jr. and James W. Cortada, 177–212. New York: Oxford University Press.

Douglas, Susan. 1987. *Inventing American Broadcasting, 1899–1922*. Baltimore: Johns Hopkins University Press.

Dupree, A. Hunter. 1957. *Science in the Federal Government: A History of Policies and Activities to 1940*. Cambridge: Belknap Press of Harvard University Press.

Dyer, Davis. 1998. *TRW: Pioneering Technology and Innovation since 1900*. Boston: Harvard Business School Press.

Dyer, Davis, and Michael Aaron Dennis. 1998. *Architects of Information Advantage: The Mitre Corporation since 1958*. Montgomery, AL: Community Communications.

Dyer, Davis, and Daniel Gross. 2001. *Generations of Corning: The Life and Times of a Global Corporation*. Oxford: Oxford University Press.

Fabrizio, Kira R., and David C. Mowery. 2007. "The Federal Role in Financing Major Innovations: Information Technology during the Postwar Period." In *Financing Innovation in the United States, 1870 to the Present*, ed. Naomi R. Lamoreaux and Kenneth L. Sokoloff, 283–316. Cambridge: MIT Press.

Farber, David R. 2002. *Sloan Rules: Alfred P. Sloan and the Triumph of General Motors*. Chicago: University of Chicago Press.

Field, Alexander J. 2003. "The Most Technologically Progressive Decade of the Century." *American Economic Review* 93:1399–1413.

Fischer, David Hackett. 1996. *The Great Wave: Price Revolutions and the Rhythm of History*. New York: Oxford University Press.

Fitzgerald, F. Scott. 1925. *The Great Gatsby*. New York: Charles Scribner's Sons.

Florida, Richard L., and Martin Kenney. 1990. *The Breakthrough Illusion: Corporate America's Failure to Move from Innovation to Mass Production*. New York: Basic Books.

Friedman, Benjamin M. 2007. "Comment on 'Sustaining Entrepreneurial Capitalism' by William J. Baumol, Robert E. Litan, and Carl J. Schramm." *Capitalism and Society* 2, no. 2, article 1.

Galambos, Louis. 2005. "Recasting the Organizational Synthesis: Structure and Process in the Twentieth and Twenty-first Centuries." *Business History Review* 79:1–38.

Galambos, Louis, and Joseph Pratt. 1988. *Rise of the Corporate Commonwealth: U.S. Business and Public Policy in the Twentieth Century*. New York: Basic Books.

Galambos, Louis, and Jeffrey Sturchio. 1996. "The Pharmaceutical Industry in the Twentieth Century: A Reappraisal of the Sources of Innovation." *History and Technology* 13, no. 2: 83–100.

Galbraith, John Kenneth. 1967. *The New Industrial State*. Boston: Houghton-Mifflin.

———. 1994. *The World Economy since the Wars: A Personal View*. London: Sinclair-Stevenson.

Galison, Peter, and Bruce W. Hevly, eds. 1992. *Big Science: The Growth of Large-Scale Research*. Stanford: Stanford University Press.

Goldfarb, Brent D., David Kirsch, and Daniel Miller. 2007. "Was There Too Little Entry during the Dot Com Era?" *Journal of Financial Economics* 86, no. 1: 100–144.

Gompers, Paul A., Josh Lerner, Margaret M. Blair, and Thomas Hellman. 1998. "What Drives Venture Capital Fundraising?" *Brookings Papers on Economic Activity: Microeconomics*: 149–204.

Graham, Margaret B. W. 1982. "Ampex Corporation: Product Matrix Engineering." Harvard Business School Case Series.

———. 1985. "Industrial Research in the Age of Big Science." In *Research on Technological Innovation, Management, and Policy*, vol. 2, ed. Richard S. Rosenbloom, 47–89. Greenwich, CT: Jai Press.

———. 1986. *RCA and the VideoDisc: The Business of Research*. Cambridge: Cambridge University Press.

———. 2000. "The Threshold of the Information Age: Radio, Television, and Motion Pictures Mobilize the Nation." In *A Nation Transformed by Information: How Information Has Shaped the U.S. from Colonial Times to the Present*, ed. Alfred D. Chandler Jr. and James W. Cortada, 137–75. New York: Oxford University Press.

———. 2007. "Financing Fiber." In *Financing Innovation in the United States, 1870 to the Present*, ed. Naomi R. Lamoreaux and Kenneth L. Sokoloff, 247–82. Cambridge: MIT Press.

———. 2008. "Technology and Innovation." In *The Oxford Handbook of Business History*, ed. Geoffrey Jones and Jonathan Zeitlin, 347–73. New York: Oxford University Press.

Graham, Margaret B. W., and Bettye H. Pruitt. 1990. *R&D for Industry: A Century of Technical Innovation at Alcoa*. Cambridge: Cambridge University Press.

Graham, Margaret B. W., and Alec T. Shuldiner. 2001. *Corning and the Craft of Innovation*. Oxford: Oxford University Press.

Hambrecht, William R. 1984. "Venture Capital and the Growth of Silicon Valley." *California Management Review* 26, no. 2: 74–82.

Hayes, Robert H., and William J. Abernathy. 1980. "Managing Our Way to Economic Decline." *Harvard Business Review* 58, no. 4: 67–77.

Hintz, Eric. 2007. "Independent Inventors in an Era of Burgeoning Research and Development." Presented at the Business History Conference, Cleveland. Available at http://www.thebhc.org/publications/BEHonline/2007/hintz.pdf.

Hounshell, David A. 1984. *From the American System to Mass Production, 1800–1932*. Baltimore: Johns Hopkins University Press.

———. 1992. "DuPont and Nylon." In *Big Science: The Growth of Large-Scale Research*, ed. Peter Galison and Bruce W. Hevly, 236–64. Stanford: Stanford University Press.

———. 1996. "The Evolution of Industrial Research in the United States." In *Engines of Innovation: U.S. Industrial Research at the End of an Era*, ed. Richard S. Rosenbloom and William J. Spencer, 13–85. Boston: Harvard Business School Press.

Hounshell, David A., and John K. Smith. 1988. *Science and Corporate Strategy: DuPont R&D, 1902–1980*. Cambridge: Cambridge University Press.

Hughes, Jonathan. 1986. *The Vital Few: The Entrepreneur and American Economic Progress*. 2nd ed. New York: Oxford University Press.

Israel, Paul. 1992. *From Machine Shop to Industrial Laboratory: Telegraphy and the Changing Context of American Invention, 1830–1920*. Baltimore: Johns Hopkins University Press.

Jelinek, Mariann. 1979. *Institutionalizing Innovation: A Study of Organizational Learning Systems*. New York: Praeger.

Jones, Geoffrey. 2007. "Entrepreneurship." In *The Oxford Handbook of Business History*, ed. Geoffrey Jones and Jonathan Zeitlin, 501–28. New York: Oxford University Press.

Kanigel, Robert. 1997. "The Great Diffusion." In *The One Best Way: Frederick Winslow Taylor and the Enigma of Efficiency*. New York: Viking Press.

Kenney, Martin, and Richard Florida. 2000. "Venture Capital in Silicon Valley: Fueling New Firm Formation." In *Understanding Silicon Valley: The Anatomy of an Entrepreneurial Region*, ed. Martin Kenney, 98–123. Stanford: Stanford University Press.

Kevles, Daniel J. 1978. *The Physicists: The History of a Scientific Community in Modern America*. New York: Knopf.

Khan, B. Zorina. 2005. *The Democratization of Invention: Patents and Copyrights in American Economic Development, 1790–1920*. Cambridge: Cambridge University Press.

Kortum, Samuel, and Josh Lerner. 2000. "Assessing the Contribution of Venture Capital to Innovation." *Rand Journal of Economics* 31:674–92.

Lamoreaux, Naomi R., Daniel M. G. Raff, and Peter Temin. 2003. "Beyond Markets and Hierarchies: Towards a New Synthesis of American Business History." *American Historical Review* 108:404–33.

Lanham, Richard A. 1993. *The Electronic Word: Democracy, Technology, and the Arts*. Chicago: University of Chicago Press.

Lazonick, William. 2007. "Business History and Economic Development." In *The Oxford Handbook of Business History*, ed. Geoffrey Jones and Jonathan Zeitlin, 67–95. New York: Oxford University Press.

———. 2009. "Restructuring the Old Economy Corporation." In *Sustainable Prosperity in the New Economy? Business Organization and High-Tech Employment in the United States*. Upjohn Institute for Employment Research.

Lécuyer, Christophe. 2006. *Making Silicon Valley: Innovation and the Growth of High Tech, 1930–1970*. Cambridge: MIT Press.

Leslie, Stuart W. 2000. "The Biggest 'Angel' of Them All: The Military and the Making of Silicon Valley." In *Understanding Silicon Valley: The Anatomy of an Entrepreneurial Region*, ed. Martin Kenney, 48–67. Stanford: Stanford University Press.

Mansfield, Edwin F. 1968. *The Economics of Technological Change*. New York: Norton.

Markham, Jesse W. 1966. "The Joint Effect of Antitrust and Patent.Laws upon Innovation." *American Economic Review* 56:291–300.

McCraw, Thomas. 2007. *Prophet of Innovation: Joseph Schumpeter and Creative Destruction*. Cambridge: Belknap Press of Harvard University Press.

McElvaine, Robert. 2003. "Review of *Rainbow's End: The Crash of 1929* by Maury Klein." *Business History Review* 77, no. 2, 319-321.

McLaurin, William Rupert. 1949. *Invention & Innovation in the Radio Industry*. New York: Macmillan.

McQuaid, Kim. 1978. "Corporate Liberalism in the American Business Community, 1920–1940." *Business History Review* 52:342–68.

Melosi, Martin V. 2000. *The Sanitary City: Urban Infrastructure in America from Colonial Times to the Present*. Baltimore: Johns Hopkins University Press.

Miscamble, Wilson D. 1982. "Thurman Arnold Goes to Washington: A Look at Antitrust Policy in the Later New Deal." *Business History Review* 56:1–15.

Mowery, David C., Richard Nelson, Bhaven Sampat, and Arvids Aiedonis. 2004. *Ivory Tower and Industrial Innovation: University-Industry Technology Transfer before and after the Bayh-Dole Act in the United States*. Stanford, CA: Stanford Business Books.

Mowery, David C., and Nathan Rosenberg. 1989. *Technology and the Pursuit of Economic Growth*. Cambridge: Cambridge University Press.

———. 1993. "The U.S. National Innovation System." In *National Innovation Systems: A Comparative Analysis*, ed. Richard Nelson, 29–75. New York: Oxford University Press.

Mowery, David C., and David J. Teece. 1996. "Strategic Alliances in Industrial Research." In *Engines of Innovation: U.S. Industrial Research at the End of an Era*, ed. Richard S. Rosenbloom and William J. Spencer, 111–29. Boston: Harvard Business School Press.

National Research Council. Multiple Years. *Bulletin of the National Research Council*. Washington, DC: National Research Council of the National Academy of Sciences.

Neal, Larry, and Lance E. Davis. 2007. "Why Did Finance Capitalism and the Second Industrial Revolution Arise in the 1890s?" In *Financing Innovation in the United States, 1870 to the Present*, ed. Naomi R. Lamoreaux and Kenneth L. Sokoloff, 129–61. Cambridge: MIT Press.

Noble, David. 1977. *America by Design: Science, Technology, and the Rise of Corporate Capitalism*. New York: Knopf.

O'Sullivan, Mary A. 2006. "Living with the U.S. Financial System: The Experiences of General Electric and Westinghouse Electric in the Last Century." *Business History Review* 80:621–56.

———. 2007. "Funding New Industries: A Historical Perspective on the Financing Role of the U.S. Stock Market in the Twentieth Century." In *Financing Innovation in the United States, 1870 to the Present*, ed. Naomi R. Lamoreaux and Kenneth L. Sokoloff, 163–216. Cambridge: MIT Press.

Osterhammel, Jürgen, and Niels P. Petersson. 2005. *Globalization: A Short History*. Princeton: Princeton University Press.

Piketty, Thomas, and Emmanuel Saez. 2003. "Income Inequality in the United States, 1913–1988." *Quarterly Journal of Economics* 118:1–39.

Pursell, Caroll. 1981. *Technology in America: A History of Individuals and Ideas*. Cambridge: MIT Press.

Raff, Daniel M. G. 1991. "Making Cars and Making Money in the Interwar Automobile Industry: Economies of Scale and Scope and the Manufacturing Behind the Marketing." *Business History Review* 65:721–53.

Reich, Leonard S. 1977. "Research, Patents and the Struggle to Control Radio: A Study of Big Business and the Uses of Industrial Research." *Business History Review* 51:208–35.

———. 1980. "Industrial Research and the Pursuit of Corporate Security: The Early Years of Bell Labs." *Business History Review* 54:504–29.

———. 1985. *The Making of American Industrial Research: Science and Business at GE and Bell, 1876–1926*. Cambridge: Cambridge University Press.

Reich, Robert. 1991. *The Work of Nations: Preparing Ourselves for 21st-Century Capitalism*. New York: Knopf.

Rhodes, Richard. 1999. *Visions of Technology: A Century of Vital Debate about Machines, Systems, and the Human World*. New York: Simon and Schuster.

Roland, Alex. 2001. *The Military-Industrial Complex*. Washington, DC: American Historical Association.

Rosenberg, Nathan. 2000. *Schumpeter and the Endogeneity of Technology: Some American Perspectives*. New York: Routledge.

Rosenbloom, Richard S., and Karen J. Freeze. 1985. "Ampex Corporation and Video Innovation." In *Research in Technological Innovation Management and Policy*, vol. 2, ed. Richard S. Rosenbloom, 113–85. Greenwich, CT: JAI Press.

Scranton, Philip. 1997. *Endless Novelty: Specialty Production and American Industrialization, 1865–1925*. Princeton: Princeton University Press.

Servan-Schreiber, Jean-Jacques. 1968. *The American Challenge*. New York: Atheneum.

Specter, Michael. 2008. "Big Foot." *New Yorker* 84, no. 2: 44–53.

Sturchio, Jeffrey L. 1985. *Corporate History and the Chemical Industries: A Resource Guide*. Philadelphia: Center for History of Chemistry.

Sturgeon, Timothy J. 2000. "How Silicon Valley Came to Be." In *Understanding Silicon Valley: The Anatomy of an Entrepreneurial Region*, ed. Martin Kenney, 15–47. Stanford: Stanford University Press.

Sullivan, Margaret Cox. 1997. *The Hostile Corporate Takeover Phenomenon of the 1980s*. Washington, DC: Stockholders of America Foundation.

Szostak, Rick. 1995. *Technological Innovation and the Great Depression*. Boulder, CO: Westview.

Thurow, Lester C. 1999. *Building Wealth: The New Rules for Individuals, Companies, and Nations in a Knowledge-Based Economy*. New York: HarperCollins.

Usselman, Steven W. 2004. "Public Policies, Private Platforms: Antitrust and American Computing." In *Information Technology Policy: An International History*, ed. Richard Coopey, 97–120. Oxford: Oxford University Press.

———. 2007. "Learning the Hard Way: IBM and the Sources of Innovation in Early Computing." In *Financing Innovation in the United States, 1870 to the Present*, ed. Naomi R. Lamoreaux and Kenneth L. Sokoloff, 317–63. Cambridge: MIT Press.

Veblen, Thorstein. 1921. *The Engineers and the Price System*. New York: B. W. Huebsch.

Waller, Spencer W. 2004. "The Legacy of Thurman Arnold." *St. John's Law Review* 78: 569–613.

Wise, George F. 1985. *Willis R. Whitney, General Electric, and the Origins of U.S. Industrial Research*. New York: Columbia University Press.

Yates, JoAnne. 1989. *Control through Communication: The Rise of System in American Management*. Baltimore: Johns Hopkins University Press.

———. 2000. "Business Use of Information and Technology during the Industrial Age." In *A Nation Transformed by Information: How Information Has Shaped the U.S. from Colonial Times to the Present*, ed. Alfred D. Chandler Jr. and James W. Cortada, 107–35. New York: Oxford University Press.

———. 2005. *Structuring the Information Age: Life Insurance and Technology in the Twentieth Century*. Baltimore: Johns Hopkins University Press.

Yergin, Daniel, and Joseph Stanislaw. 1998. *The Commanding Heights: The Battle between Government and the Marketplace That Is Remaking the Modern World*. New York: Simon and Schuster.

Zunz, Olivier. 1990. *Making America Corporate, 1870–1920*. Chicago: Chicago University Press.

第十五章　殖民时代印度企业家金融信贷供给的一项研究*

苏珊·沃尔科特

1968年，威廉·鲍莫尔呼吁学术界重新关注“创业活动报酬的决定因素”。理解企业家才能的配置至关重要，因为“企业家是刺激增长的关键因素”。在一篇1990年的论文中，鲍莫尔在一个不那么乐观的注解中表明，不恰当的报酬结构奖励了非生产性的企业家精神，在经验上同非常缓慢的增长密切相关。

印度，特别是殖民时代的印度，是研究缓慢经济增长的一个迷人案例。1948年以后的印度发展缓慢，最明显的原因在于以各种显著方式窒息了增长的坏的政府政策。近来对这类政策的部分废除已加速了发展步伐。但殖民时代的印度仍只实现了缓慢增长，尽管推行了一些非常好的政府政策。但将过去两个世纪作为一个整体考察，印度经济确实呈现出世界工业化国家中极其罕见的普遍贫困特征。这当中创业报酬扮演着怎样的角色？

对印度经济发展局限性的探讨，往往将一个重要原因归咎于新创企业筹资成立或老牌企业融资扩张的困难程度。但如本章将表明的，不管独立前还是独立后，印度都具备大量运行良好的金融机构。事实上，印度金融机构的结构和运行同19世纪中叶盛行于美国的金融机构之间有着惊人的相似性。由于这种情况显然并未阻碍美国的经济增长，因此资本在印度的不可得性必须被排除在该国企业家精神发展和经济增长不可逾越的障碍之外。

美国体制和印度体制之间存在一个重要区别。在印度，金融资本的供应很大程度上仍然是“非正规的”。尽管印度的金融企业家在一套允许注册成立

---

* 本章最初为2006年10月19日至21日纽约大学举办的“企业家精神史研讨会”（History of Entrepreneurship conference）准备，该研讨会由William J. Baumol、David Landes和Joel Mokyr组织，获考夫曼基金资助。

公司和承担有限责任的英国殖民法律体系下经营业务，且印度也有注册银行及股票和证券市场，但绝大多数金融资本家选择了像私人实体那样运作。我认为这种非正规性倾向可能是种姓制度的一种结果。19世纪，马克斯·韦伯的著名论断已表明，印度社会制度未能给创业提供报酬，且正是这种不合理的报酬结构窒息了资本主义经济增长（Weber，1958）。韦伯注意到，印度种姓制度同其亘古不变的世界秩序观密切相关，这和对轮回转世的期许一起，导致了对世俗的漠视。虽然印度商业研究人员致力于修正印度人不关心物质利益的观念，但学者们也不得不承认印度商业网络深受种姓制度的影响。1955年，海伦·兰姆（Helen B. Lamb）就观察到，绝大多数印度企业家皆出身于三个社群：拉贾斯坦邦的马尔瓦尔人（Marwaris）、古吉拉特邦的瓦尼拉斯人（Vanias）和帕西人（Parsis）。[①] 这种模式甚至持续至今，几乎所有研究都表明，这三个社群掌控着印度工业的最大一部分。唯一的变化只是另外三个社群，即旁遮普卡特里人（Punjabi Khatris）、雀替尔人（Chettiars）和马哈拉施特拉邦人（Maharashtrians）加入了他们当中，但他们仍算不上重要群体（Khanna 和 Palepu，2004，第14页）。

这些群体的盛行充分表明，创业的报酬在不同种姓之间有所差别。历史资料也表明，任何种姓皆未消极看待财富。[②] 但种姓制度的报酬结构为从事放贷和贸易的种姓成员提供了一条通过声誉执行合同的良好途径，因而使这些种姓成员中的法律执行较不必要。种姓成员身份本身便能制止欺诈。我将表明，由于非正规部门运行得如此有效，至少在这些群体中，印度正规金融部门仍不够发达。另外，通过延缓人格化程度较低的信用体系的发展，印度的非正规体系可能减少了不属于这些群体成员的创业报酬。

本章安排如下：首先，我将简要描述殖民时代印度的经济政策虽好，但其经济发展却并非如此。然后，我描述了殖民时代印度的金融市场。根据我的定义，印度的金融市场较内战前的美国更加不正规。接着，我对数据作了

---

① Lamb（1955）。帕西人是琐罗亚斯德教徒（Zorastrians）而非印度教徒。但种姓制度充斥于传统印度社会，以至非印度教群体的社会关系都表现出某些类似于种姓的特征。因此学者们经常提及印度的穆斯林“种姓”和基督徒“种姓”。

② Tripathi（2004）的一项重要研究讨论了自16世纪至20世纪的印度企业家精神史。他的著作较好地阐述了印度成功商人享有的权利和名望。

验证，以测算印度体制相对于美国体制的表现。在第四部分，我将论证这种非正规体制可能同种姓制度紧密关联。随后，我讨论了支撑印度商业和贸易的基于种姓的金融体系，如何演变为支撑印度工业的基于种姓的管理机构体系。最后，本章对印度人格化金融体系及其有限发展程度之间的潜在关联做出了推断。

一、制度环境与殖民时代印度的经济发展

一项重大的新研究计划，以斯坦利·恩格尔曼和肯尼斯·索科洛夫以及达龙·阿西莫格鲁、西蒙·约翰逊和詹姆斯·罗宾逊的研究为代表，表明“获得社会与经济进步的广泛机会（包括拥有土地、获得教育、借贷和创新的能力等）”是一个关键制度特征。该观点认为，鼓励人们广泛参与创业活动的法律和政府政策至关重要。普遍认为，这种广泛机会能解释美国和加拿大的发展水平为何远远超过了其他那些资源更丰富的美洲国家的奇怪事实（Hoff，2003，第207—208页）。这似乎颇令人惊讶，但许多被认为是增长促进型的美国和加拿大特征确能较合理地描述殖民时代的印度经济。

当1947年印度独立时，主要决策者下决心不再重蹈英国人的覆辙。斯里尼瓦桑（T. N. Srinivasan）和苏雷什·腾杜卡（Suresh D. Tendulkar）写道，民族主义者认为英国的放任自由和自由贸易政策是印度工业增长滞后的罪魁祸首。他们援引尼赫鲁（Nehru）将世界贸易视作“经济帝国主义漩涡”的描述。民族主义者用后来众所周知的“许可证制度”（License Raj）来取代英国政策。该项制度要求企业家从事任何大型工业投资都必须获得许可证。尽管最初人们试图用它来驾驭和引导经济转向公共品供应，但该制度逐渐“沦为政治和其他庇护式分配的工具”（Srinivasan 和 Tendulkar，2003；第13—14页）。此外，许可证制度限制了企业的生产能力和产品供给。只要企业愿意，就可以向国内消费者出售任何它所能提供的商品，因此很少激励提高产品质量或降低售价。劳动管理政策也受到政府口号（government dictums）的严格限制。国家独立意味着印度普通民众获得了选举权，据最近的研究，在许多国家选举权都和良好的经济政策紧密相关。但不管出于何种原因，支持经济政策的印度选民却明显地抑制了创业活动和创新。

我们拿独立后的印度政府和殖民时代的政权作一比较。尽管从总人数上

讲受过教育的印度人已不算少，但绝大部分印度人仍然是文盲，这几乎肯定不利于增长。此外，本土印度人大多被排除在政府系统以外。选举权的实际效果极其有限，当选的政客主要扮演顾问角色（Chaudhary，2006b）。另一方面，绝大多数经济学家都会把英国在其殖民地施行的政策描述为增长促进型的，如饱受民族主义者责难的放任自由和自由贸易政策。前孟加拉邦首席大法官乔治·兰金爵士（Sir George Rankin）将殖民时代印度的法律，尤其是合同法，描述为英国民法的改进版本。1872 年的《印度合同法》（Indian Contract Act）正是当时英国惯例的一个简化和编选版本。当英国人通过 1890 年和 1893 年的议会立法编纂他们自己的成文法时，“弗雷德里克·波洛克爵士已接近完成（印度）立法委员会的 1866 年草案”（Rankin，1946，第 93 页及以后、第 97 页）。反过来说，印度的法律得到了 1932 年《印度法案》（Indian Act）的修正，以使其更准确地同英国议会立法相一致，但兰金还是认为，《印度法案》的某些内容，特别是对企业的态度方面，在明晰度和完备性上是对已有英国法律的一种改进。另一点有利于增长的是印度人很多是地主。在印度，确实存在许多大地产和大种植园，但绝大多数印度农业生产者仍至少拥有少量土地。

因而印度人拥有良好的政策和法律，依托于土地所有权，他们应该能获得相应的信贷。至少受过教育的大多数人，应有条件从事创新。但是，他们在自己国家中的从属地位，是否构成了一种增长障碍？一些作者，如苏布拉马尼扬·斯瓦米（Subramanian Swamy，1979）和阿米亚·巴格奇（Amiya Bagchi，1972）声称，英国政府给本土印度企业家“设下了障碍”。但这些作者抱怨的并不是英国人设下了实际障碍，而是他们没能通过补贴和保护性关税给企业家提供帮助。更多的现代学者——当然包括那些研究制度发展的生产性路径的学者——可能会认为，英国人在统治印度时期没有提供补贴和保护性关税，实际上恰是他们能给印度企业家提供的最好帮助。

而且以绝对值计算，在 20 世纪早期，印度曾出现一场大规模的工业扩张。拉雅·雷（Rajat Ray，1979，表 9，第 39 页）表明，到 1939—1940 年，在印度注册的股份制公司的实收资本已增长至 1914 年时的 4 倍。到 1946 年，又在 1939—1940 年的基础上增加了 50% 以上。1914—1946 年间的年增长率高达 16.85%。股份制公司既包括工业企业，也涉及银行业、交通运输业、种植业、采矿业和房地产业。但巴格奇注意到，由于印度缺少本土机械制造商，机械进口提供了一个关于实物投资（特别是工业部门）的准确指标。以1929—1930年的卢比计值，印度在20世纪前40年间进口的实物资本累计总额接近40亿卢比（Bagchi，1972，表3－2）。因此，从这一绝对值来看，确实存在着令人印象深刻的工业投资。

但相对于印度的总体经济，工业部门仍较小。殖民时代的净投资只构成了国民收入的2%—4%，远不及近几年的平均约占印度GDP的23%。殖民时代的机械投资以相对值计甚至更低，仅为国民收入的0.5%。[③] 即使到1947年独立时，除了战时公司注册的激增外，制造业部门仅构成了16%的印度净产出，且其中的绝大部分（8.9%）来自小规模制造业（Heston，1982，表4－3B）。1911—1951年间，印度劳动力中从事制造业的份额实际上出现了下降，从10.1%降至8.7%。但应该注意到，这主要是由制造业中妇女劳动力的下降所致。制造业中男性劳动力的比例相对较稳定：1901年和1951年分别是9.5%和9.1%（Krishnamurty，1982，表6－2）。

更重要的也许是生产率增长极低。赫斯顿（Heston，1982，表4－4）给出了1900—1947年间印度所有重要经济部门附加值的变化数据。赫斯顿估计，约占就业和GDP 70%的农业，在该时期以人均实际增加值计，甚至可能出现了略为负的年增长率。以人均实际增加值计，制造业和商业增长大约只有1%。从这个角度来看，印度几乎算不上是一个有活力的经济体。

罗伊（Tirthankar Roy，2002，第118页）认为，印度的资源禀赋解释了这种低投资水平及其导致的生产率增长不足。根据他的看法，在印度，稀缺及由此导致的资本和技能型劳动力的高成本意味着印度工业最适合成为而且确实是“一个庞大的由基于工具的（tool-based）家庭或小作坊工业生产构成的传统制造业”。他的观点得到了莫里斯的响应。莫里斯指出，尽管官方数据显示小规模工业的生产率比大规模工业更高且变化更大，但由于两次世界大战之间对作坊生产活动的严重低估，印度经济可能比官方数据所表明的更有活力。此外，印度企业家专注于这些作坊的事实并非落后的一种体现：

> 在作坊条件下引进现代（如果技术上不总是“过时”的话）机器，

③ Roy（2002）；关于殖民时代数据和国际货币基金组织（IMF），参见《在线国际金融统计数据：1994—2002》（*International Financial Statistics Online*）。

是私营企业家对成本和需求条件做出的理性且相当有效的反应，因为它们在印度经济中广泛存在（Morris，1992，第221页）。

罗伊和莫里斯认为，印度正处于发展中。只是印度的发展道路同西方经济体略有不同，且这种不同是因为在印度成立现代工业厂房需要更高的成本。

莫里斯就印度企业家回避大规模工业提出了另一个原因，即他们对商业和作坊更熟悉。莫里斯关于印度工业发展的最新研究是他1987年的论文，但他一直认为，考虑到印度基础设施的匮乏，大规模制造业的不确定性过大。尽管莫里斯从未直接引用过弗兰克·奈特的论述，但他显然是指奈特式的不确定性，即“风险”（可知概率的随机性）和“不确定性”（不可知概率的随机性）之间的区别（Knight，1921）。莫里斯（1992，第202页）指出，发达国家有“旨在降低风险和使不确定性最小化的期货市场、统计模型和其他专业化服务形式”，在他看来，印度企业家则不能获得这类服务。

一家新创企业必须有望实现非常高的收益率，以便既能弥补稀缺资本的成本，又能弥补高风险的潜在损失。更高的收益必须能补偿新创企业的普遍不确定性，这样一来发起方和投资商能找到的前景可期的机会就大大减少了。（1982，第557页）

但莫里斯的论述也强调了印度对金融企业家的迫切需求。运行良好的金融市场的主要目的是使个人储蓄者的风险最小化，以促进资本的利用。当投资报酬极为不确定时，尤其需要这样的金融市场。例如，可考虑杰里米·格林伍德和博扬·约万诺维奇（Jeremy Greenwood 和 Boyan Jovanovic，1990）的理论模型。在该模型中，银行的职能是积累关于不确定的技术总体状况的知识，这些知识成本高昂。由于银行是相对强大的“玩家”，它们有比个人更多的激励支付研究成本，且它们能弥补个别项目的风险损失，所以在一个信贷市场运行良好的经济体中，有着更高的储蓄和增长。

这一论证思路表明，若无足够多的金融企业家承担研究未知领域的任务，或由于某种原因他们表现得差强人意，则殖民时代的印度不可能出现一种适宜于创新型企业家的环境。在某种意义上，莫里斯显然对印度经济的复杂性做出了错误的判断。至少从19世纪初起，棉花期货市场在印度北部地区已非常普遍（Bayly，1992，第395页）。到19世纪末，印度各地已出现了针对所有农产品的成熟期货市场，它似乎成了本地商人的独占领域（Ray，1988）。但其他形式的“情报收集”制度又表现得如何？

二、殖民时代的金融市场

当16世纪欧洲人到达印度时，他们发现那里已存在一个复杂的金融市场。对该市场有过描述的作者很少会漏掉17世纪伟大旅行家塔韦尼耶（Tavernier）以下多姿多彩的观察：

> 在土耳其帝国忙着赚钱的犹太人通常被认为特别能干，但他们甚至不能胜任做印度银行家的学徒。（Tripathi，2004，第21页）

印度人建立了一套体系，以便在国内和更远距离运输大宗财货，这套体系被称作“票据”（hundi）体系。一份“票据”即“一种由交易商的代理方或开户商行出具的汇票，前者在任何地方均可要求后者向受票人支付一笔指定数额的金钱，这就相当于出票人已经获得了该笔金钱”（Tripathi，2004，第18页）。到1700年，这套体系已覆盖印度全境，且一个稳定的“票据”市场正在形成。市场网络从苏拉特延伸到了达卡，还从波斯湾和红海地区延伸到了马卡（Makha）（Ray，1988，第265页）。钱币兑换商、职业私人银行家和商人，均积极参与“票据”的发行和交易。据说这套体系可能源于许多印度地方统治者支付军饷的需要。[④] 该市场网络在英国殖民时期继续运行。1931年，中央银行调查委员会（Central Banking Enquiry Committee）估计，90%的印度国内贸易从本土银行家处获得融资（Chandavarkar，1982，第798页）。

关于印度非正式信贷网络的官方描述将该体系分为三个层次：乡村放债者、城镇放债者以及最重要的私人银行家。银行家有别于放债者的地方通常是前者吸收存款，而后者不然。但这并非一条铁定不变的规则，任何一方均

④　Ray写道，尽管一些人认为“Hundi”（票据）一词是北印度语和信德语的组合，但这并不正确；相反地，它是梵文“hundika”的衍生词，而“hundika”本身的词根为“hund”，意指“收账”（Ray，1988，第305页）。

有可能打破它。[5] 最突出的种姓银行家群体包括最初来自西部地区但分散在印度各地，且在东印度地区表现得尤为明显的马尔瓦尔人、马德拉斯的雀替尔人（他们同时也是缅甸的主要金融代理商）、旁遮普邦的卡特里人和阿罗拉人（Arora）及古吉拉特邦的博拉斯人（Bohras）和信德地区的穆尔塔尼斯人（Multanis）。要指出的是，除了帕西斯人和马哈拉施特拉土著居民外，他们恰是继续主导印度创业活动的主要群体。蒂姆伯格（Timberg）写道，对印度本土银行体系的最初探讨仍可在贾恩（L. C. Jain，1929）的著作中找到线索，这正是他在伦敦经济学院攻读博士学位的“产物”。贾恩本身是马尔瓦尔人，他对本土银行家的活动描述如下：

> 他们的办事处和分支机构遍及整个印度的各重要中心城市，如加尔各答、孟买、德里和仰光等，这里他们有自己的 munims 和 gumashtas 或代理商，后者负责照管他们的业务。Munims 拥有非常广泛的投资自主权。他们的报酬虽不高，但他们的勤勉、正直和办事效率非常突出且众所周知。他们定期向总部呈递相关活动的收益情况和重要摘录，并时不时地从后者那里接到指示。一些银行家甚至在海外，如非洲亚丁湾的吉布提、阿比西尼亚（埃塞俄比亚）的阿的斯亚贝巴、巴黎及日本和其他地区有海外代理商行。（1929，第 36 页）

即使在银行家内部，大小银行家之间也有明显不同。在对马尔瓦尔移民群体的讨论中，特里帕蒂（Tripathi）注意到拉贾斯坦邦的移民支配着小银行家。获得拉吉普特人（Rajput）首领庇护的大银行家，待在总部，其家族成员则到其他中心城市创立分支机构（Tripathi，2004，第 86 页）。蒂姆伯格把后者比作戴维 · 兰德斯所研究的罗斯柴尔德家族或伯纳德 · 贝林（Bernard Bailyn）所研究的新英格兰移民商人，他们均利用从“伦敦债权人圈子”里获得的信贷创办企业（Timberg，1978，第 102 页）。小银行家是指那些一开始可

---

⑤ Jain 注意到，一些放债人从他们的“客户”那里吸收存款，尽管其数额相当有限（1929，第 35 页）。根据阿萨姆邦银行调查委员会，一名农民放债人承认自己接受存款业务（阿萨姆邦银行调查委员会，1930，第 2 章：第 158 页）。Baker 注意到根据马德拉斯邦银行调查委员会的证据，（该委员会认为）当地放债人把吸收存款“当作一种社会责任”，而并非因为他们需要这些业务（1984，第 280 页）。

能作为大银行职员的人，他们在积累足够资本后创办了自己的公司。

印度本土银行家承担的大量功能和一家正式注册成立银行所需承担的相同。它们买卖“票据”。（在印度，本土银行家的主导地位可能颇具象征性，所有汇票都是指“票据”，即使是那些由股份制银行和充当印度准政府银行角色的帝国银行所发行的汇票。）本土银行家为它们的客户提供信贷额度。大多数这类业务以个人账户的名义开展，它们一般采取存款的形式。不妨以苏拉特（Surat）的莫提拉穆·纳拉塞德斯（Motiram Narasidas）为例，根据孟买邦银行业调查委员会（Bombay Provincial Bank Enquiry Committee，1929—1930）的访谈资料。由于银行业是莫提拉穆·纳拉塞德斯唯一的业务，所以他称得上是一名纯粹的银行家。他以4.5%的利率吸收存款（根据纳拉塞德斯先生的陈述，同时期的股份制银行支付5%的利率）。他只根据个人担保（personal security）发放贷款。他向其他货币兑换商收取的利率也是4.5%，偶尔会升至5.5%，商人则为9%，农业工作者为6%—9%。尽管纳拉塞德斯是私营个体户，但报道称他会公布年度资产负债表（Bombay Provincial Bank Enquiry Committee，1：第152—157页）。本土银行家不同于更正式的银行，因为他们通常主要靠自己的资本运营，即使他们也吸收存款。此外，他们很少发行支票，而且当他们发行支票时，这些支票也不被银行（即股份制银行和帝国银行）所认可（Jain，1929，第43页）。但是，这些特征类似于理查德·西拉（Richard Sylla）所研究的美国私人银行家，甚或内奥米·拉穆鲁所研究的早期新英格兰银行。她注意到对这些银行而言，纸币和存款均在银行负债中占“相对无足轻重的位置”。像印度本土银行一样，它们的大部分负债是银行自己的资本（Lamoreaux，1994，第3页；Sylla，1976）。

本土银行和正式注册成立的银行之间的另一差异在于，本土银行家通常也从事其他业务。上文所述的纳拉塞德斯某种程度上是个例外，因为他是一个“纯粹的”银行家。贾恩写道，绝大多数本土银行家都同时从事于其他“关联业务”，且这些业务几乎包括了工业、贸易和商业的各个领域（Jain，1929，第43页）。雷指出，在古吉拉特邦的艾哈迈达巴德，最大的两户棉织厂家族Sarabhais和Kasturbai Lalbhai，除了继续经营他们的本土银行业务外，还从事工业活动等其他投资组合业务。极其富有的黄麻厂业主比拉（Birla）兄弟，除了经营其他工业生产活动外，还涉足贸易行业，特别是20世纪30年代集市上的即期和远期交易，他们所实现的收益至少同他们的工业利润不相上下（Ray，1992，第59页）。在这两个例子中，他们可从关系密切的本土银行部门处获得的融资，对他们的工业活动筹资非常有帮助。后面部分我将回过头来讨论本土银行和印度工业融资之间的关系，但这里我主要关注印度体制和拉穆鲁（1994）所描述的新英格兰银行之间的相似性。她认为，在内战前的新英格兰，购买商业银行股票相当于加入了一个“投资俱乐部”，其成员的储蓄直接流入到该银行董事所创办的企业中。

贾恩认为，每家印度公司都是独立行动的。但它们确实也组成了行会，有时也称为“马哈詹”（mahajans）。这些机构部分属于处理宗教和社会事务的种姓村务委员会（panchayat）或理事会，部分属于贸易纠纷和破产法庭。⑥在印度部分地区，“马哈詹”在两次世界大战期间演变成了“协会”，但其扮演着同中世纪印度行会完全相同的角色。贾恩指出，孟买钱币兑换商协会（Bombay Shroffs' Association）每天要处理20—25起纠纷。他们有一张表格记录所有纠纷细节，包括纠纷当事方的相关信息。协会秘书负责进行调查并实施裁决。贾恩写道，这些裁决将被各方所接受。少数情况下，如果当事人将纠纷呈递到正式法院，协会决策通常也会得到支持，因为它已经从“私人知识”（personal knowledge）上升为公共惯例。在古吉拉特邦和西印度地区，协会制定“票据”利率，所有会员均须遵守。钱币兑换商之间的利率确定显然也是孟买钱币兑换商协会的事情。⑦

在所有社群的本土银行家中，纳卡拉塔雀替尔人（Nakarattar Chettiars）有着最正式的多元化组织（Rudner，1994）。纳卡拉塔雀替尔人过去和现在都是以马德拉斯的切蒂纳德（Chettinad）为根据地的一支种姓。他们是该地区的主要金融家，甚至因在缅甸、锡兰和马来西亚等地的广泛商业网络而更加声名远扬。至少在20世纪30年代前，他们的大部分集体融资都被用于印度以外的地区。像其他社群一样，纳卡拉塔雀替尔人每月召开例行会议讨论当前金融状况，并确定利率。但不同于其他的银行业群体，雀替尔人

---

⑥ Tripathi指出：“马哈詹”和种姓村务委员会之间的一个差异是，银行家事实上来自于一些不同的种姓。村务委员会是“马哈詹”的一种模式（Tripathi，2004，第22页，注28）。

⑦ 关于古吉拉特邦，参见Jain（1929，第39—42页）；孟买邦银行调查委员会（1930，3：第506页）。这可能表明行会像卡特尔那样采取行动。可能它们确实如此。但如后面部分将讨论的，它们设定的利率受到印度帝国银行利率的极大影响。

是一支单一的种姓，而非一个种姓群体，而且会议在他们的神庙里召开。雀替尔人的种姓村务委员会习惯于处理纳卡拉塔商人在贷款利率支付、存款收益或其他业务问题上的纠纷。雀替尔人在另一方面也不同于其他的银行业群体。在印度，有两种正式的银行家阶层。为数不多的雀替尔人，据拉德纳（Rudner，1994，第128页及以后）估计，大约为10%，被指定为*adathis*或母银行家。他们充当单个纳卡拉塔雀替尔人银行家之间的清算所，这颇类似于内战前的美国，一家大型纽约银行或费城银行可能充当农村小银行的代理商行。如果两家银行有一家相同的*adathi*，它们之间就不一定非得相互认识。此外，超额资金可被存在一家具备最新和最完备商业知识的*adathi*那里。

这些银行家组织在许多方面可能已减少了印度经营活动的不确定性。殖民时代的印度企业并非完全在缺少商业信息的情况下运行。19世纪70年代以来，印度的英国当局已为一个贫穷落后的农业大国提供了异乎寻常的良好信息。20世纪20年代，各行政区中心开始设立劳动局，研究并发布所有被认为和劳动力市场有关的信息（Mehrban，1945）。但相对于同时期更先进的国家，印度仍可能缺乏正式的由私人或政府提供的商业信息。而且由于印度直到独立前仍以部分面向市场生产的小作坊和农户为主导，其经济的信息化程度几乎必然比不上同时期处于相同发展水平的其他国家。但是，银行家组织在印度各地都有业务联络，且对雀替尔人来说，也在亚洲其他许多地区有业务网络。他们的会议不仅是制定利率和处理纠纷的机会，而且也是交流信息的机会。拉德纳认为，婚丧场合的种姓聚会对获取新商机的重要性不亚于对巩固社会关系的重要性。这些组织本身并不像格林伍德和约万诺维奇（Greenwood和Jovanovic）所设想的商业银行那样从事“研究”，但是，对于出现在眼前的工业良机，本土银行家即使自身没能力提供投资资本，也会找来资金。个体本土银行家虽然独立，但非孤立。

印度金融体系的非正规性并未损害其支撑农业生产和商业发展的能力。在一篇重要论文中，雷深入探讨了两次世界大战期间“集市”信贷体系在为印度农业贸易提供融资中的作用机制。他转引了位于孟加拉邦西部的比哈尔邦和奥里萨邦银行业调查委员会1929—1930年记录的一个例子，该例子极好地说明了“集市”信贷体系是如何运作的。在奥里萨邦的普里（Puri）地区，椰子是主要农作物之一，主要出售给毗邻中央邦（Central Provinces，CP）的糖果制造商。

> 在铁路终点站，有4名椰子商（1名马尔瓦尔人，3名奥里雅人）向当地婆罗门农户收购椰子，后者从其他农夫那里采购椰子并通过公路将椰子运到铁路站。这4名椰子商的采购费中有1/4来自不带排他性购买权规定的预付款，另外3/4采用现金形式支付。当铁路站的大集市商人（mandi merchants）通过铁路装运已订购的椰子以满足一批来自中央省甜食商的订货后，他会及时捎信通知买方，随后买方回电告知卖方应从某位特定的孟买或加尔各答商人那里提取“票据”。椰子商随即从买方代理商处提取票据，并将它转售给普里当地的愿意汇款给加尔各答或孟买的商人。后者往往能从票据中获取溢价收益，因此许多商人都乐意提供汇款服务。相反，在孟买，他却不得不打折转售票据，因为那里很少有商人愿意提供汇款服务（Ray，1988，第288页）。

因此，大集市商人最早开始从事为椰子商提供融资服务，不久后又涉足依赖于票据市场的最终销售融资。雷认为，这种体系尽管从西方标准看颇为“涣散”，但它非常适合印度的季风性经济和农村生产组织。在他看来，印度农业的高风险意味着通过各种代理商来分散风险极有必要。

事实上，这种体系并不仅是印度所特有的。如19世纪美国的棉花生产似乎以非常相似的方式获得融资。哈罗德·伍德曼（Harold Woodman，1968，特别是第76—83页）描述了一种双层体系。对于美国内战前的大种植户，存在先提供信贷、待棉花收割后再售出的代理商。像印度的马尔瓦尔人和奥里雅人那样，他们虽无合法权利买卖农作物产品，却经常这么做。这些便是所谓的代理商。小种植户似乎更多地同当地店主打交道，后者先向前者提供信贷，然后售卖农产品。印度农户显然不依靠商业银行提供农业信贷，内战前后的美国南方同样如此。

印度农业信贷的支柱是农村放债人——印度信贷阶梯的最底层。这是一个极其多样化的群体。贾恩写道：“谈到放债，几乎任何人都想参与其中。任何手头略有闲钱的种姓成员，都很难抵挡住把它们借给邻居的诱惑。”（Jain，1928，第28页）这也是官方文件的一个共同主题。彼得·马斯格雷夫（Peter J. Musgrave，1978，第219页）引用了印度北方邦副总督拉埃·贝雷利（Rae

Bereli）在19世纪60年代早期的一份陈述来说明这点："几乎每个人看上去都是负债者，哪怕只有1卢比积蓄，人们也会拿去谋利。"

三、殖民时代印度金融市场的效率

要能高效地为工业和农业提供金融资本，印度信贷体系必须实现不同层级和不同地理区域的整合。在正规部门和非正规部门的不同领域之间有不同的范围，因而存在分割。但是，资金跨功能性领域流动的渠道仍然存在。

帝国银行、汇兑银行和股份制银行处在一个极端。它们办理出口贸易，也有迹象表明它们还涉足风险较低的印度本土业务。不妨考虑拉伊·舒拉娜（Rai Surana）于1929年10月26日提交给比哈尔及奥里萨邦银行业调查委员会的证据。舒拉娜是贝拿勒斯银行（Benares Bank）帕戈尔布尔分行的经理。贝拿勒斯银行成立于1901年，1909年开设了帕戈尔布尔分行。该分行所吸收的存款约占贝拿勒斯银行存款总额的1/3。舒拉娜披露，该银行的主要业务是以本票（promissory note）和"票据"为担保发放贷款，同时提供现金贷款和透支消费。它还发行政府证券。当局部商业环境前景不容乐观时，帕戈尔布尔分行便把闲置资金存入加尔各答的帝国银行。贝拿勒斯银行不为工农业提供融资，却向经销商和印度地主（即英属印度的大地主）发放贷款。特别是，帕戈尔布尔分行不为当地制革厂提供融资。舒拉娜指出："在帕戈尔布尔市，行业主管部门甚至拒绝批准设立制革厂，因为它们不被视为合规企业。"［Provincial Banking Enquiry Committee（Bihar和Orissa），1930，第3章：第160—164页］

与外国银行相比，本土银行开展业务的范围略有不同。同贝拿勒斯银行一样，许多本土银行在帝国银行持有存款。它们定期从帝国银行和其他正规银行那里获得指导和建议。因为本土银行有一个更广泛的私人关系圈子，且愿意接受被正规银行认为风险过高的借款人，所以它们显得与众不同。在对马德拉斯的研究中，贝克尔（Baker，1984，第287页）发现帝国银行有一张"获审批"雀替尔（Chettiar）银行家的清单。贝克尔写道，这些银行家通常以0.5%的贴现率向帝国银行借入资金，然后贷给雀替尔银行家熟悉的"未获审批"的银行家。帝国银行的其他支行在绝大多数邦都有类似的获审批本土银行家名单。据中央银行业调查委员会披露，尽管除了缅甸外，本土银行家只是间接向农业生产者提供贷款，但他们“总是同经销商和小工商业者保持着密切的个人关系”（印度中央银行业调查委员会，1931，第1章：第99页、第105页）。遭贝拿勒斯银行和殖民政府银行冷落的帕戈尔布尔制革厂，很可能从本土银行家那里获得融资。但本土银行家并非和大规模产业毫无关联。特里帕蒂指出，本土银行家经常购买工厂股份，贾恩也表明，本土银行家会将大笔款项贷给印度中部印多尔的大纺织厂，尽管其中大部分由短期贷款构成（Tripathi，2004，第132页；Jain，1929，第48页）。

正规银行和本土银行与农业之间的关联是间接的，但商业银行和本土银行的资金都会流向农业和工业部门。这其中有两条渠道。有时，以往拿自己资金发放贷款的经销商后来也会把钱借给农业生产者。贝克尔写道，马德拉斯邦的农产品主要出售给乡镇经销商。“随着越来越多乡镇经销商在城市市场声誉日增，且能从本土银行家那里借到额外资金”（1984，第258页），生产和信贷得到了扩大。马德拉斯邦银行业调查委员会曾质询了一位证人，他的证词很好地归纳了帝国银行和借款给当地经销商的本土银行家之间的关系：

> 本土银行家对当地（坦伽瓦，Tanjavur）农业、贸易和工业的实际帮助颇大，大约到了60%的程度……本土银行往往以非常小的资本起家。印度帝国银行和股份制公司（银行）也给他们提供了一定的帮助。它们很容易影响公众，而且有时能吸收到相当于资本几倍的存款。以1万—2万卢比名义资本起家且在15年内业务量突破150万卢比的私人银行家不乏其人。当最后对账户进行清算时，他们的资本盈余有时甚至高达10万、20万或30万卢比。（Baker，1984，第287页）

本土银行家的资金流向农业部门的另一条渠道是，银行家先把资金贷给小放债人（相对于银行而言），由后者借款给农业生产者。马斯格雷夫讲述了查克基村（Chankerji）一位富农的故事。该村位于北方邦（United Provinces）的伊塔（Etah）。这位富农名叫纳拉扬·辛格（Narayan Singh），一开始只拿自己积累的钱放贷。当发现这样做回报颇丰时，他便以12%的年利率在1885年向卡斯甘吉（Kasganj）的一名博拉（Bohra）银行家借了2000卢比，并以

3.125%的月利率发放出去（Musgrave，1978，第218页）。孟买的邦银行业调查委员会披露了有关本土银行家的事实，这些事实表明，以上做法甚至在1919年还司空见惯。从马斯格雷夫的例子可以看出，放债人能从钱币兑换商那里借款的利率变动并不太大［Provincial Banking Enquiry Committee（Bombay），1930，第1章：第200页；第3章：第483页］。

当然，如前文纳拉塞德斯提到的古吉拉特邦银行家的例子一样，大农业生产者可直接从银行家那里借入资金。而且所有这些银行家和放债人本身很可能是经纪商或经销商，甚或事实上是农业生产者。这是一套没有法律分割的极其流畅的体系，这些生产性活动中的传统职业分割要比人们想象的更容易打破。

雷认为，金融体系的整合是不完全的。尽管雷承认“存在大量向下流动的信贷”，但他坚称正规银行、集市和农村经济之间的联系较弱。

> 集市的范围因此一目了然：它在票据能够流通的营销层级运行。这一方面排除了没有流动信贷来源的乡村香蒂酒（village shandies），另一方面排除了国际停靠港，它们拥有汇兑银行发行的更高级但完全外来的金融工具（Ray，1988，第278页）。

雷给出双重证据支持其观点。就正规银行系统和集市体系之间的分隔而言，他认为集市票据利率和帝国银行活期贷款利率间没有关联。另一种分隔被雷称为“本土银行体系内部的割裂”，它的发生是因为有效连接钱币兑换商和银行家或放债人的“可流通票据”实际上并不存在。通过“笨拙地使用账面贷方”而在这两个群体之间流通的资金，并不能解决印度季风性作物生产期所导致的季节性信贷短缺问题。印度许多地区都可实行两轮耕作期。季风从夏季初开始，秋收作物（或雨季作物）在季风期播种，到12月收割。然后，播种春季作物，作物依靠季风期的剩余水分生长。它们往往是较大的作物，须在次年季风期到来前收割。雷写道：“从5月到8月，农村债权人需要有资金给播种雨季作物的庄稼人支付预付款，正当乡村地区银根较紧时，钱币兑换商的闲置资金却不能得到合理利用”（1988，第277—278页）。

表 15-1 印度 1922—1939 年间银行和集市的利率（%）

年份	帝国银行利率	帝国银行加尔各答支行短期贷款利率	帝国银行孟买支行短期贷款利率	帝国银行票据利率	加尔各答集市票据利率	孟买集市票据利率
1922				6.00	8.00	10.58
1923				6.71	7.15	9.69
1924				6.96	5.79	10.00
1925	5.33	3.08	3.53	5.92	9.10	9.77
1926	4.92	2.48	2.91	4.42	10.13	8.22
1927	5.58	3.45	4.19	5.54	9.75	8.72
1928	6.17	3.85	4.55	6.13	9.81	8.31
1929	7.33	5.38	6.71	7.50	11.33	10.23
1930	5.56	3.29	3.56	5.56	8.61	7.54
1931	6.92	4.29	5.35	7.00	7.58	5.36
1932	5.17	2.67	3.42	5.17	7.08	4.59
1933	3.58	0.73	1.23	3.58	6.58	3.38
1934	3.50	0.75	1.69	3.50	6.58	4.50
1935	3.46	0.88	1.69	3.46	6.50	5.50
1936	3.00	0.41	0.38	3.00	5.50	4.13
1937	3.00	0.25	1.08	3.00	5.50	5.25
1938	3.00	0.64	0.47	3.00	6.83	4.83
1939	3.00	2.33	2.58	3.00	6.50	5.38

资料来源：印度货币审计署（Comptroller of the Currency）历年年度报告。钱币兑换商的利率并非官方利率，主要为业内人士的估计值

表 15－2　印度和美国金融资本市场一体化程度的比较

A. 印度中心城市月利率之间的相关系数：1922—1939

	银行利率	短期贷款利率，加尔各答	短期贷款利率，孟买	帝国银行票据利率	加尔各答集市利率	孟买集市利率
银行利率	1					
短期贷款利率，加尔各答	0.92	1				
短期贷款利率，孟买	0.90	0.93	1			
帝国银行票据利率	0.99	0.92	0.90	1		
加尔各答集市票据利率	0.65	0.68	0.63	0.43	1	
孟买集市票据利率	0.62	0.68	0.65	0.73	0.54	1

B. 美国部分大城市商业票据年均利率之间的相关系数：1836—1859

	波士顿	纽约	费城	查尔斯顿	新奥尔良	辛辛那提
波士顿	1					
纽约	0.87	1				
费城	0.82	0.90	1			
查尔斯顿	0.09	0.67	0.54	1		
新奥尔良	0.58	0.85	0.74	0.60	1	
辛辛那提	0.84	0.80	0.50	0.23	0.81	1

资料来源：印度数据参见表 15－1，美国数据来自 Bodenhorn（2000，表 4.7）

注：所有的皮尔逊相关系数的统计显著性低于 1%。

雷的论点是可以验证的。从 1922 年开始，印度货币审计署每月都公布加尔各答和孟买集市票据的估计利率、帝国银行的利率及其在加尔各答和孟买的短期贷款利率，以及帝国银行票据利率。这些利率的年度值如表 15－1 所示。帝国银行利率和集市利率之间往往存在一个差额（虽然并非一直都有）。

但如上文所述，集市吸纳了风险更高的客户。孟买和加尔各答之间的利率也存在差异。

我们可通过相关系数较正式地验证各地市场的一体化情况。其结果如表15－2的A部分所示。所有计算值均在统计上显著，表明它们并非完全分割的市场。为了解释这些数据，我们需要从其他角度考察它们。雷华德·博登霍恩（Howard Bodenhorn）披露了美国部分大城市商业票据的利率情况。尽管他的目的和这里不同，但我仍然借用他的数据构建了一组相关分析，如表15－2的B部分所示。从表中可见，在东北部中心地区的波士顿、纽约和费城，市场一体化程度高于印度中心城市。另一方面，相对于孟买和加尔各答，查尔斯顿和新奥尔良等城市彼此间或同主要金融城市间的联系更加紧密。[8]

表中报道的集市利率也使我们能对季节性问题进行检验。雷认为：他对官方文件的解读表明，在春季作物收割后，从5月到8月，集市资金处于闲置状态，尽管它们原本可被农业部门用作秋收作物（或雨季作物）的预付款。表15－3给出了孟买和加尔各答集市利率数值对季节性程度的回归检验结果。数据的确表明集市利率存在显著的季节性特征。在一年的前6个月，利率似乎上升了1%—2%，且孟买集市的季节性特征更明显。

我们同样应该从另一角度检验这些数据。美国，事实上所有的金本位国家，在19世纪都存在着货币需求的季节性特征：利率在9月收割季节过后开始急剧上升，一直持续到次年1月，尽管在美国，这种季节性在1914年联邦储备体系确立后大为削弱。杜鲁门·克拉克（Clark，1986，表2）估计了美国不同衡量标准（包括活期贷款利率、60—90天商业票据利率、90天到期货币利率）的季节性利率差异程度。1890—1913年间，这些利率之间的峰值差异出现在12月，波谷差异出现在1月。活期贷款利率、商业票据利率和定期贷款利率各自的峰值差异均值分别为2.28%、0.50%和0.88%。尽管这些利率差异（除了活期贷款外）略低于印度的季节性差异，但它们具有相同的数

⑧ Bodenhorn（2000）。我从Bodenhorn那里借鉴了“比较相关性”（comparing correlation）的概念，Bodenhorn将这一概念归功于McCloskey。这一概念的思路是，我们先验地确定一个“一体化市场”，然后拿这个我们事先认定的“一体化市场”和我们不确定其一体化程度的市场进行比较。应该注意到印度的数据是月度的，Bodenhorn的数据则是年度的。此外，我构建了印度数据的年度相关性，不出人们所料，这些数值甚至更大。

量级。因此，如果印度长期饱受货币需求季节性变化之扰，那么19世纪的美国也不见得能好到哪里去。此外，由于收割期过后利率下降和美国所经历的相类似，印度城乡金融市场的一体化程度似乎不太可能低于美国。

表15-3 印度集市利率季节性走势的回归分析结果：1922—1939

A. 被解释变量选择加尔各答月度集市票据利率			
变量	相关系数	标准误差	P统计值
截距	7.30	0.24	< 0.00001
一季度虚拟值	0.57	0.36	0.117
二季度虚拟值	1.00	0.36	0.007
三季度虚拟值	-0.14	0.41	0.739
B. 被解释变量选择孟买月度集市票据利率			
变量	相关系数	标准误差	P统计值
截距	5.92	0.33	< 0.00001
一季度虚拟值	1.96	0.51	0.0002
二季度虚拟值	2.15	0.51	0.0001
三季度虚拟值	0.13	0.58	0.8257

四、种姓与殖民时代印度的信贷市场

到此为止的分析已表明，印度信贷体系和19世纪中叶美国金融体系之间具有相似性。但两者间也存在显著差异，包括非正规信贷超出正规信贷以及大量个体广泛参与农村借贷的程度等方面。种姓文化制度在印度信贷体系中扮演着重要角色，且可能部分解释了印度信贷体系的两个奇异特征。尽管种姓包括许多方面，但绝大多数经济学家只聚焦于两点：对一些职业（如牧师、肥料生产商和清洁工）的世袭继承，以及导致高等种姓群体和低等种姓群体在社会和经济上相互分隔的等级制度。但是，这些对印度经济发展速度和道德观究竟有多重要并非我的关注重点。我只想集中在种姓的一个不同方面。且不论其他，种姓是一种扩大了的且较为正式化的亲缘关系网络。斯里尼瓦斯（M. N. Srinivas）认为，尽管批评声不绝于耳，但只有极少数印度人才想抛弃种姓制度，因为“联合大家庭（joint family）和种姓为印度社会的个人提供了某种类似于西方发达的工业化福利国家能为其公民提供的福利”。[⑨] 持续保持种姓关系网的成员资格必须承担某些义务。若某位成员不能履行其义务，则他和他的家族将被正式排除出该种姓群体，并丧失种姓成员的所有福利。在印度，对于未能对社会网络履行其成员义务的人，有公认的正式裁决措施。每个种姓都有自己的村务委员会或理事会，由种姓首领行使职务。种姓村务委员会负责处理的案子涉及那些可能损害该种姓声誉的个人事务，如非正规的联盟和家庭纠纷、土地纠纷以及种姓成员之间的其他纠纷。村务委员会还有其他诸如筹划社群节日或改革亚种姓（或群体）的习俗等功能（Kolenda，1978，第89页）。整个种姓群体必须遵守村务委员会的决定。对严重违反种姓规则的惩罚是，“剥夺种姓成员从同伴那里获得饮用水或烟斗的权利，并禁止后者收受违规者的东西”。这样能有效将违规者排除出社群，使他在陷入困难时得不到援助，也没有人愿意嫁给他的儿子或娶她的女儿为妻。科伦达（Kolenda，1978，第11页）写道，由此产生的“对种姓群体成员的社会控制异常强大有效”。

根据定义，信贷合同基于信任。信贷金额越大，借款和还款之间的时间周期越长，当事双方的地理距离越远，双方签订借贷合同就必须有更大的信任。拉穆鲁（Lamoreaux，1994，第26页）认为，在19世纪早期的新英格兰，商人和银行家通过血缘或姻亲关系促进了信贷网络的形成和发展。那些曾拖欠过贷款或乱用资金的人，“面临被驱逐出亲属群体或无权索要家族资源，也无权动用对商业成功至关重要的人脉关系”。

种姓扩大了亲缘关系网络，以融入更多个体并增加自身收益，同时也通

⑨ Srinivas（1962，第70页）。应该指出，我用“种姓”（caste）这一词语，是因为一般读者对它更熟悉。但在本章中，我和Srinivas一样，主要用它指一个人对其他迦提（jati）成员的责任和义务。种姓制度松散地建立在婆罗门（教士）、刹帝利（武士和贵族）、吠舍（商贾）和首陀罗（其他人的奴隶）这四大阶层（varnas）的基础上。社会等级要么从属于这四大阶层，要么位列它们之下，后者即所谓的贱民等级或表列种姓。实际上，这四大阶层的重要性不及为数相当多的子种姓内部或彼此间的关系。尽管在印度任一村庄人们通常都可找到这四大阶层的成员，但子种姓却为每个地区所特有。迦提才是种姓制度真正的功能单元。例如，他们是内婚制的基本单元。迦提成员对他人的义务比更一般的种姓成员对他者的义务要强得多（例如，参见Hutton，1963）。我还需要指出，种姓制度并非一套完全统一的制度。它在印度不同地区的运行方式也不同。但这里我感兴趣的特征，即人们对群体的义务和对违反群体规范的惩罚却相当普遍。

过正式的种姓驱除规则提高了违反社会规范的成本。拉德纳（Rudner，1994，第128页）对19世纪、20世纪雀替尔人的研究，以及贝利（Bayly，1992，第375页）对17世纪印度北部商人的研究均表明，若某商人的行为违背道德底线，则他不仅自己会丧失商业人脉关系，他的子女也将找不到妻子或丈夫。本多尔等人（Bendor和Swistak，2001）更正式地探明，在一个演化博弈理论框架下，即使不存在有约束力的制度支持，只要存在一个联系足够紧密的社会网络，从而使每个人都知道哪些人选择合作、哪些人未选择合作，并且存在对欺骗足够严厉的多边惩罚，则某种程度的合作也能得到维持；这样一来，不能同任何个人开展合作必将导致被整个种姓群体所抛弃。参与者所选择的合作程度将取决于他们对其他参与者的行为预期和惩罚强度。由于种姓制度提供了所有这些交往准则、多边惩罚和严厉的背叛处罚，理论上说它应能维持一个比范围较小且较不正式的网络更高的合作程度。蒂姆伯格（1978，第17页、第98页）基于实证研究指出："诸如联合大家庭和强有力的特定种姓忠诚度等制度，很可能是印度工商业成功的秘诀。"特别地，他认为正是马尔瓦尔人广泛的资源网络铸就了他们在工商业界的辉煌。其他分析人士也对印度金融中介的一体化印象颇深。1863年，库克（Cooke）在描述印度私人银行业时，对这个体系深感吃惊，他说："尽管投资数百万卢比，但是，由拒绝承兑到期的金融工具所引起的坏账损失只占极其微不足道的比例"（Ray，1988，第305页）。近70年后，比哈尔及奥里萨邦银行业调查委员会的报告撰写人写道：

> 钱币兑换商这个身份比一张昂贵的债券好得多。任何大笔的*mathudhar*交易，即钱币兑换商之间无书面记录或文档，只是通过口头承诺进行的日常交易，都不会被否认。任何不公平对待客户的轻微谣传都将损害如此敏感脆弱的信用。

不只是主要银行家想要维护自己的正直名声。比哈尔及奥里萨邦银行业调查委员会的报道给出了关于本土银行家的以下描述：

> （本土银行家的）雇员通常是一些饱受传统熏陶且熟练掌握本职业务的无名小卒和种姓成员。因此，他们完全受制于种姓村务委员会的社会影响，后者在确保诚实上始终要比任何法律惩罚更加有效［Provincial Banking Enquiry Committee（Bihar and Orissa），1930，第193页、第195页］。

我在前面已提到，孟买钱币兑换商协会的决定被认为只在其成员内部具有约束力（Jain，1929）。印度金融网络可能仍然是非正规的，因为考虑到诚实的私人激励，这种非正规性的成本可谓微不足道。

这一论据表明，某些印度种姓内部企业家精神的集中度并未得到充分的研究。克日帕·费赖塔斯（Kripa Freitas，2006）探讨了种姓在维持合同中的作用。研究过本土银行业的分析人士均表明，种姓关系是对欺骗行为的重要威慑。这些论点显示，某些种姓更有可能从事创业活动，但不是因为文化素质，而是因为若商业网络部分依赖于种姓关系，不同种姓的成员在选择职业时就有不同的事前相对收益预期。这并不等于说商业活动及其获得的支持仅限于种姓内部关系之间（实证资料已表明这是明显错误的），而是说种姓内部关系构成了有望影响相对收益的一种合同实施手段。

五、印度金融市场和印度产业组织

彼得·鲁索和理查德·塞拉（Peter Rousseau 和 Richard Sylla，2005）认为，美国正规银行体系的扩张促进了一个富于流动性的证券市场的发展，后者反过来又推动了公司组织的发展。他们指出，对美国而言，富于流动性的正规金融市场的发展开拓了国内外投资者因有限责任而诱发的投资。

即使所有的法律条件均已具备，如存在正规的银行部门、证券市场和公司组织，印度也未出现类似美国的模式。相反，经理行（managing agencies）演化成了家族企业和公司组织的混合物。印度金融体系中的种姓信贷网络是印度这种独有的产业金融形式得以形成和发展的原因。殖民时代许多最重要的经理行，都是本土银行家［如创办了印度第一家棉纺织厂的达瓦（C. N. Davar）、塔塔（J. N. Tata）和贝拉（G. D. Birla）］家族企业的下属分支（Lamb，1955）。尽管本土银行家仍完全处于正规的受管制体系之外，但经理行已经引进了正规体系的某些要素。印度经理行至今仍是法律意义上独特的公司，它们在推广业务、融资并采取行动时，就像一家或多家其他“法律上独立乃至自主的”企业的“决策单元”（Brimmer，1955）。通常，这种经营单元是一家股份制企业，但有时经理行也会公开上市。

尽管兰姆等人（Lamb and Brimmer，2004，第113页）将经理行制度的发明归功于印度的英国企业家，但特里帕蒂认为其结构是印度式的，“从大量细节上看，经理行制度代表了对联合大家庭体系的一种适应，它仍然是印度社会结构在管理商业企业上的一个突出特征”。特里帕蒂认为，合伙制对“谨慎的印度投资者”而言风险过高，经理行这种组织架构既利用了股份制又允许私人控制。若莫里斯的论述是对的，且不可知的不确定性是印度工业化的主要障碍，则经理行制度无疑是一个明智的创举。它既使企业家能更好地管理企业、获得融资，又使他们自身不会完全暴露在新创企业的风险中。布里默（Brimmer）发现了许多只控制着一家独立企业的经理行。他还发现有些人掌控着多家独立企业，但主要通过为每家企业设立一家独立分离的经理行来实现。尽管布里默不认为自己完全令人满意地解释了这一模式，但他认为这同掌控着经理行的个人的富裕程度有关，而且至少在1951年，事实上大部分财富都来自贸易所得。对工业的关注在个人或家族商业利益整体业务中只占相对较小的部分。通过为每家公司设立一家独立管理的“企业”，只有投资于该企业的资产承担了风险。经理行将获得纵向和横向产业一体化带来的灵活性好处，而风险却仍可通过有限责任得到分散。

印度经理行制度也免不了会受到批评。一些批评者认为它并没有充分发展到摆脱其家族企业的起源。例如，兰姆（Lamb，1955，第108页）认为，印度工业家有两个层级：那些“合理安排业务运营、充分公布业务记录、维护好厂房设备、有效处理同雇员关系并将权力下放给专业人员”的工业家；以及那些严守公司机密、严重依靠家族成员和“同一种姓群体”与强调迅速获得暴利的工业家。布里默甚至更苛刻，他认为英国的经理行绝大多数由第一种工业家群体构成，印度的经理行则由第二种工业家群体构成。布里默尤其对印度经理行的保密行为和裙带关系批评有加。

面临相对较大风险的小企业可能会依赖一个有限的劳动力储备（labor pool）以利用亲缘关系带来的额外优势，如更大的信任等，但经理行中的裙带关系的副作用会因企业扩张而削弱。兰姆指出，随着公司规模越来越大，它们会不断突破种姓和社群界限，以至最大、最成功企业的董事会往往会吸纳一些其他商业群体的代表（1955，第110页）。这并非一场抛弃传统观念的运动所带来的现代现象，意识到这一点很重要。克里斯托弗·贝利（Christopher Bayly，1992，第177页及以后）研究了18世纪印度北部的工商业界。随着商业利益变得更有政治保障，种姓关系获得了其他类型关系的补充。某些种姓关系并非消失不见，它们只是被纳入了更大的关系单元中。他认为，“种姓和宗教为商业和城市一体化的大量出现奠定了基础”。他还认为，这些跨种姓群体更加稳固，因为整体的每一部分通过种姓关系被紧密连在一起。

尽管印度经济实现了迅速扩张和发展，但自独立以来，种姓关系在公司治理和公司金融中的作用并未完全消退。康纳和帕莱普研究了1939—1997年间印度现代工业控制结构的演变历程。他们发现家族企业集团依旧主导着印度工业。这些家族集团——如塔塔家族或贝拉家族——是家族掌管的经理行的直接产物。至少在20世纪90年代早期，尽管在孟买股票交易所挂牌上市的非家族制集团关联（group-affiliated）私营企业数量同家族制集团关联私营企业数量大体相当，但家族制集团关联企业的平均销售额却近乎前者的4倍。这些群体背后的创业家族往往来自马尔瓦尔人、帕西斯人、吉拉吉特巴尼亚斯人（Banias）和雀替尔人，恰如殖民时代的本土银行家和工业家那样。

康纳和帕莱普认为，印度商业惯例的人格化特征自有其用途。发展中国家有时会欠缺一些市场，如风险资本市场和管理人才市场。家族集团具有获取和利用金融资本与金融人才上的有利知识和信息的权利。他们能利用这些资源替代尚不存在的、非人格化的距离型市场。当然，当某一群体具备获取资源的更大优势时，将存在明显的潜在道德风险；但这种潜在的无效率远非一个严重问题，因为有许多富裕家族，对大部分人而言每个家族都有资源获取优势，但彼此间并无瓜葛。在研究中，康纳和帕莱普发现，印度前50强企业的营业额高于同一时期美国前50强企业，因此他们推断，尽管印度市场受屈指可数的豪门望族支配，但它们之间的竞争很可能足以惩罚无效率的裙带关系和保密行为。他们的观点同拉穆鲁关于19世纪早期新英格兰的以下论述相类似，即一小群掌握着更多可得机会信息的“内部”银行家较一个信息封闭的市场而言，能更有效地为投资项目提供融资。她认为，尽管这些内部银行家拥有获取资源的更大优势，但由于进入银行部门相对容易，因此其结果是有效率的。内部人之间的竞争提供了必要的自律。

但是，印度的例子和新英格兰的例子之间存在一个显著差异。虽然印度工业部门的人格化融资持续至今，但新英格兰的内部人借贷早在19世纪晚期就已消失不见（Lamoreaux，1994）。取而代之的是不损害其自身“客观性和公正性”的职业银行家。银行不再充当利益相关的投资者，只是作为储蓄的吸收者和分配者。

我想这些大相径庭的轨迹可能是理解印度文化影响整个19世纪印度工业发展的关键。有观点认为相当大的企业家群体——即使这个群体仍然有限——之间的竞争可能导致金融资源总量给定下的社会有效分配，尽管这一观点看似合理，但随着时间的推移，企业家群体规模的限制仍可能会影响金融资源的积累。许多年前，乔治·阿克洛夫（Akerlof，1970）推断，由于每家印度经理行都能“根据族籍或种姓分类”，企业家群体可利用宗族社会惩罚来鼓励诚实行为。但是，他也指出，这种结构可能导致经理行中任何不属于同一种姓社群的投资者受到掠夺，从而抑制了储蓄。阿克洛夫引证了英国公民在印度的所有经理行比印度本土居民拥有的经理行有着更大的股东异质性。最近，默比乌斯和塞德尔（Mobius 和 Szeidl，2007，第1页）提供了一个模型，说明了联系紧密的社会网络产生的信任同该网络维持信任的界限之间存在着替代关系（trade-off）。他们的模型主要研究“那些法定的合同实施不可得或代价极高”的欠发达国家的非正规信贷供给。对我的研究而言，他们的有趣洞见在于，当人需求最大时，如纽约市的钻石商，社会福利在联系紧密的社会最高；反之，当利益关系不大时，如借一辆自行车或小汽车，社会福利在更多元化的社群最高。首先，我们需注意到，即使在有着各种正式金融机构的现代社会，法定的合同实施也总是成本高昂的。然后，我们也许可以将非人格化的商业银行和通过非人格化股票发行融资视为“低信任的”金融体系，而将本土银行和家族主导的经理行视为“高信任的”金融体系，其中信任而非法律实施起着相对重要的作用。像公开上市公司那样，商业银行须提供广泛的公开资料。本土银行则常常被认为是保密的，恰如传统守旧的经理行。保密需要更大的信任，因此种姓关系对维持诚信必不可缺。此外，保密无疑有一些优势。在这种关系网络下，资源流动更加灵活，交易成本相对最低。[10] 但理论研究表明，保密也有成本，即参与者群体的网络是有限的。考虑到两种体系都有各自的优缺点，人们很难断然判定孰优孰劣。不过，19世纪

---

⑩　比哈尔及奥里萨邦银行调查委员会报告的执笔人们指出，许多个人，特别是那些“因获得信贷而遭到嫉妒”的人，宁可和一名本土银行家进行秘密交易，而不愿让“一家银行的低薪职员”知晓他们的交易。而且，本土银行家的谨慎行事也会获得客户们的回报。该报告的执笔人们写道，“当本土银行家陷入困境时，即使会带来一些个人牺牲，他的客户们也会施以援手，且不会在他狼狈时追逼索取。这使本土银行家能在现金余额低于其最终债务的情况下开展业务，且他的存款有所保障”（比哈尔及奥里萨邦银行咨询委员会，1930，第193页）。

美国的普遍增长和20世纪印度财富积累的有限规模之间截然不同的经历，至少先验地表明了金融透明度和广泛参与的巨大优势。

六、企业家精神的限制？

我的论述表明印度主要工业家都应有类似的背景。不妨以马科维茨（Markovits，1985）指出的1939年印度排名前57的家族企业集团中的19家印度家族企业集团作为最初样本。马科维茨给出了殖民时代末期各主要工业家的大概轮廓。这些轮廓使我得以确定他指出的19家大家族企业集团中的17家的种姓联系。其中，有7家企业来自班尼亚种姓的放债人和经销商，6家来自古吉拉特邦。4家企业具有帕西人背景，4家企业具有马尔瓦尔人背景。萨克雷公司（firm of Thackersey）是一家来自卡特茨巴尼亚斯（Cutchi Bhanias）的家族企业，卡特茨巴尼亚斯是一支起源于今天巴基斯坦信德省的商人种姓。另一家企业由马法特拉尔·加高海（Mafatlal Gagalbhai）掌控，加高海是古吉拉特邦的一名首陀罗（Patidar Kanbi）。我们还可在该名单中加入1939年印度第二大集团企业Martin Burn的印度合伙人。由于该集团企业的最大股东（持股比例为40%）是英国的马丁家族，所以马科维茨将之视为英国企业。但它有两个重要的印度合伙人，即持股比例分别为37%和17%的慕克吉和班纳吉（Herdeck和Piramal，1985，第210页）。他们所持有的Martin Burn的股份使其商业重要性不逊色于我在前面列出的其他印度家族。慕克吉和班纳吉都是孟加拉邦的婆罗门。

由于这里列出的只是少数企业家，我们似乎也应考虑到吉塔·皮拉默(Gita Piramal，现在已经是印度商业家族方面公认的专家）同她的合作者玛格丽特·赫德克（Margaret Herdeck）所写的《印度实业家》（*Indian Industrialists*）一书中重点描写的13位企业家。该书叙述了殖民时代晚期和独立之初印度工业化过程中的部分实业巨头。作者声称几乎随机地从该时代的重要实业家中选出一些名单，但我想绝大多数学者都会认为他们是极有代表性的重要企业家。本书着力叙述的部分企业家和马科维茨列出的1939年印度57强集团企业有所重叠。他们是塔塔、贝拉和加高海，其他还包括巴贾杰、葛印卡、莫迪（Modi）、安巴尼、奥贝罗伊、塔帕尔、K. C. 马恒达和J. C. 马恒达兄弟、基洛斯卡，以及T. T. 克里希纳马查里。巴贾杰和葛印卡是马尔瓦尔人，莫迪是来自北方邦的阿加瓦尔人（Agarwal），和马尔瓦尔人是近邻种姓。安巴尼是古吉拉特邦的商人。奥贝罗伊、塔帕尔和马恒达兄弟都是旁遮普邦的卡特里人，是另一支从事放债和贸易的种姓。基洛斯卡和克里希纳马查里则都是婆罗门。

这些企业家中除了一名特例外，其他都来自从事放债和贸易的种姓或婆罗门。只有加高海出生于低等种姓（首陀罗是印度四大阶层中的最低等级，但他们高于所谓的贱民等级）。加高海的父亲是一名匠人，他自己一开始背着一大袋货物以兜售自制手工金线花边为生。加高海证明在没有家庭背景的情况下一名匠人跻身为富人阶层并非不可能，但他只是非贸易种姓中不属于婆罗门企业家的唯一例子。[11] 为理解这种关系网络可能有哪些局限，必须注意在1913年英属印度的一次人口普查中，只有700万或略低于总人口2%的印度人认为自己属于传统的商人和经销商种姓——一个包括了巴尼亚（Baniya）、巴迪亚、切蒂（Chetti）、卡特里（Khatri）、科马提（Komati）和吠舍的群体。[12] 婆罗门有1500万人，约占总人口的4.3%。在1997年印度《今日商业》（*Business Today*）杂志刊登的一篇文章中，吉塔·皮拉默反驳了马尔瓦尔人单独主导印度工业的观念。她写道，“更细致的观察使我们开始抛弃这一过时观念。在50强（印度集团企业）中，出现了比以往更多的信德人、帕西人、旁遮普人、雀替尔人和婆罗门。如果说存在一种趋势，这种趋势便是印度企业家精神的基础比以前更广泛了”（Piramal，1997，第22页）。因为即使这种更广泛的群体也只占印度总人口的一小部分，所以我也将慎重表明皮拉默所认为的“更广泛的基础”相当有限。

当然，我并不是说在殖民时代或当今印度，要成为一名企业家，就必须出

---

⑪　该名单中没有雀替尔人。在对雀替尔人的研究中，Rudner（1994）给出了重要的雀替尔实业家Annamlai Chettiar爵士的一些相关生平信息。在该家族的活动（主要集中在银行业和政治领域）中，工业似乎仍只占相对较小部分。在Khanna和Palepu列出的1969年印度著名集团企业名单中（最初由吉塔·皮拉默编制），有一些企业来自印度南部，包括一家我能确定的雀替尔人家族——穆鲁卡巴（Murugappa）。在解散了他们在缅甸的控股公司后，该家族才开始在印度投资。

⑫　印度人口，包括土邦（princely states），在1931年为3.528亿人。其中印度教徒只有2.386亿人。但该数据包含了所有确认了其种姓身份的人们，其中很可能掺杂了一些穆斯林、基督徒和印度教徒。还需注意的是，“马尔瓦尔人”并非一个种姓，而是发源于拉贾斯坦邦的巴尼亚斯人。数据来自表XVII，India. 1933. Census of India，1931. Part II. Imperial Tables. Delhi：Manager of Publications。

身于贸易种姓或婆罗门家庭。我已经举了加高海的例子。而且，在殖民时代的孟买，至少存在一些穆斯林纺织厂业主。但贸易种姓成员和婆罗门（特别是前者）在重要企业家中的显著优势——考虑到他们只占印度总人口的极小比例——无疑暗示有某种原因使这些群体掌握着获取机会的更大优势。

这里补充一个我认为同下述问题有关的事实，即贸易种姓成员自身是否认为他们面临着不同的事前机会？在殖民时代的印度，初等教育大部分由私人出资（Chaudhary，2006a）。因此，如果一个人受过教育，则至少部分是因为父母在评估教育的预期回报后形成了对孩子教育的需求。1931 年的人口普查给出了某些种姓的识字率情况。在所有 5 岁及以上的印度人口中，只有 15.6% 的男性受过教育。在所有 5 岁及以上的婆罗门中，有 23% 的男性受过教育。但在巴尼亚人中，受教育男性比例高达 54.4%。另外，切蒂人和卡特里人的男性识字率分别为 44.7% 和 45%。[13] 可见印度的贸易种姓存在一些明显差异。

七、结　论

印度不寻常的信贷体系是否构成了其殖民时代经济增长的一大障碍？如果答案肯定，原因也不是资本的绝对稀缺或信贷体系不够发达等显而易见的问题。况且，即使要说印度人缺少资源，他们在开始走向工业化道路时所面临的金融资本约束，也不比 19 世纪中叶美国工业化进程中的企业家多。但不像美国金融体系，印度信贷很大部分通过非正规途径提供。我已表明，种姓似乎成了正式法律的一种替代实施机制。因此，金融企业之间的种姓关系降低了正规部门之外的其余部门的成本，且使印度人有创办和经营私营企业的相对自由。

印度更具人格化特征的金融市场并未阻碍企业家精神和投资。20 世纪二三十年代冒出了许多棘手的工业问题。当中包括泰特钢铁公司（Tata Iron and Steel Company），1924—1925 年和 1934—1935 年间，其平均总产值达到了 2.27 亿卢比。G. D. 贝拉分别以 4960 万卢比和 1000 万卢比的实收资本将印度

---

[13] Census of India，1931. Part II. “Imperial Tables，” 表 XIII 和表 XIV。

斯坦汽车公司（Hindustan Motors）和纺织机械公司（Textile Machinery Corporation）公开上市。瓦尔昌德（Walchand）经理行投入 2200 万卢比的实收资本创办了第一汽车公司（Premier Automobiles）（Ray，1992，第 61 页）。相比于前文我所引用的巴格奇的数据，这些公司的投资额度显然要大得多，因为 1900—1939 年间的工业机械累计投资总额以 1929—1930 年的卢比价值计达到了 40 亿卢比。但所有这些企业一开始都由那些有着广泛商业利益的家族创办。融资额度巨大的项目仅局限于那些同家族企业有关联的业务领域。

我在上一段引用的数据表明了另一个事实：尽管印度经济体制是否产生了最优创业活动尚不清楚，但显然，它至少为某些企业家创造了巨额回报。本章主要聚焦于印度的非正规金融活动，因为它是本土印度居民的“禁猎区”。几个世纪以来，马尔瓦尔种姓及古吉拉特邦的巴尼亚斯人和印度南部地区的雀替尔人一直以他们的金融实力著称于世。当英国人来到印度时，帕西人开始作为金融家和中介商出现。商业史学家表明，这些种姓群体的许多成员在殖民时代获得了巨额财富。但要计算同私营非正规银行业和贸易有关的财富颇有难度。到殖民时代末期，许多银行业家族对他们掌控的企业倾注了更多关注，这些更容易得到测算。塔塔家族是最著名的帕西人创业家族。1939 年，该家族公开持有的工业控股企业资产达到了 6.2 亿卢比（相当于当时的 2.075 亿美元）。迄今为止，它仍是印度所有本土种姓中资产和规模最庞大的家族企业集团。当时和现在的印度第二大家族企业集团是马尔瓦尔人的贝拉家族。该家族的工业控股企业资产在 1939 年曾达到 4.09 亿卢比。同许多家族企业集团一样，古吉拉特的巴尼亚斯被拉尔巴伊·卡斯图巴（Lalbhai Kasturbai）所取代。该家族所掌控的资产在 1939 年达到了 2.33 亿卢比。但该家族只是这些公司的主要股东，而非唯一股东。另一方面，公开上市公司的市值只是各大家族巨额财富的一部分。因此我认为这些数值只是粗略地说明了印度家族企业集团财富的数量级。[14]

本章以印度曾经且仍然积贫积弱的陈述开始，单个家族的财富并未同这种说法相抵触。但这确实产生了一个困惑。若在殖民时代的印度，由英国人

---

⑭　这段用到的数据来自 Markovits（1985，附录 1）。

带来的法律制度和政府机构不能算作普遍贫困的原因（至少在该时期），而且印度有一体化的大型金融组织及大量睿智的能获得丰厚回报的企业家群体，那么是什么限制了印度的增长？对于该问题我并无一个完整的答案。但本章陈述的证据提供了一些重要观点。首先，尽管遭到广泛谴责，但种姓制度以较低交易成本为绝对数量相当庞大的企业家提供金融和管理资源，这可能促进了印度最初的工业发展。但同时，印度信贷体系的人格化和种姓特征，几乎毫无疑问地阻碍了数量更庞大的潜在企业家群体的创业参与。个体在成为企业家的过程中虽然遭到种种限制，但这并非因为他们出身于“错误的”种姓家庭。印度的社会制度事实上比许多人想象的要更具灵活性，财富和成功受到所有人的珍视，且在某种意义上对许多人保持开放。但是，在印度，贸易种姓成员拥有获取印度非正规金融网络的显著优势。他们在20世纪早期实业家群体中占据多数，这一事实表明，这种优先获取权为他们创造了一种优势。如我在前文所述，经济学家越来越关注那些能让人们获得广泛机会的制度所产生的影响。关于这类制度积极影响的一个重要历史案例，是荷兰早期经济增长中广泛的创业参与，本书第六章奥斯卡·吉尔德布洛姆对此给予了恰如其分的描述。印度可能是荷兰的一个很好的反例。因此，对印度增长缓慢的一种解释可能是，绝大多数印度人获取金融资本的有限途径导致他们将其精力和天赋投到了错误的地方。印度不乏许多知名企业家。在印度过往的缓慢增长历程中，更重要的可能是大量仍不被信贷体系纳入其中的普通民众，他们因面对较低的事前回报而缺乏创业活动的激励。

参考文献

Akerlof, George. 1970. "'The Market for Lemons': Quality Uncertainty and the Market." *Quarterly Journal of Economics* 84:488–500.

Bagchi, Amiya. 1972. *Private Investment in India, 1900–1939*. Cambridge: Cambridge University Press.

Baker, Christopher John. 1984. *An Indian Rural Economy, 1880–1955: The Tamilnad Countryside*. Oxford: Clarendon Press.

Baumol, William J. May, 1968. "Entrepreneurship in Economic Theory." *American Economic Review* 58:64–71.

———. 1990. "Entrepreneurship: Productive, Unproductive, and Destructive." *Journal of Political Economy* 98:893–921.

Bayly, Christopher A. 1992. *Rulers, Townsmen, and Bazaars*. Oxford: Oxford University Press.

Bendor, Jonathan, and Piotr Swistak. May 2001. "The Evolution of Norms." *American Journal of Sociology* 106:1493–1545.

Bodenhorn, Howard. 2000. *A History of Banking in Antebellum America: Financial Markets and Economic Development in an Era of Nation Building*. Cambridge: Cambridge University Press.

Brimmer, Andrew F. 1955. "The Setting of Entrepreneurship in India." *Quarterly Journal of Economics* 69:553–76.

Chandavarkar, A. G. 1982. "Money and Credit." In *Cambridge Economic History of India*, ed. Dharma Kumar, 2:762–803. Cambridge: Cambridge University Press.

Chaudhary, Latika. 2006a. "Determinants of Primary Schooling in British India." Working paper, Stanford University.

———. 2006b. "Social Divisions and Public Provision: Evidence from Colonial India." Working paper, Stanford University.

Clark, Truman A. 1986. "Interest Rate Seasonals and the Federal Reserve." *Journal of Political Economy* 94:76–125.

Freitas, Kripa. 2006. "The Indian Caste System as a Means of Contract Enforcement." Working paper, Northwestern University.

Greenwood, Jeremy, and Boyan Jovanovic. 1990. "Financial Development, Growth, and the Distribution of Income." *Journal of Political Economy* 98:1076–1107.

Herdeck, Margaret, and Gita Piramal. 1985. *India's Industrialists*. Washington, DC: Three Continents Press.

Heston, Alan. 1982. "National Income." In *Cambridge Economic History of India*, ed. Dharma Kumar, 2:376–462. Cambridge: Cambridge University Press.

Hoff, Karla. 2003. "Paths of Institutional Development: A View from Economic History." *World Bank Research Observer* 18, no. 2: 205–26.

Hutton, John. 1963. *Caste in India: Its Nature, Function, and Origins*. 4th ed. Bombay: Oxford University Press.

Indian Central Banking Enquiry Committee. 1931. *Part 1. Majority Report*. Government of India Central Publication Branch.

Jain, L. C. 1929. *Indigenous Banking in India*. London: Macmillan.

Khanna, Tarun, and Krishna Palepu. 2004. "The Evolution of Concentrated Ownership in India Broad Patterns and a History of the Indian Software Industry." NBER Working Paper No. 10613, June. Cambridge, MA: National Bureau of Economic Research.

Knight, Frank H. 1921. *Risk, Uncertainty, and Profit*. Boston: Houghton.

Kolenda, Pauline. 1978. *Caste in Contemporary India: Beyond Organic Solidarity*. Menlo Park, CA: Benjamin/Cummings.

Krishnamurty, J. 1982. "The Occupational Structure." In *Cambridge Economic History of India*, ed. Dharma Kumar, 2:533–52. Cambridge: Cambridge University Press.

Lamb, Helen B. 1955. "The Indian Business Communities and the Evolution of an Industrialist Class." *Pacific Affairs* 28, no. 2: 101–16.

Lamoreaux, Naomi R. 1994. *Insider Lending: Banks, Personal Connections, and Economic Development in Industrial New England*. Cambridge: Cambridge University Press.

Markovits, Claude. 1985. *Indian Business and Nationalist Politics, 1931–39*. Cambridge: Cambridge University Press.

Mehrban, N. A. 1945. "The Work of the Labour Office." In *Some Social Services of the Government of Bombay*, ed. Clifford Manshardt, 32–54. Bombay: D. B. Taraporevala Sons.

Mobius, Markus, and Adam Szeidl. 2007. "Trust and Social Collateral." NBER Working Paper No. 13126, May. Cambridge, MA: National Bureau of Economic Research.

Morris, Morris D. 1982. "Large-Scale Industrial Development." In *Cambridge Economic History of India*, ed. Dharma Kumar, 2:553–676. Cambridge: Cambridge University Press.

———. 1992. "Indian Industry and Business in the Age of *Laissez Faire*." In *Entrepreneurship and Industry in India, 1800–1947*, ed. Rajat Kanta Ray, 187–227. Oxford: Oxford University Press.

Musgrave, Peter J. 1978. "Rural Credit and Rural Society in the United Provinces, 1860–1920." In *The Imperial Impact: Studies in the Economic History of Africa and India*, ed. Clive Dewey and A. G. Hopkins, 216–32. London: Athlone Press for the Institute of Commonwealth Studies.

Piramal, Gita. 1997. "Legends of the Maharajahs." *Business Today*, December 9.

Provincial Banking Enquiry Committee (Assam). 1930. *Report, 1929–30*. Government of India Central Publication Branch.

Provincial Banking Enquiry Committee (Bihar and Orissa). 1930. *Report of the Bihar and Orissa Provincial Banking Enquiry Committee, 1929–30*. Government of India Central Publication Branch.

Provincial Banking Enquiry Committee (Bombay). 1930. *Report*. 3 vols. Government Central Press.

Rankin, George Claus. 1946. *Background to Indian Law*. Cambridge: Cambridge University Press.

Ray, Rajat Kanta. 1979. *Industrialization in India: Growth and Conflict in the Private Corporate Sector, 1914–47*. Oxford: Oxford University Press.

———. 1988. "The Bazaar: Changing Structural Characteristics of the Indigenous Section of the Indian Economy before and after the Great Depression." *Indian Economic and Social History Review* 25, no. 3: 263–318.

———. 1992. "Introduction." In *Entrepreneurship and Industry in India, 1800–1947*, ed. Rajat Kanta Ray. Oxford: Oxford University Press.

Report of the Comptroller of the Currency. Various years. Bombay.

Rousseau, Peter L., and Richard Sylla. 2005. "Emerging Financial Markets and Early US Growth." *Explorations in Economic History* 42, no. 1: 1–26.

Roy, Tirthankar. Summer 2002. "Economic History and Modern India: Redefining the Link." *Journal of Economic Perspectives* 16, no. 3: 109–30.

Rudner, David West. 1994. *Caste and Capitalism in Colonial India: The Nattukottai Chettiars*. Berkeley and Los Angeles: University of California Press.

Srinivas, M. N. 1962. *Caste in Modern India and Other Essays*. New York: Asia Publishing House.

Srinivasan, T. N., and Suresh D. Tendulkar. 2003. *Reintegrating India with the World Economy*. Washington, DC: Institute for International Economics.

Swamy, Subramanian. 1979. "The Response to Economic Challenge: A Comparative History of China and India, 1870–1952." *Quarterly Journal of Economics* 93:25–46.

Sylla, Richard. 1976. "Forgotten Men of Money: Private Bankers in Early U.S. History." *Journal of Economic History* 36, no. 1: 173–88.

Timberg, Thomas A. 1978. *The Marwaris: From Traders to Industrialists*. New Delhi: Vikas.

Tripathi, Dwijendra. 2004. *The Oxford History of Indian Business*. Oxford: Oxford University Press.

Weber, Max. 1958. *The Religion of India: The Sociology of Hinduism and Buddhism*. Trans. and ed. Hans H. Gerth and Don Martindale. Glencoe, IL: Free Press.

Woodman, Harold D. 1968. *King Cotton and His Retainers: Financing and Marketing the Cotton Crop of the South, 1800–1925*. Lexington: University of Kentucky Press.

第十六章　帝制晚期以来的中国企业家精神*

陈锦江

直到过去10年以前，在绝大多数人的观念中，中国仍是一个贫穷落后、人口稠密的共产主义国家。事实上，至少从19世纪末到20世纪末的100年间，中国经济占世界总产出的比重已出现明显下滑，从原来的8%或9%左右下降到不足4%或5%；与此同时，中国人口占世界人口的比例却大致稳定在20%—24%之间。然而，至少从16世纪末至19世纪初，中国经济占世界总产出的比重曾高达1/4—1/3（Frank，1998，第108—116页、第165—174页、第297—320页；Maddison，1995，第19—31页）。帝制晚期的中国和同时期的西方相比，农业生产力和商品化的程度要高得多。当时，中国城市的市场规模更大，从许多方面看也更加复杂和完善。

问题是到19世纪初时，中国农业经济遭遇了一场严重的危机。伴随对外贸易而来的第二次破坏性开发浪潮，同中国和外部世界关系的恶化一道，使情况更加糟糕。自18世纪末开始的鸦片贸易，使中国从对外出口中挣得的白银收入在19世纪初变成了赤字。接连不断的军事失败，加之政府同西方签订的不平等贸易和外交条约，进一步加剧了中国的白银枯竭现象。尽管20世纪初的辛亥革命建立了一个共和主义中国，但其影响有限；大革命失败后，国家财力不断消耗于军阀割据和派系混战中；20世纪三四十年代的日本侵华战争，又大肆破坏了中国的国内贸易和工业发展（Fairbank，1986）。

最近几十年来，中国经济出现强劲增长，但这并非源于中国1949年建立共产主义国家后奉行的马列主义中央计划经济体制。1978年，新一届中国共产党领导人邓小平开启了一场重大的经济改革。这场改革获得空前成功，在

* 作者感谢同事Lynn Dumenil在写作本文过程中提出的重要建议。

30年年均将近两位数的高速增长后，中国的国民生产总值已超出所有欧洲国家，成为仅次于美国和日本的世界第三大经济体（2010年，中国GDP已超过日本成为世界第二大经济体。——译者注）。在中国经济内部，活跃着成千上万家私营和半私营企业，其中一些已初具国际规模，如联想和海尔集团等，中小企业的数量更是数不胜数。这些企业由同样为数众多的企业家掌管和经营着。事实上，尽管已相隔近两个世纪，中国目前的经济和帝制晚期具有明显的连续性。

那么，哪些人一跃成为改革开放时期的企业家？在企业家精神被禁锢了近三十年（1949—1978）后，他们是如何出现的？这些新出现的企业家是否和以往有所不同？他们之间是否具有相似的社会背景，有着关于企业家精神的相似观点和价值观？他们面临哪些制度支持和不利障碍？他们处在哪种社会地位？他们的角色能否同一个由共产党领导的国家和社会相适应？细究这些问题前，我们必须先分析中国传统社会和经济体制中有利于企业家发挥才能和创业精神的诸多方面，找出困扰中国商人阶层的意识形态和制度障碍，并探讨他们如何克服这些不利因素。例如，在困难时期，中国的威权政治如何影响企业家的创新活动？此外，我们还必须探究商人如何利用特定的经济条件（如自给自足的小农经济制度，其中一般家庭除农业生产外还须干一些辅助性的手工业活以补贴家用）和社会制度（如普遍盛行的乡党会社制度），来促进企业家精神和企业家社会地位的提高。最后，我们将讨论不同类型的商人群体和经营组织——例如，家族企业和合伙企业——以及使企业家得以施展才能的制度环境。

一、帝制晚期中国经济的突出特征

中华文明起源于几千年前的农业社会，长期以来对商业活动存在一些社会和文化偏见，但并未否认商业活动的必要性，一本古老的文化典籍，曾清楚地指出了市场的存在及其扮演的重要角色。[1] 在汉代（前206—公元220），中国出现了士、农、工、商四个社会等级。但在其他大多数时期，若仅从比

---

① 参见《易经》或《周易》（*The I-Ching or Book of Changes*，1967）。

较优势或减少分配不公的角度来看，社会对商人的态度仍然比较冷漠，尽管中国这个地域广阔、土壤肥力差异大且农作物和其他商品千姿百态的庞大社会离不开商业。在某些历史时期，比如唐朝的某个阶段（618—907）、南宋（1127—1279）和元朝（1279—1368），繁华的城市生活、极其自由的农村市场与相对容易的长途旅行，也曾使贸易（如远及中亚和西亚的著名的丝绸之路）逐渐走向繁荣。

此外，在公元900年前后，中国出现了大量的科技发明，它们给社会经济带来了巨大影响。这些发明中，有众所周知的指南针、印刷术和造纸术；有链泵灌溉、高温烧窑和高炉炼钢必备的双动活塞风箱，以及由复杂闸门和分段拱桥组成的水道运输系统；有各种机械装置必备的驱动滑轮组，以及抽丝和其他布艺要用到的纺轴机或卷纬机等。从10世纪到14世纪，各个机械领域的技术进步仍在不断发生，甚至萌发了早期育种催熟、土壤增肥和创新农作物品种等技术。因此，从某种程度上说，这段时期的中国似乎已经触及现代系统试验技术的边缘。雕版印刷术的日渐盛行和北宋时期（960—1127）官府教育的普及一道，使印刷品得以把最新的技术信息传播和扩散到整个社会（Temple，1981）。

（一）转向商品市场

但是，该时期占据主导地位的仍是小农意识形态，技术进步依旧不受重视，商业利益同整个国家和社会之间仍然存在内在冲突。明朝（1368—1644）开国者朱元璋出身于农民阶级，他尤为强调对农业经济发展的扶持力度，希望以此来实现各个村落的自给自足和自我维系；同时，地方性的商业活动被控制在最小范围内，各地区之间交换的商品和服务仅限于现实生活所必需的几个方面。但也正是在明朝期间，中国经济开始向发展市场化商品生产迈出了重要步伐。许多新出现的因素都促成了这一点的到来。首先，农业的普遍繁荣使一些农民积累了生产剩余，部分农民开始从事经济作物的专业化生产。其次，洪武帝和他的儿子永乐帝兴建了两个新的首都。他们还开辟了几条主要的交通干道，重新整治了贯穿中国北方地区和富庶的长江下游平原的京杭大运河。此外，这段时期分散在北方和西北地区的蒙古部落，同位于中国东海之滨的日本一起，持续地觊觎明朝的政治版图。这使明朝政府不得不建立一套遍及整个国家的邮驿系统，以便官方文书能被迅速送达目的地（Brook，

1998b，第65—79页；1998a，第580—581页、第670—672页）。

再者，市场机制得到了7次大航海活动的推动，每次航海探险都牵涉到百余条船只和数千名水手。1403—1433年间，永乐皇帝多次派遣船队，远抵东南亚和印度洋地区。虽然航海活动大多出于政治目的，但航海家们无疑把所经之处的商品和贸易习俗带到了中国。更为重要的是，他们绘制了地图，标上了新发现的海岸线，或者对原来的地图进行了修改和完善。然而在1433年，明朝政府这种代价高昂的航海政策戛然而止，取而代之以一项新的禁止海外贸易或禁航政策。但这项政策并未能阻止一些沿海居民继续同东南亚和南亚地区的居民开展贸易，他们甚至移居到了这些地区，这样做似乎也得到了地方官府的非正式默许（Levathes，1994；Ng，1983；Tian，1956）。

市场发育的第四个促进因素是人口增长，在1400—1600年间，中国人口规模从7500万左右增加至1.5亿左右。长时期的和平、西南民族大迁徙和美洲大陆新作物品种的引进，均使人口出现迅猛增长。位于长江下游以南的平原一带地区，自古以来便被人们称作江南，从15世纪末开始，该地区农民的耕地面积不断减少，家庭规模却越来越大，丝绸和棉纺织工艺逐渐成了农耕之余的主要副业。由于中国社会以个体农耕家庭为基本单位，这一时期不断增加的经济产量，似乎从新发明的棉纺车（过去是一种低效卷纬机，经改进后同传送带和大转轮一起作业，能提高工作速度和效率）中受益匪浅。新兴手工艺者亟须为商品寻找新的市场销路，在这一过程中，日本银锭和铜钱以及欧洲商人（1519年时欧洲商船初次抵达广州）的银比索和荷兰盾的大量输出，无疑起到了重大的推动作用。日本和欧洲的商人通常会用金银财物来交换中国商品，到17世纪初德川幕府统治时，日本政府开始下令禁止白银输出。但欧洲国家的白银输出却一直持续到19世纪初，当时，在西班牙从美洲大陆运回的白银中，超过2/3流向了中国。约在1500年，明朝政府也开始允许普通百姓以缴纳白银和铜币的方式，来抵消各种通常以谷物为主的苛捐杂税和徭役负担（Pomeranz，2000；Atwell，1977）。

到16世纪晚期，中国经济的货币化进程已使越来越多小农家庭生产的商品流入市场。我们看到，各地农村和城市的市场如雨后春笋般不断涌现。16世纪早期的江南地区，这些市场彼此只相隔几英里之遥，其发展情况可在地方州志或县志的历次修撰中得到记载——地方县志通常每隔25年或35年修改一次。长江中下游地区的一些地方县志，甚至记录了当地商业活动的规模和数量，以及来自其他郡县或地区的批发商和零售商的兴起状况（Brook，1998b，第117—119页）。这类商人在商品作物，如棉花、桑葚、蔗糖、烟草和茶叶等，向中国其他地区的推广和普及中也随处可见。到16世纪末，较靠近市场的许多江南地区的农民，似乎已不仅能从事经济作物的专业化生产或从事手工业以作为辅助性的收入来源，而且已完全实现了向成熟家庭作坊的跨越（许涤新和吴承明，1985；黄宗智，1990；Brook，1998a）。

此后，这些小农家庭生产的商品，同来自全国各地的茶叶和中药材等其他货物一起，不仅为对外贸易提供了支撑，而且满足了旺盛的国内城市市场需求。明朝末期，城市富家子弟的炫耀性消费，进一步促进了城乡市场之间的贸易往来。恰如蓬勃发展的商业或都市娱乐业，市场活动已变得非常普遍，这完全不同于明朝初期所呈现出的社会景象。

（二）支持企业家精神的新制度

明亡后建立了清朝（1644—1912），清朝仍普遍实行针对商人阶层的自由放任政策。除了一些垄断商品和公行（即Cohong，也叫洋行会馆，是清朝中期在广州设立的进出口商垄断组织。——译者注）商人从欧洲商人那里收购的专供皇室家族享用的物品外，政府通常只征收相对较轻的工商营业税。清政府对管理国家经济事务的兴趣依旧不大，因此商人便得以通过建立各种商规和行会来实行自治。事实上，清朝初期这些以货物类别或共同发源地为基础的行会组织不断出现，反映出那些建立这些行会的异地商人想利用这些组织形成同业网络，并向地方官府证明其资信。因此，在各类会馆的重要成员中，包括了许多德高望重的商人和受邀担任行会董事的退休官员（刘广京，1987，第33页、第44—46页）。

与此同时，中国农村经济的规模也在不断扩大，并且日益走向成熟。这主要是因为大约在1700年后，人口增长的压力越来越大，在短短的18世纪内，中国的人口总量便翻了一番，从之前的1.5亿左右增加至19世纪早期的3亿多。随着人口的不断增加，土地开垦面积也不断扩大，经济作物的专业化程度日益提高，种植方式也更加多样化。此外，土地所有权分割的日益加剧，意味着由佃户和自耕农经营的平均土地面积持续减少。在物产丰富、人口稠密的江南地区，即使是最大的封建庄园，面积也不过几百亩（约100英亩）而已。唯一更大的地块可能是商会经营的新开垦山地，这些山地由商会转包给别人开发，开发出来后，商会又把这些贫瘠地块分割成一小块一小块出租给转包商雇用的工人。

同样地，这些活动得到了进一步扩张的手工业部门的推动，后者几乎完全源于生产条件和以往差不多的农耕家庭，有限的生产规模通常意味着这些家庭必须干些手工业活以补贴家用。此外，他们和一个欣欣向荣的社会化市场网络紧密相连，该网络已从农村小规模定期集市延伸到了中心城市的大市场。人们除了交易地方和区域商品外，还专门和东南亚国际市场进行大米和海鲜干货交易。最后，社会上出现了长途贸易商，他们沿特定路线频繁辗转于全国各地，专门从事丝绸、木材和中草药货物的买卖（Zelin，1991）。

尽管此时的中国经济仍以农耕为基础，但商品化程度已非常高，这很大程度上得益于区域城镇和中心城市的重要支撑。除已提及的各种因素外，道路通行量和长途贸易的协调发展，商人和官府之间通过行会和同乡协会的社会网络化进程，以及商业组织、金融工具、管理机构和贸易惯例的日益复杂化等都是重要因素。即使清政府延续了以往的自由放任政策，未颁布任何新的法规来管制这些新进展，但各地官员仍然允许官府对商业合同进行裁定并强制其执行。这大大增加了合同内容的复杂性，不仅有土地抵押或土地租赁合同，还有涉及各种利益分享机制的合伙经营合同，甚至出现家族信托之类的新型公司实体。这样一来，便为创新型的财务安排和商业投资打开了一片广阔的天地（许涤新和吴承明，1985）。

这些新进展和一个自由开放市场的出现一起，使那些不具备剩余资本或剩余资本不多的个人，也能开展一些通常以家庭经营为主的小规模商业活动。而且，由于土地分散化意味着多数家庭只能勉强维持生存状态，朝企业家精神的这一转变其实和这类家庭的相关性更强。家庭经营的风险分担形式逐渐演变成一种惯例，且很可能由于这一点，使“谋生”这个普通词多了一层“经商”的含义。不管怎么说，可执行的书面合同的应用和普及，意味着企业家在界定其商业权利和义务中获得了更有利的制度支持。

（三）技术支持的缺乏及其原因

如前所述，考虑到帝制晚期中国农耕经济和市场经济的庞大规模，以下问题使人们不得不（尝试性地）做出部分解答，即为何以往技术进步带来的大好开局未能使中国出现类似于英国 18 世纪中叶所发生的转型式突破？例如，我们知道纺织机的重大技术改进一直持续到了11—12世纪，当时每台缫丝机均装有一个踏板，能直接从沸蚕茧中抽取大量蚕丝，将其晾到摇纱机宽带上，因此其生产能力相当于好几台旧式缫丝机。13世纪，缫丝机被推广到麻纺织和棉纺织工艺中。但14世纪晚期以来，类似的发明意识似乎逐渐消退，旧发明依然非常稳固，或逐渐被淘汰（Elvin，1973，第194—199页）。

许多学者把这归咎于明朝时日益占据主导地位的新儒学（理学）思潮。新儒学起源于北宋，明确反对佛教“一切众生皆为虚幻”的观念，提倡以善良和有意义的观点看待生命和自然界。新儒学最伟大的践行者朱熹(1130—1200)，教导弟子走出书斋，把“格物致知”当作进业修身的核心。但传统儒家观念却认为，一个人的自我修养和道德感悟最重要，社会生活中的人类行为规范和自然界的运行规律浑然一体。因此，朱熹的训诫一开始便遭到注重冥思和自省的人们的反对。明朝中期，王阳明（1472—1529）创立的心学为人们广泛接受。在他看来，自然界和其他一切现象只存在于人们的意识中，均为人类意识的产物。通过混淆主体和客体之间的差异，王阳明认为，研究和探讨个体所处的外在世界已经失去哲学意义。只有主体性、内省性和直觉性才是有意义的。虽然中国在17世纪出现了一种新哲学思潮，强调向认真考证和经世致用的回归，但心学已给科学进步和科学试验的发展造成了不可估量的损失。因此，尽管中国从不欠缺重大科学创新和技术应用，却并未产生独立走向现代技术突破所必需的现代科学（Elvin，1973，第225—226页；Ronan，1978）。

此外，还存在其他导致制度支持缺乏的原因。从16世纪早期到19世纪晚期，即从明朝中期到清朝晚期，中国人口几乎翻了3倍多，从1.3亿增加到4亿多。这段时期内，中国经济多次出现了衰退迹象。由于农作物产量已趋近饱和，为提高土地肥力而额外投入的资金也出现明显的边际收益递减，满足新增人口的需要必须依赖新土地的开垦。但土地开垦在18世纪末达到了极限，因此它也很难满足这种需要。同时，市场也发展到了最繁荣的阶段；根据当时中国农民的相应产量、所使用的农耕工具和耕地管理情况，我们不难推断，他们在1750年前后掌握的技术水平和同时期的西欧国家是大抵相当的。因此，在生产率增长极其有限的情况下，中国经济似乎很难创造出更多财富。事实上，该时期西欧出现的突破性技术可能并不适用于中国经济，中国人口众多、劳动力大量剩余且成本低廉，因此很难说服人们采用成本相对较高的劳动节约型机器。况且，缺乏能快速增加棉花等原材料产量的动力支持，这些新机器的使用效率会大打折扣，很难同使用蒸汽等新能源为动力的情形相比。一项最新研究表明，如果缺少同时期发生的其他一些重要偶然因素，18 世纪欧洲国家的技术发明意识可能会和中国相差无几。这些偶然因素包括毗邻运河的煤矿和煤层分布以及蒸汽机的发明等，当中最关键的或许是由北美殖民地开拓带来的大量新原材料和其他资源（Pomeranz，2000，第67—68页）。

（四）同西方接触带来的创新

差不多在同一时期，中国出现了一些新变化。1759 年以后，清政府开始授权少数特许商人——公行商人——在广州同欧洲特许商人开展垄断贸易。尽管学界对 18 世纪中叶至 20 世纪中叶西方对华贸易盈余和在华投资状况莫衷一是，但同外国商人有过接触的中国商人，无疑都或多或少掌握了一些新技能、新的组织形式和办厂经商的新理念。西方商人在中国创办各式洋行，不仅为中国引进了新的资本来源，而且带来了西方法律惯例和管理体系等新游戏规则。此外，他们为中国企业家带来了其他经营工具和新观念（郝延平，1986）。此后，其他去西方经商的中国人也会掌握相似的观念和惯例，他们中许多人重返中国后便开始创办新式企业（陈锦江，1996，1999）。

这一时期后半段，也就是 1842 年到 1945 年间，中国经济在一系列不平等条约的框架下饱受西方掠夺。例如，欧洲强国对中国进口商品强行实施关税限额，通过不公正地强迫积贫积弱的中国政府做出妥协，使本国商人获得对自身有利的贸易条件，它们偶尔也会限制中国借款人的信贷额度。结果，中国工厂主和商人通常很难和西方同行展开公平竞争。但也有少数中国企业家成功抵御了西方同行的入侵，他们往往需要调动广泛的社会人脉资源，掌握更先进的经营管理方法，且不断更新有关国内市场的各路信息，以获得和掌控商品和服务的来源与分销渠道（Cochran，2000）。

（五）官僚统治的阻碍作用

通观中国历史，对商业活动全方位的政治控制似乎一直存在，尽管商人在不触犯国家权力时甚至能拥有非常大的经营自主权。在政局动荡和中央权力被削弱时期，来自官府尤其是地方行省的控制有增无减。因此19世纪70年代，在一些受过西方企业熏陶、熟悉西方商业惯例的私营商人响应清政府“创建和管理中国第一批西式行业”的昭告后不久，地方政府便开始利用其手上的监管者职能，任命具有官僚背景的人参与企业管理。当这些官僚管理者掌握必要的经验后，他们便会利用自己的权力夺取企业管理大权，竭力排挤私人管理者，并把企业借入充当营运资本的政府资金转化为私人股份（陈锦江，1978）。

20世纪前20年间，一些频繁出任或卸任政府要职的官办商人，在将这类公司转变为大企业的过程中表现得非常成功。许多官员在卸任后还能利用官府关系保持公司控制权，为公司招揽新业务，著名例子有盛宣怀和轮船招商局、严信厚和中国通商银行、张謇和大生纱厂以及周学熙和启新洋灰公司等。这些公司所处的行业在不同程度上皆具备了西方公司实体的元素，如有限责任制下的股份所有权、生产车间和公司办事处的现代管理模式等。但它们的会计核算和制定主要决策的中央管理层，往往是传统型的。比如张謇，他一生怀抱崇高的道德理想创办现代公司，在工厂厂址和祖籍江苏南通等地，大力引进西方先进经营设备，且获得了巨大成功。尽管如此，他依旧未能恰当引进厂房设备折旧率评估等现代公司治理程序，在他创办和经营的公司中，中央管理层通常不分公私地随意使用公司资金，好像他所经管的是家族企业一样。[②]

民国时期（1912—1949），清朝的中央行省制度被地方军阀和派系集团所取代，官员和半官员性质的商人之间的密切关系得以延续。虽然清末民初建立了一套涉及公司实体和商业惯例的现代法律框架，但多数规模较大的企业，不管是工业、金融还是商业企业，仍然需要具备一些政治背景以维持生存。

这种情形在南京国民政府时期（1927—1937）并未得到多大改观，国民党领导人蒋介石尽一切可能同各地商界保持利益上的暧昧关系。该时期，现代经济部门出现了一定增长，但政府对市场经济发展的支持力度仍然很有限。许多财大气粗的企业主被迫购买政府债券，或者为国民政府提供其他形式的

② 关于盛宣怀，参见Feuerwerker（1985）；关于严信厚和周学熙，参见Chan（1977，第51—52页、第218—219页、第110—118页）；关于张謇，参见Koll（2003）。

资金援助（Coble，1980）。最终，南京政府在日本侵华战争后倒台。1949 年中华人民共和国的成立不仅结束了长期内战，而且终结了任何形式的私营企业或市场经济。

二、企业家社会地位的变化

如前所述，中国在帝制晚期便出现了蓬勃发展的市场经济，因此从理论上说，参与其中的多数（或全部）商人很可能已获得一定的社会声望。事实上，许多限制商人活动和市场准入的规则通常并未被严格执行。尽管保守的士大夫阶层仍将儒家教育视同于修身养性，且极度轻视那些几乎未受过传统文化熏陶的商人，但整个社会对商人及其所扮演的角色却日益抱持积极态度。

（一）宋明时期对商人阶层观念的改变

到宋代（960—1279），随着理学兴起与国内市场和区域贸易的繁荣，中国社会和伦理准则层面出现理性化趋势，商人阶层的社会地位得到提高。事实上，一些理学家已不再出身贵族家庭或书香门第，而是出身商人阶层。杰出理学家陆象山（1139—1192）便是其中一个著名的例子。因此，当陆象山和其他人最早注意到“四民”（士、农、工、商）均能从事合乎体统之业，一个受过教育的人亦能将所学用于违反道德的目的时，也就不足为奇了（余英时，1987，第 85—86 页）。陆象山认为，每个人都能克己复礼、施行仁义，这实际上对只有贵族统治精英和士大夫才配得到人们尊敬的旧思想提出了质疑，并宣扬了一种新观念，即处于各阶层的人们，包括各行各业的商人，均有能力感知善心、从事善行，均同样值得社会尊敬。

但只有过了约 325 年以后，也就是从 16 世纪早期开始，人们才能找到一些士大夫和商人对这两个社会阶层间的界限日趋融合的评述。最明显的例子可能来自明朝最杰出的儒学官员和哲学家王阳明的著作。在 1525 年为弃儒经商的方麟（以儒学为始业，后随妻家人成了一名商人）所写的《节庵方公墓表》中，王阳明认为，“古者四民异业而同道”（余英时，1987，第 104—105 页）。王阳明这一观点得到另一位儒学官员归有光（1507—1571）的响应，后者写道，“古者四民异业，至于后世，而士与商常相混”［原文对应出处参见（明）归有光：《震川先生集》卷13，《白菴程翁八十寿序》，上海古籍出版社，1981年版，第319页。——译者注］（引自Brook，1998b，第143页）。能解释这种转变的因素很多，但前文论及的经济变迁，特别是国内外贸易的扩张及中国经济到16世纪末的货币化程度无疑是关键。

这段时期，特定地区商人群体的社会重要性也不断提高。最早出现的有徽商和晋商，长途贸易、对食用盐等商品的垄断控制和政府资金托管人的角色，使他们不仅富甲一方，而且对官府举足轻重。官商两者间关系密切的最好体现，便是越来越多富商在家族内部职业分化的趋势（傅衣凌，1956，第41—44页；何炳棣，1964，第50页）。这样做使许多商人的子嗣，只要崭露出学习天赋，均有机会被培养成读书人，参加科举考试。若他们能考取功名，则将有助于增进整个家族的利益，因为这样一来家族经营活动会获得官府更好的保护，而在朝为官的子嗣也有了更坚实的经济支持，获得在官场从政的有利条件。

类似情形也反映在印刷厂数量的不断增加上。至少在经济富庶和科举考试录用率最高的江南地区，许多富商家庭均拥有庞大的私人收藏馆，收集了成千上万件书籍、古董和字画等珍贵物品。这些收藏既是商人社会地位上升的体现，也是他们为子孙后代通过举业跻身士大夫阶层提供的经济保障（Brook，1998b，第129页、第134—135页）。到明朝晚期，士大夫已不再闪烁其词，而是在自传中大胆记录祖先经商的情况，或叙述商业财富在其通往仕途中不可或缺的支持作用（Brook，1998a，第581—582页）。

（二）官员和商业精英之间社会等级差距的缩小

士、商两个社会阶层之间的这种共生安排在整个清朝（1644—1912）表现得尤为明显，正如四十二圣贤谱系所记录的那样。在一代代追随者眼里，四十二圣贤向来都把学术和经商活动之间的区别看得很重（Chang，1962，第181—188页、第280—287页）。这一趋势的重要性并未被许多同时代学者忽略。19世纪的一名学者沈垚（1798—1840，浙江吴兴人，清朝官员、学者，有《落帆楼文稿》留世。——译者注），注意到了许多士大夫必须先获得经济独立，才能维护人格尊严和个性（傅衣凌，1956，第41—44页；余英时，1987，第97—98页、第100—101页）。

清朝商人获得的最高赞誉可能来自康熙（1662—1722年在位）和乾隆

（1736—1796 年在位）两位皇帝，他们在位时曾多次巡视江南，均选择进驻扬州私人盐商家里，并受到了极尽奢华的接驾。同其他地区富商一样，扬州商人也有父辈或家族成员属于士大夫阶层，由于财大气粗，他们附庸风雅，坐拥书籍、文人画作和其他艺术品，过着士大夫般的生活。清朝初年，盐税和盐商纳贡已成为朝廷主要收入来源，当时，大部分农田濒于破产，中央政府亟须开辟其他财路来为镇压三藩之乱筹集军饷。因此，康乾两朝皇帝同扬州商人建立了良好的私人关系，形成了一套几乎持续至清朝末期的相互支持系统。同时，商人也颇受益于额外增加的赚钱机会，比如充当银行家或皇室的投资代理人。此外，朝廷设立了一套称为“商籍”的特别录取名额制，为商人子嗣通过科举考试提供了额外场地和职位（Finnane，2004，第 119—121 页）。

到 18 世纪，官员和商界精英两个社会阶层之间的差距已大为缩小，对这一点目前的学术界已达成一般共识，但研究者对这种差距的程度或两者之间的社会地位是否已融为一体仍各执己见。例如，最近一项有关商人慈善事业的研究发现，尽管“绅商”这一称谓的使用越来越广，但士、商两个社会阶层之间的界限并未就此模糊化，“商人就是商人”的观念仍广为流行，且变得更加彰显（William，1984，第 98—106 页，第 246—247 页；Smith，1998，第 422 页）。其他学者也不太认可这两个阶层的界限已模糊不清的推断。一幅 18 世纪中叶的名画描绘了扬州某著名盐商举办颇为时兴的园林宴会场景，经常被用来证明士、商两个社会阶层已融为一体，因画中描绘的宴会嘉宾均为当地知名商人和政府精英等显赫人物。但一项更新的研究却表明这种推断可能并不正确，因为该画中的宴会事实上仅描绘了一个特定的社会人群，当中绝大多数人的祖先来自徽州地区，属于徽商群体，自明朝后开始举家定居扬州。作者推断，士、商之间的社会等级界限仍存在，且依旧很明显，因为“盐商一直都希望能获得士大夫般的社会地位”。至于绅商的说法，则很可能只是“绅士和商人”这两个不同社会身份的合称（Finnane，2004，第 253—264 页）。

在我本人对 19 世纪末 20 世纪初一个类似问题的研究中，我发现普通商人和官员之间社会地位的分化仍然很大。例如，许多把持着企业所有权的官员，依旧使用诸如“×记”“××记”等匿名或别称，并倾向于退居幕后，通过雇用他人来管理实际业务和做出经营决策。尽管人们认为商人社会地位卑微，但态度却已不像以往那么苛刻，因为许多考场失意或出身贫寒的书生会弃学经商以维持生计，这可能是由他们在科举考试的紧要关头不幸患病或身体欠佳所致。至于那些经营着大商铺或大门店的富商，则无疑是各自圈子中的成功者和有影响力的人物。他们能比较自由地和官员合作，即使许多官员在公开场合仍将商业称为士、农、工、商中的“末业”（陈锦江，1977，第22—24页）。

（三）现代工业和一个新的商业阶层

官员和商人之间相对社会地位和社会交往真正意义上的显著质变，发生在19世纪后半叶，当时中国开始倾其全力引进西方现代技术、产业组织和管理方法，构成了“自强运动”的重要内容。倡导通过这种改良来抵御西方进一步入侵的中国高官很快发现，只有中国买办，即有过同美国和欧洲商人共事经验并掌握了西方商业惯例的中国商人，才愿意拿出自己的资金，经营和管理这些新式企业。19世纪70年代初，在官方庇护下兴起的第一批西式工厂和汽船航运业，无疑都同“自强”运动息息相关，这使私人管理者（均为以前的买办商人）获得了新的更高的社会地位。此时，“绅商”这种旧称谓有了一层新的含义，意味着士大夫和商人之间已日渐融为一体。

第一批买办工厂主很快被许多其他人效仿，包括一些前任官员和其他非买办商人，后者也创建了自己的现代企业；一个在日本发明的用于描述本国现代工业的新词语被用来专指这些人。这类工厂主现在被正式称为“实业家”，它显然蕴含着更多的尊敬和更高的社会身份（陈锦江，1977，第25—29页、第34页、第49—52页）。1903—1907年间，清政府以不同级别的官阶（包括贵族身份）作为奖赏，授予把资金大规模投资于现代企业的实业家。为保护他们的投资安全，清政府甚至在1904年破天荒地颁布了第一部公司法，对私人创办股份公司和各种承担有限（或无限）责任的合伙经营企业进行规范和引导（陈锦江，1977，第180—183页、第187—195页；Kirby，1995）。至此，现代企业家事实上已开始逐渐取代传统商人。

帝制晚期，中国商人阶层的社会地位不断提升，他们同官员之间的相互联系日益增强，这对企业家在该时期所发挥的作用产生了重大影响。当商人的社会地位极为卑微且相互隔阂时，很难想象重大的商业创新会获得成功；因为恰如上文所提出的，存在着政府支持或掠夺的诸多不确定性，政治决策在中国社会一直都是最主要的决定因素。但只要存在互利关系，如经商家庭想把后代送入学校接受教育以考取科举功名，其他人则想从事经商活动，社会各分散群体之间建立起联系网络不仅成为可能，而且通常会变成现实。此后，当国家大力支持现代工业并鼓励私人参与时，合作或干预便会达到新的高度。但除了获得适当的社会地位和有机会成为政治精英外，有利于形成健全的企业家精神的个人天赋和文化习性，在塑造成功企业家的过程中无疑也极为重要。现在，我们开始转向这些问题。

三、文化和历史背景下的企业家

中国传统文化对市场活动持有偏见，倾向于在具有共同血缘或籍贯的人群中培植信任，因此很难想象帝制晚期会出现一个运行良好的活跃市场，且如上文所述的那样，管理这个市场的商人群体越来越大，他们的社会地位也不断提高。遗漏的那些因素对深入理解商人领导力的作用及其表现颇为重要，缺少它们，我们很难推断是否存在熊彼特式的企业家，他们视野开阔、能力超群，不仅“组织新的生产要素”，而且“发明新的生产方式”（Schumpeter，1947，第151页）。下面我们讨论中国企业家如何受到个性特征、社会网络和企业性质的影响。

（一）个性特征的作用

最近一项对当代中国400名企业家和550名非企业家的研究表明，企业家们颇为重视生产和经营目标，愿意承担合理的风险，且相对于非企业家而言，企业家的家庭成员人数更多，其儿时伙伴也更易于成为企业家。此外，他们更乐观地看待身处其中的经济制度（Djankow等，2006）。对更早期资料的研究往往强调家庭贫困环境的影响，它们迫使企业家勇敢无畏、勤俭节约，流离各地或漂泊海外，并以共同的籍贯和血缘为基础建立社会关系网。此外，他们极为重视信守诺言、保持信任和践行商德。这些研究表明，古往今来的中国企业家在才能和价值观上具有高度一致性，因为从根本上看，自最早的晋商（后来成了垄断盐商）到扬州和其他各地的长途贸易商，再到19世纪移居美国旧金山和澳大利亚的广东人，甚至到最近一波由福州涌向纽约和欧洲的移民潮，商人身上均凝聚着相同的价值观（张海瀛、张正明等，1995，第13—14页；郭泉，1960）。

若我们认可这些个性特征在中国企业家身上一直很普遍，就会发现他们确已具备了熊彼特式企业家的部分愿景，这有助于开辟新的商业途径。但他们是否如熊彼特所描绘的，从事创新活动、尝试新的经商模式并形成新的生产组合？这里，相关的历史记录是相当清楚的。从晋商到当前的福州移民，中国企业家已成功地做出了这些努力，下文将会讨论这点。与熊彼特式企业家的不同之处在于，中国人尤为倚重社交网络和家族血缘关系。这带来了一系列影响，如对家族企业的偏好、相对较小的企业规模，以及对个人关系网和管理的注重等。就此而言，如社会规范和政治原则等文化价值观似乎会给企业家行为施加重大影响（Berger，1991；Redding，1990）。迄今为止，中国的政治制度、社会规范和价值体系同西方社会仍有很大差异。

（二）社交网络的作用

任何企业都必然涉及个人或公司实体之间就某些商品和服务所进行的交换。一个有抱负的中国企业家，必须同其他各色人等建立各种关系。他通常会优先考虑和家人、亲戚或同乡一起，创办家族企业或合伙公司。他也会考虑找其他不同民族的人合作，以便扩展自己的社会关系网，因为在他看来，这些人对建立业务关系尤为重要。除了这些很明显但有限的选择之外，企业家还必须开拓更广泛的社会网络，同志趣相投的人，包括没有血缘关系的人建立联系。

在这方面，一些人类学家的研究不乏特殊的参考意义。一种观点认为，人际关系也可以发展成为另一套标准（Freedman，1957）。这涉及如何在不同个人之间、不同组织内部及同一个商业社群内部逐渐培养“信用”（兑现诺言和承当义务的可靠性）和“感情”。如此一来，商业关系将变得非常活跃，有助于形成良好的人际关系和社会网络组合，即通常所说的“关系”；一方面，这些关系可以存在于宗族内部；另一方面，它们也经常被推广到所有非宗族关系（包括陌生人）的人们之间。人类学家的第二种观点认为，中国的社会纽带通常是三位一体的，“牵涉一个第三者，由其充当引荐人、中介人、调停人，或有时作为担保人”（DeGlopper，1995，第31页）。塑造社会关系的这种模式，最好通过人类学家的第三种观点来解释，该观点认为，在西方的组织中，成员之间遵循明确规则和秩序，且有固定的边界，与此不同，中国的组织由关系错综复杂的个人组成，而且他们之间的关系是非连续性的，因为他们以每个人同其他人之间的关系为中心，关系的边界既灵活多变又模糊不清（Fei，1992，第60—64页、第20—21页）。

（三）企业的作用

在历史上，这些文化特点极大地影响了中国企业的规模和组织结构。由于雇主和主要雇员之间的关系是一种个人关系时，表现得最好，且血缘关系仍是根本性的，故绝大多数企业都是中小规模的企业。企业家最有可能作为单独所有者或部分所有者，通过宗族关系或合伙关系经营业务。即使融资已不算什么难题，建立多元化、多层次的大型公司实体仍面临着现实障碍，而这类公司恰好是小阿尔弗雷德·钱德勒所描述的美国企业的特征。

最近几十年来，随着跨国经营和专业化管理在大量专业化领域中的发展，许多中国公司的规模和组织复杂性也日益增加，这很可能是为了获得足够的规模经济以开展有效竞争。但尚未有一家企业的规模达到其日本或韩国同行的水平。此外，现代法律框架的建立和国际贸易体系（如 WTO）的成员资格，已使中国企业和企业家能更好地避免来自政府和国家的干预。从历史上看，国家对财富的任意没收和官员的过度攫取，是导致商人努力使企业保持较小规模且不显山露水的一个重要原因。但是，对于当今那些多元化的大型跨国企业，就其所有权和最高决策过程而言，传统的组织结构和经营战略仍然相对稳定。

除规模以外，问题还出现在中国家族企业的存续时间（寿命）上。由于中国人在秦朝（前 255—前 206）时就废弃了长子继承制，所有子嗣均或多或少地平等享有家族财产的继承权。如此一来，在父辈企业家的一生当中，家族企业很可能会不断发展且走向繁荣，且所有或绝大多数子嗣均在家族企业里一同工作。当父亲去世后，已婚兄弟通常会竭力保持家族企业的团结和睦。但有时，兄弟之间在经营策略上也会产生分歧，此时企业很可能会被关闭或拆散。这使某社会学家提出了家族企业的四阶段生命周期模型假说，该假说认为，在两三代人之间，家族企业通常会经历以下几个阶段，即萌芽期、整合期、分裂期和瓦解期（Wong，1985）。但事实并非必定如此，家族企业的兴衰也可能遵循更复杂的模式，而不仅仅如这里简单归纳的那样。

我自己的研究表明，一些成功的家族企业都以两兄弟团队开始，兄弟俩的才能和个性互补：一人擅长谋划、创新和承担风险，另一人擅长管理、操作和其他运营，并擅长培训员工和拓展人脉。20 世纪早期，在上海和香港分别诞生了两家著名企业，即永安百货公司及申新纺织和面粉集团，其成功无疑均受益于公司的兄弟创始人（陈锦江，1996）。但该模式也表明，这种合作和互补关系通常并未延续到后代，因为年轻一代人在挑选由谁来接管公司或离开公司时，有他们自己的动力（dynamics）。这可通过香港乾泰隆公司的例子予以说明，在100多年的时间里，该公司的业务遍及整个东南亚。期间，亲兄弟和堂兄弟明争暗斗，几代人以后，庞大家族中的一个分支便会占据主导地位，其他分支则走向衰落，然后通过不断重构，处于支配地位的一方也会消减，原本处于劣势的某一方则会重新获得公司的领导权。依照这种方式，家族企业既可能出现内部分裂，也可能获得重生（Choi，1995）。

尽管中国企业倾向于采取家族企业的形式，但其资金来源和业务范畴一般都非常有限。这促使一个有抱负的企业家认真比较不同的合伙模式，采取血缘关系还是非血缘关系（如家族信托），或者采取乡邻关系还是经由中间人介绍的陌生人关系。如事实所表明的，他们绝大多数都算不上真正的合伙关系。最普遍的企业类型，由一个职位较高的负责管理的合伙人和一个或少数几个职位较低的合伙人组成。后者不过是食利者，只分享收益而无权参与经营。也有一些企业，它们事实上只由一个家庭经营，这产生了为数不多的少数股份，这些股份通常被分给朋友或其他相关合作方，以此作为拓宽人际关系网络的一种手段。负责管理的合伙人握有一些名义股份，其他合伙人则成了事实上的主要股东。他仍然采用匿名形式，这很大程度是因为作为地方官员，他不被允许在自己的管辖范围内经营商业。19世纪晚期的小说中随处可见这类企业家官员的例子。事实上，由于企业所有权没有立在个人名下，而是立在家族名下，或者更普遍地立在虚拟法人名下，例如“××堂”或“××号”“××记”，像李鸿章这样的朝廷中枢用该做法投资兴办了许多企业，且都很好地隐匿了他的商人身份（陈锦江，1977，第60—62页）。

显然，也存在许多真正意义上的合伙企业，在这些企业中，一些合伙经营者将自己的资源和才能贡献出来，以便企业能良好运行。但正如同族兄弟一样，他们之间也会产生分歧，合伙人也经常发现彼此处在相互对立状态。不管怎样，从中可得出的教训似乎是，无论是家族企业还是合伙企业，在每一代人或任何一届领导层掌权期间，它们都必须重新恢复对企业至关重要的企业家精神。

在另一项关于中国企业性质的研究中，我已列出它们的以下几个核心特征：

（1）规模小，组织结构相对简单；（2）所有权层层重叠，由通过家庭和血缘维系的个人控制，或由氏族和世交之间的合伙关系控制；（3）决策集中化；（4）人际关系网络和家族关系，这有利于鼓励形形色色的机会主义、减少区域和国家边界以扩展附属公司范围并降低原料采购、资金筹措和契约执行的交易成本；（5）高度的策略性适应（陈锦江，1998）。

在下文中，我将对不同类型的商人进行分析。自帝制晚期以来，这些商人无疑担负了各种各样的企业家角色。

（四）历史背景下的商人群体

在帝制晚期的中国，商人职业可通过一些方式进行分群。一种主要划分是按照是否担任某种官职和是否全职经营私营企业。前者至少有三种主要类型：其一是获官方许可的把持某条贸易通道或特定行业的商人，如盐商等；其二是官府指定的拥有垄断权力开展特定商业活动的商人，例如公行商人（1759—1834年广州贸易制度尚未废止时，他们能在广州港同西方商人开展贸易往来）；其三是衙行（经纪人或代理贸易）商人，他们获官方批准充当帮会会员，或者更普遍地作为中间人。他们监督贸易规则的实施，辅助官府征集税收，并在各种交易活动中担任仲裁者角色。③ 私营商人的群体划分则要远为复杂，其类型也更多。不仅包括试图把农产品和手工艺品拿到市场上去卖，以补贴家用的农村家庭经营者，而且包括不断开发新途径以促进市场交易的经纪人，还包括那些把持和运营着一些贸易通道的杰出企业家（部分必须获得官方许可）等。

官员和私营企业在他们各自所扮演的诸多角色中相互交织在一起，部分体现了这两个社会阶层的差异日渐消融。它也反映了以下社会现实：政治因素在经济活动中无疑具有最基础的作用。另一方面，这种多边网络强化了不同阶层间的社会关系，且如我们所见，促使官员和半官员商人能像企业家那样行事。

划分商人群体或帮派（商帮）的另一种方法是考虑他们的共同起源地，

③ 关于盐商，参见 Finnane（2004）；关于公行商人，参见 Wakeman（1978）；关于衙行商人，参见 Mann（1987）。

如特定省区或县城。在帝制晚期，出现了10个较大的商帮。[④] 这当中，影响力最大的有山西、徽州、宁波、福建和广东等地的商帮。其次是专门从事特定商品贸易或特定行业经营的商人群体，如盐商、茶商、中药材商、布商和金融商等。再者是买办商人群体，他们既属于独立商人，又充当在华通商口岸西方企业的管理者兼代理人。随后，当步入20世纪时，出现了一个新的现代工厂主群体及现代公司所有者和管理者群体，其中一些人修改了他们曾在西方看到的模式，创办了自己的企业。最后，新兴起的是改革开放后的中国企业家群体，包括共产党企业家和前党内干部企业家。

四、企业家的活动

（一）晋商：新市场和创新型合伙关系

在勾勒出明代早期以来中国商人群体的范围后，我们将举例阐述他们中的个别商人或商人群体如何践行其作为企业家的责任。不妨从晋商开始，他们很可能是最早实现富裕且拥有一定影响力的商人群体。随着官方开始对盐商实施许可证经营，晋商在明清两代控制了中国最有利可图的食用盐分销市场。但半官员的社会身份和对基本消费品的垄断，并未妨碍他们成为企业家。他们大多来自山西省南部三个互相毗邻的县城，那里地形恶劣、土壤贫瘠，却靠近一条连接北京和中国西北有战略意义的甘肃要塞的一条交通干道。他们声称受恶劣的地理环境所迫，不得不勤勉创业、勇于进取并奉行节俭。同交通要道之间的有利距离使他们的思想较为开放，能充分利用交通要道带来的包括长途贸易在内的商业冒险机遇。另外，他们靠近西北边界，明朝皇帝在此兴建了大量戍边区以防蒙古军队入侵。1370年开始，政府实施了认证盐商补贴政策，以换取商人给这些边境驻地运送粮食和马匹；这些商人很快做出了回应，他们背井离乡，不远千里来到临近食盐市场的扬州，定居下来并开办店铺。其他人由于受文化习性影响，也来到扬州投亲靠友，不久后便也从事起了相同的行业（张海瀛，1995，第1—17页；Brook，1998a，第680—681页）。

---

④　参照张证明、张海瀛等人（1995）的10卷本著作（每卷论述一个商帮）。

此后，随着他们逐步建立良好的信用，且相互间形成了牢固的社会关系网，他们的财富日益增加，社会地位也不断提高。他们还发明了一些创新型商业策略，创立了新的组织结构。他们在戍边区驿站附近开垦新农田，这大大降低了运输成本，也减少了缴纳粮食的损失。这可能有助于他们在后来投入财力大规模开发中国北部和西部山地，将其改造成耕地和林地或茶叶、木耳和中药材等经济作物的种植地。为此，他们必须能雇到合适的管理者，招募大量劳动力和移民从事佃农的工作。此外，这还牵涉到如何处理工作协调和控制等管理难题（傅衣凌，1956）。

同时，晋商不畏艰辛，随时准备踏上商旅，这使他们能交易各种各样的商品，包括粮食、茶叶、中药材、丝绸、棉花、布料和铁器等，据此建立了覆盖整个国家的长途交易网。他们也通过购买土地和开设当铺，从事一些较为传统的投资。1492 年，朝廷政策发生了变化，允许用现金交换盐业许可证。这导致人们对运输银锭的需求日益增加，晋商很快把握住其中的商机，在一些地方创办了分支机构。到清代，许多晋商，特别是中部地区的某个晋商群体，已开办了为国家征税和为政府高官提供私人储蓄服务的存款银行（张海瀛，1995，第 19—26 页）。到 19 世纪早期，他们已完全支配了整个国家的银行业，其中一些发展成了汇款银行（票号），并能开具汇票，这些汇票在跨省分支机构和全国各大商业中心的联号（在清朝，同一行业的各家商号出于互壮声威、加强联系等目的，在文字上会有一两个字相同，即称为联号。——译者注）中都可兑换成现金（张海瀛，1995，第69—80页）。

随着全国各地各条商业通道上的分支商铺越开越多，如何有效管理它们成了一个难题。晋商的成功很大程度上得益于紧密联系的管理团队和良好的声誉，但最重要的无疑是一套招募和留住大量既能干又值得信赖的伙计的制度。关于后者，许多商号老板发明了一种新方法来建立同高级别雇员之间的合伙关系，即给他们提供特定的合伙份额而不要求他们投入任何资金。如此一来，原始所有人和新合伙人之间便形成了一种利益共生的合伙关系：原始所有者确保得力助手能长期为他服务，且忠贞不贰；新合伙人得以进入一家已有很好基础且金融资源稳固的企业高层。新合伙人随后将被任命为分行经理，有足够权力管理这些业务单元，但每隔几年要接受定期考核，并和原来的企业所有人分享利润——很可能为 30% 左右（张海瀛，1995，第 15—16

页、第46—47页）。晋商这种分享利润和管理权的操作框架似乎是首创之举，因此很快成了其他商人的效仿标准（吴桂辰，1923，第7部分，第1—24页）。

（二）瑞蚨祥：连锁店铺和合理的利润分享

我们看到，这种惯例在20世纪早期北京和上海的传统企业中得到了更充分的表现。但正如16世纪晋商开始采取措施应对新市场条件带来的挑战那样，19世纪晚期市场条件的变化至少迫使一家享誉海内外的百货公司——北京瑞蚨祥，修改其利润分享计划和商业策略。作为家族企业，瑞蚨祥发端于公元7世纪山东省某县，一开始主要销售本土服饰，到8世纪时日趋衰弱，但19世纪70年代在第二代传人孟洛川（1850—1939）的掌舵下得以复兴。到80年代中期，孟洛川成了企业所有人兼总经理，他开始在传统日用百货中引进新进口的布料、化妆品和其他外国奢侈品，并把店铺扩张到了北京、上海和山东省其他城市，到20世纪20年代最辉煌时，连锁店铺增长到了26家，分布于5个不同城市，雇用了约1000名员工。[⑤]

同时，尽管旗下各门店均遵循传统商业惯例，被视为自负盈亏的独立经营单元，但孟洛川在一名得力助手的协助下，将不同门店进行分组，由此建立了新型的合作和集中管理制度。每一分组通常以门店所在城市划分，接受门店经理兼区域经理的领导。区域经理负责管理日常业务，定时召开由本区域全体门店经理共同参加的联席会议，负责协调库存量和销售量，且每隔五天须向孟洛川出具一份书面报告。与此同时，孟洛川拿出事先约定的给各门店经理预留的30%的利润分配额，将其汇总成一个利润池。然后，他把利润池分成300个红利点，用于两处：其中主要的220—240个红利点分给门店经理和其他资深雇员，剩下的60—80个红利点名义上作为留存资金，实际上用来补充员工日常薪金和定期奖励。通过这种方式，孟洛川将30%的利润分配给少数人这一传统做法改造成了一套多数人合理分享利润的制度。结果，作为老板的孟洛川和他的所有中高层雇员都建立了良好的私人关系。事实上，大家都知道他很善于利用两种不同类型员工的长

⑤ 《北京瑞蚨祥》（*Beijing Ruifuxiang*，1959）；旧上海协大祥绸布商店的《店规》（1966）。

处：一种是颇有天赋的雇员，一种是同他有特定关系且能胜任监督职责的员工。⑥

（三）现代中国政治动乱造成的障碍

尽管晋商群体和瑞蚨祥之间存在着区别，但两者最终都走向了衰败，这并非偶然，而是有着极为相似的原因，即中国动荡不安的政治危机所引发的相关事件。其他一些因素也导致他们趋于衰落，如晋商和年事已高的孟洛川想要在其企业中保持较为先进的现代管理方式已变得越来越难。但政治因素无疑是最为关键的。19 世纪的太平天国运动，不仅使富庶的江南地区和长江中游各省份饱受摧残，而且大大增加了山西盐商和长途贸易商的市场交易成本。他们的票号步履维艰，专门从事汇兑业务的银商在 1900 年前后也发展到了巅峰期，其银票兑换功能已达上限。

但同一时期也出现了现代商业银行的雏形和一家由朝廷把持的官方银行，后者抢走了绝大部分原本流向晋商票号的税收存款。此外，由于它们的主导性及其同政府之间的密切关系，晋商和银行家群体不得不一次次地给入不敷出的清政府提供大量资金援助，随着贪官污吏越来越多，这使他们的运营资本渐趋枯竭（张海瀛，1995，第 93—100 页）。瑞蚨祥各地店铺的迅猛扩张势头不仅得益于孟洛川在商业组织和策略上实施的一系列创新改革，而且得益于他和一些政治领导人群体之间的个人关系网络。其中包括几桩同北洋军阀之间的联姻。20 年代中期北洋军阀垮台后，孟洛川并未和国民党新政治领导层建立联系，致使公司前景堪忧（陈锦江，1982，第 226 页）。

行文至此，我们不难发现，诸如孟洛川等私营商人以及官方许可盐商和私人交易商等晋商群体，都能凭自身的企业家才能创造和积累巨额财富。同时，我们也看到，这些财富将被国家的掠夺政策或政治动乱所摧毁。不过，他们并非因这种方式而蒙受大量损失的中国企业家的特例。由于 1839 年鸦片战争到 1949 年中华人民共和国成立期间，类似的政治危机几乎从未间断，由政治原因造成的损失及随之而来的企业溃败、其他各种创业抱负的夭折，在中国近现代史上轮番上演。

---

⑥ 《北京瑞蚨祥》（1959）；陈锦江（1982）。

（四）作为创新者的经纪人

在帝制晚期的中国，另一种颇有影响力的企业家群体值得我们注意。他们称谓不一，但事实上都扮演着中间人或经纪人的角色，换言之，作为第三方，缺了他们，最初的双方当事人很难建立关系或形成互动网络。最近的研究已注意到了这一企业家群体自17世纪开始在城市中心地区的扩散，特别是作为贸易官员和同乡会成员。在中国北方农村地区，私营经纪人利用各种创新渠道来促进商业交易（Mann，1987；Duara，1988）。即使追溯到明代，这些长途贸易商也不靠自己运送货物。他们会寻找特定经纪人，即所谓的“保人”（担保人），支付一定费用，让后者雇用一些值得信赖的船夫和货船，将货物沿特定水路运抵目的地市场，或雇用一些熟练搬运工及其伙伴负责陆路运输。因此，一位德高望重的保人必须非常熟悉运输市场和承运人的情况，并且为了获得担保费用收入，他必须保证托运货物能得到安全运送，并同意承担因不尽职而给贸易商带来的损失（Brook，1998b，第67页）。在这种情形下，保人作为担保主体，便担负起了经纪人和企业家的双重角色。

在19世纪和20世纪早期的中国，最有名的经纪人无疑要数买办商人。起初，他们作为授权职员和货物经销商替公行商人办事，但随着广州贸易系统的废弃，位于中国通商口岸的欧洲和美国公司便雇用他们来担当本地的经纪人、记账员以及公司中国雇员的担保人。随后，这种担保人角色扩展到了担保人的外企雇主和中国商人之间的所有商业交易活动。像运输业务中的保人一样，买办必须非常了解市场行情，拥有广泛的社会关系网，并具备敏锐的商业嗅觉，才能胜任这一角色。因此，他们的重要性伴随对外贸易的增长而日益增加，也就毫不为怪了。他们一方面仍在替外国企业办事，另一方面作为经营自身业务的独立富商的名声也越来越大。然而，即使作为独立商人，他们依旧延续经纪人的角色，帮助其他中国投资者为自己的现代企业引进西方管理惯例和工厂生产体系（郝延平，1986）。

但绝大多数私营经纪人均从事着最普通的工作任务，即把各种各样的人们，他们或有特殊才能，或有资本或两者兼有，撮合在一起形成合伙关系。这一点可通过以下例子来阐述：在19世纪和20世纪早期，四川的晒盐和天然气开采产业得到了蓬勃发展。由于太平天国运动占领了长江流域的大片地区，切断了湖广地区的食盐供应，到19世纪中叶，对川盐的需求突然暴增了一倍。由于四川的盐场和天然气开采公司大多规模较小，且从开始钻井到全面投产需花费几年时间，土地所有者就必须选择能合理确定优质盐井和打造燃气炉（用于将盐水蒸化成粗盐）且财力足以支撑整个开采期的合伙人。许多买办转变成了从事特定经纪人业务的承收人，不仅撮合最初的合伙关系（包括土地所有者为获得部分盐业收益而出让土地使用权），而且在整个工程期间承担一些关键的职能（Zelin，2005，第38—42页）。

这些承收人似乎不只具备管理盐井的高超技能，在物色财力雄厚到足以支撑整个开采工程的合伙人方面也很有一套。他们中也有一些本身颇有钱的，除了管理盐场所获得的收入外，还作为资方合伙人获得利润分成。由于这些工程通常需几年才能完工，故从钻井到产盐的整个期间，原始合伙人的资金投入很可能会消耗殆尽，因此必须建立一套更完善的新合伙制，引进其他有实力的合伙人来接管或（更有可能是）合理分割原始合伙人的股份比例。借助于承收人这一经纪人群体的广泛社会关系网，这类股份转让方式到19世纪晚期似已非常普遍。而且在许多情况下，这种转让都被扩展到了后续的合伙关系中。到20世纪早期，这种整合了各时期不同投资组合的混合合伙人制度，促使公司管理层不得不兼顾各方利益，这正如产量已达上限的盐场需要寻求新管理层来直接协调市场供需并处理其他营销问题一样。此时，合伙人会再次求助于经纪人，委托他们协助建立一个以自己专职雇员为主的新管理层（Zelin，2005，第42—46页、第53—54页）。

一家包含不同利润分享比例的合伙人企业，在盐场产量最终达到上限时，显然需要一套复杂且行之有效的法律上可实施的合同。通过借鉴传统的土地买卖和租用合同，四川盐场所采取的合伙关系，能够将其特殊要求写入新合同，而这些合同准确反映了各方的权利和义务。此外，已能熟练处理这类合同或其他商业合同的地方官员，将对涉及合同各当事方的法律纠纷进行裁决。采取不同风险利润分享形式的四川盐场可获得众多合伙人、承收人充分利用其广泛人脉发挥积极作用、能有效解决争端的政府规章，均有助于促成一个充满活力的市场，这个市场能够让企业家施展才能，实现抱负。

（五）从西方模式中引进创新

行文至此，我们已对明清两代的主要企业家群体作了历史性的回顾。进入20世纪后，中国逐渐摆脱了帝制，其时，中国大企业均有一个明显的特征，即引进西方商业组织和管理惯例，以适应新出现的市场环境。分别于1900年和1907年在香港创立的两家近现代百货公司就是两个著名的案例。这两家公司随后双双迁到上海，并在1917年和1918年先后开设了更大的门店。它们分别是先施百货和永安百货，其创始人分别为马应彪和郭乐。这两人具有相似的经历：年纪轻轻时便从毗邻澳门的广东中山市移居澳大利亚悉尼，在赚到足够的钱成为各自公司的合伙人之前，干过农活，在中国的杂货店和出口商贸公司打工。在澳大利亚谋生期间，一家名叫安东尼·胡登父子（Anthony Hordern & Sons）的悉尼旗舰百货公司给他们留下了深刻印象，该公司将全部商品和服务陈放于一幢大型建筑物中。当两人回国后，便决定将香港作为起家之地，当时的香港是英国殖民地，那里的许多中产阶层已接触过西方商品。⑦

稍早一点的马应彪花了几年时间才说服他的合伙人，同意他把大量初始资金用于装修销售门店，以便能艺术化地摆放各种各样标价固定、质量高且绝大多数都是进口的商品。此外，他将给所有顾客提供周到的服务。这些理念和高端产品的传统销售方式很不一样。通常，比较高档的商场只销售几种特定类型的商品，且会把较为便宜的商品摆放在商店前面，每种商品都可以讨价还价，而较贵的商品则被摆放在专门地方，只对有钱有势的顾客开放。马应彪和郭乐不断更新经营理念，以更好地满足客户需求。例如，他们在商场里设了一个办理存取款业务的银行专柜，让那些像他们一样有亲戚在澳大利亚务工的顾客，能更方便地存取或兑现其亲戚的汇款。他们还把商场大楼的部分空间改造成了娱乐场所，以此来吸引更多客流；同时，提供西式宾馆和餐饮设施来增强现代气息。此外，两人充分利用了在香港注册股份有限责任公司的英国公司法的好处：只要公司在香港注册，且分支机构位于上海公共租界内，英国公司法就将为上海的分支机构提供同等法律保护。

随后，他们开始慎重谋划如何进军当时中国最发达的大都市上海。两人打算在上海最繁华的南京路上，建造一幢富丽堂皇的百货大楼。当它们于1917年和1918年相继开张营业时，一下子便成为全中国时尚和豪华的新典范（陈锦江，1999）。

---

⑦ Chan（1981）；*The Sincere Company, Limited. Hong Kong: Diamond Jubilee* 1900—1975（n. d.）（Hong Kong：n. p.）

但是，郭乐和马应彪并未致力于将西方的组织和惯例引入公司董事会，甚至也没有引入高级管理层。两人都靠宗族和老乡关系招募公司所有员工，并通过个人关系网开展业务。在郭乐把公司业务范围扩展到纺织行业和百货大楼建筑行业，并在广州和其他地区开设了几家分公司后，这种情形仍然没有改变。因此，这两家似乎颇有现代风格的大企业和传统家族企业并无多大差异，依旧凭人格化管理来经营其庞大的商业帝国。换言之，郭乐和马应彪两人均未能建立一套西方式的非人格化的科层制公司结构。

在整个20世纪上半叶，对中国式关系网络和人格化管理的偏好仍是中国企业的普遍特征。这一时期中国两家最大的集团企业，荣宗敬和荣德生兄弟俩共同创办的申新纱厂与刘鸿生创办的大中华火柴公司也不例外。作为兄长的荣宗敬在上海总公司的协助下，既经营棉纺织品又经营面粉和布料，并利用同政治领导人、商业协会和劳工负责人等群体之间的广泛社会关系网经营商业帝国。同传统商人阶层一样，他严重依赖于特殊关系。但是，当他决定把工厂从创办地老家无锡迁到上海时，他也敢于面对并处理家族和亲戚的反对与不满，因为在上海他能建立更为广泛的关系网络，包括更好地获得日本银行家的信贷支持。

刘鸿生毕业于美国圣公会教徒在上海创办的圣约翰大学，曾在英国人经营的开滦煤矿干过一段时间。他在创业初期和荣氏兄弟完全不同，因为他只想有选择性地把人际交往技能用于创立航运和毛纺织方面的工业项目。他也以崇尚西式管理为人所知，但他并未唯宁波籍同乡是用，而是严格按照个人特长雇用那些非亲属关系的员工。1930年，他已成功整合了一支专职化的管理团队，他开始收购其他火柴厂并将其并入自己公司名下，成为当时中国最大的火柴生产公司。但在1935年前后，当他的13个子女——均在美国、英国或日本接受大学学业或职业教育——开始陆续回国后，他对公司最高管理层进行了重组，清空了非亲属关系的职位，由其子女替代（Cochran，2000；Chan，Kai Yiu，2006）。

在回顾中国企业家以往几百年来是否成功施展了其才能时，注意到以下这点无疑令人惊讶，即无论他们的企业规模或结构如何，在借助个人关系开展业务或从事经营时，公司的发展看似最为顺利和辉煌。当然，他们的成功也得益于良好的管理。但是，社会关系网的核心作用迄今也并未弱化，即使中国企业家已开始接触西方组织和管理。事实上，中国企业家已经采用和适应了一些西方企业的特征，如组织工厂化的生产流程、雇用专职顾问和日常管理团队，以及采取市场营销新策略以适应新的消费驱动型经济，由此来看，建立社会关系网和借鉴西方模式并不冲突，它们是相辅相成、并行不悖的。

五、改革开放时期的中国企业家

（一）企业家和官员的关系

当今中国商人群体的最大区别在于，是否和执政党及其政治支持力量有关联。商人能够接近统治精英这一点在当前和以往同等重要。较容易接近政权的群体中包括了中国共产党领导人的子女。但这些所谓的“红色后代”并未在任何一个经济部门的绝对规模和控制比例上形成大气候。例如，自1999年《福布斯》开始公布中国年度富豪榜以来，他们均未进入过前10名。相对而言，他们貌似还不够成功，最大原因可能在于他们缺少企业家才能。由于国家领导人不支持他们从事创业活动，他们要获得成功可能会更难。

辞官经商的地方党政领导人构成了一个人数更为庞大的企业家群体，他们和政治当局之间有着千丝万缕的关系。更常见的情形是，由政府官员的家族成员（子女、配偶、姻亲或近亲）创业经商，在必要时求助于官员亲戚施以援手。其他仍保留公职的政府官员，则不仅能直接参与集体企业的经营管理，而且能投资于私营企业。“林村”（Lin Village）以前是厦门市北郊区的一个小村庄，现已被划入厦门市辖区，其村支书叶文德的例子很好地阐述了这一点。起初，叶书记在他的生产大队里创办了一家集体所有性质的砖厂。时值80年代初，厦门正兴起一波私人住房的建筑热潮，这一大好机遇期使叶文德开始专门从事砖块生产。到80年代中期，政府开始鼓励私营企业的发展，叶文德凭借对市场潜在需求的敏锐嗅觉，充分施展为确保砖厂原料有效供给的人际交往技能，带领8位乡民一起投资创办了一家专门生产高质量红砖的砖厂。这次投资给叶文德带来了可观的收益，因此在1990年，经过一番仔细的市场调查后，他创建了另一家合营企业。此后，他又在厦门市辖区管委会内成立了一家合伙企业，即厦门城市电力局，并且参照其他省的某家镀锌公司，创办了福建省第一家电镀锌工厂（Huang，1998，第139—140页、第192—193页、第214—215页）。

自1978年上任至2003年退休，叶文德当了25年的林村村支书，他一直兢兢业业，住在靠自己投资收益所建造的一栋大楼里。叶文德同其他辞官经商的前官员企业家之间的主要区别在于，他并没有成为一个全职企业家。他把所有公司的管理权都下放给了其他人，不管是私营还是集体性质的，只是由他参与创办；即使他仍密切关注这些公司的经营情况。那些辞去官职的企业家，则会把全部精力倾注在私营企业上。当然，他们也必须花费大量时间维持与前在职同僚之间的人脉关系。

（二）创业之初同政府无关系的企业家

在企业家群体中，为数最多的仍是那些创业初期同执政党或政府之间没有关系的。他们通常只有非常少的启动资金，要么来自于家庭储蓄，要么来自于亲朋好友的慷慨相助。但他们中的许多人很好地克服了创业初期的各种不利条件，构成了当今商界领袖的绝大多数，许多人均跻身于《福布斯》中国企业家富豪榜的前10名。[⑧] 我们有一些关于这类企业家群体的数据和资料，不管他们最终是成功还是失败了。根据一组20世纪80年代早期至2004年末的数据，只有逾300万家私营企业在政府注册。这些公司中超过90%是家庭所有的，且绝大多数也由家庭负责管理。自90年代以来，每年新成立的企业约有15万家，同时，每年也有10万家左右企业倒闭。在所有注册的企业中，似乎有60%会在5年内破产，当代中国企业的平均寿命仅为2.9年。[⑨]

但这些数据只涉及那些正规组建的企业，它们发行了股票并承担有限责任。若我们纳入街头小店、夫妻店及汽车维修和租赁店等小微企业——这些只需一张许可证便可经营的企业——则在2005年年末，全中国企业的估计总数约为2400万家，并以每年15%—20%的速度增长（Loyalka，2006）。这些数字能说明什么问题呢？首先，当代中国企业2.9年的平均寿命通常是非常短的，这可能反映了绝大多数创办企业的中国人都比较缺少企业家才能。其次，尽管企业总量相对中国逾13亿人口并不算多，但考虑到差不多25年前

---

⑧ 《福布斯》“中国企业家富豪榜”，《星岛日报》（洛杉矶），2005年4月29日A1版。

⑨ 《2005年中国民营企业发展报告》（2005）由中华全国工商业联合会发布，转引自《金融快报》（印度），2005年7月5日。

政府才允许个人创办私营企业，这确实体现了一个很明显的转变。[10]

从这层意义上说，近30年来中国市场化创业浪潮似乎同16世纪和18世纪很相似。不管是以往还是当前，它们均以需寻求额外收入的家庭所创办的家族企业为主，且由干劲十足并敢于冒险的个人所引领。他们绝大多数都从事于所谓的“复制型创业活动”，某种程度上均遵循一种普遍模式，即以小规模经营开始，很可能把店铺开在人流密集的街角，销售如服装等特定商品或提供某种服务。许多店铺一两年内便会倒闭，但更多的则会试图东山再起。其他店铺也会获得一定程度的发展壮大，然后搬到地段更好的位置去。一旦它们获得稳定的客户资源后，很多业主便会以此为生。

显然，在这些起步较小且一开始和政府没有关系的企业家群体中，也有一些敢于大胆创举、有着良好的社会关系网和独到的眼界，他们不断开拓商品和服务的销售市场，从而成了全国商界的领军者。曾是中国最大的家电连锁公司——国美电器集团的前董事长兼总经理黄光裕，无疑是其中一个成功的案例。黄光裕出身贫寒，就读高中时被迫辍学打工，随后他和兄长告别老家广东汕头，远去内蒙古做流动商贩。当时，他们辛苦一年只能积累区区4000元钱。靠着同某个共产党官员的朋友之谊，他们才得以在北京某小店里寻了一份工作。此时正值1986年，黄光裕才17岁。很可能也是在该官员的帮助下，兄弟俩获得了3万元担保贷款，凭借这笔启动资金，他们在1987年开办了一家家用电器零售店（Situ，2006，第83—96页）。

在那时，私营零售业在中国才刚刚起步，第一批企业主对优质消费服务或竞争性定价策略还不了解。不久后，黄光裕开始实施了一项经营策略，即尽最大可能为消费者提供价廉物美的商品。这使他赢得了良好的地方口碑，回头客大增，销售量也随之出现暴涨。1993年，为满足市场需求，他在北京不同城区开办了几家连锁店。随着收入不断增加，黄光裕把赚来的钱用于投资房地产市场。90年代晚期，黄光裕发现一些以主导品牌为依托的国产家电

---

[10] 相比于13多亿的人口，2400万家商业企业并不算多，因为这意味着大约只有3%的成年人选择自主创业。如果我们参照最近一项由瑞士和美国的全球创业观察机构（GEM）赞助的以全球34个国家为基础的年度研究报告，则3%的数据将置中国于创业参与度最低的国家之列。但该报告也显示，毗邻香港的深圳的成年人创业参与率高达11.4%，相当于34个样本国家的第10名。参见 *Research Studies of Hong Kong and Shenzhen for the Global Entrepreneurship Monitor*（2004）（Centre for Entrepreneurship，Chinese University of Hong Kong）。

在市场上表现很不错，于是便同各制造商开展谈判，试图说服后者以最低价格供应家电，作为交换条件，他在连锁店里给这些家电品牌提供最好展位，同时黄光裕减少了国外进口量。他的连锁门店也随之扩散到其他城市，国美品牌在全国迅速走红，成了价廉、真诚和贴心服务的代名词。2004 年，他在香港开了第一家门店；2005 年，他使连锁门店总数翻了一番，达到 500 余家，覆盖了中国 600 多个人口约在 40 万—50 万间的多数中小城市。在 2006 年 3 月公布的《福布斯》中国富豪榜中，黄光裕以 17 亿美元的资产居首位。[11]

（三）作为保护人和促进者的官员角色

黄光裕的成功并不算特例，因为中国正从发展的初级阶段迈向现代工业社会。他白手起家的故事、把握市场商机的超强能力和积累巨额个人财富的能力，都是其他社会经历类似发展阶段时所具有的创业元素。但是，对今天任何一名创业初期和政治精英尚无瓜葛的中国企业家（如黄光裕）来说，尤为关键的一点似乎是，为了开展哪怕是最小的商业经营，往往都需要政治保护人的帮助。只要执政党或国家政权控制或极大地影响着原料供给和融资的来源与分配，这似乎仍然是一条必经之路。2005 年夏季和秋末，我在珠三角对一些年业务收益在 100 万—600 万美元之间的私营企业家进行了访谈，结果发现他们在辞去公职，从事小商贩或夫妻店以及从事更规范的商业经营前，都有官员作为保护人。

这引出了以下问题：党政官员到底扮演了什么角色，在商业活动中是否发挥了促进者的作用。在我采访的两个案例中，官员均利用权力来确保企业经营所需的原材料供给：在一个案例中，官员确保两家成功企业获得建筑材料，其中一家是建筑企业，另一家是管道供应业；在另一个案例中，官员确保某家纸箱厂获得纸板。后来，前一个案例中的官员辞去了公职，成了公司的合伙人之一。后一个案例中的官员则仍然保留公职，在双方没有明确协议的情况下，受

---

[11] 参见《福布斯》“中国企业家富豪榜”，《星岛日报》（洛杉矶），2006 年 3 月 10 日 A1 版。2009 年初，黄光裕被迫离职，并因渎职和受贿遭政府拘押。但他的垮台在《福布斯》上榜的中国企业家中并不算特例，许多上榜的企业家同样遭到了控诉，其财产也被政府没收。参见“原罪：中国财富的耻辱”（*Original sin: The stigma of wealth in China*），《经济学人》（纽约），2009 年，9 月 5—11 日，第 70 页。

其保护的工厂企业家承诺将在中国所有主要农历节日给官员送去大量礼金或贵重物品。[12] 因此，这两名官员保护人都获得了很大的个人回报。在第一个案例中，官员通过给别人提供帮助为自己建立了一条通往企业家的桥梁；在第二个案例中，官员的庇护导致了一种在当今中国非常普遍的腐败形式。但是，这种礼物形式的贿赂并不只是一种非生产性的再分配型企业家精神的体现，因为在政府保护人获得再分配性财富的时候，他也为企业家创造了新的财富。

为进一步研究这些支持者（political facilitator）所扮演的角色，不妨考虑一名中层党政官员的例子，这位官员被《华盛顿邮报》记者潘文［John Pomfret，美国记者。2006年出版著作《中国教训：五位同学及新中国的故事》（*Chinese Lessons: Five Classmates, and the Story of the New China*），讲述五位南京大学历史系1982级同学的个人经历和不同命运，以此折射中国社会的历史变迁。——译者注］谑称为“叶大鬼”。1995年，作为南京繁华地段鼓楼区的副区长，叶大鬼决定使破旧不堪的主街道恢复原貌。因此，他从那些旧店铺的店主处筹集到大量租金，开始整顿街头小贩，将其商品没收充公，竭尽所能“驱逐”他们。他拓宽街道，在两旁装上许多街灯，以鼓励人们步行。被驱赶的小贩显然不甘心，他们多次试图回来，一些人甚至和城管发生了冲突，叶大鬼便依照市政管理条例将其抓进劳改所，关两年再释放出来。这种严厉的惩罚通常很有效。在不到3年内，街道已变成了一个非常繁华的高端购物区，到处都是品牌经营店和豪华宾馆。它不仅提供了大量收入不错的就业岗位，而且为市政府创造了新的税收来源。当然，叶大鬼个人也受益匪浅，他被推选为鼓楼区区委书记，并收取了大量金钱，将儿子送往国外接受教育（Pomfret，2006，第182—185页、第228—233页、第258页）。这无疑是政府官员凭一己之权为所辖社区和自身创造新财富的代表性例子。通过这种方式，叶大鬼和纸箱厂的政府保护人便将自身从再分配性的官僚支持者转型成了生产性的官僚企业家。

只要他们不至于变得过度贪婪，在目前的中国似乎还有这类官僚企业家精神的生存之地。但是，任何缺乏问责和法治基本要求的体制，终有一天会摧毁整个体制。为减少甚或消除对官僚企业家的需求，政府改革不可或缺，只有这样，才能强化决定商品和服务流向的自由市场力量，也只有当政府不

⑫　本段内容根据作者在2005年11月3日对中国东莞两名企业家的采访整理所得。

再掌控哪些人在什么时候获得经济资源的行政权力时，信贷和金融资源的配置才能更加有效。但问题可能还要更为严重，即使信贷和资源配置的透明度已大大改善，各种各样新出现的腐败和合谋形式仍将持续蔓延，公司治理和国家监管在眼下的中国也要复杂得多。

除了对官方庇护的依赖（尤其是中小企业）日益增强外，当下的中国企业家和以往似乎并无多大区别。他们的社会背景和个性特征、经商动因、奉行的价值观，以及对拓广社会关系网的注重都非常相似。他们早在民国时期便已获得了应有的社会地位。2002 年 11 月，中国共产党把“三个代表”的重要思想写入了党章，这意味着资本家和商界领袖作为先富起来的群体，在党内已获得了普遍认可。

六、结　论

尽管许多实业家在历史上长期遭受意识形态上的轻视，甚至被社会边缘化，但企业家精神向来都是中国历史和传统的一个内在组成部分。在帝制晚期，企业家逐渐获得了社会的合理认可和接受。但企业家精神的地位依旧脆弱，政治因素仍像往常一样发挥着首要作用。在当代中国，不能获得执政党官员的支持，仍是任何成功的企业运行所面临的巨大制度障碍。正如在传统时期，即使国家不干预商人的日常经营，但缺少某种国家控制和参与的大企业仍不被允许。这迫使企业家将企业维持在中等规模，以避开政府不必要的监督和干预，并保持企业的灵活性与自主性。借鉴西方法律体系并参与国际相关协议，虽已减轻了人们对国家肆意干预的担忧，但这种担忧在今天并未完全消失。

从中国企业家的特点看，他们并未迥异于熊彼特所定义的西方企业家，他们一样胆识过人、目光远大、创造性强，且善于重组各种生产要素。因此，当晋商发明了一种和公司经理分享利润的新形式时，它便迅速流传开来，形成一种标准，在不久后被北京瑞蚨祥等企业加以完善。经纪人，如那些专门从事于川盐经营的经纪人，在建立适合本行业特殊需求的各种合伙关系中，也展现出了惊人的独创性和广泛的市场网络。没有任何一种政治或宗教制度，曾试图阻止这类活动。相反，官方和商会通过法庭判决和仲裁给企业家们提供支持。

中国企业家有别于熊彼特式企业家的地方似乎在于，他们尤为注重建立人脉关系。由于中国人深受有关组织及个体和群体间关系的传统观念所影响，其管理风格和组织架构同西方仍有很大差别。但是，这似乎并未影响中国企业家一方面有效运用自身企业结构和战略，另一方面引进特定西方模式的能力。

无疑，企业家精神是积累财富过程中最具生产性的因素。在不同历史时期，中国官员的收入似乎超过了企业家的收入。但在这一过程中，大部分的官员收入都必须被解释成分配性的企业家精神，它们大多是以非法或纯粹行政干预的形式获得的。然而也应看到，官员作为促进者的角色，也能为个人企业家和社群带来新的财富，因此其净效应并不那么明确。有些官员利用其建立的关系网络，从事商业活动。这一点自帝制晚期以来似乎非常普遍。如今更是有过之而无不及，这很可能是因为迅速扩张的经济为利用关系获取大量收益提供了更多机会。晚清至民国时期变得颇为重要的官僚企业家精神，对生产性的企业家而言，无疑是弊大于利。在目前的中国体制下，它很可能会导致类似的破坏性结果。

不管怎样，企业家及企业家精神在中国仍将继续蓬勃发展。如果能从过去的历史中吸取经验教训，将有助于他们应对未来前行路上遇到的各种挑战。

参考文献

Atwell, William S. 1977. "Notes on Silver, Foreign Trade and the late Ming Economy." *Ch'ing-shih wen-t'i* 3, no. 2.

Berger, Brigitte, ed. 1991. *The Culture of Entrepreneurship*. San Francisco: Institute for Contemporary Studies Press.

Brook, Timothy. 1998a. "Communications and Commerce." In *The Cambridge History of China*, vol. 8, part 2, ed. Dennis Twitchett and Frederick W. Mote, 579–707. New York: Cambridge University Press.

———. 1998b. *The Confusions of Pleasure: Commerce and Culture in Ming China*. Berkeley and Los Angeles: University of California Press.

Chan, Kai Yiu. 2006. *Business Expansion and Structural Change in Pre-War China: Liu Hongsheng and His Enterprises, 1920–1937*. Hong Kong: Hong Kong University Press.

Chan, Wellington K. K. 1977. *Merchants, Mandarins, and Modern Enterprise in Late Ch'ing China*. Cambridge: East Asian Research Center, Harvard University, distributed by Harvard University Press.

———. 1978. "Government, Merchants and Industry to 1911." In *The Cambridge History of China*, vol. 11, part 2, ed. John K Fairbank and Kwang-Ching Liu, 416–62. Cambridge: Cambridge University Press.

———. 1982. "The Organizational Structure of the Traditional Chinese Firm and Its Modern Reform." *Business History Review* 56:218–35.

———. 1996. "Personal Styles, Cultural Values and Management: The Sincere and Wing On Companies in Shanghai and Hong Kong, 1900–1941." *Business History Review* 70: 141–66.

———. 1998. "Tradition and Change in the Chinese Business Enterprise: The Family Firm Past and Present." *Chinese Studies in History* 31, nos. 3–4: 127–44.

———. 1999. "Selling Goods and Promoting a New Commercial Culture: The Four Premier Department Stores on Nanjing Road, 1917–1937." In *Inventing Nanjing Road: Commercial*

Culture in Shanghai, 1900–1945, ed. Sherman Cochran, 19–36. Ithaca, NY: East Asia Program, Cornell University.

Chandler, Alfred D., Jr. 1977. *The Visible Hand: The Managerial Revolution in American Business*. Cambridge: Belknap Press of Harvard University Press.

Chang, Chung-li. 1962. *The Income of the Chinese Gentry*. Seattle: University of Washington Press.

Choi, Chi-cheung. 1995. "Competition among Brothers: The Kin Tye Lung Company and Its Associate Companies." In *Chinese Business Enterprise in Asia*, ed. Rajeswary A. Brown, 98–114. London: Routledge.

Coble, Parks M., Jr. 1980. *The Shanghai Capitalists and the Nationalist Government, 1927–1937*. Cambridge: Harvard University Press.

Cochran, Sherman. 2000. *Encountering Chinese Networks: Western, Japanese, and Chinese Corporations in China, 1880–1937*. Berkeley and Los Angeles: University of California Press.

DeGlopper, Donald R. 1995. *Lukang: Commerce and Community in a Chinese City*. Albany: State University of New York Press.

Djankow, Simeon, Qian Yingyi, Gérard Roland, and Ekaterina Zhuravskaya. 2006. "Entrepreneurship in Development: First Results from China and Russia." Paper presented to the Annual Meeting of the Allied Social Science Associations, Boston, January 6–8.

Duara, Prasenjit. 1988. *Culture, Power, and the State: Rural North China, 1900–1942*. Stanford: Stanford University Press.

Elvin, Mark. 1973. *The Pattern of the Chinese Past: A Social and Economic Interpretation*. Stanford: Stanford University Press.

Fairbank, John K. 1986. *The Great Chinese Revolution, 1800–1985*. New York: Harper and Row.

Fei, Xiaotong. 1992. *From the Soil: The Foundations of Chinese Society*. Berkeley and Los Angeles: University of California Press.

Feuerwerker, Albert. 1958. *China's Early Industrialization: Sheng Hsuan-huai (1844–1916) and Mandarin Enterprise*. Cambridge: Harvard University Press.

Finnane, Antonia. 2004. *Speaking of Yangzhou: A Chinese City, 1550–1850*. Cambridge: Harvard University Asia Center, distributed by Harvard University Press.

Frank, Andre Gunder. 1998. *ReOrient: Global Economy in the Asian Age*. Berkeley and Los Angeles: University of California Press.

Freedman, Maurice. 1957. *Chinese Family and Marriage in Singapore*. London: Her Majesty's Stationery Office.

Fu, Yiling. 1956. *Ming Qing shidai shangren ji shangye ziben* (Merchants and commercial capital in the Ming and Qing periods). Beijing: Renmin chuban she.

Guo, Chuan. 1960. *Yong'an jingshen zhi faren ji qi changcheng shilue* (A brief history of the origin and development of the Wing On spirit). N.p.

Hao, Yen-ping. 1986. *The Commercial Revolution in Nineteenth-Century China: The Rise of Sino-Western Mercantile Capitalism*. Berkeley and Los Angeles: University of California Press.

Ho, Ping-ti. 1964. *The Ladder of Success in Imperial China: Aspects of Social Mobility, 1368–1911*. New York: John Wiley and Sons.

Huang, Philip C. C. 1990. *The Peasant Economy and Rural Development in the Yangzi Delta, 1350–1988*. Stanford: Stanford University Press.

Huang, Shu-min. 1998. *The Spiral Road: Change in a Chinese Village through the Eyes of a Communist Party Leader*. 2nd ed. Boulder, CO: Westview Press.

The I-Ching, or Book of Changes. 1967. Trans. Cary F. Baynes. 3rd ed. Princeton: Princeton University Press.

Jiu Shanghai Xiedaxiang choubu shangdian di "diangui" (The "Shop Regulations" of the Xiedaxiang Clothing Shop in old Shanghai). 1966. Shanghai: n.p.

Kirby, William C. 1995. "China Unincorporated: Company Law and Business Enterprises in Twentieth-Century China." *Journal of Asian Studies* 54, no. 1: 43–63.

Koll, Elisabeth. 2003. *From Cotton Mill to Business Empire: The Emergence of Regional Enterprises in Modern China*. Cambridge: Harvard University Asia Center, distributed by Harvard University Press.

Levathes, Louise. 1994. *When China Ruled the Seas*. Oxford: Oxford University Press.

Liu, Kwang-ching. 1987. "Jianshi zhidu yi shangren" (Institutions of the recent period related to the merchants). In Yu Ying-shih, *Zhongguo jianshi zongjiao lunli yi shangren jingshen* (Religions, ethics, and the spirit of the merchants in late imperial China). Taipei: Lianjing chuban.

Loyalka, Michelle D. 2006. "A Chinese Welcome for Entrepreneurs." *Business Week*, January 6.

Maddison, Angus. 1995. *Monitoring the World Economy, 1820–1992*. Paris: Development Centre, Organisation for Economic Co-operation and Development.

Mann, Susan. 1987. *Local Merchants in the Chinese Bureaucracy, 1750–1950*. Stanford: Stanford University Press.

National Bureau of Statistics of China, comp. 2004. *China Statistical Yearbook, 2003*. Beijing: Zhongguo tongji chuban she.

Ng, Chin-keong. 1983. *Trade and Society: The Amoy Network on the China Coast, 1683–1735*. Singapore: Singapore University Press.

"Original sin: The stigma of wealth in China." 2009. *The Economist*, September 5–11, 70.

Pomeranz, Kenneth. 2000. *The Great Divergence: China, Europe, and the Making of the Modern World Economy*. Princeton: Princeton University Press.

Pomfret, John. 2006. Chinese Lessons: Five Classmates and the Story of the New China. New York: Henry Holt.

Redding, S. Gordon. 1990. *The Spirit of Chinese Capitalism*. New York: Walter de Gruyter.

Research Studies of Hong Kong and Shenzhen for the Global Entrepreneurial Monitor. 2004. Hong Kong: Centre for Entrepreneurship, Chinese University of Hong Kong.

Ronan, Colin A. 1978. *The Shorter Science and Civilisation in China: An Abridgement of Joseph Needham's Original Text*. Vol. 1. Cambridge: Cambridge University Press.

"Rong Yiren: An Obituary." 2005. *The Times* (London), November 1.

Rowe, William T. 1984. *Hankow: Commerce and Society in a Chinese City, 1796–1889*. Stanford: Stanford University Press.

Ruifuxiang, Beijing (The Ruifuxiang of Beijing). 1959. Beijing: Zhonghua shuju.

Schumpeter, Joseph. 1947. "The Creative Response in Economic History." *Journal of Economic History* 7, no. 2: 149–59.

Shanghai Yong'an gonsi de shansheng fazhan wo gaizao (The birth, development, and reconstruction of the Wing On Company of Shanghai). 1981. Shanghai: Renmin chuban she.

The Sincere Company, Limited, Hong Kong: Diamond Jubilee 1900–1975. N.d. Hong Kong: n.p.

Situ, Wei. 2006. *Zhongguo tiaoji fuhao juanqi* (An unofficial account of China's superrich). Vol. 4. Hong Kong: Xiafei'er chuban youxian gongsi.

Smith, Joanna Handlin. 1998. "Social Hierarchy and Merchant Philanthropy as Perceived in Several Late-Ming and Early-Qing Texts." *Journal of Economic and Social History of the Orient* 41:417–51.

Temple, Robert. 1981. *The Genius of China: 3,000 Years of Science, Discovery, and Invention*. New York: Simon and Schuster.

Tian, Rukang. 1956. "Shiqi shiji zhi shijiu shiji zhongye Zhongguo fanchuan zai dongnanya zhou fanyun wo shangye de diwei" (The commercial importance of the junk trade in Southeast Asia from the seventeenth to the mid-nineteenth century). *Lishi yanjiu* 8.

Wakeman, Frederic, Jr. 1978. "The Canton Trade and the Opium War." In *The Cambridge History of China*, vol. 10, part 1, ed. John K. Fairbank, 163–212. Cambridge: Cambridge University Press.

Wong, Siulun. 1985. "The Chinese Family Firm: A Model." *British Journal of Sociology* 36, no. 1: 58–72.

Wu, Guizhang. 1923. *Zhongguo shangye xiguan daquan* (A complete handbook on Chinese commercial customs). Shanghai: Shangwu chuban she.

Xiao, Yanden. 1999. *Zhongguo meiyou qiyejia* (China does not have entrepreneurs). Chengdu, China: Jiangyun Industrial Culture Development Co.

Xu, Dixin, and Chengming Wu. 1985. *Zhongguo zibenzhuyi de mengya* (The sprout of capitalism in China. Vol. 1. Beijing: Renmin chuban she.

Yu, Ying-shih. 1987. *Zhongguo jianshi zongjiao lunli yi shangren jingshen* (Religions, ethics, and the spirit of the merchants in late imperial China). Taipei: Lianjing chuban.

Zelin, Madeleine. 1991. "The Structure of the Chinese Economy during the Qing Period: Some Thoughts on the 150th Anniversary of the Opium War." In *Perspectives on Modern China: Four Anniversaries*, ed. Kenneth Lieberthal, Joyce Kallgren, Roderick MacFarquhar, and Frederic Wakeman Jr., 31–67. Armonk, NY: M. E. Sharpe.

———. 2005. *The Merchants of Zigong: Industrial Entrepreneurship in Early Modern China.* New York: Columbia University Press.

Zhang, Haiying. 1995. *Shanxi shangbang* (The merchant group of Shanxi). Hong Kong: Zhonghua shuju.

Zhang, Haiying, Zhengming Zhang, Jianhui Huang, and Qunping Gao. 1995. *Zhongguo shida shangbang* (The ten merchant groups of China). 10 vols. Hong Kong: Zhonghua shujia.

第十七章 “二战”前日本的企业家精神：财阀的作用和逻辑

米仓城一郎 清水宏

本章主要讲述一个即使不受少数超大型企业（即财阀）支配，也是以它们为特征的经济体所经历的故事。其中会讲到，一个国家在长期闭关锁国后，突然受到外来军事入侵的威胁而打开国门（指1853年佩里上将及其舰队的入侵），然后出现了爆发式增长。随之而来的政府结构的彻底重构成了该国奋力摆脱技术滞后的关键一步。本章将描述那些奠定甚至塑造了这类巨头企业的相对简单的创业起源。

这一发展历程的独特性为我们提供了一些重要洞见。明治维新时期采取的一项举措是一个很好的例子，它表明了现行制度的重建将如何影响创业活动。当时，维新派决定将农民上缴给武士阶层的粮食税折合成等值的政府债券，并以货币形式向农民征税以支付政府债券利息。武士被鼓励去当银行家和投资者（随着1878年东京和大阪证券交易所的成立，几乎同一时期债券也得到发行）。这样一来，武士阶层便逐渐脱离战事，转而成了企业家和资本家。

财阀的增长也有助于解释日本在增量创新而非激进创新中颇受赞誉的比较优势。因为这也是其他国家大型创新企业的特征之一。它们的创新活动偏于保守，且以力图使风险最小化为特征，这主要由它们相对复杂的管理组织及庞大的资产规模带来的责任所致。

在财阀历史上，企业家成了其发展的主要驱动力。在剧烈的制度变迁和社会动荡背景下，他们创立了使年轻工程师和大学毕业生都能获得聘用和重用的创新组织形式。他们的创新活动往往呈现出在自身业务中积极应用新知识，并努力多样化利用稀缺资源的特征。

近些年来，即使在日本，“企业家精神”也已成了一个流行和热门词语。

但对该词语的使用往往显得有些过于随意。一些人用它指代那些创办企业的人，另一些人拿它描述那些引进新技术或新商业模式的人。在本章中，遵循约瑟夫·熊彼特的开创性研究，我们把企业家精神定义为开展能建设性地破坏现状并带来新的经济发展的创新（Schumpeter，1934）。简言之，我们认为“创新”能力是企业家精神的核心概念。

尽管熊彼特暗示创新不必局限于技术创新，而以往的大量研究仍更多侧重于这一方面。但正如小阿尔弗雷德·钱德勒所表明的，通观整个历史，组织创新对经济增长做出了重要贡献（1962，第283—323页）。钱德勒断言，在现代工商业界，企业家对开展组织创新起着重要作用，并奠定了大型现代企业得以创立的基础。这一断言对发展中国家来说甚至更为有效。企业家精神深深地嵌入在历史背景中。不同社会背景下的企业家面临着不同的挑战，必须利用不同的资源。例如，那些欠发达国家的企业家，有可能比发达国家的同行更容易获得既廉价又丰富的劳动力。但不可避免地，这些企业家不得不在资源有限且社会资本和人力资本普遍不发达的环境下发展他们的业务。

作为现代资本主义世界的后来者，引进而非自主开发和探索先进技术和制度结构的需要尤其“逼迫”着日本，追赶西方先进国家的愿望则使之表现得尤甚。从这层意义上说，战前日本企业家精神的核心竞争力同促进现代化的“组织能力”的积累有关。

从18世纪晚期起，工业革命开始给欧洲大陆、英国及美国的社会、政治和经济结构带来根本性变化。经济体制从封建主义经由重商主义演进到工业资本主义。该过程并非一帆风顺，而是一段持续了近一个世纪的艰巨和崎岖的演变历程。

相比之下，社会、政治和经济变革却以飓风之势撞击了日本传统社会。日本在很短的时间里就从封建主义跨入资本主义。但日本并不具备推行工业化的足够资源，其政治基础仍较脆弱。此外，日本两百年的闭关锁国政策意味着其科技知识远远落后于其他国家，且当时的国际社会对后来者也并非特别善意。帝国主义观念到处盛行，西方国家既贪婪又掠夺成性。[①]

在本章中，我们把企业家精神定义为能带来创新的能力，探讨了日本大

① 关于德川幕府晚期日本经济的更多信息，参见Lockwood（1965，第17—44页）。

量企业集团（即财阀）的发展历程，这一重要事件发生在19世纪70年代，当时封建制度刚刚解体，而对经济增长至关重要的基础设施尚未成型。我们重点关注日本企业家实现组织突破和建立大型企业集团的方法，这些方法不久后即遍布于国际贸易、造船、证券市场、现代银行业和铁路等领域的重要制度发展中，进而推动了战前日本的经济增长。

一、企业家精神在财富积累中的有效性：财阀的角色和重要性

欧洲与亚洲之间的贸易关系史可追溯至15世纪早期的地理大发现时代。不过，当时双方之间的直接接触并不多。在长达250多年的江户时代（Tokugawa era），日本的港口除了对少数荷兰和中国贸易商开放外，大多处于封闭状态，经济发展沿着高度封建化的道路缓慢前进，尽管资本主义已经占据了部分“领地”，但日本的科技知识仍远远落后于西方。

1839—1942年间的第一次鸦片战争标志着欧洲帝国霸权入侵亚洲的开端。19世纪50年代，外国帝国主义入侵者开始抵达江户时代的日本；1853年7月8日，美国海军准将佩里率领一支船体均为黑色的舰队驶进江户港（即现在的东京）。佩里携带了一封时任美国总统米勒德·菲尔莫尔（Millard Fillmore）写给日本天皇的信件，该信件要求日本开放港口并做出其他各种让步。美国的武力威胁迫使日本于1854年3月31日签署了《神奈川条约》（Convention of Kanagawa）。这一系列事件使日本政府猛然意识到自己的国家在技术上已落后于西方，若要维护其自主权，必须推行工业化。这种认识在1868年的明治维新中达到顶峰，明治维新促进了日本政府的行政现代化及随后的经济迅速发展。欧洲工业化时代的到来伴随着对亚洲原材料需求的迅猛增加，19世纪70年代的长期萧条则见证了工业化的欧洲越来越多地转向亚洲以寻求欧洲工业产品的新市场。这场萧条也影响了西方大国“入侵”亚洲新市场的方式，使它们从贸易和间接统治转向不平等贸易和正式的殖民控制。

明治维新是日本封建经济走向工业化的催化剂，推动日本在“富国强兵”（Rich Nation，Strong Army）的口号下崛起成为一个军事大国。[②] 明治政府迫

---

② 关于这一口号，参见Samuels（1994）。

不及待地发展民族工业，以试图赶上西方和维护其政治自主权。但日本缺乏基础设施、资本、人力资源、科学技术和政治稳定，所有这些都对工业化至关重要。据安格斯·麦迪逊估计，日本1900年的人均GDP为677美元，仅约为同年英国（2798美元）和美国（2911美元）的1/4，大抵同泰国和墨西哥相当（Maddison，1995，第23—24页）。

尽管工业化是国家头等大事，但日本必须先解决严峻的资源短缺问题，这是任何谋求发展现代工业的国家都需跨越的一大障碍。日本工业化的突破性进展以企业集团（或财阀）的兴起为标志，这一组织创新具有集中管理资源和多样化利用资源的双重好处。

"二战"结束后同盟国实施的政策表明，财阀在日本经济中已变得越来越活跃。1937年7月中日战争爆发时日本已开始调集军备物资，1945年8月战败后军备物资的调集并未停止。1945年8月15日，日本政府向同盟国宣布无条件投降。

此后不久，驻日盟军最高统帅部（Supreme Commander of the Allied Powers，SCAP）即开始着手重建日本的社会、经济和政治基础。驻日盟军最高统帅部实施了各项政治和社会政策，在日本强制推行宪政民主，并引进了土地和劳动力市场改革及妇女权利改革。驻日盟军最高统帅部的核心目标是使日本实现非军事化和民主化。驻日盟军最高统帅部聘用的经济学家们提供了一份有关日本经济的分析报告，该报告认为各项经济制度的基本民主化是日本在未来实现和平、回归正常状态的前提。

为了实现使日本民主化和非军事化的目标，驻日盟军最高统帅部开启了拆分财阀的过程，其重要举措是冻结三菱、三井、住友商事和安田这四大企业集团的资产，因为它们被看作是垄断性的，且是导致社会不公和法西斯主义的温床。[3] 1946年驻日盟军最高统帅部设立了控股公司清算委员会（HCLC），把财阀的股份转移到控股公司清算委员会名下，通过后者将股份分批分次出售给公众。1947年，总司令部制定了一项旨在防止财阀东山再起的反垄断法。同年，日本发起了一场针对政界和商界领袖的清洗运动，那些被发现积极鼓吹战争、民族主义或法西斯主义的政商各界领袖，将立即受到总

③ 关于财阀解体的更多信息，参见Bisson（1954）。关于"二战"后的经济改革，参见Teranishi和Kosai（1993）及Nakamura（1981）。

司令部和日本政府的调查并被迫卸职。这些政策意味着财阀在备战时期和战争期间的国家经济和军国主义中扮演了重要角色。

财阀一词的字面意思是“金融派系”（financial cliques），指在明治时代实现了高度集中的多元化大企业集团。日本学者森川把财阀定义为“一群由某个家庭或大家族单独掌控的多元化企业”（Morikawa，1992，第 xvii 页）。表 17 - 1 给出了明治时代的财阀情况。

表 17 - 1 明治时代的财阀

财 阀	创始人	第一家公司（年份）	资 本[④]
三井	三井高利	布料铺（1673）	849 136
三菱	岩崎弥太郎	航运和贸易（1873）	592 943
安田	安田善次郎	钱庄（1863）	248 647
住友商事	住友政友 索加利右卫门	炼铜和铜器加工（1590）	187 513
浅野	浅野总一郎	焦炭生意（1876）	167 488
大仓	大仓喜八郎	军需品（1868）	149 206
川崎	川崎八右卫门	银行（1876）	95 885
古河	古河市兵卫	采矿（1877）	71 478

资料来源：Morikawa（1992）；Takahashi（1930）

利用日本股份公司实收资本的相关数据，森川表明，在 1928 年，7 大财团（三井、三菱、安田、浅野、住友商事、大仓和古河）下属企业所贡献的资产总量占所有股份公司资产总量的 16.5%（Morikawa，1992，第 xvii 页）。在驻日盟军最高统帅部通过 1947 年的分拆政策实施干预前，这些财阀同新组建的尼桑和日室（Nitchitsu）等一起，也是经过几年才巩固和提升了它们在国民经济中的地位。表 17 - 2 说明了这些财阀企业在促进日本迅速实现工业化的基础工业中的主导程度，比较了 1947 年 14 家财阀下属企业的实收资本同相应行业的全体企业资本总量。

④ 该栏表示 1928 年集团企业所贡献的资本总量（单位：千日元）。

表 17－2　14 家财阀下属企业的实收资本

行　业	财阀资本（百分比）	行业资本总量
制造业和采矿业	10 440 200（47.2%）	22 089 231
重工业	8 020 289（55.6%）	14 430 619
金属冶炼和加工	1 655 406（43.2%）	3 829 681
机械制造	4 302 777（56.4%）	7 632 409
化工	1 961 402（66.1%）	2 968 529

注：14 家财团是指三井、三菱、住友商事、古河、浅野、大仓、安田、野村、尼桑、日窒、日曹（Nisso）、森（Mori）、理研（Riken）和中岛。

资料来源：Yamazaki（1979，第 252 页）

关于财阀的主流观点往往反映了把这些财阀视作封建垄断家族企业的西方主导观念，这类观点可总结为以下几点：其一，财阀和政府官员建立并维持着密切关系，且在开展业务中充分利用这些政治和私人关系；其二，通过有效利用垄断性金融和政治权力，他们使自己的经营活动更加多样化；其三，这种做法进一步演变成的腐败与社会不公的温床，导致社会动乱和阶级纠纷。

严格地说，战前日本财阀能否成功的关键，取决于这些企业在向现代企业的演进过程中能否推广其组织创新。在现代化进程的早期，日本政府试图通过创建国有企业推动工业化发展。但国库负担的不断增加和通货膨胀的持续上升，迫使明治政府从直接行动转向间接政策干预，政府开始鼓励私人部门参与银行业、航运业、棉纺工艺和采矿业等公共事业领域。一些商人把握时机、顺势而为，但机会并不局限于商人阶层。相反，在明治天皇重掌大权后，机会对所有老牌企业（创立于江户时代并经历过明治维新时期社会动乱的企业）和新创企业开放。只有那些充分积累了必要组织能力的企业，才能有效应对。人力资源是核心需求，因为面对现代资本主义初期的迅猛发展，只有反应灵敏和富有天赋的人才能适应外部变化，并在纷繁复杂的经济发展潮流中发掘出大量新的机会。⑤

---

⑤　家族控制的企业集团通过集中国家资源获得迅猛增长的其他国家的例子，在南美地区、印度及最近的韩国和俄罗斯也能看到。这些企业集团效仿了日本财阀在向工业资本主义转型中所采取的战略。关于家族企业集团比较研究的更多信息，参见 Yasuoka（1985）。

二、相关制度：明治维新和制度变迁

当道格拉斯·诺思表明制度在决定经济绩效中发挥重要作用时，经济学家和经济史学家便开始把他们的注意力转向各种正式和非正式制度（North 和 Thomas，1973）。

明治维新无疑是“二战”前日本经历过的最剧烈的制度变迁之一（Lockwood，1954，第3—37页）。这一连串事件发生在明治政府废除两百多年的闭关锁国政策之后，随即开启了日本封建主义经济、政治和社会制度迈向现代化的进程。

明治政府的首要任务是革新政治体制。封建藩属制被废除，一套中央集权的现代政治体制，伴随1871年地方行政机关的创建得以确立。1885年内阁制初现雏形，1889年《大日本帝国宪法》（Constitution of the Empire of Japan）正式颁布。该《宪法》确立了以普鲁士模式为基础的君主立宪制，据此日本天皇成为一个积极有为的统治者，其权力虽同选举议会（即国会）分享，但天皇仍把持着相当大的政治权力。

随后日本政府开始改革其社会制度。一项最彻底的变革是社会四民等级（或四民社会，17世纪早期创造的用于指代社会模式的一个术语）的废除。“四民”分别指武士、农民、工匠和商人。这一制度的废除促进了社会流动和对社会资本的利用。如后文将表明的，许多财阀企业家都是低级武士；传统社会分工的废除为他们组织管理资源和创建自己的企业提供了途径。

日本政府还致力于从西方先进国家移植前沿科技及先进的政治、法律、经济和社会制度。为支持日本现代化，政府聘用了约2300名外国工程师和教师，他们拥有农业、医学、法律、经济学、军事、自然科学和工程学等各领域的专业技术和知识。⑥ 一支由政界领袖组成的代表团也被派往美国、英国和法国等先进国家，他们的任务是学习这些国家的政治、法律和经济制度。1871—1873年间，政府还向海外派遣了大量留学生。⑦ 由此带来的科技知识的“回流”成为日本工业发展的一个重要基础。

---

⑥ 关于外籍工程师，参见联合国教科文组织（UNESCO）东亚文化研究中心的报告（1975）。

⑦ 关于这一时期向海外派遣留学生的政府项目的信息，参见Takahashi（1968）。

明治维新时期制定的一系列教育制度改革，对日本创业活动也产生了重要作用。教育体制改革的目标是开发人力资本，尤其是工程学人才和技能型劳动力。在全民义务教育的国策下，成立于1871年的教务省兴建了一大批公立小学、初中、高中、大学和职业学校。9所帝国大学在1886年创立。庆应义塾大学和一桥大学分别创办于1858年和1975年。这些大学均提供经济学、商业会计和企业管理方面的高级培训。帝国大学，如东京帝国大学和大阪帝国大学，同1881年创办的东京工业大学一起，成为职业学校教师、工程师和生产主管的主要来源。事实上，许多在日本工业化进程中扮演着重要角色的企业家都曾受教于这些大学。⑧

1893年颁布的日本商法建立在德国商法的基础上。通过引进股份制、有限合伙制和普通合伙公司制，日本商法使企业家的有限责任实现了制度化。商法的引进很快推动了大量股份制公司的兴起。同时，在“富国强民”的口号下，政府开始创办富冈丝绸制造厂等国有企业。政府还建立了一套新的货币制度，1871年，日本第一次引进了国家标准货币日元。国家银行法案按照美国国家银行体系确立，4家国有银行也在1872年成立。1876年日本修订国家银行法案，此后，许多国有银行得到创建，它们成了日本企业家的重要融资来源。

这些制度变迁提供了一个对企业家极其有利的社会环境。如大量文献已指出的，它们在日本经济的工业化过程中扮演着重要角色。我们很容易假设，大规模创业及随之而来的充满活力的工业发展，是这些制度变迁的直接结果，但事实正好相反，这些创业活动带来的一个结果就是官僚制度改革。恰恰是企业家设计和推行的制度变革，产生了关键的基础设施，并推动日本从封建经济体转向市场经济国家。

三、创业活动：组织创新和财阀

本节通过考察三井和三菱这两大日本财阀，探讨稀缺资源的多种用途及保守家族企业与创业企业的和解如何带来组织创新。尽管这两大财阀有着不

⑧ 关于职业教育及其发展情况的细节，参见Hayashi（1990，第12章）。Hayashi和Hirshmeier（1964）指出，明治时代出现了一种新的更积极的企业形象。

同的发展轨迹，但当追溯它们的历史时，两者在寻求组织创新中所体现出的特定逻辑却非常明显。

作为日本最古老和最庞大的财阀之一，三井财阀可追溯到1673年三井高利在东京（当时的江户）创办的布料铺。相比之下，三菱财阀在明治维新的剧烈变革时期才开始崭露头角。明治时代早期的企业家既缺乏资本来源和社会基础设施，又面临日本人对现代科学技术不够重视的障碍。三井和住友商事等老牌财阀可依仗自身积攒的财富和受人尊敬的传统商人声望，而三菱和安田等新兴财阀却无类似资源可资利用，他们不得不从头开始积累人力和金融资产。因此，新老财阀面临的任务截然不同。本节将分析三井和三菱这两大财阀的企业家所面临的挑战，以及他们引进的创新和为发展各自业务所采用的方法。

（一）三井的组织创新

三井高利是三井商人家族的第四个儿子。[⑨] 1622年，他出生在日本西部的松阪市，在那里他开设了一家小和服布料铺（日本服饰店），后来从事货币兑换业务。50岁时，他决定到日本首都和最繁华的市场江户开设一家名叫越后屋（Echigoya）的和服商铺。当三井高利开始他的业务时，传统的大和服商尚未使用固定价格；也就是说，所有交易都以谈判为基础，信用充当着唯一的货币，且他们的客户群仅限于封建统治者和富商。相反，三井高利把目标客户锁定在普通中产阶层，并引进了一种当时极具创新性的销售方式。他拒绝因循旧式和服布料商模棱两可、问题频出的惯例，给布料明码标上客户买得起的固定价格，并且只接受现金。他这种崭新的经营风格很快受到了中产阶层的欢迎，做布料生意赚到的钱使三井高利在1683年开办了一家钱庄。面向中产阶层的业务定位则为三井高利提供了同德川幕府建立密切关系的途径，布料铺和钱庄后来被幕府指定为官方供应点。三井高利的业务随着江户的繁荣而蒸蒸日上，随后又在日本第二大城市大阪开设了一家店铺。他在1694年73岁时去世。

到18世纪中叶，江户的人口已超过100万，成了当时世界最大城市之

---

⑨ 关于三井财阀，参见 Yasuoka（1982，1988）和 Roberts（1973）。

一。三井高利的儿子们决定不分割他们的家产；相反，他们把它当作一项集体资金，在1710年创办了一家无限责任合伙企业——三井大元方（Mitsui Omotokata，即一种控股公司），来管理庞大的三井家族业务。[⑩] 三井大元方由9家（后来增加到11家）三井家族企业组成，掌控着各地布料铺和钱庄的资金和管理。三井家族的投资回报则以半年度现金红利（业务收益的一个固定百分比）的形式偿付。飞速发展的业务使三井家族很快成了江户时代最有权势的商人家族之一。

1. 社会动乱和新管理者

但到19世纪中叶，新兴经济活动和封建制度之间发生的冲突已到了难以容忍的地步，武士和农民阶层的过度负债和猖獗违约成了主要的社会问题。同时，严重的作物歉收导致了饥荒，1855年江户在一场大地震中饱受重创。经济停滞造成三井家族的布料生意入不敷出，同幕府和其他大名（宗族）之间的钱庄生意给其财务资源带了重大负担（Yasuoka，1998）。

三井家族的各大商行还受到了西方大国入侵导致的社会动乱的影响。19世纪50年代晚期一些贸易港口的开放，使德川幕府陷入了由黄金外流和一场封建宗族政变（其口号是“尊王攘夷”）引发的财政危机中。幕府随即召见了大商人，要求他们给予财政支援以平息叛乱。三井家族已承诺给幕府提供大笔援助，于是决定向一名叫三野村利左卫门（Minomura Rizaemon）的创业型商人寻求外部援助。三野村利左卫门出生于1821年，是一位小型植物油和糖料商的女婿。他拜见了小栗董正（Oguri Tadamasa），当时幕府的最高层官员之一，此人还在江户经营着一家传统企业，并和三井家族一起成了一名重要的幕府金融家。三野村利左卫门的敏锐眼光和谈判能力给三井家族留下了深刻印象，正是这点使三井家族在处理其财务困境时寻求前者的帮助。通过艰难谈判和自己积累的政治关系网络，三野村利左卫门成功地降低了（降到原先的1/3）幕府对三井家族的融资要求，在1866年，三井家族给了他一个相当于其钱庄生意首席主管的管理职位。

当三野村利左卫门加入三井财阀时，日本正处于社会和政治混乱时期。根据《日美友好通商条约》（Treaty of Amity and Commerce），日本于1853年

⑩ 关于三井的业务情况和三井大元方的作用，参见Yasuoka（1988）。

被迫对美国开放了下田和函馆两个港口，后来在1859年开放5个港口（函馆、长崎、横滨、新潟和神户）用于国际贸易，从那时起日本开始参与国际贸易。除了美国外，幕府还被迫同英国、法国、荷兰和俄国签订了使日本丧失治外法权、关税自主权和最惠国待遇的一系列不平等条约。由强迫国际贸易造成的黄金外流导致了快速通胀。日本，像当时的中国和其他一些南亚国家那样，似乎注定要成为一个准殖民地国家。对国际条约的不当处置促发了对幕府统治能力的质疑，且激起了对鼓吹“尊王攘夷”的人们的同情。身处内忧外患中的德川幕府开始丧失对日本的政治控制。同时，长州和萨摩等较偏远的藩的新一代年轻领袖正在蓄谋推翻德川幕府的统治，谋求并在天皇统治下统一日本。

尽管三井家族是德川幕府的供应商之一，但三野村利左卫门预感到了德川幕府政权的瓦解和新政权的出现，他建议三井家族给新政权提供财政援助，并放弃德川幕府政权。不出三野村利左卫门所料，第15代德川将军德川庆喜于1867年将政权奉还给天皇，1868年明治政府正式成立。新成立的维新政府握有的财政和政治权力非常有限，但它需要实现迅速工业化和组建一支强大的军队。在一名极有影响的维新活跃人物井上馨（Inoue Kaori）的帮助下，三野村利左卫门很快成功地同新政权建立了密切的政治关系，使三井家族能够在金融、外汇和贸易领域继续保持重要位置。但是，同新政权之间的密切关系对三井家族也是一笔金融负债，因为新政权的财政根基是如此薄弱。从一开始，新政权便面临一连串财政危机，1870年，它要求三井家族提供30万“良”（ryo，旧货币单位），以资助其扩大收入基础。即使对富可敌国的三井家族而言，这也是一笔巨款。但是，若三井家族拒绝施以援助，新政府便会垮台，日本很可能会再次受制于西方势力。三野村利左卫门选择了出售大量三井财产来筹集必要资金，因此赢得了维新政府的信任，进而使三井家族获得了更强大稳固的政治关系。

2. 商业机会和创新障碍

随着消费品生产停滞不前和进口成本依旧高企，明治政府必须尽快为现代资本主义经济的发展奠定基础。迅速建立一套稳定的货币和银行体系尤其迫在眉睫。为了平衡贸易，政府还必须建立能和国外同行展开竞争的产业。三野村利左卫门意识到三井家族极有必要调整其传统业务，但管理层和工程师中没有一个人能理解现代化的重要性，更不要说具备推行必要改革的能力。

因此，三野村利左卫门从三井家族外部招募了大量新员工，他们均掌握了发展新业务所必备的专门知识和创业技能。新招募者中包括了三井物产（三井业务的国内贸易部门）的创始人益田孝（Takashi Masuda）和日本银行业的主要改革者中上川彦次郎（Nakamigawa Hikojiro）。但三井家族仍对这些变革持怀疑态度，且反对重组其原有的业务。传统商人偏向于通过控制不动产（它们被认为是一项安全资产），来拓展新的未尝试过的业务领域（Yasuoka，1998，第494页）。对于需要一定量资本投资为新企业提供融资的企业家，这种风险规避态度确实是一个问题。三野村利左卫门引进了一项重要的组织创新，即试图组建一家有限责任控股公司，以使传统商人的资本能为新企业所用。下一节将描述这些创新及其影响。

19世纪70年代早期，三野村利左卫门构思了创建一家银行并派遣该行7名员工到美国学习现代银行技术的计划。但1872年明治政府确立了新的银行业监管制度，要求任何一家国民银行均以合作方式建立。因此，在1873年，日本第一银行（即第一国民银行）得以创立。该行通过发行公债及三井钱庄（House of Mitsui）和小野兑换店（Ono Gumi，另一家江户时代就已开始营业的主要钱庄）的捐资来筹集资本。

但三野村利左卫门并未放弃独立创建一家三井银行的计划。为了将三井家族的金融资源集中在银行业上，他认为有必要将渐趋衰落的和服布料生意从三井投资组合中剥离出去。当时日本尚未建立股份公司制度，三井家族必须为其全部店铺的负债承担无限责任。三野村利左卫门引进了独立管理，并限制财务支持，试图以此延缓资本贬值，厘清和服布料生意的责任与义务。

三井大元方这个控制着三井家族所有业务的企业组织，需对布料铺生意（三越百货）承担无限责任，因此，若这部分业务失败，三井家族和银行的利益也会受损。江户时代的商业企业要么是普通合伙制（即个体联营），要么是非公司企业，企业业主皆以个人名义对公司及其所欠债务承担法律责任。如已提到的，日本在1893年前并未颁布任何商法，19世纪70年代也没有任何法律规定股东承担有限责任。因此，将布料商铺生意从三井大元方剥离出去的目的在于降低三野村利左卫门计划筹建的银行走向失败的风险。三野村利左卫门向财政大臣大隈重信递交了他的提议，后者授予了许可，但有一个条件，即银行股东必须承担无限责任。三野村利左卫门接受了该条件，并于1876年创立了日本第一家私人银行——三井银行。由于新成立的银行需承担无限责任，即使保留住管理控制权，三野村利左卫门也必须使三越百货业务给三井家族带来的风险最小化，因此三井家族委派一些家族成员在三井银行董事会任职。

这一组织创新有两大目标：一方面，增强新业务的各个潜在领域；另一方面，使三井家族资产旗下的独立企业的业务风险最小化。由于股份制结构尚未获得当时日本法律的认可，且并不存在规范有限责任的监管法规，因此企业家希望同时实现这两个目标。这一组织结构带来了所有权和管理权进一步分离的意外好处，并使企业家在拓展新业务时更加自由。

三野村利左卫门创建一家私人银行的计划还包括成立一家贸易公司的提议。由于国际贸易对日本是新生事物，该领域的专门知识极其有限，三野村利左卫门选派益田孝管理新创立的贸易企业。益田孝曾是一名翻译官，在明治维新时期供职于财务省。1874 年当井上馨创办贸易公司——先收公司（Senshu-sha）时，益田孝便加入其中。[11] 当三井家族聘用益田孝创办一家贸易公司之际，国际贸易正被西方主导。三野村利左卫门认为，为了迅速实现工业化，日本必须引进先进技术，并促进出口以赚取外汇。他意识到可从国际贸易中赚取大量钱财。当井上馨在 1876 年重返政界时，三野村利左卫门给益田孝提供了三井家族新成立的贸易公司三井物产的董事长一职。三井家族并未对国际贸易表现出特别的兴趣，因为该业务对于这些旧式商人而言完全是陌生的；他们颇为担心风险。三野村利左卫门又一次需要建立一套不会给三井家族带来无限责任的组织架构，不过，这次是在益田孝的帮助之下。

新成立的三井物产名义上是三井家族两名年轻成员的无限合伙制企业，这两名成员其中一人为三井家族族长三井高福的第七子，另一人为三井高福的兄弟三井高喜的第三子。不过，三井物产同三井大元方和三井银行并无直接关联。必要的初始投资来自于三井银行的贷款，而非来自三井大元方，因为后者不愿把资源投入贸易公司。益田孝成了公司的运营总裁，但并无对公司的资本承诺。三野村利左卫门和益田孝的重要任务是确保三井家族的财务安全（Takahashi，1968，第 14 页）。但在 16 名员工的协助下，益田孝很快在

⑪ 关于先收公司和三井物产成立的细节，参见 Nihon Keieishi Kenkyu Sho（1978）。

东京成立了一家总公司，并在横滨、大阪和长崎设立了三家分公司。资本和管理相分离也为他从东京高等商业学校（现在的一桥大学）和庆应义塾大学等顶级大学招聘毕业生提供了更大的自由，而不必烦扰三井家族。这种人力资源和先进知识（特别是英语和会计）的锁定对日本早期虽幼稚但却迅猛发展的国际贸易业务大有助益（Abe，1995，第110页）。

1877年三野村利左卫门去世后，益田孝继续推行重组计划。但是，1885年三井银行的财务遭遇严峻考验，当时由于成立日本银行（即日本的中央银行），明治政府要求所有私人特许银行，三井银行也不例外，将受托的职能（即货币印发权）同它们的实收资本一起归还给日本央行。由于必须在经济意义不大的地区开设大量分支机构以履行其指定的公共职责，银行的财务状况严重恶化。一场剧烈的变革势在必行。

3. 新企业的新技能型管理者

在该问题上苦苦挣扎了几年后，三井家族和益田孝于1891年决定委派一名年轻商人中上川彦次郎来改革三井银行。中上川彦次郎曾在伦敦花了3年时间学习西方政治、经济和商业制度。回到日本后，他成了创立于1887年的三洋铁路（Sanyo Railways）的总裁。他的任命得到了前文所述的井上馨的支持，后者是明治寡头政权的得力成员。

中上川彦次郎开始引进一些新做法，他从母校庆应义塾大学招募本科毕业生。当时，许多银行的行政和管理人员都是地方政府官员，但中上川彦次郎把重要的管理决策下放给由极富天赋的年轻管理者组成的团队，并引进了一套基于绩效的薪酬体系。中上川彦次郎的第二项成就是将三井银行的业务领域从公共机构业务重新转向私人银行业务。他认为政府内部的关系网妨碍了三井银行抛弃旧有传统并实现业务现代化。尽管中上川彦次郎受到政治领袖的举荐，但他切断了自己同维新政府之间的关系，并开始着手清除三井银行的公共机构业务。他的目标是通过实现业务本身的现代化来改善银行财务。

中上川彦次郎和益田孝均致力于使三井家族的业务从依附政府的传统商人转向现代企业集团，并竭力谋取规模经济，这是一个涉及充分利用政府私有化政策的过程。在1881年大隈重信遭弹劾下台后上任的财务大臣松方正义（Matsukata Masayoshi），采取了一项和他前任的通胀政策直接相背离的财政紧缩政策。这便是所谓的“松方财政”（Matsukata deflation），以刚性预算约束、实行货币可兑换和公共企业的进一步私有化为标志。许多公共工程和矿山被出售给私营公司，绝大多数人的财富被财阀洗劫一空。[12] 1888年4月，政府要求对日本最大煤矿之一的国有煤矿三池煤矿（Miike Mines）进行招标，该煤矿从1873年起一直由政府掌控。预期到能源工业将在日本工业化中扮演重要角色，且鉴于三井物产自1879年后同三池煤矿有专属供应合同的事实，益田孝认定该矿山将对三井物产和三井财阀至关重要。作为政府指定的煤矿出口代理机构，益田孝也深知三井物产获得三池煤矿的潜在优势，况且他还亲自参与了对三池煤矿储存量的评估。当益田孝代表三井表达了他的参投意向后，三菱财阀也宣布将参与该次投标，此时三菱财阀的轮船业务蒸蒸日上，且已收购了许多其他国有煤矿。尽管三井银行正处在中上川彦次郎改革计划的紧要关头，但益田孝仍报出了455.5万日元这一当时史无前例的数目。三井最终赢得了这次投标，但该报价只略高于三菱财阀455.27万日元的报价。[13]

公众高度怀疑三井经营三池煤矿的能力，益田孝也因出了如此高的投标价格而被贴上“疯狂的”标签。但是，益田孝声称由于深知颇具才能的人力资源非常稀缺，这一出价中包括了三池煤矿首席工程师团琢磨（Dan Takuma）的成本。团琢磨曾在麻省理工学院学习采矿工程，并于1878年回到日本。在大阪工程学院和东京大学当了几年助教后，于1884年进入工程部（Ministry of Engineering）并开始为三池煤矿工作。益田孝收购三池煤矿的计划正赶上原始的传统采掘法仍大行其道之时。由于廉价劳动力非常丰富，故不存在提高效率的激励。绝大多数矿工是流放者或来自地方监狱的罪犯。益田孝意识到引进先进的采矿技术有望提高生产率。他确信团琢磨将在采矿业的现代化过程中扮演重要角色。事实上，三井物产也从三池煤矿的技术推动型开采中获得了巨额利润。此外，像通用汽车公司（GM）的阿尔弗雷德·斯隆（Alfred Sloan，也是一名有工程学背景的MIT毕业生）那样，作为20世纪早期三井控股（Mitsui Holding）的管理者，团琢磨继续为整个三井财阀做出了巨大贡献。[14]

---

⑫ 关于公共工程和矿山的私有化，参见Kobayashi（1977）。

⑬ 关于这次招标的信息，参见Nagai（1989）。

⑭ 关于阿尔弗雷德·斯隆的细节，参见（Sloan，1963）。1914年，继益田孝之后团琢磨成了三井控股的负责人，并领导三井成为日本最大的企业集团。1932年，他在新落成的公司总部大厦前被日本右翼民族主义者暗杀。

如我们在上述三井财阀的简短历史中所见的，尽管传统商人家庭倾向于对新企业采取风险规避态度，但为了能在经济转型中求得生存，他们不得不依赖于（新式）企业家；事实上，家族成员和他们雇用的职业经理人之间偶尔确实会产生争议。即使支持三野村利左卫门实施改革的三井高利，有时也会反对其手下爱将推行的变革（Yasuoka，1998，第497页）。敌视风险（特别是未尝试过的商业企业）的家庭成员都有不同要求，建立起能调和这些要求的组织结构，以及制定旨在有利于保护有限责任合伙制企业的法律条款，变得势在必行。三井某种程度上比其他财阀更早地开始分离所有权和管理权，并从事多样化经营，如伯利和米恩斯（Berle 和 Means，1932）指出的，这是现代企业结构的一个重要元素。这种分离带来的意外成果就是，三井财团能够引进并提拔较好地掌握贸易、金融和采掘领域新业务形态和技术的年轻有为者，同时不会激起家族的担忧。三井财阀积极地从公司外部聘入掌握新知识的熟练人力资源，并鼓励他们适应更广泛的环境变化。一些这样的职业经理人，如益田孝、中上川彦次郎和团琢磨，以及他们提拔的大学毕业生推动了三井企业集团的发展。尤其是中上川彦次郎，他从庆应义塾大学招聘了许多毕业生，以促进三井银行实现现代化和更好的发展（参见表17－3）。这些年轻商业精英继续推动三井财阀业务朝百货公司、造纸业和纺织品等领域多样化发展。

表17－3　三井财阀提拔的付薪经理人

姓　名	毕业大学	职　务*
福原英太郎	庆应义塾大学	三井物产
马岛与喜	东京高等商业学校（一桥大学）	三井物产
小室三吉	东京高等商业学校（一桥大学）	三井物产
福井菊三郎	东京高等商业学校（一桥大学）	三井物产
藤濑政次郎	东京高等商业学校（一桥大学）	三井物产
朝吹英二	庆应义塾大学	王子制纸（从三菱转来），董事长

（续表）

姓　名	毕业大学	职　务*
富士山雷太	庆应义塾大学	王子制纸，常务董事
武藤山治	庆应义塾大学	嘉娜宝，总裁
和田丰春	庆应义塾大学	嘉娜宝，东京总部经理
池田茂明	庆应义塾大学	三井银行，常务董事
日比央介	庆应义塾大学	三越百货，董事长
藤原银次郎	庆应义塾大学	王子制纸，总裁
小林一三	庆应义塾大学	阪急电铁，董事长

资料来源：Abe（1995，第10页）

* 三井财阀的主要提拔职位由岩崎弥太郎（Iwasaki Yataro）授权。

与发端于美国的M型组织相反，三井财阀创立了一种企业集团的控股公司类型。从交易成本理论来看，这种结构似乎代价极高，因为每家子公司都必须具备多余的间接功能，如企业战略规划、人事、总务和融资等（参见Williamson，1975；Chandler，1962）。理性地说，M型结构集中了各部门的间接功能，整个组织的管理资源进行配置由此成为可能，因而消除了冗余成本。但组织结构并非总是由理性决定，它往往会受制于历史路径依赖。

三井财阀对控股公司结构的选择受到三个因素的推动。首先是家族因循守旧者和新式商业企业家之间的冲突。三井家族对风险的厌恶可追溯至两百年前，但为了能在明治维新及伴随国家转型而来的社会和经济动乱中求得生存，必须从公司外部引进有才能的企业家。另一方面，企业家把明治维新视为一个巨大的创业良机。其次是三井财阀在现代商业知识和技术上的欠缺，使旧式商人除了将经营新创企业的自由权力授予他们的经理人外别无选择，因此企业家同控股公司相分离更为明智。再者是明治时代早期可以获得大量商机，如银行业、铁路、贸易、采矿业、航运、造船和纺织品等。但是，如三池煤矿的招标案例所表明的，新旧企业集团之间的竞争异常激烈。其中，能否胜出的关键取决于行动速度，因此相对于通过设立多部门来实现内部化，财阀在控股公司形式下成立子公司要容易得多。

（二）三菱：资源的多种使用[15]

三井和住友商事在江户时代开始经营它们的业务，此后继续成长为巨型企业集团，并在日本工业化中扮演着重要角色。相比之下，三菱属于后起之秀，因为它在1870年才成立第一家企业。但短短15年后，三菱便成了日本最庞大的企业集团之一。

然而，三菱面临的挑战和那些业务可追溯至江户时代的财阀不同，因为是后来者，三菱在银行业和采矿业等重要领域要弱于三井和住友商事。

本节分析三菱是怎样在如此短暂的时间里成功地跻身于日本四大企业集团的。三菱试图通过进军新业务领域避开竞争。公司也推行多样化经营，对其核心业务所积累的稀缺资源得到多种使用。

1. 航运业：不断增长的新需求

岩崎弥太郎于1835年出生在高知县（当时的土佐国），该县坐落于四国南部海岸。由于父亲是一名封地较少的武士，岩崎弥太郎地位卑微，后来他成了吉田东洋（一位志在革新土佐藩政治和经济体制的政治家）的追随者，并很快得到提拔和重用，到1870年他已是土佐藩的高层官员。同年，岩崎弥太郎被任命掌管土佐藩的航运业，他在该任职上精通了国际贸易。不久后，他从土佐藩租借了3艘船，开始涉足大阪经由东京及神户再到高知县的航运业务。1873年，岩崎弥太郎向土佐藩购买了这3艘船，创建了自己的航运公司，他给公司起名为三菱商会（Mitsubishi Shokai）。他将公司总部设在东京，由于尚无其他公司进入航运业，三菱商会获得了相对于前辈公司的竞争优势。

当时，明治政府正尝试用汽船替换帆船来装备国家舰队，以加快日本经济的工业化和现代化进程。外国航运公司也已开通驶往日本的定期航线（Mishima，1981，第41—42页）。例如，一家名为半岛和东方航运（P&O）的英国公司，于1859年开通了长崎至上海的定期航线，并在1867年增设了横滨至上海至香港的航线。同年，一家名为法国轮船公司（Messageries Impériales）的法国航运公司，引进了大型蒸汽船并开通了一条横滨至上海的新航线。一家美国公司，太平洋邮件轮船（Pacific Mail Steamship），于1865

[15] 关于三菱财阀的更多细节，参见Mishima（1981，1989）。

年开通了一条从旧金山途经横滨到上海的新航线，以及一条横滨和上海之间途经神户与长崎的新航线。海陆大宗运输无疑对工业化至关重要。因此，明治政府在1870年成立了一家航运公司。但这家国营航运公司并不成功，在开业10个月后便因管理不善而被解散（Mishima，1981，第43—44页）。1871年，政府新建了一家航运公司，由其提供东京至大阪的定期航运服务。该公司同样惨遭失败，并于1875年被迫解散。

从1874年开始，岩崎弥太郎利用军事需求发展了自己的航运业务。明治政府的现代化政策已经废除了社会特权阶层，尤其是武士阶层。在1873年，政府宣布武士津贴将按等级缴税，这项政策导致了一连串武士叛乱，1874年，由江藤新平（Eto Shinpei）率领的3000名武士奋起反抗佐贺（九州）政府，使叛乱达到了顶点。政府请求三菱商会用它的船队帮助把政府兵力调派到佐贺，正是因为三菱船队行动快捷，明治政府才能顺利地平息这场叛乱。

1874年日本军队征伐中国台湾，这是日本帝国武力的第一次海外展示。政府决定向台湾派遣3000名士兵，由于其目的是为促进国际贸易而发展国内航运业，政府下令由三菱商会负责把这批士兵运到台湾，并为此给三菱13艘船舶以示奖励，三菱被获准在征伐台湾结束后保留这些船舶。因此，三菱商会的货运能力大幅提升，公司开设了一条横滨至上海的国际航线，并成了日本最大的航运公司之一。

三菱大胆使用折价，来发展壮大其航运业务。在这一过程中，岩崎弥太郎提拔了一大批毕业于顶级大学的职业经理人，他们均有志于将三菱发展业务必不可少的先进知识内部化（参见表17－4）。

三菱在发展过程中也促进了大都市商业圈的繁荣，它试图利用政府补贴来主导航运业。但是，三菱在航运业的竞争对手不断增加。外国航运公司已在日本之外的其他国家开展业务，一些财阀集团也正在涉足航运领域。价格竞争异常激烈。此外，三菱在发展壮大的同时也带来了一股反三菱情绪。反对者批评三菱同日本主要政党之一的宪法激进党（即日本进步党——译者注）关系暧昧，该党接受了三菱的资助。1883年，后来创立了涩泽财阀的实业家涩泽荣一（Shibusawa Eiichi）和三井财阀合作，成立联合航运公司（Kyodo Unyu Kaisha），同三菱展开竞争。

表 17－4　三菱财阀提拔的付薪经理人

姓　名	毕业大学	职　务*
庄田平五郎（Soda Heigoro）	庆应义塾大学	三菱五志（Mitsubishi Goshi），总经理
吉川泰二郎（Yoshikawa Taijiro）	庆应义塾大学	日本邮轮，董事长
丰川良平（Toyokawa Ryohei）	庆应义塾大学	三菱五志，银行部门主管
朝吹英二（Asabuki Eiji）	庆应义塾大学	王子制纸（后来去了三井），董事长
近藤仁陪（Kondo Renpei）	东京大学	日本邮轮，总裁
山本达雄（Yamamoto Tatsuo）	三菱商业学校	日本银行，总裁
末延道成（Suenobu Michinari）	东京大学	东京海上保险（Tokyo Marine Insurance），董事长
加藤高明（kato Takaaki）	东京大学	日本第 24 任首相
矶野圭（Isono Kei）	东京大学	宾松（Meijiya），创始人
长谷川一志（Hasegawa Yoshinosuke）	哥伦比亚大学	公共钢铁制造业（PSIM），基金委员会
南云久吾（Nanbu Kyugo）	哥伦比亚大学	三菱五志，采矿部门主管

资料来源：Abe，“Kindai Keiei No Keisei（Formation of Modern Business）”，第 109—110 页

＊ 三菱财阀的主要提拔职位由岩崎弥太郎授权。

两家航运公司之间咄咄逼人的价格战（持续了两年时间）损害了各自的财务状况。政府提议它们在地位平等的基础上合并成一家新公司。双方最终达成协议，1885 年，一家名为日本邮轮公司（NYC）的新公司创立。岩崎弥太郎的长子岩崎久弥（Iwasaki Hisaya）成了新公司的第一大股东，尽管三菱理论上失去了它的航运公司，但实际上却赢得了和联合航运公司之间的价格战，并确保了对新公司的管理主动权。

航运业务在三菱财阀的发展中发挥两大重要作用。如本节开头所述，在 19 世纪 70 年代三菱开辟其航运业务时，采矿业和金融业等领域已被三井和住友商事等老牌财阀所主导。在政府支持下，航运业务使三菱这样一家相对年轻的财阀得以积累了大量资本并把握住多元化的商机。

2. 多元化：资源的多种使用

19 世纪 80 年代中期起，岩崎弥太郎开始推行多元化，并使三菱业务的重点从航运业转向重工业。一开始，他把和航运业互补的业务内部化，等到它们能独立服务于主营业务时，便将内部化的资源剥离出去。这一过程使闲置的管理资源得到了利用。用彭罗斯（Penrose，1980）的话来说，三菱的多元化建立在闲置资源的利用上。

19 世纪 80 年代，煤是船舶的主要动力，航运业需要保持充足的煤炭供应。但是，航运业的增长产生了同确保充足的煤炭资源可获得性有关的问题，1881 年，岩崎弥太郎开始在和歌山县经营一家矿业公司，以便为三菱的船队提供能源。但来自和歌山县的煤炭供应并不能满足三菱日益增长的航运业务需求。同时，三菱还从位于长崎的高岛煤矿添购煤炭，1881 年，岩崎弥太郎决定将该煤矿收入三菱麾下。在福泽谕吉（Fukzawa Yukichi）的辅助下，高岛煤矿被三菱收购，因为岩崎弥太郎料到它不仅将给三菱航运业务带来稳定的能源供应，而且三菱还能从额外出口中获得大量利润。事实证明岩崎弥太郎的预测是对的，三菱开始将其剩余的煤炭售往上海、中国香港和新加坡。岩崎弥太郎克服了阻碍三菱航运业务的一大障碍，并且通过后向一体化在煤炭开采和航运业务之间建立了互补和共生关系。

三菱的另一块绊脚石是其主要港口横滨缺少一家修船厂，因此公司不得不把破损船只运往上海或伦敦维修。1875 年，岩崎弥太郎和博伊德公司（Boyd & Co.）合作，创立了三菱发动机厂，由后者为钢铁厂提供一半注资。1876 年，发动机厂开始为其他航运公司提供维修服务。1879 年 12 月，岩崎弥太郎收购了博伊德公司在三菱钢铁厂的股份。尽管三菱发动机厂没有被用来造船，但它确实成了横滨最大的私有修船厂和三菱财阀最重要的船舶维修点之一。

不久后，三菱开始调研造船工业。1857 年，德川幕府就已创办了一家修船厂，在 1863 年，又在长崎设立了专门建造战船的据点。明治政府则将创办于 1868 年的、采用英国先进修船技术的小营修船厂购为已有。这些据点被统称为长崎造船厂，成为一个重要的造船中心。但随着航运业的大本营从长崎转向神户和大阪，政府决定将长崎造船业务私有化。1884 年 6 月，当时正和联合航运公司相互竞争的三菱，通过竞标成功租到了政府的造船经营场址。庄田平五郎投入一大笔钱来改进造船厂及其厂房设备，以便长崎造船厂能建造技术上更先进的大型船舶，三菱也从三菱发动机厂派遣了一些高级工程师到长崎造船厂。它还从东京技术学校（后来的东京工业大学）和帝国工程学院（后来的东京大学）招募新毕业生。长崎造船厂的这些技能型工程师和更新设备使三菱的造船业务跻身于行业领军地位。

后来，三菱又开始提供航运业外围服务。一开始，公司面临来自国外航运业的激烈竞争。三菱的竞争对手之一，英国的半岛和东方航运公司，正通过进入金融业来不断扩大市场份额，并已赢得了大阪批发协会提供的运输合同。岩崎弥太郎认为，若三菱也能提供诸如跟单汇票（即为确保付款而附在提单上的汇票）等金融服务，定能扩大自己的市场份额。1876 年 3 月，他开始把这项服务用于东京和大阪之间的船运业务，随后又在 1879 将其扩展至公司在日本的各分支机构。1880 年，岩崎弥太郎创立了三菱兑换店（Mitsubishi Kawase Ten），后来它被称作三菱银行，且成了三菱企业集团的主要银行。岩崎弥太郎还利用三菱的仓库和货运业务拓展了另一项外围业务。通过建立一个覆盖日本全境的运输网，并为货主提供金融服务，三菱使分散市场及东北部和北海道等偏远地区同中心市场与大阪连为一体。换言之，三菱扩大了日本的市场边界。

此外，岩崎弥太郎还试图创办一家海上保险公司，但由于以前各宗族的领主已经利用旧封建主和宫廷贵族的资金组建了此类保险机构，日本政府未予批准。然而，三菱获邀加入涩泽荣一拟新办的企业，后者认为三菱将成为其最大客户之一。三菱决定接受邀请，并提供了 1.1 万日元的实收资本（超过总投资的 1/6），成为新公司的第一大股东。新公司名叫东京海上保险，于 1878 年开始营业。

3. 先进知识和进一步多元化

随着业务规模和范围的扩展，三菱有必要在不断扩展的新业务领域增加具备先进专业知识的人力资源储备。三菱开始招募外籍工程师，并从国外引进先进技术。如由博伊德公司派驻的一名英国工程师，便在把先进技术引进三菱造船厂中发挥了重要作用（Iwasakike Denki Kankokai，1979，第 2 卷，第 200 页）。此外，外籍工程师在长崎造船厂扮演着主导角色。三菱还把它的工程师派往英国和美国学习先进技术。

如前所述，岩崎弥太郎也会从东京技术学校和帝国工程学院（Imperial College of Engineering）聘用新毕业生。而且，他还创办了两家专门为三菱不断增长的业务供应人力资源的学校。第一家学校是三菱商船学校，坐落在东京，于 1875 年在政府的帮助下成立，旨在培训和提供熟练船员。1878 年，岩崎弥太郎创办了三菱商业学校，同样位于东京。他确信社会缺乏既能理解新的商业环境又有能力引领新兴领域创新的人才，他还认为三菱必须担负起为其自身业务发展提供所需人力资源的责任。在三菱商业学校，有100名学生接受英语、数学、记账、经济学、历史和地理学教育。岩崎弥太郎的长子岩崎久弥便是其中之一。尽管6年后三菱商业学校因三菱和联合航运公司竞争所导致的财务紧张而关停，但它确实为人力资源培训做出了重大贡献。三菱商业学校的高级讲师丰川良平（Toyakawa Ryohei）在为三菱招募大量企业家中颇为重要，正是他于1875年聘任了庆应义塾大学教师庄田平五郎（Shoda Heigoro）。庄田平五郎在三菱的造船业务中引进了当时人们闻所未闻的成本会计。他还参与了东京海上保险和明治人寿保险（Meiji Life Insurance）的创办，并辅佐了岩崎弥太郎、岩崎弥之助和岩崎久弥三代岩崎企业家。

航运业务是三菱业务的重点，岩崎弥太郎着眼于通过创办互补企业来推行多元化。多元化采取了后向一体化和前向一体化的形式，鉴于可得资源的稀缺性，这是一项合理的战略。1885年岩崎弥太郎的去世改变了这一传统。由于长子岩崎久弥尚年幼，其弟岩崎弥之助接过了岩崎弥太郎在三菱的职务。岩崎弥之助将三菱的业务重点转到长崎造船厂和高岛煤矿，并在“从海洋进军陆地”的口号下创造了一种新的多元化战略。他的第一项重大步骤是收购了长崎造船厂，19世纪80年代末期，造船厂主要提供维修业务，岩崎弥之助试图用它来造船。

1893年，岩崎弥之助把董事长的职位让给岩崎弥太郎的长子。1886—1891年间，岩崎久弥留学于美国宾夕法尼亚州立大学。尽管岩崎弥之助和岩崎久弥均通过继承获得了三菱董事长的职位，但并不完全遵循三菱仅依靠家族关系晋升的模式。岩崎久弥曾在三菱商业学校学过英语、会计、法律和经济学。在任职三菱董事长后，他力推长崎造船厂转向现代化，在基础设施和设备及招募高级工程师上投入大量资金，并且配置先进造船设备，以便造船厂能制造大型定制船舶。长崎造船厂制造的第一艘船舶是载重量达206吨的运煤船。到20世纪前十年末，造船厂已成为世界最先进的造船基地之一。1905年，三菱开办了神户造船厂。随着三菱不断拓展关联业务，从这两家造船厂分拆出了许多工业企业，如1917年的三菱钢铁厂、1920年的三菱内燃机制造厂和1921年的三菱电力厂等，它们均成了母公司的重要组成部分。

三菱推行的多元化战略遵循一个特定模式。起初，公司通过使互补资源内部化来培育其核心业务的竞争力。这往往采取纵向一体化的形式。随后，当这些内部化企业有能力为非三菱企业提供服务时，它们便被从核心业务中分拆出去。换言之，一旦出现闲置资源，核心业务便开始为其他企业提供服务。三菱公司高层通过分拆非核心业务来创建独立企业，以使新掌权的企业家能做出战略决策并提高他们对各自所负责业务的投入程度。这种朝关联领域的多元化能使可得资源得到最佳利用，特别是当资源是稀缺的、分散的或已被先进入者占有时。值得注意的是，在明治时代早期，三菱已经涉足织造和铜矿采掘等领域，它们均和现存业务无多大关联。但这些尝试都失败了。只有和三菱原有业务相关联的业务才极大地推动了三菱企业集团的发展。

4. 组织创新：M 型结构

研究三菱财阀的大量以往文献均指出，岩崎弥太郎、岩崎弥之助和岩崎久弥所体现出的强大创业领导力在公司发展中扮演了重要角色。[16] 1875 年，岩崎弥太郎即明确表示，岩崎家族将握有三菱的管理控制权，并对其所有业务承担责任（Iwasakike Denki Kankokai，1979，第 2 卷，第 152 页）。和三井财阀明显不同的是，三菱在将家族资产调配至新业务上未碰到任何障碍。

但随着三菱的多元化，岩崎家族要监督和掌控独立经营商号越来越难。考虑到这点及总公司的重组问题，岩崎弥之助于 1886 年设立了三菱商社（Mitsubishi Sha）。尽管岩崎弥之助是这一组织变革的幕后掌控者，但他仍引进了部门经理来监督独立商号。19 世纪 90 年代中期的进一步扩张使这些问题更加严重，1893 年三菱对其业务组合进行了重组，将财务和管理自主权授予煤矿采掘和矿业部门。煤矿、采掘和造船业务转变成了有限合伙企业。如钱德勒所讨论的，三菱采用 M 型结构来掌控多元化业务（Chandler，1962）。基于这种组织改造，独立部门转变成了股份制公司，总公司则在 1917 年成为一家控股公司。如森川（Morikawa，1981）所表明的，这种转型使独立企业更容易筹资和规避业务风险，企业领导人也获得了战略决策的管理自主权。

四、结　论

企业家精神即开展创新的能力，这种创新必须能带来经济增长。在长达两百多年的闭关锁国后，日本社会从 1853 年开始逐渐对外开放。为了追赶西方，它必须快速实现工业化。但日本的工业和社会基础设施或缺乏或极薄弱，

---

⑯ 例如，参见 Mishima（1981，第 210—212 页）。

其科学技术也远远落后于发达国家。

请再次注意，政府在这一进程中扮演了至关重要的角色。明治时代出现了一大群创新型企业家。如我们已讨论的，许多财阀企业家都是低级武士。自16世纪中叶起，日本社会形成了“四民”等级，即武士、农民、工匠和商人。这种社会等级制度在江户时代往往是刚性和不可流动的，尽管普通民众之间存在某种程度的社会流动性。德川幕府统治下，日本实现了长达250多年的和平与繁荣。在这段和平时期，武士成了江户时代的朝臣和管理阶层。这种等级制度在1869年随着德川幕府政权的覆亡而遭废除。它构成了推动创业活动最重要的制度变迁之一。等级制度的废除为日本带来了极大的社会流动性。基于这种日益增强的流动性，低级武士建立了他们的个人网络，并积极涉足新业务领域。不管他们出身的社会等级如何，有能力的管理者和技能型工程师都能获得招募，并被派往不断增长的业务部门担任有实权的职务。明治政府实施了一套强有力的工业化政策，力推工业企业的发展，并以高薪为“诱饵”，从英法两国吸引技能型工程师。明治政府为培养高技能工程师和商业人才而推行的教育改革，对创业活动而言也是重要的制度变迁。政府还创办了公共制造企业，如造船厂和钢铁厂。这些制度变迁提供了一个极有利于企业家的环境。

不过，企业家才是从封建主义转向工业资本主义的关键驱动因素。三野村利左卫门和岩崎弥太郎等企业家使稀缺资源内部化，并通过逐渐积累并多用途使用资源来发展纵向一体化企业。

三井家族属于日本主导的传统型商人，其业务开创于江户时代，在明治维新不久后遭遇了发展停滞。三井被迫在明治维新所产生的社会背景下，通过深层变革来革新其传统经营方式，通过吸纳三野村利左卫门和益田孝等有才能的企业家来推行激进变革。在重组三井业务的过程中，这些企业家经常背离三井家族的利益和风险厌恶偏好，但成熟金融市场的出现使家族资本的使用成为必需。因此，他们发明了在利用资本这种资源的同时不给三井家族带来无限责任义务的公司治理方式。这种治理方式改变了其他业务的风险结构，鼓励了对新业务的投资。以组织创新为基础，企业家把实权授予具备先进专业知识和商业头脑的大学毕业生，使他们能自主制定战略管理决策。

作为江户时代晚期的后起之秀，三菱并未碰到这些问题。但它确实不得不同前辈企业展开竞争，并在资源稀缺的条件下经营业务。三菱通过把造船业务——一个对竞争者开放准入的领域——作为其重点业务来应对这些挑战。资源欠缺使三菱转而向政府购买公共资产，并将那些同其核心业务有互补关系的资源内部化。一旦资源达到某种规模，三菱便开始推行多元化。我们已经讨论了三菱掌门人，包括岩崎弥太郎和岩崎弥之助，在三菱快速扩张中所扮演的角色。但需要再次指出，他们的管理决策是以经济推理（economic reasoning）为基础的。三菱的发展模式是多元化和对积累的资源多用途配置的结果。

对两大财阀的成功极为重要的一个关键战略是创立新的组织结构，使年轻工程师和大学毕业生能获得招募和重用（Yonekawa，1984）。在江户时代，三井和三野村利左卫门还把一些日常行政事务方面的有限管理权授予员工，但他们仍保留着对战略管理决策的控制权。随着工业企业规模和经营范畴的不断扩大，最高管理层有必要提拔有才能的工程师和经理人，以利用他们掌握的先进知识。因此，企业家采用了一种能为他们制定关键决策提供所需权威的 M 型结构，大型企业集团开始提拔大学毕业生。直到 20 世纪 20 年代，三菱财阀的主要业务仍是造船、炼钢和采煤。随后几十年，新兴企业集团通过招募具备新兴工业部门的新技术知识的工程学毕业生，提高了它们在汽车和化工等行业的竞争力。尽管业务领域不同于其前辈企业，但它们所采用的技术与三井和三菱并无差别。

值得注意的是，在整个明治时代，不仅是财阀家族，就连他们的创业型经理人，都能从自身的创业活动中获得金钱和社会回报。如三菱的第二任董事长和战前日本最富有的人物之一岩崎弥之助，后来成了日本央行的第 4 任行长，并在国家金融政策上倾注了大量时间和精力。团琢磨之后的三井控股总经理池田成彬（Nariaki Ikeda），则成了日本央行的第 14 任行长，并于 1938—1939 年间担任近卫（Konoe）内阁的大藏大臣（即财务大臣）和商工大臣。

自明治维新以来，财阀成了日本经济中的重要参与者。20 世纪 30 年代，它们在规模和影响力上达到了顶峰。1946 年后，作为驻日盟军最高统帅部的“民主化和非军事化”政策的一部分，日本 5 大财阀控股公司（三井、三菱、住友商事、安田和富士）被瓦解。随着其控股公司的关停，20 世纪 60 年代，财阀开始通过设立交叉控股公司重组它们的业务（被称作企业集团），它们的经济影响力在日本的许多工业和金融部门依然强大。

当大量新商机广泛存在且掌握和利用这些商机的资源又极其稀缺和分散时，能使新兴商业企业的技能型人才获得提拔并推动企业迅猛增长的资源得到多种使用的组织创新，在日本经济中无疑扮演着重要角色。财阀正是日本在这一特定经济发展阶段所引进的组织创新。

参考文献

Abe, Takeshi. 1995. "Kindai Keiei no Keisei" (Formation of modern business). In *Nihon Keieishi: Nihongata Kigyokeiei no Hatten Edo kara Heisei e* (Business history of Japan: The development of Japanese business management, from Edo to Heisei), ed. Miyamoto Matao and Kikkawa Takeo. Tokyo: Yuhikaku.

Berle, Adolf A., and Gardiner C. Means. 1932. *The Modern Corporation and Private Property*. New York: Commerce Clearing House.

Bisson, Thomas Arthur. 1954. *Zaibatsu Dissolution in Japan*. Berkeley and Los Angeles: University of California Press.

Chandler, Alfred D., Jr. 1962. *Strategy and Structure: Chapters in the History of the Industrial Enterprise*. Cambridge: MIT Press.

Hayashi, Takeshi. 1990. *The Japanese Experience in Technology: From Transfer to Self-Reliance*. Tokyo: United Nations University Press.

Hirschmeier, Johannes. 1964. *The Origins of Entrepreneurship in Meiji Japan*. Cambridge: Harvard University Press.

Iwasakike Denki Kankokai. 1979. *Iwasaki Yataro Den* (Biography of Iwasaki Yataro). Tokyo: University of Tokyo Press.

Kobayashi Masaaki. 1977. *Nihon no Kogyoka to Kangyo Haraisage* (Japan's industrialization and the sales of governmental works). Tokyo: Toyo Keizai Shimpo Sha.

Lockwood, William Wirt. 1954. *The Economic Development of Japan: Growth and Structural Change, 1868–1938*. Princeton: Princeton University Press.

———. 1965. *The State and Economic Enterprise in Japan: Essays in the Political Economy of Growth*. Princeton: Princeton: Princeton University Press.

Maddison, Angus. 1995. *Monitoring the World Economy, 1820–1992*. Paris: Development Centre of the Organisation for Economic Co-operation and Development.

Mishima, Yasuo, ed. 1981. *Mitsubishi Zaibatsu*. Tokyo: Nihon Keizai Shimbun Sha.

———. 1989. *The Mitsubishi: Its Challenge and Strategy*. Greenwich, CT: Jai Press.

Morikawa, Hidemasa. 1981. "Mitsubishi Zaibatsu no Keiei Soshiki" (Managerial organization of the Mitsubishi zaibatsu). *Keiei Shirin* 7, no. 7.

———. 1992. *Zaibatsu: The Rise and Fall of Family Enterprise Groups in Japan*. Tokyo: University of Tokyo Press.

Nagai, Minoru, ed. 1989. *Jijo Masuda Takashi Oden* (Autobiography of Masuda Takashi). Tokyo: Chuo Koron Sha.

Nakamura, Takafusa. 1981. *The Postwar Japanese Economy: Its Development and Structure*. Tokyo: University of Tokyo Press.

Nihon Keieishi Kenkyu Sho, ed. 1978. *Kohon Mitsui Bussan Kabushiki-kaisha 100 nen-shi* (A 100-year history of Mitsui Bussan). Tokyo: Nihon Keieishi Kenkyu Sho.

North, Douglass C. 1990. *Institutions, Institutional Change, and Economic Performance*. New York: Cambridge University Press.

North, Douglass C., and Robert Paul Thomas. 1973. *The Rise of the Western World: A New Economic History*. Cambridge: Cambridge University Press.

Penrose, Edith T. 1980. *The Theory of the Growth of the Firm*. New York: Sharpe.

Roberts, John G. 1973. *Mitsui: Three Centuries of Japanese Business*. New York: Weatherhill.

Samuels, Richard J. 1994. *"Rich Nation, Strong Army": National Security and the Technological Transformation of Japan*. Ithaca, NY: Cornell University Press.

Schumpeter, Joseph A. 1934. *The Theory of Economic Development: An Inquiry into Profits, Capital, Credit, Interest, and the Business Cycle*. Trans. Redvers Opie. Cambridge: Harvard University Press.

Sloan, Alfred P. 196. *My Years with General Motors*. Garden City, NY: Doubleday.
Takahashi, Kamekichi. 1930. *Nihon Zaibatsu no Kaibo* (Analysis of zaibatsu in Japan). Tokyo: Chuo Koron Sha.
———. 1968. *Nihon Kindai Keizai Keiseishi* (History of the modern Japanese economy). Vol. 2. Tokyo: Toyo Keizai Shinpo Sha.
———. 1973. *Nihon Kindai Keizai Hattatsushi Dainikan* (Development of the modern Japanese economy). Vol. 2. Tokyo: Toyo Keizai Shinpo Sha.
Teranishi, Juro, and Yutaka Kosai, eds. 1993. *The Japanese Experience of Economic Reforms*. Basingstoke, Hampshire: Macmillan; New York: St. Martin's Press.
UNESCO Centre for East Asian Cultural Studies. 1975. *Shiryo Oyatoi Gaikokujin* (Historical record: Foreign employees). Tokyo: Shogakkan.
Williamson, Oliver E. 1975. *Markets and Hierarchies, Analysis and Antitrust Implications: A Study in the Economics of Internal Organization*. New York: Free Press.
Yamazaki, Hiroaki. 1979. "Senjika no Sangyo Kozo to Dokusen Soshiki" (Industrial structure and monopolistic organization in wartime). In *Senji Nihon Keizai* (The wartime Japanese economy), ed. Yamazaki Hiroaki and Tokyo Daigaku Shakai Kagaku Kenkyujo, 217–89. Tokyo: University of Tokyo Press.
Yasuoka, Shigeaki, ed. 1982. *Mitsui Zaibatsu: Nihon Zaibatsu Keieishi* (Mitsui zaibatsu: Business history of zaibatsu). Tokyo: Nihon Keizai Shinbun Sha.
———. 1985. "Zaibatsu no Hikakushiteki Kenkyu no Sobyo" (Historiography of comparative studies of zaibatsu). In *Zaibatsu no Hikakushiteki Kenkyu* (Comparative study of zaibatsu), ed. Yasuoka Shigeaki, 2–36. Kyoto: Mineruva.
———. 1998. *Zaibatsu Keiseishi no Kenkyu* (Formation of zaibatsu). Kyoto: Mineruva.
Yonekawa, Shinichi. 1984. "University Graduates in Japanese Enterprises before the Second World War." *Business History* 26, no 2: 193–218.

第十八章　企业家精神的“有用知识”：历史的一些启示

威廉·鲍莫尔　罗伯特·斯特罗姆

本章标题中的“有用知识”（useful knowledge）并不是说，对企业家精神进行历史研究的作用值得商榷。相反，我们试图提醒读者，本书旨在反映美国第一代伟大的发明型企业家本杰明·富兰克林对实用知识的重视。正如富兰克林试图促进能提高新大陆生活质量的有用知识一样，[①] 我们也想从本书的历史叙述中获取一些关于企业家精神及其和经济增长之间关系的实用教训。事实上，我们认为这些历史叙述既给我们提供了很多思考，又为那些致力于制定相关政策的人提供了诸多借鉴，所谓的相关政策主要指鼓励通过创新的使用和扩散来推动经济增长的政策以及减少甚至消除贫困的政策。本书的最后一章试图从撰写了前面各章的杰出历史学家所提供的历史资料中，提炼出一些值得注意的启示。

在切入正题前，以下这点务必请读者注意，即我们必须说明，本章两位作者都算不上是专业意义上的经济史学家，或任何其他领域的历史学家。我们的评述只能被理解为非常感兴趣但也非常业余的外行人的观察。

我们首先要说明，历史是一方盛产政策理念的沃土。远不同于其他的经济学论题，对企业家精神的研究必须转向非统计性的历史，以获取大量相关证据。可用来分析企业家精神等经济活动的证据来源主要有三种：统计资料、理论和历史。关于经验证据，如人们所预料的，经济学家一般偏好于历史统计。和我们能从历史环境和事件中学到的几乎一样，经验证据总是复杂的，它们的形式和运行机理要受制于各种会产生多方面影响的相

① Franklin（1743）。莫克教授在同本章作者的通信中指出，“有用知识”是启蒙时代欧洲广为使用的一个术语，可追溯至弗兰西斯·培根及其追随者。

互作用。历史所能提供的远不是受控实验所提供的“在其他条件保持不变”时的确定结论。

然而，统计分析取决于是否能获得大量可加总、可平均或和其他变量相关的相同事物。虽然我们能计算出一家工厂某种型号的笔记本电脑产量，但任一研发机构的各项发明之间必定是不同的，如果它们确实被认定为是发明的话。正是这种基本异质性妨碍了对这些发明进行加总或统计分析。最近的统计分析确已提供了关于企业家精神相关事实的重要例证，使我们掌握了大量关于企业家报酬的信息。但创业活动及其结果的内在多样性仍是计量经济学分析的一大障碍。

理论方法遇到了类似的障碍。首先，标准理论严重依赖于最优决策的数学计算。但这一过程通常只有当人们能定量处理相关变量，如发电量、其他消耗投入及由此产生的可量化产出时，才是可行的。出于前面提到的原因，创业领域的基本异质性使这类计算不太可行。

此外，标准微观经济理论（不同于迅速增加的宏观经济增长文献）贡献的大多数有用知识本质上是静态的，且主要关注静态均衡特征。但静态均衡却排除了创新型企业家的活动，他们的作用是给市场（或其他经济领域）带来一些以往不存在的东西。在一个静态模型的隐含情景中，管理者取代了企业家，而企业家则不断地带来变化以达成新的目标。

总之，在本章我们像其他少数经济学研究那样，试图从历史中寻求洞见，尽管其所揭示的现象纷繁复杂。历史分析确实完全不同于受控实验，需要从凌乱不堪的例子中得出推论。有句意第绪语（Yiddish）谚语说得好，“‘例如’不等于证据”。但作为考察理论假说有效性的一种方法，历史分析并非如这句谚语所暗示的一无用处。一系列例子可能尚不足以令人信服地证明某个推论是正确的，但我们必须意识到其反命题的正确性，即一个例子（或一个反例）事实上能作为一个反驳证据。

因此，本书试图借助历史研究来阐述关于企业家精神和创业政策的有用知识。本书每一章均描述了某一地区在某段历史时期的企业家精神的独特性和异质性。综合各章一起考虑，从经济体的特征和企业家的社会地位，到社会制度甚至该时期该地区创业活动的性质，均揭示出了广泛的差异。但是，对它们的考虑也说明了创业文化的形成和发展、促进创业活动的制度及创业活动和经济增长之间关系的诸多共同点。

这些共同点为我们提供了一个获取和我们同时代企业家精神有关的推论和理论假说的机会。例如，我们可参考前面各章所提供的证据，设想下能得出哪些关于生产性企业家精神对经济增长的重要性、其丰富程度是否对经济增长目标的实现不可或缺，以及它在推动经济增长中是否非常有效的推论。我们还可回顾对促进生产性创业活动的影响所做的那些历史叙述有何启示。把历史作为政策指引时，我们无疑需要异常小心。时间流逝会改变整个社会的观念和约束环境，甚至目标和偏好。但是，如果谨慎对待，对于缺乏或无法获得其他证据来源的当前政策议题，历史确能提供一些中肯和敏锐的洞见。

一、文化在企业家活动中的角色

我们必须意识到，在这些历史叙述中看到的一些影响，本身并不适合用来作为政策计划的支撑。历史学家和其他人，尤其是马克斯·韦伯、道格拉斯·诺思和戴维·兰德斯，强调宗教及更一般的社会文化是一个社会生产性创业活动的密集程度和该社会企业家群体规模的关键决定因素。本书许多作者也阐释了文化在整个历史过程中对创业活动的生命力和特征有着强大影响。

综观整个历史，对企业家活动最强大的文化影响之一可能来自宗教。马克斯·韦伯的开创性著作《新教伦理与资本主义精神》（*The Protestant Ethic and the Spirit of capitalism*，1904—1905），对这种关系的清晰描述最令人印象深刻，本书作者也阐述了这些效应，甚至追溯至古代美索不达米亚。例如，科妮莉亚·温斯切清楚地阐述了美索不达米亚社会的宗教制度依赖商业活动所提供的经济支持。她和迈克尔·赫德森注意到，这种关系导致了一个远比古希腊罗马要更有利于商业创新精神的社会。同样的，铁木尔·库兰叙述了伊斯兰教一开始是鼓励创业活动的。尽管穆罕默德自己的商业活动可能导致伊斯兰教创立早期对创业活动的认可，但此后伊斯兰教却朝较不利于这些经济活动的方向演进。此外，约翰·芒罗讨论了新教教义和现代资本主义起源之间的关系，并和詹姆斯·穆雷一起，分析了新教徒和天主教徒的高利贷戒律同企业家精神之间的关系。

约翰·芒罗还就宗教在社会创业活动中的角色提供了一个不同的观点，他极富启发性地探讨了英国异教徒和苏格兰人对堪称奠定了18世纪英伦诸岛工业革命基础的发明潮流做出的伟大贡献。在英国，就像在其他地区一样，如胡格诺派和犹太教徒生活的地区，宗教不仅通过其信仰体系所鼓励的教育活动，而且通过宗教团体面临的来自各经济阶层的宗教歧视和排斥，促进了创业活动。

二、其他的文化影响

尽管宗教在鼓励和抑制创业活动中显然发挥着强大的作用，但它远非对企业家精神的唯一文化影响。本书还描述了大量世俗文化的影响。例如，乔尔·莫克讨论了英国工业革命时代非正式制度（行为准则、信仰模式和信任关系）对企业家精神的重要性。他表明，体现在绅士之间相互信任上的文化价值观，是现代银行业和汇票等其他金融工具得以产生的一个必要条件。绅士间的信任使人们同远距离陌生人之间的交易成为可能，在这些交易中，货物托运人相信承收人会付款，承收人则相信托运人会发送协商好的货物。苏珊·沃尔科特也探讨了文化在塑造金融体系中的作用，她主要关注印度的种姓制度。

也不乏文化抑制创业活动的同样有说服力的例子。如古罗马对军事活动的关注，意味着非军事发明的重要性和潜力被低估。罗马人重视有利于战争的发明，包括道路修建、渡槽和武器设计的改进，但他们（特别是维特鲁威人）并未看到水磨或蒸汽机的潜力。同样的，困扰帝制时代中国文化的腐败机会抑制了企业家精神的发展。这种腐败和佛教不断增强的影响力相结合，一定程度上导致了中国未能在唐宋时期使大量发明商业化。活字印刷术、高炉、纺车、独轮车和人们经常提到的火药等，实际上均束之高阁。

三、企业家与经济增长：定义和分类

文化无疑在创业型社会得到发展，因而在经济增长中发挥着重要作用。但是，从增长政策的角度来看，这样的结论却令人绝望。我们对影响和改变一个社会文化的有效方法所知甚少，恰如我们无力改变一国的宗教信仰以刺激经济增长。尽管既有启发性又不乏重要意义，但文化和宗教对企业家精神的影响不能包括在“有用”知识的范畴里面，因为我们既无力改造其结构，也无法改变其丰富程度。

因此，本章的要点概述将聚焦于其他社会制度，即那些确实为推行鼓励增长和减少贫困的项目创造了机会的制度。即使有人能可信地说明，这些制度的影响远不及阻碍有意识的变革因而不在我们考虑之列的其他变量强大，我们也仍将关注这些制度。最后，我们试图从本书的研究中获取一些有望从历史中得出的关于创业政策的经验教训。鉴于历史对企业家精神研究的重要性，而同本书相类似的著作明显缺乏，意味着迄今为止我们都忽视了一个重要的研究机会。

我们首先会对这里使用的术语（尽管本书其他作者可能会在不同意义上使用它们）给予一些说明。首先也是最重要的，在我们看来，“企业家”就是那些能够敏锐洞察机会而主动从事某项经济活动以增加自身财富、权力或声望的人。特别是更近的时期，这些活动最经常地涉及创办和组建一家新企业。但是，此类活动并不总是采取这种形式，现在也不总是认定这种形式。

上述企业家精神的定义即使仅限于创办企业，仍涵盖了各种不同的活动。因此，把这种活动进一步分为两类不无裨益。第一类包括可复制的，或从事同现有企业极其相似或相同活动的所有企业。新开设一家鞋子专卖店是这类可复制的企业创建的极好例子。相比之下，创新型企业家创办的企业要么提供新产品或采用新生产工艺，要么进入新市场或采取新的组织形式。创新型企业家的主要作用不是发明。相反，他们为前景可期的发明构思最佳用途并将这些发明推向市场，以此来确保这些发明的利用。

这些企业家还可以进一步细分为推动经济增长的生产性企业家，以及很少或不推动且实际上有时还会损害经济增长的非生产性企业家。也许令人惊讶的是，可复制的创业活动和增长之间的相关性较少或没有，而且这种相关性甚至有可能是负的。一个合理的解释性假说是，缺乏迅速的技术变迁和相应的增长造成了就业岗位的不足，由此产生的失业者随后不得不依靠开小店或成为流动商贩谋生。

另一方面，创新型企业家精神既可以是生产性的，又可以是非生产性的。非创新型的生产性企业家，是指那些将新方法用于寻租、犯罪和其他非生产性的，甚至社会破坏活动的富于创新精神的个体。这些企业家试图使自己获得更大一份馅饼，而不是增大每个人的馅饼。典型的例子包括找到了一条康庄大道从而跻身于受贿官僚阶层的富于创新精神的个体，或认识到有利可图的新诉讼机会的律师。更加极端的例子是从事集团犯罪的企业创办者，或建立私人军队的军阀。这些人可能同一家生产合法产品的工厂的创办人一样具有创新精神，但他们不仅没能为经济多做贡献，甚至可能会抑制经济产出。[②]

对非生产性企业家的这种定位很容易理解，特别是从历史角度来看。在人类历史的大多数时期，并不能确保那些努力增大了馅饼的人能获得回报。事实上，历史充满了相反的例子。在许多国家，君主理论上拥有一切事物，而且在一些社会，国王极其频繁地选择将这种理论付诸实践。没收的可能性无疑是抑制生产性努力的负激励。组建一支强大的私人军队，利用它来掠取邻居的货物和奴隶，然后借助同一支军队抵制名义统治者行驶其掠夺权，要远为有保障得多。若一名男爵要扩大他的骑兵规模，偷邻居的马匹远比努力改进马匹的育种方法更能确保骑兵规模的扩大，因为他知道即使成功地改进了育种方法，他的所得可能也抵不过他的所失——他的敌人因育种方法的改进而大大增强了实力。[③] 在某种程度上，发明者及其生产性企业家合伙人的报酬限制一直持续至今，威廉·诺德豪斯（2004）教授已十分明确地说明了这一点。

此外，在许多社会里，非生产性企业家精神有助于提升社会地位。骁勇善战的战士从事暴力活动往往被视为英雄主义行为，和国王之间的亲密友谊带来的寻租收益本质上也是地位提高型的（status-enhancing）。相反，对照绝大多数历史时期，含辛茹苦地经营一家创新型企业却显得卑微无趣。事实上，致力于扩大生产能力和增加产出本身可能是一种有价值的活动，这一观念在许多社会遭到忽视甚至鄙视。直到今天，对许多旨在分配财富而非创造财富的职业来说，社会地位就是其报酬。

虽然前面各章节通过历史研究，探讨了创新型非生产性企业家精神的普遍存在，我们这里的重点却是关于创新型“生产性”企业家精神的证据，这些证据来自本书提供的历史素材。创新型生产性企业家精神是曾经推动并将继续推动现代世界经济增长和生产率提高的独特现象。尽管经济学家长期以来一直把生产性企业家精神和经济增长之间强有力的关联看作是不证自明的，但必须承认这一推论更多地依赖于（受过某种专业训练的）判断和令人印象深刻的演绎。我们并没有太多确凿的直接证据能证明创新型生产性企业家精神对增长的影响。但是，如我们将表明的，有大量历史证据显示，若无这种

② Graham 在本书中提供了一些颇具启发性的最近例子。

③ 对这类企业家精神更详细的讨论，参见本书 Hudson 和 Wunsch 所写的章节。

关系也非常令人难以置信。人们普遍认为，事实上也极有可能，创新型企业家精神不仅推动经济增长，而且扮演着至关重要的角色。

举个例子有助于说明这点。在詹姆斯·瓦特之前，必定有许多前辈发明家已经发明出了早期蒸汽机。事实上，很可能早在公元1世纪，亚历山大港的海伦就已发明出了一种可操作的蒸汽机。但这项发明仅供娱乐之用［亚伯拉罕·林肯（1858）称其为“一种玩具”］，它显然从未像18世纪末那样被用于多种生产性用途。这很可能归咎于以下事实：这台早期发动机只是一种能提供极小动力的简单装置，并不能提供诸如驱动一台水泵等作业所需的往复（上下）运动。但除此之外，海伦也不像瓦特那样有企业家帮助他使其发明实现商业化，因为海伦时代的企业家将军事活动或军事发明赞助视为主要的谋财之道。

相比之下，詹姆斯·瓦特却从自己和马修·博尔顿（Matthew Boulton）的关系中受益匪浅，博尔顿是一名高级合伙人和发明家，他充当了瓦特的企业家。尽管瓦特的早期蒸汽机主要被用于矿山抽水，但博尔顿很快发现该市场已经饱和。正是博尔顿的建议使瓦特把蒸汽泵的上下运动改变成可以用在其他许多用途上的旋转运动，瓦特为此发明了一种方法，该方法不需要使用同样可以实现旋转运动的已知装置——曲柄轴，该装置当时已为人熟知，但对它的使用因专利而中断。据报道，瓦特让他的助手发明行星齿轮装置，该装置后来被用在博尔顿—瓦特蒸汽机中，这种蒸汽机成了工业革命的主要动力来源。尽管博尔特显然不是瓦特机的发明者，但他敏锐地意识到了将这项发明投入使用的机会，并认为需对瓦特机作一些调整。他确保了瓦特机不像海伦机那样很快失去活力。而且，他把瓦特机推向市场，并用于生产性目的，这无疑是创新型企业家及其对经济增长做出贡献的绝佳例子。

四、历史上的生产性企业家精神

人们通常认为，这种创新型生产性企业家精神是相对比较新的事物。许多人认为至少一直到文艺复兴时代，甚至可能一直到工业革命到来之前，绝大多数企业家都是非生产性的。若只是就事论事，则意大利雇佣兵、中国辖区内的清朝贪官和英国皇室宠臣，无疑均有助于造成这种误解。但是，本书诸多历史学家的研究也表明，我们分类中的所有不同类型的企业家长期以来一直都存在着。事实上，在有文字记载的历史早期，生产性的企业家就已存在。

为了阐述生产性企业家精神的出现和发展，我们简要地将本书的历史叙述视为对有历史记载以来的创业活动的叙述。如赫德森和温斯切撰写的前两章所表明的，生产性企业家精神的出现可追溯至美索不达米亚。美索不达米亚地区的河流汇聚和几个世纪以来肥沃土壤的沉积，使得当地社会能产生剩余，这在历史上可能尚属首次。此外，该地区的地质情况不能提供石材、金属或灌木材，从而使远距离贸易成为武器生产和建筑物（包括宫殿）建造的必要条件。因此，美索不达米亚社会不仅需要生产性企业家来组织这些活动，而且需要能促使个人有效追求这些创业活动的适当激励。例如，宗教机构能从这些企业家的活动中获取大量金钱回报的制度安排，为美索不达米亚的企业家精神提供了显著的社会声望，而这种声望对准企业家颇有诱惑力。美索不达米亚似乎是生产性企业家精神的第一个短暂的早期时代。

穆斯林社会早期同样经历并且无疑也很重视生产性企业家精神。如铁木尔·库兰所解释的，该时期生产性企业家精神的社会地位部分源于穆罕默德本身是一名商人的事实。在穆罕默德逝世后的早期，追随穆罕默德从事商业活动的企业家有着良好的声誉。

不过，罗马和中世纪显然体现了一种破坏性的企业家精神。在这一注重再分配和破坏性企业家精神的“黄金时期”，通过暴力手段积聚财富是有利可图（且受人尊敬）的。那时的人们似乎并未考虑生产性企业家精神的可能性。罗马征服是以暴力手段掠夺他人财富的主要例子，帝制时代中国的历史也提供了关于该时期极为典型的贪污腐败的洞见。[4] 如赫德森所述：“人们（在罗马著作中）并不认为，营利性创业活动能驱动社会实现更高的生产水平和生活标准”。获取财富的方法主要是再分配性的，往往以暴力手段来获取馅饼中的更大一份，而非努力做大馅饼。不难论证，这一时期的破坏性企业家精神甚至可能是导致罗马帝国衰落[5]和“黑暗时代”贫困的部分原因。

---

④ 关于中国企业家精神史的更宽泛论述，参见本书第十六章。

⑤ 这里，Mokyr 教授评论道：“古罗马和帝制时代的中国无疑都存在大量腐败和寻租现象，但情况并非如此糟糕透顶……迈克尔·赫德森显然不能在古罗马文献找到很多表明逐利活动的证据，但事实上仍然是罗马法律和罗马军队维护了地中海地区的相对和平，促进了高层次国际贸易（地中海各地之间的谷物、酒类、橄榄油、香料和高档纺织品交易）的繁荣。一些人明显看到了某些领域存在的商机。最终……试图从事生产性创业活动的人并不一定少于……那些控制了暴力手段从事杀鸡取卵式掠夺行为的人。而且这并非昙花一现，我们在绝大多数地区都能看到一些成功的创业活动。”

颇具讽刺性的是，正是这种非生产性企业家精神的成功，推动了中世纪晚期支撑生产性企业家精神的诸多制度发生演进。[⑥] 破坏性企业家的创新成就带来了不断累积的军事发明，这一时期的国王必须持续采购新型军事技术，并保护自身免遭采用相同技术的其他人的入侵。这些成本高昂的军事创新，加上越来越依赖雇佣军增强武装力量，使国王们（对他们而言，发动侵略战争可能是一项主要的职业活动[⑦]）经常——事实上几乎总是——严重缺乏资金。一旦他们确能成功筹集到足够资金继续投资于军工企业时，军备竞赛便会再次开启。由于这场竞赛的固有特征，某一阶段似已足够的资金数量在下一阶段必定还是远远不够。

因此，国王发现他们自己永远处于财力不足、负债累累且找不到意愿贷款人的状态。他们只能采取令人厌恶的权宜之计，东乞求布施一点西敲诈勒索一点。事实上，中世纪大多数历史时期都是关于战争的故事，不是所谓的荣耀之战，而是榨取民脂民膏的国王和臣民之间的战争。恰如一些历史学家指出的，他们是“乞丐国王”（pauper kings）。

这些国王，特别是英国国王，被迫向他们的贵族寻求财政支持。作为交换条件，贵族要求国王同意创建最早的保护生产性企业家精神的制度，包括从财产权神圣不可侵犯到更一般的法治。为了获得贵族的资金和其他形式的支持，“乞丐国王”只得勉强同意贵族提出的保护其财产免遭强取豪夺的要求。在欧洲大陆，能给君主提供资金并因此获得某种程度自由的贵族，远少于商人、能工巧匠、早期的银行家，以及从城镇经济活动中获得了财富的其他人。

文艺复兴见证了鼓励创业活动的更深远的变化。在该时期，国王能够利用他们的财政资源及改进后的武器和战术，来抑制其贵族充满暴力的再分配性创业活动，进而迫使贵族寻求新的财富创造途径。从镇压私人军队到终止王权授予宠臣垄断权、消除寻租机会和其他形式的非生产性企业家精神，所有这些都成为促进生产性企业家精神的关键。

同时，有利于生产性企业家精神的各种制度不断建立和完善，如财产权神圣不可侵犯（尽管有时也会导致“创造性破坏”）、合同的可执行、专利制

---

⑥　对中世纪欧洲企业家精神的更广泛探讨，参见本书第四章。

⑦　在始于征服者威廉到亨利七世为止（即都铎第一王朝）的18位英国国王统治期内，几乎每位国王在位期间都出现过重大战争。

度和银行业的兴起，为已经很难再从事寻租和独立军事暴力的企业家提供了大量有利可图的机会。事实上，正是这一系列制度帮助工业革命和现代创新型（和生产性）企业家精神的发展扫清了障碍。因此，文艺复兴和工业革命之间这段时期，可被视为生产性企业家精神盛行的诞生期。

基于这一观点，只有当国王的权力强大到足以压制独立的军事企业家的活动，而且如1624年英国实施《垄断法规》（Statute of Monopolies）[8] 这类举措能够扼制王室向从事寻租的同伙授予特许权时，大量企业家才开始转向生产性活动，这是支撑了工业革命及后续发展的生产率大爆炸的一个关键因素。

五、历史上促进了创新型生产性企业家精神的制度

如本章对历史的简要阐述所表明的，亦如道格拉斯·诺思长期以来强调的，正是社会制度可以促成创业活动在相当大程度上从寻租和军事暴力转向创新与生产。下文，我们将更详细地说明这类关键制度中的某些制度，如专利制度、反托拉斯法和破产保护法的演变历程。这些制度恰好也是这样的一些制度，它们推动了以往的生产性创业活动，并有可能被政府修改，因而是充满希望的改革之路。[9] 事实上，这种法治的演变可能是促成生产性企业家精神茁壮成长和资本主义诞生的最重要的因素。

（一）专利制度

专利制度无疑有效推动了创新型企业家精神，这一推动作用主要通过两个途径来实现：一是保护暂时的合法垄断报酬；二是将这些知识产权的使用权转化为一种适销商品。专利使企业家有了额外的手段使他本人及其合伙发明者致富，又能确保发明得到广泛利用。但值得注意的是，根据历史学家们提供的证据，在专利制度出现的早期，它们在鼓励创新方面收效甚微。

---

[8] Mokyr 教授评论道：“我不确定该法令和企业家之间的因果关系是否不断转向生产性活动或其他相关领域：越来越多的贸易和制造行业的机会已赋予了这些人追求致富的权力，而且他们试图巩固这种权力并给其他行为主体施加一定的约束。”

[9] 关于制度变革促进了企业家精神的其他例子在本书中比比皆是，包括 Seiighiro Yonekura 和 Hiroshi Shimizu 所描述的日本财阀，Munro 所叙述的英国股份制公司的出现，Cain 所讲述的美国中央银行制度的确立和 Murray 所讨论的汇票的发明等。

然而，考察稀奇古怪的专利史可以发现，尽管早期"专利证书"旨在促进知识产权的更大利用，但它们一开始并未给创新者或发明者本人提供保护与激励。事实上，英国颁发专利证书是为了鼓励知识产权（IP）的转让，且出于该原因，专利证书被颁发给那些从母国窃取相关创意并把它们带到英国（在这里专利将为他们提供一段特定时期内生产和销售相关产品的垄断权）的生产商。英国出现的第一个值得注意的专利例子至少可追溯至1331年，当时英国王室授予佛兰德织布工约翰·坎普（John Kemp）在英国自由从事相关贸易的专利⑩垄断权（参见North和Thomas，1973，第147页）。实际上，专利为掌握一门手艺但起初只在其他国家开展业务的工人提供了一种许可，允许他迁到英国并在英国从事这门新手艺。诺思和托马斯表明这种做法并不罕见：

> 这种鼓励外国人从欧洲大陆引进新式创新的政策，被推广到其他许多领域（除了纺织业外），如采矿业、金属加工、丝织和缎织等。在伊丽莎白时代颁发的55张垄断特许证中，有21张被授给外国人或新加入英国籍的公民（1973，第153—154页）。

因此，专利的这类早期使用并不是为知识产权的创造者提供保护，恰恰相反，它旨在激励知识产权转让以及帮助其他国家提高生产率。

直到后来，由于议会不满皇室滥用专利证书奖励其宠臣或将专利用于同良好的知识产权管理无任何关联的目的，专利才变成保护发明者的一种工具。《垄断法规》把现代的专利使用方法引入英国法律。美国《宪法》将专利明确写入其中实属不寻常之举，它很可能极大地推动美国在经济上迅速实现雄霸全球的地位。⑪

（二）反托拉斯法

过去一个世纪以来，反托拉斯法及其导致的竞争也在鼓励创新中发挥了

---

⑩ 该术语来自"专利证书"，或由君主颁布的所有人都可传阅的公文（相对于不公开的"机密公文"而言）。

⑪ 参见本书Wengenroth关于德国知识产权及其对创新影响的讨论，Cain对美国内战前专利法的讨论和Gelderblom对荷兰专利制度的讨论。

重要作用。这些法律有助于确保那些将创新视作生死攸关的寡头垄断企业之间的竞争强度，迫使它们持续关注新产品的销售和新生产工艺的采用。这种竞争还导致企业设立内部的研发部门，它们有条不紊地努力为公司提供保持市场地位所必需的创新产品。

（三）破产保护

另一项产生了同样作用的制度是破产法，它为创业活动中失败的企业家提供了一定程度的保护。由于创新没有先例可循，本质上是一种风险极高的活动，所以破产保护无疑成了创新努力的一种重要鼓励。这些法律在早期的美国就已得到实施[⑫]，人们普遍认为，无论是过去还是现在，欧洲对失败者的惩罚都比较严厉，比如绝大多数欧洲国家会断然拒绝给遭受失败的人融资，这种相对更为严厉的惩罚有助于解释欧洲主要经济大国在追赶美国中为何会遭遇失败，尽管“二战”后这些国家在增长率上曾有过短暂优势。这一观察也引出了关于美国破产法的最近修改是否明智的问题，因为修改后的破产法提高了创业失败的成本。

（四）银行体系

前文所述的法治及其相关制度，最频繁地被引证为对大量生产性创业活动的出现至关重要的制度。但是，本书也多次将我们的注意力引向银行体系，尤其是汇票等金融工具的发明所扮演的角色。这项制度的作用似乎不言而喻，但是比人们通常所认为的要大得多。

企业家创建的商业企业的规模和企业家经营业务所依托的市场规模是一个重要问题。在能产生规模经济的活动领域，效率和增长显然更有利于规模较大的企业和扩大的市场。但这些市场需要以生产基地和零售地区之间颇为耗时的产品配送体系为支撑。若厂商 A 拟将货物运往相隔遥远的零售商 B，则 B 要么在收到货物前支付运费，要么在 A 收到货款之前已经将货物装船，或者两者兼而有之。显然，要是没有银行，这类交易只有在 A 和 B 相互熟识或各自有足够理由信任对方的情形下才能实现。

---

⑫ 参见本书 Lamoreaux 对美国《反托拉斯法》和《破产法》（1898 年颁布）的讨论。

在银行尚未参与其中之前，上述限制使这类交易极大地局限于家庭和朋友圈子内，且往往妨碍了公司超越小规模的发展阶段。后来，在意大利和荷兰等地，银行开始出现，并成了这些问题的一种解决之道。一家已树立良好信用的知名银行可以接受待收货商人的现金存款，并在购买方获得该批货物前一直持有这笔存款。这样一来，双方便能确保获得对方所承诺的货物或货款，相隔遥远的陌生人之间的巨额交易便能在没有以往障碍的情况下得以实现。除了这一进展之外，人们还发明并采用了新的方法，如复式记账法和新的法院执法规则，根据这些执法规则，账本等书面资料可作为未偿债务的合法证据。这些制度的出现，奠定了企业和市场增长的坚实基础，随之而来的是意大利北部和荷兰及不久后英国的早期繁荣。[13] 关于这个一般性主题，可参见本书第七章，在这章里，乔尔·莫克论述了通过声誉实现合作的社会文化的发展情况。莫克、卡森和戈德利的第八章还表明，英国发展出了另一种制度来处理远距离交易的信任问题，即在18—19世纪，“信用是一名‘绅士’不可或缺的品质和他获得社会认可的必备要求”这一观念被人们所接受。

六、激发生产性企业家精神的制度如何产生

尽管我们这里的讨论支持社会制度能激励企业家将其才能用于生产促进活动的结论，但仍有一个重要问题需要解决，即这些制度是如何产生的？接下来，我们将说明，它们的产生可能是而且往往是历史偶然。那些受到好的偶然事件影响的国家，看似发展得最快。这似乎是一种颇令人沮丧的论调，但其实不然。因为通过对这些偶然事件的研究，人们有望借助合理的政策复制或模仿它们。当然，下文将描述的偶然事件只是整个故事的一部分，且有时只是较次要的部分，但我们认为它们确实发挥了极富启发性的重要作用。

本书充满了大量历史偶然事件，它们有助于产生能促成一国创业成功的制度。我们在前文提到了一个事实：正是君主的财政绝境，催生了为企业家

---

⑬ 也可参见本书 Gelderblom 和 Mokyr 所写的章节。

提供保护的财产权利，且最初制定的专利法旨在鼓励知识产权转让而非保护知识产权。在下文中，我们将更详细地讨论中世纪英国和荷兰黄金时代偶然发展起来的、促进了企业家精神的那些制度。

（一）中世纪的英国⑭

英国的法治演变是偶然发展起来的制度推动了企业家精神的一个主要例子。事实上，《英国大宪章》和特许状是英国国王向贵族做出让步的直接产物。像其他的中世纪国王一样，英国国王面临着一场代价不断增加的无休止的军备竞赛。他们确实称得上前文所述的“乞丐国王”，面临着不断上升的成本和持续增加的财政压力。故事似乎可从约翰王的领土遭到法国卡佩王朝（Capetian）国王菲利浦·奥古斯都的入侵时候说起。约翰王发现自己像他的王兄理查一世和他父亲亨利二世那样，深陷同法国的战争泥淖中。而且，他还面临着威尔士、苏格兰和爱尔兰等地区的军事问题。迫切需要资金的约翰王，巧立名目征税，比如向贵族寡妇征收可使其免于被迫再婚（特别是嫁给社会地位低于她们的男士）的重税、继承人在有权获得其遗产之前的成长阶段需要支付的巨额抚养费。这些税收和布汶战役（Battle of the Bovines，1214）中金雀花王朝占领诺曼底一起，导致了英国王公贵族的普遍不满。1215年，作为国王和王公贵族之间妥协的产物——《英国大宪章》签订，该宪章对国王的权力施加了限制，并保护王公贵族免遭苛捐杂税和以往他们经历过的相关剥削。尽管《英国大宪章》并非真的像它有时被认为的那样是自由和民主的确证，但它显然是英国随后一个世纪取得更大进步的重要一环。

当约翰王之子亨利三世面临同样的财政困境时，这些权利便被进一步扩大。如其父那样，亨利三世以国库空虚而臭名昭著。亨利三世既需要守卫其父留下的法国安如地区，又想插手教皇和神圣罗马帝国皇帝在西西里岛的纷争，他重蹈前人的覆辙，采取了一系列令贵族大为不满的筹资手段。最终，贵族们发动了一场事实上的叛乱。在1258年于牛津召集的议会上，贵族们迫使亨利三世签署了一份新宪章，这份宪章扩展了《英国大宪章》所赋予的权

⑭ 同样的，可参见本书Murray对中世纪欧洲企业家精神的更广泛论述。

利，更全面地限制君主可用来筹集财政资金的手段。更重要的是，牛津新宪章使国王失去了下议院（包括骑士和皇室官员）的支持，并承诺扩大上流社会的权利，使他们能享受类似于贵族从国王那里争取来的权利。然而，一旦摆脱贵族们的武力威胁，亨利三世就试图推翻自己的誓约，他寻求法国国王路易九世的支持，而路易九世（作为第三方）裁定贵族们通过武力迫使亨利三世签下的协议无效。

最终，亨利三世之子爱德华一世进一步扩展了这些权利。爱德华一世的统治以战争见长，他发动了对威尔士、苏格兰和法国的战争，可以想见他势必深受日常国库短缺的困扰。1296 年，爱德华一世接受了一份新宪章，确保不再任意征税，这是接受“无授权不得征税”观念的关键一步，该问题直到 1688 年的光荣革命和斯图亚特王朝统治结束后才得到彻底解决。在这些国王统治期间，财政压力迫使他们扩大贵族的财产权和其他个人权利，并最终惠及我们认为的上层中产阶级，这些均为后来的生产性创业活动奠定了基础。

（二）荷兰黄金时代

考察成就斐然的荷兰黄金时代（吉尔德布洛姆作了更详细的讨论），揭示出一个由偶然事件构成的通向典范制度、蓬勃创新和欣欣向荣的类似故事。荷兰虽是弹丸小国，却在 15 世纪初到 18 世纪晚期的近 400 年间引领了世界经济潮流。即使在失去经济领导地位之后，荷兰仍然是世界上最繁荣的国家之一。

发明家和企业家在荷兰繁荣中发挥的作用不可低估。荷兰人不仅发明了开凿运河和建造堤坝的新方法，而且设计了能更好地适应贸易需求的船只，并首创了远达异国他乡如新阿姆斯特丹（即纽约市）等地的商栈。他们设计了英国和新英格兰部分地区争相模仿的新式建筑，他们还发明了新的金融制度，包括早在 17 世纪（1635 年）就已成立的隶属于阿姆斯特丹汇兑银行的中央银行。这项制度创新不仅早于瑞典中央银行和英格兰银行几十年，更是早于亚历山大・汉密尔顿领导创立的银行和美国联邦储备体系一个多世纪。[15]

[15] 参加本书 Cain 对 Hamilton 政策的讨论。

正如许多有利于企业家精神的英国制度都是偶然建立的那样，荷兰的创业成就至少可部分地归功于三次著名的灾难性历史现象。首先是1170年11月1日发生的大海啸，仅在一天之内就令人惊骇地创造了方圆200平方英里的须德海（Zuider Zee）。洪水破坏了谷物种植，迫使一部分农业劳动力迁到城镇。当时欧洲的城镇人口比例大概只有10%，荷兰却高达近50%。人口向城镇地区的迁移导致了手工业和简单制造业活动的扩大，随之而来的是对创业活动的需求和激励。此外，中世纪城镇往往是思想和道德自由（包括免遭奴役的自由）的绿洲，这种自由无疑在荷兰繁荣中扮演着重要角色。一些人也强调，荷兰相对较早出现的繁荣也获益于“合作性”（相对于“个人主义”）活动的开展，如保护社区和经济免遭海洋严酷威胁的大坝建造等。

西班牙对布鲁塞尔和安特卫普的占领成了一起看似灾难性的事件但最终被证明是荷兰经济福音的第二个例子。在被西班牙占领之后，荷兰成功地切断安特卫普和波罗的海之间的联系达两个世纪之久，从而保护了阿姆斯特丹的贸易地位，并鼓励了富于进取的对外贸易活动。除了推动阿姆斯特丹市的经济增长之外，西班牙的胜利还带来了一大批力图逃离西班牙压迫的富于进取的加尔文教徒难民。这些难民同那些已逃离西班牙的犹太人等其他难民一道，大大促进了阿姆斯特丹的创业活动。当然，这种逼迫本国人才逃往其他国家的例子在历史上屡屡发生，从路易十六对法国胡格诺派教徒的驱逐到希特勒对犹太人的驱逐[16]，再到菲德尔·卡斯特罗统治时期古巴大量中产阶层的逃离。

这些故事像许多其他创业国家的偶然和意外成功一样，阐释了社会制度对创业氛围形成的重要性。尽管支持生产性企业家精神的制度在以往时代很可能产生于极为偶然的事件，但这些故事仍为我们当今社会制定出能催生相同制度的政策提供了诸多洞见。如兰德斯在本书导言部分所强调的，亦如本书后面几章及对当前事件的分析所表明的，大量变革的机会仍然存在。例如，沃尔科特和陈锦江解释了印度和中国银行体系的缺陷仍在困扰两国经济。印度和中国普遍未能超越以家族和密友为基础的商业模式，这极有可能是两国

---

⑯ 参见本书Wergenroth对犹太裔工薪阶层社会地位下降和科学精英（包括20位诺贝尔奖得主）沦落的讨论。

经济扩张和增长的一个重大障碍。那些预言两国增长奇迹不会中断而会继续的人，并未考虑到上述这些或其他制度障碍。人们只需回想下几十年前，预测美国经济将很快被日本和德国超越的普遍认识的最终结果如何，就能意识到类似预测有多么缺乏说服力。全世界范围内大量寻租机会的持续存在，成了政策绩效问题仍有待解决的另一个主要例子。腐败的普遍存在已经被很好地认识到，最近披露的大量丑闻都涉及美国公司的不当行为，即使如此，美国也仍然远远好于那些是贪污腐败天堂的非洲、拉美或远东国家。我们还可以找到一些值得注意的通过滥用法律，特别是通过有利可图的虚假诉讼从事寻租的例子，如一家效率低下的商业企业以反垄断为由起诉一家效率更高的竞争对手。此外，犯罪集团的创业活动仍然是非生产性企业家精神持续不断地出现的显著例子。

概而言之，历史的经验教训仍很重要，它们给我们指明了世界贫困国家有望用于改善经济条件的途径和方向，以及世界上成功的经济体用来帮助自己保持经济发展速度的措施。这些关于适当政策的洞见几乎是本书的唯一主题，但这显然不是无关紧要的主题。

参考文献

Franklin, Benjamin. 1743. *A Proposal for Promoting Useful Knowledge among the British Plantations in America*. Philadelphia: Printed by Benjamin Franklin.

Lincoln, Abraham. 1858. “Lecture on Discoveries and Inventions.”

Nordhaus, William D. 2004. “Schumpeterian Profits in the American Economy: Theory and Measurement.” NBER Working Paper No. 10433, April. Cambridge, MA: National Bureau of Economic Research.

North, Douglass C., and Robert Paul Thomas. 1973. *The Rise of the Western World: A New Economic History*. Cambridge: Cambridge University Press.

作者列表

威廉·鲍莫尔（William J. Baumol）	美国纽约大学经济学院
路易斯·凯恩（Louis P. Cain）	美国芝加哥洛约拉大学和美国西北大学
马克·卡森（Mark Casson）	英国雷丁大学经济学院制度绩效研究中心
陈锦江（Wellington K. K. Chan）	美国西方学院历史学系
奥斯卡·吉尔德布洛姆（Oscar Gelderblom）	荷兰乌特勒支大学历史学院
安德鲁·戈德利（Andrew Godley）	英国雷丁大学商学院国际商业史中心
玛格丽特·格雷厄姆（Margaret B. W. Graham）	加拿大麦基尔大学达索特士商学院
米歇尔·豪（Michel Hau）	法国马克·布洛克大学
迈克尔·赫德森（Michael Hudson）	美国密苏里大学长期经济趋势研究所（ISLET）所长
铁木尔·库兰（Timur Kuran）	美国杜克大学经济学院和政治学院
内奥米·拉穆鲁（Naomi R. Lamoreaux）	美国加州大学洛杉矶分校法学院经济学系和历史学系
戴维·兰德斯（David S. Landes）	美国哈佛大学经济学院
乔尔·莫克（Joel Mokyr）	美国西北大学经济学院和历史学院，以色列特拉维夫大学埃坦贝格拉斯（Eitan Berglas）经济学院
约翰·芒罗（John Munro）	加拿大多伦多大学经济学院
詹姆斯·穆雷（James M. Murray）	美国西密歇根大学历史学院中世纪研究所主任
清水宏（Hiroshi Shimizu）	日本一桥大学创新研究中心
罗伯特·斯特罗姆（Robert J. Strom）	美国考夫曼基金会研究与政策所主任
乌尔里奇·文根罗特（Ulrich Wengenroth）	德国慕尼黑工业大学科技史中心
苏珊·沃尔科特（Susan Wolcott）	英国伯明翰大学经济学院
科妮莉亚·温斯切（Cornelia Wunsch）	英国伦敦大学东方与非洲研究院
米仓诚一郎（Seiichiro Yonekura）	日本一桥大学创新研究中心

译后记

众所周知，“创业”作为一项人类特有的活动，几乎同人类社会发展的历史本身一样源远流长。无论处在高潮还是陷于低谷，形形色色的创业活动均构成了人类互动的一种重要形式，不仅极大地解放了社会生产力，而且对提高资源利用效率和社会财富创造产生了巨大的推动作用。尤其是自近代早期以来，地理大发现、宗教改革、启蒙运动、两次工业革命等一连串的伟大变革，深刻地改写了世界历史进程，催生了西方国家的迅速崛起。各行各业创业者的身份与地位也随之不断演变和提高，他们或被称为匠人、地主、绅商和赞助者，或被称为发明家、工厂主、资本家和企业家。他们在创造现代经济增长、繁荣商业文明和塑造资本主义制度中的突出贡献被社会津津乐道，他们身上普遍凝聚着的能力、意志和精神为人们尊崇。

在主流经济学的研究范畴中，“企业家精神”作为一个专业术语和分析模式，也逐渐获得了学术界的广泛认可。约瑟夫·熊彼特提出的“创新理论”和“创造性毁灭过程”，威廉·鲍莫尔对生产性企业家精神、非生产性企业家精神和破坏性企业家精神的区分和阐述，以及约翰·凯恩斯提出和乔治·阿克洛夫进一步发展的“动物精神”等，便是从不同角度对创业和企业家精神相关内涵与外延所做的典范研究和取得的重要成果。

呈现在读者面前的这本厚厚的《历史上的企业家精神》，正是近年来该研究领域一部不可多得的力作。本书原著由普林斯顿大学出版社于2010年出版，列为“考夫曼基金会创新与企业家精神丛书系列”的开篇之作，在出版后不久即得到各界一致好评，曾获业内极受关注和尊敬的“2011年度Axiom商业图书银奖”，并很快被翻译成葡萄牙语。显然，要对本书博大精深、纷繁复杂的内容作系统梳理既不可能也无必要，这里我只简要提及以下三点：

第一，本书由美、英、法、日等国20多位不同学者撰写的18个章节构成，这些作者均是相关领域的一流专家，且不乏享誉世界的经济学家和经济史学家。其中，一些学者的代表性研究已被引进国内，学术界对他们的理论并不陌生。例如，威廉·鲍莫尔可谓中国的“熟人”，作为诺贝尔经济学奖的有力竞争者，鲍莫尔以可竞争市场理论、鲍莫尔—托宾模型及企业家精神和创新研究等著称于世，他的学术专著、通俗著作和教科书等国内早有大量引进。影响了尼尔·弗格森和杰弗瑞·萨克斯等知名学者的哈佛大学顶级经济史学家戴维·兰德斯，则以《国富国穷》、《世界上最伟大的家族企业》为中国读者所熟知。乔尔·莫克则是经济史和工业革命研究领域的世界级权威，其著作《富裕的杠杆：技术革新与经济进步》、《雅典娜的礼物：知识经济的历史起源》也已有中译本。此外，还有迈克尔·赫德森的《保护主义：美国经济崛起的秘诀（1815—1914）》、铁木儿·库兰的《偏好伪装的社会后果》、路易斯·凯恩等的《美国经济史（第7版）》等。如此高水平的作者群体，无疑确保了本书的权威性和前沿性。

第二，本书恢宏的时空跨度和叙论相融的写作风格，既是对企业家精神实证研究的突破性尝试和贡献，更使其除了纯学术研究意义之外，对创业者、政府官员等非学院型一般读者具有了丰富的参考价值。从学术角度而言，由于企业家像任何行为主体一样，并非孤立的存在，而要受现实环境的制约和型塑，并通过行为反作用于环境，故本书力图在多文化视域下考察不同文明如何塑造企业家的观念，进而影响创业活动的绩效。因此，对大量文献和经典史实如数家珍般的娓娓引述或许倒在其次，隐含在叙论背后的客观比较视野和摈弃意识形态偏见的中性立场更为难得。全书各章虽行文风格有异，但立论上均潜藏着一种制度演化分析的旨趣，参照其他相关文献一起研读，似有一种意犹未尽、荡气回肠之感。从可读性角度而言，由于本书以荷兰、英国、美国等代表性国家的重要时期为考察对象，而人们对这些时期的重大历史事件和社会发展进程较熟悉，故拉近了本书和一般读者间的距离。例如，中世纪欧洲的封建庄园经济、骑士精神和行会组织，英国工业革命和维多利亚时代的“制度遗产”，德国的国家创新体系和反犹太主义，以及美国内战前的法制建设、“喧嚣的二十年代”和20世纪创新体系的变迁等，均得到鞭辟入里的透析；而关于伊斯兰教“永恒完美”的自我形象，日本明治维新、财阀组织和管理创新等的探讨，则提供了重要的扩展和补充。可以说，本书既是一部严肃的学术专著，也是一部富于启迪的商业畅销书。

第三，本书由美国西方学院人文学与历史学教授陈锦江撰写的第十六章，对近代以来中国的企业家群体及其所依托的制度环境作了历史性的溯源和总结，是直接研究中国企业家精神的有益成果。在中国传统的农业社会和儒家文化下，社会对技术创新和商业活动存在明显偏见，商人群体长期处于社会边缘，商业被视为“四业”（士农工商）中的“末业”。但是，15世纪特别是17世纪以来人口数量的持续增长等因素，在给农业经济带来巨大压力的同时，也对市场和商品贸易的扩张产生了推力，中国现代企业家精神得以孕育其中。宋明理学的兴盛则类似于一场“思想革命”，瓦解了小农意识对人们观念的束缚；而清朝精英商人和官员间更紧密的相互支撑体系，促进了商人社会地位的提高，为近代工业的发展创造了条件。

陈锦江从个性特征、社交网络和企业性质等角度，以晋商、瑞蚨祥及先施百货和永安百货等为例，对近现代中国的企业家群体及其创业活动作了考察，并通过黄光裕等的例子对改革开放30多年来企业家和官员间的互动关系进行了选择性梳理。作者表明，“通观中国历史，对商业活动全方位的政治控制似乎一直存在，尽管商人在不触犯国家权力时甚至能拥有非常大的经营自主权”。由于政企关系很大程度上影响着企业经营成败和创业绩效，政府（官员）和企业家之间如何保持平衡一直是个难题。本章似乎暗示：政府应合理扮演促进者和保护者的角色，而不是充当阻碍者和掠夺者；企业家的本职则是创新和变革，不参与寻租和不干预政治是底线。作者还指出，中国企业家有着与西方企业家相同的特点，如胆识过人、目光远大、创造性强且善于重组各种生产要素等。但有别于熊彼特式的西方企业家，“中国企业家对建立人脉尤为注重”，“人情社会”对现代企业管理风格和中国企业创制仍存在巨大制约，因此中国企业家应提高引进特定类型的西方模式的能力。尽管企业家和商界领袖的地位已今非昔比，中国企业家精神的土壤依然脆弱，这一结论在决策层和社会大力倡导创业创新的当前不无现实意义。

所谓“译事向来不易”。尤其是学术翻译，一方面需要扎实的学科知识，另一方面需要严谨的求真态度。从某种程度上说，翻译比写作本身更难，因为作者所写的往往是自己熟悉的和有把握的，而译者则不仅要力图将原著忠实确切地转译出来，当中或许还会碰到很多自己不熟悉的领域和知识等，这时就需要译者广泛查找和参考资料并请教良师。故此，翻译本身也是一个不断学习和提高的过程，翻译好的作品更像是同最优秀的作者进行无声交流；而去做一些有价值的翻译，也正是我对自己的一种期许。本书从着手翻译到最终出版，前后将近三年半，期间的喜悦、焦灼、沮丧和期待，以及在西子湖畔住所“深居简出”的白昼深夜，都已融入我的人生经历。如今，心里剩下的唯有感谢。

感谢父母的生养之恩，正是父亲的节俭和母亲的勤劳善良塑造了我谦虚坚韧的性格；感谢《比较》编辑室主任吴素萍在学术翻译上对我的提携和帮助，多年来吴老师于“组编”《比较》之余，以开放的学科素养和敏锐的专业眼光，策划引进了一些不乏借鉴价值的域外新著，这激励我更用心地译好本书；感谢导师陈宇峰教授，本科时陈老师就指导我写论文，一起公开发表经济学论文，并鼓励我写专栏评论，由此培养了我研读经济学的浓厚兴趣；感谢妻子柯婷婷小姐对家庭的默默付出和无私奉献，感谢可爱的小霏霏给我们带来了无限欢乐和点滴感动；感谢马媛媛和孟凡玲女士为本书顺利出版所付出的细心工作。最后，感谢所有曾经和一直支持并激励着我的人们！

由于时间精力和学识有限，本书难免会有差错和不尽如人意之处，恳请读者批评指正。

姜井勇
2015 年 7 月底
于杭州西子湖畔

索 引

（英文版索引页码）

Abbas I (shah of Iran), 77
ABC (American Broadcasting Corporation), 424
Abelshauser, Werner, 297
Abu Taqiyya, Ismail, 67–73
accounting: double entry bookkeeping, development and growing use of, 96–97; extension of the giro system in Bruges, 99–100; innovation by American railroad companies, 382; scale and longevity of enterprises and record-keeping requirements, 68–69
Acemoglu, Daron, 444
Act of Supremacy of 1534 (England), 115
Adams, Steven, 412
Adobe Systems Inc., 420
AEG (Allgemeine Elektrizitätsgesellschaft), 285, 291–92
Aérospatiale, 319
al-Afghani, Jamal al-Din, 62, 82–83
Africa, economic failure of, 4
African Americans, as entrepreneurs, 379
agrarian capitalism, 114–18
Agrarian Problem in the Sixteenth Century, The (Tawney), 114
Agriculture, U.S. Department of, 371
Airbus, 286, 319
Air France, 322
Air Liquide, 314, 322
Akerlof, George, 461
Albert the Great, 101
Alcatel, 319, 321
Alcoa (Aluminum Company of America), 409, 412, 418–19
Aldcroft, Derek H., 223
Aldi, 297
Allen, Paul, 417, 423
Allied Suppliers, 260–62
Almy, William, 349–50
Amazon.com, 428, 432
American Cynamid, 262–63
American Land Company, 343
American Marconi, 405
American Research and Development (AR&D), 430
American Sheet and Tin Plate Company, 387
American Society of Railroad Superintendents, 382
American system of manufacturing, 353–54
American Telephone & Telegraph. *See* AT&T
Amgen, 427
Ammisaduqa (king of Babylonia), 29
Ampex, 424
Amsterdam, number of entrepreneurs in around 1620, 173–75
Andreau, Jean, 28, 32
Anglo-Persian Oil Company, 249
Anthony Hordern & Sons, 489
anti-Semitism: in France, 316; German economic decline and the policy of, 296; German entrepreneurialism and, 283
antitrust policy and enforcement, 389–90, 418–19, 536
Antwerp, as commercial center in the fifteenth and sixteenth centuries, 128
Apple Computer, 417, 420, 428, 431
Appleton, Nathan, 350
Aquinas, Saint Thomas, 101
Arcelor, 321
Areva, 319, 322
Argand, Aimé, 203n.6
Aristotle, 21, 31
Arkwright, Richard, 189, 198, 205n.27, 349
arms production in the antebellum U.S., 352–53
Arnold, Thurman, 414, 418–19
Articles of Confederation and Perpetual Union, 332–33
Asano, 504–5
asceticism, worldly, 109
Ashton, T. S., 110, 125, 138n.16
Aspray, William, 415
Assurances Générales de France, 321
Astor, John Jacob, 357
AT&T (American Telephone & Telegraph), 386–87, 405, 417–20, 424, 426, 437n.36
Axa, 321

Baader, 300
Babylonia. *See* Neo-Babylonian entrepreneurs

Bacon, Sir Francis, 113
Badian, Ernst, 19, 25, 30
Bagchi, Amiya, 445–46, 464
Bailyn, Bernard, 448
Baker, Christopher John, 452–53, 465n.5
Bakker, Gerben, 435n.2
Bank of England, 131, 336, 338
Bank of Japan, 512
Bank of North America, 336
bankruptcy, 378, 536
banks and banking: American, 336–37, 372–74, 408; in colonial India, 448–55, 458–59 (*see also* India, colonial); French, 312–13, 315, 319; in late imperial China, 485; in Meiji Japan, 507, 510–12; money-changers as the origin of medieval, 95–96; productive entrepreneurship and, 536–37
Banque de Paris et des Pays-Bas, 313
Banque d'Indochine, 313
Banque Nationale de Paris, 319, 321
Banque Suisse et Francaise, 315
Barnard's Act of 1734 (England), 192
Barnum, P. T., 368
BASF, 290–91
Bateman, Fred, 354
Baumol, William J., 354; on failure to commercialize technology in ancient enterprise, 29; international productivity comparisons by, 280; on parasitical existence of entrepreneurs, possibility of, 15–16; on payoffs to entrepreneurial activity, importance of, 443; on productive and unproductive enterprise, contrast between, 19, 34, 186, 354; on rules, importance of, 357n.1; on underpayment of entrepreneurs, willingness to accept, 196
Bayer, 290
Bayh-Dole Act of 1980 (U.S.), 426
Bayly, Christopher A., 458, 460
Beard, Charles, 333
Bedford, John, 261
Beecham, 263
Bell Laboratories, 414
Belshazzar (crown prince of the Neo-Babylonian Empire), 50
Benares Bank, 452
Bendor, Jonathan, 458
Bentley, Thomas, 206n.31
Berghoff, Hartmut, 246–47
Berle, Adolf A., 513
Berliet, 314
Bernardino of Siena, 101
Bernouilli, Johann, 311
Bessemer, Henry, 380
Bessemer Association, 380
Beukelszoon, Willem, 160
BF Goodrich, 409, 412
Biddle, Nicholas, 337
Bihar and Orissa Provincial Banking Enquiry Committee, 452, 458, 466n.10
Bill of Rights of 1689 (England), 112
bills of exchange, 96, 100
Birla, G. D., 459, 464
Birunguccio, Vanoccio, 123
Blackstone, William, 190, 204n.17
Blanc, Honoré, 352
Blaszcyck, Regina, 406
Bleiberg, Edward, 14
Bloch, Marc, 318
Blomsaet, Barend, 176n.40
Bloom, John, 263
Bodenhorn, Howard, 456, 466n.8
Bodin, Jean, 119
Bogaert, R., 59n.48
Bombay Shroffs' Association, 450
Bond, William Cranch, 356
Bon Marché, 314–15
Boot, John Campbell, 261–62
Borden, Gail, 356
Borsig, August, 287
Boston Associates, 350
Boston Manufacturing Company, 350
Boucicaut, Aristide, 315
Boulton, Matthew, 532
Boussois-Souchon-Neuvesel, 320
Boyd & Co., 518–19
Braidley, Benjamin, 204n.22
Braithwaite, John, 189
Bramah, Joseph, 204n.10
Brand, Stuart, 437n.37
Brassert Company, 299
Braudel, Fernand, 175n.13
Briggs, Asa, 190
Bright, John, 219
Brimmer, Andrew F., 459–60
Britain: antientrepreneurialism in, 264; entrepreneurial culture in, 188–94, 222–24, 237–39, 246–48; "gentlemanly capitalism" in, 223–24, 253, 537; grocery market share, 1960-1975, 260; immigrant entrepreneurs in, 256–57; the Industrial Revolution in (*see* Industrial Revolution); multinational corporations in, subsidiaries of, 256–57, 262–63; nationalization and the welfare state as the postwar environment for entrepreneurs, 258; networks, entrepreneurial,

189–94, 224, 248, 253, 255–56; retailers, ten largest in 1975, 261; socio-economic class structure in, impact of rigidity in, 247; technology transfer to Germany in the nineteenth century, 287; twentieth-century economy and entrepreneurial activities (*see* British twentieth-century entrepreneurs); Victorian (*see* Victorian Britain); world trade in manufactures, decline in share of from 1900 to 2000, 245. *See also* England, pre–Industrial Revolution
British Leyland, 258, 264
British twentieth-century entrepreneurs: activities of, 1900–1929, 249–55; activities of, 1930s–1950s, 255–58; activities of, 1950–75, 258–64; activities of, 1975–2000, 264–66; culture of compared to that in competing nations, 246–48; economic decline, supposed responsibility for, 244–46, 266–68; foreign direct investment by, 250–54; largest firms in 1919, 251; overseas investment, economic power and riches at the turn of the twentieth century based on, 243–44; scholarly explanations for the supposed failure of, 246–47; sectoral distribution of overseas companies, 1907–38, 252
Broadberry, S., 249
Broadhead, Charles, 359n.33
Broughton, T.R.S., 32–33
Brown, Moses, 349–50
Brown, Sir Henry Phelps, 120
Brown, Smith, 349
Brown & Sharpe, 351, 353
Bruges, 99–100
Brunel, Isambard Kingdom, 203n.6, 232–35
Brunel, Marc Isambard, 203n.6
Brush, Charles F., 380–81
Brush Electric Company, 376
Brutus, Marcus Junius, 30
BT, 265
Bubble Act of 1720 (England), 133–34, 137
Bücher, Karl, 9
Burden, Henry, 346
Burroughs Corporation, 416
Burton, Montague, 257, 261, 268n.1
Bush, Vannevar, 436n.30
business organization, forms of: cartels, 279–80; corporations, 69–70, 334, 377–78, 388–89, 428; financial instruments in the Dutch Republic and, 164–68; free-standing companies/firms, 221, 251–54; *harrānu* contracts, partnerships organized under, 51–53; holding companies, 514–15; the joint-stock company, 128–33, 162; limited liability and the *société en commandite,* 132; the limited-liability joint-stock company, 312; limited partnerships, 431; managing agencies, 459–60; monopolies, 162; multidimensional, or M-form, of corporations, 423, 515; multinational corporations, 256–57, 262–63; organizational structures, holding company vs. multidivisional, 514–15; partnerships, 51–53, 68–69, 130, 164; the regulated company, 129; the small business investment company (SBIC), 431; the Unternehmergeschäft (entrepreneur business), 292; zaibatsu, 503–4 (*see also* Japan)

Cabot, John, 142n.77
Cabot, Sebastian, 142n.77
Caesar, Julius (emperor of Rome), 30
Cain, Peter J., 188, 190–91, 223–24
Calcott, Wellins, 204n.15
calling, one's, 108–9
Calvin, John, 108, 113
Calvinism and Calvinists, 108–10, 113, 136. *See also* Dissenters
Campbell-Kelly, Martin, 415
Canon Corporation, 419
capitalism: agrarian in England, Tawney's thesis on, 114–18; cooperative vs. competitive, 279; "gentlemanly," 223–24, 253, 537; modernization of French, 313–15; personal, 224; Protestantism and the emergence of, 107–12, 115, 136–37. *See also* Industrial Revolution
capitalization of consumer debt, 257
Carnegie, Andrew, 381, 384
Carrefour, 320
cartels/cartelization, 279–80
Cartwright, Edmund, 205n.26
cash waqfs, 75–76, 84n.12
Cassis, Youssef, 246
Casson, Mark, 63, 537
Castells, Manuel, 437n.32
Castro, Fidel, 539
Cather, Willa, 403
Cato, 20, 22–23
Cavenham Foods, 261–62
Celera Genomics, 427
Central Banking Enquiry Committee, 452
Champagne fairs, 98
Chan, Wellington K. K., 540
Chanceller, Richard, 128–29
Chandler, Alfred D., Jr.: British decline, explanation of, 221; cartelization in Germany, results of, 279; family firms, focus on, 227; government, downplaying the role of, 435n.1; large firms, challenge to thesis regarding, 435n.3;

Chandler, Alfred D., Jr. (*cont.*)
large firms in the U.S., 482; multidivisional form, discussion of, 521; organizational innovation, entrepreneurs and, 502; personal capitalism, 224; on railroads, 342, 381; on success of consolidations, 385
Chapman, Stanley, 111
Charlemagne, 100
Charles V (Holy Roman Emperor), 166–67
Charles River Bridge v. Warren Bridge, 334
Charles II (king of England), 109
Chee Hsin Cement Company, 476
Chettiar, Sir Annamalai, 466n.11
Cheves, Langdon, 337
Chiang Kai-shek, 476
Chicago, University of, 411
Chicago Climate Exchange, 430
China: brokers as innovators in late imperial, 487–89; bureaucratic domination, impediments for entrepreneurs from, 475–76; business enterprises in: total number, new, and failed during the late twentieth century, 492–93, 497n.12; characteristics of the entrepreneur and entrepreneurship in, 496; commodity markets, development of and the monetization of the economy, 471–72; comparison of GDP per capita and population between Western Europe and, 2; cultural and historical contexts of the entrepreneur in, 480–84; economic growth and reduction of poverty in, 5; economic performance and entrepreneurs in, 469–70; the economy in late imperial, 470–76; entrepreneurial activities in post-Mao, 491–95; entrepreneurial activities in pre-Mao, historical review of, 484–91; the firm in, 482–83; foreign trade, puzzle of lack of pursuit of, 66; institutions supportive of entrepreneurship in late imperial, 472–73; merchant groups in, 484; party officials as patrons in the People's Republic, 494–95; political disorder as impediment to entrepreneurship, 487; resistance to innovation, evidence regarding, 2; "Self-Strengthening Movement" of the later nineteenth century, 479; Shanxi merchants, 484–86; social status of the entrepreneur, 476–80, 495; technological advances in late imperial, reasons for absence of, 473–75; Western contact, innovation following, 475, 489–91
China International Trust and Investment Corporation (CITIC), 469, 491
China Match Company, 490–91
China Merchants' Steam Navigation Company, 476
chivalry, 101–2
Christianity: business activity in the Middle Ages and, 100–101, 104; confession and guilt as distinguishing Catholics and Protestants, 111–12; rise of Islam, reaction to, 83; secularization and entrepreneurial activity, 83; trade during the Dark Ages to meet ecclesiastical demand, 92; transition from the ancient to the medieval worlds through, 88–89
Church of England, Thirty-Nine Articles of Religion, 137n.1
Churchill, Winston, 249
Cicero, Marcus Tullius, 24, 30
Cie Générale d'Electricité, 319
Cisco Systems, Inc., 428
CITIC. *See* China International Trust and Investment Corporation
CITIC-Pacific, 491
cities. *See* urbanization
Citroen, 314, 320
Clark, Edward, 351, 360n.62
Clark, Truman, 456–57
Clayton Antitrust Act of 1914 (U.S.), 389
Clean Air Act of 1990 (U.S.), 430
Clegg, Samuel, 205n.27
Clement VII, 139n.36
Clinton, DeWitt, 340–41
Clore, Charles, 258–59, 261
coal, technological innovation and the increasing use of, 122–26
Cobden, Richard, 219
Cochrane, Archibald, Earl of Dundonald, 198, 206n.37
Cohen, Jack, 257, 259, 261
collective entrepreneurship, 433
Collier, Joseph, 261
Colt, Samuel, 352–53
Columbia University, 426
commercial revolution: in Bruges, 99–100; Church pronouncements and, 100–101; enterprise during the middle ages and, 93; super-companies, business practices of, 95–97; super-companies, organization of, 94–95
Companies Act of 1948 (Britain), 259
competitive takeovers, 259
Comptoir d'Escompte de Paris, 312–13
Compton, Karl, 409
Constitutional Progressive Party, 516–17
Constitution of the Empire of Japan, 506
Constitution of the U.S., 332–33
consumer movement, 425–26
contracts, in the Dutch Republic, 164–65

Convention of Kanagawa, 503
convertible husbandry, 117–18
Conwell, Reverend Russell, 368
Cook, Lisa, 379
Cooke, Jay, 370
Cooper, Grace, 351
Cooper, Peter, 359n.37
Corley, Tony, 250–51
Cornell, Ezra, 344
Corning Glass Works, 406, 409, 420, 424, 436n.28
Corning Incorporated, 424, 427, 437n.36
Corn Laws, repeal of, 219
Corporation Act of 1661 (England), 109, 137, 138n.13
Cort, Henry, 198, 205n.26
Cortada, James W., 435n.1
cotton gin, 346–47
Cowles, Alfred, 376
Cowles, Eugene, 376
Cox, James, 203n.6
Crafts, Nicholas F. R., 220
Crassus, Marcus Licinius, 25
Crawshay, William, 198
Cray, Seymour, 424
CRC, 416
credit: in colonial India, caste and, 457–59 (*see also* India, colonial); consumer purchases on, 407–8; temples in the Near East as institutions of, 44. *See also* debt; finance
Crédit Industriel et Commercial, 312
Crédit Lyonnais, 313, 315, 321
Crédit Mobilier, 312, 370
Creusot-Loire, 321
Crompton, Samuel, 205n.26
Cromwell, Oliver, 109, 117
Cromwell, Richard, 109
Crouzet, François, 196, 198–99, 206n.36
culture: of British entrepreneurs, 188–94, 222–24, 237–39, 246–48; caste, finance, and industrial development in India, 443–44, 461–62 (*see also* India, colonial); definition of, 203n.4; entrepreneurship and, 183–84, 529–30; of German innovation, 298–99. *See also* religion
Cyrus the Great (king of Persia), 40

Dai-ichi Kokuritu Ginko (Daiichi National Bank), 510
DaimlerChrysler, 286
Dam, Kenneth, 332, 357n.2
Danone group, 320, 322
Dan Takuma, 513–14
Dante Alighieri, 88, 101
Darby, Abraham, 125, 135, 140n.57
Darius I (king of Persia), 40
D'Arms, John, 9–10, 14, 22–23
Dartmouth College v. Woodward, 388–89
Dasheng Mills, 476
Data General, 424
Daunton, Martin J., 204n.11
Davar, C. N., 459
Davenant, Charles, 191, 193
Davis, Ari, 351
Davis, Lance, 435n.4
Davis, Ralph, 131–32, 137n.3, 138n.17, 142n.80
Deane, Phyllis, 134
Debenham's, 261–62
Debré, Michel, 319
debt: to be avoided, historic belief regarding, 18; consumer, expansion of in the U.S., 407–8; conversion of the national in England, 139n.32; expansion of private and the supply of credit in the U.S., 378–79; permanent national, establishment of England's, 112–14; relationships of in antiquity, 13. *See also* credit; finance
DEC. *See* Digital Equipment Corporation
Deere, John, 348
Defense, U.S. Department of, 413, 420
Defoe, Daniel, 188, 204n.21
de Forest, Lee, 387
de Gaulle, Charles, 318
Delaware, incorporation law in, 378
Dell, Michael, 423
Deng Xiaoping, 469, 491
Dennison, Aaron, 353, 360n.67
Dennison, Edmund, 239
Deutsch, Karl W., 283
Deutsch, Oscar, 257
Deutsche Bank, 286
De Witt, Simeon, 341
Dick, David, 356, 360n.71
Dickens, Charles, 224–25
de Dietrich, Philippe-Frédéric, 311
Digital Equipment Corporation (DEC), 416–17, 424, 430
Diocletian (emperor of Rome), 32
Diodorus Siculus, 25, 35n.2
Dissenters: disproportionate role in the Industrial Revolution and development of capitalism, 110–12, 136–37, 206n.36; origin in events of the late seventeenth century, 109; proportion of the population, 107. *See also* Calvinism and Calvinists
Dissenting Academies, 110

Dixons, 264
Dollfus, Jean, 308, 313
Dollfus-Ausset, Daniel, 311
Dollfus-Mieg, Daniel, 306
Dollond, John, 203n.10
Donkin, Bryan, 204n.10
Doriot, George, 430–31
Douglas, Stephen, 342
Drage's, 257
Drew, Daniel, 373
Drexel Burnham Lambert, 429
Dreyfus Affair, 316
van Driel, Govert, 57n.6
Dudley, Dud, 135, 140n.57
Duisberg, Carl, 290
Dunning, John, 250
Dupin, Charles, 205n.23
DuPont (E.I. du Pont de Numours and Company), 409, 423–24, 430
Dutch Republic: entrepreneurs in, innovations by and institutional framework for, 159–62; entrepreneurs in, number and activities of, 157–59; the Golden Age of, entrepreneurs in, 156–57, 171–73; historical events leading to, 539; number of entrepreneurs in Amsterdam around 1620, estimate of, 173–75; property and contract law, financial instruments used by entrepreneurs and, 164–68; risk, efforts to minimize, 168–71; supremacy in the Baltic trades, 142n.78; term annuities and obligations recorded by economic sector, 167–68; wealthy entrepreneurs, absence of at the beginning of the Golden Age, 163–64
Dyson, James, 4

early entrepreneurial activity, 8–10, 33–35; aristocratic attitude toward commercial enterprise, 9; Assyrian and Babylonian merchants, 9; from commercial entrepreneurship to oligarchy, 30–32; commercial abuses as part of, 29–30; concentration of economic surplus at the top: the chief's household or the temple, 11; debt, protection of citizens from, 13; decline of Rome into the Dark Ages, 32–33; documentation of, 13–14; enterprise today and, contrasts between, 18–20; entrepreneurs, predators, and financiers engaging in, 20–23; financing of, 26–29; the genesis of enterprise, myths regarding, 16–18; palaces/temples, trade system built around, 11–12, 16–17; from productive to corrosive enterprise: explaining the descent to the Dark Age, 14–16; public context of, 25–26; reciprocal gift exchange and the consumption of surpluses, 10–11; social status of merchants and entrepreneurs, 23–25. *See also* Greece, ancient; Mesopotamia; Neo-Babylonian entrepreneurs; Rome, ancient
East India Company, 130–31
Eastland Company, 142n.78
Eastman Kodak, 424
eBay, 428, 432
Eccles, Marriner, 408, 414
Eckert, J. Presper, 416
Eckert-Mauchly Computer Corporation, 416
economic theory of entrepreneurship, absence of, xi
Edict of Nantes (France), 111
Edison, Thomas, 376, 381, 409
education: colleges and universities in the U.S., 375; of Dissenters in England, superiority of, 110; in Germany, 276–79; land-grant colleges in the U.S., establishment of, 371; population with a tertiary, by selected age groups in selected countries, 278; reform of Japanese by the Meiji government, 506–7
Edward I (king of England), 538
Edward VI (king of England), 113
Egypt, 13–14, 70
Eiffel, Gustave, 314
Eisenhower, Dwight, 414
Electronic Data Systems (EDS), 417
Elf, 319, 321
Elizabeth I (queen of England), 113
Ely, Richard T., 88
Employment Acts of the 1980s (Britain), 265
enclosures, 115–16
energy, technological innovation and the crisis in Tudor-Stuart England, 121–26
Engels, Friedrich, 219
Engerman, Stanley, 444
England: of the Industrial Revolution (*see* Industrial Revolution); of post–Industrial Revolution (*see* Britain; Victorian Britain)
England, pre–Industrial Revolution: agrarian capitalism in, 114–18; the "early industrial revolution" thesis and the Tudor-Stuart energy crisis, 121–26; the Financial Revolution, 112–14; the gentry as agrarian capitalists, 114–18; the gentry's role in industrial development, 118–19; Great Debasement of 1542–52, 128; land held by various social groups in percentages for 1436, 1690, 1790, 116; London (*see* London); London Stock Exchange, creation of, 133; overseas exploration and trade, 126–34; the

Price Revolution, 115, 119–21; prices for fuels, fifteenth to eighteenth centuries, 123; religion and the development of capitalism in, 107–12, 115, 136–37; rule of law in, evolution of, 538; second half of the seventeenth century, events of, 109, 112–13; South Sea Bubble of 1720–21, 133–34
entrepreneur(s): African American, 379; characteristic qualities of, 216, 248; concepts of, 63–64, 224–27, 248; definition of, 12, 530–31; the earliest from the Near East to the fall of Rome (*see* early entrepreneurial activity); etymology of the word, 88; institutional rules directing toward productive enterprise, overriding significance of, 15–16; networks of (*see* networks); procurement, 411–12, 415; university, 411–12, 416; urbanization and, 157 (*see also* urbanization); women as, 379
entrepreneurship: collective, 433; cultural factors and, 183–84, 188–94, 246–48 (*see also* culture); definition of, 331, 501–2; entrepreneurial lordship as a form of, 89–93; financial system, significance of, 335; history as a tool for understanding, vii–viii, xi–xii, 527–29i; hypotheses regarding, ix–xi; innovation as twentieth-century version of, 402 (*see also* innovation(s)); job transfer/outsourcing as central aspect of contemporary, 4–5; and morality in Victorian Britain, 237–39; productive and economic growth, relationship of, 532; productive throughout history, 533–35; productive and unproductive, distinction between, 531–32; rate of return on, 194–202; redistributive and productive, distinction between, x; replicative and productive, distinction between, viii, 531; Schumpeter's conception of (*see* Schumpeter, Joseph)
Entreprise Miniere et Chimique, 319
Environmental Protection Agency, U.S., 430
Ericsson, John, 203n.6
Erie Canal, 340–42
Erie Railroad, 373
Erker, Paul, 283
Essilor, 322
Eto Shinpei, 516
Euro-Creativity-Index, 279
Europe: comparison of GDP per capita and population of China and Western, 2; medieval (*see* Middle Ages). *See also names of individual countries*
European Community for Steel and Coal, 297
European Economic Union, cartels and, 280
Evans, Oliver, 352, 360n.64
Ewart, Peter, 203n.10

Fairbairn, John, 203n.10
Fairchild Camera, 423
Fairchild Semiconductor, 414, 430–31
Fang Ling, 477
Faroqhi, Suraiya, 84n.7
Federal Reserve System, 373
Federal Trade Commission Act of 1914 (U.S.), 389
feudalism: economic order of, 89; entrepreneurial lordship and the lord-peasant relationship, 89–93. *See also* Middle Ages
Field, Alexander J., 436n.19, 436n.21
Fillmore, Millard, 503
finance: in ancient Greece, 27–28; the Bourse of Bruges at the center of medieval, 100; credit markets in eighteenth-century Britain, 191–92; Dutch Republic, instruments used in, 164–68; of early entrepreneurial activity, 26–29; innovations of medieval entrepreneurs, 95–96; institutions of in the U.S., 335–38. *See also* credit; debt
financial instruments: capitalization of consumer debt, 257; hedge funds, 429; sale and leaseback finance, 257; waqfs in the Middle East, 75–77, 79–82
Financial Revolution (England), 112–14
Fine Fare, 260
Finley, Moses, 9, 19, 27–28
First Bank of the United States, 336–37
First Opium War (1839–42), 503
Fishlow, Albert, 342, 359n.25
Fitch, John, 359n.26
Fitzgerald, F. Scott, 205n.24, 403
Flatley, A. J., 263
Flinn, Michael, 126, 141n.64
Florida, Richard, 279
Fogel, Robert, 342, 359n.41
Food and Drug Administration, U.S., 427
Ford, Henry, 381, 407, 408, 435n.6
Ford Motor Company, 406, 411
foreign direct investment: British, 250–54; German, 285–86
Foreign Direct Investment Program (U.S.), 263
Forman, Joshua, 341
Fougerolle and Eiffel, 314
Fourdrinier, Henry, 198, 205n.26
Fourdrinier, Sealy, 205n.26
Fowler, Sir John, 240
Fox, Martha Lane, 265–68
Fox, Robert Were, 200

Framatome (Areva), 319
France: anticapitalism of the right and left in, 316; banking sector, 312–13, 315, 319; creation of companies by type of firm, annual mean of, 320; dirigisme, the golden age of (1940–83), 317–20; entrepreneurs and the two economic traditions of, 322–23; family and firm, relationship of, 309–10; first industrialization (1815–70), 305–13; impediments to entrepreneurship, 306–8, 315–16, 322; large companies in, 312–13, 314–15; liberalism, back to (1983–present), 320–22; McDonalds, campaigns against, 72; modernization of capitalism, 313–15; "national champions," creation of, 319–20; regional characteristics favorable to entrepreneurship, 308–12; regional variations in business development, 305; religion and economic activity, 307–11; second industrialization (1870–1940), 313–17; state-led restructuring, economic success of, 258
Francis of Assisi, Saint, 101
Frank, Tenney, 20, 28, 31–32
Franklin, Benjamin, 527
free-standing companies/firms, 221, 251–54
free trade, entrepreneurship in Britain and, 219–20
Freitas, Kripa, 459
Fuji, 523
Fujitsu, 300
Fukuzawa Yukichi, 518
Fulton, Robert, 339–40, 359n.26, 359n.28, 360n.69
Furukawa, 504–5

Gagalbhai, Mafatlal, 462–63
Galambos, Louis, 401, 427
Gale, Leonard, 344
Gallatin, Albert, 338
Gamble, Josiah, 199
Garbett, Samuel, 195, 205n.29
Gates, Bill, 417, 423
Gates, Paul, 359n.44
Geddes, James, 341
de Geer, Louis, 160
GE (General Electric), 381, 386–87, 405–6, 411, 416–18, 426, 436n.18
Gelderblom, Oscar, 197, 464, 539
Genencor, 427
Genentech, 427
General Electric. *See* GE
General Motors Corporation, 408, 411, 417
General Postal Union, 294
Genovese, Eugene, 354
Geological Survey, U.S., 372
German Customs Union, 274, 275, 279
German entrepreneurs and entrepreneurship: anti-Semitism and, 283, 296; culture of, 298–99; democracy and, 286; in early industrialization, 282–83, 287–88; expansion of the German economy and innovation, 1815–1914, 287–95; in the German innovation system, 286–301; heavy and mechanical industries, innovation in, 288–90; history of, 273, 301–2; innovativeness, buying, 299–300; internationalization of, 284–86; middle range technologies, innovation in, 293; national norms for mechanical and electrical production, establishment of, 292–93; nonmonetary rewards for, 283–84; reconstruction and innovation, 1955–2007, 297–301; science-based industries, innovation in, 290–92; small-scale enterprise, 300; state servants in public enterprise as, 294–95; the Unternehmergeschäft (entrepreneur business), 292; violence and stagnation of innovation, 1914–55, 295–97
Germany: balance of trade in R&D-intensive goods, comparison with selected countries, 298; cartels and the rationalization of industry, 222, 288; economic productivity in, 280–82; employment in services and industry compared to the U.S., 281; geography, borders, and natural resources, 273–76; human capital formation in, 276–79, 290; institutional framework for economic activity in, 279–80; Nazism, impact of, 277–78, 280, 283, 296–97; the overindustrialized economy, 280–82, 301
Gibbons v. Ogden, 339
Gibbs, James, 351
Gies, Joseph, 356
Gilbert, Charles, 360n.59
Gillet, 314
Gimillu (Babylonian temple official), 44
Girard, Stephen, 346
giro system, 96, 99–100
Giscard d'Estaing, Valéry, 318
Gladstone, William, 238
Glassford, John, 199
Glaxo, 263, 265
Global Entrepreneurship Monitor, 497n.12
globalization: angry reactions to, reasons for, 5–6; British entrepreneurs and, 265; global trade, long history of, 1; maritime exploration, colonization, and trade as beginning of, 127; the third industrial revolution and, 421
Godley, Andrew, 184, 223, 247, 537
Goldin, Claudia, 350

Goldman Sachs, 408
Goldsmith, James, 261–62
Gome Electric Appliance Enterprise Group, 493–94
Goodrich, Carter, 338–39
Goodyear, Charles, 356
Goodyear Tire and Rubber Company, 412
Google, 420, 428
Gordon, John Steele, 335
Goschen, George, 139n.32
Gould, John D., 121
Gracchus, Gaius, 30
Grantiz, Elizabeth, 384
Gray, Elisha, 394n.20
Gray, Thomas, 232
Gray and Barton, 394n.20
Great Exhibition of 1851 (London), 356
Great Universal Stores, 257
Greece, ancient: aristocratic disdain for enterprise in, 31; commercial enterprise, foreigners and slaves playing the leading role in, 23–24; the debt problem in, 13; documentation of economic activity in, 14; finance in, 27–28; fiscal burdens of the wealthy in, 44; ideological split regarding the economic organization of, 9; slaves in, 51
Green, George, 206n.38
Greene, Catherine, 346–47
Greenspan, Alan, 432
Greenwood, Jeremy, 447, 451
Greif, Avner, 183
Gresham's Law, 358n.16
Gribeauval, Jean-Baptiste de, 360n.65
Grosley, Pierre Jean, 205n.23
Grove, Andy, 414
Guicciardini, Lodovico, 158
guilds: Dutch, 162, 173; feudal craft, 102–3; of indigenous Indian bankers, 449–50; of northern feudal merchants, 98
Guiso, Luigi, 193
Gui Youguang, 477
Guo Luo, 489–90
Gutman, Herbert, 369

Habakkuk, H. J., 116
Haber, Fritz, 295
Hadley, John, 203n.10
Hall, John, 352
Hall, Samuel, 198
Hambrecht and Quist, 432
Hamilton, Alexander, 335–36, 338, 345, 358n.9, 358n.13, 539
Hamilton, Barton H., 197, 206n.33
Hamilton, Earl, 119–20
Hammurabi's laws, 26–27, 29
Harvard University, 411, 415
Hatch Act of 1887 (U.S.), 371
Hatcher, John, 124–25, 140n.56, 141n.65–66
Hauksbee, Francis, 206n.32
Havas, 321
Hayek, Friedrich, 63
Healey, Denis, 264
Heath, Edward, 264
hedge funds, 429
Heichelheim, Fritz, 10
Henry II (king of England), 538
Henry III (king of England), 538
Henry IV (king of France), 111
Henry VIII (king of England), 113, 115, 128, 139n.36
Hepburn Act of 1906 (U.S.), 389
Herdeck, Margaret, 462
Herodian, 32
Herodotus, 40
Heron of Alexandria, xii, 118, 532
Herrigel, Gary, 300
Heston, Alan, 446
Hewlett, William, 414, 423
Hewlett-Packard Company, 424, 430
Hilferding, Rudolf, 288
Hindustan Motors, 464
Hintz, Eric S., 435n.5
Hirst, William, 198
history: illuminating entrepreneurship through, vii–viii, xi–xii, 527–29; institutions promoting productive entrepreneurism as accidents of, 537–40; productive entrepreneurship throughout, 533–35
Hitler, Adolf, 539
Hitotsubashi University, 507, 512
Hoadley, Silas, 353
Hobsbawm, Eric, 132
Hoechst, 290, 299–300
Holding Company Liquidation Commission (HCLC), 504
Holley, Alexander Lyman, 380
Holtzapffel, John Jacob, 203n.6
Homestead Act of 1862 (U.S.), 371
Honda Motors, 5
Honeyman, Katrina, 199
Hoover, Herbert, 408
Hopkins, Anthony G., 188, 190–91, 223–24
Hopkins, Sheila, 120
Horatio Alger myth, 247, 368

Horrocks, John, 189, 198
Hounshell, David A., 352–53, 360n.65, 401, 407, 436n.15
housing, entrepreneurial opportunities in, 413
Howe, Elias, 351, 355
Huang Guangyu, 493–94, 497n.13
Hudson, George, 234
Hudson, Michael, 529, 533
Hudson's Bay Company, 131
Hughes, Jonathan, 346–47, 352, 411–12, 414
Huguenots, 111, 157
Hu Jingtao, 491
human capital: educating slaves as an example of, 50; in Germany, 276–79; importance of in the late twentieth century, 428; in Meiji Japan, goal of developing, 506–7
Human Genome Project, 426–27
Humphreys, S. C., 21, 23–24, 31–32
hundi system, 448
Hunter, Louis, 359n.28
Hurst, James Willard, 332, 358n.22
Hurt, R. Douglas, 348
Hussey, Obed, 348, 356

IBM (International Business Machines), 300, 416–17, 419, 424, 426, 428
ICI, 256, 263
Ickes, Harold, 409
Iddin-Marduk, 48, 52–53
Illinois Central Railroad, 342–43
immigrants, as entrepreneurs in Britain, 256–57
Imperial Bank (India), 452–55
Imperial Bank of China, 476
Imperial Universities, the, 507, 519
Import Duties Act of 1932 (Britain), 247
income inequality, in the U.S., 403
India: the caste system, 466n.9; economic growth and reduction of poverty in, 5; economic policies in post-1947, 445; industrial organization and financial markets, relationship of, 459–62; slow economic growth in, 443
India, colonial: bank and bazaar rates, annually from 1922 to 1939, 454; caste and credit markets in, 457–59; efficiency of financial markets in, 452–57; entrepreneurship, caste restrictions on, 462–63; financial markets of, 447–52; indigenous banks and bankers in, 448–51; institutional environment and economic development, 444–47; managing agency as a hybrid firm, development of, 459–60; population in 1931, 466n.12; seasonal pattern of bazaar rates, regressions for 1922–39, 456; slow economic growth, informal finance, and the Hindu caste system, relationship of, 443–44, 463–65; and the U.S., comparison of the integration of financial capital markets in, 455
Indian Act of 1932, 445
Indian Contract Act of 1872, 445
Industrial Revolution: certain existence of, 135; culture of the gentleman-entrepreneur, function of, 188–94; the Dissenters, role of (*see* Dissenters); entrepreneurial failure and success in, 197–202; entrepreneurship and, relationship between, 183, 202; institutional incentives for the economic elite, 186–87; institutions and entrepreneurship in, 184–86, 202; Nef's thesis of an early, 121–26; the Price Revolution in England and, 119–21; rate of return on entrepreneurial activity, risk/ uncertainty and the, 194–97; social, political, and economic change associated with, 502. *See also* capitalism
inflation: impact on factor costs of production, entrepreneurial activity and, 120–21; the Price Revolution (*see* Price Revolution)
Infomatics, 426
inheritance: the Islamic system of, 69; Neo-Babylonian practice regarding, 56
Innocent IV, 113
innovation(s): buying of, 299–300; in the Dutch Golden Age, 160–61; the entrepreneur's contribution to, 225; in finance (*see* finance; financial instruments); German system of, 286–301; Islam's impact on attitudes toward, 71–74; self-service, 259–60; technological (*see* technology); as twentieth-century version of entrepreneurship, 402; U.S. system of, 410–11, 417–20, 426–28. *See also* entrepreneurship
innovative replication, 380–81
Inoue Kaoru, 509, 511–12
institutions: in Babylonia, 43–45; in Britain, 184–86, 202, 219–20; in late imperial China, 472–73; entrepreneurial activity shaped by, ix–xi, 184; financial, in the U.S., 335–38, 372–74, 407–8, 458, 461; in Germany, 279–80; historical accident and the rise of, 537–40; in India, colonial, 444–47; in Japan during the Meiji Restoration, 506–7; legal, in the U.S., 332–35; in the Middle East, 64, 70; payoff structure, putting inventions to use and, xii–xiii; productive entrepreneurship encouraged through, 535–37; significance of, 15
Insull, Samuel, 403, 405, 436n.9
insurance, maritime, 171
Intel Corporation, 414, 417, 423, 431

intellectual property rights. *See* patents and patent law
International Scholars Conference on Ancient Near Eastern Economies, 8
Interstate Commerce Act of 1887 (U.S.), 389
inventions: attribute impeding statistical analysis of, xi; dissemination of information in the U.S. regarding, 374–77; entrepreneurial innovation and, distinction between, 118; the entrepreneur's contribution to the economic impact of, ix; poor performance in putting to use, xii–xiii; protection of interests in (*see* patents and patent law)
Islam: attitudes toward innovation, the doctrine of *bid'a* and, 71–73; cash waqfs, conservative reaction to, 75–76; clerical impediments to innovation, 74–76, 81; contract law, development of, 74; economic decline and, reasons for and reaction to, 2–3; emergence and spread of, entrepreneurial acts supporting and supported by, 64–66; entrepreneurship and, varying interpretations of, 62–63, 80–81; inheritance and contract law, business practices beyond personal exchange and, 69–71; reforms and institutional change vs. Islamism, the future of entrepreneurialism and, 82–83; self-image of timeless perfection, innovation and the, 73–74, 81. *See also* Middle East
Isocrates, 15
Italy, overtaking of Britain in GDP in 1990, 245
Itti-Marduk-balātu, 49, 51, 56
Itti-Šamaš-balātu, 47
Ivan IV (czar of Russia), 128
Iwasaki Hisaya, 517, 520–21
Iwasaki Yanosuke, 520–23
Iwasaki Yataro, 515–16, 518–22

Jackson, Andrew, 337, 339
Jackson, Patrick Tracy, 350
Jaguar, 264
Jain, L. C., 448–53, 465n.5
James, William, 199
James II (king of England), 109, 112, 138n.15
Jamestown, 331
Japan: economic development, the zaibatsu, and entrepreneurship in, 501–3, 521–23; institutional changes of the Meiji Restoration, 506–7; map of, 524; the Meiji Restoration, 503–7; organizational innovation at Mitsubishi, 515–21; organizational innovation at Mitsui, 508–15; organizational innovation and the zaibatsu, 507–8; salaried managers promoted at Mitsubishi, 517; salaried managers promoted at Mitsui, 514; the zaibatsu, role and importance of, 503–6; zaibatsu of the Meiji era, 505
Jefferson, Thomas, 352, 358n.14–15
Jenner, Edward, 205n.26
Jeremy, David, 360n.58
Jerome, Chauncey, 353
Jervis, John, 341
Jewett, Frank, 409
Jews: capital formation in the twelfth century, involvement in, 93; among French entrepreneurs, 309, 311; as immigrant entrepreneurs in Britain, 256–57, 261–62, 264, 267
Jiang Zeming, 491, 495
Jobs, Steven, 423, 427, 437n.37
John (king of England), 538
John, Richard, 344
Johnson, Allan Chester, 26
Johnson, Samuel, 188
Johnson, Simon, 444
joint-stock banks, 312–13, 315
joint-stock companies, 128–34, 312
Jones, A.H.M., 17, 19, 22
Jones, David, 28–29, 35–36n.3
Jones, Geoffrey, 437n.39
Journal of the Society of Glass Technology, 375
Jovanovic, Boyan, 447, 451
JP Morgan, 408
J. Sears & Co., 259
junk bonds, 429
Jursa, Michael, 57n.6
Justice, U.S. Department of, 418
just price, 100

Kaiser, Henry, 412
Kaiser Aluminum, 419
Kalms, Stanley, 264
Kamien, Morton I., 195
Kanigel, Robert, 435n.7
Kāṣir, 52
Kasturbai, Lalbhai, 464
Kauffman Foundation, Marion Ewing, vii
Kawasaki, 505
Kay, John, 204n.10
KDKA radio station, 405
Keio University, 507, 512
Keir, James, 205n.28
Kemp, John, 535
Kendall, Amos, 344
Kendrick, John, 436n.14
Kennedy, John F., 263
Kenrick, Archibald, 200
Keynes, John Maynard, 88, 120, 140n.49, 243

Khan, B. Zorina, 346, 357n.3, 379
Khanna, Tarun, 460–61, 466n.11
Kindleberger, Charles P., 247
Kin Tye Lung Company, 483
Kirzner, Israel M., 12, 63, 226, 331
Klein, Benjamin, 384
Klepper, Steven, 376
Knight, Frank H., 226–27, 447
knights, 101–2
Knodell, Jane, 358n.19
Kobe Shipyard, 520
Koechlin, Daniel, 311
Koechlin, Maurice, 314, 316
Koechlin, Nicolas, 306, 312
Koenig, Friedrich, 203n.6
Kohler Company, 406
Kolberg, Kravits, Roberts, 430
Kolenda, Pauline, 457
Kortum, Samuel, 432
Kreuger, Ivar, 407
Krishnamachari, T. T., 462–63
Kroos, Herman, 360n.59
Krupp, 285
Krupp, Alfred, 284, 288
Krupp, Friedrich Alfred, 284
Kuran, Timur, 529, 533
Kyodo Unyu Kaisha (Joint Shipping Company), 517, 518, 520

Lafitte, Jacques, 308
Lafitte, Jean, 355
Lafitte, Pierre, 355
Laing, Samuel, 235
Laird, Pamela Walker, 393n.2
laissez-faire, entrepreneurship in Britain and, 217–19
Lakwete, Angela, 359n.47
Lamb, Helen B., 444, 459–60
Lamberg-Karlovsky, Carl, 11
Lamoreaux, Naomi, 336, 358n.7, 449, 458, 461
Landes, David S.: British enterprise, observations on, 246; connections in banking and trade, importance of, 111, 138n.18; entrepreneurs, description of, 331; entrepreneurs in the public sector, 340; opportunities for change remain, 540; religion and culture as determinants of entrepreneurial activity, 529; Rothschilds, study of, 448; watch production by the Waltham Company, 353, 360n.68; Weber-Tawney thesis, support for, 138n.10
Land Ordinances of 1785 and 1787 (U.S.), 334
Lane, John, 348
Langford, Paul, 204n.19
Larsen, Mogens Trolle, 21, 25
Lastminute.com, 266
Latin America, economic and political conditions in, 4
Latrobe, Benjamin, 381
Lazonick, William, 435n.8
Leclerc, 320
Lee, Roswell, 352
Leemans, W. F., 21–22
Leeuwen, Marco H. D. van, 175
Leibenstein, Harvey, 63
Lemaire, Isaac, 160
Lenovo and Haier, 469
Lerner, Josh, 432
Lesger, Clé M., 176n.41
Leslie, Stuart W., 422
Levant Company, 68, 70, 130–31
leveraged buyouts, 429–30
Lévy-Leboyer, Maurice, 313
Liggett, Louis, 262
Li Hongzhang, 483
Lincoln, Abraham, xii, 532
Lincoln Laboratories, 414
Li Peng, 491
Littman, Joseph, 268n.1
Liu Hongsheng, 490–91
Liverani, Mario, 17
Livermore, Shaw, 385
Livingston, Robert, 339–40
Livy (Titus Livius), 25, 35n.2
Lochner v. New York, 389
Locke, John, 34
Locke, Joseph, 234
Lockheed Corporation, 422
Lockwood, T. D., 386
Loewe, Ludwig, 290–93
London, rapid growth in the population of, 124, 126
London Stock Exchange, 133
Longsdon, Alfred, 285
Lonrho, 264
L'Oréal, 320, 322
Los Alamos National Laboratory, 411
Louis XIV (king of France), 111, 138n.17, 309, 539
Louis Napoleon Bonaparte, 312. *See also* Napoleon III (emperor of France)
Louis IX (king of France), 538
Lowell, Francis Cabot, 350, 357
Lubar, Steven, 333
Lumiere, Auguste, 314

Lumiere, Louis, 314
Lumiere North America, 314
Lunar Society of Birmingham, 107
Luther, Martin, 113
Lu Xiangshan, 477
LVMH, 322
Lyons, Bernard, 261
Lyons, Joe, 257

Machlup, Fritz, 358n.4
MacLeish, Archibald, 436n.16
MacMullen, Ramsay, 14, 20, 33
Maddison, Angus, 2, 503
Madison, James, 339–40
Madras Provincial Banking Enquiry Committee, 453
Mahindra, J. C., 462
Mahindra, K. C., 462
Mak, James, 340
Malthus, Thomas R., 204n.12
Mandaville, Jon E., 84n.12
Manhattan Project, 411
Mann-Elkins Act of 1910 (U.S.), 389
Manning, J. G., 18
Mansfield, Edwin F., 436n.22
Markovits, Claude, 462
Marks, Simon, 257, 261
Marriott, Oliver, 259
Marshal, William, 101–2
Marshall, Alfred, 214
Marshall, John, 189, 198
Martin, David, 358n.20
Martin Burn, 462
Marx, Karl, 89, 219, 224–25
Mary II (queen of England), 109, 112
Mason, Josiah, 203n.7
Mason, Philip, 188–89
Massachusetts Institute of Technology. *See* MIT
Massé, Pierre, 318
Mass Mutual Financial Group, 408
Masuda Takashi, 510–14, 522
Matsukata Masayoshi, 512
Mauchly, John, 416
Maudslay, Henry, 204n.10
Mawdudi, Sayyid Abul-Ala, 62
Ma Yingbiao, 489–90
McCallum, Daniel C., 381
McClelland, Peter, 347
McCloskey, Deirdre N., 188, 203n.1, 204n.14
McCloskey, Donald N., 223
McCormick, Cyrus Hall, 343, 348–49, 356, 360n.55–56
McCormick, Michael, 92
McCullough, Peter, 420
McDonalds, 72
MCI, Inc., 420, 425, 437n.36
Means, Gardiner C., 513
Meat Inspection Act of 1906 (U.S.), 390
meatpacking industry, 383
Medicis, the, 68
medieval guilds, 102–3
Meiji Restoration, 503–7
Menes, Rebecca, 391
Menger, Carl, 16
Meng Luoquan, 486–87
Mercers Company of London, 129
Merchant Enterprise in Britain (Chapman), 111
merchants: entrepreneurs, as early word for, 9, 88; guilds of northern feudal, 98; special circle in Hell for, 88. *See also* entrepreneur(s)
Merchants Adventurers Company, 129
Merck, 262–63
mergers/consolidations, 384–86, 390
Mérimée, Prosper, 205n.23
Merlin, John-Joseph, 203n.6
Mesopotamia: entrepreneurs of the Neo-Babylonian period (*see* Neo-Babylonian entrepreneurs); religious values of and the commercial takeoff, 17; temples as first "households" to be economically managed to produce a commercial surplus, 11. *See also* Near East
Messageries Impériales, 516
Methodists, 138n.14
Mexican Eagle, 249
Meyer, Eduard, 9
Meynaud, Jean, 324n.2
Michie, Ranald, 263
Microsoft Corporation, 420
Middle Ages: Bruges and entrepreneurial innovations in the north, 97–100; chivalry and the knight's relationship to money, 101–2; definition of, 88; entrepreneurial activity in, 103–5; the feudal economy of, 89–93; medieval guilds, 102–3; societal constraints on business activity, 100–103; the super-companies of southern businessmen, 94–97; transition from the ancient world to, 88–89
Middle East: clerical impediments to innovation, 74–76; commercial expansion and trade under Islamic law, 64–66; the corporation as organizational option, Islamic law as obstacle to introducing, 69–70; enterprises in premodern, scale and longevity of, 67–69; innovation, impact of Islam on attitudes toward, 71–74;

Middle East (*cont.*)
innovative entrepreneurship in the modern, lessons for, 82–83; institutional disadvantage of entrepreneurs compared to Western early modern contemporaries, 70; institutional stagnation and entrepreneurial decline, 64; Islam and entrepreneurship in, 62–63, 80–82; onset of entrepreneurial ineffectiveness in the early modern era, 66–67; resistance to innovation, evidence regarding, 2–3; the state's impact on entrepreneurial capabilities, 76–80
Miike Mines, 513
military-industrial complex, the, 414
Milken, Michael, 429
Mill, John Stuart, 239
Miller, Arthur Selwyn, 334
Miller, Phineas, 346–47
Minnesota Mining and Manufacturing (3M), 424
Minomura Rizaemon, 509–12, 522
Mint Act of 1792 (U.S.), 336
MIT (Massachusetts Institute of Technology), 411, 414, 416, 428, 430
Mitsubishi, 504–5, 507–8, 513, 515–23
Mitsubishi Electric, 520
Mitsubishi Engine Works, 518
Mitsubishi Exchange Office, 519
Mitsubishi Internal-Combustion Engine Manufacturing, 520
Mitsubishi Ironworks, 520
Mitsubishi Merchant Ship School, 519
Mitsubishi School of Commerce, 519–20
Mitsubishi Sha, 521
Mitsubishi Shokai, 516
Mitsui, 504–5, 507–15, 517, 522–23
Mitsui Bank, 511–14
Mitsui Bussan, 510–11, 513
Mitsui Omotokata, 508, 511
Mitsui Takatoshi, 507–8, 513
Mittal, Lakshmi Niwas, 321
Mitterand, François, 320, 323
Mobius, Markus, 461
Mokyr, Joel, 141n.64, 529–30, 537, 540n.5, 541n.8
money: the feudal knight's relationship to, 102; origin of the word, 16
money-changers/moneylenders, 18–20, 95–96, 99–100, 101
money supply, medieval entrepreneurs and the, 95–96, 100
Monroe, James, 339
Moody, Paul, 346, 350
Moore, Gordon, 414
Morgan, J. Pierpont, 338, 373–74, 376, 385
Morgan, Junius Spencer, 338
Morikawa, Hidemasa, 504, 521
Morrill Act of 1862 (U.S.), 345, 371, 375
Morris, Ian, 18
Morris, Morris, 446–47, 459
Morris, Robert, 336, 358n.9, 358n.15
Morse, Samuel, 344, 355, 360n.69
Moulinex, 320
Mowery, David C., 386, 436n.23, 436n.27, 436n.29, 437n.35
Muhammad, 64, 66, 71–74, 529, 533
multinational corporations, British subsidiaries of American, 256–57, 262–63
Mulvany, William Thomas, 285
Munro, John, 529
Murdoch, William, 186
Murphy, Kevin, 186, 357n.1
Murray, James M., 529
Musgrave, Peter J., 452, 453
Muslims. *See* Islam
mutual funds, 408

Nabonidus (king of the Neo-Babylonian Empire), 40
Nabopolassar (king of the Neo-Babylonian Empire), 40
Nagasaki Shipyard, 518–20
Nakamigawa Hikojiro, 510, 512–14
Napoleon III (emperor of France), 307. *See also* Louis Napoleon Bonaparte
Narasidas, Motiram, 449, 453
Nariaka, Ikeda, 523
National Banking Acts (U.S.), 372, 388
National Biscuit, 386
National Bureau of Standards (NBS), 410
National Defense Education Act of 1958 (U.S.), 436n.29
national innovation systems approach, 286
National Institutes of Health, 427
National Recovery Act of 1933 (U.S.), 409
National Research Council, 410
National Science Foundation, 436n.29
Neal, Larry, 435n.4
Near East: Assyrian trade, organization of, 25; commercial practices present in the Bronze Age, 9; the debt problem of classical antiquity, avoidance of, 13; enterprise and economic exchange, beginnings of, 11–14. *See also* Mesopotamia
Nebuchadnezzar (king of the Neo-Babylonian Empire), 40

Nef, John, 121–26
Nehru, Jawaharlal, 445
Neo-Babylonian entrepreneurs: activities of, 47–50; economic predispositions of the urban propertied: entrepreneurs distinguished from rentiers, 45–46; Egibi family, lineage of, 42; entrepreneurial efficiency, case study of, 53–55; geography and natural resources of southern Mesopotamia, 42–43; large institutions of Babylonia, 43–45; lessons for contemporary entrepreneurship from, 56–57; marriage of, 47; the Neo-Babylonian Empire and the initial decades of Persian rule, political history and archives of, 40–42; obstacles to enterprise, 55–56; outsourcing of royal and temple functions, 55; partnerships and venture capital, organization of, 51–53; slaves used as, 50–51; social status of, 46–47
Neo-Confucianism, 474, 477
networks: caste/kinship in India and financial, 457–59; Chinese entrepreneurs and social, 481; entrepreneurial in Britain, 189–94, 224, 248, 253, 255–56; research in the U.S., 410–11; trust and informal, 461–62
Newbold, Charles, 347, 360n.51
New East India Company, 131
New Jersey, incorporation law in, 378
New York Stock Exchange, 337, 373–74
Next, 427
Nicholas, Tom, 247
Nippon Yusen Corporation, 517
Nissan, 504
Nitchitsu, 504
Nobel laureates in physics and chemistry, cumulated number in selected countries, 277
Noble, David, 436n.26
Nonconformists. *See* Dissenters
Noordegraaf, Leo, 176n.41
Nordhaus, William D., xiiin, 195, 531
North, Douglass, x, 112, 506, 529, 535
North, Simeon, 352
Northern Telecom, 424
North River Steam Boat, 339, 359n.27
Northumberland, John Dudley, 1st Duke of, 128
Novak, William, 388
Noyce, Robert, 414
NTP, Inc., 419
Nye, John, 194–97

OECD. *See* Organization for Economic Cooperation and Development
Oeppen, James E., 175
Ogden, William, 343–44, 349, 359n.45, 360n.56
Oguri Tadamasa, 509
Okuma Shigenobu, 511–12
Okura, 504–5
Oldewelt, W.F.H., 174
Oldham, John, 206n.38
Oldknow, Samuel, 198, 203n.10, 205n.27
Olds Motor Works, 376–77
Olivi, Peter John, 101
Olmstead, Alan, 371
Olson, Mancur, 221–22
Ono Gumi, 510
open software movement, 433
Orange, 265
Organization for Economic Cooperation and Development (OECD), higher education among member countries, 278–79
O'Sullivan, Mary, 407
Otto-Group, 297
O2, 265
Outram, Benjamin, 199
outsourcing, 4–5
Owen, Robert, 186, 206n.31

Pacific Mail Steamship, 516
Packard, David, 414, 423
Palepu, Krishna, 460–61, 466n.11
Panic of 1873, 370
Paribas, 321
Patent Office, U.S., 374, 377, 410, 419
patents and patent law: absence of in antiquity, 19; in Germany, 280; granted in the U.S., 1790–2000, 368; innovative entrepreneurship promoted through, 535–36; system of introduced in late-sixteenth-century Holland, 162; in the U.S., 333, 357n.3, 374–75, 377, 380, 382, 393n.10, 417–20; violation of, impact on entrepreneurship of, 355
Payne, Peter, 206n.35
Peabody, George, 337–38
Peabody & Co., 337–38
Peacock, David, 348, 360n.51
Pearson, Robin, 192, 194
Pearson, Weetman, 249–51, 266
Pearson Group, 251, 255
Péchiney, 314, 318, 321
Peel, Robert, 219
Peiser, F. E., 59n.47
Pelham, Sir Henry, 139n.32
Peninsular and Oriental Steam Navigation (P&O), 516, 519
Pennsylvania, University of, 416

Penrose, Edith T., 358n.4, 518
Peoples Express, 437n.36
Pereire, Emile, 311–12
Pereire, Isaac, 311–12
Périer, Casimir, 308
Perkin, Harold J., 204n.16
Perkin Elmer Corporation, 427
Perot, H. Ross, 417
Perry, Matthew C., 501, 503
personal capitalism, 224
Peruzzi Company, 94–95
petit bourgeoisie, 225
Petronius, 9
Peugeot, 314, 320
Pfizer, 262
Philco, 418
Philip II (king of Spain), 156
Phillip Augustus (king of France), 538
Pioneer Hybrid, 434
Pioneer Investment Management, Inc., 408
Piramal, Gita, 462–63, 466n.11
Pirenne, Henri, 98
Pixar, 427
plow, the, 347–48, 355
Plutarch, 22–23, 29, 35n.2
Polanyi, Karl, 9, 20
Polaroid, 4, 264, 424
Pole, William de la, 104
Pollard, Sidney, 186, 220
Pollock, Sir Frederick, 445
Pomfret, John, 494
Pompidou, Georges, 318–19
Pomponious, T., 30
population: absolute and urban during the long twelfth century, growth of, 92–93; of China, growth in, 471–72, 474; of colonial India in 1931, 466n.12; of England and Wales during the nineteenth century, growth in, 135; of London, growth in, 124, 126; of sixteenth-, seventeenth-, and eighteenth-century England, growth of, 121, 124; of the United Kingdom, 1830–1914, 214
Populists, the, 369
Portugal, shipbuilding innovation and commercial expansion of, 127
Posner, Eric, 189
Post Office Act of 1792 (U.S.), 344
Postumius, M., 30
Pouyer-Quertier, Auguste-Thomas, 307
poverty, 5–6
Pratt & Whitney, 290
prebendary system, 45–46
predestination, 108
Premier Automobiles, 464
Price, Henry, 261
Price Revolution: Gould on, 121; Hamilton-Keynes thesis on, 119–20; inflation during, interest rates and, 121; Spanish American treasure and the inflation of, 127; Tawney on, 115
Primack, Martin, 359n.49
prime contractors, 411, 414, 422
Princeton University, 416
principal-agent relationships, trust and confidence as necessary in, 111
privateers, 355
privatization: in Britain, 265; in France, 321
procurement entrepreneurs, 411–12, 415
Protestant Ethic and the Spirit of Capitalism, The (Weber), 108, 529
Protestantism: the emergence of capitalism and, 107–12, 115, 136–37; "work ethic" of, 111–12. *See also* Calvinism and Calvinists; Dissenters
PSA group, 320
Pure Food and Drug Act of 1906 (U.S.), 389

Qutb, Sayyid, 62

Radcliffe, William, 198
Radio Corporation of America. *See* RCA
railroads: as big business in the U.S., 381–82; British promotion and building of, 230, 232–35, 239; French construction of, 312; German nineteenth-century industrialization and, 287–88; nationalization of German, 294–95; in the U.S., as big business, 381–82; in the U.S., building of, 342–44, 370; in the U.S., scandals associated with, 370
Ramsden, Jesse, 203n.10
Rankin, Sir George, 445
Rathenau, Emil, 285, 291–92
rationality, entrepreneurial activity and, 223–24
Ray, Rajat Kanta, 446, 449, 451, 453–56, 465n.4
Raytheon, 418, 436n.30
RCA (Radio Corporation of America), 405, 409–11, 414, 416, 418–20, 424, 426, 437n.34
reapers, 348–49, 356
Reich, Leonard, 417
Reichsbahn, 295
Reichspost (Imperial Post), 294–95
religion: business activity in the Middle Ages and, 100–101, 104; economic role of the temples in the ancient Near East, 43–45; the emergence of capitalism and, 107–12, 115, 136–37; entrepre-

neurship and, 529; in France, economic activity and, 307–11; Islam and entrepreneurial activity (*see* Islam)
Religion and the Rise of Capitalism (Tawney), 108
Remington Rand, 423
Renault, 314, 321
Renault, Fernand, 314
Renault, Marcel, 314
Renger, Johannes, 12, 23
Rennie, John, 203n.10
rent-seeking: in ancient Rome, 31–32; economically predatory gain seeking in classical Greece and Rome, 17–18; institutions favorable to productive entrepreneurship as antidote for, 534–37; from Rome down through medieval European times, 26; unproductive entrepreneurship as, 531–32; in the U.S., 355, 370, 390–91
Research in Motion, 419
Reynolds Metals Company, 419
Rhode, Paul, 371
Rhone-Poulenc, 318, 321
Richard I (king of England), 538
Richardson, David, 192
Richelieu, Armand-Jean du Plessis, Cardinal and Duc de, 138n.17
"Rise of the Gentry, The" (Tawney), 114
risk management, tools developed during the feudal commercial revolution for, 97
robber barons, 388
Roberts, Ed, 423
Roberts, Richard, 195, 198
Robinson, James, 444
Rockefeller, John D., 49, 384, 388
Rodrik, Dani, 5
Roebuck, John, 195, 205n.27
Roessingh, H. K., 176n.37
Rolls Royce, 265
Rolnick, Arthur, 358n.10
Rome, ancient: commercial abuses in, 30; commercial activity, attitude and activity of the well-to-do regarding, 22–24; the debt problem in, 13; documentation of economic activity in, 14; economic decline of, 32–33; finance in, 26–29; fiscal burdens of the wealthy in, 44; foreigners and slaves in commercial enterprise, 23–24; overspending by leading families in, 10; private profiteering at public expense in, 25–26; rent-seeking in, 16, 31–32; slaves in, 50–51; steam engine, invention and lack of use of, xii
Rong, Larry, 491, 494
Rong Desheng, 490, 491
Rong Yiren, 491
Rong Zongjing, 490
Ronson, Gerald, 258–59
Roosevelt, Franklin, 412
Root, Elisha, 353
Rose, Jack, 258
Rose, Mary B., 247
Rosenberg, Nathan, 353–54, 356, 360n.60, 435–36n.8, 436n.23, 436n.29
Rostovtzeff, Mikhail, 9, 17, 20, 32, 44
Rothschild, James de, 312
Rousseau, Peter, 337, 459
Rowland, Tiny, 264
Roy, Tirthankar, 446–47
Royal African Company, 131
Royal Dutch-Shell, 249
Royal Society, 107
Rubinstein, William D., 201–2, 268n.1
Rudner, David West, 450, 458, 466n.11
Ruifuxiang family firm, 486–87
Russell, Lord John, 205n.26
Russia (Muscovy) Company, 128–29, 142n.77

Sacilor, 319
al-Sadr, Muhammad Baqir, 62
Sainsbury, Alan, 259, 261–62
Sainsbury, John, 261–62
Sainsbury's, 259–60
Saint-Gobain, 314, 321
Saint Simon, Claude Henri de Rouvroy, Comte de, 311
sale and leaseback finance, 257
Sandor, Richard, 430
Sanyo Railways, 512
Sapienza, Paola, 193
Sargon of Akkad, 34
Sarnoff, David, 411, 420
Say, J. B., 51
SBICs (small business investment companies), 431
Scalbert, Auguste, 310
Scammon, J. Young, 344
SCAP. *See* Supreme Commander of the Allied Powers
Schlesinger, Walter, 292–93
Schlumberger, Nicolas, 306, 316
Schneider, 314
Schneider, Eugene, 305
Schofield brothers, 346
Schumpeter, Joseph: on British entrepreneurism, 220; creative destruction as economic progress, 105; "entrepreneur," adoption of the word

Schumpeter, Joseph (*cont.*)
by, 88; entrepreneurial actions create new opportunities for others, 63; entrepreneurship, conception of, 118, 159, 162, 225–26, 380, 480–81, 496, 502; innovation as the act of large companies, 436n.20; innovation as the essential entrepreneurial act, 402; motives of the entrepreneur, 196; R&D divisions of large firms, impact on entrepreneurs of, 393n.14; upsetting of equilibrium by entrepreneurs, 331
Scientific American, 375
Scientific Data Systems (SDS), 431
Scottish Presbyterian schools and universities, 110
Scranton, Phil, 300
SEB, 320
Second Bank of the United States, 336–37
Seguin, Marc, 306
self-service, 259–60
Seneca, Lucius Annaeus, 29
Senshu-sha, 511
Sequoia Partners, 432
serfs, 89–90
Severus, Septimius (emperor of Rome), 32
al-Shafi'i, Abu Abdullah Muhammad ibn, 72
Shanxi merchants, 484–87
Shapin, Steven, 192
Sheng Xuanhuai, 476
Shenxin Cotton Mills, 490
Shenxin group, 482
Shen Yao, 478
Sherman Antitrust Act of 1890 (U.S.), 389–90, 418
Shibusawa Eiichi, 517, 519
shipping: English textile exports, sixteenth-century boom and crisis in, 127–28; the joint-stock overseas trading company, 128–34; technological innovation in shipbuilding and, 127
Shleifer, Andrei, 186, 357n.1
Shoda Heigoro, 518, 520
Short, Sidney, 376
Short Electric Railway Company, 376
Siemens, 300
Siemens, Werner, 284, 291–92
Signetics, 424
Silver, Morris, 14
Sincere Company, 489–90
Singer, 256–57
Singer, Isaac, 351, 357, 360n.62
Singh, Narayan, 453
Skunkworks, the, 422
Slater, Samuel, 349–50, 357, 360n.57
slavery: entrepreneurs, slaves as, 50–51; prestige for owners as the reason for, 58n.31; trade during the Middle Ages between Anglo-Saxon and Arab markets, 92
Sloan, Alfred, 513
Small Business Act of 1958 (U.S.), 431
Small Talk, 420
Smeaton, John, 125
Smiles, Samuel, 187, 190–91, 234–35
Smith, Adam: country gentlemen, ambition of merchants to become, 189; entrepreneurial behavior, overestimation of one's abilities and, 194–96, 205n.25; instinct to "truck and barter" described by, 8; Laws of Settlement and guilds, economic harm caused by, 185; motivations of the rich, 205–6n.30; principles of free trade (but not laissez-faire), 211, 219–20
Smith, Bruce, 358n.10
Smith, Sir Thomas, 139n.35
Smith, Walter Bedell, 436n.28
SmithKlineBeecham, 265
Smith-Lever Act of 1914 (U.S.), 371
social capital, 189, 191, 428
social Darwinism, 369
Société Générale, 313, 321
Société industrielle de Mulhouse, 311
Sokoloff, Kenneth, 345–46, 350, 357n.3, 444
Soly, Hugo, 176n.32
Sony Corporation, 424–25
Söring, 300
South Sea Bubble of 1720–21, 133–34
South Sea Company, 131, 133–34
Southwest Airlines, 425, 437n.36
Sozzini, Lelio, 138n.14
Sperry Rand, 416
Spitzer, Eliot, 14
Spufford, Peter, 93
Sputnik, 414
Srinivas, M. N., 457
Srinivasan, T. N., 445
stagflation, 421
Standard Oil Company, 49, 384, 388
Stanford University, 422, 426, 428
Stanley, William, 387
Steinmetz, Charles, 386
Stephan, Heinrich von, 294
Stephenson, George, 232, 234, 236
Stephenson, Robert, 232–35
Stephenson, William Lawrence, 257, 261
Strutt, Jedediah, 189, 198
Sturchio, Jeffrey, 427
Sturgeon, Timothy J., 422

Sturgeon, William, 205n.26
Sublime Club of Beefsteaks, 204n.20
Suez, 321
Sumitomo, 504–5, 507, 515, 522–23
super-companies, feudal, 94–97
Supreme Commander of the Allied Powers (SACP), 504
Surana, Rai, 452
Swamy, Subramanian, 445
Swift, Gustavus, 383
Swistak, Piotr, 458
Switzer, Mary, 414
Switzerland, 282
Sylla, Richard, 335, 337–38, 449, 459
Szeidl, Adam, 461

Taine, Hippolyte, 204n.18
Taiping Rebellion, 487–88
Talabot, Paulin, 311–12
Taney, Roger, 334
Tanner, David, 198
Tarbell, Ida, 388
tariffs, German use of, 288–89
Tata, J. N., 459
Tata Iron and Steel Company, 464
Tavernier, Jean-Baptiste, 447–48
Tawney, Richard H.: "agrarian capitalism" and the "rise of the gentry," 114–18; Price Revolution and inflation, poor understanding of, 139n.37; usury opposed by Puritan clergy, 113; Weber-Tawney thesis on Protestantism and the emergence of capitalism, 107–10, 126, 135–36
tax farming, 48–50, 55–56, 78
Taylor, George Rogers, 359n.33
Taylor, Zachary, 353
technology: "Big Science," government funding of, 413–15; in China: reasons for absence of advances in late imperial, 473–75; in China: wide-ranging improvements from the tenth to the fourteenth centuries, 470–71; corporate in-house R&D, 386–88, 410–11, 420–23; dissemination of information in the U.S. regarding, 374–77; inferiority of twentieth-century Britain in sectors that required advanced, 244–45; information, computers and, 415–17; innovations in the Dutch Republic, incremental nature of, 160–61; innovations in fuel, the rise of coal and, 122–26; innovations of Victorian Britain, 211; railroad, sharing of, 382; shipbuilding, innovations in, 127; unemployment of the Depression and, beliefs regarding, 409
technology transfers: from Britain to Germany in the nineteenth century, 287; of railroads from Britain to the U.S. in the nineteenth century, 342; to the U.S., the Yankee merchant as conduit for, 346
Teece, David J., 436n.27, 437n.35
temples, as economic and credit institutions in the Near East, 43–45
Tendulkar, Suresh D., 445
Terry, Eli, 353
Tesco, 257, 259–60
Test Act of 1673 (England), 109, 137, 138n.13
Texas Instruments, 420
Textile Machinery Corporation, 464
textiles: Chinese during the eleventh and twelfth centuries, technological advances in, 473–74; cotton, American-produced, 337–38, 346–47, 349–50, 451; English productivity to the Industrial Revolution in, 124–25; feudal manufacture of, economic organization and, 98–99; as a Mesopotamian export, 50; new furnace technology, lack of benefit from, 124; woolens, English exports of, 128, 141n.62
Thatcher, Margaret, 264
Thimonnier, Barthelemy, 350
Thomas, David, 346
Thomas, Robert Paul, 535
Thomas, Seth, 353
Thomas, William, 351
Thompson, Holland, 347
Thomson, Elihu, 380–81
Thomson, J. Edgar, 381
Thomson-Houston Electric Company, 314, 318–19, 381
3M (Minnesota Mining and Manufacturing), 424
Thurn and Taxis, Princely Mail of, 294
Thyssen, August, 284–85, 288
Timberg, Thomas A., 448, 458
Todd, Emmanuel, 310
Tokugawa Yoshitsune, 509
Tokyo Marine Insurance, 519
Tokyo Technical School/Tokyo Institute of Technology, 507, 518–19
Toleration Act of 1689 (England), 109, 111–12, 137, 138n.15
Tomioka Silk Manufacturer, 507
Total, 321
Townsend, Second Viscount Charles "Turnip Townsend," 116
Toynbee, Arnold, 34
Toyokawa Ryohei, 520
Trader Joe's, 297

trade unions, in Victorian Britain, 219
Tredegar Iron Works, 354
Trevithick, Richard, 195, 198
Trip, Elias, 160
Tripathi, Dwijendra, 448, 452, 459, 465n.2, 465n.6
Trotter, Nathan, 346
Troughton, Edward, 203n.10
trust, significance of in eighteenth-century Britain, 192–93
Tweenhuysen, Lambert van, 160

Uitgeest, Cornelis Cornelisz. van, 160
Union des Assurances de Paris, 321
Unitarians, 138n.14
United Drapery Stores, 261
United Fruit Company, 405
United States: antitrust policy and enforcement, 389–90, 418–19; corporate structure and governance in, 334, 377–78, 388–89, 406–7, 423, 428; employment in services and industry compared to Germany, 281; financial institutions in, 335–38, 372–74, 407–8; formal banking system and incorporation of firms, relationship of, 459; income inequality in, 403; industrial research/R&D, 386–88, 409–11; multinational corporations, British subsidiaries of American, 256–57, 262–63; patents and patent law in, 333, 357n.3, 368, 374–75, 377, 380, 382, 393n.10, 417–20; post–Civil War (*see* United States, 1865–1920); pre–Civil War (*see* United States, antebellum); twentieth century following the Great War (*see* United States, 1920–2000)
United States, antebellum, 331–32; agricultural implements manufactured in, 346–49, 355–56; the "American system" of production developed in, 353–54; clocks and watches manufactured in, 353; colonial India and, comparison of the integration of financial markets in, 455–56; cotton textiles manufactured in, 349–50; the entrepreneurs of, 356–57; industry in the South, 354; institutional framework: finance, 335–38, 458, 461; institutional framework: law, 332–35; manufactured goods and the beginnings of industrialization, 345–54; "mechanicians" and mass production in, 351–52; sewing machines manufactured in, 350–51; small arms production in, 352–53; transportation and communication as entrepreneurial infrastructure, 338–45; unproductive and unsuccessful entrepreneurs in, 354–56
United States, 1865–1920, 367–68, 391–93; big business, the rise of, 381–88; the entrepreneur's social status, 368–69, 402; financial institutions, 372–74; government promotional activities, 369–72; government regulation of the economy, 388–91; incentives to innovate: corporate governance, 377–79; incentives to innovate: effect of discrimination, 379; innovation vs. replication, 380–81; seasonality of money demand in, 456–57; technological information, dissemination of, 374–77
United States, 1920–2000, 433–35; the computer industry and information technology (IT), 415–17, 426; the consumer movement and changing scale for entrepreneurs, 425–26; corporate research laboratories, 410–11, 420–25; the Depression, 408–9; economic self-regulation, search for (1920–41), 404–11; entrepreneurial fraud in, 428–29; eras of entrepreneurship in, 404; era of the third industrial revolution (1975–2000), 421–33; era of war and the innovation system (1941–74), 411–21; financial entrepreneurship, 429–30; financial institutions in, 407–8; firms, dislocation of and innovation by, 406–7; government, the military, and "Big Science," 411–15; innovation as entrepreneurship in, 402; innovation system, opening up the, 426–28; innovation system, patents/antitrust reinforcing a closed, 417–20; prosperity and social status in, 402–4; radio, opportunities for entrepreneurs in, 405–6; venture capital, institutionalizing, 430–33
university entrepreneurs, 411–12, 416
urbanization: in Holland of the mid-seventeenth century, 157; London, rapid growth in the population of, 124, 126; the medieval city, growth and economic activity of, 92–93, 104
Urdank, Albion, 204n.13
Usinor, 319
Usselincx, Willem, 160
Usselman, Steven, 390, 419
U.S. Steel, 390
usury: bills of exchange and, 96; church teaching on, the entrepreneurial climate of the Middle Ages and, 100–101; England's Financial Revolution and, 112–14. *See also* banks and banking; credit

Vail, Theodore N., 386
Vanderbilt, Cornelius, 373
Van Os, Dirck, 160
Van Winkle, Edward, 377

Varian, 430
Varian brothers, 414
Vaughan, Roland, 117
Veblen, Thorstein, 435n.6
Veenhof, Klass R., 26–27
Venter, Craig, 427
venture capital, 430–33
Veolia, 322
Vereinige Oost-Indisch Compagnie (VOC; United East India Co.), 131, 156, 160, 163–65, 167
Vereinigte Stahlwerke (Vst—United Steelworks), 289
Verizon, 419
Verres, Gaius, 30
Verri, Alessandro, 205n.23
Victorian Britain: background for entrepreneurial activity in, 213–17; case study of entrepreneurs' role in promoting large projects: the railway system, 232–35; the concept of the entrepreneur in, 224–27; cultural explanations of entrepreneurial decline, 222–24; decline of entrepreneurship in, varying views of, 219–22; economic data, basic, 215; entrepreneur, conception of for present study, 216; entrepreneurship in, 211–13, 216, 239–40; entrepreneurship and the culture of improvement in, 237–39; infrastructure projects as focus of successful entrepreneurship in, 216–17; institutional reform in, 219–20; mining as a project-based industry, 235–37; number of local and personal acts of Parliament, by type of project, 229; population of the United Kingdom, 214; a project-based view of the economy in, 227–32; promotion of large projects requiring statutory authorization, 230; role of free trade and laissez-faire in encouraging entrepreneurship, 217–19; the trade union movement in, 219
Vinci, 322
Vishny, Robert, 186, 357n.1
Vivendi, 321–22
Vodafone, 265
Volkswagen, 425
von Gerstner, Franz Anton Ritter, 359n.42

Wabash, St. Louis, and Pacific Railway v. Illinois, 389
Walbank, F. W., 28, 33
Walchand managing agency, 464
Walker, Juliet E. K., 379
Walker, Thomas, 198
Wallace, Anthony F. C., 360n.63
Wallis, John Joseph, 358n.7, 358n.23
Wal-Mart, 48, 297
Waltham Company, 353
Waltham System, 350
Walton, Gary, 340
Wang Yangming, 474, 477
Wang Zhen, 491
waqfs, 75–77, 79–82, 84n.12
Warburg, Simon, 263
Wardley, Peter, 246
Washington, George, 341
Watkin, Sir Edward, 234
Watson, James L., 58n.31
Watt, James, 125, 195, 532
Weber, Max, 8, 20, 23–25, 82, 311, 443–44, 529
Weber, Warren, 358n.10
Weber-Tawney thesis, 107–10, 135–36
Wedgwood, Josiah, 205n.29, 206n.31
Weingast, Barry, 112, 358n.23
Weiss, Thomas, 354
Wellcome, 263
Wesley, Charles, 138n.14
Wesley, John, 138n.14
Western Electric, 394n.20, 425
Western Union, 376, 386, 394n.20
West-Indische Compagnie (WIC), 156, 163
Westinghouse, George, 381, 387
Westinghouse Electric Corporation, 405–6, 411, 436n.18
Weston, Garfield, 260
Weston, William, 359n.33
Wheeler and Wilson, 351
White, Canvass, 341, 359n.35
Whitehurst, John, 204n.10
Whitney, Eli, 346–47, 352, 355–57, 359n.47–48
Whitney, Eli, Jr., 353
Wichmann (archbishop of Magdeburg), 91
Wiener, Martin, 223, 246
Wikipedia, 433
Wilhelm II (kaiser of Germany), 284
Wilkins, Mira, 232, 250–51, 386
Willcox and Gibbs, 351
William III (king of England), 109, 111–12, 138n.15
Wilson, Charles, 186
Wing On Company, 489–90
Wing On Department Store, 482
Winsor, Frederic, 203n.6
Wolcott, Oliver, 352
Wolcott, Susan, 530, 540
Wolfson, Isaac, 257, 261
women: as entrepreneurs in the U.S., 379; participation in the labor force in antebellum America, 360n.61

Wood, Jethro, 348, 360n.52
Woodbury, Robert S., 351
Woodman, Harold, 451
Woolworth, Frank, 257, 261
Woolworths, 257, 261
work ethic, 111–12
worldly asceticism, 109
Worthington, William, 200
Wozniak, Steve, 423
Wright, Benjamin, 341
Wright, Robert, 336
Wrigley, E. Anthony, 125–26, 141n.67
Wunsch, Cornelia, 27, 529, 533

Xerox Corporation, 419, 424, 426, 428, 431
Xerox PARC (Palo Alto Research Center), 420–21
Xerxes I (king of Persia), 41

Yasuda, 504–5, 508, 523
Yates, JoAnne, 401
Ye (Party secretary of Lin Village), 492
"Ye, Big Bluffer" (deputy chief of Nanjing), 494–95
Yen Xinhou, 476
Yergin, Daniel, 425
Yoffee, Norman, 20
Yoshida Toyo, 515
Young, Owen D., 403

zaibatsu, 504–5. *See also* Japan
Zhang Jian, 476
Zhou Xuexi, 476
Zhu Xi, 474
Zingales, Luigi, 193
Zola, Emile, 308
Zunz, Olivier, 401, 435n.6